ΔΗΜΗΤΡΑ ΠΑΠΑΝΔΡΕΟΥ

ΔΕΚΑ ΧΡΟΝΙΑ
ΚΑΙ ΠΕΝΗΝΤΑ ΤΕΣΣΕΡΙΣ ΜΕΡΕΣ

«ΝΕΑ ΣΥΝΟΡΑ»
ΕΚΔΟΤΙΚΟΣ ΟΡΓΑΝΙΣΜΟΣ ΛΙΒΑΝΗ
ΑΘΗΝΑ 1997

Σειρά: ΒΙΟΓΡΑΦΙΕΣ
Τίτλος: ΔΕΚΑ ΧΡΟΝΙΑ ΚΑΙ ΠΕΝΗΝΤΑ ΤΕΣΣΕΡΙΣ ΜΕΡΕΣ
Συγγραφέας: ΔΗΜΗΤΡΑ ΠΑΠΑΝΔΡΕΟΥ

Copyright © Δήμητρα Παπανδρέου
Copyright © 1997:
ΕΚΔΟΤΙΚΟΣ ΟΡΓΑΝΙΣΜΟΣ ΛΙΒΑΝΗ ΑΒΕ – «ΝΕΑ ΣΥΝΟΡΑ»
Σόλωνος 98 – 106 80 Αθήνα. Τηλ.: 3600398, Fax: 3617791

ISBN 960-236-828-4

Στη μνήμη του Ανδρέα.

Δάκρυα συνειδήσεων πολύτιμες πέτρες επιστροφές κι απουσίες.

Οδυσσέας Ελύτης, *Προσανατολισμοί*

Μέσα από την καρδιά μου,
ευχαριστώ το δημοσιογράφο Μάρκο Μουζάκη
για την πολύτιμη βοήθειά του στη συλλογή του υλικού
και τη συγγραφή αυτού του βιβλίου.
Τον άνθρωπο, το φίλο, που πάντα στάθηκε πλάι στον Ανδρέα
–ο οποίος τον εκτιμούσε– πιστός φίλος και σύντροφος
και που ποτέ δεν τον πίκρανε.

Περιεχόμενα

Ξημέρωμα 23ης Ιουνίου 1996.................................11

Δέκα χρόνια πριν...16

Σχέση στοργής...39

Χέρφιλντ: χρονικό ανάμεσα στη ζωή και το θάνατο 47

Ένα νεύμα – μια ιστορία.....................................75

Οι «άγριες μέρες» του '89...................................88

Μια «άγνωστη» συνάντηση-συζήτηση
με τον Κ. Καραμανλή 134

«Πεντελικό»: «Αντώνη, ξαναρχίζουμε!».......................140

Η μεγάλη μοναξιά του Ειδικού Δικαστηρίου..................149

Η μεγάλη πορεία προς τη νέα νίκη..........................182

Η δική μου δικαίωση – και τα δικά μου λάθη................213

Ο Ανδρέας και η Ορθοδοξία................................239

Και όμως, είχε αποφασίσει την αποχώρηση..................246

Τι πίστευε για τα στελέχη του ΠΑΣΟΚ......................260

Ανδρέας, ο εθνικός ηγέτης..................................347

Η «μάχη της δραχμής».....................................378

Κ. Στεφανόπουλος: μια επιλογή που τον έκανε
περήφανο 381

Αναμνήσεις πριν από το τέλος..............................387

Η αντίστροφη μέτρηση 420

Ωνάσειο – μια τραγωδία – μια επική μάχη..................443

Η μεγάλη έξοδος...498

Παράρτημα ντοκουμέντων 503

9

Ξημέρωμα 23ης Ιουνίου 1996...

ΤΟΝ ΑΝΔΡΕΑ, τον Ανδρέα της Ελλάδας και του λαού της, το δικό μου Ανδρέα, τον έχει αγκαλιάσει η ιστορία, λίγες στιγμές πριν. Τον οδηγεί στο βάθρο που έχει φτιάξει γι' αυτόν ο λαός, ο λαός που τον λάτρεψε, με μια μαγική σχέση, ερωτική, μοναδική. Αυτός ο λαός που τον γνώριζε και τον φώναζε μόνο «Ανδρέα». Και ο «Ανδρέας» τους ήξερε να ανταποδίδει αυτή την ανεπανάληπτη αγάπη, κυρίως σ' εκείνες τις μοναδικές στιγμές επικοινωνίας, απ' τις εξέδρες των προεκλογικών ομιλιών, όταν άπλωνε τα χέρια με το μαγικό τρόπο που μόνο αυτός γνώριζε, τότε που λες και τους αγκάλιαζε όλους και τον αγκάλιαζε και ο κόσμος, τότε που αυτή η σχέση κορυφωνόταν, έπαιρνε μυθικές διαστάσεις, που δεν μπορεί να περιγράψει ούτε ιστορικός ούτε πολιτικός ούτε συγγραφέας...

Ξημερώνει η 23η Ιουνίου 1996 και ο Ανδρέας περνάει στην ιστορία, έχει περάσει λίγες στιγμές πριν, η Ελλάδα θα πορεύεται πια χωρίς αυτόν, ο λαός θα τον αγκαλιάζει πια μόνο με τη μνήμη, η νέα γενιά, που τόσο λάτρεψε, αυτή που έρχεται, θα τον μαθαίνει στα σχολεία και απ' τις αφηγήσεις όσων τον γνώρισαν...

Κενό, απέραντο κενό... Ξεκινάνε τέσσερις μέρες που συγκλόνισαν την Ελλάδα, ως τη μέρα της κηδείας, την Τετάρτη, που σφράγισαν και καθόρισαν εξελίξεις, το «μετά» δε θα είναι πλέον σαν το πριν...

Όλα τούτα δε γινόταν να τα αισθανθώ, να τα σκεφτώ τότε,

11

ΕΚΕΙΝΗ ΤΗ ΣΤΙΓΜΗ. Αστραπή μού πέρασε απ' το μυαλό πως ήθελα να ζήσω μαζί του άλλη μια απ' τις δικές μας στιγμές, αλλά... κενό, απόγνωση και άρνηση.

Άρνηση να αποδεχτώ αυτό που συνέβαινε γύρω μου, αυτό που μου μαρτυρούσαν οι εκτός ελέγχου κινήσεις του Τηλέμαχου, του Νίκου, του πιστού του Ανδρέα, της Ιωάννας, των γιατρών. Απόγνωση και άρνηση. Θυμάμαι μόνο πως πήρα και έσφιξα στην αγκαλιά μου τον Χριστό, το βυζαντινό εικόνισμα, μόνιμο σύντροφό μου κατά τις διαδρομές στα νοσοκομεία, καταφύγιό μου σ' όλες τις δύσκολες ώρες.

«Θεέ μου, δε θα μου το κάνεις αυτό, δε θα επιτρέψεις να γίνει, δε θα μου το κάνεις αυτό, Θεέ μου». Προσπαθούν να με τραβήξουν απ' το δωμάτιο, αρνούμαι και ξαναλέω δεκάδες, εκατοντάδες φορές τη φράση.

Εκεί σταματάει η μνήμη, ο Ανδρέας έχει φύγει, εγώ δε θέλω να το δεχτώ...

Αργότερα μου είπαν πως ο Τηλέμαχος Χυτήρης τού έκλεισε τα μάτια, ο Ανδρέας Αλεξόπουλος τον έντυσε για το μεγάλο ταξίδι. Ένα ταξίδι που για πρώτη φορά μετά από δεκατέσσερα χρόνια δε θα τον συνόδευα με το κοστούμι που λογάριαζα να φορούσε στο Συνέδριο, λίγες μέρες μετά...

Αργότερα μου είπαν πως φώναζα –δε φώναζα, ούρλιαζα– σ' όποιον έβλεπα μπροστά μου, έπεφτα πάνω του κι έλεγα: «Πάει ο πρόεδρος, πάει ο πρόεδρος».

Δεν ξέρω αν έκλαψα εκείνες τις στιγμές, το κλάμα ήρθε αργότερα. Όταν ξαναβρίσκω το νήμα της μνήμης, δεν καταλαβαίνω, είμαι αλλού, έχω φύγει. Θυμάμαι, σκόρπια, έχει αρχίσει να έρχεται κόσμος, τον Αντώνη Λιβάνη, τον Άκη Τσοχατζόπουλο, τον Κώστα Λαλιώτη, τον Γεράσιμο Αρσένη, τον Κώστα Σκανδαλίδη, τον Γιώργο, τη Σοφία, τον Απόστολο Κακλαμάνη, τον Αιμίλιο Μεταξόπουλο, τον Γιώργο και τη Φρύνη.

Όλοι παγωμένοι. Έπεσα στην αγκαλιά του Αντώνη Λιβάνη, έκλαψα, έκλαιγε.

Ύστερα ξανά η επιθυμία να μείνω μαζί του, για άλλη μια στιγμή δική μας, ίσως την τελευταία.

12

«Δεν το πιστεύω πως έχει φύγει, κοίταξε το πρόσωπό του», μου λέει ο πατέρας Τιμόθεος Ηλιάκης.

Ήρεμος, γαλήνιος, άρχοντας, όπως ακριβώς τον γνώρισα και έζησα μαζί του δέκα ακριβά, μοναδικά χρόνια. Δέκα χρόνια και πενήντα τέσσερις μέρες και νύχτες. Μου μιλάει. Δύο ώρες πριν, όταν έπεσε στο κρεβάτι για να κοιμηθεί, τον ρώτησα: «Μ' αγαπάς;»

«Δε σ' αγαπάω, σε λατρεύω», μου απάντησε με άπειρη τρυφερότητα, αυτή που μόνο ο Ανδρέας ήξερε να προσφέρει, ακόμα και στις δύσκολες, ακόμα και στις οριακές στιγμές.

«Μου είχες υποσχεθεί πως δε θα με άφηνες ποτέ. Γιατί έφυγες, γιατί με αφήνεις;» τον ρωτάω.

«Ο Ανδρέας ήταν άρχοντας. Δε θα επέτρεπε ποτέ για τον εαυτό του μια εικόνα αδύναμου, ανήμπορου ν' αντιμετωπίσει καταστάσεις, δεν ήθελε δεύτερο ρόλο. Ήθελε να διατηρήσει ο λαός γι' αυτόν την εικόνα του πρωταγωνιστή. Έφυγε, ΕΠΕΛΕΞΕ να φύγει ΤΟΥΤΗ ΤΗ ΣΤΙΓΜΗ ΠΡΩΤΑΓΩΝΙΣΤΗΣ», προσπαθώ ν' απαντήσω μόνη μου.

Του «μιλάω»: «Εγώ ξέρω πως η παραίτησή σου, στις 15 Ιανουαρίου, σου είχε κοστίσει ένα μεγάλο μέρος ζωής, ήταν για σένα ένας άλλος θάνατος. Γενναίος, περήφανος και αξιοπρεπής, επέλεξες εσύ την παραίτηση, γιατί συνειδητοποίησες πως έτσι έπρεπε να γίνει. Έτσι, όρθιο, μαχητή ήθελες να σε θυμάται ο κόσμος».

Αισθάνομαι ξανά παγωμένη. Ξαναχάνω το νήμα της μνήμης... Λίγο αργότερα η πιο άγρια στιγμή. Η στιγμή του αποχωρισμού, του «ποτέ πια». Όταν φεύγει απ' το σπίτι, η κάθοδος απ' τη σκάλα. Αρχίζεις να νιώθεις τον αποχωρισμό, την εγκατάλειψη. Αρνούμαι όμως να το συνειδητοποιήσω. Η διαδρομή απ' το σπίτι στο νεκροτομείο. Παγωμένη μού φαίνεται και η Αθήνα σήμερα, αυτή τη ζεστή μέρα του Ιουνίου. «Πρώτη μέρα χωρίς τον Ανδρέα», προσπαθώ να σκεφτώ.

Το μόνο που θυμάμαι απ' τις απάνθρωπες στιγμές του νεκροτομείου είναι που μας ρώτησαν αν θέλουμε νεκροψία. Είπα όχι, αν δεν είναι αναγκαίο. «Δε χρειάζεται», απάντησε

13

και ο Γιώργος Παπανδρέου. Συμφώνησε και ο Δημήτρης Κρεμαστινός.

Ήθελα να κρατήσω την εικόνα του έτσι, όπως ήταν. Θυμάμαι, μιλούσε με λύπη και οργή για τον ακρωτηριασμό του Τίτο, ενός ηγέτη που θαύμαζε και αγαπούσε. «Σ' έναν ηγέτη δεν ταιριάζει ο ακρωτηριασμός», έλεγε.

Απ' το νεκροτομείο στη Μητρόπολη. Ο λαός έχει αρχίσει να συγκεντρώνεται στην τελευταία συγκέντρωση του ηγέτη του. Χειροκροτήματα, τριαντάφυλλα, ύστατη έκφραση λατρείας, «Ανδρέα, ζεις, εσύ μας οδηγείς», «σήκω, Ανδρέα, να μας δεις», η συγκλονιστική παρουσία των νέων ανθρώπων, η τελευταία συγκέντρωση. Κράτησε τρεις μέρες.

Στις τρεις αυτές μέρες, μιλήσαμε πολλές φορές. Του έλεγα: «Γιατί δεν απλώνεις τα χέρια ν' αγκαλιάσεις ξανά τον κόσμο;» Του έλεγα: «Είναι η μεγαλύτερη συγκέντρωση που έκανες ποτέ, ο κόσμος έρχεται, ο κόσμος σ' αγαπάει, ο κόσμος δε θέλει να πιστέψει πως έφυγες».

Ίσως επειδή εγώ η ίδια δεν ήθελα να το πιστέψω.

Αρνιόμουν ν' αποδεχτώ αυτή την πραγματικότητα. Δεν ήθελα να πιστέψω πως δέκα χρόνια και πενήντα τέσσερις μέρες τελείωσαν έτσι, δεν ήμουν προετοιμασμένη γι' αυτό, δε θα είμαι ποτέ.

Ύστερα το «καλό σου ταξίδι, καπετάνιε», του Απόστολου Κακλαμάνη, η πορεία στο νεκροταφείο, ο κόσμος, η λατρεία του, τα ροδοπέταλα, η βουβή απόγνωση, το κενό, ο Γιώργος Κατσιφάρας με κρατάει, η στιγμή της ταφής, η τελευταία ματιά, το τελευταίο φιλί, η στερνή βουβή μας συνομιλία, «σ' αγαπάω», «δε σ' αγαπάω, σε λατρεύω», η στιγμή που μου παραδίδουν τη σημαία, ποια στιγμή είναι πιο άγρια απ' την άλλη;

Η επιστροφή και η άρνηση επιστροφής σ' ένα σπίτι, σ' έναν κόσμο, σε μια Ελλάδα χωρίς Αυτόν.

Η σημαία είναι πάντα στο κρεβάτι στο οποίο έφυγε, μαζί με τη σημαία του ΠΑΣΟΚ, του πνευματικού και πολιτικού του παιδιού, και μαζί ακόμα ένα τρυφερό μήνυμα ενός άγνωστου ανθρώπου απ' το λαό:

14

«Μια χούφτα θάλασσα απ' το Αιγαίο, που αγάπησες, ταξίδεψες και υπερασπίστηκες, για συντροφιά στο στερνό σου ταξίδι...»
ΤΗΝΟΣ Λ.Χ.

Δέκα χρόνια πριν...

ΕΠΙΣΤΡΟΦΗ ΣΤΟ ΣΠΙΤΙ. Θολές σκηνές από μια έντονη δεκαετία, συναισθήματα που δεν περιγράφονται... Δεν ήξερα πού βρισκόμουν, κατέβαλα μεγάλη προσπάθεια για να σταθώ στα πόδια μου. Ερημιά, εγκατάλειψη, μοναξιά, μια α- πέραντη μοναξιά, ένα κενό αβάσταχτο.

Μεγάλη ανακούφιση ο κόσμος, χιλιάδες άνθρωποι που πέρασαν εκείνο το βράδυ, το πρώτο χωρίς τον Ανδρέα, για λίγα λόγια ζεστασιάς, αγάπης, για να μου δώσουν κουράγιο, «Δήμητρα, κράτα», «είμαστε μαζί σου, κοντά σου». Θλιμμένοι και οι ίδιοι, με πόνο, άλλοι δε συγκρατούσαν τα δάκρυά τους, πολλοί μου είπαν πως ένιωθαν ορφανοί χωρίς τον ηγέτη.

Αλήθεια, πόσοι πολιτικοί ηγέτες έχουν το προνόμιο, έζησαν την τιμή να τους αποκαλεί ο λαός με το μικρό τους όνομα; Για τον ελληνικό λαό ήταν «ο Ανδρέας», ο Ανδρέας τους. Κι έκλεινε τόση τρυφερότητα, αγάπη, μοναδική σχέση αυτή η φράση, «ο Ανδρέας».

Και ήταν μια σχέση αμφίδρομη. Θυμάμαι ότι ζητούσε πάντα στις προεκλογικές συγκεντρώσεις να στήνεται η εξέδρα στο χαμηλότερο δυνατό ύψος. Ήθελε να είναι όσο πιο κοντά γινόταν στον κόσμο, έτσι που όχι μόνο να τον αγκαλιάζει όταν άπλωνε τα χέρια μ' εκείνο το δικό του, μοναδικό τρόπο, αλλά να τον αισθάνεται, να παίρνει και να δίνει, να γίνεται ένα με το λαό. Μια μεθυστική σχέση, μια μοναδική επικοινωνία, ανεπανάληπτη, συγκλονιστική.

Πολλοί είπαν κι έγραψαν πως ο Ανδρέας «ντοπαρόταν» απ'

τον κόσμο. Ακόμα όμως κι αυτή η λέξη, όταν χρησιμοποιούνταν για να χαρακτηρίσει τη σχέση του με το λαό, έπαιρνε μια άλλη ποιότητα, ξεχείλιζε από ευαισθησία, αποκτούσε γλυκύτητα.

Εγώ ξέρω ότι έπαιρνε δύναμη και ζωή απ' αυτή την επικοινωνία. Γνωρίζω πως ο Ανδρέας ποτέ δεν έζησε τη μοναξιά του ηγέτη απέναντι στο πλήθος. Λάτρεψε και λατρεύτηκε. Ήταν μια σχέση, το ξαναλέω, ερωτική.

Τη ζητούσε την αγάπη του κόσμου, του έδινε κουράγιο. Ήταν αυτή η αγάπη που τον συντρόφεψε στις δύσκολες ώρες του Χέρφιλντ, στη δύσκολη περίοδο '88-'89, στις ατέρμονες ώρες μοναξιάς του Ειδικού Δικαστηρίου, εκείνη την πικρή περίοδο, τότε που ελάχιστα πρωτοκλασάτα στελέχη του ΠΑΣΟΚ στάθηκαν κοντά του...

Αυτή η αγάπη τον ξανάφερε πρωθυπουργό τον Οκτώβριο του '93.

Αυτή η αγάπη τον συντρόφεψε αργότερα, στο Ωνάσειο. Θυμάμαι πόσο ζώρευαν τα μάτια του, πόσο «ξαναγύριζε στη ζωή», όταν εγώ, ο Αντώνης Λιβάνης, ο Γιώργος Παναγιωτακόπουλος, ο Πέτρος Λάμπρου, ο Τηλέμαχος Χυτήρης είχαμε την ευχέρεια να του μιλήσουμε στην εντατική για την αγάπη του κόσμου, για τις προσευχές του, για την προσδοκία του «να ζήσει ο Ανδρέας», για τα κεριά που άναψαν έξω απ' το Ωνάσειο, μέσα στην παγωνιά και το χιονόνερο, στις 30 Νοεμβρίου '95, του Αγίου Ανδρέα...

Ήταν αυτή την αγάπη που ήθελε να γευτεί και να ξαναζήσει στις 21 Μαρτίου, μέρα της εξόδου απ' το Ωνάσειο, τότε που πολλοί με ελαφριά καρδιά, δείχνοντας πόσο λίγο γνωρίζουν τον Ανδρέα, μίλησαν για «φιέστα» (συνεχίζουν να μιλούν και σήμερα...).

Όμως ο Ανδρέας ήθελε να την πάρει μαζί του αυτή την αγάπη, συντροφιά στα τελευταία μέτρα της μεγάλης διαδρομής του...

Αυτή η αγάπη, που τόσο απλόχερα και από καρδιάς χαρίστηκε στον ηγέτη Ανδρέα, πλημμύριζε το σπίτι το βράδυ, μετά την κηδεία, το σπίτι όπου έζησε τον τελευταίο χρόνο της ζωής του.

Όμως τίποτα δεν ήταν όπως πριν. Γιατί ΑΥΤΟΣ έλειπε. Το έ-

17

δειχνε το δάκρυ του κόσμου, αυτή η απόλυτη αίσθηση κενού, *για την Ελλάδα, για το λαό, για εμένα.*

Μαζί και δεκάδες στελέχη του ΠΑΣΟΚ, εκείνο το βράδυ. Τσοχατζόπουλος, Λιβάνης, Αρσένης, Παπουτσής, Λαλιώτης, Κακλαμάνης, Λάμπρου, Παναγιωτακόπουλος, Χυτήρης κ.ά. Ο κ. Σημίτης, ο πρωθυπουργός που τον διαδέχτηκε, προτίμησε την επίσκεψη στο Καστρί.

Πώς έφυγε...

Τώρα, που προσπαθώ να δω από κάποια απόσταση τα γεγονότα, περίπου ένα χρόνο μετά, με μικρότερη συγκινησιακή φόρτιση, νομίζω ότι ο Ανδρέας μόνος του επέλεξε να φύγει εκείνη την περίοδο, εκείνες τις μέρες, εκείνη την ώρα.

Δεν είμαι σε θέση να προσεγγίσω το μυστήριο και το ερώτημα αν κανείς μπορεί να επιλέξει τη στιγμή του θανάτου του, να αφεθεί και να φύγει.

Αλλά, ξανακοιτάζοντας τα γεγονότα των τελευταίων ημερών, πριν από την 23η Ιουνίου, νομίζω πως ο Ανδρέας είχε ξεκινήσει μια διαδικασία παραίτησης απ' τη ζωή. Νομίζω πως σιωπηρά, μέσα του, είχε αρχίσει να οργανώνει μια διαδρομή δίχως επιστροφή. Βλέπω ότι απέθετε τις δυνάμεις του και τον εαυτό του, ότι για πρώτη φορά, όσο καιρό τον γνώριζα, έδινε την αίσθηση της αποξένωσης από τα συμβαίνοντα. Ότι σιγά σιγά, με τον τρόπο που μόνο αυτός γνώριζε, «κατέβαζε τους διακόπτες»...

Λίγες μέρες πριν φύγει, σε κάποια συζήτηση του είπε ο Αντώνης Λιβάνης: «Άντε, πρόεδρε, σε δέκα μέρες θα είμαστε καλύτερα».

«Δεν προσβλέπω, Αντώνη...» απάντησε. Και για όσους τον γνώριζαν, αυτό υποδήλωνε πολλά...

Το πρωί του Σαββάτου, της τελευταίας μέρας, ξύπνησε ευδιάθετος, αλλά με μια περίεργη συμπεριφορά. Ήμασταν στο δωμάτιο με τη φυσικοθεραπεύτρια και τις δύο νοσηλεύτριες. Σε κάποια στιγμή, εγώ έχω πάει στο μπάνιο, γυρίζει και τους λέει: «Σήμερα... σταματάει!! Πρέπει να εξασφαλίσω τη Δήμητρα». Κοντοστέκεται, σκέφτεται για λίγο και ξαναλέει: «Γιατί σταματάει!!» Εκείνη τη στιγμή μπαίνω στο δωμάτιο, ακούω τις τελευταίες λέξεις, τον ρωτάω: «Τι λες; Τι σταματάει;» «Τίποτα», μου απαντά, «φώναξέ μου τον Ανδρέα τον Αλεξόπουλο, πρέπει να είναι εδώ σήμερα».

Ζήτησα στο τηλέφωνο τον Ανδρέα Αλεξόπουλο, του μίλησε και ο ίδιος τον κάλεσε να έρθει. Με τον Ανδρέα είχε μια ιδιαίτερη σχέση, σχέση πατέρα-παιδιού. Του είχε απόλυτη εμπιστοσύνη, τους συνέδεε μεγάλη αγάπη. Και εγώ, όταν ήταν ο Ανδρέας κοντά στον πρόεδρο, ένιωθα σιγουριά, ασφάλεια. Ήταν και σύνδεσμός μας. Σε συνόδους κορυφής της Ευρωπαϊκής Ένωσης ή σε άλλες συνεδριάσεις και συναντήσεις, όπου εγώ δεν μπορούσα να είμαι μαζί του, επικοινωνούσαμε μέσω του Ανδρέα, ο οποίος, ως ασφάλειά του, είχε πρόσβαση παντού.

Διαίσθηση; Τάση ή επιθυμία αποχώρησης; Πάντως εκείνο το Σάββατο ζήτησε απ' τον Ανδρέα να του φωνάξει τον Τάκη Καράτση, αστυνομικό της φρουράς του παλιότερα, που είχε πεθάνει.

«Μα, πρόεδρε, ο Τάκης δεν υπάρχει», του απάντησε ο Ανδρέας.

«Α, καλά λες».

Λίγες ώρες νωρίτερα, στο τραπέζι, την ώρα του φαγητού (ήταν εκεί και ο Τηλέμαχος με τον Νίκο Αθανασάκη), ρώτησε:

«Θυμάστε πώς πέθανε ο Μίδης;» και αμέσως έστρεψε αλλού τη συζήτηση...

Ο Μίδης ήταν ένας θυμόσοφος, απλός άνθρωπος του λαού, φίλος του πατέρα του. Ο Ανδρέας τον αγαπούσε και τον θαύμαζε. Πάντα τον θυμόταν με τα καλύτερα λόγια. Του άρεσε να διηγείται ότι ο Γεώργιος Παπανδρέου τον καλούσε «για να ακούσει απ' αυτόν τη φωνή του λαού», ότι ο ίδιος δεν είχε ζητήσει ποτέ τίποτα απ' τον Γεώργιο Παπανδρέου, πολλές φορές μάλιστα, όταν πήγαινε να τον συναντήσει, κουβαλούσε μαζί του και το φτωχικό φαγητό του. Ήταν σημείο αναφοράς για τον Ανδρέα ο Μίδης.

(Η συζήτηση αυτή μεταφέρθηκε από κάποιον απ' τους γιατρούς διαφορετικά. Αποτέλεσμα; Να... μυθοποιηθεί κάτι ανύπαρκτο, ότι δηλαδή ο Ανδρέας ρώτησε τους παριστάμενους αν γνωρίζουν πώς πεθαίνει... το στρείδι.)

Αν επιχειρήσει κανείς ν' απαντήσει στο ερώτημα γιατί ο Ανδρέας άρχισε να αφήνεται σε μια πορεία δίχως επιστροφή, την απάντηση θα τη βρει στην περηφάνια και την αρχοντιά του. Δεν ήθελε να αφήσει την εικόνα του αδύναμου, του ανήμπορου, ενός ηγέτη σε δεύτερο ρόλο. Ήθελε να τον θυμάται ο λαός γενναίο, δυνατό, όρθιο, πρωταγωνιστή. Γεύτηκε την αγάπη του λαού, μέχρι την έξοδο απ' το Ωνάσειο, πήρε δύναμη απ' αυτή την αγάπη, έδωσε μάχες, νίκησε.

Το τελευταίο διάστημα όμως ένιωθε να μη διαθέτει τις απαραίτητες για πρωταγωνιστή δυνάμεις, έβλεπε να τον εγκαταλείπουν εκείνες που χρειαζόταν για ν' αντιμετωπίσει δύο ζητήματα που τον απασχολούσαν έντονα:

α) *Τις εξελίξεις στα εθνικά θέματα*, για τις οποίες βαθύτατα ανησυχούσε, ύστερα από την κρίση στα Ίμια και την ενημέρωση που είχε, μέσω ενός non paper, για τη συνάντηση Κλίντον - Σημίτη. Τις ανησυχίες του αυτές είχε εκφράσει στον Αντώνη Λιβάνη αλλά και στους Γεράσιμο Αρσένη και Κώστα Σκανδαλίδη, με τους οποίους είχε συναντηθεί μετά την έξοδο απ' το Ωνάσειο.

β) *Το επικείμενο Συνέδριο του ΠΑΣΟΚ.*

Ο Ανδρέας ήθελε, όσο τίποτ' άλλο, να πάει στο Συνέδριο. Ήταν βαθιά επιθυμία του, κυριολεκτικά ζούσε γι' αυτή τη στιγμή. Ποτέ δεν πιέστηκε από κανέναν προς αυτή την κατεύθυνση. Ήταν δική του επιλογή και μόνο. Άλλωστε αυτοί που από κοντά γνώριζαν και βίωναν το πόσο βαθύτατα πολιτικό ον ήταν κάτι τέτοιο θα το θεωρούν ασφαλώς απόλυτα φυσιολογικό· πώς θα μπορούσε να ήταν αλλιώς;

Ο Ανδρέας δε θα πήγαινε στο Συνέδριο για «ρεβάνς», δεν ήταν άνθρωπος των ρεβάνς, ήταν ηγέτης που δικαιωνόταν. Αν ωστόσο κάποιοι είχαν λόγους ν' ανησυχούν απ' την παρουσία του Ανδρέα στο Συνέδριο, ως ιδρυτή και ηγέτη του ΠΑΣΟΚ, επειδή και μόνο η παρουσία του θα κατεδάφιζε το σκηνικό που μεθοδικά προετοίμαζαν στο παρασκήνιο, αυτό αφορά μόνο αυτούς...

Όσο όμως περνούσαν οι μέρες και δεν έβλεπε τον εαυτό του

στην κατάσταση που προσδοκούσε και ονειρευόταν, μελαγχολούσε.

Τον διέκρινε ένα άγχος, που δεν τον εγκατέλειπε, παρά τις προσπάθειες τις δικές μου, των ανθρώπων που ήταν καθημερινά κοντά του (ο Αντώνης Λιβάνης και ο Τηλέμαχος Χυτήρης) και των γιατρών. Τον κοίταξα λαθραία. Μια φράση που είχε γράψει ο Μπέκετ προς το τέλος της ζωής του μου ερχόταν επίμονα στο νου: «Μια νύχτα, εκεί που καθόταν στο τραπέζι του κρατώντας το κεφάλι του, είδε τον εαυτό του να σηκώνεται και να φεύγει».

Άρχισε να βλέπει καθαρά ότι δεν ήταν πλέον εύκολη η θέση του πρωταγωνιστή, του κέντρου των εξελίξεων, του ηγέτη που καθοδηγεί και όχι του μικροπολιτικού που συλλέγει κουκιά σ' ένα συνέδριο, του Ανδρέα που γνώρισε, λάτρεψε, αποθέωσε ο λαός.

Γι' αυτό, λέω, επέλεξε ίσως να φύγει την ώρα που έφυγε, με αποτυπωμένη στην καρδιά του λαού την εικόνα που ο ίδιος επιθυμούσε: όρθιος, περήφανος, μεγάλος...

Γιατί γράφω...

Τη βραδιά εκείνη, μετά την κηδεία, ορισμένοι μου είπαν: «Πρέπει να τα γράψεις αυτά που έζησες με τον Ανδρέα μας». Περισσότεροι μου μίλησαν γι' αυτό αργότερα.

Γι' αυτό, λοιπόν, γράφω σήμερα; Ή επειδή έτσι καλύπτω και μια δική μου επιθυμία;

Δύσκολο ν' απαντήσω με ειλικρίνεια, δεν έχω κατασταλάξει η ίδια.

Σίγουρα πάντως αισθάνομαι «χρεωμένη» απέναντι στο «δικό μου Ανδρέα» για μια κατάθεση ψυχής. Όχι γιατί μπορώ τάχα να περιγράψω το μεγαλείο του, ίσως όμως σαν μια σπονδή στην τύχη που μ' έφερε κοντά του.

Όποιος κι αν γράψει για τον Ανδρέα νομίζω ότι θα τον αδικήσει. Δεν ξέρω ποιος είναι σε θέση να αποδώσει το μέγεθος του ηγέτη αλλά και του ανθρώπου.

Χωρίς διάθεση μυθοποίησης, ο Ανδρέας είχε εμβέλεια που τον

έφερε πολύ πέρα απ' τα ελληνικά σύνορα, τον κατέστησε παγκόσμια προσωπικότητα.

Πώς λοιπόν ν' αγγίξεις χωρίς δέος αυτή τη λαμπερή φυσιογνωμία, δίχως τον κίνδυνο να την αδικήσεις και να τη μειώσεις σε κάθε γραμμή; Ζητάω εκ των προτέρων τη μέγιστη κατανόηση γι' αυτό το «θράσος» αυτής της προσωπικής κατάθεσης ψυχής.

Αυτό και μόνο είναι τούτο το βιβλίο, τίποτα παραπάνω μα και τίποτα παρακάτω.

Έζησα μαζί του μια μοναδική σχέση. Και είμαι ευτυχισμένη γι' αυτό. Είναι αυτονόητο πως δε διεκδικώ ούτε ένα φύλλο δάφνης συγγραφέα ή, περισσότερο, βιογράφου.

Θα ήταν επίσης μέγιστη έπαρση αν καμωνόμουν τον ιστορικό ή... το βοηθό του ιστορικού του μέλλοντος. Ούτε ιστορικός, φυσικά, είμαι ούτε το μέλλον έχει έρθει ακόμα για την ιστορική καταγραφή της παρουσίας και της δράσης του Ανδρέα στη νεότερη ελληνική ιστορία.

Είναι ένα βιβλίο γραμμένο μόνο με την καρδιά...

Άλλωστε, σαν ένα παιχνίδι, μια περιπέτεια της καρδιάς ξεκίνησε η σχέση μου με τον Ανδρέα. Και πώς θα μπορούσα να φανταστώ εγώ, η εικοσιεφτάχρονη τότε πολιτικοποιημένη αεροσυνοδός, όταν τον πρωτογνώρισα, ως πλήρωμα του πρωθυπουργικού αεροσκάφους, το 1982, πως αυτό που άρχισε τέσσερα χρόνια αργότερα, το 1986, σαν μια όμορφη, μεθυστική περιπέτεια, θα κατέληγε μια μοναδική, μυθική σχέση;

Ένιωθα, πίστευα, το θεωρούσα αυτονόητο πως δε δικαιούμαι μερίδιο, θέση, σ' ένα τέτοιο όνειρο εγώ. Εγώ. Ένα απλό κορίτσι που γευόμουν τη ζωή, που μου αρκούσε το γεγονός ότι ζούσα, είχα υγεία, θεωρούσα το γυμνισμό ως αντικομφορμισμό και περίμενα μια ζωή απλή. Ποτέ δε σκέφτηκα πως με «περιμένει» μια άλλη ζωή με τυπικότητες, εθιμοτυπία, φρουρές, ασφάλειες... Που πίστευα στην πιο ενεργό συμμετοχή του πολίτη στα κοινά. Και το όπλο που γνώριζα (και λάτρευα και αξιοποιούσα), ζωσμένη με μια μπουκάλα οξυγόνου και τα ανάλογα μαχαίρια, ήταν το ψαροντούφεκο.

Ακόμα και μετά τις 29 Απριλίου του 1986, όταν ξεκίνησε η σχέση μας, ούτε τολμούσα να διανοηθώ πως αυτή η σχέση θα πορευόταν μέχρι το να γίνω σύζυγος του πρωθυπουργού! Φυσικά και δεν είχα κανένα δικαίωμα σε τέτοια τρελά όνειρα.

Αυτό που δεν υπολόγιζα, που δε φανταζόμουν, που δεν ήξερα, που δεν τολμούσα να δω ήταν ο Ανδρέας των ρήξεων και των α-νατροπών. Ο άνθρωπος που είχε τη μοναδική ικανότητα να ανατρέπει μύθους για να οικοδομεί στη θέση τους άλλους, ο άνθρωπος και ο πολιτικός μαζί που τολμούσε να αψηφά και το προσωπικό μα και το πολιτικό κόστος.

Αυτό το ένιωσα στο Χέρφιλντ και στην επιστροφή με το θρυλικό πια νεύμα απ' τη σκάλα του αεροπλάνου, στα όσα ακολούθησαν σε μια περίοδο πολιτικής δίωξης, προσωπικής σπίλωσης και πρωτοφανούς κανιβαλισμού.

Ο Ανδρέας είχε τις δικές του απαντήσεις για όλα τούτα.

Τότε όμως όλα αυτά ήταν πολύ μακριά από μένα. Μου αρκούσε να ζω έναν έρωτα που λίγο πριν δεν μπορούσα καν να φανταστώ.

Θυμάμαι ότι και μετά το πρώτο μας φιλί, στις 29 Απριλίου του 1986, τον αποκαλούσα «κύριε πρόεδρε». Και δύο μέρες αργότερα, στον «Αστέρα» της Βουλιαγμένης, όταν χορεύαμε και με ξαναφίλησε, πάλι, μόλις τελείωσε ο χορός, «κύριε πρόεδρε» είπα.

«Ακόμα, Δήμητρα, θα με λες πρόεδρο;» με μάλωσε ακτινοβολώντας απέραντη τρυφερότητα.

Αγάπη, τρυφερότητα, ευγένεια, ερωτισμός. Τέσσερις λέξεις που χαρακτήριζαν τη σχέση μας, που χαρακτήριζαν τον Ανδρέα.

Ιστορία έρωτα και ανατροπών...

Τότε όμως ήμουν, και μου αρκούσε αυτό, το «κορίτσι του προέδρου», γοητευμένη βέβαια και βαθιά ερωτευμένη μαζί του.

Λίγο αργότερα, όταν άρχισαν οι φοβερές πιέσεις στον Ανδρέα

για να τελειώνει μαζί μου, πιέσεις απ' την οικογένεια, απ' το περιβάλλον του, από στελέχη του ΠΑΣΟΚ, μου πρότεινε να απομακρυνθούμε για ένα διάστημα.

Το έβλεπα και εγώ αναγκαίο κάτι τέτοιο, είχα ζήσει φοβερές σκηνές με τη Μαργαρίτα, ένιωθα τον Ανδρέα να καταπιέζεται, να υποφέρει. Αλλά δεν μπορούσα, δεν ήθελα να το αποδεχτώ. Ένιωσα θλίψη. Θύμωσα.

Με τον παντοτινά καλό μου φίλο, πολύτιμο συμπαραστάτη σε δύσκολες στιγμές, τον Βαγγέλη Λώλη, πήραμε άδεια και φύγαμε για την Κένυα. Μπερδεμένα συναισθήματα. Ο Ανδρέας με «ανακάλυψε» και μου τηλεφωνούσε. Στην αρχή δεν έβγαινα στο τηλέφωνο· ωστόσο... καθόμουν με τις ώρες δίπλα στο τηλέφωνο, περιμένοντας να χτυπήσει και να 'ναι ο Ανδρέας.

Βραδιάζει και είμαι μόνη στην παραλία. Βαρύθυμη, κλαίω. Μπροστά μου το εξαίσιο ηλιοβασίλεμα, δώρο και προνόμιο ειδικό της Αφρικής. Τα σύννεφα ν' αλλάζουν, περνούν ασταμάτητα από το χρώμα του πορτοκαλιού στο χρώμα της πορφύρας και σ' εκείνο του αίματος.

Το σκοτάδι πλησιάζει.

Αναπάντεχα, μέσα από τα σύννεφα, ένα δαιμονικό παιχνίδι χρωμάτων, εικόνα άλλων κόσμων. Ένα φως με λούζει. Δεν μπορώ, δε μου χρειάζεται να αποτυπώσω «λογικά» αυτή τη στιγμή. Ξαφνικά ένιωσα καλύτερα, καλύτερη, αισιόδοξη. Μεταφυσικό; Δεν ξέρω. Όμως συνειδητοποίησα, και αυτό δεν μπορώ να το ξεχάσω ποτέ, πως κάτι με άγγιζε, κάτι ερχόταν. Ερχόταν τι;

Δεν μπορούσα να το προσδιορίσω. Χρόνια πριν, η γιαγιά μου η Δήμητρα, η μάνα της μητέρας μου, είχε αποδειχτεί, με τον τρόπο της, προφητική. Μόλις γεννήθηκα, όπως μου έχουν πει, με πήρε στην αγκαλιά της, η πρώτη που με κράτησε. Με κοίταξε με άπειρη στοργή, με χάιδεψε τρυφερά και είπε: «Αχ, πού θα περπατήσουν αυτά τα ποδαράκια, άραγε; Σε ποια μέρη της γης θα πατήσουν; Ως πού θα φτάσουν; Θα πάνε πολύ μακριά»...

Και πήγανε πολύ μακριά, πράγματι, βαδίσανε σχεδόν σ' όλη τη γη. Αλλά βέβαια ούτε η γιαγιά Δήμητρα τότε ούτε... η εγγονή Δήμητρα μετά από τριάντα ένα χρόνια μπορούσαν να φανταστούν ότι θα μ' έφερναν μέχρι τη ζωή του Ανδρέα, ενός μεγάλου πολιτικού ηγέτη.

Ύστερα, όλα ήρθαν σαν ανεμοστρόβιλος. Εναλλάσσονταν με ταχύτητα. Αδύνατο να παρακολουθήσω. Δεν προλάβαινα να ζήσω τη μια στιγμή και ερχόταν η επόμενη, περισσότερο απρόβλεπτη και δυνατή.

Ήταν μια σχέση που μεγάλωνε, δυνάμωνε και κορυφωνόταν μέσα σε μια ταραγμένη πολιτικά περίοδο και αυτό το γεγονός έδινε μεγαλύτερη ένταση, αλλά και μας έδενε περισσότερο τον Ανδρέα κι εμένα.

Στη Δήμητρα, που από αεροσυνοδός, και μέσα σε τρία χρόνια, έγινε και σύζυγος του πολιτικά και προσωπικά διωκόμενου Ανδρέα Παπανδρέου (του Ανδρέα, που κατά την περίοδο εκείνη έδωσε καίρια μάχη για τη ζωή, τη ζωή του) και που λίγα χρόνια μετά ήταν η σύζυγος του πρωθυπουργού της χώρας, χρονική περίοδος προσαρμογής δεν παραχωρήθηκε.

Όλα ήταν ένα *βίαιο πέρασμα* από μια ζωή σε άλλη, εντελώς διαφορετική, *σεισμικές μεταβολές* σε μονάδες χρόνου, που αδυνατούσα να συλλάβω και να κατανοήσω. Μια *απότομη «ωρίμανση»* ανάμεσα από Συμπληγάδες, με μονάκριβο συμπαραστάτη τον Ανδρέα, την αγάπη του, την ακτινοβολία του, τη σοφία του, τη γαλήνη και το πάθος του.

Δεν προβάλλω την παντελή έλλειψη διαστήματος προσαρμογής σαν άλλοθι για να δικαιολογήσω τα όσα σφάλματα έχω διαπράξει, τις όποιες λανθασμένες επιλογές κατά καιρούς έκανα, την όποια οίηση έδειξα.

Αλλά, ανθρώπινα, πιστεύω πως, αν αυτή τη μοναδική και ακριβή εμπειρία τη βίωνα σε πιο λογικές «δόσεις», πολλά, όχι όλα, θα τα είχα αποφύγει.

Ένα και μοναδικό δε θα απέφευγα με τίποτα: να δεθώ με τον Ανδρέα και να του δοθώ, απ' τη στιγμή που τον γνώρισα από κοντά. Από κει και πέρα, εκείνη τη μεγάλη στιγμή της μοιραίας συνάντησης την καθοδήγησαν ίσαμε το τέλος η καρδιά και το πεπρωμένο.

Έχουν πει πολλοί ότι ο Ανδρέας ξεπέρασε την οριακή περιπέτεια του Χέρφιλντ και, στη συνέχεια, τη δοκιμασία της πολιτικής δίωξης του '89 και του Ειδικού Δικαστηρίου χάρη στη δική μου παρουσία δίπλα του.

Νιώθω πολύ μικρή για να κρίνω και πολύ περισσότερο για να αποτιμήσω μια τέτοια εκτίμηση.

Νιώθω ωστόσο πολύ ώριμη και υπεύθυνη για να πω ότι ο Ανδρέας μού έδινε τα πάντα απλόχερα, είχε μια μοναδική ικανότητα σ' αυτό και με δίδαξε δύναμη, γαλήνη, υπομονή, γλυκύτητα.

Κάθε στιγμή μαζί του ήταν μια εμπειρία που σε απογείωνε.

Και νιώθω κάθε στιγμή την ανάγκη να του λέω ευχαριστώ για όσα έζησα, για όσα πήρα.

Ήμουν ερωτευμένη μαζί του πολύ πριν από το 1982, όταν τον γνώρισα. Όπως ήταν ερωτευμένα μαζί του χιλιάδες κορίτσια, σ' όλη την Ελλάδα.

Ήμουν ερωτευμένη μαζί του και όταν, απ' το '74 και μετά, μέλος της ΤΟ Παπάγου του ΠΑΣΟΚ και αργότερα συνδικαλίστρια στην «Ολυμπιακή», κόλλαγα αφίσες του και έπαιρνα μέρος σε πολιτικές συζητήσεις γύρω από το όνομά του.

Ήμουν ερωτευμένη με το πρόσωπο του άνδρα, του αρχηγού, του πολιτικού, τη σαγηνευτική προσωπικότητα.

Αυτό το χάρισμα του Ανδρέα να μαγεύει, να εκπέμπει ερωτισμό δε χρειάζεται να το περιγράψω εγώ, το έχουν νιώσει χιλιάδες γυναίκες.

Αυτό το χάρισμα το είχε ανεξάρτητα απ' την ηλικία και την κατάσταση της υγείας του. Δε θα ξεχάσω την ατμόσφαιρα μαγείας σε μια μεγάλη συγκέντρωση γυναικών του ΠΑΣΟΚ στο Στάδιο Ειρήνης και Φιλίας, μετά την επιστροφή απ' το Χέρφιλντ.

26

Οι γυναίκες έπαιξαν σημαντικό ρόλο στη ζωή του, ποιος δεν το ξέρει. Υπάρχει όμως ένας μύθος που δεν ανταποκρίνεται στην πραγματικότητα: ότι ο Ανδρέας ήταν ο άνθρωπος των παράλληλων σχέσεων· δε θα ήταν δα και δύσκολο γι' αυτόν κάτι τέτοιο...

Δεν είναι έτσι. Είχε κάνει πολλές σχέσεις και δεσμούς, αλλά όταν ήταν ερωτευμένος ήταν μονογαμικός με τη σχέση που τον κάλυπτε. Δινόταν απόλυτα και την απολάμβανε δίχως να υπολογίζει κόστος. Διαδραμάτισε καθοριστικό ρόλο γι' αυτόν ο έρωτας, το συναίσθημα, η ασφάλεια στη σχέση.

Επίσης, μόνο κατ' εξαίρεση μιλούσε για παλιότερες σχέσεις του. Δεν το ενέκρινε και ήταν αρνητικός απέναντι σε όσους υπερηφανεύονταν για σχέσεις τους του παρελθόντος και τις περιέγραφαν.

Με μια εξαίρεση: τον καλό του φίλο και πιστό του σύντροφο, τον Γιώργο Κατσιφάρα. Αυτόν τον «προκαλούσε» να διηγείται με το μοναδικό του, γκροτέσκο τρόπο, τις «περιπέτειές» του. Ο Γιώργος είναι απ' τους ανθρώπους των οποίων τη συντροφιά ζήταγε και απολάμβανε ο Ανδρέας. Και έφυγε με ένα παράπονο: δεν πρόλαβε να τον παντρέψει, όπως του είχε τάξει!

Άλλωστε τη σχέση του με τον έρωτα και τις γυναίκες την είχε οικοδομήσει από μικρός, με τον τρόπο του και με δάσκαλο τον πατέρα του, τον αείμνηστο Γέρο της Δημοκρατίας.

Δύο πράγματα που θυμόταν έντονα απ' τον πατέρα του και συχνά τα ανέφερε ήταν πως τον είχε υποχρεώσει να διαβάσει, να μελετήσει Μαρξ στην ηλικία των δεκατεσσάρων χρόνων, καθώς και ότι του μιλούσε για τον έρωτα επίσης από πολύ μικρή ηλικία. Και τα δύο τον σημάδεψαν!

Μάλιστα σημασία έχει και ο τρόπος της... περί τον έρωτα μύησής του απ' τον πατέρα του. Θυμόταν πως, όταν ο Γ. Παπανδρέου ήταν εξόριστος στην Άνδρο και πήγαινε ο Ανδρέας να τον επισκεφθεί, κάνανε ατέλειωτες βόλτες στους δρόμους και τα μονοπάτια του νησιού. Εκεί ο πατέρας του του μιλούσε για τις γυναίκες και τον έρωτα «με πάθος και λυρισμό», όπως έλεγε.

Ο Γ. Παπανδρέου άλλωστε, πέραν της ρητορικής του δεινότητας, ήταν φίλος με τον Καζαντζάκη, τον Σικελιανό, τον Σεφέρη, υμνητές του έρωτα, ο καθένας με τον τρόπο του. Του μετέφερε, λοιπόν, την εικόνα του έρωτα και μέσα απ' τη γραφή και τα βιώματα του Σεφέρη, του Σικελιανού, του Καζαντζάκη, του Εμπειρίκου.

Απ' το '82 ως τις 29 Απριλίου του '86, σπινθήρες μόνο ενός υπολανθάνοντος ερωτισμού ανάμεσα στην αεροσυνοδό του πρωθυπουργικού αεροσκάφους και τον πρωθυπουργό της χώρας, αλλά... αυτό μόνο.

Την πρώτη φορά που με ρώτησε πώς λέγομαι και του απάντησα: «Δήμητρα Λιάνη, κύριε πρόεδρε», με κοίταξε και μου λέει: «Τι σχέση έχεις με τον Γιώργο Λιάνη;» ο οποίος ήταν τότε μέλος της κυβέρνησης. Όταν του είπα πως ο Γ. Μ. Λιάνης είναι ξάδελφός μου, εισέπραξα το πρώτο κομπλιμέντο: «Βρε, βρε, τόσο ωραία ξαδέλφη έχει ο φίλος μου ο Γιώργος...»

Άλλη φορά μού είπε ότι είχε γνωρίσει τον πατέρα μου παλιά, πριν από τη δικτατορία, στο γραφείο του στην οδό Σουηδίας.

Συναντήθηκαν μία και μοναδική φορά, με πρωτοβουλία του Γιώργου Μ. Λιάνη, και θυμάμαι ότι εντυπωσιασμένος μίλαγε για τον Ανδρέα, «πόσο καθαρός άνθρωπος, πόσο ρομαντικός και πόσο ιδεολόγος είναι».

Ο Ανδρέας μού μίλησε για τη συνάντηση, μου είπε ότι τον θυμάται, ότι ήταν «όμορφος, ξανθός, ψηλός, ροδοκόκκινος» και ότι... του μοιάζω πολύ.

Στο διάστημα αυτό είχαμε χορέψει μαζί και ορισμένες φορές, με πρόσκλησή του. Θυμάμαι μάλιστα ένα ταξίδι στις Βρυξέλλες. Ήταν τη μέρα που είχε εκλεγεί ο κ. Χρ. Σαρτζετάκης Πρόεδρος της Δημοκρατίας. Αμέσως μετά ο Ανδρέας έφυγε για τις Βρυξέλλες, για συμβούλιο κορυφής, όπου έδωσε με τον Θ. Πάγκαλο τη μάχη για τα ΜΟΠ.

Το βράδυ το πλήρωμα πήρε πρόσκληση απ' τον πρωθυπουργό για φαγητό, στον τελευταίο όροφο του «Χίλτον». Ήταν εκεί και ο πρώην πρέσβης Λαγάκος. Συζητούσαν για τον κ. Σαρτζετά-

28

κη και, θυμάμαι, του έλεγε πόσο δύσκολος και ιδιόρρυθμος άνθρωπος είναι ο νέος Πρόεδρος και ότι «θα έχετε εκπλήξεις, κύριε πρόεδρε».

Εκεί, λοιπόν, πρωτοχορέψαμε ένα τραγούδι που άρεσε πολύ στον Ανδρέα, το «I just call to say I love you». Ατμόσφαιρα πολύ φορτισμένη συναισθηματικά, ένας Ανδρέας τρυφερός, μια Δήμητρα που λάβαινε μηνύματα, που αυθόρμητα εξέπεμπε μηνύματα, αλλά που δεν τολμούσε να προχωρήσει ούτε βήμα παραπέρα.

Να ερωτευτείς ένα μύθο; Ό,τι πιο εύκολο. Πολύ περισσότερο, όταν αρχίζεις να γνωρίζεις και τον άνθρωπο, τον άνθρωπο που εκπέμπει γοητεία, τρυφερότητα, ευγένεια, καλοσύνη. Το δύσκολο είναι να το συνειδητοποιήσεις και πολύ περισσότερο να το εκφράσεις. Νιώθεις πως δεν έχεις δικαίωμα ν' αγγίξεις το μύθο.

Μου αρκούσε αυτή η επαφή στα ταξίδια, τα γλυκοκοιτάγματα, τα αστεία, αυτή η λανθάνουσα ερωτική διάθεση.

Η θέση μου γινόταν δυσκολότερη και η διάθεσή μου καταπιεζόταν απ' το γεγονός ότι εγώ ήδη απ' το Νοέμβριο του '82 είμαι παντρεμένη με τον Αλέξη Καπόπουλο.

Ο Αλέξης έδειξε τη μέγιστη κατανόηση και αισθάνομαι την ανάγκη να τον ευχαριστήσω γι' αυτό.

Χωρίσαμε φιλικά...

Παραμένει πάντα ένας καλός και τρυφερός φίλος.

Αυτοί που απ' την αρχή δεν είδαν με καλό μάτι εκείνο που πήγαινε να συμβεί ανάμεσα στον Ανδρέα και σε μένα ήταν το στενό του «περιβάλλον», η Αγγέλα Κοκκόλα, ο Μιχάλης Ζιάγκας, ο Χρήστος Μαχαιρίτσας.

Ιδιαίτερα η Αγγέλα δε δέχτηκε ποτέ τη σχέση, ακόμα κι όταν επισημοποιήθηκε. Αντέδρασε με τον τρόπο της και στο Χέρφιλντ και αργότερα. Αυτή η σταθερή αρνητική της θέση καθόρισε, σε μεγάλο βαθμό, τη στάση της απέναντί μου, φοβούμαι όμως πως και απέναντι στον Ανδρέα. Και αυτό, παρότι ούτε το παιχνίδι της Μαργαρίτας έπαιζε και μάλιστα η ίδια δέχτηκε, και με πολύ άσχημο τρόπο, τα πυρά και τις «περιποιήσεις» του Θ. Κατσανέβα,

29

όπως καταγράφονται λεπτομερώς και στη διαθήκη του Ανδρέα, όπου επισυνάπτονται ιδιόχειρες αναφορές-περιγραφές της.

Ο Ανδρέας ένιωθε πίκρα για την τροπή που πήρε η σχέση του με την Αγγέλα, με την οποία συνεργάζονταν απ' τη δεκαετία του '60. Την εμπιστευόταν και την εκτιμούσε. Δεν της αρνήθηκε μάλιστα θέση στο ευρωψηφοδέλτιο το 1994, όταν του το ζήτησε.

Τότε όλοι οι παραπάνω, του στενού «περιβάλλοντος», βλέποντας αυτό που επερχόταν, προσπάθησαν να κόψουν κάθε δίαυλο επαφής και επικοινωνίας μου με τον Ανδρέα. Αργότερα έφτασαν μάλιστα στο σημείο να αλλάζουν το νούμερο του προσωπικού του τηλεφώνου, για να μην μπορώ να επικοινωνώ μαζί του. Αλλά ο ίδιος ο Ανδρέας έβρισκε τρόπο μέσα στο αεροπλάνο και μου έδινε πάντοτε το νέο νούμερο!

Όλοι, λοιπόν, διέβλεπαν αυτό που ερχόταν. Εγώ δεν ήθελα να το παραδεχτώ, μάλλον δεν επέτρεπα στον εαυτό μου να το φανταστεί, ακόμα και όταν η Ρούλα Βλαχοπούλου, ο Βαγγέλης Λώλης, η Βούλα Τουρλουμούση, η παρέα μου, ήταν σίγουροι και μου έκαναν και τη σχετική καζούρα...

Στα μέσα του '85 (έχει προηγηθεί ο χορός στις Βρυξέλλες), συζητάμε με τον Αλέξη την ιδέα της εκπομπής «Μισό-Μισό». Είχαμε κάνει δυο χρόνια στο Παρίσι, είχαμε παρακολουθήσει μαθήματα εθνολογικού ντοκιμαντέρ και κοντά στον Κούντερα μαθήματα ιστορίας της Κεντρικής Ευρώπης και μια σειρά διαλέξεις του για τον Κάφκα. Ο Μίλαν Κούντερα είναι ένας απ' τους ανθρώπους και διανοούμενους που σημάδεψαν τη ζωή μου και αισθάνομαι τυχερή που τον γνώρισα.

Γυρίστηκαν δεκατρία επεισόδια της εκπομπής, στην ΕΡΤ-2, αλλά δεν προβλήθηκαν, η εκπομπή πολεμήθηκε κυρίως από φίλους της Μαργαρίτας, αν και εκείνη την περίοδο δεν είχε αρχίσει καν η σχέση μου με τον Ανδρέα.

Είχα μάλιστα απευθυνθεί στη Μαργαρίτα, όπως και στη Σου Λαΐου-Αντωνίου, τότε υπεύθυνη Ισότητας των Δύο Φύλων, είχα εξηγήσει το περιεχόμενο της εκπομπής και είχα ζητήσει τη συμπαράστασή τους.

Η Μαργαρίτα (σε κάποιο ταξίδι τής είχα δώσει και ένα φυλλάδιο για την εκπομπή) δεν ανταποκρίθηκε. Σε ένα απ' τα ταξίδια απευθύνομαι στον Ανδρέα. Με ακούει να του μιλάω για την εκπομπή και του λέω: «Κύριε πρόεδρε, θα ήθελα μια πολύ μεγάλη χάρη, μια συνέντευξη από σας και την κυρία Μαργαρίτα».

«Δεν ξέρω για τη Μαργαρίτα, εγώ πάντως θα σου δώσω μια συνέντευξη», μου απαντάει.

Έτσι έγινε το πρώτο ραντεβού!

Την πολυπόθητη μέρα της συνέντευξης έφτασα στο Καστρί με... κομμένα τα πόδια. Είχαμε ετοιμάσει με τον Αλέξη τις ερωτήσεις, αλλά μόλις κάθισα δίπλα του φωνή δεν έβγαινε, δεν μπορούσα να αρθρώσω λέξη, ήμουν στα όρια της λιποθυμίας!

Ο ίδιος με ενθάρρυνε τρυφερά να ξεκινήσουμε, μου μετέδιδε δύναμη και άνεση τόση, ώστε με το που ξεκινήσαμε τελικά η εκπομπή γράφτηκε χωρίς διακοπή, χωρίς ανάσα, ως το τέλος.

Ζούσα μια μαγεία. Αλλά οι περιπέτειες της εκπομπής μόλις είχαν αρχίσει. Με εντολές της Μαργαρίτας δε βγαίνει στον αέρα. Όπως με πληροφορούν ο Μπιρσίμ και άλλα στελέχη της ΕΡΤ, ο Βασίλης Βασιλικός την έχει σταματήσει.

Με παρέμβαση του Ανδρέα την εγκρίνει ο Αλ. Παπαδόπουλος, τότε γενικός διευθυντής της ΕΡΤ-2. Ξανακολλάει όμως στο διάδοχό του, τον Θ. Χαλάτση. «Η εκπομπή δε βγαίνει, δε μ' ενδιαφέρει αν έχει συνέντευξη του πρωθυπουργού», απαντάει σταθερά σ' όσους τού το επισημαίνουν.

Έχει περάσει στο μεταξύ ένας χρόνος περίπου, έχει φτάσει Απρίλιος του '86, ο Ανδρέας παρεμβαίνει ξανά και μου τηλεφωνεί στο σπίτι για να μιλήσουμε σχετικά.

Την πρώτη φορά που τηλεφώνησε, ώρα 8:30 το πρωί: «Δήμητρα, εσύ; Παπανδρέου εδώ», μου λέει απλά. Τόσο απλά, που εγώ έπεσα απ' το κρεβάτι!

Το «μοιραίο» τηλεφώνημα έγινε στις *29 Απριλίου*, λίγο πριν απ' το ταξίδι στο Μεξικό.

Είχαν προηγηθεί δυο άλλα σημαντικά ταξίδια, το ένα καθοριστικό. Το πρώτο, στο Πεκίνο, γεμάτο ρομαντισμό, πολλή συζήτηση στο αεροπλάνο, ζεστασιά, έλξη και μια υπόσχεση ότι θα βρεθούμε. Υπόσχεση που δεν υλοποιήθηκε, μεσολάβησε η δολοφονία του Αγγελόπουλου, γυρίσαμε πιο γρήγορα. Σ' αυτό το ταξίδι βγήκε η γνωστή αναμνηστική φωτογραφία του πρωθυπουργού και της συνοδείας του με το πλήρωμα του αεροσκάφους, στην πρεσβεία.

Στο άλλο ταξίδι, στην Ινδία, ο Ανδρέας κάνει το πρώτο ουσιαστικά «νεύμα» προς όλους, με το δικό του τρόπο, ως προς εμένα. Καλεί το πλήρωμα στη δεξίωση, όπου ήταν ο Ρατζίβ Γκάντι, η σύζυγός του, Σόνια, όλοι οι επίσημοι της ακολουθίας του, ο Κάρολος Παπούλιας, ο σύμβουλός του για τα οικονομικά Γ. Παπανικολάου, ο Ζιάγκας, η Κοκκόλα, φυσικά η Μαργαρίτα και ο πρέσβης, ο Σιώρης.

Κάποια στιγμή έρχεται ένας απ' την ασφάλειά του και μας λέει: «Μετά τη δεξίωση θα σας παραθέσει γεύμα ο πρόεδρος, στο ξενοδοχείο».

Ξεκινάει το γεύμα, όμορφο περιβάλλον, ατμόσφαιρα, ωραία μουσική, μια όμορφη Ινδή τραγουδάει στα αγγλικά και ξαφνικά γυρίζει και μου λέει: «Χορεύουμε;» Σηκώνεται και προχωράει στην πίστα!

Έχουν μείνει όλοι άφωνοι, στην αρχή πέφτει παγωμάρα, εγώ δεν έχω συνειδητοποιήσει τι γίνεται, η Ρούλα με σκουντάει και μου λέει: «Τρέχα, σ' εσένα μίλησε». Σηκώνομαι χαμένη, πάω κοντά του μηχανικά, η ορχήστρα παίζει το αγαπημένο του «I just call to say I love you». Σηκώνονται και άλλοι, η πίστα γεμίζει, αλλά... όλοι κοιτάνε εμάς.

«Κύριε πρόεδρε, μας κοιτάνε όλοι, νιώθω μαχαίρια στην πλάτη».

«Άσ' τους, αγνόησέ τους».

Τα έχω χάσει, δεν ξέρω τι νιώθω, απ' τη μια απέραντη ευτυχία, απ' την άλλη χάος· λέω στον εαυτό μου: «Τι γίνεται; Πού πάμε;», λοξοκοιτάζω τη Μαργαρίτα, με κοιτάζει με παγωμένο βλέμμα, μ' ένα ύφος που σφάζει.

Όταν επιστρέφουμε στο τραπέζι, τίποτα δεν είναι όπως πριν. Η ατμόσφαιρα από αμήχανη έως βαριά. Όλοι έχουν συλλάβει την κίνηση του Ανδρέα, ο καθένας την εισπράττει διαφορετικά.

Ο Κάρολος Παπούλιας προσπαθεί να σπάσει την αμήχανη σιωπή με ανέκδοτα. Απ' τις ελάχιστες φορές που δεν τα καταφέρνει.

Εγώ δεν ξέρω πού βρίσκομαι, τι κάνω. Πάω με τη Ρούλα στην τουαλέτα, τη ρωτάω τρέμοντας: «Είδες ό,τι είδα;» «Πώς δεν είδα», μου λέει. Ζούσα ένα όνειρο. Αλλά ήμουν και τρομοκρατημένη. Πού θα έφτανε; Τι θα άντεχα; Προσπαθούσα να διώξω τις σκέψεις αυτές και έλεγα: «Ζήσε το τώρα». Ως εκεί. Δεν είχα κανένα δικαίωμα για παραπέρα. Άλλωστε το έβλεπα, ήμουν κιόλας το κόκκινο πανί για πολλούς. Αισθανόμουν φόβο απέναντι σ' αυτό που ωστόσο αναπόφευκτα ερχόταν.

Στις 29 Απριλίου του '86, πρωί πρωί... ξαναπέφτω απ' το κρεβάτι.

«Καλημέρα, Δήμητρα, Παπανδρέου εδώ», μου λέει τρυφερά.

«Καλημέρα σας, κύριε πρόεδρε».

«Τι λες, δεν έρχεσαι γύρω στις 7 απόψε στο Καστρί να τα πούμε; Να συζητήσουμε και για το ταξίδι στο Μεξικό...»

«Μάλιστα, κύριε πρόεδρε, πώς να έρθω;»

«Θα σε περιμένει έξω απ' το "Βασιλόπουλο" ο Τάκης Καράτσης».

Ένας τρελός χορός συναισθημάτων με κυριεύει. Το νιώθω, το αισθάνομαι πως σε λίγες ώρες αυτή η συνάντηση θα με μπάσει σε μια υπέροχη περιπέτεια. Διαισθάνομαι πως απόψε πολλά θ' αλλάξουν στη ζωή μου.

Είμαι όμως ακόμα πολύ μακριά απ' την αίσθηση της *μεγάλης ανατροπής*. Δε δίνω στον εαυτό μου το δικαίωμα να φανταστεί, έστω φευγαλέα, πως αυτός ο μύθος σε λίγα χρόνια *θα με επέλεγε ως τη σύντροφο των τελευταίων χρόνων της ζωής του*, αγνοώντας και ξεπερνώντας τείχη, Συμπληγάδες, δεσμεύσεις, πιέσεις, οποιοδήποτε κόστος, ακόμα και εκβιασμούς.

Έφτασα με το μακαρίτη τον Τάκη Καράτση στο Καστρί. Με περίμενε στο γνωστό «αυθαίρετο», που χρησιμοποιούσε τα τελευταία χρόνια σαν γραφείο. Αργότερα κατάλαβα ότι σ' εκείνο το χώρο, που είχε συνειδητά επιλέξει, στέγαζε και βίωνε μια σκληρή γι' αυτόν μοναξιά που είχε επιβληθεί από διάφορες οδυνηρές καταστάσεις. Είχε τότε αποξενωθεί απ' το οικογενειακό του περιβάλλον και το «αυθαίρετο» ήταν ο χώρος φυγής του, της προσωπικής του φυγής.

Με δέχτηκε έχοντας ήδη φτιάξει ένα θερμό κλίμα. Πάντα ευγενικός, μου δίνει ένα βιβλίο του, με αφιέρωση.

«Ευχαριστώ, κύριε πρόεδρε, είναι το ωραιότερο δώρο για τα αυριανά μου γενέθλια».

«Αλήθεια, Δήμητρα, έχεις γενέθλια αύριο; Και τι θα κάνεις;»

«Στο σπίτι, πρόεδρε, με μερικούς φίλους».

«Σημαίνει πολλά για μένα ότι αύριο έχεις γενέθλια».

Αρχίσαμε να συζητάμε για το ταξίδι στο Μεξικό. Μα ήταν φανερό, αδημονούσε...

Σηκώνεται και βάζει κάποια τραγούδια φάδος, του άρεσε αυτή η μουσική, του άρεσε η Αμάλια Ροντρίγκες.

Και ξαφνικά... η απογείωση, το πέρασμα σ' έναν άλλο κόσμο. Με σηκώνει, με κρατάει τρυφερά και μου δίνει το πρώτο μας φιλί.

Ακόμα και σήμερα μου είναι δύσκολο να περιγράψω την αίσθηση εκείνης της στιγμής. Και πώς να την περιγράψω; Δυνατή; Μεθυστική; Ερωτική; Μοναδική;

Αλλά τότε όλα αυτά «καταπιέζονταν» απ' το βάρος του απρόσμενου, που όμως τόσο πολύ περίμενα. Είχα χαθεί σ' έναν κόσμο ονειρικό, σε μια απέραντη θάλασσα ευτυχίας. Ένιωθα την ανάγκη να κλάψω από χαρά, αλλά δεν ήθελα να διακόψω τη στιγμή της μαγείας.

Τυλιγμένη απ' αυτό το μαγικό άρωμα, τον νιώθω να με αγκαλιάζει τρυφερά, να με ξαναφιλάει και να μου λέει:

«Θα συνεχίσουμε μεθαύριο στον "Αστέρα", στη Βουλιαγμένη, θα είμαι εκεί και θέλω να έρθεις, αφού αύριο δεν μπορείς. Θα έρθεις; Θέλεις να βρεθούμε;»

«Να έρθω, κύριε πρόεδρε».

Ήμουν ήδη μέρος μιας μεγάλης, όμορφης περιπέτειας που

34

άρχιζε με πρωταγωνιστή τον ίδιο, γιατί ο Ανδρέας ήταν πάντα και μόνο πρωταγωνιστής. Είχα αφεθεί σε μια πορεία που την κατηύθυναν η καρδιά και ο Ανδρέας. Κοίταζα πίσω, μα καταλάβαινα πως πίσω δεν μπορούσα να γυρίσω. *Με είχε πάρει κιόλας μαζί του.* Αργότερα έμαθα πως έπρεπε να καταλάβω ότι ήμουν και μέρος μιας «μεγάλης κρίσης». Και ήταν μια απότομη και οδυνηρή προσγείωση απ' το μαγικό κόσμο του Ανδρέα στον κόσμο του υπολογισμού του «πολιτικού κόστους». Και πάλι, τότε, ο Ανδρέας καθοδήγησε, με το δικό του, μοναδικό τρόπο, την έξοδο από καταστάσεις που φάνταζαν αδιέξοδες.

Τότε, και μέχρι το «μεθαύριο του "Αστέρα"» αναζήτησα καταφύγιο στη Ρούλα, τον Βαγγέλη, τη Βούλα, τους φίλους μου απ' τη δουλειά. Ήταν για χρόνια το καταφύγιό μου, η στήριξή μου σε δύσκολες καταστάσεις, σε απρόσμενες εξελίξεις, σε δραματικές ώρες, σε στιγμές φυγής. Ο Βαγγέλης και η Ρούλα παραμένουν πάντα καλοί μου φίλοι. Η Βούλα διάλεξε κάποια στιγμή ένα δρόμο διαφορετικό, κράτησε αποστάσεις. Δικαίωμά της, αλλά με πλήγωσε ο τρόπος που επέλεξε για να απομακρυνθεί...

Την επομένη, ενώ γιόρταζα στο σπίτι με τον Αλέξη και φίλους τα γενέθλιά μου, χτυπάει το κουδούνι, ήταν ο Τάκης Καράτσης. Μου λέει: «Απ' τον πρωθυπουργό, έχω για σας μια κάρτα και ένα δωράκι».

Το δώρο ήταν ένας αναπτήρας «Ντάνχιλ» (τον έχω πάντα μαζί μου) και η κάρτα έγραφε: «Αγαπητή Δήμητρα, σου εύχομαι για τα γενέθλιά σου χρόνια πολλά».

Αυτό κι αν ήταν έκπληξη! Αισθανόμουν ότι ήδη είχα μπει σε μια πορεία δίχως επιστροφή. Το ρολόι του χρόνου μου είχε μηδενιστεί και είχε αρχίσει να μετράει το χρόνο απ' την αρχή.

Όλο το βράδυ δεν έκλεισα μάτι.

Πρωτομαγιά, ετοιμάζομαι για τον «Αστέρα». Έφτασα εκεί με τον Βαγγέλη και σ' όλο το δρόμο αυτά που ένιωθα ήταν έρωτας και δέος.

Ο Ανδρέας με περίμενε τρυφερά. Με αγκάλιασε, χορέψαμε. Με ξαναφίλησε.

35

Εγώ βρισκόμουν ακόμα στο μεταίχμιο της ζωής που άφηνα και του κόσμου που με περίμενε. Συνέχιζα να τον αποκαλώ «κύριε πρόεδρε».

«Ακόμα "κύριε πρόεδρε" θα με λες, Δήμητρα;» με μάλωσε τρυφερά. Του υποσχέθηκα ότι θα τον αποκαλώ «Ανδρέα». Χρειάστηκε κάποιο διάστημα για να προσαρμοστώ, να του μιλάω στον ενικό. Μα στα δέκα χρόνια που ακολούθησαν ελάχιστες φορές τον φώναξα «Ανδρέα». Προτιμούσα να του απευθύνομαι με τις δικές μας, τρυφερές φράσεις. Οικοδομήσαμε ένα δικό μας κώδικα επικοινωνίας και αυτό του άρεσε πολύ.

Ήταν η πρώτη μας νύχτα. Αυτή την πρωτομαγιάτικη νύχτα ο Ανδρέας ήταν και γλυκός και τρυφερός και ερωτικός. Ήταν, όπως μου είπε, ο εαυτός του, μετά από πολλά χρόνια. Φαινόταν να ζει, να απολαμβάνει την κάθε στιγμή, μου έδινε την αίσθηση μικρού παιδιού.

Μου είπε εκείνη τη βραδιά «σ' αγαπώ», «θέλω να ζήσουμε μαζί». Εγώ, τυλιγμένη στη μαγεία, προσπαθούσα να συνειδητοποιήσω και να ζήσω αυτό το συναρπαστικό που μου συνέβαινε και το οποίο πριν από λίγες μέρες δε θα μπορούσα καν να φανταστώ.

Δε μου ήταν όμως δυνατό να μηδενίσω μονομιάς την απόσταση. Μπορεί ο Ανδρέας να ήταν ο άνδρας με τον οποίο ένιωθα παράφορα ερωτευμένη, αλλά ήταν και ο μυθικός πολιτικός ηγέτης. Χρειάστηκε καιρός για να διαλυθεί αυτή η περίεργη σύγχυση, αλλά ποτέ για μένα ο ηγέτης δεν κατέβηκε απ' το βάθρο, ούτε στις μοναδικές, δικές μας στιγμές.

Αυτό που με διευκόλυνε, που έκανε τη σχέση μας παντοτινή, που δημιούργησε μεταξύ μας μια συγκλονιστική ισορροπία αισθημάτων και βιωμάτων ήταν η μοναδική μαεστρία του Ανδρέα να μπορεί να είναι κάθε στιγμή άνθρωπος, ερωτευμένος, τρυφερός, ευγενικός, παρορμητικός, υπομονετικός, δίχως να χάνει την αχλύ του ηγέτη.

Έδινε κάθε στιγμή μαθήματα πολιτικής σοφίας, μηδενίζοντας όμως παράλληλα την απόσταση και παραμένοντας πάντα πρώτα άνθρωπος. Και ήταν αυτός που καθοδηγούσε αβίαστα αυτή τη μοναδική ισορροπία όχι μόνο στη σχέση μας, αλλά και στις σχέσεις του με προσωπικούς του φίλους, πολιτικά στελέχη και απλούς ανθρώπους.

Η σχέση του με τον Αντώνη Λιβάνη είναι πρόκληση για... ι-στορική μελέτη.

Σ' ένα άλλο επίπεδο η σχέση του με τον Κάρ. Παπούλια, τον Γ. Κατσιφάρα συνδύαζε το προσωπικό με την πολιτική προέκτα-ση.

Σχέση απόλυτης εμπιστοσύνης η σχέση του με τον Γ. Παναγιωτακόπουλο, τον Π. Λάμπρου.

Σχέσεις δασκάλου-μαθητή μα πάνω απ' όλα ανθρώπινες, με τα σκαμπανεβάσματα και τις πικρίες, που όμως δε στάθηκαν αι-τία να χαθούν στο χρόνο, οι σχέσεις του με τα στελέχη του ΠΑΣΟΚ, τον Άκη Τσοχατζόπουλο, τον Κώστα Λαλιώτη, τον Απ. Κακλαμά-νη, τον Γ. Αλευρά, τον Αν. Πεπονή, τον Μιχ. Χαραλαμπίδη, τον Γ. Χαραλαμπόπουλο, τον Ευάγ. Γιαννόπουλο, αργότερα τον Γερ. Αρσένη, τον Χρ. Παπουτσή.

Σχέση κατανόησης, βαθιά στο χρόνο, η σχέση του με τον Γ. Γεν-νηματά.

Σχέση πολύ φιλική, σμιλεμένη σε κοινούς αγώνες, η σχέση του με τον Μ. Κουτσόγιωργα, που διακόπηκε όμως κάτω από συνθή-κες άσχημες, σε καιρούς χαλεπούς, και τούτο είχε πικράνει τον Αν-δρέα.

Τα τελευταία χρόνια, σχέσεις τρυφερές, πατρικές, αγάπης και εμπιστοσύνης με τα «παιδιά του Γραφείου», που μαζί τους χαλά-ρωνε κι ένιωθε όμορφα, που τον αγάπησαν και τον έκλαψαν σαν πατέρα, όταν έφυγε, τον Γιώργο και τη Φρύνη, τον Ανδρέα Αλε-ξόπουλο, την Ιωάννα, τη Δήμητρα, τον Μιχ. Καρχιμάκη και τον Π. Αλεξανδρή...

Σχέση δύναμης, που δημιουργήθηκε στο Χέρφιλντ, με τον Τη-λέμαχο καθώς και με τον πιστό «κομματικό» Ν. Αθανασάκη.

Σχέση μοναδική με τους γιατρούς του απ' το Χέρφιλντ ως το Ωνάσειο, που αισθάνθηκαν αγάπη και σεβασμό γι' αυτόν, όταν τον γνώρισαν από κοντά, και ο ίδιος τους αντιμετώπισε με σεβασμό και ευγνωμοσύνη. Σ' αυτό το χώρο χαρακτηριστικά αξεπέραστα είχε η σχέση του με τον Μαγκντί Γιακούμπ.

Σχέση αγάπης, πραγματικής και βαθιάς, προς τα παιδιά του, παρά τις φουρτούνες που κατά καιρούς πέρασε και παρά την πικρία που, ίσως άθελα, ορισμένες στιγμές τού προκάλεσαν, ίσως κάτω απ' τη φόρτιση ή την πίεση καταστάσεων.

Σχέση στοργής

ΕΦΥΓΑ ΑΠ' ΤΟΝ «ΑΣΤΕΡΑ» γύρω στις 5 το πρωί, απογειωμένη, μπερδεμένη, ερωτευμένη. Αναρωτήθηκα: «Πού μπορεί να με πάει αυτή η σχέση;» Αυθόρμητα, αστραπιαία, απάντησα: «Ας με πάει όπου να 'ναι, μου αρέσει, θέλω να το ζήσω».

Αυτό μόνο μπορούσα να σκεφτώ εκείνη τη στιγμή, που κυριαρχούσαν τα συναισθήματα και για τη λογική έμενε μια μικρή μόνο γωνιά.

Οι μήνες που ακολούθησαν ήταν γεμάτοι ένταση, πάθος αλλά και πίεση, πίεση από κάθε είδους σκοπιμότητες. Αν διατηρήθηκε η σχέση, αυτό οφείλεται στο πείσμα του Ανδρέα να αντιστέκεται και στις πιέσεις και στους εκβιασμούς και στο αφόρητο νοσηρό και ανθρωποβόρο κλίμα που μεταγενέστερα δημιουργήθηκε. Ο Ανδρέας είχε το δικό του τρόπο να κάνει τα δικά του νεύματα, πολλές φορές πριν από το «ιστορικό» κατά την επιστροφή απ' το Χέρφιλντ, με το οποίο *επισημοποίησε και επέβαλε τη σχέση*.

Είχε ένα γαλήνιο πείσμα, με το οποίο αντιμετώπιζε όλα τα κύματα των επιθέσεων και των πιέσεων. Για ένα μεγάλο διάστημα μόνο ο Κάρολος Παπούλιας και ο Άκης Τσοχατζόπουλος «κατανοούσαν» τη σχέση μας. Ο Αντώνης Λιβάνης απλά την ανεχόταν, για χάρη του Ανδρέα. Το «περιβάλλον» (Κοκκόλα - Ζιάγκας) ήταν σαφώς εχθρικό, όπως και τα άλλα στελέχη του ΠΑΣΟΚ, με πρώτο τον Γ. Αλευρά, αλλά και τον Μ. Κουτσόγιωργα. Ακόμα και φιλικοί εκδότες «υποδείκνυαν» στον Ανδρέα: «Εντάξει, πρόεδρε, σε καταλαβαίνουμε, αλλά καιρός να τελειώνεις».

Και βέβαια πάνω απ' όλα ήταν οι αντιδράσεις της οικογένει-

39

ας, κυρίως της Μαργαρίτας, του Νίκου, του Θ. Κατσανέβα, που δημιουργούσαν ένα αφόρητα πιεστικό κλίμα, εχθρικό.

Θυμάμαι ακόμα ένα επεισόδιο με τη Μαργαρίτα, σ' ένα ταξίδι, στο αεροπλάνο. Μίλησε πολύ άσχημα στον Ανδρέα και απείλησε εμένα. Κατεβαίνοντας ο Ανδρέας μπήκε θυμωμένος σε άλλο αυτοκίνητο και έφυγε. Του τηλεφώνησα αργότερα στο Καστρί και ήταν η στιγμή που είχε ένα φοβερό καβγά με τη Μαργαρίτα.

Είναι πολλά και άσχημα τα επεισόδια Ανδρέα - Μαργαρίτας εκείνης της περιόδου...

Ως ένα βαθμό κατανοώ την αντίδραση της Μαργαρίτας. Αναρωτιέμαι όμως αν οι μεθοδεύσεις που επέλεξε και το κλίμα που δημιούργησε ήταν τα κατάλληλα όπλα για να κρατήσει τον Ανδρέα κοντά της.

Άλλωστε, όπως ο Ανδρέας έλεγε, με τη Μαργαρίτα υπήρχε πλήρης ψυχική αποξένωση από χρόνια. Η σχέση τους, έλεγε, είχε περιπέσει στο τέλμα της συμβατικότητας και διατηρούνταν τυπικά.

Η Μαργαρίτα ήταν γνώστης των άλλων σχέσεων του Ανδρέα, στο παρελθόν. Ίσως, με τη γυναικεία διαίσθηση, είδε ότι τούτη η νέα σχέση ήταν επικίνδυνη, ανατρεπτική.

Ο Ανδρέας, απ' τη μεριά του, είχε οργανώσει τη δική του «φυγή» καιρό πριν. Η σχέση μας του έδινε μια διέξοδο. Αντισυμβατικός πάντα, αγνοούσε το πολιτικό κόστος.

Αλλά εγώ, έχοντας απότομα και ανώμαλα προσγειωθεί σ' ένα νέο κόσμο, δεν είχα τότε τις απαιτούμενες αντοχές. Υπήρξαν στιγμές που λύγισα, άλλες που πείσμωσα και μια φορά που με υπόδειξη του Ανδρέα «έφυγα» για ένα μικρό διάστημα, αλλά προς στιγμήν, από πείσμα, σκέφτηκα να φύγω οριστικά. Μόνο προς στιγμήν, γιατί αμέσως κατάλαβα ότι δεν άντεχα μια τέτοια επιλογή, ήταν πάνω απ' τις δυνάμεις μου. Είπα, λοιπόν: «Θα μείνω και θα κολυμπήσω στα βαθιά».

Ήταν η περίοδος που μαζί με τον Βαγγέλη κάναμε το ταξίδι Κένυα - Σεϊχέλες.

Ήταν η περίοδος που κάποια στελέχη του ΠΑΣΟΚ προσπάθησαν να «γιατρέψουν» τον Ανδρέα προτείνοντας ή υποβάλλοντας αντικατάστασή μου με άλλη γυναίκα και με όχι τόσο κομψό τρόπο. Τέλος πάντων...

Όσες στιγμές λιποψύχησα, με κράτησε όρθια το σταθερό χέρι του Ανδρέα, το ήρεμο πείσμα του, η αγάπη του, η απόφασή του να βαδίσουμε κόντρα στο ρεύμα.

Περάσαμε από σαράντα κύματα απ' την παρανομία στην ημινομιμότητα. Ως τον Αύγουστο του '88 μείναμε σε αρκετά σπίτια, κάναμε μαζί διακοπές και κρουαζιέρες, η σχέση δυνάμωνε, ο Ανδρέας αντιστεκόταν σε πολύπλευρες πιέσεις, ερχόμασταν πιο κοντά ο ένας στον άλλο.

Οικογένεια, «περιβάλλον» και κομματικά στελέχη αρχίζουν να συνειδητοποιούν πως δεν πρόκειται για άλλη μια περιπέτεια του Ανδρέα, ένα, έστω μεγαλύτερης διάρκειας, «πείσμα».

Αλλά δε θέλουν να το πιστέψουν, ως το Χέρφιλντ δεν το πίστεψαν.

Τον Ιούλιο του '86 ο Ανδρέας, με αγάπη και συντροφικότητα, με βοηθάει να ξεπεράσω το θάνατο του πατέρα μου. Είχε μια μοναδική ικανότητα να δίνει και να παίρνει, αβίαστα, χωρίς να το καταλαβαίνεις, απλοποιούσε πάντα τα πράγματα και τα έκανε φυσιολογικά, ακόμα και κάτω απ' τις σκληρότερες συνθήκες.

Το ίδιο διάστημα περίπου ο άντρας μου, ο Αλέξης Καπόπουλος, με δική του πρωτοβουλία, λύνει το γόρδιο δεσμό που είχε δημιουργηθεί ανάμεσά μας. Χωρίς να δραματοποιήσει καμιά κατάσταση, χωρίς κορόνες, χωρίς να διαμαρτυρηθεί ή να μου ζητήσει το λόγο, έχοντας καταλάβει τι συνέβαινε, πολύ απλά μου λέει: «Νομίζω, Δήμητρα, πως η σχέση μας έχει τελειώσει». Βάζουμε μπροστά τη διαδικασία για το διαζύγιο.

Για μένα η μια ανατροπή διαδέχεται την άλλη. Όπως έχω ξαναπεί, διάστημα προσαρμογής δε μου παραχωρήθηκε.

Κάποια στιγμή, πάλι απότομα, αισθάνομαι ότι είμαι ένα στοιχείο, ένα μέρος πολιτικής κρίσης και πολιτικού παιχνιδιού, ακριβώς επειδή ήμουν κοντά στον Ανδρέα.

Μέχρι τότε, ακόμα και με τη φοβερή ένταση των πιέσεων της πρώτης περιόδου της σχέσης, για μένα όλα ή περίπου όλα κινούνται στα όρια του προσωπικού.

41

Ξαφνικά απ' τα πράγματα μου επιβλήθηκε η «έξοδος» απ' αυτά τα όρια και η προσγείωση στο χώρο του πολιτικού παιχνιδιού, χωρίς να το θέλω, αλλά δεν μπορούσε να γίνει αλλιώτικα. Η ροή δεν ελεγχόταν.

Πολιτικό παιχνίδι, παιχνίδι εξουσίας, καλοκαίρι του '88, λίγο πριν από το Χέρφιλντ, τότε που κορυφώνεται ένα προσωπικό δράμα του Ανδρέα.

Κατά καιρούς και σε σχέση μ' αυτό το πολιτικό παιχνίδι, το παιχνίδι εξουσίας, έχω δεχτεί ερωτήματα από φίλους και γνωστούς, έχω δεχτεί και σκληρή κριτική, καλόπιστη και κακόπιστη:

«Είναι δυνατό να μην υπήρχε και ιδιοτέλεια στη σχέση σου με τον Ανδρέα Παπανδρέου; Σκοπιμότητα; Ματαιοδοξία; Είναι δυνατό να μη γοητεύτηκες, να μην προκλήθηκες απ' την είσοδό σου σ' ένα χώρο άσκησης εξουσίας, που σου εξασφάλιζε μια τέτοια σχέση;»

Με το χέρι στην καρδιά απαντώ: όποιος ισχυριστεί πως δε γοητεύεται, με τον έναν ή με τον άλλο τρόπο, απ' την εξουσία, όποιος ισχυριστεί ότι δεν επιθυμεί έστω μικρή γεύση εξουσίας είναι υποκριτής, πλην ακραίων εξαιρέσεων.

Όμως η γνωριμία με την εξουσία και το πολιτικό παιχνίδι *ήρθαν πολύ μετά τη σχέση μας*, ήρθαν απότομα, ήρθαν πολύ επώδυνα, κάτω από ακραίες συνθήκες.

Όχι, όταν γνωρίστηκα με τον Ανδρέα, όταν ερωτευτήκαμε κι αρχίσαμε ν' αρμενίζουμε στη μεγάλη μας περιπέτεια, τέτοιο θέμα δε με απασχόλησε καθόλου. Άλλωστε εναλλάσσονταν με τέτοια κινηματογραφική ταχύτητα οι παραστάσεις μιας νέας ζωής, που δεν είχα καν το χρόνο ν' ασχοληθώ με κάτι τέτοιο.

Ο θαυμασμός και ο κρυφός έρωτας προς τον Ανδρέα, η σαγήνη απ' την έλξη που εξέπεμπε υπήρχαν σ' εμένα, όπως και σε χιλιάδες Ελληνίδες, απ' το '74, απ' τη βραδιά εκείνη που επέστρεψε στην Ελλάδα και έγινε εκφραστής των οραμάτων και της δικής μου γενιάς, που διψούσε τότε, μετά τη δικτατορία, για αμφισβήτηση, ελευθερία, σοσιαλισμό, τη νέα μαζική έννοια που έμπαινε στη ζωή μας.

Το '82, όταν τον γνώρισα από κοντά, όλα τούτα πολλαπλα-

42

σιάζονταν μέσα μου. Εξέπεμπε μαγνητισμό, γοητεία, ερωτισμό, είχε το χάρισμα να σε κατακτά.

Όχι ιδιοτέλεια, υστεροβουλία, όχι· αφέθηκα μόνο σ' αυτό που ένιωθα, απ' τη στιγμή που με κάλεσε κοντά του.

Μέχρι το '88 το μόνο... ρουσφέτι που του ζήτησα ήταν η επίλυση του συνταξιοδοτικού προβλήματος των ιπταμένων, ένα θέμα που ταλάνιζε τον κλάδο για χρόνια. Μάλιστα όταν ο Ανδρέας παρενέβη και λύθηκε το πρόβλημα, γεμάτος χαρά έστειλε ένα τηλεγράφημα στο σωματείο μας. Το τηλεγράφημα από λάθος πήγε... στη διοίκηση της «Ολυμπιακής».

Απ' το '88 ως το '93 εκούσα άκουσα μπήκα στο πολιτικό παιχνίδι. Και μπήκα και με τοποθέτησαν.

Αλλά τότε οι προτεραιότητες ήταν άλλες. Για μένα αυτό που ήταν πάνω απ' όλα σκοπός ζωής ήταν να ζήσει ο σύντροφός μου, γιατί τότε έδινε τη μάχη τόσο της προσωπικής όσο και της πολιτικής επιβίωσης, κάτω απ' τις πιο αντίξοες συνθήκες που έχει βιώσει πολιτικός ηγέτης.

Ένιωθα ως μοναδικό χρέος να τον στηρίξω, να ζήσει. Το έκανα και αυτό μου το αναγνώρισε, νομίζω, ο κόσμος. Μου το αναγνώρισε ο ίδιος ο Ανδρέας και αυτό με κάνει να νιώθω ευτυχισμένη.

Χέρφιλντ, εκλογικές αναμετρήσεις '89-'90, παραπομπές, προσπάθειες προσωπικής, ηθικής και πολιτικής του εξόντωσης, Ειδικό Δικαστήριο, μια μάχη καθημερινής επιβίωσης.

Ο Ανδρέας είχε ανάγκη πάντα, κάθε φορά, μετά από κάθε μάχη, *ενός κινήτρου* για να δώσει την επόμενη μάχη. Προσπαθούσα να του το δίνω. Στάθηκα κοντά του και είμαι υπερήφανη γι' αυτό.

Το βράδυ της Κυριακής 10 Οκτωβρίου του '93, τις ώρες της μεγάλης προσωπικής και πολιτικής του δικαίωσης, ΤΗ ΔΙΚΗ ΤΟΥ ΜΕΡΑ, ο Ανδρέας μού έκανε την τιμή, μου πρόσφερε τη μέγιστη ευτυχία να με σκεφτεί και να με αναφέρει, με τη δήλωση που έκανε μόλις επισημοποιήθηκε η εκλογική νίκη.

Ύστερα, μετά από τόσες και τόσες Συμπληγάδες, λιθοβολισμούς, δυσκολίες, θύελλες, ύστερα, ναι, υπήρξε παιχνίδι εξουσίας.

Ήμουν ζαλισμένη, δεν ήμουν πολιτικός, έκανα λάθη, αρκετά απ' αυτά είχαν κόστος και για τον Ανδρέα. Το παραδέχομαι. *Αυτό που μόνο ζητάω είναι να μη μου καταλογίζεται σκοπιμότητα εκεί που δεν υπήρξε και να κριθώ δίκαια.* Σε ορισμένες επιλογές προσώπων, γύρω μου, αστόχησα. Αλλά είμαι υπερήφανη για τους περισσότερους απ' τους συνεργάτες-φίλους μου.

Κάποιες φορές, το παραδέχομαι, προκάλεσα με τη συμπεριφορά μου, έδειξα οίηση, για κάποιες επιλογές βιάστηκα. Κοιτάζοντας πίσω, νομίζω πως κίνητρό μου δεν ήταν η υστεροβουλία. Άγνοια, ναι, μου καταλογίζω. Ορισμένες πράξεις μου ποδηγετήθηκαν από κολακείες, από αίσθημα αλαζονείας, ναι, να το δεχτώ. Μπορώ να δω ακόμα και υπερβολή σ' αυτό που εννοούσα εγώ ως «προστασία του Ανδρέα».

Σε ορισμένες περιπτώσεις, κινήσεις μου υπαγορεύτηκαν από προσωπικά αισθήματα συμπάθειας ή αντιπάθειας απέναντι σε πρόσωπα. *Αλλά δεν ήταν και δε θα μπορούσαν να είναι κινήσεις πολιτικές.*

Δεν ήταν και δε θα μπορούσαν να είναι, γιατί ο Ανδρέας δεν επέτρεπε κάτι τέτοιο. Ο Ανδρέας με τη συμπεριφορά του, με τα καθημερινά μαθήματα πολιτικής σοφίας που εξέπεμπε, *υπέβαλε και ποτέ δεν επέβαλε* τον τρόπο συμπεριφοράς των άλλων, των κοντινών του προσώπων, απέναντί του.

Άκουγε τους πάντες, με υπομονή και ευγένεια, αλλά ήταν αυτός που α-ποφάσιζε.

Με άκουγε και μένα. Και πιστεύω πως αυτό δεν είναι κακό. *Είναι μύθος ότι προσπαθούσα να τον επηρεάσω και πολύ περισσότερο ότι τον επηρέαζα σε πολιτικές επιλογές.* Ακόμα κι αν το επιδίωκα, ο Ανδρέας δεν ήταν ο άνθρωπος που θα επηρεαζόταν και αυτό το γνωρίζουν καλά όσοι τον έζησαν από κοντά.

Κάποιοι είπαν, έγραψαν, με κατηγόρησαν ότι δημιούργησα «Αυλή» γύρω μου. Η αλήθεια, ανθρώπινα, είναι πως είχα φίλους και συνεργάτες. «Αυλή» όχι. Σε κάποιες επιλογές μου ατύχησα και εκεί αναλαμβάνω την ευθύνη. Δεν έχω πρόθεση να αποποιηθώ τις ευθύνες μου. Αλλά και δεν είναι καθόλου δίκαιο να μου επιρρίπτονται ευθύνες εκεί όπου δεν υπάρχουν και, πολύ περισσότερο, να θεωρούμαι υπεύθυνη για όσα κακά συνέβησαν σ' αυτό τον τόπο τα τελευταία χρόνια.

Σ' αυτό το σημείο αισθάνομαι την ανάγκη, κοιτάζοντας προς τα πίσω, να υπενθυμίσω τη γενναία, περήφανη και δίκαιη απάντηση που έδωσε ο Ανδρέας, όταν δέχτηκε σχετικές ερωτήσεις στη Θεσσαλονίκη, κατά την τελευταία επίσκεψή του εκεί, στις 10 Σεπτεμβρίου 1995:

Α. Π.: «Θα σας απαντήσω: η Δήμητρα έχει γίνει αντικείμενο επίθεσης βάναυσης και πρωτόγνωρης από τον ελληνικό Τύπο και από διάφορες ομάδες και οργανώσεις. Είναι ντροπή, είναι ανανδρία. Εμένα θέλουν να χτυπήσουν. Εδώ είμαι. Χτυπήστε! Είμαι συνηθισμένος. Έχω αγωνιστεί στη ζωή μου ως πολιτικός. Και είμαι έτοιμος να αγωνιστώ για πολύ ακόμα καιρό. Αλλά το να χτυπάς τη Δήμητρα για να ρίξεις τον Παπανδρέου είναι απαράδεκτη τακτική. Και πρέπει να ντρέπονται όλοι οι του Τύπου, των ραδιοφώνων, των τηλεοράσεων που ακολουθούν μια τέτοια απαράδεκτη, για μια προχωρημένη χώρα, τακτική. Το τι θα κάνει η Δήμητρα είναι δική της δουλειά. Βεβαίως, ρωτάτε αν "συγκυβερνά". Ακούω τη γνώμη της, όπως κάθε ανθρώπου, είτε είναι στέλεχος είτε απλός πολίτης που ζει στο σπίτι μου. Είναι η περίφημη... "Αυλή"! Ποια "Αυλή"; Κάθε άνθρωπος έχει τρεις φίλους. Τους "πετάει"; Αυτή είναι η "Αυλή" μου; Και τι κάνει αυτή η "Αυλή"; Και πώς "συγκυβερνάει" η Δήμητρα; Είναι άλλο να σου πει πώς βλέπει κάτι και άλλο να "συγκυβερνάει". Όχι, εγώ κυβερνώ, κύριε».

Για να κλείσω, προς το παρόν (γιατί παρακάτω θα βρω ευκαιρία αναφορών και σε συγκεκριμένα θέματα), με την απάντηση σ' αυτού του είδους την κριτική, οφείλω να καταθέσω τα βιώματά μου και σ' ένα άλλο ερώτημα, που επίσης έχει τεθεί:

Μήπως υπήρχε ένα έμμεσο «πλασάρισμα» επιδιώξεων της Δήμητρας προς τον Ανδρέα, λόγω εξάρτησης που είχε ο πρόεδρος απ' τη σύζυγό του;

Αυτό δεν το θεωρώ μόνο μύθο. Το θεωρώ ύβρι απέναντι στον πολιτικό ηγέτη Α. Παπανδρέου και την ιστορική του διαδρομή. Ο Ανδρέας, ακόμα και στις πιο δύσκολες στιγμές της ζωής του, ακόμα και όταν η κατάσταση της υγείας του ήταν κακή, ακόμα και όταν οι φυσικές του δυνάμεις άρχισαν να τον εγκαταλείπουν, α- κόμα και τότε δε θα ήταν ποτέ εξαρτώμενος. Αντιμετώπιζε με α- ξιοπρέπεια και υπερηφάνεια και πάντα ως πρωταγωνιστής τα γε- γονότα, ακόμα και τότε.

Η σχέση μας δεν είχε ποτέ τέτοια στοιχεία. Ξεκίνησε με πά- θος, έρωτα, ρήξεις. Μέσα από δοκιμασίες δεθήκαμε ακόμα πε- ρισσότερο. Απέκτησε σιγουριά και ασφάλεια. Συνδύαζε τη γαλή- νη και την ένταση. Ωρίμασε. Έδεσε. Διακρινόταν από σεβασμό, κατανόηση, τρυφερότητα.

Ήταν σχέση αγάπης και στοργής. Στοργής, όχι εξάρτησης. Αυτό το στοιχείο της στοργής μού έχει μείνει έντονα και εκφρα- ζόταν και στα πλέον απλά, ανθρώπινα θέματα. Στην επιμονή μου, ας πούμε, να τρώει ο Ανδρέας όσο περισσότερο γινόταν, γιατί οι γιατροί το έβρισκαν απαραίτητο. Θυμάμαι πολλές φορές τον ε- αυτό μου, φορτωμένο με άγχος, να τον «πιέζω» να τελειώσει το φα- γητό του. Όσες φορές «μαλώσαμε» ήταν γι' αυτό το λόγο. Αυτοί ήταν οι... μυθικοί καβγάδες μας.

Με ήθελε, όσο γινόταν περισσότερο, κοντά του. Δεν ήταν ε- ξάρτηση, ήταν ανάγκη στοργής, που του είχε λείψει πολύ, όπως μου έλεγε, στο μεγαλύτερο μέρος της ζωής του και αυτό του έ- βγαινε έντονα.

Στοργής, που πρωτοθεμελιώθηκε στο Χέρφιλντ, εκεί όπου ο Αν- δρέας έδωσε την πρώτη τιτάνια μάχη για τη ζωή, εκεί όπου δε- θήκαμε παντοτινά, εκεί όπου πρωτοένιωσα τι θα πει πολιτικό παι- χνίδι...

46

Χέρφιλντ:
χρονικό ανάμεσα στη ζωή και το θάνατο

Η ΠΕΡΙΠΕΤΕΙΑ ΤΟΥ ΧΕΡΦΙΛΝΤ, αυτό το οριακό χρονικό ανάμεσα στη ζωή και το θάνατο, υπήρξε *σταθμός* στη ζωή του Ανδρέα. Όχι μόνο επειδή εκεί, για πρώτη φορά, ένιωσε να μπαίνει μέσα στο ποτάμι, για να περάσει στην απέναντι όχθη, και την ύστατη στιγμή να γυρίζει πίσω, αλλά και επειδή μετά το Χέρφιλντ τίποτα δεν ήταν όπως πριν, ούτε πολιτικά ούτε προσωπικά.

Αμέσως μετά το Χέρφιλντ και μέσα σε ένα πρωτόγνωρο κλίμα, όπου τα πολιτικά πάθη έχουν κορυφωθεί, όπου η πολιτική αντιπαράθεση έχει μετατραπεί σε μια αδυσώπητη προσπάθεια ανθρωποφαγίας, σε μια περίοδο όπου το *σκάνδαλο Κοσκωτά* και η απόπειρα εμπλοκής του Ανδρέα σ' αυτό βρίσκονται στην πρώτη γραμμή της επικαιρότητας, μέσα σ' αυτές τις συνθήκες *ο Ανδρέας για πρώτη φορά αισθάνεται την αμφισβήτηση μέσα απ' το ίδιο του το κόμμα*. Δειλά δειλά, υπαινικτικά, παρασκηνιακά στην αρχή, πιο έντονα και φανερά αργότερα, με σταθμό το «Πεντελικό», άλλες φορές έντιμα και άλλες, τις περισσότερες, ανέντιμα, ο Ανδρέας πάντως αρχίζει να αμφισβητείται, για πρώτη φορά μετά το '74. Με εξαίρεση την περίοδο απ' τη δικαίωσή του στο Ειδικό Δικαστήριο μέχρι και λίγους μήνες μετά την εκλογική νίκη του '93, η αμφισβήτηση αυτή περνάει από διακυμάνσεις, αλλά ποτέ δε σταματάει. Κορυφώνεται βέβαια απ' το φθινόπωρο του '94, οπότε και επισημοποιεί την ύπαρξη και δράση της η «Ομάδα των 4».

Μπορώ να πω με βεβαιότητα ότι αυτή η αμφισβήτηση επηρέ-

47

ασε και την πορεία της υγείας του Ανδρέα, ιδιαίτερα την τελευταία περίοδο.

Τον θυμάμαι να περνάει αφόρητες στιγμές προσωπικής πίκρας, όταν κάποια απ' τα πνευματικά και πολιτικά του «παιδιά» τον χαρακτήριζαν «εμπόδιο στις εξελίξεις» ή ζητούσαν την απόσυρσή του απ' το πολιτικό προσκήνιο, αγνοώντας ότι κάτι τέτοιο θα τον οδηγούσε εκ του ασφαλούς στο βιολογικό θάνατο.

Τον θυμάμαι να οργίζεται και να υποφέρει, όταν ο γιος του, ο Γιώργος, του ζήτησε το '89 να παραιτηθεί και να αποχωρήσει, για ένα διάστημα, απ' την πολιτική.

Τον θυμάμαι να χτυπάει το χέρι στο τραπέζι, αποφασισμένος ακόμα και για ένα «νέο ξεκίνημα», όταν ομάδα στελεχών στο «Πεντελικό» με επικεφαλής τους Λαλιώτη, Σημίτη, Αυγερινό (έτσι πίστευε) τον «εκβιάζουν», όπως έλεγε, για να τον έχουν «πρόεδρο υπό ομηρία».

Τον θυμάμαι να πικραίνεται αφάνταστα, στις παραπομπές του '89, όταν τόσο στελέχη του ΠΑΣΟΚ όσο και εκδότες και στελέχη του Συνασπισμού (αργότερα) του περνούν μηνύματα ότι στις παραπομπές του συναίνεσαν και κάποιοι επώνυμοι του ΠΑΣΟΚ, επειδή πίστεψαν ότι «βρήκαν την ευκαιρία για να τελειώνουν μαζί του».

Τον θυμάμαι να περνάει ατέλειωτες ώρες μοναξιάς την περίοδο της δίκης στο Ειδικό Δικαστήριο, όταν η μεγάλη πλειοψηφία των κορυφαίων στελεχών του ΠΑΣΟΚ τον έχει «απομονώσει», όταν το τηλέφωνο χτυπάει ελάχιστα.

Οι περισσότεροι βέβαια «επέστρεψαν», μετά την προσωπική και πολιτική του δικαίωση, για να εισπράξουν αξιώματα και θέσεις. Μερικοί απ' αυτούς μάλιστα, ακόμα και σήμερα, μιλάνε για «"Αυλή" του Ανδρέα και της Δήμητρας».

Τον θυμάμαι να πληγώνεται, να υποφέρει, να κλονίζεται η υγεία του, όταν η «Ομάδα των 4» τον αντιπολιτεύεται ακόμα και σε προσωπικό επίπεδο, τον αμφισβητεί σε οριακό σημείο. «Θέλουν να με εξοντώσουν;» αναρωτιέται.

Τον θυμάμαι να πικραίνεται αφάνταστα, όταν ο Θ. Πάγκαλος φτάνει να τον χαρακτηρίζει κλεπταποδόχο. Ο ίδιος, ναι, του είχε δώσει άτυπα το «δαχτυλίδι», όταν τον τοποθέτησε υποψήφιο δήμαρχο της Αθήνας. Ο ίδιος ο Ανδρέας γνώριζε πως, αν ο Πάγκαλος κέρδιζε εκείνη τη μάχη, αυτόματα αποκτούσε μια πλεονεκτική θέση στη μάχη της διαδοχής. Ο ίδιος ο Ανδρέας είχε σταθεί και είχε προσωπικά συμπαρασταθεί στον Θ. Πάγκαλο στις δύσκολες στιγμές που πέρασε, όταν είχε αναγκαστεί να ζητήσει συγνώμη απ' τους Γερμανούς.

Θα ρωτήσει, εύλογα, ο φίλος αναγνώστης ένα ερώτημα που έχει τεθεί κατ' επανάληψη:
«Καλά, ο Ανδρέας δεν ανεχόταν την κριτική και την αμφισβήτηση; Είχε πάντα την αντίληψη του ηγεμόνα, του υπεράνω αμφισβήτησης;»
Μπορώ να απαντήσω για την περίοδο των δέκα χρόνων που ζήσαμε μαζί.
Ο Ανδρέας είχε τα χαρακτηριστικά, όλα τα χαρακτηριστικά, του ηγέτη. Χαρακτηριστικό των ηγετών της εμβέλειας του Ανδρέα είναι να βλέπουν τα πολιτικά στελέχη, ακόμα και τα πολιτικά τους δημιουργήματα, «από καθέδρας», από κάποιο ύψος, από κάποια απόσταση. Αυτό, σε μεγάλο βαθμό, προσδιορίζει τη συμπεριφορά τους. Ο ίδιος έλεγε πως «τα τελευταία χρόνια με έχει κουράσει το κόμμα».
Όμως σε καμιά περίπτωση δεν ήταν αυταρχικός. Συζητούσε, διαλεγόταν, ήθελε οι αποφάσεις να είναι συλλογικό προϊόν, αποτέλεσμα δημοκρατικής διαδικασίας.
Λειτουργούσε, ως ένα σημείο, συγκεντρωτικά σε θέματα ύψιστης σημασίας, που απαιτούσαν άμεση δράση. Ως ηγέτης, σε τέτοια θέματα έκανε τις επιλογές του, ήθελε να είναι αυτός που έπαιρνε τις αποφάσεις. Και σ' αυτές όμως τις περιπτώσεις συνεργαζόταν με τους ανθρώπους των οποίων την κρίση εμπιστευόταν.
Άφηνε πάντα ανοιχτό πεδίο δράσης στους συνεργάτες του, στον τομέα των αρμοδιοτήτων τους, δίχως να παρεμβαίνει, εκτός αν έκρινε ότι λειτουργούσαν εκτός κομματικής ή κυβερνητικής γραμμής.

Είχε το χάρισμα να ακούει και να κρίνει. Ζητούσε τις θέσεις και τις απόψεις στελεχών και συνεργατών του. Δε λέω ότι η κριτική και η αμφισβήτηση τον έκαναν... ευτυχή, αλλά δεν είχε ουσιαστικό πρόβλημα.

Αυτά που δεν ανεχόταν ήταν: η αχαριστία, τα χτυπήματα κάτω απ' τη ζώνη και η εκμετάλλευση των προβλημάτων της υγείας του για προσωπικές επιθέσεις και «ξεκαθάρισμα λογαριασμών». Αυτοκριτική έκανε, αν και δεν του άρεσε η δημόσια ομολογία. Τις ευθύνες που του αναλογούσαν είχε το θάρρος να τις αναλαμβάνει. Για παράδειγμα, το '89 ανέλαβε δημόσια την πολιτική ευθύνη που του αναλογούσε για το σκάνδαλο Κοσκωτά.

Ο Ανδρέας δεν ενοχλούνταν, για παράδειγμα, απ' την κριτική που ασκούσε τα τελευταία χρόνια ο Δημήτρης Τσοβόλας για την οικονομική πολιτική των κυβερνήσεών του ή για την κριτική που ασκούσε στους χειρισμούς του στα εθνικά θέματα ο Μιχ. Χαραλαμπίδης. Μάλιστα για τον Χαραλαμπίδη είχε κάνει τουλάχιστον μια φορά στο παρελθόν παρέμβαση για να μη διαγραφεί, όταν κάποια άλλα στελέχη του ΠΑΣΟΚ τον είχαν υπό καρατόμηση. Μπορεί να στενοχωριόταν απ' την κριτική, ορισμένες φορές να τη θεωρούσε άδικη ή υπερβολική, αλλά μέχρις εκεί. Σεβόταν τη διαφορετική άποψη.

Ενοχλούνταν όμως σφοδρότατα απ' τις προσωπικές επιθέσεις, την αχαριστία, τους υπαινιγμούς που εισέπραττε για βιολογική αδυναμία να ασκήσει τα καθήκοντά του.

Ενοχλήθηκε, όταν, λίγο πριν αρχίσει η δίκη στο Ειδικό Δικαστήριο, ο Κ. Σημίτης, σε συνέντευξη στο *Βήμα*, ζητούσε να προχωρήσει ως το τέλος η κάθαρση αφήνοντας σαφέστατους υπαινιγμούς για συμμετοχή του Ανδρέα στο σκάνδαλο της Τράπεζας Κρήτης.

Ενοχλήθηκε, όταν η Βάσω Παπανδρέου, λίγες μόνο μέρες μετά από το διορισμό της στη θέση της επιτρόπου, με άρθρο της στην ίδια εφημερίδα τον χαρακτήριζε «εμπόδιο στις εξελίξεις» ζητώντας του, έμμεσα, να αποσυρθεί.

Πικράθηκε και οργίστηκε, όταν, ενώ έδινε τη μάχη της προσωπικής και πολιτικής του δικαίωσης, τρεις βουλευτές του ζήτησαν έμμεσα αλλά σαφώς την παραίτησή του. Εκεί έδρασε... σαν Ανδρέας της δεκαετίας του '70 και με προσωπική του απόφαση διέγραψε απ' την ΚΟ τους Β. Κεδίκογλου, Χ. Καστανίδη και Ηλ. Παπαδόπουλο.

Αισθάνθηκε απέραντη θλίψη, όταν τον πληροφόρησαν ότι έ-νας σημερινός υπουργός και ένας σημερινός βουλευτής, τότε κομματικά στελέχη, μέλη της ΚΕ και βουλευτές, είχαν πει πως «πρέπει να τελειώνουμε με το γέρο» και «θα χορεύουμε πάνω απ' τον τάφο του», λίγες μέρες πριν μπει στο Ωνάσειο...

Όπως λένε συνεργάτες του που τον έζησαν από κοντά για χρόνια και γνωρίζουν καλύτερα τον τρόπο της πολιτικής του δράσης, σε τέτοιες περιπτώσεις στο παρελθόν ο Ανδρέας θα ζητούσε διαγραφές. Ένιωθε όμως, τα τελευταία χρόνια, ότι οι πολιτικές συνθήκες έχουν αλλάξει, ότι οι συγκυρίες υπαγορεύουν άλλη αντιμετώπιση.

Ο Ανδρέας είχε και ένα άλλο, μοναδικό χάρισμα, χαρακτηριστικό του υπεράνω όλων ηγέτη: *δεν άφηνε τα προσωπικά του συναισθήματα να κατευθύνουν την πολιτική του δράση.* Μπορώ μάλιστα να πω με σιγουριά (και το έζησα αυτό) ότι: *σε πολλές περιπτώσεις τα προσωπικά του συναισθήματα «συμπιέζονταν» απ' την αίσθηση της πολιτικής ευθύνης, απ' τη «συνείδηση παράταξης» που πάντα τον διέκρινε και απ' την ανάγκη πολιτικής ενότητας του ΠΑΣΟΚ, που πάντα αισθανόταν και υπογράμμιζε.*

Θα αναφέρω ορισμένα μόνο χαρακτηριστικά παραδείγματα.

Η προσωπική πικρία δεν τον εμπόδισε να ζητήσει ο ίδιος, τηλεφωνικώς, απ' τη Βάσω Παπανδρέου, στον τελευταίο ανασχηματισμό που έκανε, τη συμμετοχή της στην κυβέρνηση. Νομίζω ότι δεν ήταν δική του ευθύνη που τελικά αυτό δεν έγινε...

Παρά την πικρία που αισθανόταν απέναντι στον Κ. Σημίτη, τον τοποθέτησε επικεφαλής υπερυπουργείου το '93, του έδωσε την ευχέρεια επιλογής των συνεργατών του και ουδέποτε έκανε παρέμβαση στην άσκηση των αρμοδιοτήτων του.

Παρά τη ρήξη με τον Κ. Λαλιώτη στο «Πεντελικό», σε λίγους μήνες δέχτηκε τις επίμονες εισηγήσεις των Γ. Παναγιωτακόπουλου και Π. Λάμπρου και αποκαταστάθηκε η σχέση τους.

Τον Χ. Καστανίδη τον έκανε υπουργό, παρά τα όσα είχαν προηγηθεί. Το ίδιο και τον Γ. Αλ. Μαγκάκη. *«Όλοι μαζί», ήταν η επωδός του. Με μία προϋπόθεση: όχι εκπτώσεις σε πολιτικές...*

Καλοκαίρι του '88 και τα άσχημα σημάδια στην υγεία του Ανδρέα αρχίζουν να πολλαπλασιάζονται, να γίνονται ανησυχητικά: υπερβολικό πάχος, αρρυθμίες, οιδήματα, ξαφνικές λιποθυμίες, πρηξίματα, υπερβολική κούραση, υπνηλία.

Αρχίζω να ανησυχώ. Ο ίδιος δε φαίνεται να ανησυχεί, προσπαθεί να με καθησυχάσει. Το περίεργο είναι, όπως αποδεικνύεται εκ των υστέρων, πως ούτε ο προσωπικός του γιατρός, ο Παραράς, δείχνει να ανησυχεί ιδιαίτερα και έτσι χάνεται πολύτιμος χρόνος.

Θυμάμαι, χαρακτηριστικά, πως, όταν συνεργάτες του Ανδρέα επισήμαναν στον Παραρά ότι πρήζονται συχνά τα πόδια του προέδρου, προέτρεψε να... φορέσει μεγαλύτερο νούμερο παπούτσια.

Εδώ θα πρέπει να πω ότι ο Ανδρέας γενικά δεν έδινε ιδιαίτερη σημασία ποτέ στην κατάσταση της υγείας του και λόγω ιδιοσυγκρασίας και επειδή συνήθως πάνω απ' όλα έβαζε την επιθυμία του να μην περνάει προς τα έξω η εικόνα του άρρωστου, του ανήμπορου. «Τι θα πουν αν διαρρεύσει ότι ο πρωθυπουργός είναι ασθενής, δεν μπορεί να ασκήσει τα καθήκοντά του, τι εντυπώσεις θα δημιουργηθούν;» συνήθιζε να λέει.

Ο Γιώργος Κατσιφάρας, ο Δημήτρης Κρεμαστινός και τα παιδιά του Γραφείου θα πρέπει να θυμούνται πόσες προσπάθειες έγιναν για να πειστεί ο Ανδρέας να δεχτεί να μπει στο Ωνάσειο, ακόμα και όταν τα πράγματα είχαν φτάσει στο απροχώρητο. Μέχρι την τελευταία στιγμή επέμενε να αρνείται. Ένιωθε πως κάθε φορά που έμπαινε στο νοσοκομείο εγκατέλειπε την πολιτική, τη διαχρονική του ερωμένη, και αυτό τον ενοχλούσε βαθύτατα, τον σκότωνε.

Παρ' όλα αυτά οι γιατροί που κατά καιρούς τον βοήθησαν έχουν να λένε πόσο υπάκουος ασθενής ήταν, πόσο ευγενής και πόσο άντεχε τους πόνους και την ταλαιπωρία. Μπορεί να υπέφερε, και υπέφερε πολλές φορές, αλλά η περηφάνια που τον διέκρινε δεν του επέτρεπε να δείχνει ότι πονάει, υπέμενε πάντα στωικά. Όταν τα ανησυχητικά σημάδια πολλαπλασιάζονται, ο Παραράς τού συνέστησε ένα τσεκ απ. Αποφασίστηκε να γίνει στο Βισμπάντεν.

Γύρω απ' τη διάγνωση του Βισμπάντεν έχουν γραφεί και ειπωθεί πολλά. *Γεγονός είναι πως του έδινε περίπου έξι μήνες ζωή μόνο, ότι η κατάσταση χαρακτηριζόταν μη αναστρέψιμη και μη εγχειρίσιμη.* Την τραγικότητα της κατάστασης, σύμφωνα με τη διάγνωση πάντα, τη γνώριζε μόνο ο Παραράς. Ο ίδιος ο Ανδρέας δεν ενημερώθηκε. Πιστεύω πάντως ότι είχε αρχίσει να διαισθάνεται πως τα πράγματα ήταν πολύ πιο σοβαρά απ' αυτά που του είχαν περιγράψει, ότι δηλαδή θα πρέπει μόνο να προσέχει, να μην κουράζεται, να παίρνει κάποια φάρμακα, να κάνει πιο ήσυχη και με λιγότερο στρες ζωή.

Εμένα προσπαθούσε να με καθησυχάσει. Με πήρε, θυμάμαι, απ' το Βισμπάντεν τηλέφωνο στο σπίτι που είχαμε τότε νοικιάσει και μέναμε, στην Πολιτεία, για να μου πει ότι όλα πάνε καλά, ό,τι του είπανε πως μπορεί να κάνει τα πάντα και πως μόνο λίγη προσοχή χρειάζεται. Μου είπε μάλιστα πως εκεί είχε συναντήσει και τον Αλ. Φιλιππόπουλο, τότε διευθυντή του *Έθνους*.

Τα στελέχη του ΠΑΣΟΚ και τα μέλη της κυβέρνησης επίσης δεν ενημερώθηκαν τότε πως, σύμφωνα με τη διάγνωση, ο Ανδρέας σε έξι μήνες περίπου θα πέθαινε. *Με μια εξαίρεση:* τον Μένιο Κουτσόγιωργα, ο οποίος ενημερώθηκε απ' τον Παραρά, λόγω της στενής σχέσης που είχαν.

Από τότε ο Μ. Κουτσόγιωργας, μεθοδικά, προετοιμάζεται για την κούρσα της διαδοχής που μόνο αυτός απ' τα στελέχη του ΠΑΣΟΚ ξέρει ότι ήδη έχει αρχίσει. Αυτό τον έφερε βέβαια σε πλεονεκτική θέση έναντι των άλλων, αλλά και τον οδήγησε σε λάθη που του κόστισαν, όπως πίστευε ο Ανδρέας. Πάντως εκείνη την περίοδο ο Μ. Κουτσόγιωργας μπορούσε να στηρίζεται στα περισσότερα στελέχη, όπως τον Κ. Λαλιώτη, τον Χρ. Παπουτσή, ενώ είχε πάντα δεδομένο στο πλευρό του τον Γ. Κουρή και το συγκρότημα της *Αυριανής*.

Μόνο τη στήριξη του Αντώνη Λιβάνη δεν είχε ποτέ, σε καμία φάση, ο μακαρίτης ο Μένιος. Ο Αντώνης Λιβάνης, πάντα πιστός στον Ανδρέα και μόνο σ' αυτόν, δεν έμπαινε ποτέ ούτε σε παιχνίδια διαδοχής ούτε σε μάχες συσχετισμών ούτε σε εσωκομματικό παρασκήνιο. Είχε μοναδική του έννοια, πάντα, τη στήριξη και την προστασία του «Ανδρέα του» και αυτό και μόνο καθοδηγούσε όλες τις κινήσεις του.

Ίσως γι' αυτό, πίστευε ο Ανδρέας, δεν ήταν αρεστός στον κομματικό μηχανισμό και τη Χαριλάου Τρικούπη. Εκεί έγινε αποδεκτός μόνο μετά το '90...

Πιστός φίλος και σύντροφος πολύχρονων αγώνων ήταν για τον Ανδρέα και ο Μ. Κουτσόγιωργας. Η φιλία τους ήταν δυνατή. Ο Ανδρέας πίστευε πως «ο Μένιος ήταν απ' τους πιο πετυχημένους υπουργούς» απ' όποιο πόστο και αν πέρασε, ότι «ήταν ο άνθρωπος της πράξης και όχι τόσο της θεωρίας», σε αντίθεση με άλλα κυβερνητικά στελέχη. Πίστευε στις ικανότητές του και στις δυνατότητες που είχε να λύνει «γόρδιους δεσμούς» και να αναλαμβάνει «ειδικές αποστολές». Διαδραμάτισε σημαντικό ρόλο στο έντονο παρασκήνιο της εκλογής Προέδρου της Δημοκρατίας το 1985. Είχε επίσης, πίστευε ο Ανδρέας, θετική εικόνα και ανταπόκριση σε μεγάλο μέρος της βάσης του ΠΑΣΟΚ, λόγω της μαχητικότητας που τον διέκρινε στην αντιμετώπιση της Δεξιάς. Αλλά εκείνη την περίοδο, όντας γνώστης της εσφαλμένης διάγνωσης του Βισμπάντεν, βιάστηκε και οδηγήθηκε σε λάθη, όπως αποδείχτηκε εκ των υστέρων.

Απ' την πληροφόρηση που είχε τότε ο Ανδρέας για τις δραστηριότητες Κουτσόγιωργα εκείνης της εποχής, αρχίζω δειλά δειλά να καταλαβαίνω τι εστί πολιτικό παιχνίδι και μάλιστα παρασκηνίου.

Θυμάμαι, ανάμεσα σε άλλα, ότι αργότερα κάποιοι φρόντισαν και μετέφεραν στον Ανδρέα την πληροφορία για το περιεχόμενο μιας συνομιλίας ανάμεσα στον Μένιο και τον Παραρά, μετά την εγχείρηση στο Χέρφιλντ. Έλεγαν πως «κακώς ο Κρεμαστινός τον έστειλε στο Χέρφιλντ», «γιατί πάει εκεί, αφού δεν πρόκειται να ζήσει», «τι βλακείες λέει ο Κρεμαστινός, ποια εγχείρηση, τι είναι αυτά που λέει, ότι θα ζήσει» και άλλα, σ' αυτό πάντως το κλίμα. Ο Ανδρέας δεν έκανε κανένα σχόλιο, μόνο κούνησε το κεφάλι του με πίκρα...

Αργότερα, όταν το σκάνδαλο Κοσκωτά βρισκόταν στο κέντρο της επικαιρότητας και η συμμετοχή του Μ. Κουτσόγιωργα καταγγελλόταν και συζητιόταν έντονα και οι αποκαλύψεις ή οι «αποκαλύψεις» διαδέχονταν η μία την άλλη, ηγετικά στελέχη του ΠΑΣΟΚ σε πολλές συναντήσεις και συζητήσεις με τον Ανδρέα τού πρότειναν την εξής ερμηνεία:

Ο Μένιος, απ' τη στιγμή που ενημερώνεται απ' τον Παραρά, ξεκινάει την κούρσα της διαδοχής. Μέσα σ' αυτό το πλαίσιο αναζητεί συμμαχίες και συσχετισμούς παντού, σε πολιτικό, εκδοτικό και οικονομικό επίπεδο. Μέσα σ' αυτό το κλίμα δέχεται και αποδέχεται εισηγήσεις για επαφή και με τον Κοσκωτά, τον ανερχόμενο οικονομικό και εκδοτικό παράγοντα. Υποκύπτει και έρχεται σε συναλλαγή μαζί του. Έτσι αρχίζει η εμπλοκή του, που εξελίχθηκε και σε οικονομική συναλλαγή.

Ο Ανδρέας υπέφερε, δεν ήθελε, δεν μπορούσε να αποδεχτεί αυτό το σενάριο, όσο κι αν ήταν πικραμένος απ' το παρασκηνιακό παιχνίδι που εξελίχθηκε με πρωταγωνιστή *και* τον Μ. Κουτσόγιωργα την περίοδο του Χέρφιλντ. Η μακρόχρονη σχέση που είχε μαζί του τον έκανε να αρνείται να πιστέψει τα παραπάνω.

Όσο όμως περνούσε ο καιρός, άρχισε να προβληματίζεται έντονα. Νομίζω ότι κάπου στις αρχές του '89 προσχώρησε στην παραπάνω άποψη (περί συναλλαγής) με πόνο, είν' αλήθεια, με βαθιά θλίψη, με αφόρητη στενοχώρια. Του κόστισε. Του κόστισε πολύ.

Ακόμα και τότε όμως οι κινήσεις του απέναντι στον Μ. Κουτσόγιωργα ήταν προσεκτικές. Κάποιοι ισχυρίστηκαν ότι φοβόταν, ότι τον «κρατούσαν» από κάπου.

Είναι μεγάλο ψέμα. Ο Ανδρέας δεν είχε να φοβηθεί απολύτως τίποτα. Όταν έλεγε ότι «όλα αυτά δε με αγγίζουν», ήταν αποφασισμένος. Αναγνώριζε την πολιτική του ευθύνη. Αλλά σε καμιά περίπτωση αυτό δεν υποδήλωνε ελάχιστο έστω ίχνος προσωπικής του εμπλοκής. Είχε τη συνείδησή του ήσυχη.

Θυμάμαι το εξής χαρακτηριστικό περιστατικό. Λίγο πριν ξεκινήσει η δίκη στο Ειδικό Δικαστήριο, κάποιοι «προξενητές» (δεν είναι του παρόντος να τους αποκαλύψω) φρόντισαν να διαμηνύσουν στον Ανδρέα ότι «ο Μένιος θα μιλήσει, αν δε βγεις, πρόεδρε, να κάνεις δήλωση ότι είναι αθώος και ότι του παρέχεις πλήρη πολιτική κάλυψη».

Η αντίδραση του Ανδρέα ήταν άμεση, λιτή, σταθερή, σίγουρη και γαλήνια: «**Όποιος έχει να πει ή να αποκαλύψει κάτι σε βάρος μου, εμπρός, ας το κάνει, όποτε θελήσει**».

Και το είπε αυτό ο Ανδρέας σε μια περίοδο που το σχέδιο προσωπικής και πολιτικής του εξόντωσης βρισκόταν σε πλήρη ανέλιξη, σε μια περίοδο που ό,τι λεγόταν ή γραφόταν σε βάρος του δημιουργούσε αμέσως κλίμα και συνεπαγόταν κόστος, πόσο μάλλον αν κάτι τέτοιο γινόταν απ' τον Μ. Κουτσόγιωργα. Δεν το υπολόγισε, γιατί ήταν και ένιωθε καθαρός.

Οι εξελίξεις μεταξύ Γενικού Κρατικού, όπου ξαφνικά εισάγεται μετά από ένα καρδιακό επεισόδιο, και Χέρφιλντ είναι ραγδαίες.

Ο Ανδρέας ενημερώνεται απ' τον Δημ. Κρεμαστινό ότι αντιμετωπίζει σοβαρό πρόβλημα με την καρδιά του, το οποίο πάντως μπορεί να αντιμετωπιστεί, αλλά χρειάζεται άμεσα επέμβαση.

Αποφασίζεται η αναχώρηση, την άλλη μέρα κιόλας, για το Λονδίνο. Έκπληκτος ο ελληνικός λαός πληροφορείται ότι ο πρωθυπουργός της χώρας αντιμετωπίζει πρόβλημα υγείας.

Εμένα με παρασύρει η δίνη των γεγονότων, πέφτω απότομα να κολυμπήσω στα βαθιά και στους ώμους μου αισθάνομαι ένα τεράστιο φορτίο, που δε νιώθω ώριμη να σηκώσω.

Ο Ανδρέας και σ' αυτές τις οριακές γι' αυτόν ώρες, ψύχραιμος και τρυφερός, με βοηθάει σ' αυτή την απότομη προσαρμογή.

Κατ' αρχάς με καθησυχάζει ότι το πρόβλημα δεν είναι σοβαρό και θα αντιμετωπιστεί. Μετά, απότομα για μένα αλλά φυσιολογικά γι' αυτόν, μου λέει:

«Ετοιμάσου, θα έρθεις μαζί μου στο Λονδίνο».

Τρομάζω· του λέω:

«Πώς θα έρθω; Τι είναι αυτά που μου λες; Τι θα πουν; Ότι παίρνεις μαζί σου την ερωμένη σου;»

«Θα έρθεις, σε θέλω κοντά μου, αγάπη μου», απαντάει ήρεμα αλλά και αποφασιστικά.

Ο ίδιος έχει κάνει τις επιλογές του.

Εγώ δεν αισθάνομαι έτοιμη να μπω σ' αυτό το παιχνίδι. Όμως η αγάπη που νιώθω για τον Ανδρέα και η σιγουριά που μου ε-μπνέει ο ίδιος με προστάζουν.

Τον ακολουθώ σε συνθήκες... παρανομίας, παίρνω ελάχιστα ρούχα μαζί μου, γιατί με διαβεβαιώνει πως... σε λίγες μέρες θα γυ-ρίσουμε πίσω!

Συντροφιά μου πολύτιμη σε όσα θα ακολουθήσουν η Ρούλα, ο Βαγγέλης, η Βούλα.

Αργότερα έμαθα ότι στην απόφασή του να είμαι μαζί του στο Λονδίνο αντέδρασαν, όσο πιο έντονα μπορούσαν, όλοι οι κοντι-νοί του άνθρωποι, οι συνεργάτες του. Του είπαν ότι θα είχε μεγάλο κόστος κάτι τέτοιο, ότι θα τα έσπαγε με την οικογένειά του. Επι-στρατεύτηκαν όλα τα επιχειρήματα, πολιτικά και προσωπικά. Η αντίδρασή του ήταν σταθερή:

«Θα έρθει... μαζί μου!!»

Στο αεροπλάνο μού δίνει και του δίνω κουράγιο. Είναι στιγμές δυνατές, που μας δένουν ακόμα περισσότερο. Με κρατάει απ' το χέρι, με αγκαλιάζει τρυφερά και μου υπόσχεται πως όλα θα πά-νε καλά, «μη φοβάσαι, θα το ξεπεράσω».

Είμαι τρομαγμένη, προσπαθώ όμως να μην του το δείξω. Σκέ-φτομαι την κατάσταση της υγείας του, προσεύχομαι γι' αυτόν, κά-ποιες στιγμές αναρωτιέμαι: «Έχω μπει σ' ένα δρόμο χωρίς επι-στροφή;» Η αγάπη που αισθάνομαι μου διώχνει τα ερωτήματα.

Ανεμοστρόβιλος συναισθημάτων.

Σεντ Τόμας - Χέρφιλντ. Αποφασίζεται η εγχείρηση να γίνει απ' τον Μαγκντί Γιακούμπ, έναν εκπληκτικό άνθρωπο και επιστήμονα, με τον οποίο ο Ανδρέας δέθηκε με μια προσωπική σχέση αμοιβαίας εκτίμησης και εμπιστοσύνης ως το τέλος της ζωής του.

Είχε, πράγματι, απόλυτη εμπιστοσύνη στον Μαγκντί Γιακούμπ ο Ανδρέας. Αντλούσε απ' αυτόν κουράγιο, αισιοδοξία, δύναμη σε δύσκολες στιγμές. Τον αγαπούσε και τον εκτιμούσε πολύ. Όταν ο Γιακούμπ τού έλεγε «όλα θα πάνε καλά», ήταν για τον Ανδρέα πηγή ζωής.. Ήταν αρκετές φορές που τον ζήτησε, όταν, μετά το Χέρφιλντ, αντιμετώπισε ξανά πρόβλημα με την υγεία του.

Θυμάμαι πόσο κουράγιο πήρε και πόση δύναμη αισθάνθηκε, όταν ο Γιακούμπ τον επισκέφθηκε στο Γενικό Κρατικό, τον Ιούνιο του '89, καθώς και στο Ωνάσειο, αργότερα.

Θυμάμαι ακόμα τη συνάντησή τους στην Ελούντα, τις στιγμές που πέρασαν σαν δυο καλοί παλιοί φίλοι.

Σ' όλο αυτό το διάστημα, ως την παραμονή της εγχείρησης, έχοντας ήδη μπει, σχεδόν εκβιαστικά, στο πολιτικό παιχνίδι, αρχίζω να βλέπω ότι στο πρόσωπό μου κατευθύνονται τόσο «επιθέσεις φιλίας», πολλές απ' αυτές ειλικρινείς, όσο και προσπάθειες απομόνωσής μου από ορισμένους που έβλεπαν ότι η σχέση μου με τον Ανδρέα δεν είναι απλά κάτι το περαστικό, όπως άλλες στο παρελθόν, και αισθάνονται πως απειλείται η δική τους, προνομιακή παρουσία δίπλα στον Ανδρέα.

Η Αγγέλα Κοκκόλα, ο Μιχάλης Ζιάγκας, ο Μ. Παπασταύρου έκαναν ό,τι μπορούσαν για να μη μένουμε μόνοι με τον Ανδρέα, όπως ο ίδιος επιθυμούσε.

Τα παιδιά του και η Μαργαρίτα, που ήρθαν στο Λονδίνο, προσπάθησαν πιο διακριτικά, είναι η αλήθεια, επίσης να στήσουν έναν ασφυκτικό κλοιό γύρω μου. Ο Ανδρέας απέφυγε να συναντήσει τη Μαργαρίτα, ενώ έδωσε ρητή εντολή προς όλους «να μην πλησιάσει ο Κατσανέβας», μια εντολή που επαναλήφθηκε αργότερα και στο Ωνάσειο, απ' τις πρώτες κιόλας στιγμές της νοσηλείας του εκεί.

Πιο ζεστή ήταν η αντιμετώπιση που είχα απ' τον Δημήτρη Μαρούδα (αργότερα μου είπε ότι του το είχε ζητήσει ο Ανδρέας) και

58

απ' τον Τηλέμαχο Χυτήρη, ο οποίος επιστρατεύτηκε απ' το Γραφείο Τύπου του Λονδίνου για τις ανάγκες της ενημέρωσης των δεκάδων δημοσιογράφων που είχαν έρθει απ' την Ελλάδα αλλά και από άλλες χώρες και καθημερινά πολιορκούσαν το νοσοκομείο αλλά και το ξενοδοχείο όπου έμενα. Απ' την εποχή εκείνη και μετά ο Τηλέμαχος Χυτήρης έμεινε κοντά στον Ανδρέα ως το τέλος και είχαν μια καλή σχέση και συνεργασία.

Θυμάμαι πόσο είχε αιφνιδιάσει τους δημοσιογράφους ο Ανδρέας όταν, κατά τη διάρκεια μιας ενημέρωσής τους απ' τον Τηλέμαχο Χυτήρη, «εισέβαλε» απρόσμενα στην αίθουσα και μίλησε μαζί τους βαθιά ανθρώπινα και πολιτικά. Ήταν τότε που είπε πως δίνει την προσωπική του μάχη, ότι θα την κερδίσει και ζήτησε περισσότερη γενναιότητα στην αντιμετώπισή του.

Εγώ υφίσταμαι καθημερινά την πίεση των δημοσιογράφων για μια έστω μικρή δήλωση, καθώς και την αντιμετώπισή τους που ποικίλλει απ' τη συμπάθεια και την ανθρωπιά ως την εχθρότητα.

Για πρώτη φορά μαθαίνω με έκπληξη πως μπορώ να μιλήσω, εντελώς τυπικά, για δυο τρία λεπτά με ένα δημοσιογράφο και την άλλη μέρα να δω δημοσιευμένη... δισέλιδη συνέντευξή μου.

Αρχίζω να βλέπω δημοσιεύματα ότι είμαι «μετρέσα», «τσόκαρο» και άλλα, που με αντιμετωπίζουν με παρόμοιο πνεύμα.

Αισθάνομαι κυνηγημένη, τρομάζω, δεν έχω μάθει ακόμα τη διαπλοκή των εξουσιών, ότι έχω γίνει μέρος του πολιτικού παιχνιδιού, ότι είμαι το ευάλωτο σημείο για να ξεμπερδεύουν κάποιοι με τον Παπανδρέου.

Μου τα εξηγεί, μου τα μαθαίνει ο ίδιος όλα αυτά, ήρεμα και γαλήνια αλλά και γεμάτος πίκρα, όταν τρομαγμένη τον ρωτάω: «Τι να κάνω;»

Δεν μπορώ πάντως να ξεχάσω την ανθρώπινη συμπεριφορά απέναντί μου δημοσιογράφων όπως ο Α. Δεληγιάννης, ο Κυρ. Διακογιάννης, ο Κ. Χαρδαβέλας, ενώ δίπλα μου στέκεται και ο Γιώργος Λιάνης.

Όπως δεν μπορώ να ξεχάσω και την πρώτη μου εμπειρία απ' τους «παπαράτσι», τους Βρετανούς φωτορεπόρτερ, όταν ο Ανδρέας δήλωσε με τον τρόπο του την επισημοποίηση της σχέσης μας.

Το βράδυ εκείνο, βγαίνοντας απ' το νοσοκομείο για να πάω στο ξενοδοχείο, ένιωσα τι σημαίνει βάρβαρη εισβολή στην ιδιωτική σου ζωή. Ξαφνικά δεκάδες μηχανές και φλας άρχισαν να με «πυροβολούν» χωρίς έλεος, κραυγές άρχισαν να απευθύνονται προς εμένα, είδα ξαφνικά ανθρώπους να σπρώχνουν και να σπρώχνονται για μια φωτογραφία μου. Βίωσα ένα πρωτόγνωρο ανθρωποκυνηγητό. Αισθάνθηκα α-γρίμι, που από πίσω του τρέχουν κυνηγοί για να το εξοντώσουν. Τρόμαξα. Αυτό το αίσθημα το ξαναέζησα πολλές φορές στο μέλλον. Αυτή την τάση εισβολής στην ψυχή σου τη βίωσα πολλές φορές. Και πάντα αισθανόμουν ένα ανυπεράσπιστο θήραμα...

Ενώ ο Ανδρέας έχει μπει στη διαδικασία της καθαρά ιατρικής αλλά και ψυχολογικής προετοιμασίας για την επέμβαση, ο κλοιός του «περιβάλλοντος» γύρω μας γίνεται ασφυκτικός. Ακόμα και εναλλασσόμενες βάρδιες επινοούνται, προκειμένου να μη μείνουμε ούτε λεπτό μόνοι εγώ και ο Ανδρέας.

Ο ίδιος εφευρίσκει... αντίδοτα. Άλλες φορές σκαρφίζεται τεχνάσματα προκειμένου να μπορέσουμε να μείνουμε μόνοι για έ-να μικρό περίπατο στον κήπο του νοσοκομείου. Αλλά το πιο κλασικό «κόλπο» του ήταν η... προσποίηση ύπνου. Έκανε τον κοιμισμένο και μόλις απομακρυνόταν ο «φρουρός» (η Αγγέλα, ο Ζιάγκας ή κάποιο απ' τα παιδιά) άνοιγε τα μάτια του και περνάγαμε κάποιες στιγμές μόνοι μας.

Ώσπου πήρε ο ίδιος την απόφαση να λύσει το γόρδιο δεσμό μόνος του, όπως έκανε πάντα. Κάποια μέρα λοιπόν αποφασίζει ότι θα βγούμε περίπατο στο χώρο γύρω απ' το νοσοκομείο χωρίς καμιά προφύλαξη, φανερά, σε ώρα μάλιστα που ήταν εκεί οι δημοσιογράφοι, ώστε να με «επιβάλει». Έτσι απλά. Όπως και έγινε. Και αυτό ήταν το προοίμιο του θρυλικού «νεύματος» της επιστροφής.

Οι γιατροί είχαν καταλάβει πως η παρουσία μου δίπλα του τον βοηθούσε ψυχολογικά, του ήταν απαραίτητη και το είχαν καταστήσει σαφές σε όλους. Αλλά οι αντιδράσεις δε σταματούσαν. Ο ίδιος ο Γιακούμπ έδινε πάρα πολύ μεγάλη σημασία στην ψυχολογική προετοιμασία του ασθενή και ακολουθούσε ειδικό πρόγραμμα πάνω σ' αυτό.

Ο Ανδρέας γνώριζε ότι δίνει μια οριακή μάχη για τη ζωή και είχε κάνει τις επιλογές του. Και είχε το δικό του τρόπο να τις ε-πιβάλλει.

Εκείνη την περίοδο επικοινωνεί, σχεδόν καθημερινά, με τον Λι-βάνη, τον Άκη και τον Μαρούδα και ενημερώνεται για τις πολιτι-κές εξελίξεις στην Ελλάδα. Τον τονώνουν μεταφέροντάς του αι-σιόδοξα μηνύματα και κυρίως την αγάπη που του δείχνει ο λαός, που εύχεται όλα να πάνε καλά και περιμένει με αγωνία την επι-στροφή του. Πιο αραιά επικοινωνεί με τον Απόστολο Κακλαμά-νη, τον Κ. Λαλιώτη, τον Γ. Γεννηματά, τους δύο αντιπροέδρους, τον Γ. Χαραλαμπόπουλο και τον Μ. Κουτσόγιωργα, τον Κάρολο Παπούλια και, κατά περίπτωση, με ορισμένους άλλους υπουρ-γούς.

Έχει αρχίσει να διαισθάνεται ότι στην Αθήνα έχουν ξεκινήσει παιχνίδια και ζυμώσεις διαδοχής, έχει και μια σχετική ενημέρω-ση για κάποιες κινήσεις. Στενοχωριέται, πικραίνεται, αλλά γρή-γορα το ξεπερνάει, λέει: «Θα περάσουν όλα αυτά, μόλις επιστρέ-ψω».

Ναι, είχε πιστέψει ότι θα κέρδιζε τη μάχη, παρότι είχε και στιγμές μεταπτώσεων. Ήταν πολυτιμότατη στην ψυχολογική του ανάτα-ση η βοήθεια των γιατρών και ιδιαίτερα των Μαγκντί Γιακούμπ και Στέργιου Θεοδωρόπουλου, καθώς και του Δημήτρη Κρεμα-στινού.

Όμως, γιατί αυτός ήταν πάντα ο Ανδρέας, πάνω απ' όλα του έδιναν δύναμη, του αποδέσμευαν δυνάμεις και τον στήριζαν ψυ-χολογικά *τα μηνύματα για την αγάπη του κόσμου. Τα είχε ανάγκη. Ή-θελε, ιδιαίτερα αυτές τις στιγμές, την επιβεβαίωση των άρρηκτων δεσμών με το λαό.* Και χαιρόταν, σαν μικρό παιδί, όταν του διαβάζαμε γράμ-ματα απλών ανθρώπων, που ξεχείλιζαν από αγάπη για τον «Αν-δρέα τους». Έλεγε: «Αξίζει να παλέψεις γι' αυτό τον κόσμο».

Παραμονή της εγχείρησης, όλοι είμαστε σφιγμένοι, η αγωνία έ-χει υπερβεί κάθε όριο, ζούμε ώρες συγκλονιστικές. Κυρίως όμως μοναδικά ανθρώπινες.

Είναι όλες οι ώρες αυτές, μέχρι και την επιστροφή απ' το χει-ρουργείο και την ανάνηψη, χάντρες ενός ατέλειωτου κομπολογιού, που μένουν βαθιά χαραγμένες στη μνήμη σου, που σημαδεύουν τη ζωή σου, που αφήνουν ανεξίτηλα τα σημάδια τους στην ύπαρ-ξή σου. Η αγωνία αν θα ζήσει ο άνθρωπός σου. Το πάθος για να ζήσει. Ο φόβος ότι αν... δε θέλεις ούτε καν να το σκέφτεσαι.

Αλλά πάλι, ανθρώπινα, κάποιες στιγμές λυγίζεις. Σκέφτομαι: «Αν κάτι δεν πάει καλά», τη λέξη «θάνατος» την έδιωχνα, «εγώ δεν πρόκειται να γυρίσω στην Ελλάδα. Πώς να γυρίσω; Θα πέσουνε όλοι πάνω μου να με φάνε. Αποκλείεται. Θα πάω για ένα μεγάλο διάστημα κάπου αλλού...»

Υποκρίνομαι, προσπαθώ να ξεπεράσω τον εαυτό μου, ο Αν-δρέας δεν πρέπει να με βλέπει αγχωμένη, ίσα ίσα, εκείνες τις στιγ-μές χρειάζεται ηρεμία, απόλυτη ηρεμία, οι γιατροί είναι σαφείς.

Προσεύχομαι, ζητάω καταφύγιο στο Θεό. Ιδιαίτερα τις ατέ-λειωτες ώρες της εγχείρησης, όταν, μόνη μου, περιμένω έξω απ' το χειρουργείο ένα μήνυμα, προσεύχομαι πολύ. Το έχω ανάγκη. Η προσευχή μού δίνει γαλήνη, μου διώχνει τις αμφιβολίες. Μου χαρίζει σιγουριά· «ναι, όλα θα πάνε καλά».

Νιώθω την ανάγκη να επαναλάβω αυτό που έχω πει στη Λιάνα Κανέλλη: «Σ' όλους μας ο Θεός κάποια στιγμή χτυπάει την πόρτα. Εμένα μου τη χτύπησε στο Χέρφιλντ». Και χαίρομαι γι' αυτό.

Σύμφωνα με τη μέθοδο Γιακούμπ, την παραμονή της εγχεί-ρησης ο ασθενής πρέπει να περιηγηθεί σ' όλους τους χώρους ό-που την άλλη μέρα θα εγχειριστεί, τους χώρους της εντατικής, γί-νεται επίσης συζήτηση για το τι ακριβώς και πώς θα συμβεί την επομένη, γενικά μια ψυχολογική προετοιμασία.

Σ' αυτό τον «περίπατο» είχε μια πολύ ωραία συζήτηση ο Αν-δρέας με τον Γιακούμπ, ο οποίος τον εμψύχωνε, του χάριζε αι-σιοδοξία, προσπαθούσε να του αποδιώξει το άγχος. Στιγμές που δένουν τους ανθρώπους.

Εγώ παρακολουθούσα ένα βήμα πιο πίσω. Προσπαθούσα να

ισορροπήσω ανάμεσα στο φοβερό άγχος που είχα και την ανάγκη να προσφέρω κουράγιο στον άνθρωπό μου. Κάποια στιγμή κοντοστάθηκα, σ' ένα χώρο προεντατικής. Ε-κεί βρίσκονταν ασθενείς που επρόκειτο να εγχειριστούν επίσης την επομένη. Ανάμεσα σε τόσο κόσμο, τα μάτια μου, δεν ξέρω πώς, ενστικτωδώς, καρφώθηκαν στα μάτια μιας γυναίκας. Τελευταίο κρεβάτι δεξιά. Σαν να τη βλέπω τώρα. Νέα γυναίκα, μεταξύ τριά-ντα πέντε με σαράντα, με γαλάζια μάτια. Ανέπνεε αργά και με κόπο, μέσα απ' τη μάσκα του οξυγόνου. Έμεινα και την κοιτού-σα χωρίς να ξέρω γιατί.

Λίγο αργότερα θα μάθαινα από τον Γιακούμπ ότι αυτή η γυ-ναίκα θα έκανε την επόμενη μέρα μεταμόσχευση και από τη δι-κή της καρδιά θα τοποθετούνταν η βαλβίδα στην καρδιά του Ανδρέα.

Κι εμείς είχαμε ήδη «μιλήσει». Είχαμε επικοινωνήσει με έναν κώδικα πρωτόγνωρο...

Επιστρέψαμε στο δωμάτιο. Η εντολή του Γιακούμπ ήταν: θα πέρναγαν όσοι ήθελαν απ' τους ανθρώπους του για να ευχηθούν στον Ανδρέα για ένα λεπτό, εγώ θα έμενα μαζί του τη νύχτα.

Μείναμε μόνοι. Καθίσαμε αγκαλιασμένοι. Μιλήσαμε πολύ. Του είπα ότι θα ζήσει, γιατί πρέπει. Γιατί ο κόσμος τον αγαπάει και ζητάει την επιστροφή του. Γιατί όλη η Ελλάδα έχει στραμμένα τα μάτια της εδώ. Γιατί κι εγώ τον αγαπάω και θέλω και προσεύχο-μαι να ζήσει.

Μου είπε: «Θα το παλέψω και θα νικήσω», χαμογελώντας με όση δύναμη είχε. Αλλά για μένα εκείνο το χαμόγελο ήταν βάλσα-μο, πολλαπλασιαζόταν, ένιωθα πως έλαμπε.

Αυτό το βράδυ το θυμάμαι τόσο τρυφερό και, όσο κι αν φαί-νεται περίεργο, ερωτικό, γιατί ο έρωτας εκείνες τις ώρες εκφρά-ζεται και σε μαγεύει με την ηρεμία, τη ζεστασιά, με αισθήματα που δεν περιγράφονται, δεν επανέρχονται, γιατί οι στιγμές είναι μοναδικές. Μου είπε πως όχι μόνο θα ζήσει, αλλά θα με αγαπά-ει πάντα, ότι θα παντρευτούμε, ότι δε θα χωρίσουμε ποτέ.

63

Κάποια στιγμή άρχισε να λέει: «Αν κάτι δεν πάει καλά, εσύ τι θα γίνεις;» Τον έκοψα: «Δεν υπάρχει καμιά περίπτωση να συμβεί αυτό».

Κοιμήθηκε γαλήνια. Παρακολουθούσα τον ύπνο του, την α-νάσα του. Προσπαθούσα να τον βλέπω απ' το λίγο φως που ερχόταν απ' το διάδρομο. Τον χάιδευα στο μέτωπο. Του μιλούσα, αμίλητη.

Ήταν η βραδιά που, περισσότερο απ' όλες τις άλλες, μας έδεσε για πάντα.

Ξύπνησε αρκετά πρωί. Έδειχνε αισιόδοξος και σίγουρος. Τότε, εκείνη τη στιγμή, λίγο πριν αρχίσει η διαδικασία της προνάρκωσης, δεν ξέρω πώς μου ήρθε, ξαφνικά του ζήτησα *να μου υπογράψει ένα «συμβόλαιο ζωής»*, να μου υποσχεθεί πως θα βγει ζωντανός απ' το χειρουργείο, πως θα ζήσει και θα περάσουμε μαζί πολλά ευτυχισμένα χρόνια. Ήθελα να τον στηρίξω ψυχολογικά και μέσα σ' αυτό το φορτισμένο κλίμα τού ζήτησα αυτή τη χάρη.

Αυτό το όμορφο «παιχνίδι», που άρχισε εκείνη τη στιγμή, κάτω απ' αυτές τις συνθήκες, το συνεχίσαμε για χρόνια. Σε διάφορες επετείους, γάμου, γνωριμίας, εγχείρησης, μου υπέγραφε τέτοιες τρυφερές «δεσμεύσεις» και μου τις δώριζε.

Πήρε ένα χαρτί κι ένα μολύβι χαμογελώντας και μου υπέγραψε το «συμβόλαιο ζωής» που του ζήτησα. Μου το έδωσε τη στιγμή που τον έπαιρναν για το χειρουργείο. Αργότερα μου θύμισε περήφανα πως τήρησε την υπόσχεσή του.

Αυτό το μικρό, τρυφερό, προσωπικό μας χαρτί πήρε μυθικές διαστάσεις. Ο καλός μας φίλος, ο Μαρούδας, άφησε αθώα να διαρρεύσει πως «ο πρόεδρος έγραψε ένα γράμμα και το άφησε στη Δήμητρα».

Ποταμοί μελάνης, τόνοι χαρτιού και εκατοντάδες βαρύγδουπες αναλύσεις και «αποκλειστικά ρεπορτάζ» καταναλώθηκαν επί χρόνια για να «αποκαλύψουν» το περιεχόμενο του... γράμματος. Και τι δε γράφτηκε, και τι δεν ειπώθηκε! Ότι μου άφηνε προίκα το κόμμα, ότι με έχριζε διάδοχο, ότι μετέφερε εντολές για το τι θα γίνει με τη διαδοχή, ότι άφηνε πολιτική διαθήκη, ότι υποδείκνυε διαδικασία διαδοχής, ότι με έκανε... γενική κληρονόμο του, ότι μου έγραψε τους αριθμούς... μυστικών λογαριασμών από μίζες, ότι μου αποκάλυπτε διάφορα.

Να, λοιπόν, για πρώτη φορά, αυτό το μυθικό χαρτί, που για μένα είναι απ' τα πιο ακριβά δώρα του Ανδρέα, τόσο απλό, τρυφερό, ανθρώπινο, μοναδικό, φυλαγμένο για χρόνια στην προσωπική μου κιβωτό...

30 Σεπτέμβρη '89

Δήμητρα,
    Πολυαγαπημένη μου,
    Ποτέ δεν αγάπησα όπως αγαπώ εσένα. Σε λατρεύω.
    Μου άλλαξες την προοπτική ζωής.
    Γρήγορα θα 'μαστε μαζί να ζήσουμε ευτυχισμένοι για πάντα.
                                        Έρωτά μου,
                                        σε φιλώ
                                        Ανδρέας Γ. Παπανδρέου

Ζήτησα απ' τον Στ. Θεοδωρόπουλο να με αφήσει να μείνω σ' ένα μικρό δωμάτιο που είχε κοντά στο χειρουργείο. Εκεί, μαζί με τη Ρούλα περάσαμε τις εφτάμισι ατέλειωτες ώρες της αγωνίας, της προσμονής.

Εκεί, αυτές τις ώρες, έκανα το τάμα μου στην Παναγιά της Τήνου, να ζήσει ο Ανδρέας και να πηγαίνουμε κάθε χρόνο να την προσκυνάμε. Ακόμα κι αυτό, το ανθρώπινο τάμα, έγινε αντικείμενο σχολιασμών, αναλύσεων, λοιδορίας...

Περιμέναμε, με σφιγμένη την καρδιά, μουδιασμένες, νέα από την εξέλιξη της εγχείρησης. Απέξω ήταν τα παιδιά, η Αγγέλα, ο Μιχάλης Ζιάγκας, ο Μάκης Παπασταύρου, αυτούς μπορώ να θυμηθώ.

Κάθε τόσο μια νοσοκόμα, η Κάρεν, μας ενημέρωνε για την εξέλιξη της εγχείρησης, μας έλεγε ότι όλα πάνε καλά, πως οι γιατροί είναι ευχαριστημένοι.

Σε κάποια στιγμή βγήκε ο Γιακούμπ. Η ένταση φαινόταν κα-

65

θαρά στο πρόσωπό του, τα χαρακτηριστικά του ήταν «τραβηγμένα». Μου λέει: «Έχουμε συναντήσει ορισμένα προβλήματα, αλλά πιστεύω ότι θα τα καταφέρει».

Πάγωσα, παρέλυσα, αστραπιαία «είδα» τον Ανδρέα στο προαύλιο του θανάτου, αισθάνθηκα πόνο, πανικό, άρχισα να κλαίω.

Ο Γιακούμπ με καθησύχασε: «Σας είπα, είναι μια δύσκολη εγχείρηση, αλλά πιστεύω ότι θα τα καταφέρει, *είναι δυνατός και έχει θέληση να ζήσει»*, και έφυγε ξανά για το χειρουργείο.

Το μαρτύριο των συγκρουόμενων συναισθημάτων συνεχίζεται. Απ' τη μία αισιοδοξία ότι όλα θα τελειώσουν ομαλά, απ' την άλλη αγωνία, φόβος, ένα δάγκωμα στην καρδιά. Παραδίνομαι στη ροή τους, απ' τη ζωή στο θάνατο, δεν είμαι σε θέση να το ελέγξω. *Επιτέλους*, μετά από εφτάμισι ώρες, ανακούφιση. Η επέμβαση τελείωσε, όλα πήγαν καλά. Επιστροφή στη ζωή. Ξέσπασμα. Δάκρυα. Αλλά τώρα δάκρυα χαράς, ανακούφισης, ευχαριστίας που οι προσευχές εισακούστηκαν.

Νιώθω να τον αγαπώ το γιατρό και να τον συμπαθώ περισσότερο.

Ο Γιακούμπ λέει πως τώρα η προσοχή επικεντρώνεται στις τρεις μέρες της εντατικής, για τον κίνδυνο επιπλοκών.

Εγώ είμαι στο μικρό δωμάτιο του Στέργιου Θεοδωρόπουλου, που είχε την καλοσύνη να μου παραχωρήσει. Κάποια στιγμή, δε θυμάμαι πόσες ώρες πέρασαν, έρχεται ο Δημήτρης Κρεμαστινός, μου λέει γεμάτος έκπληξη: «Ξύπνησε ο πρόεδρος και σε ζητάει».

Η Κάρεν με προετοιμάζει όσον αφορά την κατάσταση που θα τον δω, διασωληνωμένο, μου λέει ότι, επειδή δεν έχει συνέλθει εντελώς απ' τη νάρκωση, μπορεί να πει κάτι που δεν είναι σωστό, ότι εγώ θα πρέπει να φαίνομαι φυσιολογική.

Μπαίνω, αντικρίζω ένα θέαμα πρωτόγνωρο. Ο άνθρωπός μου «χαμένος» μέσα σε σωλήνες, μηχανήματα, τυλιγμένος με γάζες, με δυσκολία διακρίνω το πρόσωπο. Σοκάρομαι. Προσπαθώ να πάρω κουράγιο απ' τη σκέψη «σημασία έχει ότι ζει».

Ανοίγει τα μάτια του. Μου λέει «σ' αγαπώ» και ξαναβυθίζεται. Τα ξανανοίγει μετά από λίγο και ξαναλέει: «Τώρα θα πάω για εγχείρηση». Του λέμε: «Η εγχείρηση έγινε, όλα πήγαν καλά, μπράβο, τα κατάφερες». Κουνάει το κεφάλι, χαμογελάει, ξανακοιμάται...

Οι τρεις μέρες της εντατικής περνούν με μια μικρή επιπλοκή, που την ξεπέρασε κι αυτή παλικαρίσια. Είμαι συνέχεια εκεί, τον βλέπω να συνέρχεται, είμαι ευτυχισμένη. Επιστρέφουμε στο δωμάτιο, αρχίζει η ανάνηψη. Με γενναιότητα ακολουθεί όλες τις εντολές των γιατρών. Χαμογελάει ικανοποιημένος κάθε φορά που περνάει απ᾽ το ένα «στάδιο» στο άλλο.

Αυτή τη γενναιότητα, τη στωικότητα, ο Ανδρέας τη δείχνει κάθε φορά που αντιμετωπίζει πρόβλημα υγείας, που μπαίνει σε νοσοκομείο, που δίνει μάχες. Είναι αυτό ακριβώς που θαυμάζουν οι γιατροί.

Δεν τον άκουσαν ποτέ να παραπονιέται, να λέει «με πονάτε», να γκρινιάζει. Τον άκουσαν, αντίθετα, να λέει πολλές φορές «συγνώμη, σας κουράζω», ακόμα και την περίοδο του Ωνασείου. Και ήταν αυτό κάτι που εξέπληττε τους γιατρούς που γνώριζαν την κατάστασή του.

Μείναμε δώδεκα μέρες στο νοσοκομείο και άρχισε σιγά σιγά να δέχεται επισκέψεις. Τα παιδιά του, την Αγγέλα, τον Μαρούδα, τον Χυτήρη, τον Ζιάγκα, τον Άκη Τσοχατζόπουλο.

Αρχίζει και τις τηλεφωνικές επαφές με την Ελλάδα. Κυρίως με τον Λιβάνη, αλλά και με τους Χαραλαμπόπουλο, Κακλαμάνη, Κουτσόγιωργα.

Σ᾽ όλη τη διάρκεια της παραμονής μας στο Λονδίνο είχαν έρθει ο Άκης Τσοχατζόπουλος, ο Παπούλιας, ο Κ. Λαλιώτης, ο Μ. Κουτσόγιωργας, φυσικά ο Μαρούδας. Ο Κώστας Λαλιώτης και ο Μ. Κουτσόγιωργας με είχαν καλέσει και σε δείπνο, πριν από την εγχείρηση.

Ένιωθα αμήχανα σ᾽ αυτές τις συναντήσεις με δύο κορυφαία στελέχη του ΠΑΣΟΚ.

Πιο οικείος, ζεστός, ανθρώπινος ο Κ. Λαλιώτης, πιο «διερευνητικός», αν και αυτός ζεστός, ο Μ. Κουτσόγιωργας.

Ήμουν το «νέο» στη ζωή του Ανδρέα, όλοι όμως έβλεπαν, «διαβάζοντας» τον Ανδρέα, ότι ήμουν και το «μόνιμο». Ήταν ε-πομένως λογικό να επιζητούν ορισμένοι την προσέγγισή μου, κάποιοι άλλοι να διερευνούν τις προθέσεις μου και κάποιοι, λι-γότεροι, να διερευνούν σε ποιο βαθμό μπορώ να επηρεάσω τον Ανδρέα. Ήταν, προφανώς, οι τελευταίοι, αυτοί που δεν τον γνώ-ριζαν...

Στο μεταξύ το σκάνδαλο Κοσκωτά έχει πλέον αρχίσει να κυριαρ-χεί στην επικαιρότητα, να μπαίνει στο κέντρο της πολιτικής α-ντιπαράθεσης. Στελέχη του ΠΑΣΟΚ αρχίζουν να δέχονται βολές για ανάμειξή τους με τον έναν ή τον άλλο τρόπο.

Ο Ανδρέας ενημερώνεται για τις εξελίξεις, κυρίως απ' τον Α-ντώνη Λιβάνη και τον Δημήτρη Μαρούδα. Ανησυχεί. Εκτιμάει ό-τι θα δημιουργηθεί πολιτική θύελλα, ότι το πρόβλημα πρέπει να αντιμετωπιστεί *πολιτικά*, ενώ παράλληλα η Δικαιοσύνη πρέπει να αφεθεί απερίσπαστη να κάνει το έργο της.

Οφείλω να αναγνωρίσω και να καταθέσω ότι στην αντιμετώ-πιση του σκανδάλου της Τράπεζας Κρήτης είχαν ευθύς εξαρχής απόλυτα ξεκάθαρη θέση και διαδραμάτισαν καθοριστικό ρόλο στο να ληφθούν σωστές πολιτικές αποφάσεις οι:
- Αντώνης Λιβάνης,
- Απόστολος Κακλαμάνης,
- Γιώργος Γεννηματάς,
- Γιάννης Αλευράς.

Ήταν βέβαια πολλά τα κομματικά και κυβερνητικά στελέχη που σ' όλη τη διάρκεια αυτής της περιόδου είχαν ξεκάθαρες θέ-σεις, αλλά οι παραπάνω, απ' όσα μπορώ να γνωρίζω, έπαιξαν κυ-ρίαρχο ρόλο. Ιδιαίτερα ο Αντώνης Λιβάνης ήταν αυτός που, με το δικό του, μοναδικό κώδικα επικοινωνίας που από χρόνια είχε με τον Ανδρέα, διαδραμάτισε καθοριστικό ρόλο. Έχοντας οσφριστεί σαν «πονηρή αλεπού» τις διαστάσεις του θέματος στο σύνολό τους, ήταν και τότε ο πολύτιμος σύμβουλος, ώστε να γίνουν οι σωστές πολιτικές κινήσεις. Ήταν αυτός, μαζί και ο Απόστολος Κακλαμάνης που κυρίως επέμεναν στην αναγκαιότητα να τοποθετηθεί επίτροπος στην Τράπεζα Κρήτης, ώστε να ξεκαθαριστεί το ζήτημα και να δείξει η κυβέρνηση ότι δεν έχει να φοβηθεί τίποτα. Και ο Ανδρέας ήταν κατηγορηματικός, απόλυτος σ' αυτό και επέμεινε ως το τέλος και έδωσε σαφείς οδηγίες και κατευθύνσεις.

Ήταν σταθερή πάντα, σ' όλη αυτή την ιστορία, η θέση του Ανδρέα, αν και, όπως ο ίδιος μου έλεγε, υπήρχαν και (ελάχιστα, και το υπογράμμιζε αυτό) κυβερνητικά στελέχη που «συμβούλευαν» ή «πίεζαν» προς άλλη κατεύθυνση.

Ο Ανδρέας δεν είχε την παραμικρή ανάμειξη, δεν είχε να φοβηθεί τίποτα και όταν έλεγε πως «το σκάνδαλο δε με αγγίζει», το πίστευε απολύτως.

Θυμάμαι χαρακτηριστικά ότι στη διάρκεια της κρίσιμης κυβερνητικής σύσκεψης με αντικείμενο την τοποθέτηση επιτρόπου στην Τράπεζα Κρήτης, ο Ανδρέας δέχτηκε δύο καθοριστικά τηλεφωνήματα.

Το ένα τού περιέγραφε ότι η κατάσταση είναι οριακή, ότι τα πράγματα κρέμονται από μια κλωστή και ότι πρέπει οπωσδήποτε να τοποθετηθεί επίτροπος.

Το άλλο, σε διαφορετικό μήκος κύματος, πρότεινε να μην τοποθετηθεί επίτροπος, με το επιχείρημα ότι η τοποθέτηση επιτρόπου θα αξιοποιηθεί πολιτικά απ' την αντιπολίτευση και θα ανοίξουν έτσι οι ασκοί του Αιόλου.

Ο Ανδρέας δε χρειάστηκε να σκεφτεί για να ζυγίσει τα πράγματα. Η εντολή του ήταν σαφής και ξεκάθαρη: *να τοποθετηθεί επίτροπος...*

Βέβαια ο Ανδρέας πιεζόταν συναισθηματικά, και μάλιστα αρκετά, απ' το γεγονός ότι, αργότερα, μια επίμονη ροή πληροφοριών ανέφερε ότι, εκτός του Μ. Κουτσόγιωργα, και κάποιοι άλλοι φέρονταν να έχουν αναπτύξει σχέσεις με τον Κοσκωτά. Δεν ήθελε, δεν μπορούσε να το πιστέψει. Αλλά οι πληροφορίες προέρχονταν από κυβερνητικά και κομματικά στελέχη.

Ιδιαίτερα δύο ονόματα, που για τον Ανδρέα σήμαιναν πολλά, άσχετα αν εκείνη την περίοδο οι σχέσεις ήταν «παγωμένες» ή όχι ιδιαίτερα καλές, του κόστισαν πολύ, τον οδήγησαν σε μια αφόρητη ψυχική πίεση, συναισθηματική. *Όπως μου έλεγε: «Δεν μπορώ να το πιστέψω, δεν το πιστεύω».* Ήταν πάντως φορτισμένος ψυχικά και ε- κτιμούσε πως η αποκάλυψη της σχέσης του ενός απ' τα δύο αυτά πρόσωπα με τον Κοσκωτά «θα του καταστρέψει την πολιτική του πορεία», όπως έλεγε, ακόμα και αν (όπως ο ίδιος πίστευε) αυτή η σχέση δε σήμαινε και οικονομικές δοσοληψίες.

Παρ' όλα αυτά, ακόμα και όταν άρχισε να λέει για τον Μ. Κου- τσόγιωργα ότι «δυστυχώς πρέπει να είναι έτσι», ο Ανδρέας είχε μια πάγια, καθαρή θέση: *να διερευνηθεί και να διαλευκανθεί πλήρως η υ- πόθεση ως το τέλος.*

Στο σημείο αυτό οφείλω να καταθέσω πως ο Κοσκωτάς προσπά- θησε να προσεγγίσει και εμένα, ήδη απ' την περίοδο που βρι- σκόμασταν στο Λονδίνο. Όταν, συγκεκριμένα, είχαμε φύγει απ' το Χέρφιλντ και μέναμε στο ξενοδοχείο και ετοιμαζόμασταν για την επιστροφή στην Ελλάδα, δέχτηκα τηλεφώνημα απ' τον ίδιο. Το τηλέφωνο το σήκωσε η Ρούλα. Δε με έδωσε για να μιλήσω μα- ζί του, γιατί την είχα προειδοποιήσει: «Αν με πάρει ο Κοσκωτάς, δε θα με δώσεις».

Αυτό, επειδή είχα αρχίσει να δέχομαι «μηνύματα» απ' την πλευ- ρά του Κοσκωτά, μέσω γνωστών του και απ' το δημοσιογραφικό και από άλλους χώρους, ότι πρέπει «να τα βρω» μαζί του, ότι «μό- νο όφελος θα έχω από μια τέτοια σχέση». Ακόμα τα «μηνύματα» που μου μεταφέρονταν έλεγαν πως «μια σχέση με το "χοντρό" θα με αναδείξει και πολιτικά», καθώς και ότι «δεν πρέπει να μπει ε- πίτροπος στην Τράπεζα Κρήτης, γιατί θα γίνει χαμός, θα πέσει ο Παπανδρέου». Όλα αυτά τα μετέφερα στον Ανδρέα. Η οδηγία και εντολή που μου έδωσε ήταν κατηγορηματική:

«Αγνόησέ τον. Καμιά απολύτως σχέση μαζί του. Όχι μόνο δε θα τον δεις, αλλά ούτε καν θα του μιλήσεις, ούτε ακόμα κι απ' το τηλέφωνο».

Θυμάμαι μάλιστα δύο τηλεφωνήματα που δέχτηκα από δη- μοσιογράφο (σήμερα έχει διευθυντική θέση, τότε είχε σχέση με τον Κοσκωτά), ο οποίος με παρότρυνε με την εξής χαρακτηριστική έκφραση, που τη θυμάμαι ακόμα: «Θα σας πάνε γ......ας, δεν το καταλαβαίνεις; Κανένας εκδότης δε σας στηρίζει, δεν το βλέπεις; Κάτι πρέπει να γίνει, να μιλήσεις με το "χοντρό"...»

Δεν αναφέρω ονόματα, πρώτον, γιατί ποτέ δεν προσέγγισα τούτη την κατάθεση σαν μέσο επίλυσης προσωπικών λογαριασμών και, *δεύτερον, γιατί* σε καμιά περίπτωση δεν επιθυμώ να αδικήσω κανέναν και να τον παραδώσω βορά σε μια κοινή γνώμη που κατευθύνεται από πρόσκαιρες σκοπιμότητες και συμμαχίες που καθημερινά αλλάζουν.

Δεν πιστεύω άλλωστε πως η επαγγελματική σχέση ενός δημοσιογράφου με τον εκδότη Κοσκωτά τον ενοχοποιεί ως πολίτη, ως άνθρωπο, ως επαγγελματία. Αλίμονο αν μπούμε στη λογική του κυνηγιού μαγισσών, αλίμονο αν αποδεχτούμε ρατσιστικού τύπου προσεγγίσεις...

Σε ό,τι με αφορά πάντως, ξεκαθαρίζω κατηγορηματικά και υπεύθυνα ό-τι ουδέποτε συναντήθηκα με τον Κοσκωτά και ουδέποτε μίλησα μαζί του, ού-τε καν τηλεφωνικώς.

Οφείλω να καταθέσω και κάτι άλλο, το οφείλω στη μνήμη του Ανδρέα.

Ο Γ. Ρουμπάτης είχε δει δύο φορές τον Ανδρέα στην περίοδο του Χέρφιλντ. Όπως μου είπε ο Ανδρέας, του εξέθεσε τη δύσκολη κατάσταση που βρισκόταν, ότι ήταν χωρίς δουλειά, μετέωρος επαγγελματικά και με προβλήματα υγείας. Του είπε ότι έχει πρόταση του Κοσκωτά να δουλέψει στη «Γραμμή» και του ζήτησε τη γνώμη του. Ο Ανδρέας τού απάντησε (η συζήτηση αυτή έγινε πριν από την τοποθέτηση επιτρόπου) ότι δεν μπορεί να τον εμποδίσει να δουλέψει στη «Γραμμή» και ότι, εφόσον είναι έτσι τα πράγματα, ας πάει.

Αυτή είναι η αλήθεια. Και δεν είναι, αντίθετα, αλήθεια ότι ο Ανδρέας έδωσε εντολή ή κατεύθυνση ή γραμμή στον Γ. Ρουμπάτη για συνεργασία με τον Κοσκωτά...

Με τις εξελίξεις γύρω απ' το σκάνδαλο Κοσκωτά, τις πολιτικές παρενέργειες και τον προσωπικό αντίκτυπο όλων αυτών στον Αν-

δρέα σχετίζεται και η επίσκεψη του Γ. Κουρή στο Λονδίνο, μια ε-
πίσκεψη που έχει πολύ συζητηθεί.

Όπως είχε ενημερώσει τον Ανδρέα ο Δημ. Μαρούδας, ο Γιώρ-
γος Κουρής, που όλη εκείνη την περίοδο και για μεγάλο διάστη-
μα αργότερα, ως το '93, μαζί με τον αδελφό του, Μάκη (οφείλω
να είμαι δίκαιη και απέναντί τους), στήριζαν με όλες τους τις δυ-
νάμεις τον Ανδρέα και το ΠΑΣΟΚ, ήρθε στο Λονδίνο για να του
θέσει δύο ζητήματα:

Πρώτον, να του μεταφέρει την κοινή θέση των πέντε εκδοτών
«να τελειώνουμε με τον Κοσκωτά».

Το δεύτερο είχε να κάνει με μένα. Κατά τον Γ. Κουρή, θα μετέ-
φερε προς τον Ανδρέα τη γνώμη των Αλευρά, Κουτσόγιωργα, Γεν-
νηματά, Λαλιώτη, Τσοχατζόπουλου και άλλων ηγετικών στελεχών
του ΠΑΣΟΚ, ότι δεν πρέπει σε καμιά περίπτωση να επιστρέψει μα-
ζί μου στην Αθήνα, γιατί θα του κόστιζε πολιτικά.

Εκείνες τις μέρες στο Λονδίνο βρίσκονταν και ο Μ. Κουτσό-
γιωργας και ο διοικητής της ΕΥΠ Κ. Τσίμας. Και οι δύο, είτε με
άμεσο είτε με έμμεσο τρόπο, είπαν στον Ανδρέα περίπου τα ίδια,
ότι δηλαδή θα έπρεπε να αποφύγει να με πάρει στο αεροπλάνο
της επιστροφής του.

Απ' όσο γνωρίζω, τα άλλα κομματικά και κυβερνητικά στελέ-
χη που επικοινωνούσαν τηλεφωνικώς απ' την Αθήνα με τον Ανδρέα
δεν του είχαν θέσει ποτέ τέτοιο θέμα. Ίσως γιατί ο ίδιος είχε φρο-
ντίσει να τους διαμηνύσει, μέσω του Δημήτρη Μαρούδα, ότι δε δε-
χόταν κανενός είδους παρέμβαση σ' αυτό το ζήτημα.

Όταν λοιπόν πληροφορήθηκε τις προθέσεις του Γιώργου Κου-
ρή, αρνήθηκε να τον δεχτεί. Μου είπε κι εμένα να μην τον συ-
ναντήσω ούτε να βγω στο τηλέφωνο. «Μη στρεσάρεσαι, μη δέ-
χεσαι απειλές, άσ' τους να κάνουν το παιχνίδι τους», μου έλεγε ή-
ρεμα.

Διαμήνυσε στον Γ. Κουρή ότι για το θέμα Κοσκωτά η Δικαιο-
σύνη θα αφεθεί να κάνει το καθήκον της χωρίς καμιά απολύτως
παρέμβαση και ότι σε καμιά περίπτωση η κυβέρνηση δε θα πα-
ρείχε πολιτική κάλυψη στον Κοσκωτά. *Αλλά για το προσωπικό του θέ-
μα δε δεχόταν καμία συζήτηση.*

Δε γνωρίζω να έγινε συνάντησή τους. Ίσως να μίλησαν τηλεφωνικώς.

Είναι πάντως χαρακτηριστικό ότι, μόλις ο Γ. Κουρής επέστρεψε στην Ελλάδα, ήταν, τόσο μέσω της *Αυριανής* όσο και σε συζητήσεις που είχε με πολιτικούς και εκδότες, κατηγορηματικός πως «ο Κοσκωτάς τελειώνει». Απ' την άλλη μεριά έφερε και το μήνυμα ότι «δυστυχώς ο Ανδρέας θα γυρίσει με τη Δήμητρα»... Ο ίδιος ο Κουρής προσπάθησε να μιλήσει και με μένα. Έχοντας τις σχετικές οδηγίες του Ανδρέα, απέφυγα και να τον συναντήσω και να μιλήσω στο τηλέφωνο μαζί του. Τον άκουγα όμως να μιλάει στη Ρούλα και να της λέει: «Πες της ότι θα την εξαφανίσω, θα την καταστρέψω, αν γυρίσει με τον πρόεδρο».

«Και τι να κάνει;» τον ρώταγε η Ρούλα.

«Άκου τι να κάνει. Να σηκωθεί να φύγει, να πάει στην Αμερική, να εξαφανιστεί για ένα διάστημα. Αν το κάνει αυτό, εγώ, προσωπικά, της υπόσχομαι ότι μέσα σε έξι μήνες θα τη γυρίσω πίσω πρωθυπουργό».

Η αλήθεια είναι πως ο Γ. Κουρής και ο Μάκης, όταν διαπίστωσαν την ανυποχώρηση στάση του Ανδρέα για τη σχέση μας, το σεβάστηκαν. Αργότερα μάλιστα, στις αρχές του '89, μας είχαν επισκεφθεί στο σπίτι της Μυρτιάς και είπαν στον Ανδρέα, στη διάρκεια ενός γεύματος, ότι έτσι που ήρθαν τα πράγματα το καλύτερο θα ήταν να πάρει διαζύγιο απ' τη Μαργαρίτα και να με νομιμοποιήσει, με ένα νέο γάμο μαζί μου.

Εγώ πάντως τότε, βλέποντας τις πιέσεις απ' το «περιβάλλον», απ' την οικογένεια, από κυβερνητικά στελέχη, απ' τα ΜΜΕ, κάποια στιγμή δείλιασα, δεν άντεχα να ζω τέτοιες επιθέσεις εναντίον του Ανδρέα και να υφίσταμαι καθημερινά έναν εξοντωτικό πόλεμο, που με διέλυε ως άνθρωπο και ως ερωτευμένη γυναίκα.

Λίγες μέρες πριν από την επιστροφή στην Ελλάδα, του είπα πως αν μια δική μου «αποχώρηση», έστω για ένα μικρό διάστημα, θα διευκόλυνε την κατάσταση και θα έλυνε και του ίδιου τα χέρια για κάποιους χειρισμούς, που θα έκρινε αναγκαίους, τότε είμαι διατεθειμένη να το κάνω.

Η απάντησή του ήταν άμεση όσο και κατηγορηματική:

73

«Άκου, Δήμητρα, εγώ δειλός δεν ήμουν ποτέ στη ζωή μου. Θα ήταν απρεπές εκ μέρους μου, μετά απ' αυτή τη μάχη που έδωσα με σένα δίπλα μου, να σε εγκατέλειπα. Θα ήταν δειλία απέναντι στον κόσμο, που δε με έχει γνωρίσει δειλό. Δηλαδή μου ζητάς να κρυφτώ απ' το λαό και να μη σε εμφανίσω μαζί μου, τη στιγμή μάλιστα που όλοι λένε ότι είσαι η μέλλουσα σύζυγός μου;»

Ένα νεύμα – μια ιστορία...

ΑΝΤΙΣΥΜΒΑΤΙΚΟΣ ΚΑΙ ΑΝΘΡΩΠΟΣ των ρήξεων ο Ανδρέας, αυτό ό-
λοι το γνώριζαν, το λένε και σήμερα αποτιμώντας την ιστορική του
παρουσία.

Αλλά η επιλογή που έκανε τότε, προκειμένου να με εμφανίσει
μαζί του και να με νομιμοποιήσει de facto, ξάφνιασε ακόμα και
όσους περίμεναν πως θα έφτανε στα όρια για να επιβάλει τη θέ-
λησή του.

Για μένα ήταν κάτι το απρόσμενο. Για άλλους κάτι το οδυνη-
ρό. Για το λαό ήταν μια πράξη γενναιότητας που εξοβέλιζε τη θε-
ωρία του πολιτικού και προσωπικού κόστους. Για ορισμένους άλ-
λους μια κίνηση έσχατου ρομαντισμού. Για τα ΜΜΕ ήταν μια στιγ-
μή, μια χειρονομία που έτυχε αναλύσεων, χιλιάδων αναλύσεων, θε-
τικών και αρνητικών.

Για τον ίδιο τον Ανδρέα ήταν κάτι το φυσικό, ήταν μια προέκταση
της προσωπικότητάς του. Ίσως γιατί με τον πιο φυσικό τρόπο
προσέγγιζε πάντα την ιστορία ή ήταν δημιουργός ιστορίας.

Καθώς πλησίαζε η μέρα της επιστροφής στην Ελλάδα και πα-
ρά τη μεγάλη δοκιμασία που είχε περάσει και τη φυσική αδυνα-
μία που ένιωθε, ξαναγινόταν ο πραγματικός Παπανδρέου, ο ηγέ-
της που έπαιρνε δύναμη απ' την επαφή με το λαό.

Θυμάμαι με πόση λαχτάρα μίλαγε στο τηλέφωνο εκείνες τις μέ-
ρες με τον Γ. Παναγιωτακόπουλο και τον Π. Λάμπρου. Πόσο ξύ-
πναγε μέσα του το λιοντάρι, πόσο έλαμπαν τα μάτια του, πόση ζωή
έπαιρνε, όταν άκουγε απ' τους αγαπημένους του συνεργάτες ότι
ο κόσμος τον περιμένει με λαχτάρα και αγάπη, ότι τηλεφωνούν

75

απ' όλη την Ελλάδα και ρωτούν για τη μέρα και την ώρα της επιστροφής, ότι του ετοιμάζεται θερμή υποδοχή.

Εκείνες τις στιγμές γινόταν ο Παπανδρέου των προεκλογικών συγκεντρώσεων. Ο ηγέτης που εξέπληττε όσους τον ζούσαν από κοντά και έβλεπαν την παραμονή της συγκέντρωσης να έχει κάποιο πρόβλημα, να μη βγαίνει καλά η φωνή του, και διαπίστωναν μια εκπληκτική μεταμόρφωση όσο πλησίαζε η ώρα της επαφής του με το λαό. Είναι σκηνές που έζησα αργότερα κοντά του, που έζησαν οι φίλοι και οι συνεργάτες του, σκηνές που έδειχναν το μεγαλείο του ηγέτη.

Εκείνες τις μέρες λοιπόν είχε συναντήσεις και με τον Τάσο Μπιρσίμ, για τα της επιστροφής. Συζητούσαν όλες τις λεπτομέρειες της καθόδου απ' το αεροπλάνο. Ο Ανδρέας, θυμάμαι, του έλεγε πως ήθελε να σταθεί στην κορυφή της σκάλας και, πριν απ' όλα, *να ευχαριστήσει απ' την καρδιά του το λαό για τη συμπαράσταση που του έδειξε και το κουράγιο που του έδωσε...* Μάλιστα, θυμάμαι, ο Τάσος Μπιρσίμ *τού είχε πει ότι πρέπει να φοράει παπούτσια με λάστιχο από κάτω, γιατί αυτό θα τον διευκόλυνε να κατέβει τη σκάλα του αεροπλάνου.* Δεν είχε τέτοια παπούτσια και σαν υπάκουος μαθητής μάς «διέταξε» να του αγοράσουμε.

Στην τελευταία συνάντηση που είχε με τον Τάσο, παραμονή της επιστροφής, γυρίζει και μου λέει:

«Εσύ θα είσαι στην πόρτα. Θα περιμένεις από μένα νόημα. Εγώ θα σε ειδοποιήσω πότε θα κατέβεις. Όταν γυρίσω και σε κοιτάξω, τότε σημαίνει ότι εσύ κατεβαίνεις».

«Τι νόημα να περιμένω; Πού να κατέβω;»

«Τίποτα, θα περιμένεις νόημα και τότε θα με ακολουθήσεις».

Τα πιο πολύπλοκα πράγματα ο Ανδρέας τα έλεγε πολύ απλά, πολύ φυσικά. Και για μένα, αυτό που μου είπε τότε ήταν κάτι παραπάνω από πολύπλοκο. Με έκανε βέβαια ευτυχισμένη, με γέμιζε ομορφιά, αλλά την ίδια στιγμή με έκανε να αισθάνομαι δέος, φόβο. *Ένιωθα πως ήταν η συνάντησή μου μ' έναν κόσμο άγνωστο, ένιωθα να μην αντέχω αυτό το βάρος.*

Και πάλι ήταν ο Ανδρέας που, ήρεμα και φυσικά, με έβαζε στο

κλίμα, με βοηθούσε να αποδέχομαι τις απότομες μεταβολές στη ζωή μου.

Τη βραδιά της παραμονής της επιστροφής, μέσα σε ατμόσφαιρα χαράς –ο Ανδρέας είχε αρχίσει να μετράει ώρες και λεπτά– φάγαμε με τους γιατρούς, την Αγγέλα, τον Ζιάγκα, τον Μ. Παπασταύρου, τον Γ. Λιάνη.

Ήταν χαρούμενος. Δεν έβλεπε την ώρα της συνάντησής του πάλι με το λαό.

Το ίδιο και την άλλη μέρα, στην πτήση της επιστροφής. Το μόνο του άγχος αν έχει συγκεντρωθεί κόσμος και πώς ο ίδιος θα φανεί στον κόσμο. Κάθε τόσο ο πιλότος έβγαινε και του έλεγε: «Πρόεδρε, απ' τον πύργο ελέγχου μαθαίνω ότι είναι συγκεντρωμένος πολύς κόσμος. Ο κόσμος καλύπτει όλη τη διαδρομή μέχρι τη Βουλή». Χαιρόταν, το απολάμβανε. Με κοίταζε με αγάπη και μου έλεγε: «Εσύ, Δήμητρα, μη φοβάσαι. Θα δεις πότε θα σου κάνω εγώ σήμα και θα κατέβεις».

Δε νομίζω ότι είχε μιλήσει σε κάποιον άλλο γι' αυτό, πλην του Τάσου Μπιρσίμ.

Εγώ είχα αρχίσει να μουδιάζω. Σκεφτόμουν μια άλλη πτήση, όταν ερχόμασταν στο Λονδίνο, που έμοιαζε τόσο μακρινή και ήταν τόσο διαφορετική...

Τότε ένας Δημήτρης Κρεμαστινός, με φοβερό άγχος, δεν ήταν καν σίγουρος αν ο Ανδρέας θα άντεχε το ταξίδι για το Λονδίνο και ήταν έτοιμος «για κάθε ενδεχόμενο».

Τώρα ο Ανδρέας γύριζε νικητής σε άλλη μια μάχη και ανυπόμονος να ξαναμιλήσει με το λαό.

Τότε φύγαμε σχεδόν κρυφά και όλοι ξαφνικά μάθαιναν πως ο πρωθυπουργός αντιμετώπιζε σοβαρό πρόβλημα υγείας και πάει γι' αυτό στο Λονδίνο.

Τώρα ο λαός περίμενε τον πρωθυπουργό για να του δείξει, για άλλη μια φορά, την αγάπη του.

Τότε εγώ τον συνόδευα «παράνομα», «κρυφά» και μόνο εξαιτίας της δικής του επιμονής, ήμουν η ερωμένη.

Τώρα γυρίζω ως ο άνθρωπος που του στάθηκε και τον βοήθησε, τώρα είμαι η γυναίκα που ο Ανδρέας επέλεξε για σύντροφο και φρόντισε να το δημοσιοποιήσει αυτό και μάλιστα κάτω από δραματικές συνθήκες.

Φτάνουμε. Ο κόσμος μέχρι εκεί που πιάνει το μάτι. Παραλήρημα, εκδηλώσεις λατρείας. Ο Ανδρέας, στην κορυφή της σκάλας, συγκινημένος ευχαριστεί, βάζει το χέρι στην καρδιά. Αρχίζει να κατεβαίνει. Οι εκδηλώσεις λατρείας κορυφώνονται. Εγώ είμαι παγωμένη. Περιμένω, αυτό μόνο νιώθω, ότι περιμένω. Συνειδητοποιώ μόνο πως δεν είναι μύθος όσα ξέρω, και λίγο τα έχω ζήσει, για τη λατρευτική σχέση του Ανδρέα με το λαό. Το βλέπω, το ζω τώρα.

Συνεχίζει να κατεβαίνει τη σκάλα. Κάτω το Υπουργικό Συμβούλιο, στελέχη του ΠΑΣΟΚ προσπαθούν να βάλουν κάποια τάξη, ο κόσμος σπρώχνει, θέλει να βρεθεί κοντά στον ηγέτη του, να τον αγγίξει, να του δείξει την αγάπη του.

Μέσα σ' αυτό το παραλήρημα, νιώθω σαν μικρό παιδί, απροστάτευτο, λέω: «Πώς θα με δεχτούν;», τρομάζω, προς στιγμήν σκέφτομαι να γυρίσω μέσα στο αεροπλάνο, να κρυφτώ.

Εκείνη τη στιγμή βλέπω ότι γυρίζει και με κοιτάζει. Αυτό μόνο είδα. Εκείνη τη στιγμή δεν αντιλήφθηκα το νεύμα, το οποίο είδα αργότερα στην τηλεόραση και συνέχισα να το βλέπω πολλές φορές και συνεχίζω να το βλέπω και σήμερα, σαν μια δική μας στιγμή, πολύτιμη.

Τότε είδα μόνο ότι με κοίταξε. Κυριολεκτικά με έσπρωξαν, άρχισα μηχανικά να κατεβαίνω, χωρίς να νιώθω τα πόδια μου, χωρίς να αισθάνομαι τίποτ' άλλο. Είχα μόνο στο νου αυτό που μου είχε πει: «Εσύ θα μπεις στο πίσω αυτοκίνητο».

Πατώντας στη γη ένιωσα για πρώτη φορά αυτό που θα με ακολουθούσε ως τη στιγμή που έφυγε ο Ανδρέας. *Αυτό το σύνδρομο του να χάνομαι μπροστά στο φαινόμενο της σχέσης Ανδρέα - λαού και ταυτόχρονα τη βαριά ευθύνη που τώρα πλέον, πρώτη φορά, μου ανέθετε ο κόσμος μέσα από εκδηλώσεις αγάπης και αποδοχής.*

«Να 'σαι καλά, Δήμητρα, να προσέχεις τον Ανδρέα, να μας τον φυλάς». Το άκουσα για πρώτη φορά, τότε, από μια Κρητικιά που με χαιρέτησε τη στιγμή που κατέβηκα, με φίλησε, μου απόθεσε μάλιστα και δύο περιστέρια. Το επανέλαβαν πολλοί εκεί, στην πίστα

του αεροδρομίου, το άκουγα πριν μπω στο αυτοκίνητο. Το άκουγα σ' όλη τη διαδρομή ως το Μαξίμου από κόσμο που προλάβαινε να με δει. Το άκουσα χιλιάδες φορές στη συνέχεια, σε προεκλογικές συγκεντρώσεις, σε δημόσιες εμφανίσεις, σε κάθε επαφή με τον κόσμο, σε κάθε περίπτωση και σε κάθε ευκαιρία. «*Δήμητρα, να μας τον προσέχεις, να μας τον φυλάς, τον χρειαζόμαστε».*

Μου δημιουργούσε ανάμεικτα συναισθήματα. Απ' τη μια ένιωθα δικαίωση και χαρά, ότι όλος αυτός ο κόσμος που λάτρευε τον Ανδρέα με αγαπούσε και με εμπιστευόταν, κατά κάποιο τρόπο με όριζε «θεματοφύλακα» της υγείας του.

Απ' την άλλη ένιωθα μια βαριά ευθύνη και κάτι σαν «απειλή», που πολλές φορές με τρόμαζε. Σκεφτόμουν: «Αν συμβεί τίποτα, εμένα θα θεωρήσουν υπεύθυνη;»

Ναι, όσο κι αν φαίνεται περίεργο, αυτό το πελώριο κύμα εμπιστοσύνης ορισμένες φορές το αισθανόμουν απειλητικό.

Αυτό που, βέβαια, έμενε ήταν η αγάπη του κόσμου στον Ανδρέα, ένα ελάχιστο μέρος της οποίας εισέπραττα κι εγώ. Ήταν η συγκίνηση ότι ο κόσμος καταλάβαινε –και το εξέφραζε– πως η παρουσία μου δίπλα του έκανε καλό στον Ανδρέα, έστω τον βοηθούσε λίγο στις μάχες που έδινε.

Την απολάμβανα αυτή την αγάπη και μου έδινε κουράγιο και δύναμη. Αλλά, κάποιες φορές, η αίσθηση της μεγάλης ευθύνης με φόβιζε.

Ήταν και πάλι ο Ανδρέας που με βοηθούσε. «Μην άγχεσαι, Δήμητρα, ο κόσμος το ξέρει πως μ' αγαπάς και με βοηθάς, το αναγνωρίζει. Κι εγώ σ' αγαπώ και σου υπόσχομαι πως δε θα πάθω τίποτα», μου έλεγε τρυφερά.

Εκείνο λοιπόν το ιστορικό νεύμα, με το οποίο ο Ανδρέας με νομιμοποιούσε μπροστά στον κόσμο, μπροστά στα στελέχη της κυβέρνησης και του κόμματος, εκείνη τη μεγάλη χειρονομία με την οποία ο Ανδρέας έκανε άλλη μια *ρήξη* ενάντια σε συμβάσεις και προκαταλήψεις και θεωρίες για πολιτικά κόστη, εγώ... δεν την αντιλήφθηκα τη στιγμή που έγινε.

Αργότερα, στο Μέγαρο Μαξίμου, όταν φτάσαμε μετά από μια θριαμβική πορεία, με ρώτησε χαμογελώντας πώς μου φάνηκε. Του είπα πως... δεν κατάλαβα τίποτα, ότι είδα μόνο που με κοίταξε.

Γέλασε και μου ζήτησε να βγούμε μαζί στη βεράντα του Μαξίμου, για να χαιρετίσει τον κόσμο που ήταν συγκεντρωμένος στην Ηρώδου του Αττικού και τον ζήταγε.

Αρνήθηκα. Μου ήταν αδύνατο να αντέξω τόσες συγκινήσεις και τόσες «προσαρμογές» μέσα σε τόσο λίγη ώρα...

Δεν ήταν μόνο η ονειρική στιγμή της καθόδου απ' το αεροπλάνο, η αμηχανία με την οποία με αντιμετώπισαν τα μέλη της κυβέρνησης, η πρώτη επαφή με τον κόσμο, η είσοδος, απότομη όπως όλα το τελευταίο διάστημα, σε μια νέα πραγματικότητα.

Ήταν και όλη η πορεία ως το Μαξίμου, μια πορεία λατρείας, παραληρήματος για τον Ανδρέα. Μια εμπειρία που ξεπερνούσε όσα είχα φανταστεί και ζήσει για τη σχέση του Ανδρέα με το λαό. Μια εμπειρία που έζησα όμως τόσες φορές στη συνέχεια.

Θυμάμαι τον Κίμωνα Κουλούρη και τον Γιώργο Παναγιωτακόπουλο να είναι όρθιοι πάνω σ' ένα τζιπ και να προσπαθούν απεγνωσμένα ν' ανοίξουν δρόμο και να «προστατέψουν» τον Ανδρέα απ' τις λατρευτικές εκδηλώσεις του κόσμου που φώναζε «καλώς ήρθες», «σε αγαπάμε», «σε περιμέναμε», «μαζί σου, Ανδρέα...».

Ήταν αυτός ο κόσμος που στάθηκε ασπίδα και δύναμη για τον Ανδρέα σε μια περίοδο, αμέσως μετά, πρωτοφανούς πολιτικής και προσωπικής του δίωξης, ήταν αυτός ο κόσμος που με την καταλυτική του παρουσία και συμπαράσταση ακύρωσε όλα τα σενάρια πολιτικής του εξόντωσης. *Ήταν αυτός ο κόσμος που στάθηκε μοναδική συντροφιά και κίνητρο ζωής για τον Ανδρέα, όταν, λίγο αργότερα και ως το '92, πέρασε στιγμές πικρής και αφόρητης μοναξιάς, απομονωμένος από εχθρούς και «φίλους», πλην ελαχίστων εξαιρέσεων...*

Τότε αυτό, *τη δύναμη της σχέσης του Ανδρέα με το λαό*, δεν μπορούσα να το συνειδητοποιήσω.

Αλλά θυμάμαι, στο Μαξίμου, πόσο έλαμπαν τα πρόσωπα του

Κίμωνα και του Γιώργου, όταν συναντήθηκαν με τον «πρόεδρό τους», πόσο ικανοποιημένοι αισθάνονταν απ' τη συμμετοχή του λαού στην υποδοχή. Γνωρίζουν καλά τι σήμαινε για τον Ανδρέα αυτή η επαφή με τον κόσμο, πόση ζωή τού έδινε, αυτό άλλωστε φαινόταν και εκείνη τη στιγμή στο πρόσωπό του, στις αντιδράσεις του. Είχε περάσει τόση ταλαιπωρία, ερχόταν από ένα τόσο κοπιαστικό ταξίδι, οι γιατροί τού έλεγαν να αποφύγει παραπάνω συγκινήσεις και αυτός επέμενε και τελικά ανέβηκε στην ταράτσα του Μαξίμου και χαιρέτισε τον κόσμο!

Ο Κίμων Κουλούρης και ο Γιώργος Παναγιωτακόπουλος, οι «συγκεντρωσιάρχες» του ΠΑΣΟΚ, η ψυχή των εκδηλώσεων, χρόνια πιστοί φίλοι του Ανδρέα, άνθρωποι που έζησαν τόσα μαζί του, που είχαν αναπτύξει με τον πρόεδρο μια σχέση εμπιστοσύνης, εκτίμησης, αγάπης, γνωρίζουν πολύ καλά και από πρώτο χέρι τι σήμαινε για τον Ανδρέα η επαφή του με το λαό...

Αργότερα, όταν ζούσαμε με τον Ανδρέα τις δικές μας στιγμές, βλέπαμε και ξαναβλέπαμε απ' το βίντεο το «ιστορικό νεύμα», γιατί είχε περάσει πια στην ιστορία, γιατί είχε εκτιμηθεί σαν μια κορυφαία αντικομφορμιστική κίνηση του «Ανδρέα των ρήξεων».

Για εκείνον, όπως έλεγε, ήταν κάτι το φυσιολογικό, μια οφειλόμενη πράξη γενναιότητας αλλά και μια κίνηση για να λύσει ένα «γόρδιο δεσμό»...

Για μένα ήταν κάτι πρωτόγνωρο να βλέπω και σιγά σιγά να αντιλαμβάνομαι πως ο Ανδρέας τοποθετούνταν απέναντι σε γεγονότα με τα δικά του, απρόσιτα μέτρα.

Είχε μάλιστα και ένα μοναδικό χιούμορ για να προσεγγίζει ακόμα και τέτοια γεγονότα.

Αργότερα, σε κοινή συνέντευξη που είχαμε δώσει (*Το Βήμα*, Θανάσης Λάλας), στην ερώτηση τι είχα αισθανθεί τη στιγμή του νεύματος, ξεκίνησα την απάντηση λέγοντας πως μου είχαν κοπεί τα πόδια. Παρεμβαίνει τότε ο Ανδρέας και γελώντας λέει:

«Όχι μόνο τα δικά σου, Δήμητρα, αλλά και πολλών άλλων κόπηκαν τα πόδια, όταν είδαν αυτή την κίνηση!»

Φαινόταν να διασκεδάζει με τον τρόπο που οι περισσότεροι μυθοποιούσαν καταστάσεις που για τον ίδιο ήταν απλές.

«Νόμιμη ή μόνιμη;» τον είχε ρωτήσει, για μένα, σε συνέντευξη που του είχε πάρει, στο Λονδίνο, ο Γ. Λιάνης.

«Και μόνιμη και νόμιμη», του είχε απαντήσει γελώντας πάλι με το πιο φυσικό ύφος του κόσμου.

Η αλήθεια είναι πως είχε κάνει την *επιλογή* του ήδη απ' το Λονδίνο, δίχως την παραμικρή, άμεση ή έμμεση πίεση, παρότι ορισμένοι σήμερα, χρόνια μετά, επιχειρούν να ξαναγράψουν την ιστορία διαστρεβλώνοντας γεγονότα, εφευρίσκοντας άλλα φανταστικά και κυρίως αγνοώντας ότι *ο Ανδρέας δε λειτουργούσε ποτέ υπό το κράτος πίεσης·* και αυτό το είχε αποδείξει έμπρακτα μυριάδες φορές, σε πάμπολλες καταστάσεις.

Όσοι τον γνώρισαν από κοντά τα γνωρίζουν πολύ καλά όλα τούτα. Και αυτό δεν αλλάζει σε καμιά περίπτωση, ακόμα κι αν σήμερα κάποιοι ηθελημένα επιμένουν να το ξεχνούν ή να το αγνοούν.

Δική του επιλογή ήταν και να με πάρει μαζί του στο Λονδίνο και η δημοσιοποίηση της σχέσης μας μέσω των δημόσιων περιπάτων μας στο Χέρφιλντ και το νεύμα κατά την επιστροφή και η επισημοποίηση της σχέσης μας αργότερα, με το *γάμο που έγινε στις 13 Ιουλίου του 1989.*

Είχε μάλιστα να παλέψει μέσα σε ένα ιδιαίτερα δυσμενές έως εχθρικό και, πολιτικά, ιδιαίτερα ολισθηρό κλίμα, προκειμένου να περάσει αυτή του την επιλογή.

Με εύθραυστη υγεία επέστρεψε και είχε να αντιμετωπίσει μια νοσηρή πολιτική κατάσταση: *όλη η αντιπολίτευση* συνασπισμένη εναντίον του, άτυπα μεν αλλά ουσιαστικά. Ο περίεργος πολιτικός «γάμος» ολοκληρώθηκε και τυπικά το καλοκαίρι του '89.

Οι αποκαλύψεις για το σκάνδαλο της Τράπεζας Κρήτης διαδέχονται η μία την άλλη, με μια εμφανή μάλιστα κατεύθυνση προσωπικής εμπλοκής του ίδιου του Ανδρέα.

Μέσα σ' αυτό το κλίμα έχει να αντιμετωπίσει και τις επιθέσεις για τη σχέση μας. *Τις αντιμετωπίζει με γενναιότητα.*

Δε διστάζει ξανά να «προκαλέσει», όταν με παίρνει μαζί του στη

Ρόδο, το Δεκέμβριο του '88, στη Σύνοδο Κορυφής της ΕΟΚ, όπου προήδρευε, και να κάνει δημόσια εμφάνιση μαζί μου στο Κέντρο Τύπου, παρά τις αντιδράσεις, τα εκρηκτικά σχόλια, τα πρωτοσέλιδα ειρωνικά δημοσιεύματα.

Ο ίδιος πίστευε (είχε μάλιστα και σχετικές πληροφορίες...) ότι πολλά απ' τα δημοσιεύματα προκαλούνταν και από στελέχη του ΠΑΣΟΚ που αντιδρούσαν σφοδρότατα στη σχέση μας.

Το αντιμετώπισε και αυτό με την ψυχραιμία και το πείσμα που πάντοτε τον διέκριναν.

Στο μεταξύ έχουν αρχίσει να βλέπουν το φως της δημοσιότητας φωτογραφίες μου, πραγματικές ή προϊόντα μοντάζ, που επιτείνουν το ήδη αρνητικό κλίμα, δημιουργούν κόστος και με φέρνουν στο χείλος της απόγνωσης, με φτάνουν στα όριά μου.

«Μη στενοχωριέσαι, Δήμητρα, κάποια στιγμή, να το θυμάσai, θα δικαιωθείς», είναι η επωδός του, κάθε φορά που ξεσπάω, που η υπομονή μου εξαντλείται, που νιώθω ότι η μόνη διέξοδος είναι να τα εγκαταλείψω όλα και να... εξαφανιστώ. Πάντα τρυφερός, ήρεμος και αποφασισμένος...

(Υποψιάζομαι ποιοι και από ποιες πλευρές ήταν οι «προμηθευτές» των ΜΜΕ με, πραγματικές ή πλαστές, φωτογραφίες μου. Δεν είναι όμως του παρόντος η ενασχόλησή μ' αυτό το θέμα ούτε, επαναλαμβάνω, αποτελεί στόχο αυτού του βιβλίου η επίλυση προσωπικών λογαριασμών με οποιονδήποτε. Ας γνωρίζουν πάντως οι «προμηθευτές», όποιοι κι αν είναι, πως με τέτοια ευτελή μέσα, που χαρακτηρίζουν αυτόν που τα χρησιμοποιεί, δεν επιλύεται καμιά, υπαρκτή ή ανύπαρκτη, διαφορά. Απλά βοηθούν στην επικράτηση του νόμου της ζούγκλας. Το ψέμα και η αθλιότητα έχουν κοντά πόδια...)

Η κατάσταση στο ΠΑΣΟΚ είναι επίσης εκρηκτική. Ήδη, για πρώτη φορά, ο Ανδρέας διαισθάνεται μια έρπουσα και, προς το παρόν, παρασκηνιακή αμφισβήτησή του. Επιπλέον στο μυαλό του σχηματοποιείται πιο καθαρή η εικόνα των ζυμώσεων και του παιχνιδιού διαδοχής που παρασκηνιακά διαδραματίστηκαν την περίοδο του Χέρφιλντ, καθώς τώρα είναι πιο έντονη κι επίμονη και η ροή πληροφοριών...

Η σχέση μας και η επικείμενη νομιμοποίησή της (ήδη ο κυβερνητικός εκπρόσωπος έχει δηλώσει, επίσημα, πως ο πρωθυπουργός προτίθεται να ζητήσει διαζύγιο απ' τη σύζυγό του Μαργαρίτα) αντιμετωπίζονται απ' την πλειοψηφία των στελεχών του ΠΑΣΟΚ και των συνεργατών του Ανδρέα από παγερά έως εχθρικά.

Υφίσταται πολλές πιέσεις, άμεσες ή έμμεσες, του επισείεται το «πολιτικό κόστος», αλλά ο ίδιος αρνείται κάθε συζήτηση επ' αυτού.

Ακόμα και απόπειρες «κοινωνικής απομόνωσης» εξελίσσονται, προκειμένου να διακοπεί η «παράνομη σχέση».

Είναι ελάχιστα τα στελέχη του ΠΑΣΟΚ που, εκείνη την εποχή, ανέχτηκαν αυτή την επιλογή του Ανδρέα και ακόμα λιγότερα όσα τη στήριξαν. Είναι, κυρίως, ο Κάρ. Παπούλιας, ο Δημ. Μαρούδας, ο Απ. Κακλαμάνης, ο Ά. Τσοχατζόπουλος, ο Αν. Πεπονής, ο Δημ. Τσοβόλας, ο Κ. Γείτονας, ο Γ. Μωραΐτης, η Μ. Κυπριωτάκη, ο Γ. Παναγιωτακόπουλος, ο Π. Λάμπρου, ο Κίμ. Κουλούρης.

Ο Αντ. Λιβάνης δε συμφώνησε στην αρχή, όταν όμως διαπίστωσε πως αυτή η σχέση ήταν σημαντική για τον Ανδρέα, όταν βεβαιώθηκε ότι ο πρόεδρος δεν ήταν διατεθειμένος να υποχωρήσει, η αγάπη που τον συνέδεε με τον Ανδρέα τον οδήγησε όχι μόνο να δείξει ανοχή, αλλά και να παίξει σημαντικό ρόλο στην έκδοση του διαζυγίου με τη Μαργαρίτα.

Βέβαια χρειάστηκε να περάσουν χρόνια, για να μετασχηματιστεί αυτή η σχέση με τον Αντώνη Λιβάνη σε κάτι πιο βαθύ, πιο ουσιαστικό, πιο ζεστό, πιο ανθρώπινο. Όπως ο ίδιος εξομολογήθηκε πρόσφατα: «Εγώ τη Δήμητρα την αγάπησα την περίοδο του Ωνασείου, τότε διαπίστωσα τι σήμαινε για τον πρόεδρο και πόσο του στάθηκε».

Πάντως ο Αντ. Λιβάνης ήταν πάντα για μένα ένας καλός και πολύτιμος φίλος. Δε συζητώ βέβαια για τη σχέση του με τον Ανδρέα, της οποίας το βάθος είναι δύσκολο να περιγραφεί και πολλές φορές με οδηγούσε να λέω αστειευόμενη ότι ο Ανδρέας είχε... «από δω τη γυναίκα του και από δω το αίσθημά του»!

Αντίθετα, απ' τους φανατικότερους επικριτές της σχέσης ήταν ο Γ. Αλευράς, η Μελίνα, ο Γ. Γεννηματάς, η Αγγέλα, ο Ζιάγκας, η πλειοψηφία των βουλευτών αλλά και των στελεχών επιπέδου Κεντρικής Επιτροπής. Επίσης η πλειοψηφία των εκδοτών, με εξαίρεση τους αδελφούς Κουρή και τον Χρ. Λαμπράκη.

Και βέβαια και περισσότερο απ' όλους η οικογένεια. Με πολλούς τρόπους τα παιδιά του Ανδρέα κατέβαλαν κάθε προσπάθεια να τερματιστεί η σχέση. Επιστρατεύτηκαν και η «λογική» και η συναισθηματική πίεση. Και απευθείας συζητήσεις και επιστολές...

Οι πιέσεις ήταν μεγάλες και επίμονες απ' τα παιδιά, με εξαίρεση τον Αντρίκο, που βρέθηκε εκείνη την εποχή συναισθηματικά πιο κοντά στον πατέρα του.

Ο Ανδρέας τούς αντιμετώπισε με υπομονή, συζήτησε μαζί τους πολλές φορές. Αλλά ήταν πάντα αποφασιστικός, ότι δεν κάνει πίσω, ότι η σχέση αυτή είναι επιλογή του, ότι με τη Μαργαρίτα είχε πάψει συναισθηματικά να συνυπάρχει πριν από χρόνια.

Η ιδιόμορφη «απομόνωση» που μας είχε επιβληθεί έφτασε σε τέτοιο σημείο, ώστε κόστισε στον Ανδρέα μια πνευμονία και μια εισαγωγή στο Γενικό Κρατικό.

Επρόκειτο, συγκεκριμένα, να γίνει μια σημαντική συνεδρίαση του ΕΓ, ο Ανδρέας ήταν λίγο αδιάθετος και ξαφνικά ο Γ. Αλευράς διαμηνύει πως δε δέχεται να έρθει στο σπίτι της Μυρτιάς (είχαμε τότε μετακομίσει εκεί), γιατί στέγαζε μια παράνομη σχέση.

Ο Ανδρέας πειράχτηκε, αναγκάστηκε όμως, για να μην πολώσει τα πράγματα, να δεχτεί να γίνει η συνεδρίαση στο Καστρί (το χρησιμοποιούσε ακόμα τυπικά ως γραφείο) και αυτό είχε σαν αποτέλεσμα η αδιαθεσία να γίνει πνευμονία...

Ο Γιάννης Αλευράς ήταν πράγματι ο πλέον ανένδοτος στην αποδοχή της σχέσης πριν από την και τυπική νομιμοποίησή της. Μας αποδέχτηκε κοινωνικά μετά το γάμο και θυμάμαι πόσο χάρηκε ο Ανδρέας τότε, όταν αποκαταστάθηκαν οι σχέσεις με έναν παλιό, καλό φίλο και συνοδοιπόρο κοινών αγώνων...

Η ήρεμη απάντησή του στις πανταχόθεν πιέσεις, στο νοσηρό κλίμα που έχει δημιουργηθεί, στα χτυπήματα της πλειοψηφίας των ΜΜΕ ήταν η απόφασή του να ενεργοποιηθεί η διαδικασία έκδοσης του διαζυγίου.

Αρχίζει τότε μια επώδυνη περίοδος και μια επώδυνη διαδικασία για τον Ανδρέα, αφού για ένα διάστημα η Μαργαρίτα αρνείται κατηγορηματικά να αποδεχτεί συναινετικό διαζύγιο. Η κατάσταση πολώθηκε και μάλιστα μέσα σε μια παρατεταμένη προεκλογική περίοδο και με ανοιχτά πολλά και μεγάλα μέτωπα. Ο Αντ. Λιβάνης, ο Απ. Κακλαμάνης, ο Ά. Τσοχατζόπουλος δέχονται να μεσολαβήσουν και προς τη Μαργαρίτα και προς τα παιδιά. Ακόμα και η Μελίνα μίλησε τότε στη Μαργαρίτα προσπαθώντας να τη μεταπείσει. Ακόμα και στελέχη της ΕΓΕ, όπως η Μ. Κυπριωτάκη και η Βούλα Γείτονα, επιστράτευσαν όλη τη φεμινιστική επιχειρηματολογία προς τη Μαργαρίτα.

Ακόμα και οι Γιώργος και Μάκης Κουρής πίεσαν προς διάφορες κατευθύνσεις. Είχαν μάλιστα έρθει πριν απ' αυτές τις συζητήσεις, είχαν συναντηθεί με τον Ανδρέα, είχαν μιλήσει μαζί του και στη συνέχεια φάγαμε όλοι μαζί και ήταν κατηγορηματικοί ότι πρέπει να τελειώνει αυτή η εκκρεμότητα, ότι πρέπει να βγει το διαζύγιο και στη συνέχεια να γίνει ο δικός μας γάμος.

Κάποια στιγμή η Μαργαρίτα δείχνει να σκέφτεται το διαζύγιο, αλλά αρχίζει σκληρή διαπραγμάτευση για τα ανταλλάγματα.

Ζητάει τα εξής:

– Οικονομική αποκατάσταση.

– Εξασφάλιση της πολιτικής πορείας και εξέλιξης του Γιώργου.

– Διασφάλιση της υποψηφιότητας του Θ. Κατσανέβα στις επόμενες εκλογές.

– Δέσμευση ότι ο Νίκος θα είναι σε εκλόγιμη θέση στο ευρωψηφοδέλτιο στις ευρωεκλογές.

Δεν παρακολούθησα και, πολύ περισσότερο, δε συμμετείχα σε καμιά φάση των διαπραγματεύσεων, ήταν επιθυμία και εντολή του Ανδρέα αυτό. Έτσι δεν είμαι σε θέση να γνωρίζω το παραμικρό σχετικά με τα οικονομικά ανταλλάγματα που ζητούσε η Μαργαρίτα, ούτε ο Ανδρέας μου μίλησε αργότερα γι' αυτό.

Ξέρω μόνο, από συζητήσεις που έγιναν μετά, πως δε δέχτηκε σε καμιά περίπτωση την τοποθέτηση του Νίκου στο ευρωψηφοδέλτιο, γιατί, όπως έλεγε, θεωρούσε απαράδεκτο να διορίσει, ουσιαστικά, το παιδί του ευρωβουλευτή.

Φαίνεται πάντως πως η απαίτηση της Μαργαρίτας σχετικά με την υποψηφιότητα του Θ. Κατσανέβα συνετέλεσε ώστε, όσο κι αν αυτό ακούγεται περίεργο, να πιέσει και ο Θ. Κατσανέβας την πεθερά του για να συναινέσει στην έκδοση του διαζυγίου.

Το διαζύγιο τελικά βγήκε μέσα σε είκοσι πέντε μέρες, αφότου η Μαργαρίτα συμφώνησε...

Οι «άγριες μέρες» του '89...

Το '89 ΕΙΝΑΙ ΧΡΟΝΟΣ καθοριστικός για την πολιτική δράση του Ανδρέα. Συνάμα, ήταν χρόνος δραματικός για τις πολιτικές εξελίξεις στη χώρα μας. Οι επιπτώσεις τους έχουν απόηχο και στις σημερινές, ίσως μάλιστα και σε μελλοντικές, εξελίξεις. Ο χρόνος που, κατά κάποιους, γκρέμισε τείχη και διαχωριστικές γραμμές μεταξύ Αριστεράς και Δεξιάς. Κατά τον Ανδρέα, ο χρόνος που η σε βάρος του και σε βάρος του ΠΑΣΟΚ πολιτική σκευωρία κορυφώνεται και φτάνει στο σημείο ακόμα και της παραπομπής του, ακόμα και της απόπειρας προσωπικής του εξόντωσης. Χρησιμοποιήθηκαν, προς τούτο, όλα τα μέσα και αξιοποιήθηκαν όλα τα ευαίσθητα ή «αδύναμα» σημεία.

Πολιτικές και οικονομικές δυνάμεις, εντός και εκτός Ελλάδας, εκδοτικοί παράγοντες, απ' το *Time* ως το τελευταίο έντυπο της ελληνικής επικράτειας, μια πρωτοφανής σύμπλευση ΗΠΑ και Σοβιετικής Ένωσης, θεσμικά και εξωθεσμικά πρόσωπα, πόλοι εξουσίας φαινομενικά αντιτιθέμενοι, όλα σε μια περίεργη διαπλοκή και σύμπλευση με έναν κοινό στόχο: *«Να τελειώνουμε με τον Παπανδρέου!»*

Ο ίδιος ο Ανδρέας δε δίστασε να αναλάβει το μέρος της πολιτικής ευθύνης που του αναλογούσε. Αλλά κατάλαβε έγκαιρα πως ο στόχος εκτεινόταν πολύ πέραν της περιλάλητης «κάθαρσης» και ήταν σαφέστατος και πολιτικός, όπως χαρακτηριστικά έλεγε και πίστευε:

«Μετά τον πολιτικό θάνατο του Ανδρέα Παπανδρέου ή το ΠΑΣΟΚ θα συρρικνωνόταν και κάποιοι θα διαμέριζαν τα "ιμάτιά του" ή οι εξελίξεις στο ΠΑΣΟΚ θα ελέγχονταν πλήρως, ώστε να γίνει απλά ένα κομμάτι του νέου, ε-

λεγχόμενου, πολιτικού σκηνικού, ένα κομμάτι που θα συμπλήρωνε το παζλ». Έβλεπε και σχολίαζε καθημερινά τα τεκταινόμενα. Παρατηρούσε ακόμα και σχολίαζε το γεγονός ότι οι επιθέσεις των ΜΜΕ ήταν επιλεκτικά κατευθυνόμενες, πέραν του ίδιου, εναντίον και συγκεκριμένων κυβερνητικών και κρατικών στελεχών, των οποίων η εντιμότητα ήταν απίθανο να αμφισβητηθεί, αλλά είχαν ένα... ελάττωμα: δεν έσκυβαν το κεφάλι σε προσταγές εξωθεσμικών κέντρων εξουσίας... Σαν χαρακτηριστικά τέτοια παραδείγματα ανέφερε τους Δημ. Τσοβόλα, Γ. Ανωμερίτη, Π. Βουρνά.

Απ' την άλλη μεριά έβλεπε και σχολίαζε ότι έμειναν επιλεκτικά στο απυρόβλητο στελέχη που, ως εκ της θέσης τους, είχαν κάποια πολιτική ευθύνη (το τονίζω προς αποφυγήν κινδύνου παρεξήγησης: μόνο πολιτική).

Αυτό που δεν μπορούσε, απ' όσα θυμάμαι και μπορώ να γνωρίζω, να εκτιμήσει ή να προβλέψει ήταν πως ο τότε ενιαίος Συνασπισμός της Αριστεράς θα έφτανε ως το σημείο να συγκυβερνήσει με τη Νέα Δημοκρατία και τον Κ. Μητσοτάκη...

Έβλεπε βέβαια ότι οι αντιπολιτευτικοί τόνοι του Συνασπισμού ξεπερνούσαν κάθε όριο, αλλά, τουλάχιστον ως τις εκλογές του Ιουνίου, δε φανταζόταν πως οι εξελίξεις θα οδηγούσαν σε συγκυβέρνηση ΝΔ - ΣΥΝ. Άλλωστε και τα περισσότερα απ' τα κορυφαία στελέχη του ΠΑΣΟΚ τον καθησύχαζαν ότι «δεν υπάρχει τέτοιο θέμα, πρόεδρε».

Μέσα σ' όλο αυτό το παιχνίδι, το νοσηρό κλίμα και το ομιχλώδες τοπίο εναλλασσόμενων πολιτικών και προσωπικών επιθέσεων, στις αρχές του χρόνου άρχισε να δέχεται πιέσεις για το ρόλο του Μ. Κουτσόγιωργα. Πιέσεις τόσο από στελέχη του ΠΑΣΟΚ όσο και από ορισμένους εκδότες, με τους οποίους διατηρούσε φιλική σχέση. Θυμάμαι ραντεβού και συζητήσεις με τέτοιο περιεχόμενο στον «Αστέρα» της Βουλιαγμένης, όπου συνήθως πηγαίναμε τα Σαββατοκύριακα.

Το περίεργο είναι ότι τότε άρχισαν να στρέφονται κατά του Μένιου Κουτσόγιωργα ακόμα και στελέχη που είχαν συμμαχήσει μαζί του κατά την περίοδο του Χέρφιλντ...

Όλη αυτή η κατάσταση του δημιούργησε μια έντονη συναισθηματική και ψυχολογική φόρτιση. Άρχισε μεν να ταλαντεύεται για το ρόλο του Μένιου, αλλά απ' την άλλη μεριά η στενή και πολύχρονη φιλική σχέση τους τον επηρέαζε πάντα.

Άλλωστε ο Ανδρέας πάντα τιμούσε τις φιλίες του και δε συνήθιζε να εγκαταλείπει τους φίλους στα δύσκολα, ακόμα και αν αυτό του κόστιζε πολιτικά, όπως, για παράδειγμα, όταν δε δίστασε να αποκαλέσει «φίλο» τον Γ. Λούβαρη, σε μια περίοδο και μια συγκυρία που κάτι τέτοιο απαιτούσε τόλμη και σήμαινε πολιτικό κόστος...

Βρισκόταν λοιπόν, σε ό,τι αφορούσε την αντιμετώπιση του Μ. Κουτσόγιωργα, μεταξύ σφύρας και άκμονος.

Όταν κάποια στιγμή ο Μ. Κουτσόγιωργας προσπάθησε πάση θυσία να ακυρώσει ένα μήνυμα που θα απηύθηνε προς τον ελληνικό λαό ο Ανδρέας απ' την τηλεόραση, άρχισε να κλονίζεται. Το μήνυμα, που τελικά μεταδόθηκε, έλεγε, μεταξύ άλλων, ότι η Δικαιοσύνη απερίσπαστη θα διερευνήσει όλες τις πτυχές του σκανδάλου Κοσκωτά και θα αφεθεί ελεύθερη να φτάσει, αν διαπιστωθούν ευθύνες, σε οποιοδήποτε πρόσωπο, «όσο ψηλά κι αν βρίσκεται».

Ο Μένιος, και μέχρι λίγο πριν από την εγγραφή του μηνύματος, ήρθε για να πείσει προσωπικά τον Ανδρέα να το ακυρώσει.

Στο μεταξύ οι πιέσεις από παντού εναντίον του Μ. Κουτσόγιωργα αυξάνονταν.

Ο Ανδρέας δεν ήθελε να τον αντιμετωπίσει με τέτοιο τρόπο που θα έδινε την εικόνα ότι τον «άδειαζε». Απ' την άλλη μεριά οι αποκαλύψεις, κασέτες, δημοσιεύματα, όλα αυτά δημιουργούσαν ένα κλίμα εκρηκτικό και δραματικό.

Με βαριά καρδιά τού συνέστησε να παραιτηθεί.

Βρέθηκε σε πολύ δύσκολη θέση. Δε θέλησε, σε καμιά περίπτωση, να πάρει ο ίδιος προσωπικά το βάρος οποιασδήποτε απόφασης κατά του Μένιου.

Όταν στελέχη του ΠΑΣΟΚ του συνέστησαν να κάνει δήλωση εκρηκτική για τον Κουτσόγιωργα, αρνήθηκε.

Όταν επίσης του έγινε πρόταση να αφήσει τον Μένιο εκτός ψηφοδελτίων των εκλογών του Ιουνίου, αντέτεινε πως οποιαδήποτε απόφαση θα ληφθεί απ' την ΚΕ. Και θυμάμαι ότι ανέκφραστος άκουσε την απόφαση της ΚΕ να αποκλειστεί απ' τα ψηφοδέλτια ο Κουτσόγιωργας, σ' εκείνη τη δραματική Σύνοδο που πραγματοποιήθηκε στον «Αστέρα». Είχε προηγηθεί μια υψηλών συναισθηματικών τόνων ομιλία του Μ. Κουτσόγιωργα προς τα μέλη της ΚΕ...

Ακόμα και αργότερα, το φθινόπωρο του '89, όταν σε συνεδρίαση του ΕΓ ο Κ. Σημίτης πρότεινε τη *διαγραφή Κουτσόγιωργα* απ' το ΠΑΣΟΚ, ο Ανδρέας δε δέχτηκε την πρόταση με το επιχείρημα «να αποφανθεί πρώτα η Δικαιοσύνη».

Στενοχωρήθηκε και του κόστισε πολύ, όταν αποφασίστηκε η προφυλάκιση του Μ. Κουτσόγιωργα. *Και συγκλονίστηκε με την πτώση* του στο Ειδικό Δικαστήριο και, στη συνέχεια, με το θάνατό του. Ήταν γεγονότα που τον επηρέασαν βαθύτατα, κλόνισαν την υγεία του, που του κόστισαν ψυχικά. Πέρασε, εκείνες τις μέρες, πολλές ώρες μοναχικής περισυλλογής, θλίψης, οδύνης.

Θυμάμαι μια δραματική τους συνάντηση, λίγο πριν από τις εκλογές. Είχαν προηγηθεί άλλες συναντήσεις, στις οποίες ο Μένιος επέμενε για την αθωότητά του, έδινε τις δικές του ερμηνείες για τις αποκαλύψεις περί εμπλοκής του στο σκάνδαλο Κοσκωτά, ζητούσε την κατανόησή του.

Εκείνο το βράδυ ήρθε στο σπίτι της οδού Μυρτιάς και έμεινε με τον Ανδρέα περίπου τρισήμισι ώρες. Το κλίμα ήταν ηλεκτρισμένο ήδη απ' την είσοδο του Μένιου στο σπίτι.

Όταν έφυγε, ο Ανδρέας ήταν ράκος, η πίεσή του είχε ξεπεράσει το 20. Τρόμαξα και κάλεσα επειγόντως τον Δημ. Κρεμαστινό. Ήρθε και τον βρήκε σε άσχημη κατάσταση.

Όταν ηρέμησε και μείναμε μόνοι, θορυβημένη απ' την κατάσταση που τον είχα δει πριν, του είπα:

«Πού θα πάει αυτή η ιστορία, πρέπει να κάνεις κάτι, να πάρεις μια απόφαση».

«Άκουσε, Δήμητρα», μου απαντάει. «Είμαστε φίλοι για πάρα πολλά χρόνια, μου έχει σταθεί. Εγώ δεν μπορώ να λησμονήσω πως, όταν ήμουν στην απομόνωση στις φυλακές Αβέρωφ, ο Μένιος ήταν ο μόνος που ερχόταν και με έβλεπε, δεν μπορώ να εγκαταλείψω ένα φίλο μου».

91

Και συνέχισε:

«Αλλά όλη αυτή η κατάσταση μου έχει στοιχίσει. Δεν άντεχα απόψε να τον βλέπω να μου ορκίζεται ότι άλλοι τον εμπλέκουν, ότι ο ίδιος είναι αθώος, ότι αν καταδικαστεί πολιτικά απ' το κόμμα του είναι σαν να τον παραδίνουμε βορά στους αντιπάλους του. Με εκλιπαρούσε να του πω οπωσδήποτε ότι τον πιστεύω. Με έφερε σε πολύ δύσκολη θέση, επέμενε, με πίεσε να τον πιστέψω».

«Και τι θα κάνεις;»

«Ξέρω ότι πρέπει να πάρω άσχημες αποφάσεις. Αλλά σε καμιά περίπτωση δεν προτίθεμαι να τον "αδειάσω". Δεν πρόκειται να κάνω δήλωση εναντίον του, όσο κι αν μου κοστίσει αυτό».

Μέσα σ' αυτό το κλίμα ψυχικής φόρτισης, πολιτικής απομόνωσης, εχθρικής αντιμετώπισης, επιθέσεων για την προσωπική μας ζωή και με κλονισμένη υγεία, έχει να αντιμετωπίσει και τις εκλογές.

Εγώ τότε, για πρώτη φορά τόσο κοντά του, αισθάνομαι, ζω αυτή τη λατρευτική σχέση του με το λαό. Ζω τον παλμό και το πάθος αυτής της αμφίδρομης επικοινωνίας. Επηρεάζομαι. Μου δημιουργούνται πρωτόγνωρα συναισθήματα γιατί, πέραν αυτής της φοβερής εμπειρίας απ' τη σχέση Ανδρέα - λαού, ζω καθημερινά και τις προσωπικές μου αγωνίες, τα προσωπικά μου άγχη. Γνωρίζω πως η υγεία του είναι εύθραυστη, ότι χρειάζεται προσοχή, στενή παρακολούθηση.

Το άγχος με κάνει να νιώθω βαδιστής σε ένα τεντωμένο σκοινί. Σιγά σιγά όμως βιώνω από κοντά πόση δύναμη του δίνει αυτή η επαφή με τον κόσμο. Καταλαβαίνω πως οι ιατρικές συμβουλές δε λαμβάνουν, δεν μπορούν να λάβουν υπόψη τη θετική επίδραση που έχει στον Ανδρέα η μαγική επαφή του με το λαό, που είναι τέτοια ώστε να... ακυρώνονται ιατρικές γνωματεύσεις.

Ζω, παρακολουθώ από κοντά αυτή τη μαγεία. Ο ίδιος με... διορίζει άτυπο σύμβουλο και... αυστηρό κριτή των δημόσιων εμφανίσεών του, των προεκλογικών του εμφανίσεων.

Συγκλονιστική η εμπειρία απ' τη συγκέντρωση του Βόλου. Οι

οπαδοί του ΠΑΣΟΚ σε κάθε συγκέντρωση απελευθερώνουν μια καταπιεσμένη δυναμική, καταπιεσμένη απ' το νοσηρό πολιτικό κλίμα και τις επιθέσεις σε βάρος του Ανδρέα και του ΠΑΣΟΚ, και δημιουργούν εκρηκτική ατμόσφαιρα.

Ανεπανάληπτη η εμπειρία απ' τη συγκέντρωση της Κοζάνης. Εκεί η συνεχής ραγδαία βροχή και το τσουχτερό κρύο έφεραν, προς στιγμήν, σκέψεις για ματαίωση της συγκέντρωσης. Ο Ανδρέας ούτε που θέλησε να το ακούσει. Τοποθετήθηκε στην εξέδρα προστατευτικό τζάμι, που κι αυτό έγινε αντικείμενο λοιδορίας και αρνητικών σχολίων...

Θυμάμαι με πόση αγωνία ο Γ. Παναγιωτακόπουλος και τα άλλα παιδιά των κινητοποιήσεων παρακολουθούσαν τον πρόεδρο σ' όλη τη διάρκεια της ομιλίας. Τα κατάφερε μια χαρά. Ο κόσμος δε σταμάτησε ούτε λεπτό να συμμετέχει μ' ένα μοναδικό τρόπο. Το σύνθημα *μαζί, μαζί και στη βροχή»* δονούσε την ατμόσφαιρα.

Μοναδικές οι εμπειρίες και απ' τις άλλες συγκεντρώσεις, της Θεσσαλονίκης, της Καβάλας, του Ηρακλείου, της Πάτρας, των Ιωαννίνων. Μέχρι τη Ζάκυνθο έφτασε ο Ανδρέας. Ήθελε να βοηθήσει τον καλό και πιστό του φίλο, τον Δημήτρη Μαρούδα.

Σ' όλες αυτές τις συγκεντρώσεις συμμετέχω με το δικό μου τρόπο. Διαπιστώνω πως ο Ανδρέας παίρνει ζωή απ' αυτή την επικοινωνία.

Αγάπη, αγωνία, θαυμασμός, αγωνία, λύτρωση είναι συναισθήματα που εναλλάσσονται, που τα βιώνω στον πιο έντονο βαθμό. Αποτύπωση αυτών μου των συναισθημάτων επιχείρησα σε μια εξομολόγησή μου στο ραδιοσταθμό «TOP FM».

«Η συγκέντρωση ανάβει κι όλα είναι συνειδητά...»
Ο κόσμος αγγίζει με τις σημαίες, με τα χέρια, με το σώμα του το βαρύ αυτοκίνητο – το υπηρεσιακό όπως το ονομάζουν, το οποίο χρησιμοποιεί ο πρόεδρος για τις «πολιτικές μετακινήσεις» του.

Ο κόσμος φωνάζει, το αυτοκίνητο σταματά στον κεντρικό δρόμο της Πάτρας, της Θεσσαλονίκης, της Ρόδου, της Καλαμάτας, της Ελευσίνας, του Ηρακλείου, παντού.

Ο κόσμος θέλει να αγγίξει τον πρόεδρο, να του σφίξει το χέρι, να τον σηκώσει στα χέρια. «Να τον προσέχεις», απευθύνονται σε μένα και νιώθω τον πανικό της βαριάς ευθύνης να με καταλαμβάνει. «Να η Μιμή, να ζήσεις, κορίτσι μου», και συγχύζομαι –πρόσκαιρα βέβαια– από το «χαϊδευτικό» του ονόματός μου, μια και κανείς ποτέ δε με φώναξε «Μιμή», πρόκειται για επιλογή των ταμπλόιντ εφημερίδων, ίσως, ή για λανθάνουσα απόπειρα μείωσης...

Μπα, προτιμώ το μικρότερο του θηριώδους υπηρεσιακού αυτοκινήτου, το πολύ μικρότερο δικό μου, το «Γιαπωνέζο», όπως το λέω. Κι εκείνος το προτιμά όταν πρόκειται να οδηγήσει. Είναι πιο νευρικό, πιο κομψό, πιο φιλικό.

Τρία τέταρτα, μια ώρα, μιάμιση, φτάνουμε τελικά στο ξενοδοχείο, όπου ξεκουραζόμαστε για τρεις τέσσερις ώρες πριν αρχίσει η συγκέντρωση. Ο πρόεδρος ξαπλώνει λίγο, διαβάζει, απόλυτα ήρεμος.

Εγώ περιφέρομαι σαν σβούρα, γεμάτη νευρικότητα, μέσα στο δωμάτιο. Πάντοτε πριν από τη συγκέντρωση έχω νευρικότητα, άγχος· όχι για το αν θα πετύχει, αν θα γεμίσει η πλατεία και οι γύρω δρόμοι, αλλά για εκείνον. Πώς θα τα πάει, αν θα είναι ασφαλής. Θέλω να σκέφτεται σ' όλη τη διάρκεια ότι είμαι κοντά του. Στο πίσω μέρος της εξέδρας. Φοβόμουν τον πολύ κόσμο. Εκείνος όχι. Λες και γεννήθηκε μαθημένος στις ζητωκραυγές, στα συνθήματα, στο πανηγύρι που ξεσπάει σε κάθε ανοιχτή ομιλία του.

Μια ώρα πριν από τη συγκέντρωση ελέγχει την ομιλία του, συμπληρώνει φράσεις, διορθώνει κάποια κομμάτια και χαμογελάει μ' εμένα που συνεχίζω να πηγαινοέρχομαι, να πίνω καφέδες και να μιλώ στο τηλέφωνο που χτυπάει διαρκώς. Ντύνεται. Διαλέγω τη γραβάτα που θα βάλει· κάποιοι του λένε να φορέσει και το αλεξίσφαιρο γιλέκο: «Όλοι οι ηγέτες, πρόεδρε, το φοράνε, είναι για λόγους ασφαλείας». Διαφωνεί. Δεν του περνά απ' το μυαλό ότι μπορεί κάποιος να θέλει την εξόντωσή του, χωρίς αυτό να σημαίνει ότι παραγνωρίζει τη δύναμη των κύκλων που θα επιθυμούσαν να μην υπάρχει. Εγώ δεν ξέρω αν συμφωνώ ή διαφωνώ.

Είναι σαν να τα βλέπω όλ' αυτά μέσα από ένα πέπλο – τα βλέπω θολά. Με άλλες διαστάσεις.

Ξαφνικά τον βλέπω έτοιμο μπροστά μου. «Πάμε, μάτια μου», μου λέει και ξεκινάμε για το λόμπι του ξενοδοχείου, όπου περιμένει η Νομαρχιακή, κάποιοι βουλευτές, ορισμένοι παράγοντες. Και πολύς κόσμος απέξω. Ξανά φωνές, ζητωκραυγές. Ξανά στο βαρύ κι επίσημο αυτοκίνητο. Διασχίζουμε τη –μικρή συνήθως– απόσταση μέχρι την κεντρική εξέδρα· εκεί έχει σχηματιστεί ένας διάδρομος για να περάσουμε. Οι εκδηλώσεις κορυφώνονται. Εγώ νιώθω σφιγμένη. Ο πανικός έχει φύγει. Το σφίξιμο από τις χιλιάδες παρουσίες παραμένει. Έχω ευθύνη σ' αυτό τον κόσμο. Κατεβαίνουμε, το σακάκι φεύγει απ' τους ώμους του, η γραβάτα του δεν έχει πια καλά δεμένο κόμπο, τα μαλλιά μας είναι άνω κάτω. Είσοδος στο κτίριο. Ηρεμία. Όχι μεγάλη, αλλά κάτι γίνεται. Μετά από δέκα λεπτά εμφανίζεται στην εξέδρα. Χαμός. Φωτοβολίδες, πυροτεχνήματα, χιλιάδες φωνές ενώνονται σε συνθήματα: «Μαζί σου, Ανδρέα, για μια Ελλάδα νέα» και «ο λαός δεν ξεχνά τι σημαίνει Δεξιά» και «όταν οι άλλοι θα ψάχνουν αρχηγό, εμείς θα σε φωνάζουμε ξανά πρωθυπουργό» και «το ΠΑΣΟΚ είναι παντού, είναι κίνημα λαού»...

Είμαι πίσω, μου μιλάνε, είναι όλοι ενθουσιασμένοι, με κόκκινα πρόσωπα γεμάτα ένταση. Δεν μπορώ να πω ότι ακούω και καταλαβαίνω όλα όσα μου λένε. Το μυαλό μου είναι σ' εκείνον – παρακολουθώ τις κινήσεις των χεριών του που χαιρετά, μιλά, απαντά με κινήσεις.

Περνάνε σαράντα λεπτά, πενήντα, μία ώρα, αναλόγως. Τελειώνει η ομιλία, τον ξαναφωνάζουν, χαιρετά, ξαναβγαίνει. Και νιώθω ότι «να, όπου να 'ναι τελειώνουμε», μου αρέσει που ο κόσμος τον αγαπά, που τον υποδέχεται έτσι. Δεν επηρεάζομαι απ' την προσωπική σχέση μαζί του γι' αυτό που θα πω: νομίζω ότι είναι ο μόνος ηγέτης που έχει τόσο βαθιά και ισχυρή σχέση με το λαό. Τόσο ερωτική, τελικά, σχέση. Μπορεί να αγαπά ο κόσμος και όλους τους άλλους αρχηγούς – κανείς όμως ποτέ δε φώναξε για κανέναν: «Κάτω τα χέρια απ' τον Ανδρέα». Για κείνον είναι ζωή αυτή η σχέση. Επικοινωνεί, μιλάει με τον κόσμο στη διάρκεια του λόγου. Εκτός κειμένου φυσικά. Και μετά λάμπει. Είναι ευτυχισμένος.

Εγώ; Σας τα είπα. Φανταστείτε έναν από εσάς να βρεθεί ξαφνικά στο πλευρό ενός ηγέτη με όσα αυτό συνεπάγεται! Κάπως έτσι νιώθω. Ναι, περιμένω την ώρα που θα γυρίσουμε στο ξενοδοχείο και μετά στο σπίτι. Να δω τη συγκέντρωση απ' την τηλεόραση, να τη χαρώ χωρίς άγχος, όπως όλοι. Να κάνω τα σχόλιά μου, «α, αυτή η πλευρά έχει πολλή νεολαία» ή «εδώ κρατάνε πολλές σημαίες» ή «κοίτα, κοίτα πού έχει ανέβει ο τύπος στην κολόνα της ΔΕΗ».

Όχι, δε χάνω τη μισή μου ζωή απ' το άγχος, απ' την αγωνία. Πάντως, σας βεβαιώνω ότι είναι πολύ καλύτερα να είσαι κάτω, ανάμεσα στον κόσμο και να φωνάζεις, να το ζεις, παρά πάνω στην εξέδρα και να μετράς την ώρα, που δεν περνάει.

«Μετράω τους φίλους μου»...

Εκείνη την περίοδο, του πολιτικού και προσωπικού του διωγμού, ο Ανδρέας, σε μια στιγμή περισυλλογής, λύπης, αβεβαιότητας για τις εξελίξεις, με έντονη την αίσθηση ανάγκης για συμπαράσταση, χρησιμοποίησε, για πρώτη φορά, την έκφραση «μετράω τους φίλους μου».

Τη χρησιμοποίησε κι άλλες φορές, όχι πολλές, αργότερα, στην περίοδο της «απομόνωσης» και της μοναξιάς του Ειδικού Δικαστηρίου.

Ο ίδιος, παρά τον περί του αντιθέτου μύθο που έντεχνα έχει καλλιεργηθεί, τίμησε πάντα τις φιλίες του. Και κάτω από αντίξοες συνθήκες, αγνοώντας προσωπικό και πολιτικό κόστος, δεν εγκατέλειψε φίλους και φιλίες και είχε το δικό του τρόπο για να απευθύνει ένα «ευχαριστώ» σε ανθρώπους που κάποια στιγμή τού συμπαραστάθηκαν.

Θυμάμαι, χαρακτηριστικά, όταν πήρε πρόσκληση απ' τον Γ. Κουρή να παρευρεθεί στα εγκαίνια του ραδιοσταθμού του. Του είπα να μην πάει, γιατί θα δεχτεί επιθέσεις, το κλίμα ήταν ιδιαίτερα αρνητικό και για τον ίδιο και για το συγκρότημα Κουρή.

Το ίδιο αντίθετα ήταν και τα περισσότερα στελέχη του ΠΑΣΟΚ, ακόμα και στελέχη που είχαν στενές σχέσεις με τους αδελφούς Κουρή και πολύ περισσότερο στελέχη που τότε καταδίκαζαν με σφοδρότητα τον «αυριανισμό» και σήμερα έχουν προνομιακή συνεργασία με τον Γ. Κουρή...

Ήταν ανένδοτος. «Με έχουν βοηθήσει, μου έχουν συμπαρασταθεί», ήταν η απάντησή του. Και πήγε.

Με την έκφραση «μετράω τους φίλους μου» ο Ανδρέας, πολύ περισσότερο μετά τις εκλογές του Ιουνίου του '89 και μέχρι το '92, ουσιαστικά ε-ξέφρασε στην αρχή μια αμφιβολία και στη συνέχεια μια πικρία.

Δεν ήταν πολλοί αυτοί που του συμπαραστάθηκαν σε δύσκολες, οδυνηρές, ατέλειωτες ώρες προσωπικής δοκιμασίας. Αντίθετα, εκείνες τις ώρες και η αμφισβήτησή του εντάθηκε και οι ε-σωκομματικές βολές αυξήθηκαν και η «απομόνωσή» του ήταν ε-ντυπωσιακή, πικρή.

Ωστόσο αργότερα, όταν ο Ανδρέας έκανε εκείνο το απρόσμενο για πάρα πολλούς «come back», όταν κυριολεκτικά «αναστήθηκε» πολιτικά και βρέθηκε ξανά προ των πυλών της εξουσίας προσωπικά και πολιτικά δικαιωμένος, δε λειτούργησε ούτε με μνησικακία ούτε με έπαρση. Σαν κάτι πολύ φυσιολογικό για τον ίδιο, σαν άλλο ένα δείγμα της μεγαλοσύνης του, δέχτηκε ξανά κοντά του τους πάντες.

Ίσως γιατί, έχοντας τοποθετήσει τον εαυτό του σε μια «εξέδρα» πάνω απ' τους άλλους, δεν είχε χώρο για τέτοιου είδους μικρότητες και μνησικακίες.

Ίσως γιατί πάντα τον διέκρινε η τάση να θεωρεί δεδομένο πως κάποια στιγμή θα έπρεπε να δεχτεί ξανά κοντά του τα «άτακτα» πολιτικά παιδιά του...

Ίσως γιατί είχε μια *φυσική αποστασιοποίηση* απ' την καθημερινότητα, τη μικρότητα και τα προσωπικά πάθη.

Γεγονός ωστόσο είναι πως για μια ολόκληρη περίοδο μέτρησε τους φίλους του. Και τους βρήκε λίγους...

Και αυτό τον πόνεσε.

Θυμάμαι μια επίσκεψη του Δημ. Τσοβόλα στο σπίτι της οδού Μυρτιάς στο τέλος του '89, σε μια περίοδο που ελάχιστοι μας επισκέπτονταν και το τηλέφωνο χτυπούσε σπάνια.

Ήταν μια μέρα που ο Ανδρέας ήταν πολύ βασανισμένος. Είχε λάβει μια επιστολή του Κ. Λαλιώτη, που τον είχε στενοχωρήσει. Ευγενικά και διακριτικά *ο Λαλιώτης τού ζητούσε να αποσυρθεί* και περίπου τον χαρακτήριζε εμπόδιο στις εξελίξεις.

Κάθισαν πολλή ώρα και τα είπαν. Ο Ανδρέας, επηρεασμένος και απ' την επιστολή, του άνοιξε την καρδιά του, του είπε τα παράπονά του, του εξέφρασε την πίκρα του για τον τρόπο που τον αντιμετωπίζουν ορισμένα στελέχη του κόμματος.

Όταν έφευγε, ο Δημ. Τσοβόλας τού είπε: «Πρόεδρε, έχεις δίκιο και σε καταλαβαίνω. Αλλά να μην έχεις καμιά αμφιβολία ότι αυτοί που σήμερα σε έχουν εγκαταλείψει ή στρέφονται εναντίον σου, οι ίδιοι, όταν θα είσαι ξανά ψηλά, θα ξανάρθουν τότε...» Αποδείχτηκε προφητικός...

Θυμάμαι άλλες τρεις περιπτώσεις που ζητήθηκε η αποχώρηση, η απόσυρση του Ανδρέα. Η μία μάλιστα κάτω από δραματικές συνθήκες, στο Γενικό Κρατικό, αμέσως μετά τις εκλογές του Ιουνίου του '89, όταν έδινε άλλη μια μάχη για τη ζωή.

Είχαν όμως προηγηθεί τα προς αυτή την κατεύθυνση σχετικά αιτήματα του γιου του, του *Γιώργου*, καθώς και του ιστορικού στελέχους του ΠΑΣΟΚ, του *Αντώνη Καρρά*.

Λίγους μήνες πριν από τις εκλογές ο Γ. Παπανδρέου ζητούσε επίμονα να δει τον πρωθυπουργό πατέρα του. Η μεταξύ τους σχέση ήταν τότε ιδιαίτερα τεταμένη λόγω της εκκρεμότητας με το διαζύγιο αλλά και απ' το γεγονός ότι ο Γιώργος και τα αδέλφια του είχαν εκφράσει στον Ανδρέα την άποψη ότι έπρεπε να τελειώνει μαζί μου.

Ο Γιώργος τότε είχε αφήσει να διαρρεύσει, και τα ΜΜΕ έγραφαν και έλεγαν, πως θα *ζητούσε απ' τον πατέρα του να παραιτηθεί*.

Πικραμένος κι οργισμένος ο Ανδρέας αρνιόταν να τον δεχτεί. Τότε έλαβε μια *επιστολή* απ' τον Γιώργο, με την οποία του ζητού σε να διευκολύνει τις εξελίξεις, δηλαδή να παραιτηθεί, να παραδώσει την πρωθυπουργία ορίζοντας διάδοχό του, ενώ του συνιστούσε επίσης *να φύγει και απ' την Ελλάδα!*

Του εξηγούσε ότι η κατάσταση είναι πολύ άσχημη, το κλίμα πολύ αρνητικό λόγω των «σκανδάλων» και των αντιδράσεων που υπάρχουν και της στάσης των ΜΜΕ. «Τα πράγματα περιπλέκονται», συνέχιζε, «λόγω της προσωπικής σου ζωής και της κατάστασης της υγείας σου». Εξέφραζε ανησυχία για το αν ο πρόεδρος θα ήταν σε θέση να τα αντέξει όλα αυτά λόγω της εύθραυστης υγείας του και κατέληξε στο «διά ταύτα»:

> Για όλους αυτούς τους λόγους θα ήταν καλό να παραιτηθείς από πρωθυπουργός, να ορίσεις τον αντικαταστάτη σου. Θα έπρεπε επίσης να εξετάσεις την περίπτωση να φύγεις για ένα διάστημα και απ' την Ελλάδα.

Ο Ανδρέας οργίστηκε με το περιεχόμενο της επιστολής και –φυσικά– με τον αποστολέα. Εκφράστηκε με πάρα πολύ άσχημα λόγια για τον Γιώργο. Επίσης στενοχωρήθηκε πολύ με την «αχαριστία», όπως είπε, του γιου του.

Αφού πέρασαν λίγες μέρες, ζήτησε ο ίδιος να τον δει. Του μίλησε, όπως μου είπε μετά, αυστηρά και αποφασιστικά. Του τόνισε ότι θα ήταν δειλία να εγκαταλείψει την πολιτική τώρα ειδικά, που βάλλεται από παντού. Του υπογράμμισε ότι ακριβώς αυτή την ώρα της μάχης χρειάζεται συμπαράσταση και όχι «συμβουλές» για αποχώρηση, μια αποχώρηση που θα ερμηνευόταν σαν ομολογία ενοχής. Του εξήγησε ότι «τώρα μετράω τους φίλους μου» και ότι δεν περίμενε απ' το γιο του τέτοια συμπεριφορά.

Το κλίμα της συνάντησης ήταν ιδιαίτερα θερμό και εκρηκτικό. Όπως μου είπε ο Ανδρέας, ο υπουργός γιος του δεν υποστήριζε τις θέσεις που είχε «διαμηνύσει» μέσω της επιστολής του και ήταν απολογητικός. Και πάντως σε καμιά περίπτωση δεν υπέβαλε παραίτηση, όπως άφηνε να κυκλοφορήσει ότι θα κάνει, αν ο πατέρας του δεν αποδεχτεί τις προτάσεις του...

Παρ' όλα αυτά την άλλη μέρα οι εφημερίδες έγραφαν πως ο

99

Γιώργος ζήτησε απ' τον πατέρα του να παραιτηθεί και να αποχωρήσει.

Ο ίδιος ο Γιώργος έστειλε νέα επιστολή, με την οποία χαρακτήριζε «ανεξήγητες» τις διαρροές. Του ανέφερε δε ότι είχε συναντήσει το ίδιο βράδυ της συνάντησης τον Γ. Κουρή στη Βουλή και με έκπληξη διαπίστωσε ότι ο εκδότης γνώριζε για το περιεχόμενό της...

Γεγονός είναι πως τα παιδιά του Ανδρέα και κυρίως ο Γιώργος απέφευγαν την απευθείας αντιπαράθεση μαζί του για θέματα στα οποία είχαν διαφορετική άποψη ή γνώριζαν ότι αυτό που θα του έλεγαν θα του κόστιζε. Εξαίρεση ο Νίκος, απ' το Ωνάσειο και ύστερα, που σε δυο τρεις περιπτώσεις τού μίλησε άσχημα και αυτό είχε αρνητικές επιπτώσεις στην εξέλιξη της υγείας του.

Προτιμούσαν, σε τέτοιες περιπτώσεις, την επικοινωνία δι' επιστολών ή μέσω «ειδικών απεσταλμένων».

Για παράδειγμα, ποτέ ο Γιώργος δεν ανέφερε τίποτα στον πατέρα του για παραίτηση στο Ωνάσειο, παρά τη μυθολογία που είχε κατασκευαστεί περί «πρωτοβουλίας» που θα αναλάβει για να τον πείσει να παραιτηθεί.

Μόλις τόλμησε να του κάνει μια γενική πολιτική αναφορά κάποια στιγμή, ο Ανδρέας τον έκοψε λέγοντάς του: «Σε παρακαλώ, είμαι κουρασμένος». Και εκεί η κουβέντα σταμάτησε...

Επίσης, όταν ήθελε πολύ να οριστεί επίτροπος στην ΕΕ, δεν το ζήτησε απευθείας ο ίδιος, αλλά μέσω των αδελφών του και άλλων, τρίτων προσώπων. Ο Ανδρέας αρνήθηκε κάθε συζήτηση, με το επιχείρημα ότι «δεν είναι δυνατό να διορίσω το γιο μου επίτροπο, πάει πολύ», και όρισε τον Χρ. Παπουτσή.

Επιστολή εξάλλου χρησιμοποίησε ο Γιώργος καθώς επίσης και τα αδέλφια του πάλι, για να «πειστεί» ο πρόεδρος και να μην τοποθετήσει, στην τελευταία κυβέρνηση που έκανε, τον *Ανδρέα Φούρα*. Σ' αυτή την περίπτωση ο Ανδρέας ενέδωσε στις πιέσεις...

Άλλο χαρακτηριστικό δείγμα αυτής της συμπεριφοράς: ενώ ο Γιώργος δεν ήθελε καθόλου να πάει ο πατέρας του στο Συνέδριο, ποτέ δεν του το είπε. Προσπάθησε δυο τρεις φορές να κάνει κάποια νύξη, αλλά ο Ανδρέας με εύσχημο τρόπο γύριζε αλλού την κουβέντα και έτσι δεν προχώρησε.

Ακόμα και την τελευταία βραδιά ρωτούσε αγωνιωδώς τον Δημ. Κρεμαστινό αν «είναι σε θέση ο πρόεδρος να πάει στο Συνέδριο». Πήρε την απάντηση ότι υπάρχουν κίνδυνοι, αλλά «την τελική α-πόφαση θα την πάρει ο ίδιος ο πρόεδρος».

Στη συνέχεια προσπάθησε να ανοίξει συζήτηση με τον πατέ-ρα του για το θέμα αυτό, αλλά πάλι ο Ανδρέας την απέφυγε.

Μια από τις εξαιρέσεις, που μίλησε απευθείας με τον πατέρα του, ήταν λίγο πριν από τις εκλογές του Ιουνίου του '89, για να τον πιέσει να μην μπει στο ψηφοδέλτιο του νομού Αχαΐας ο *Σωτ. Κω-στόπουλος*, με το επιχείρημα ότι θα κινδύνευε η δική του πρωτιά.

Κατάφερε να τον «πείσει», με αποτέλεσμα να μείνει εκτός λί-στας ο Σωτ. Κωστόπουλος.

Ο Αντ. Καρράς, ιστορικό στέλεχος του ΠΑΣΟΚ, ζήτησε κι αυτός απ᾽ τον Ανδρέα να παραιτηθεί.

Ο Ανδρέας είχε μια ιδιαίτερη εκτίμηση και αγάπη προς το πρόσωπο του Αντ. Καρρά. Εκτιμούσε την αγωνιστικότητα, την ε-ντιμότητα και τη συνέπειά του, παρά το γεγονός ότι, όπως έλεγε, στις περισσότερες συνόδους της ΚΕ ο Αντώνης ήταν πάντα «εσω-κομματική αντιπολίτευση» και συνήθως καταψήφιζε τις εισηγή-σεις.

Ήταν ακριβώς για τους ίδιους λόγους που ο Ανδρέας πάντα ε-κτιμούσε και αγαπούσε τον *Μιχ. Χαραλαμπίδη*, αν και πολλές φο-ρές αμφισβήτησε και επέκρινε επιλογές του. «Ο Μιχάλης έχει στα-θερές απόψεις και τις παλεύει με συνέπεια, είναι ένας έντιμος α-γωνιστής», συνήθιζε να λέει γι᾽ αυτόν. Άλλωστε ο Μιχ. Χαραλα-μπίδης σε κρίσιμες στιγμές, όταν άλλοι εγκατέλειπαν τον Ανδρέα, πάντα στεκόταν στο πλευρό του...

Ζήτησε λοιπόν ο Αντ. Καρράς να δει τον Ανδρέα και τον επι-σκέφθηκε μ᾽ ένα μπουκέτο ανεμώνες. Του είπε πόσο τον αγαπά-ει και του εξήγησε πως όσα θα του πει τα λέει με πόνο ψυχής. Σε κάποια στιγμή μάλιστα η υψηλή συγκινησιακή ένταση τον έκανε να κλάψει.

Μέσα σ᾽ αυτό το φορτισμένο κλίμα, του είπε πως η κατάσταση έχει φτάσει σε άκρατα σημεία, ότι η αμφισβήτησή του καθημερινά μεγαλώνει και ότι, για το καλό του ίδιου και του ΠΑΣΟΚ, θα έπρεπε να παραιτηθεί και να ορίσει προσωρινό πρωθυπουργό τον *Παρ. Αυγερινό*, ο οποίος και θα οδηγούσε το κόμμα στις εκλογές.

Ο Ανδρέας εξήγησε και στον Αντ. Καρρά ότι δίνει τον αγώνα της ζωής του, ότι η εγκατάλειψη της μάχης αυτή την ώρα θα ήταν δειλία και θα ερμηνευόταν σαν ομολογία ενοχής. «Δεν μπορώ να τελειώσω έτσι», του τόνισε.

Χώρισαν στενοχωρημένοι και οι δύο...

«Φύγετε από την Ελλάδα»...

Μετά τις εκλογές του Ιουνίου ο Ανδρέας ξαναδίνει άλλη μια μάχη για τη ζωή. Η μάχη εκείνη ήταν απ' τις πιο δύσκολες και στην αρχή τουλάχιστον οι προβλέψεις των γιατρών, για το αν θα κατορθώσει να βγει ζωντανός, ήταν απαισιόδοξες. Το κλίμα των ημερών, τα όχι καλά εκλογικά αποτελέσματα, η διαφαινόμενη πλέον συνεργασία του Συνασπισμού με τη Νέα Δημοκρατία τον επηρέαζαν και ψυχολογικά. Απ' την άλλη μεριά βέβαια –αυτός ήταν πάντα ο Ανδρέας– οι πολιτικές εξελίξεις τού έδιναν και ένα *κίνητρο*, ένα ερέθισμα για να ξεπεράσει και αυτή τη δύσκολη ώρα, για να ξαναδώσει την επόμενη μάχη, της πολιτικής και προσωπικής του δικαίωσης.

Πράγματι, σε πολλές περιπτώσεις το «κλειδί λειτουργίας» του Ανδρέα ήταν *το κίνητρο, ο στόχος* για την επόμενη μάχη.

Εκεί που τον έβλεπες στενοχωρημένο, πικραμένο, πεσμένο, ακόμα και απογοητευμένο, αν του πρόσφερες *κίνητρο* και αν ο ίδιος το δεχόταν, τότε παρατηρούσες, διαπίστωνες μια εκπληκτική μεταμόρφωση μέσα σε ελάχιστο χρόνο. Τότε είχες ξανά μπροστά σου τον αληθινό Ανδρέα, του αγώνα, της πίστης για τη νίκη, έναν ενεργητικό άνθρωπο, ένα «τέρας» πολιτικό, που, αν δεν ήξερες την κατάσταση της υγείας του, θα έλεγες: «Αυτός ο άνθρωπος είναι υγιέστατος».

Τότε είχες ξανά μπροστά σου τον ηγέτη και το μύθο.

Γι' αυτό επιμένω –και το έζησα και το διαπίστωσα από κοντά– ότι η συνεχής αμφισβήτηση, τα τελευταία χρόνια της ζωής του, τον επηρέασε, του κόστισε και συνετέλεσε να οδηγηθεί στο Ωνάσειο...

Εκείνες λοιπόν τις δραματικές ώρες στο Γενικό Κρατικό, όταν ο Ανδρέας δεν είχε ακόμα διαφύγει τον κίνδυνο, κάποια μέρα α- νοίγοντας την πόρτα του γραφείου του Δημ. Κρεμαστινού, για να πάρω έναν καφέ, είδα ότι βρίσκονταν εκεί η Μελίνα, ο Γ. Γεννη- ματάς, ο Γ. Αλευράς και κάποιοι άλλοι, τους οποίους δε θυμάμαι. Ήταν εκεί και ο Δημ. Κρεμαστινός και προφανώς τους ενημέ- ρωνε για την κατάσταση της υγείας του Ανδρέα. Μου ζήτησε να μείνω στο γραφείο του, αλλά αρνήθηκα, επέστρεψα στο μικρό χώρο που μου είχε διατεθεί, δίπλα.

Σε λίγα λεπτά ο Κρεμαστινός έφυγε, ενώ οι άλλοι παρέμειναν για αρκετή ώρα και συζητούσαν.

Αφού άρχισαν να φεύγουν, έρχεται σε μένα η Μελίνα και με- τά τα τυπικά μού λέει:

«Δήμητρα, θα σου μιλήσω ως γυναίκα προς γυναίκα, εντάξει, χρυσό μου; Τον αγαπάς τον Ανδρέα;»

«Δεν καταλαβαίνω, Μελίνα, τι ερώτηση είναι αυτή; Τι πρόλο- γος είναι αυτός;»

«Διότι, αν τον αγαπάς, χρυσό μου, το καλύτερο και για τους δύο σας είναι, μόλις βγείτε από δω, να τον πάρεις και να φύγετε. Να πάτε στο εξωτερικό, στη Γαλλία για παράδειγμα, μπορούμε να κανονίσουμε με τον Μιτεράν, να σας βρούμε ένα ωραίο σπίτι και να περάσει εκεί, ήσυχα και όμορφα, όσα χρόνια του δώσει ο Θεός ζωή ακόμα».

«Τι είν' αυτά που μου λες, Μελίνα; Δεν καταλαβαίνεις; Αν του πούμε κάτι τέτοιο του Ανδρέα, θα τον σκοτώσουμε!»

«Πρέπει να καταλάβεις, χρυσό μου, ότι έχει τελειώσει πολιτι- κά, δεν έχει μέλλον πια. Δεν το βλέπεις;»

«Κοίτα, Μελίνα, καλύτερα αυτή η κουβέντα να κοπεί εδώ. Ε- γώ δεν είμαι διατεθειμένη να τον σκοτώσω. Γνωρίζω, και το γνω- ρίζεις και συ, πως, αν του διαβιβάσω αυτά που μου λες, είναι σαν να τον σκοτώνω. Έτσι και τολμήσετε αυτό τον άνθρωπο να τον πε-

103

τάξετε μ' αυτό τον τρόπο, εγώ θα βγω, με όσες δυνάμεις έχω, και θα σας καταγγείλω».

«Γιατί, Δήμητρα; Δεν καταλαβαίνεις ότι θα κατηγορηθείς και θα την πληρώσεις και συ; Δεν καταλαβαίνεις ότι αυτός ο άνθρωπος δεν μπορεί να ξαναβγεί στο μπαλκόνι, δεν μπορεί να φωνάξει, δεν μπορεί να διεκδικήσει αρχηγία, δεν μπορεί να είναι αυτός που ήταν; Δεν το βλέπεις; Δεν καταλαβαίνεις ότι όλοι λένε πως εσύ τον σπρώχνεις να παραμείνει παρά την κατάστασή του; Θα την πληρώσεις και συ, δεν το καταλαβαίνεις; Αυτό που σου λέω είναι για το καλό και των δυο σας».

«Μελίνα, σε παρακαλώ, ας τελειώσει εδώ η κουβέντα. Επειδή τον αγαπάω τον Παπανδρέου, ξέρω καλά ότι θα πεθάνει ως πολιτικό ον, ως ηγέτης. Δεν του ταιριάζει και δε θα πεθάνει εξόριστος, γιατί αυτό θα είναι, σ' ένα σπίτι στην Ευρώπη, επειδή εσείς το αποφασίσατε και επειδή θέλετε να παίξετε τα παιχνίδια σας».

Η κουβέντα κόπηκε εκεί, μέσα σε έντονη ατμόσφαιρα.

Συνειδητοποίησα όμως, για δεύτερη φορά μετά το Χέρφιλντ, τι με περίμενε αν ο Ανδρέας δεν έβγαινε ζωντανός απ' το Γενικό Κρατικό. Συνειδητοποίησα πως ήμουν πλέον διαρκώς τρωτή και στο στόχαστρο για ό,τι άσχημο συνέβαινε στο μέλλον.

Ήμουν άλλωστε εύκολος στόχος και, δυστυχώς, ορισμένα λάθη μου με κατέστησαν ακόμα πιο εύκολο στόχο και αυτό έχει την επικαιρότητά του και σήμερα...

Όταν ο Ανδρέας ξεπέρασε και αυτό τον κίνδυνο και βγήκε απ' το νοσοκομείο, του μετέφερα το διάλογο με τη Μελίνα. Ήταν βέβαιος, όπως μου είπε, πως η Μελίνα δεν κινήθηκε από μόνη της, αλλά ήταν «αγγελιαφόρος» και άλλων στελεχών του ΠΑΣΟΚ. Ήταν σίγουρος ιδιαίτερα για τον Γ. Γεννηματά. Και έκανε, θυμάμαι, το εξής σχόλιο:

«Έτσι είναι, Δήμητρα, θέλουν να με βγάλουν απ' τη μέση. Δε με εκπλήσσει, ούτε με τη Μελίνα ούτε με τον Γεννηματά ούτε με τον Λαλιώτη ούτε με πολλούς απ' τους υπόλοιπους. Ιδιαίτερα αυτοί είναι "οικουμενικοί". Με τις πολύ καλές τους σχέσεις με τον ΣΥΝ. Συνομιλούν με τον ΣΥΝ. Και ασφαλώς τους είμαι εμπόδιο...»

Βέβαια όλα τούτα –και πολλά άλλα...– ποτέ δεν εμπόδισαν τον

104

Ανδρέα, το έχω καταθέσει και σ' άλλο σημείο αυτό, να λειτουργήσει ενωτικά με τα στελέχη του ΠΑΣΟΚ, να θέλει να τα έχει όλα κοντά του και να τα τιμάει με τον τρόπο του. *Ποτέ η προσωπική του πικρία δεν καθοδήγησε την πολιτική πράξη, ίσα ίσα.* Με μια ίσως εξαίρεση, τον Θ. Κατσανέβα, προς τον οποίο έτρεφε μια μόνιμη αντιπάθεια και δε φρόντιζε να την κρύβει.

Η μοίρα το 'φερε, *με μια τραγικότητα που μόνο η ίδια ξέρει να σκηνοθετεί,* να ασθενήσουν βαριά αργότερα και η Μελίνα και ο Γ. Γεννηματάς. *Συντετριμμένος ο Ανδρέας* και για τους δύο, έδειξε ανθρώπινο μεγαλείο στη μεταχείρισή τους. Μετά τις εκλογές του '93, χωρίς δεύτερη σκέψη ή κουβέντα, τους τοποθέτησε στα υπουργεία που ακριβώς ήθελαν και του ζήτησαν. Και τους άφησε στις θέσεις τους μέχρι το τέλος τους. Ούτε μια στιγμή δε σκέφτηκε να τους αντικαταστήσει, αν και κάποιοι του έκαναν σχετικές εισηγήσεις, ιδιαίτερα για τον αείμνηστο Γ. Γεννηματά, επικαλούμενοι το επιχείρημα ότι η κατάσταση της οικονομίας απαιτεί σταθερό κλίμα και εμπιστοσύνη και ότι «η κατάσταση της υγείας του Γεννηματά δημιουργεί προβλήματα».

«Μα δεν καταλαβαίνεις ότι θα τον σκοτώσω αν έστω έμμεσα του υποδείξω να παραιτηθεί; Θα είναι σαν να του λέω ότι πεθαίνει και δεν τον υπολογίζω. Όχι, δεν μπορώ να το κάνω...»

Αυτή ήταν η σταθερή απάντησή του...

Όμως, εκείνες τις πικρές και δύσκολες ώρες στο Γενικό Κρατικό, φαίνεται πως καταστρώθηκαν πολλές «επενδύσεις» σε ενδεχόμενο θάνατο του Ανδρέα ή έστω σε αποχώρησή του, και από πολλές πλευρές. Έζησα εκεί μια μικρογραφία των όσων, αργότερα, συνέβησαν στο Ωνάσειο.

Έμεινα στο ίδιο δωμάτιο με τον Ανδρέα. Στην εντατική. Μου παραχώρησαν για να κοιμάμαι (να κοιμάμαι!!) ένα κάθισμα αναδιπλούμενο, που είχε μια βαριά σιδερένια βέργα ακριβώς στη μέση. Η βέργα δε με ενόχλησε, γιατί το σώμα μου ούτε μια στιγμή δεν αποφάσισε να γείρει πίσω να ξεκουραστεί.

Δε θα ξεχάσω μια άγρια βραδιά, κρίσιμη για τη ζωή του Ανδρέα. Οι γιατροί ήταν πολύ ανήσυχοι. Ο Γιώργος ειδοποιεί τον Αντ. Λιβάνη: «Έλα, γιατί ίσως τελειώνει απόψε».

Είναι εκεί όλη η οικογένεια, έρχονται τα στελέχη του ΠΑΣΟΚ, συνεργάτες του. Η ατμόσφαιρα είναι βαριά. Και μέσα σ' αυτή την ατμόσφαιρα, κάποιοι σ' ένα δωμάτιο συζητούσαν τι θα γίνει με τα της τελετής, τους αποσχολούσε όμως και κάτι άλλο: πώς θα μπουν στο σπίτι που μέναμε με τον Ανδρέα, για να πάρουν τα πράγματά του, ώστε να μη μείνουν σε μένα!

Κάποιοι άλλοι, στο γραφείο του Δημ. Κρεμαστινού, συζητούσαν τα της διαδοχής, πώς θα γίνει η διαδικασία, τι θα γίνει τώρα που είναι η περίοδος των εντολών και τέτοια συναφή.

Μου έμοιαζαν όλα μακάβρια. Ένιωθα να είμαι χιλιάδες χιλιόμετρα μακριά. Αισθανόμουν απόγνωση...

Κάποια στιγμή έρχεται ο Αντ. Λιβάνης, πέφτω στην αγκαλιά του κλαίγοντας. Μου χαϊδεύει τα μαλλιά στοργικά και μπαίνει στους δίπλα χώρους. Βλέπει την κατάσταση που περιέγραψα και... ποιος είδε τον Αντώνη και δεν τον φοβήθηκε! Γυρνάει, χτυπάει το χέρι του και τους λέει οργισμένος: «Ο Ανδρέας θα νικήσει και σ' αυτή τη μάχη, μην ετοιμάζεστε λοιπόν!»

Πώς θα μπορούσε, αλήθεια, ο Αντώνης, ο άνθρωπος που λάτρεψε τον Ανδρέα και δέθηκε τόσο μαζί του, ώστε να γίνει το alter ego του, να πιστέψει ότι ο «Ανδρέας του» θα έφευγε αδικαίωτος; (Δε νομίζω πως έχει πια τόση σημασία να αναφέρω ποιοι βρίσκονταν στο ένα γραφείο και ποιοι στο άλλο και τι έλεγε ή έπραττε ο καθένας. Ας είναι...)

Και όμως, μέσα σ' εκείνες τις δραματικές ώρες του Γενικού Κρατικού, εκείνο το καυτό καλοκαίρι του '89, ο Ανδρέας πήρε δύο μεγάλες αποφάσεις, μια προσωπική και μια πολιτική.

Δεν ήταν καθόλου εύκολο για έναν πολιτικό της εμβέλειας και της ψυχοσύνθεσης του Ανδρέα να αποφασίσει ότι δε θα διεκδικήσει τη θέση του πρωθυπουργού σε ενδεχόμενη κυβερνητική συνεργασία ΠΑΣΟΚ - ΣΥΝ. Και η αλήθεια είναι πως δεν ήταν εύκολη η απόφαση για τον Ανδρέα, που ήταν πάντα ο πρωταγωνιστής.

Την πήρε όμως, με γενναιότητα, όταν πείστηκε πως έπρεπε να αφαιρεθεί ένα απ' τα βασικά επιχειρήματα του ΣΥΝ κατά της μετεκλογικής συνεργασίας με το ΠΑΣΟΚ. Τόσο ο Αντ. Λιβάνης όσο και οι Ά. Τσοχατζόπουλος, Απ. Κακλαμάνης, Κ. Λαλιώτης, σε συζητήσεις που είχαν μαζί του στη διάρκεια των διερευνητικών εντολών και κυρίως λίγο πριν συναντηθεί με τον πρόεδρο του ΣΥΝ Χαρ. Φλωράκη, του εξήγησαν πώς είναι το κλίμα. Του είπαν ότι ο ΣΥΝ είναι ανένδοτος, δεν τον συζητά καν για πρωθυπουργό. Διατύπωσαν επίσης την εκτίμηση ότι, αν αφαιρεθεί αυτό το επιχείρημα του Συνασπισμού, τότε θα είναι πολύ δύσκολο έως αδύνατο για τον ΣΥΝ να μη δεχτεί κυβερνητική συνεργασία με το ΠΑΣΟΚ.

Ο Ανδρέας είπε το *ναι*, όχι χωρίς πίκρα και στενοχώρια. Τον πείραζε πολύ το γεγονός ότι ο ΣΥΝ είχε ενταχθεί στις προσωπικές εναντίον του επιθέσεις, ότι τον χαρακτήριζε «αγκάθι» και «τροχοπέδη» στις εξελίξεις, ενώ ορισμένα στελέχη του, όπως ο Μ. Ανδρουλάκης, είχαν φτάσει στο σημείο να καλούν το ΠΑΣΟΚ να απαλλαγεί απ' τον Παπανδρέου και αυτό το έθεταν ως προϋπόθεση συνεργασίας μεταξύ των δύο κομμάτων.

Κάπου πίστευε ότι αυτό οφειλόταν στην πόλωση της προεκλογικής περιόδου. Κάπου τον ανησυχούσαν και ορισμένα μηνύματα που έπαιρνε, όπως, για παράδειγμα, η αναβολή, την τελευταία κυριολεκτικά στιγμή, της επίσκεψης του υπουργού Εξωτερικών της τότε Σοβιετικής Ένωσης Έντ. Σεβαρντνάτζε, ύστερα από απαίτηση του ΣΥΝ και ιδιαίτερα του Λ. Κύρκου.

Έβλεπε τα προβλήματα, έβλεπε τη μεταστροφή του κλίματος, αλλά πάντως δεν είχε πιστέψει πως θα έφτανε στο τέλος ο ΣΥΝ να συνεργαστεί με τη ΝΔ, το θεωρούσε αδιανόητο. Άλλωστε και τα κορυφαία στελέχη του ΠΑΣΟΚ, με κάποιες επιφυλάξεις και προβληματισμούς του Απ. Κακλαμάνη, είχαν την ίδια άποψη και τον είχαν πείσει.

Ο ίδιος μετά το εκλογικό αποτέλεσμα είχε ξεκαθαρίσει τη θέση του και την είχε δημοσιοποιήσει απ' την Κυριακή, το βράδυ των εκλογών. Είχε μιλήσει για «δημοκρατική πλειοψηφία». Και το έλεγε σοβαρά. Δεν το έκανε, όπως είπαν πολλοί, επειδή φοβόταν για την παραπομπή του και ήθελε να την αποτρέψει. Ο Ανδρέας ήταν και ένιωθε καθαρός, δε φοβόταν. Πίστευε πως, παρά τα δεδομένα προβλήματα, δεν υπήρχε άλλη λύση μετά το εκλογικό αποτέλεσμα.

Δέχτηκε λοιπόν να μη διεκδικήσει ο ίδιος την πρωθυπουργία προκειμένου να προωθηθεί αυτή η συνεργασία.

Λίγο πριν συναντηθεί με τον Χαρ. Φλωράκη είχε την τελευταία σχετική συνεργασία με τον Αντ. Λιβάνη. Δέχτηκε τον Χαρίλαο μαζί με τον Λιβάνη και τον Άκη. Ήταν αδύναμος, στο κρεβάτι, με τη συσκευή οξυγόνου, του μίλησε με αδύναμη φωνή.

Του είπε, απ' ό,τι ξέρω, ότι: «Δεν πρέπει, Χαρίλαε, να χάσουμε αυτή την ευκαιρία, δε θα μας το συγχωρήσει ο λαός. Η μόνη λύση είναι κυβέρνηση συνεργασίας των κομμάτων μας. Για να μη θεωρηθώ εμπόδιο σ' αυτή τη συνεργασία, δέχομαι να μη διεκδικήσω να είμαι πρωθυπουργός και προτείνω γι' αυτή τη θέση έναν έντιμο πολιτικό απ' το χώρο της συντηρητικής παράταξης, τον Κ. Στεφανόπουλο».

Του μίλησε με συναισθηματική φόρτιση και του είπε ακόμα πως η κάθαρση, για την οποία επέμενε ο ΣΥΝ και την είχε κάνει σημαία του, θα προχωρούσε και κανείς δε θα δημιουργούσε προβλήματα.

Ο Χαρ. Φλωράκης τον άκουσε ανέκφραστος στην ολιγόλεπτη συνάντηση και όταν τελείωσε του είπε: «Εντάξει, Ανδρέα, θα το μεταφέρω, μείνε ήσυχος».

Συμφώνησαν να συνεχιστούν οι συνομιλίες με αντιπροσωπίες των δύο κομμάτων και δημιουργήθηκε η αίσθηση πως η πρόταση για συνεργασία θα τελεσφορούσε.

Οι εξελίξεις που ακολούθησαν ήταν απρόσμενες, ραγδαίες και οδήγησαν στη γνωστή συγκυβέρνηση ΝΔ - ΣΥΝ, στις παραπομπές του Ανδρέα και σ' όλα όσα χαρακτηρίστηκαν «βρόμικο '89».

Του Ανδρέα του κόστισαν πολύ οι εξελίξεις.

Απ' όσα γνωρίζω, δεν μπόρεσε να συγχωρήσει ποτέ τον Φλωράκη και τον Κύρκο για τη συμπεριφορά τους το καλοκαίρι του '89. Πάντα είχε ένα παράπονο απέναντί τους, σε προσωπικό βέβαια επίπεδο, γιατί πολιτικά συνεργάστηκε αργότερα μαζί τους, στην οικουμενική.

Τον κατέβαλε και ψυχολογικά αυτή η εξέλιξη. Χρειάστηκε να προσπαθήσουμε πολύ ο Αντ. Λιβάνης, ο Δημ. Κρεμαστινός κι ε-γώ για να τον βοηθήσουμε, να του προσφέρουμε κίνητρο.

Απ' τη στιγμή όμως που είχε κίνητρο, ξανάγινε ο γνωστός Ανδρέας, που μέσα από μια επίπονη κι επίμονη, μακρά, αργή, βασανιστική και γεμάτη μάχες διαδικασία έζησε τη στιγμή της δικαίωσης, τον Οκτώβριο του '93.

Δεν είχε όμως να αντιμετωπίσει μόνο τη στάση του ΣΥΝ εκείνο το καλοκαίρι και το διάστημα που ακολούθησε. Μέσα στο θολό και γκρίζο τοπίο που είχε διαμορφωθεί είχε να αντιμετωπίσει και τη διαρκώς εντεινόμενη εσωκομματική αμφισβήτηση, που δημιουργούσε επιπλέον προβλήματα και, στη συνέχεια, ερωτηματικά. Και η αμφισβήτηση εκφραζόταν και εκδηλωνόταν με διάφορους τρόπους. Στη Σύνοδο της ΚΕ στην Ανάβυσσο, για παράδειγμα, εμφανίστηκαν «περίεργες» εσωκομματικές συμμαχίες με στόχο επώνυμα στελέχη, αλλά με απώτερο σκοπό να πληγεί ο ίδιος.

Αυτή τουλάχιστον την ερμηνεία έδινε στα αποτελέσματα των ε-κλογών για νέο ΕΓ, που άφησαν εκτός Εκτελεστικού τον Απ. Κακλαμάνη, την ίδια στιγμή που έδινε στη Βουλή τη μάχη κατά των παραπομπών μαζί με τους Ευάγ. Γιαννόπουλο, Γ. Γεννηματά, Γ. Ποττάκη, Αν. Πεπονή, Δημ. Τσοβόλα, Χρ. Ροκόφυλλο, ενώ έφεραν στο Εκτελεστικό οριακά, στις τελευταίες θέσεις, τον Γ. Γεννηματά. Αντίθετα εξελέγησαν πρώτοι οι Κ. Σημίτης και Κ. Λαλιώτης, ενώ εκπροσωπήθηκε με δύο μέλη στο ΕΓ η ομάδα των «λοχαγών».

Ο Γ. Γεννηματάς ήθελε να παραιτηθεί απ' το νέο ΕΓ και κατεβλήθη μεγάλη προσπάθεια για να πειστεί να μην το πραγματοποιήσει.

Ο Απ. Κακλαμάνης σχολίασε πικρόχολα, σε συζήτηση που είχε με τον Ανδρέα, τη μη εκλογή του και εξέφρασε την πικρία του για το παρασκήνιο που έδρασε.

Λίγο αργότερα ξεκινάει μια περίεργη ροή πληροφοριών προς τον Ανδρέα ότι στη διαδικασία των παραπομπών ορισμένα επώνυμα στελέχη του ΠΑΣΟΚ κινήθηκαν με επαμφοτερίζοντα τρόπο.

109

Ότι, δηλαδή, στο παρασκήνιο, ενθάρρυναν στελέχη του ΣΥΝ να προχωρήσει η παραπομπή Παπανδρέου, ώστε «να τελειώνουμε μ' αυτόν».

Γίνονταν μάλιστα, μέσω αυτών των πληροφοριών, συγκεκριμένες αναφορές σε συγκεκριμένα στελέχη.

Είναι βέβαια πληροφορίες και εκτιμήσεις που έφταναν και που ήταν –και είναι ακόμα και σήμερα– από δύσκολο έως αδύνατο να διασταυρωθούν και πολύ περισσότερο να επιβεβαιωθούν.

Ωστόσο η συμπεριφορά ορισμένων λίγο αργότερα (συνεντεύξεις, αρθρογραφία και άλλες κινήσεις τους στο προσκήνιο ή το παρασκήνιο) δικαιολογούσε τουλάχιστον τα ερωτηματικά για τη στάση τους.

Τα ερωτηματικά αυτά απασχολούσαν, και σε ορισμένες περιπτώσεις ταλάνιζαν, τον Ανδρέα.

Τον απασχολούσε, για παράδειγμα, γιατί κάποιοι επώνυμοι δεν εμφανίστηκαν σχεδόν καθόλου στο Ειδικό Δικαστήριο ή, πολύ περισσότερο, αρνήθηκαν να καταθέσουν ως μάρτυρες υπέρ του Τσοβόλα και κυρίως υπέρ των διοικητών των ΔΕΚΟ. Μάλιστα σε ορισμένους έγινε πρόταση να καταθέσουν και αρνήθηκαν χαρακτηριστικά...

Τον απασχολούσαν πολλά ερωτήματα για τη συμπεριφορά συγκεκριμένων στελεχών. Και οφείλω σ' αυτό το σημείο να καταθέσω ότι εκδότης που στήριζε εκείνη την περίοδο το Συνασπισμό, σε συνάντηση που είχε με τον Ανδρέα αργότερα, το καλοκαίρι στο Λαγονήσι, του ανέφερε συγκεκριμένα στοιχεία για την ανάμειξη στελεχών του ΠΑΣΟΚ στο παρασκήνιο της παραπομπής του...

Ο Ανδρέας προβληματίστηκε έντονα, δε γνωρίζω ωστόσο αν τα υιοθέτησε.

Πάντως λίγο αργότερα και ο *Μίμης Ανδρουλάκης* τού διαμήνυσε, μέσω τρίτου προσώπου, κοινού γνωστού, τα ίδια περίπου στοιχεία.

Ένα νέο νεύμα απ' το Κρατικό

Εκείνες πάντως τις αποφασιστικές στιγμές στο Γενικό Κρατικό, τότε που η μάχη για τη ζωή διασταυρωνόταν με την πολιτική μάχη, τότε που οι ραγδαίες και ταυτόχρονα απρόσμενες πολιτικές εξελίξεις έριχναν τη σκιά τους και στην εξέλιξη της υγείας του, τότε που όλα ήταν ρευστά και δύσκολο να προβλεφθεί η επομένη, εκεί, τότε, ο Ανδρέας έδειξε για άλλη μια φορά πως ήταν απρόβλεπτος και στα προσωπικά του.

Εκεί, κάτω απ' αυτές τις συνθήκες, έκανε και μια επιλογή που αφορούσε την προσωπική του ζωή. *Εκεί μου έκανε πρόταση γάμου!*

Είχε προηγηθεί βέβαια το Χέρφιλντ, το θρυλικό πλέον «νεύμα», η δημοσιοποίηση της επιλογής του, η κοινοποίηση της απόφασής του να νομιμοποιηθεί η σχέση μας.

Το διαζύγιο με τη Μαργαρίτα είχε βγει τις παραμονές των εκλογών και φυσικά μέσα στη δίνη της προεκλογικής περιόδου δεν έγινε καμιά περαιτέρω συζήτηση.

Ακολουθεί η εισαγωγή στο Γενικό Κρατικό, οι δραματικές εξελίξεις σχετικά με την υγεία του, οι πολιτικές εξελίξεις εκείνης της περιόδου και, μέσα σ' αυτό τον ορυμαγδό των γεγονότων, όλα τ' άλλα περνάνε στο περιθώριο.

Ξαφνικά, κάποια μέρα που είχε έρθει να τον επισκεφθεί ο αρχιεπίσκοπος Σεραφείμ, μου λέει μόλις έφυγε:

«Θέλω να σου πω κάτι».

«Τι;»

«Θέλω να παντρευτούμε, εδώ».

«Εδώ, μέσα στο νοσοκομείο;»

«Ναι, μέσα στο νοσοκομείο».

Έπεσα ξερή. Η σκέψη του γάμου είχε παραμεριστεί λόγω εκλογών και ασθένειας. Και ξαφνικά τώρα, μέσα σ' αυτές τις συνθήκες, την επαναφέρει, μια έκπληξη που μόνο ο Παπανδρέου ήξερε να κάνει!

Βέβαια μέσα στο νοσοκομείο δύο φίλοι μου εκείνη την εποχή μού «συνιστούσαν» να μιλήσω έμμεσα στον Ανδρέα περί γάμου, κάτι που απέρριπτα λέγοντας ότι «δίνει μάχη για τη ζωή του και εγώ θα του κάνω κουβέντα για γάμο;».

Ήταν η *Βούλα Κοτοπούλη* και ο *Γ. Λιάνης*, που επέμεναν ότι καλό θα ήταν να γίνει τότε ο γάμος, για να μην είμαι ακάλυπτη σε περίπτωση που συμβεί κάτι κακό. Μου έλεγαν μάλιστα, για να με

111

πείσουν, ότι, αν ο Ανδρέας δεν έφευγε ζωντανός απ' το Γενικό Κρατικό, έπρεπε να ετοιμάσουμε σχέδιο «απόδρασής» μου, γιατί κάποιοι (μου έλεγαν και ποιοι...) είχαν προγραμματίσει οργάνωση επεισοδίων σε βάρος μου.

Τους απαντούσα στερεότυπα πως αποκλείεται να μην κερδίσει και αυτή τη μάχη ο Ανδρέας. Τους έλεγα να του έχουν εμπιστοσύνη, ότι θα ζήσει να παλέψει για τη δικαίωσή του. Και επιπλέον, έλεγα, μου φαίνεται απάνθρωπο να του ζητήσω να παντρευτούμε μέσα στο νοσοκομείο.

Ήμουν πράγματι σίγουρη, το ήξερα, ότι ο Ανδρέας θα ζήσει, απ' τη στιγμή που είχε κίνητρο για να δώσει την επόμενη μάχη. Έπαιρνε πάντα ζωή απ' την αγάπη του κόσμου και παρέμενε, ακόμα και στις πιο δύσκολες και τραγικές στιγμές, πολιτικό ον.

Θυμάμαι ότι και μέσα στο Γενικό Κρατικό έδωσε τέτοια συγκλονιστικά δείγματα. Μια μέρα, που ήταν ακόμα συνδεδεμένος με τα μηχανήματα, ακούει κόσμο απέξω να φωνάζει, να λέει συνθήματα. Με ρωτάει: «Τι λένε;»

«Θέλουνε να σε δούνε, λένε να μη φοβάσαι και φωνάζουν ότι θα σε κάνουν ξανά πρωθυπουργό».

Γυρίζει τότε και μου λέει:

«Νομίζω ότι πρέπει να βγω να τους χαιρετίσω»!

Αυτός ήταν ο Ανδρέας, που σε εμψύχωνε ακόμα και σε κρίσιμες γι' αυτόν στιγμές...

Το πίστευα λοιπόν ότι ο Ανδρέας θα βγει νικητής και απ' αυτή τη μάχη. Μάλιστα μετά την επίσκεψη του Μ. Γιακούμπ, όταν είδα επιπλέον και τις θετικότατες ψυχολογικές επιπτώσεις που είχε για τον Ανδρέα η συνάντησή τους, δεν έτρεφα καμιά αμφιβολία πλέον.

Ο Γιώργος και η Βούλα επέμεναν, αλλά συζήτηση μαζί του περί γάμου δεν είχε γίνει.

Ο Γ. Λιάνης ήταν πια βουλευτής του ΠΑΣΟΚ, πρωτοεκλεγμένος στις εκλογές του Ιουνίου. Γύρω απ' την υποψηφιότητά του είχαν οργανωθεί μικροπαρασκηνιακές ενέργειες.

Ο Γιώργος ήθελε να είναι υποψήφιος και μου ζήτησε να μιλήσω σχετικά στον Ανδρέα. Εγώ είχα κάποιες αμφιβολίες, αν και αναγνώριζα ότι ήταν γνωστό όνομα στο χώρο της δημοσιογραφίας.

Μίλησα πάντως στον Ανδρέα και στη συνέχεια συναντήθηκαν οι δυο τους. Ο Γιώργος υποσχέθηκε ότι θα βοηθήσει πολύ την περιοχή, ότι θα πάρει ψήφους από «ντόπιους», ότι η συμμετοχή του στο ψηφοδέλτιο θα δείξει ένα «άνοιγμα» του ΠΑΣΟΚ σε μια περίοδο πολιτικής απομόνωσης.

Ο Ανδρέας ουσιαστικά επέβαλε τότε τον Γιώργο ως υποψήφιο, γιατί οι εσωκομματικές αντιδράσεις ήταν μεγάλες. Βέβαια ο Γ. Λιάνης εξελέγη πανηγυρικά, αλλά η δική του υποψηφιότητα είχε ένα «θύμα», τον άλλο ξάδελφο, τον πρέσβη Γ. Μ. Λιάνη. «Δύο Λιάνηδες δε χωράνε στα ψηφοδέλτια», ήταν η αμετακίνητη θέση του Ανδρέα...

Έκπληκτη λοιπόν τώρα, έχω μπροστά μου τον Ανδρέα να μου μιλάει για γάμο. Και να μου εξηγεί, στην απορία μου, «να παντρευτούμε τώρα, που είμαι ακόμα πρωθυπουργός».

Το πιθανότερο βέβαια είναι, αν και δεν το ομολόγησε, πως διατηρούσε, έστω και ελάχιστες, επιφυλάξεις για την ανέλιξη της υγείας του και ήθελε έτσι να με καλύψει.

Του απάντησα: «Όχι, αγάπη μου, όχι εδώ, δεν το αξίζουμε ούτε εσύ ούτε εγώ. Γάμο, εδώ στο νοσοκομείο, κάτω από τέτοιες συνθήκες, ούτε τον ονειρεύτηκα ποτέ μου ούτε τον θέλω. Τώρα, για το αν είσαι ακόμα πρωθυπουργός, δε θα σε παντρευόμουν ποτέ γιατί είσαι πρωθυπουργός. Εγώ τον Ανδρέα γνώρισα, αυτόν αγάπησα και αυτός σημαίνει για μένα τα πάντα. Έχεις όμως υποχρέωση να κερδίσεις τη μάχη σου, να βγεις από δω μέσα και τότε να μου προσφέρεις ένα γάμο όπως τον θέλουμε και οι δύο. Αφού μ' αγαπάς, προτεραιότητά σου πρέπει να είναι να βγεις ζωντανός από δω!» Ένιωσα ότι έπρεπε να πάρω την κατάσταση στα χέρια μου, ότι εκείνος ως ΑΝΤΡΑΣ έκανε το ΧΡΕΟΣ του κι εγώ ως γυναίκα έπρεπε να κάνω το δικό μου. Θυμάμαι, ήταν η πρώτη φορά που δεν του άφησα το περιθώριο ν' αντιδράσει. Ήμουν αφοπλιστική, απόλυτη. Ένιωσε περήφανος για μένα τότε, το ξέρω, ένιωσε πιο δυνατός. Γιατί οι συγκυρίες και το κλίμα άλλα υπαγόρευαν τότε. Συνηγορούσαν στην πρότασή του περί γάμου. Χαμογέλασε και αποδέχτηκε ο γάμος που μου πρότεινε να γίνει κάτω από πρωτόγνωρες, πράγματι, συνθήκες, να υλοποιηθεί μετά την έξοδό του απ' το νοσοκομείο.

Ήταν ευτυχισμένος, αποφασισμένος αλλά μαζί και μελαγχολικός. Ευτυχισμένος για τις εξελίξεις στην προσωπική του ζωή, αποφασισμένος να δώσει όσες μάχες χρειάζονταν για τη δικαίωσή του και μελαγχολικός γιατί έβλεπε τον πολιτικό κύκλο που ανοιγόταν και ήταν σίγουρος πως οδηγούσε σε περιπέτειες.

Αυτή η *εναλλαγή συναισθημάτων* ήταν συνεχής τα επόμενα χρόνια, χρόνια καταιγίδων, αγωνίας μα και ελπίδας, χρόνια μοναξιάς και μάχης, χρόνια όπου πράγματι μέτραγε τους φίλους του και όσο τους μέτραγε, τόσο πιο μόνος ένιωθε.

Αυτό όμως που δεν τον εγκατέλειπε ποτέ και που τελικά τον έφερε ξανά νικητή στο προσκήνιο, τον Οκτώβριο του '93, ήταν η πίστη για τη δικαίωση και η εντυπωσιακή διάθεση για μάχη.

Τις μέρες πάντως εκείνες, ως τις *13 Ιουλίου*, η πηγή χαράς, η διέξοδός του, η προσμονή του, ήταν ο γάμος μας. Έλαμπε από ευτυχία και χαρά, έδινε εικόνα νέου ανθρώπου με διάθεση για ζωή και όχι αυτή της ταλαιπωρίας, που μόλις λίγες μέρες πριν είχε τελειώσει.

Συμμετείχε με χαρά σε όλες τις ετοιμασίες του γάμου, συζητούσε και για την παραμικρή λεπτομέρεια. Με τον Γ. Παναγιωτακόπουλο ρύθμισε τα της περιφρούρησης του χώρου της εκκλησίας. Με τον Δημ. Κρεμαστινό τα της τελετής, γιατί δεν ήθελε να ταλαιπωρηθεί πολύ, εξαιτίας και της ζέστης. Ήθελε όμως να τους χαιρετήσει όλους και ήθελε να είναι εκεί όλοι οι συνεργάτες και φίλοι του «σ' αυτή την πιο σημαντική μου μέρα», όπως έλεγε λάμποντας ολόκληρος.

Ζούσε και απολάμβανε μια γιορτή ευτυχίας και χαράς.

Επιθυμούσε την παρουσία και του Γ. Αλευρά, κι ας ήξερε (ίσως: επειδή ήξερε) πόσο αντίθετος ήταν στη σχέση μας. Όμως ο Γ. Αλευράς δεν ενέδωσε. Όταν του τηλεφώνησε η Φρύνη, για να του πάει την πρόσκληση, δεν απάντησε. Και τελικά δεν ήρθε.

Για τη μέρα του γάμου τού κρατούσα μια έκπληξη. Είπα: «Ας υπάρχει και κάτι από τη νύφη που να μην το έχει γνωρίσει ο γαμπρός». Και του πρόβαλα βέτο: δε θα δει το νυφικό από τα πριν, «άσε να κρατήσουμε και κάτι απ' την παράδοση», του έλεγα.

114

Λίγο προτού κινήσουμε για την εκκλησία, εγώ άφαντη, κρυμμένη μέσα. Άρχισε ν' ανυπομονεί. Κάθε λίγο και λιγάκι μου ξαπόστελνε «αγγελιαφόρο» κάποια απ' τις κοπέλες του Γραφείου, να ρωτήσει μήπως τυχόν... μου είχε διαφύγει ότι... ήγγικεν η ώρα. Τότε πραγματοποιώ αιφνιδιασμό! Παρουσιάζομαι μπροστά του με το νυφικό και τελείως αλλαγμένη! Το ανυπόταχτο τσουλούφι μου υποταγμένο τώρα σε «καθωσπρέπει» σινιόν, άλλος άνθρωπος. Με κοίταξε χαμογελαστός και έκπληκτος, προσπάθησε (μάταια: έτσι μου αρέσει να πιστεύω) να δείξει ανεπηρέαστος. Και τελικά:

«Τι μεταμόρφωση είναι αυτή, Δήμητρα; Είσαι πολύ όμορφη!»

Μπήκαμε στο αυτοκίνητο. Μου 'σφιξε το χέρι.

«Είδες, τηρώ τις υποσχέσεις μου», μου λέει.

«Ναι...» του απαντώ.

«Τι ναι;»

«Ναι...»

«Δήμητρα, τι έχεις πάθει;»

«Τρακ, πολύ τρακ».

«Κι εγώ...»

«Ναι, αλλά δε σου φαίνεται καθόλου».

«Το ότι σ' αγαπάω φαίνεται;»

«Άμα μ' αγαπάς, κάνε κάτι να μου φύγει το τρακ!»

Ξεσπάει σε γέλια! Παρασύρομαι κι εγώ κι αρχίζω να γελάω. Ήμασταν σαν δυο μικρά παιδιά!!!

Φτάνουμε στην εκκλησία· έλαμπε. Για άλλη μια φορά μού είπε πως αυτή η στιγμή ήταν ό,τι καλύτερο του είχε συμβεί στην προσωπική του ζωή τα τελευταία χρόνια, ότι ήταν πολύ ευτυχισμένος και μου έταξε να με αγαπάει πάντα.

Ζούσα ένα όνειρο. Προσπαθούσα να συμπυκνώσω μέσα σε ελάχιστα λεπτά τα όσα συγκλονιστικά είχαν γίνει στη ζωή μου μέσα σε τρία χρόνια.

Απ' τις 29 Απριλίου του '86 ως τις 13 Ιουλίου του '89 είχαν γίνει τόσες και τέτοιες ανατροπές, που δεν ήμουν σε θέση να τις συλλάβω, να τις κατανοήσω, να τις γευτώ. Έπρεπε πάντα να περνάω στο επόμενο στάδιο, το ίδιο άγνωστο και ταραγμένο, αλλά συναρπαστικό, γεμάτο έρωτα που έδιωχνε τα άγχη, τις αγωνίες, τους διωγμούς, τις μικρότητες.

«Πόσο ερωτική είναι η σχέση μας», σκεφτόμουν καθώς τον έβλεπα δίπλα μου ευτυχισμένο, χαμογελαστό, περήφανο.

«Ναι, είναι μια σχέση γεμάτη έρωτα», απαντούσα στον εαυτό μου, «γεμάτη έρωτα κάθε στιγμή, μια σχέση με μοναδικότητα». Αισθανόμουν τυχερή που τη ζούσα και έτσι νιώθω και σήμερα. *Τυχερή που έζησα δέκα ανεκτίμητα χρόνια δίπλα στον Ανδρέα.*

Είναι ό,τι πιο πολύτιμο και μεγάλο έχω, άφθαρτο και με γεύση αιωνιότητας.

Ο ίδιος απολάμβανε κάθε στιγμή. Ήθελε να δείξει σε όλους την ευτυχία που ένιωθε. Ήξερε πως έκανε ένα βήμα που θα συζητιόταν και θα σχολιαζόταν. Αδιαφορούσε, γιατί αυτό που έκανε ήταν *η δική του επιλογή* και ήθελε να το ζήσει ολοκληρωτικά.

Όταν, μετά την τελετή, γυρίσαμε στο σπίτι, με ρώτησε μ' ένα πλατύ χαμόγελο:

«Είσαι ευτυχισμένη; Είδες που σου έλεγα πως όλα θα πάνε καλά; Θέλω να είσαι βέβαιη...»

Το ταξίδι του μέλιτος ήταν δέκα μέρες στο Λαγονήσι. Δέκα απ' τις πιο όμορφες μέρες που περάσαμε. Εκεί έγινε, θυμάμαι, και μια συνεδρίαση του ΕΓ. Ακολούθησε ένα μεγάλο τραπέζι.

Μέσα όμως στην προσωπική του ευτυχία και καθώς ο χρόνος περνούσε, η ανησυχία μεγάλωνε. Η συγκυβέρνηση ΝΔ - ΣΥΝ έδειχνε πού το πήγαινε, οι εξελίξεις έτρεχαν...

Αντιμετώπιζε με ανησυχία μεν αλλά και με γαλήνη και αρχοντιά τα όσα έρχονταν, το ένα μετά το άλλο. Γνώριζε πολύ καλά πως το σχέδιο θα ολοκληρωνόταν. Ήταν αποφασισμένος να το αντιμετωπίσει, αλλά με το δικό του τρόπο. Ποτέ, μα ποτέ δε μεταχειρίστηκε τα «όπλα» των άλλων, ίσα ίσα, το αντίθετο.

Θυμάμαι χαρακτηριστικά όταν η βρόμικη εκστρατεία εξόντωσής του είχε κορυφωθεί και ανάμεσα σ' όλα τα άλλα χρησιμοποιούνταν και φωτογραφίες μου (οι περισσότερες κατασκευασμένες), προκειμένου να πληγεί όσο γινόταν περισσότερο. Η εφημερίδα *Αυριανή* άρχισε, για αντιπερισπασμό, να δημοσιεύει αποσπάσματα συνομιλιών του κ. Μητσοτάκη, από κάποια ιδιωτική, προσωπική του ιστορία, πραγματική ή κατασκευασμένη, δεν ενδιαφερθήκαμε ποτέ να μάθουμε. Η εφημερίδα προανήγγειλε ε- πίσης τη δημοσίευση και σχετικού «φωτογραφικού υλικού». Ο Ανδρέας δυσφόρησε και ανησύχησε. «Θα γίνουμε ζούγκλα, αν πάμε έτσι», είπε.

Τηλεφώνησε ο ίδιος στον Γ. Κουρή και του είπε: «Άκου, Γιώρ- γο, δεν είναι δυνατό να συνεχιστεί αυτή η ιστορία. Έχω ζήσει ο ί- διος αυτές τις μεθόδους και ξέρω τι κόστος έχουν. Δε θέλω ποτέ να πολεμήσω τους αντιπάλους μου με τέτοια βρόμικα όπλα, ακό- μα κι αν οι ίδιοι τα έχουν χρησιμοποιήσει σε βάρος μου. Σε πα- ρακαλώ θερμά, λοιπόν, να μη συνεχίσεις».

Επειδή μάλιστα ήθελε να είναι σίγουρος για το αποτέλεσμα, έβαλε και στελέχη του ΠΑΣΟΚ να τηλεφωνήσουν στον Γ. Κουρή, για να τον πείσουν.

Αλλά εκεί που έδειξε πραγματικά το μεγαλείο του ο Ανδρέας, αυ- τός που τόσο συκοφαντήθηκε και διώχτηκε, αυτός που συγκλόνισε στη Βουλή όταν, απαντώντας και όχι απολογούμενος σ' αυτούς που τον είχαν παραπέμψει στο Ειδικό Δικαστήριο, με λιτό και δωρικό τρόπο είπε το «κατηγορώ τους κατηγόρους μου», ήταν στον τρόπο πολι- τικής αντίδρασής του στις παραπομπές Μητσοτάκη, αργότερα.

Μπορεί να ήταν –και ήταν– για τον ίδιο μια αυτονόητη πολι- τική επιλογή η παύση της δίωξης κατά του μεγάλου πολιτικού του αντιπάλου, ωστόσο η απόφαση δεν ήταν διόλου εύκολη.

Οι αντιδράσεις μέσα στο ΠΑΣΟΚ ήταν πολλές και έντονες. Α- πειλήθηκε ακόμα και κυβερνητική κρίση, ακόμα και ρήγμα στην ΚΟ.

Ο Γ. Αλευράς μαζί με μια μεγάλη ομάδα «κεντρώων» βουλευ- τών ήταν κατηγορηματικά αντίθετοι.

Δυσφορία και αντίδραση εξέφρασαν και στελέχη που είχαν διωχθεί το καλοκαίρι του '89.

Ακόμα και μεταξύ των βουλευτών και των στελεχών των προ- σκείμενων στο «εκσυγχρονιστικό μπλοκ» καταγράφηκαν αντι- δράσεις, ενώ δεν έλειψαν και αυτοί που χρησιμοποίησαν το θέ- μα για εσωκομματική αντιπολίτευση, άσχετα με το τι πίστευαν.

Τέλος, και στους κόλπους της κυβέρνησης υπήρχαν αντίθετες φωνές.

Ο Ανδρέας ήταν ανένδοτος.

«Δεν μπορεί η χώρα να γίνει ένα Ειδικό Δικαστήριο, δεν μπορούμε να πάμε έτσι μπροστά, έχουμε να δώσουμε λόγο στις γενιές που έρχονται», ήταν η μόνιμη επωδός του, το επιχείρημά του. Και δε σήκωνε αντίρρηση σ' αυτό.

Θυμάμαι τις πολύωρες συσκέψεις με τον *Αντ. Λιβάνη*, ο οποίος είχε αναλάβει να κατευνάσει το κλίμα στην ΚΟ, και τους *Γ. Κουβελάκη* και *Β. Βενιζέλο*, που είχαν επωμιστεί την πολιτική και κοινοβουλευτική τεκμηρίωση και στήριξη της απόφασης. Επίσης, τις συχνές συνεργασίες για το θέμα αυτό με τους Απ. Κακλαμάνη, Τηλ. Χυτήρη, Αντ. Βγόντζα.

Επέμεινε ως το τέλος, παρά τις αντιδράσεις. Έφτασε στο σημείο να διαμηνύσει ότι, αν κάποιοι το πήγαιναν σε *ρήξη,* θα σήκωνε το γάντι και δε θα δίσταζε να φτάσει μέχρι τις εκλογές!

Ήταν μια κορυφαία πολιτική επιλογή του και σ' αυτές τις περιπτώσεις ο Ανδρέας δεν ανεχόταν αμφισβήτηση ως το τέλος. Χτύπαγε το χέρι του στο τραπέζι, με το δικό του τρόπο.

Έτσι επέβαλε και αυτή την επιλογή και χαιρόταν ότι συνέβαλε στην ομαλοποίηση της πολιτικής ζωής, στην *επιστροφή της πολιτικής στο προσκήνιο* και ότι συνδύασε μάλιστα αυτή την προσφορά του στον πολιτικό βίο με το ξεκίνημα μιας σημαντικής, θεσμικής, συνταγματικής μεταρρύθμισης.

Ο Ανδρέας έδειξε έτσι, για άλλη μια φορά, ότι στεκόταν μακράν και υπεράνω αισθημάτων μνησικακίας ή εκδικητικότητας, ότι λειτουργούσε μόνο πολιτικά.

Όσο αυστηρός και αποφασιστικός ήταν όταν έβλεπε πως έπρεπε οπωσδήποτε να περάσουν συγκεκριμένες επιλογές που τις θεωρούσε σημαντικές, άλλο τόσο ανεκτικός και γεμάτος κατανόηση αποδεικνυόταν απέναντι σ' αυτό που ο ίδιος χαρακτήριζε «έλλειψη ασφάλειας» σε ορισμένους ανθρώπους. Την κατανοούσε την ανασφάλεια των άλλων, αν και δεν του ήταν οικείο συναίσθημα.

Είναι χαρακτηριστικό πώς αντέδρασε στην περίπτωση της Βούλας και του Νάκου Κοτοπούλη.

Με τη Βούλα ήμασταν για χρόνια φίλες, είχαμε ζήσει πολλά μαζί και ήμασταν δεμένες. Ήταν απ' τους πρώτους που έμαθε για τη σχέση μου με τον Ανδρέα, την έζησε από κοντά. Ήταν κοντά μου στο Χέρφιλντ και ήταν και κουμπάρα στο γάμο μας.

Μετά την επιστροφή από το Χέρφιλντ, με δική μου παρέμβαση διορίστηκαν και η ίδια και ο σύζυγός της στο Γραφείο του πρωθυπουργού.

Ήταν, νομίζω, ένα απ' τα πρώτα *σφάλματά μου* και αυτή η διαπίστωση δεν έχει καμιά σχέση με τα όσα ακολούθησαν. Έδωσε μόνο αφορμή και ευκαιρία για επικριτικά σχόλια περί ευνοιοκρατίας.

Ίσως αν είχα τότε περισσότερη πείρα και αν είχα μάθει να αποτιμώ ακριβέστερα φιλικές συμβουλές, θα καταλάβαινα πως άλλο η επιθυμία να θέλεις κοντά σου μια επιστήθια *φίλη* και άλλο η παρείσφρηση αυτής της επιθυμίας στην πολιτική λειτουργία του Γραφείου του πρωθυπουργού.

Μετά τις εκλογές, όταν ο Ανδρέας δεν ήταν πια πρωθυπουργός, εξήγησα στη Βούλα ότι δε θα μπορούσαν να είναι και οι δύο στο Γραφείο του και θα έπρεπε να επιλέξουν ποιος θα έμενε.

Αντέδρασε με τρόπο που δεν περίμενα και άρχισε να γίνεται όλο και πιο απόμακρη. Βέβαια και πριν απ' αυτό εξέφραζε, δικαιολογημένα, παράπονα ότι είναι συνέχεια στα παραπολιτικά και στη δημοσιότητα μ' έναν αρνητικό τρόπο. Έβγαζε ανασφάλεια και αγωνία για το μέλλον, θεωρούσε βαρύ το τίμημα της φιλίας μας.

Ο καθένας βέβαια έχει το δικό του όριο αντοχής. Κάπου η Βούλα, γύρω στο φθινόπωρο του '89, προφανώς το ξεπέρασε.

Είχε προηγηθεί ο γάμος και οι διακοπές που κάναμε μαζί, στην Κέρκυρα...

Γύρω στο φθινόπωρο άρχισε να μου κάνει παράπονα ότι υποφέρει τα πάνδεινα από τον Τύπο, ότι θέλει και αυτή και ο Νάκος να κάνουν αγωγές, αλλά εμείς δεν τους αφήνουμε, ότι έχουν πάθει μεγάλη ζημιά, βρίσκονται σε κοινωνική απομόνωση, κανένας στη γειτονιά δεν τους μιλάει, ότι έχουν ένα παιδί μικρό και ένα αβέβαιο μέλλον.

Τα θεωρούσα περίεργα όλα τούτα, νόμιζα όμως ότι είναι αποτέλεσμα της ανασφάλειας που ένιωθε από το γεγονός ότι στο Γραφείο του προέδρου θα έμενε μόνο ο ένας απ' τους δυο τους.

119

Ο Ανδρέας, στον οποίο τα μετέφερα, το αντιμετώπισε με συγκατάβαση.

«Οι άνθρωποι αισθάνονται ανασφάλεια, τους κατανοώ», μου έλεγε.

Κάποια μέρα έρχεται ένας κοινός γνωστός και μου λέει ότι η Βούλα ετοιμάζεται να βγάλει βιβλίο και ότι ζητάει ένα ποσό για να μην το παραδώσει σε εκδότη.

Δεν ξέρω, δεν έψαξα ποτέ να μάθω αν πράγματι η Βούλα τον είχε στείλει για να μου κάνει αυτή την πρόταση. Εγώ πάντως του απάντησα ότι χρήματα δεν έχω, αλλά και αν ακόμα είχα ούτε καν θα συζητούσα τέτοιου είδους συναλλαγή. «Ας γράψει ό,τι θέλει, ας κάνει ό,τι τη φωτίσει ο Θεός», του είπα τελικά.

Όταν τα ανέφερα στον Ανδρέα, μου είπε: «Η γυναίκα θα έχει προβλήματα για να φτάνει σ' αυτό το σημείο. Χρήματα βέβαια δεν μπορούμε να της δώσουμε, αλλά να δούμε τι μπορούμε να κάνουμε για να βοηθήσουμε».

Αρνήθηκα κάθε συζήτηση θεωρώντας ότι, αν πράγματι η Βούλα ήταν ενήμερη, τότε η σχέση μας είχε τελειώσει.

Δεν πήρα απάντηση ποτέ στο ερώτημα. Επειδή δεν ξανασυναντηθήκαμε από τότε. Ούτε αυτή το επιδίωξε ούτε εγώ. Πολλές φορές ενεργοποιώ ένα μηχανισμό που έχω μέσα μου, πατάω ένα κουμπί και διαγράφω ένα κομμάτι της ζωής μου, αν θεωρήσω ότι κάποιος έθιξε κάτι ιερό για μένα. Περίπου «αυτολογοκρίνομαι». Αυτό πολλές φορές με έχει σώσει.

Υπάρχουν όμως και φιλίες που έχουν μείνει, πολύτιμες, από όλη εκείνη την εποχή, όπως του Βαγγέλη και της Ρούλας. Φιλίες που άντεξαν στις καταιγίδες των καιρών, γιατί και ο Βαγγέλης και η Ρούλα σήκωσαν για ένα πολύ μεγάλο διάστημα το δικό τους σταυρό μαρτυρίου εξαιτίας ακριβώς της σχέσης τους με μένα και ως ένα βαθμό το πληρώνουν αυτό και σήμερα. Άντεξαν. Δεν παραπονέθηκαν, δε μίλησαν, αν και χρεώθηκαν πράγματα με τα οποία δεν είχαν σχέση. Και νιώθω πολύ όμορφα που είναι πάντα φίλοι μου.

Η οικουμενική

Όσο περισσότερα κύματα τον χτυπούσαν, τόσο ο Ανδρέας έπαιρνε δύναμη και κουράγιο για την επόμενη μάχη. Πέρασε βέβαια από διακυμάνσεις η διάθεσή του. Ιδιαίτερα πικράθηκε απ' τις παραπομπές του καθώς και απ' τις παραπομπές των άλλων στελεχών του ΠΑΣΟΚ, ιδίως του Δημ. Τσοβόλα. Τα θεωρούσε ενταγμένα σ' ένα συνολικότερο σχεδιασμό, με σαφείς πολιτικές προεκτάσεις στο μέλλον.

Τα αντιμετώπιζε με περηφάνια αλλά και με πίκρα. Περισσότερο λυπήθηκε για τη στάση της Αριστεράς και αυτό αμφιβάλλω αν το ξεπέρασε.

Όμως το καλοκαίρι των παραπομπών και της πολιτικής απομόνωσης το διαδέχτηκε ένα φθινόπωρο πιο αισιόδοξο και ελπιδοφόρο.

Ήταν μια απ' τις πιο συνταρακτικές στιγμές του Ανδρέα η παρουσία του και η ομιλία του στη μεγάλη συγκέντρωση της Αθήνας. Ήταν απ' τις αξέχαστες, ξεχωριστές στιγμές επικοινωνίας του με το λαό, όταν απευθύνθηκε σ' έναν κόσμο που παραληρούσε και απελευθέρωνε μια καταπιεσμένη δυναμική, που τον έπνιγε το άδικο της δίωξης και ξεχείλιζε το ποτάμι της οργής του. Με μια ελαφρά βραχνάδα στη φωνή τούς ξεσήκωσε: «Δημοκρατικέ λαέ της Αθήνας».

Όσοι τον ήξεραν και τον είχαν παρακολουθήσει χρόνια είπαν πως σ' αυτή ειδικά την εμφάνισή του περισσότερο από κάθε άλλη φορά θύμισε τον πατέρα του, τον αξέχαστο «Γέρο», με τον οποίο έμοιαζε σε τούτο: στην ικανότητα να συναγείρουν τα πλήθη, αν και με διαφορετικό τρόπο ο καθένας.

Το βράδυ των εκλογών ήταν μια οδυνηρή έκπληξη για όσους πίστεψαν πως είχαν τελειώσει με τον Ανδρέα και το ΠΑΣΟΚ. Το εκλογικό αποτέλεσμα τους διέψευσε με τέτοιο τρόπο, ώστε ορισμένοι ήθελαν να στείλουν το λαό... σε ψυχίατρο.

Αυτός ο λαός συσπειρώθηκε με τέτοιο δυναμισμό γύρω απ' τον Ανδρέα και το ΠΑΣΟΚ, ώστε ταρακούνησε όλους εκείνους τους παράγοντες που απεργάζονταν την αλλαγή του πολιτικού σκηνικού με «έξοδο» του Ανδρέα.

121

Είχε προηγηθεί η δημιουργία της Δημοκρατικής Συμπαράταξης και ήταν αυτό η πρώτη σημαντική ένδειξη ότι έσπαγε η πολιτική απομόνωση.

Τρία πρόσωπα διαδραμάτισαν ειδικό ρόλο στη συγκρότηση της Συμπαράταξης: Αντ. Μπριλλάκης, Γερ. Αρσένης και Μαν. Γλέζος.

Με τον *Αντώνη Μπριλλάκη* ο Ανδρέας συναντήθηκε και συζήτησε δύο φορές, μια στο σπίτι του Γ. Κατσιφάρα και μια στο σπίτι της Νταίζης Αντωνοπούλου, η οποία μου είχε κάνει το νυφικό και ήταν πολύ φίλη του Μπριλλάκη.

Ο Ανδρέας τον εκτιμούσε και τον αγαπούσε πάντα τον Αντώνη και πάντα διατηρούσαν μια καλή φιλική σχέση, βασιζόμενη στην αλληλοεκτίμηση, ακόμα κι όταν ήταν πολιτικοί αντίπαλοι.

Το ίδιο φιλική ήταν η σχέση του με τον Μαν. Γλέζο, στον οποίο αναγνώριζε μια συνεπή, σεμνή αγωνιστική διαδρομή και ένα πάθος στην υποστήριξη των ιδεών του, που δεν επηρεαζόταν ούτε απ' το χρόνο ούτε από άλλους παράγοντες. Του αναγνώριζε επίσης ένα ρομαντισμό στην πολιτική σκέψη και δράση, σπάνιο σε μια εποχή που κυριαρχεί η σκοπιμότητα.

Τον είχε εντυπωσιάσει στην τελευταία συνάντησή τους, όταν ο Ανδρέας ήταν ξανά πρωθυπουργός και ο Μανόλης τον επισκέφθηκε για να του δώσει μια σειρά προτάσεών του οικολογικού περιεχομένου. Εκτιμούσε την αγνότητα και την ανιδιοτέλειά του και πολλές φορές είχε εκφράσει την άποψη πως ο Μαν. Γλέζος δεν είχε αντιμετωπιστεί σωστά απ' το ΠΑΣΟΚ, είχε μάλιστα αδικηθεί κιόλας, αν και στάθηκε δίπλα στο Κίνημα σε δύσκολες ώρες. Εκεί αναγνώριζε και δικές του ευθύνες.

Η επιστροφή επίσης του *Γερ. Αρσένη*, μετά από τέσσερα χρόνια αντιπαραθέσεων, ήταν ένα επιπλέον σημαντικό στοιχείο της περιόδου εκείνης.

Ο Ανδρέας έλεγε πως απ' το '89 και ύστερα η σχέση του με τον Γερ. Αρσένη απέκτησε κάτι που δεν είχε ως το '85: την εμπιστοσύνη. Πίστευε ότι μέχρι τότε η σχέση τους διακρινόταν από μια «κρίση εμπιστοσύνης» και το γεγονός αυτό επέδρασε στο να δεχτεί το 1985 τις προτάσεις για διαγραφή του.

Εκτιμούσε πολύ τις ικανότητές του και την πολιτική του σκέψη και πίστευε ότι γι' αυτό ο Γερ. Αρσένης είχε αποκτήσει πολλούς εχθρούς μέσα στο ΠΑΣΟΚ.

Απ' το '89 και μετά η σχέση τους και η συνεργασία τους ήταν σε πολύ καλό επίπεδο και σε καμιά απ' τις εσωκομματικές κρίσεις δε βρέθηκαν απέναντι.

Αλλά ο Ανδρέας πίστευε πως τα τέσσερα χρόνια που είχε βρεθεί εκτός ΠΑΣΟΚ είχαν δημιουργήσει ένα «μείον» στις ηγετικές φιλοδοξίες του Γερ. Αρσένη, καθώς αυτό το εκμεταλλεύτηκαν άριστα οι εσωκομματικοί του αντίπαλοι και την κατάλληλη στιγμή, προέβλεπε, θα το αξιοποιούσαν.

Πολλοί απορούν, ακόμα και σήμερα, πώς ο Ανδρέας μπήκε στη λογική μιας οικουμενικής κυβέρνησης, μετά μάλιστα από το μήνυμα των εκλογών. Πολύ περισσότερο που οι «οικουμενικές» λύσεις δε χαρακτήριζαν ποτέ την πολιτική πρακτική του Α. Παπανδρέου, ήταν έξω απ' το πνεύμα του και μάλιστα είχε θεωρητική τεκμηρίωση αυτής του της «απέχθειας».

Η αλήθεια είναι πως ήταν μια απόφαση δύσκολη, πολύ δύσκολη, έως και οδυνηρή. Οι εκλογές δεν είχαν δώσει κυβέρνηση. Οι εταίροι της συνεργασίας του καλοκαιριού «έσπρωχναν» τα πράγματα προς οικουμενική λύση, γιατί έβλεπαν τη δυναμική που είχε αναπτυχθεί υπέρ του ΠΑΣΟΚ. Είναι χαρακτηριστικό ότι ο ΣΥΝ αρνήθηκε πρόταση για κυβέρνηση ΠΑΣΟΚ - ΣΥΝ - Οικολόγων.

Την οικουμενική λύση προωθούσαν επίσης οικονομικοί παράγοντες της χώρας, καθώς και η πλειοψηφία των εκδοτών.

Με τον τρόπο του και ο Πρόεδρος της Δημοκρατίας Χρ. Σαρτζετάκης φαινόταν να ευνοεί μια τέτοια λύση. Αλλά και πολλά στελέχη του ΠΑΣΟΚ έκλιναν προς την οικουμενική, είτε εκ πεποιθήσεως είτε γιατί δεν έβλεπαν άλλη διέξοδο εκείνη την περίοδο, με τις συνθήκες που είχαν διαμορφωθεί.

Οι πιέσεις ήταν πολλές και από πολλές κατευθύνσεις.

Το δίλημμα έμοιαζε περίπου εκβιαστικό: ή οικουμενική κυβέρνηση ή εκλογές, που τις έχει βαρεθεί και δεν τις αντέχει ο κόσμος και θα τις χρεωθεί το ΠΑΣΟΚ.

Αλλά ο Ανδρέας πίστευε πως το δίλημμα αυτό ήταν ταυτόχρονα και μια παγίδα, γιατί εκτιμούσε πως δε θα ήταν βιώσιμη μια οικουμενική κυβέρνηση, θα οδηγούσε σε ορατά αδιέξοδα και αυτό θα ευνοούσε τα σχέδια του Κ. Μητσοτάκη.

Ο Ανδρέας επικαλούνταν και έναν άλλο λόγο κατά της οικουμενικής: τον πολιτικό αφοπλισμό του κόσμου που στήριξε το ΠΑΣΟΚ σε πολύ δύσκολες στιγμές.

Οι προβλέψεις του επιβεβαιώθηκαν λίγους μήνες μετά, στις εκλογές του Απριλίου του '90.

Αλλά τότε, θυμάμαι, είχε μείνει μόνος στο τέλος, μόνο ο Γερ. Αρσένης είχε ταχθεί κατά της οικουμενικής και μάλιστα γι' αυτό το λόγο δε δέχτηκε να μπει στην κυβέρνηση.

Ζήτησε τη γνώμη τριών συνεργατών του πριν από την τελική, καθοριστική σύσκεψη που θα έπαιρνε και την οριστική απόφαση, καθώς ο χρόνος έτρεχε πιεστικά: των Αντ. Λιβάνη, Γ. Παναγιωτακόπουλου και Π. Λάμπρου. Του μετέφεραν ένα κλίμα δυσφορίας του κόσμου απ' τις συνεχείς εκλογικές αναμετρήσεις και εξέφρασαν την εκτίμηση ότι αυτό το κλίμα θα το «εισέπραττε» το ΠΑΣΟΚ, αν η χώρα οδηγούνταν ξανά σε εκλογές. Επιπλέον ο Αντ. Λιβάνης τού μετέφερε και αρνητικό κλίμα απ' την πλειοψηφία των βουλευτών στο ενδεχόμενο νέων εκλογών.

Θυμάμαι καλά πως είχε στενοχωρηθεί πολύ με το κλίμα που διαπίστωνε. Δεν ήθελε να πάει σε μια τέτοια λύση, αλλά έβλεπε πως τα πράγματα οδηγούσαν εκεί.

Συγκαλεί μια σύσκεψη για να ληφθεί η τελική απόφαση με τον Αντ. Λιβάνη, τον Γ. Γεννηματά, τον Κ. Λαλιώτη, τον Ά. Τσοχατζόπουλο, τον Απ. Κακλαμάνη και ορισμένα άλλα μέλη του Εκτελεστικού. Ζήτησε επίσης να είναι στο σπίτι εκείνο το βράδυ και αν χρειαστεί να πουν τη γνώμη τους οι Αντ. Βγόντζας, Β. Βενιζέλος και Γ. Σταμούλης, αφού στο όλο ζήτημα υπήρχαν και νομικές πτυχές λόγω των παραπομπών. Ο ίδιος πιστεύει ότι έστω και την ύστατη στιγμή το διάχυτο στην ατμόσφαιρα κλίμα μπορεί να αναστραφεί. Θέλει όμως να ακούσει τι πραγματικά πιστεύουν τα στελέχη του.

Πρώτος κάνει εισήγηση ο Αντ. Λιβάνης, ο οποίος παρουσιάζει μια σκληρή πραγματικότητα, εξηγεί τους λόγους για τους ο-

ποίους δεν μπορούμε να πάμε σε εκλογές. Επιμένει ιδιαίτερα ό-
τι η ΝΔ και ο ΣΥΝ πιστεύουν πως ο Παπανδρέου δε θα θελήσει
την οικουμενική και θα εισπράξει το κόστος των εκλογών. Τελει-
ώνει προτείνοντας την αποδοχή της οικουμενικής. Προσθέτει ό-
τι, μεταξύ άλλων, «θα μας δώσει την ευκαιρία να ανασυνταχθού-
με».

Παίρνει το λόγο στη συνέχεια ο Γ. Γεννηματάς, ο οποίος, με
την ίδια περίπου επιχειρηματολογία, τάσσεται και αυτός υπέρ της
οικουμενικής, όπως και ο Κ. Λαλιώτης αμέσως μετά.

Ακόμα και ο Άκης, ο οποίος σε συζητήσεις που είχε κάνει με
τον Ανδρέα είχε συμφωνήσει με τους προβληματισμούς του, δεί-
χνει να συμφωνεί με τους προηγούμενους, αν και διατηρεί κά-
ποιες, μικρές, επιφυλάξεις.

Ο Ανδρέας αντιλαμβάνεται πως έχει διαμορφωθεί το κλίμα.
Ενοχλημένος απ' αυτό, αποχωρεί απ' τη σύσκεψη και τους λέει:
«Αποφασίστε, καταλήξτε σε μια απόφαση και εγώ θα τη δεχτώ».

Πήγε και κάθισε μόνος του, βαθιά προβληματισμένος, στο
γραφείο μου. Τον βρήκα εκεί, λίγο αργότερα, συλλογισμένο, μ' έ-
να ποτήρι ουίσκι στο χέρι. Μου εξιστόρησε τα όσα είχαν προη-
γηθεί. «Είναι αναπόφευκτο, μου φαίνεται, ότι πάμε στην οικου-
μενική», μου είπε.

Σε λίγο ξαναπήγε στο γραφείο όπου γινόταν η σύσκεψη και
συμφώνησε με την, αναμενόμενη, απόφαση των υπολοίπων.

Η αλήθεια βέβαια είναι πως ο Ανδρέας τελικά *ποτέ δεν εντά-
χθηκε στη λογική της οικουμενικής*, ούτε ψυχολογικά ούτε πολιτικά. Ό-
σο περνούσε ο καιρός, οι άσχημες προβλέψεις του επιβεβαιώνο-
νταν και βεβαίως και δυστυχώς αυτό που κυρίως επιβεβαιώθηκε
ήταν η πρόβλεψή του για τις επιπτώσεις που θα είχε η οικουμε-
νική στο αποτέλεσμα των εκλογών, που έγιναν την άνοιξη.

Παρ' όλα αυτά *τίμησε σε κάθε περίπτωση τη συμφωνία που έκανε, έ-
στω με βαριά καρδιά*, και ήταν υπερήφανος ότι τα στελέχη του
ΠΑΣΟΚ που συμμετείχαν στην κυβέρνηση του κ. Ζολώτα δε δη-
μιούργησαν κανένα πρόβλημα στον πρωθυπουργό, αντίθετα πρό-
σφεραν τα μέγιστα με κάθε καλή διάθεση συνεργασίας, όπως έ-
λεγε.

Όμως ο βίος της κυβέρνησης δεν ήταν ανέφελος. Ο Ανδρέας από κάποια στιγμή και μετά είχε πειστεί πλέον ότι ο Κ. Μητσοτάκης χρησιμοποιούσε την κυβέρνηση αποκλειστικά σαν όχημα για να κερδίσει τις επόμενες εκλογές. Δύο ή τρεις φορές η κυβέρνηση κινδύνεψε να διαλυθεί από ορισμένες «πρωτοβουλίες» του αρχηγού της ΝΔ.

Θυμάμαι χαρακτηριστικά μια περίπτωση, με αφορμή κρίσεις και αποστρατείες αξιωματικών, που, με πρωτοβουλία της ΝΔ, προχωρούσε η κυβέρνηση. Ο Ανδρέας έγινε έξαλλος και ήταν α-ποφασισμένος να αποχωρήσει απ' την κυβέρνηση. Χρειάστηκε να επισκεφθεί τον Κ. Μητσοτάκη ειδικά γι' αυτό ο Αντ. Λιβάνης, για να αποσοβηθεί η κρίση την τελευταία στιγμή.

Ούτε οι κοινές συσκέψεις των τριών αρχηγών με τον πρωθυπουργό τον ενθουσίαζαν ιδιαίτερα. Όπως έλεγε, δεν παρήγαγαν κανένα ουσιαστικό αποτέλεσμα, ήταν «καθαρά διαχειριστικές», αλλά και σ' αυτό ακόμα τον τομέα τα αλληλοσυγκρουόμενα συμφέροντα των κομμάτων έκαναν δύσκολη τη λήψη αποφάσεων.

Πιο καλά αισθανόταν στις συνεργασίες του με τον κ. Ζολώτα, τον οποίο εκτιμούσε όχι τόσο ως πολιτικό, αλλά ως ένα σοβαρό τεχνοκράτη διεθνούς κύρους. Με τον Ξεν. Ζολώτα είχαν μια σχέση από παλιότερα και υπήρχε μεταξύ τους μια αμοιβαία εκτίμηση και σεβασμός του ενός προς τον άλλο. Χαιρόταν να συζητάει με τον «κύριο καθηγητή», όπως με αγάπη τον αποκαλούσε, κυρίως οικονομικά.

Με αφορμή πάντως και το παρασκήνιο που προηγήθηκε μέχρι να φτάσει στην αποδοχή του «αναγκαίου κακού», της οικουμενικής, ο Ανδρέας για άλλη μια φορά δυσφόρησε με τη στάση του Προέδρου της Δημοκρατίας.

Είχε την άποψη, και το έλεγε, ότι ο κ. Σαρτζετάκης μερολήπτησε υπέρ της συγκρότησης της οικουμενικής, με τον τρόπο του «έσπρωχνε» τα πράγματα προς τα εκεί και αυτό φάνηκε ιδιαίτερα, κατά την εκτίμησή του, στην κοινή σύσκεψη με τους τρεις πολιτικούς αρχηγούς. Γενικά οι σχέσεις του με τον κ. Σαρτζετάκη δεν ήταν ανέφελες και πολλές φορές δημιουργήθηκε μεταξύ τους ένα κλίμα καχυποψίας, ενώ δεν έλειψαν ούτε οι εναντιώσεις. Ο Ανδρέας συχνά έφερνε στο νου του ότι κατά την επιλογή Σαρτζετάκη για τη θέση του Προέδρου της Δημοκρατίας, το 1985, ορισμένοι συνεργάτες του δεν ενθουσιάστηκαν και του επισήμαναν ότι «είναι δύσκολος χαρακτήρας και θα μας δημιουργήσει προβλήματα».

Ο Ανδρέας εκτιμούσε πάντα την ακεραιότητα, εντιμότητα και ευθυκρισία του κ. Σαρτζετάκη, ενώ δεν ξεχνούσε τη θαρραλέα στάση του ως ανακριτή στο συγκλονιστικό γεγονός της δολοφονίας του Γρ. Λαμπράκη.

Ωστόσο δυσφορούσε με την τυπολατρία του, τις εμμονές του σε ορισμένα θέματα, ακόμα και κάποιες παρεμβάσεις που επιχείρησε στη διάρκεια της θητείας του.

Είχε εντυπωσιαστεί, για παράδειγμα, και είχε αντιδράσει άσχημα, όταν σε κάποια συνάντησή τους ο κ. Σαρτζετάκης τον κατηγόρησε ως υπεύθυνο των επιθέσεων που δεχόταν απ' το συγκρότημα Λαμπράκη!

Χρ. Σ.: «Εσείς, κύριε πρόεδρε, εσείς είσαστε πίσω απ' τις επιθέσεις του συγκροτήματος Λαμπράκη εναντίον μου», του είπε.

Α. Π.: «Εγώ, κύριε Προέδρε; Γιατί;»

Χρ. Σ.: «Εσείς, εσείς είσαστε ο τιμονιέρης πίσω απ' αυτές τις επιθέσεις. Ξέρετε εσείς...»

Ο Ανδρέας εξεπλάγη και, όπως έλεγε μετά, στάθηκε αδύνατο να τον μεταπείσει, «δεν του αλλάζεις γνώμη με τίποτα», έλεγε.

Σε άλλη περίπτωση έφτασαν στα όρια της σύγκρουσης, επειδή ο κ. Σαρτζετάκης ζητούσε με επιμονή, σχεδόν απαιτούσε, την αποπομπή του Απ. Κακλαμάνη απ' την κυβέρνηση, γιατί είχε κάποιο πρόβλημα μαζί του. Είχε επίσης ζητήσει, για άλλο θέμα, την απομάκρυνση του Γ. Αλ. Μαγκάκη. Γενικά οι σχέσεις τους ήταν δύσκολες.

Όμως στην περίοδο της οικουμενικής κυβέρνησης ο Ανδρέας οικοδόμησε μια πολύ καλή σχέση, που πάντα διατηρήθηκε έτσι, με ένα στέλεχος της ΝΔ, τον Προκόπη Παυλόπουλο. Εκ των πραγμάτων συνεργάζονταν αρκετά συχνά, γιατί ο Πρ. Παυλόπουλος ήταν κυβερνητικός εκπρόσωπος. Μέσα απ' αυτές τις συνεργασίες «ανακάλυψαν» μια αμοιβαία εκτίμηση του ενός προς τον άλλο. Ο Ανδρέας εκτίμησε τις ικανότητες του Πρ. Παυλόπουλου να διεκπεραιώνει θετικά ένα έργο από μια θέση ιδιαίτερα δύσκολη ακόμα και για μονοκομματική κυβέρνηση, πόσο μάλλον σε μια κυβέρνηση με φοβερά προβλήματα συνοχής, όπου ο εκπρόσωπός της έπρεπε καθημερινά να κάνει ασκήσεις ισορροπίας σε τεντωμένο σκοινί. Εξετίμησε επίσης την αξιοπρέπειά του και την επιστημονική του κατάρτιση.

Ο Πρ. Παυλόπουλος αναγνώριζε, όπως έλεγε, στον Α. Παπανδρέου ευφυΐα, πατριωτισμό και ένα πολιτικό διαμέτρημα που θαύμαζε. Εξετίμησε επίσης τις ικανότητές του στους πολιτικούς ελιγμούς και τις «στρατηγικές κινήσεις».

Η συνεργασία τους συνεχίστηκε, άψογη και στη συνέχεια, όταν ο Πρ. Παυλόπουλος ήταν νομικός σύμβουλος του νέου Προέδρου της Δημοκρατίας Κ. Καραμανλή.

Ο Ανδρέας εξετίμησε ιδιαίτερα το γεγονός ότι, όπως πληροφορήθηκε, ήταν κατά της διεξαγωγής της δίκης στο Ειδικό Δικαστήριο. Είχε δε την άποψη ότι αυτή ήταν η δική του πολιτική και νομική εκτίμηση και δεν οφειλόταν στο ότι και ο ίδιος ο Κ. Καραμανλής είχε ταχθεί, με τον τρόπο του, κατά των παραπομπών και στη συνέχεια κατά της διεξαγωγής της δίκης.

Το αποτέλεσμα των εκλογών του Απριλίου ο Ανδρέας το δέχτηκε με σχετική μόνο έκπληξη και πάντως με περίσκεψη για τα μελλούμενα. Λέω με σχετική έκπληξη, γιατί πάντα εξέφραζε το φόβο ότι η συμμετοχή του ΠΑΣΟΚ στην οικουμενική θα άμβλυνε τα ανακλαστικά πάθους που κυριαρχούσαν στους οπαδούς του Κινήματος το φθινόπωρο.

Ο Ανδρέας πίστευε πάντα στο πολιτικό κλίμα. Και κατά την προεκλογική περίοδο είχε διαπιστώσει, όπως έλεγε, μια χαλαρότητα, μια έλλειψη πάθους, μια κούραση και ήταν προβληματισμένος. Βέβαια οι συνεργάτες του μετέφεραν μια εικόνα αισιοδοξίας, κυρίως απ' τη μετακίνηση των ετεροδημοτών την παραμονή των εκλογών, αλλά ο ίδιος έδειχνε αβεβαιότητα, ανησυχία. Όταν οριστικοποιήθηκαν τα εκλογικά αποτελέσματα και η ΝΔ εξασφάλισε το πολυπόθητο «151», έστω με τον τρόπο που το ε- ξασφάλισε, έκανε τη μελαγχολική πρόβλεψη ότι «μπαίνουμε τώ- ρα στη δύσκολη εποχή της υλοποίησης των σχεδίων του κ. Μη- τσοτάκη».

Οι συνεργάτες του, ο Χυτήρης, ο Αθανασάκης, ο Άκης, ο Λα- λιώτης και κυρίως ο Αντ. Λιβάνης, τον ενθάρρυναν λέγοντάς του πως είναι τόσα τα προβλήματα και έτσι οριακή η πλειοψηφία, που δε θα μπορέσει να αντέξει για πολύ. Αλλά ο Ανδρέας προ- βληματιζόταν και στενοχωριόταν όχι γιατί αγωνιούσε για την προ- σωπική του τύχη, αλλά γιατί έβλεπε πως η συνέχιση αυτού του κλίματος των προηγούμενων μηνών, με την εξέλιξη των πολιτι- κών διώξεων, μέσω της διαδικασίας του Ειδικού Δικαστηρίου, θα όξυνε τα πολιτικά πάθη και έτσι η χώρα, αντί της απαραίτητης γα- λήνης και συνοχής, θα συνέχιζε να πορεύεται μέσα σε ταραγμέ- νη πολιτική ατμόσφαιρα. Ο Ανδρέας ανησυχούσε ήδη από τότε για τις εξελίξεις στα εθνικά θέματα, όπου πάντα έδινε πρώτη προ- τεραιότητα, αλλά και για την κατάσταση της οικονομίας. Πίστευε πως χρειαζόταν ήρεμο κλίμα και αντιπαράθεση μόνο πολιτική.

Όταν πληροφορήθηκε λοιπόν, από έγκυρες πηγές, ότι ο κ. Μη- τσοτάκης αντέδρασε και δε δέχτηκε εισηγήσεις για αναστολή των διώξεων, ανησύχησε σφόδρα. Σύμφωνα με τις πληροφορίες που είχε, τέτοιες εισηγήσεις έκαναν έμμεσα και ο νέος Πρόεδρος της Δημοκρατίας Κ. Καραμανλής και ο Γ. Ράλλης αλλά και δύο του- λάχιστον απ' τους πιο γνωστούς παράγοντες της οικονομικής ζω- ής της χώρας.

Ο δικός μου ρόλος και εκείνη την περίοδο ήταν να διασκεδά- ζω τις ανησυχίες του, να του τονώνω το ηθικό, να του υπενθυμίζω πάντα και να του τονίζω πως είχε μπροστά του τη μάχη για την τελική του δικαίωση. Είχε ανάγκη να τα ακούει αυτά και κυρίως να τα ακούει από μένα. Έχουμε πλέον δεθεί τόσο πολύ, ώστε εί- μαι σχεδόν κάθε στιγμή σε θέση να υποψιάζομαι τι θέλει να α- κούσει, να καταλαβαίνω τι έχει ανάγκη να του προσφέρω, να προ- λαβαίνω τις ανησυχίες του, να αφουγκράζομαι τις επιθυμίες του.

Αυτός ήταν ο ρόλος μου μέχρι την πολιτική του δικαίωση, τον Οκτώβριο του '93, και στη συνέχεια σ' ένα άλλο επίπεδο. Τον έπαιξα όσο μπορούσα καλύτερα (άλλοι θα το κρίνουν...), όχι γιατί μου επιβλήθηκε, αλλά γιατί έτσι ένιωθα, γιατί πολύ απλά τον αγαπούσα. Δεν ήταν εύκολος ρόλος, αλλά ο μοναδικός κώδικας επικοινωνίας που είχαμε αποκτήσει απλοποιούσε τα πράγματα. Νομίζω πως σε ικανοποιητικό βαθμό τον έφερα εις πέρας.

Δεν περίμενα, φυσικά, ούτε ποτέ ζήτησα «ευχαριστώ» γι' αυτό, η αγάπη που έζησα με τον Ανδρέα ούτε μετριέται ούτε εξαργυρώνεται έτσι και παραμένει για μένα ό,τι πιο πολύτιμο. Και μου αρκεί.

Απ' την άλλη μεριά όμως μου ήταν δύσκολο να φανταστώ και να προβλέψω ότι θα δεχόμουν αυτό το πετροβόλημα, αυτή την αδίστακτη προσπάθεια απομόνωσης και περιθωριοποίησής μου, αυτή την έντεχνη απόπειρα ενοχοποίησης κάθε κίνησής μου και μάλιστα δίχως το παραμικρό ίχνος γενναιότητας, αφού όλα τα παραπάνω εντάθηκαν μόλις ο Ανδρέας έφυγε.

Ούτε νομίζω πως τα όποια λάθη μου είναι από μόνα τους ικανά για να καλύψουν και να δικαιολογήσουν μια τέτοια συμπεριφορά. Όχι, αυτή είχε προαποφασιστεί.

Καμιά φορά σκέφτομαι τα λόγια που μου έλεγε ο Ανδρέας σε στιγμές εντελώς δικές μας:

«Αυτό που δεν μπορούν να σου συγχωρήσουν, Δήμητρα, και δεν πρόκειται ποτέ να σου συγχωρήσουν είναι το ότι είμαι ζωντανός. Τους χάλασες και τους χαλάσαμε τα σχέδια...»

Ίσως να είχε δίκιο. Ίσως να ήταν αυτός ακριβώς ο λόγος (γιατί διαισθανόταν, έβλεπε και καταλάβαινε) που σε κάθε δύσκολη ώρα μού έδινε κι έναν όρκο ζωής. Έβλεπε ότι το είχα κι εγώ ανάγκη αυτό, για να συνεχίσω. Εκτός των άλλων η σχέση μας είχε και μια μοναδική ικανότητα αλληλοτροφοδότησης, ο καθένας έδινε και έπαιρνε, τη στιγμή ακριβώς που ο άλλος το χρειαζόταν.

Μετά τον «όρκο ζωής» στο Χέρφιλντ, άλλη μια τέτοια μεγάλη προσωπική χειρονομία ο Ανδρέας έκανε και στο Γενικό Κρατικό. Μετά από άγριες ώρες και μέρες, που πάλευε, άνοιξε για μια στιγμή τα μάτια του, με κοίταξε με τρυφερότητα και λατρεία και μου είπε:

«Σ' αγαπώ, μη φοβάσαι, θα ζήσω».

Έξι μαγικές λέξεις, που μου έδιναν και μένα κουράγιο και δύναμη για να συνεχίσω να μάχομαι, να του προσφέρω την αγάπη, την τρυφερότητα και τη συντροφικότητα που ήθελε κάθε στιγμή. Κυριολεκτικά κάθε στιγμή. Με ήθελε συνέχεια δίπλα του, δεν μπορούσε να σκεφτεί ότι θα έλειπα. *Δεν ήταν σχέση εξάρτησης, όπως* άλλοι ισχυρίστηκαν. Άλλωστε όσοι τον γνώρισαν ξέρουν καλά πως ο Ανδρέας απεχθανόταν κάθε μορφής εξάρτηση, ήταν άνθρωπος ελεύθερος στις επιλογές του.

Ήταν κάτι πάνω και πέρα απ' αυτό, πολύ μεγαλύτερο και πολύ πιο ζωντανό, ήταν σχέση ζωής, που ήθελε να τη βιώνει κάθε στιγμή, κάτω από οποιεσδήποτε συνθήκες. *Το ήθελε, το θέλαμε και είναι τουλάχιστον ευτελές για μια ηγετική φυσιογνωμία όπως ο Ανδρέας να ισχυρίζονται κάποιοι ότι αγόταν και φερόταν, ότι του υπέβαλα τις επιθυμίες μου. Έχουν τους λόγους τους βέβαια, αλλά αδικούν έτσι τον Ανδρέα, που ήταν ως το τέλος ο περήφανος και ελεύθερος ηγέτης, ανεξάρτητα απ' την κατάσταση της υγείας του. Δικαίωμά τους να μη σέβονται εμένα, αλλά* οφείλουν σεβασμό σ' αυτόν...

Θυμάμαι, χαρακτηριστικά, ότι σε κάποιο συνέδριο στο «Ιντερκοντινένταλ», η Τέτη τού είπε πως θα βγούμε για λίγο έξω, για έναν καφέ. Γύρισε και της είπε:

«Έχει και εδώ καφέ, Τέτη, γιατί να βγείτε έξω;»

Δε θα ξεχάσω ακόμα ότι κατά τη διάρκεια της πολυσυζητημένης επίσκεψής μου στη Φλώρινα (ήταν απ' τις ελάχιστες περιπτώσεις που είχαμε χωρίσει για κάποιες ώρες) έπαιρνε κάθε δέκα με δεκαπέντε λεπτά τηλέφωνο, για να με ρωτήσει «τι γίνεται», «πώς τα πας». Είχε τηλεφωνήσει επίσης στον Μαν. Μπετενιώτη, στο νομάρχη, το δήμαρχο, ρώταγε για τον καιρό, για την υποδοχή, για το κλίμα...

Άλλη φορά, που είχε πάθει γαστρορραγία και ετοιμαζόταν να πάει πάλι στο νοσοκομείο, έλεγε συνέχεια στον Ανδρέα Αλεξόπου-

131

λο: «Πες στη Δήμητρα, σε παρακαλώ, να μην ανησυχεί, δε θα πεθάνω, δεν παθαίνω τίποτα».

Όρκους ζωής έδινε σε κάθε επέτειο του γάμου μας, σε γιορτές, σε άλλες επετείους. Και τους τηρούσε, με μια εξαίρεση, όταν έφυγε...

Γιατί και εκείνο το φοβερό βράδυ, όταν παγωμένοι ακούσαμε το «τρέξτε, ο πρόεδρος έχει πρόβλημα», όταν άρχισαν οι πρώτες απεγνωσμένες προσπάθειες ανάκαμψης, όταν βρισκόταν σε εξέλιξη η ύστατη, απελπισμένη μάχη για τη ζωή, τότε, σε μια αναλαμπή, ο Ανδρέας στράφηκε προς την Πένυ Φλεβάρη, τον Ανδρέα Αλεξόπουλο και τον Τηλέμαχο και με φωνή που έφευγε τους είπε:

«Μη φοβάστε, δε θα πεθάνω, πείτε το και στη Δήμητρα».

Αλλά αυτή τη φορά δεν κράτησε το λόγο του...

Απ' τις πιο όμορφες κι ευτυχισμένες στιγμές μας ήταν αυτές των διακοπών στην Ελούντα. Εκεί ο Ανδρέας χαλάρωνε, αφηνόταν στην ομορφιά του χώρου, ζούσε ανθρώπινες ώρες, απολάμβανε την παρέα του Κάρ. Παπούλια και του Γ. Κατσιφάρα, που ήταν η μόνιμη συντροφιά των διακοπών τα τελευταία χρόνια.

Εκεί, δίπλα στη θάλασσα που λάτρευε και είχε μαζί της μια ά-χρονη ερωτική σχέση, ξανάνιωνε και αναλάμβανε δυνάμεις. Εκεί δεχόταν και εκδηλώσεις αγάπης του κόσμου, που είτε συναντούσε σε εξόδους απ' το ξενοδοχείο είτε σε επισκέψεις ή σε ομιλίες συνεστιάσεων, που οργανώνονταν εκείνη την περίοδο.

Τις είχε ανάγκη αυτές τις διακοπές, τις περίμενε πώς και πώς.

Είχε διαλέξει την Ελούντα, γιατί τον μάγευε το τοπίο, αλλά και γιατί είχε πάντα με την Κρήτη μια ξεχωριστή, ιδιαίτερη σχέση. Την Κρήτη τη λάτρευε και τη θεωρούσε δεύτερη πατρίδα του και πάντα χαιρόταν να κατεβαίνει στο νησί. Τη λάτρευε, γιατί είχε τιμηθεί με μοναδικό τρόπο απ' το «πρωτοπόρο νησί των δημοκρατικών παραδόσεων και των δημοκρατικών αγώνων», όπως με αγάπη αποκαλούσε την Κρήτη. Πάντα έλεγε ότι εκεί έκανε τις καλύτερες συγκεντρώσεις και εκεί συναντούσε τις πιο θερμές και... εκρηκτικές εκδηλώσεις του λαού στο πρόσωπό του.

Μ' αυτό τον περήφανο και αδούλωτο λαό είχε μια ξεχωριστή σχέση.

Είχε κάνει και καλούς φίλους εκεί, απλούς ανθρώπους του λαού. Ένας απ' αυτούς ήταν ο θρυλικός «Μπλομπλός», ψαράς και δύτης, ο οποίος είχε μια μοναδική ικανότητα: να ξέρει σε ποιο σημείο της θάλασσας θα έβρισκε το κάθε ψάρι. Τσιπούρα ήθελε ο πρόεδρος; Σε λίγη ώρα την είχε απ' τον «Μπλομπλό». Σαργό ήθελε; Βούταγε ο φίλος του και σε ελάχιστο χρόνο τον είχε.

Αυτές τις φιλίες απολάμβανε ο Ανδρέας, με ανθρώπους που δεν είχαν καμιά σκοπιμότητα ούτε προσπαθούσαν ποτέ να τις ε-ξαργυρώσουν, ανιδιοτελείς, όμορφες, ανθρώπινες. Ακέραιοι άνθρωποι, που τον αγαπούσαν και το έδειχναν με κάθε τρόπο, δίχως να προσβλέπουν σε ανταλλάγματα. Γιατί υπήρχαν και οι άλλοι, δυστυχώς αρκετοί, που την οποιαδήποτε σχέση με τον Ανδρέα την αξιοποιούσαν προς επένδυση στο πολιτικό χρηματιστήριο. Ακόμα και τα ψάρια που έστελναν κάποιοι ήθελαν να τα ανταλλάξουν με βουλευτικές έδρες ή θέσεις στην κυβέρνηση...

Εκεί, στην Ελούντα, ανανεωνόταν και δυνάμωνε η σχέση μας, ερχόμαστεν ακόμα πιο κοντά ο ένας στον άλλο, αγαπιόμαστεν πιο δυνατά. Όπως έλεγε ο Ανδρέας τρυφερά, «μας εμπνέει το τοπίο». Εκεί αισθανόμαστεν μια ποίηση ξεχωριστή στη σχέση μας, μια γλυκιά αγαπημένη «απομόνωση», μακριά από μικρές ή μεγάλες κακίες, επιθέσεις και υπονομεύσεις της καθημερινότητας. Εκεί δινόμαστεν ο ένας στον άλλο με υποσχέσεις αιωνιότητας. Εκεί κυρίως έμαθα να «διαβάζω» τα μάτια του Ανδρέα, αυτά τα μάτια του που, όταν αγκάλιαζαν την αγαπημένη του θάλασσα, έκλειναν τα πάντα μέσα τους κι εξέπεμπαν αγάπη, τρυφερότητα, πάθος, δύναμη, πίστη και με ταξίδευαν στα πιο ονειρεμένα ταξίδια... Εκεί, περισσότερο από αλλού, ένιωθα τη σχέση μας σαν ένα περιπετειώδες μα πανέμορφο ταξίδι. Κατά κάποιο τρόπο, εκεί νιώθαμε ότι ήταν η δική μας Ιθάκη. Και λίγες μέρες πριν φύγει ο Ανδρέας, κάποιο απόγευμα που καθόμαστεν στη βεράντα, εξέφρασε την επιθυμία «να πάμε κι αυτό το καλοκαίρι στην Ελούντα»...

133

Μια «άγνωστη» συνάντηση-συζήτηση
με τον Κ. Καραμανλή

Η ΠΡΩΤΗ ΚΙΝΗΣΗ ΤΟΥ Κ. ΜΗΤΣΟΤΑΚΗ μόλις ανέλαβε την πρωθυπουργία ήταν να προτείνει τον Κ. Καραμανλή για νέο Πρόεδρο της Δημοκρατίας.

Ήταν απ' τις ελάχιστες περιπτώσεις που ο Ανδρέας χαρακτήρισε μια ενέργεια του Κ. Μητσοτάκη «σοβαρή και έξυπνη, που θα πιάσει». Ο ίδιος βέβαια, για συγκεκριμένους πολιτικούς λόγους, δεν μπορούσε να στηρίξει την υποψηφιότητα, αλλά εκτιμούσε πως η παρουσία του Κ. Καραμανλή στην Προεδρία θα ήταν δυνατό να αποτρέψει ακραίες ή επικίνδυνες επιλογές του τότε πρωθυπουργού· κάπου έβλεπε το μεγάλο πολιτικό του αντίπαλο σαν ένα σημείο ισορροπίας για εκείνη την περίοδο.

Η σχέση του Ανδρέα με τον Κ. Καραμανλή πέρασε από πολλά στάδια και πολλές φάσεις, μπορεί ακόμα και περίεργη να χαρακτηριστεί.

Τον θεωρούσε πάντα, όπως έλεγε, ένα μεγάλο πολιτικό αντίπαλο. Είχε και εξέφραζε τη βεβαιότητα ότι οι δυο τους ήταν φορείς δύο διαφορετικών πολιτικών θεωρήσεων. Πάντα ανέφερε ότι ο Καραμανλής είχε παίξει σημαντικό ρόλο στην επιστροφή του στην Ελλάδα και αυτό του το αναγνώριζε.

Αλλά πάντα πολιτικά βρίσκονταν απέναντι. Σκληροί πολεμιστές και οι δύο για την υποστήριξη των θέσεών τους, ήρθαν πολλές φορές σε οξύτατη αντιπαράθεση. Ο Ανδρέας αναγνώριζε στον Κ. Καραμανλή την ασυμβίβαστη εμμονή στις θέσεις του. Του αναγνώριζε ακόμα τη θέση του «πατριάρχη της συντηρητικής παρά-

134

ταξης» για το διάστημα πριν από τη δικτατορία αλλά και του «πολιτικού που επιχείρησε, παρά τις οξύτατες αντιδράσεις, να ανανεώσει και να προσαρμόσει στα σύγχρονα δεδομένα τη συντηρητική παράταξη μετά τη μεταπολίτευση».

Διαχώριζε σαφώς τις δύο περιόδους Καραμανλή, την περίοδο των «πολλών αμαρτιών και του μεγάλου ελλείμματος δημοκρατίας» της πρώτης οκταετίας από την περίοδο μετά την επιστροφή του απ' το Παρίσι, το '74. «Γύρισε ένας διαφορετικός Καραμανλής», συνήθιζε να λέει. Αναπολούσε τις σκληρές κόντρες που είχαν στη Βουλή τη δεκαετία του '70, «σκληρές μεν αλλά επιπέδου», όπως τις χαρακτήριζε.

Στον Καραμανλή της δεύτερης περιόδου καταλόγιζε δύο, κατά την εκτίμησή του, αρνητικά: ότι δύσκολα ήξερε να χάνει και ότι αυτός, «ένας ηγέτης, πολλές φορές ασχολιόταν με θέματα μικρά, καθημερινά και μάλιστα μ' έναν τρόπο που θα μπορούσε να παρεξηγηθεί και να κατηγορηθεί για μικροψυχία». Σαν ένα τέτοιο χαρακτηριστικό παράδειγμα ανέφερε την απαίτηση του Κ. Καραμανλή, κατά τη διάρκεια της πρώτης συνεργασίας τους, '81-'85, να απομακρυνθεί απ' την ΕΡΤ ο Βασ. Βασιλικός. Ο Ανδρέας, που δεν ήθελε εκείνη τη στιγμή μια σύγκρουση με τον Πρόεδρο γι' αυτό το θέμα, δέχτηκε την απαίτησή του και μάλιστα, κατά κάποιο τρόπο, το πλήρωσε. Δεν είπε ποτέ στον Βασ. Βασιλικό τον πραγματικό λόγο της απομάκρυνσής του και ο γνωστός συγγραφέας στράφηκε κατά του πρωθυπουργού.

Εκείνη την περίοδο, της πρώτης «συγκατοίκησης», δεν ήμουν κοντά στον Ανδρέα. Θυμάμαι πάντως ότι αργότερα, σε συζητήσεις που κάναμε, ανέφερε δύο τρία παραδείγματα που, κατά τη γνώμη μου, έδειχναν ότι «ο Καραμανλής ως Πρόεδρος Δημοκρατίας δεν ξεχνούσε πάντα ότι ήταν αρχηγός συγκεκριμένης παράταξης». Ως τέτοιες περιπτώσεις ανέφερε κάποια ομιλία του στις Σέρρες, που είχε θεωρηθεί «χοντρή πολιτική παρέμβαση», καθώς και μια δήλωση που είχε κάνει στις ευρωεκλογές του '84, που είχε εκτιμηθεί ως έμμεση αλλά σαφής αιχμή κατά της κυβέρνησης. Το '85 οι σχέσεις τους «πάγωσαν», όταν ο Ανδρέας επέλεξε για Πρόεδρο της Δημοκρατίας τον Χρ. Σαρτζετάκη.

Δεν άκουσα ποτέ τον Ανδρέα να λέει ότι έχει αναθεωρήσει τη γνώμη του για την επιλογή εκείνη, παρά τα προβλήματα συνεργασίας που κατά καιρούς αντιμετώπιζε με τον κ. Σαρτζετάκη. Αντίθετα, τη δικαιολογούσε και την έκρινε αναγκαία, ενώ αντιδρούσε σκληρά σ' όσους τον κατηγορούσαν ότι «κορόιδεψε τον Καραμανλή». Αντέτεινε ότι ποτέ δεν του είχε υποσχεθεί ευθέως ο ίδιος ότι θα στήριζε την επανεκλογή του, αν και δεχόταν ότι το ενδεχόμενο αυτό τον είχε απασχολήσει σοβαρά. Αναγνώριζε ωστόσο πως «απ' τη μεριά και τη σκοπιά του Καραμανλή υπήρχε μια δικαιολογημένη πικρία και θυμός» και αυτό συχνά πυκνά το ανέφερε. Απ' το «πάγωμα» οι σχέσεις τους πέρασαν ένα μικρό διάστημα «ουδετεροποίησης» μετά το '90 και σύντομα εξομαλύνθηκαν.

Ο Ανδρέας είχε ικανοποιηθεί απ' τη στάση που πήρε, με το δικό του, αλλά σαφή τρόπο, ο Κ. Καραμανλής κατά των παραπομπών.

Ωστόσο, πιστεύω –έτσι τουλάχιστον έλεγε ο Ανδρέας– ότι το μεγάλο, το αποφασιστικό βήμα για την εξομάλυνση των σχέσεών τους ήταν το, άγνωστο μέχρι σήμερα, περιεχόμενο μιας ιδιαίτερα σημαντικής, όπως αποδείχτηκε, συνάντησης που είχαν στο τέλος του '93.

Ο Ανδρέας έχει επανεκλεγεί πρωθυπουργός πριν από λίγες εβδομάδες. Θέλει να «χωρογραφήσει» ξανά τις σχέσεις του με το μεγάλο πολιτικό του αντίπαλο, με τον οποίο έχει τώρα μια δεύτερη περίοδο «συγκατοίκησης», θέλει «να διαλυθούν οι σκιές», όπως χαρακτηριστικά μου είπε πριν από τη συνάντηση εκείνη.

Ήταν μια απ' τις πρώτες συναντήσεις τους μετά τις εκλογές. Ο Ανδρέας παίρνει την πρωτοβουλία και εκτός «πρωτοκόλλου» και «ημερήσιας διάταξης» της συνάντησης ξεκινάει συζήτηση για τα γεγονότα του '85. Όπως μου διηγήθηκε μετά, ο διάλογός τους εκείνος, όντως ιστορικός, είχε περίπου το εξής περιεχόμενο:

«Κύριε Πρόεδρε, είναι στιγμή, νομίζω, να κάνω αναφορά στα όσα συνέβησαν το 1985. Θέλω να σας πω με κάθε ειλικρίνεια ότι η απόφασή μου, τότε, να μην προτείνω την επανεκλογή σας δεν είχε να κάνει με σας προσωπικά και τον τρόπο με τον οποίο ασκούσατε τα καθήκοντά σας. Υπαγορεύτηκε απ' τις πολιτικές συνθήκες, επιβλήθηκε απ' την πολιτική συγκυρία και οφείλω να ομολογήσω ότι ήταν μια δύσκολη απόφαση, που μου κόστισε και μένα προσωπικά».

«Θέλω να ξέρεις ότι αυτή η ιστορία με πείραξε πολύ και με πλήγωσε, δεν το περίμενα. Ανέμενα άλλη αντιμετώπιση».

«Το ξέρω και το κατανοώ. Αλλά, επαναλαμβάνω, δεν περιείχε η απόφαση αιχμή εις βάρος σας».

«Το δέχομαι, ας το ξεχάσουμε, προχωράμε από δω και πέρα σε μια καινούρια σχέση για το καλό του τόπου, το έχει ανάγκη ο τόπος, είναι μεγάλα τα προβλήματα».

«Έτσι είναι, κύριε Πρόεδρε. Χαίρω, διότι διαλύθηκαν τα οποία προβλήματα, το ήθελα, το θεωρούσα αναγκαίο».

«Στο κάτω κάτω, Ανδρέα και συ κι εγώ είμαστε σ' αυτό τον τόπο δύο μεγάλοι πολιτικοί. Τι υπάρχει μετά από μας; Και εγώ έφτιαξα το κόμμα μου και συ το ίδιο. Πώς θα είναι μετά από μας; Ας συνεχίσουμε, λοιπόν, τη συνεργασία, το οφείλουμε στον τόπο».

Θυμάμαι πόσο ευχαριστημένος γύρισε στο Μαξίμου μετά απ' αυτή τη συνάντηση ο Ανδρέας. «Διαλύθηκαν τα σύννεφα», σχολίασε και μου μίλαγε πολλές φορές για τη συζήτησή τους εκείνη, που τη θεωρούσε πολύ σημαντική. Και ήταν πράγματι η συνεργασία τους χωρίς κανένα πρόβλημα την τελευταία περίοδο.

Στην τελευταία τους συνάντηση, το Μάρτιο του '95, συγκινημένοι και οι δύο, μίλησαν με θερμά λόγια ο ένας για τον άλλο. Ίσως διαισθάνονταν ότι δε θα ξαναβρίσκονταν για να μιλήσουν και θέλησαν να κλείσουν τον κύκλο της ταραχώδους σχέσης τους μέσα σε ήρεμα νερά.

Ο Ανδρέας, που επέστρεψε ιδιαίτερα συγκινημένος απ' τη συνάντηση, είχε την πεποίθηση ότι, αν και ήταν πολιτικοί αντίπαλοι, σεβόταν και αναγνώριζε ο ένας τον άλλο...

Στις ήρεμες βραδιές της Ελούντας, ο Ανδρέας είχε πάντα κέφι, επηρεασμένος προφανώς απ' την καλή παρέα και την ομορφιά που μας περιέβαλλε, να διηγείται ιστορίες απ' το παρελθόν, να σχολιάζει ηγέτες που γνώρισε, να κάνει αναφορές στο παρόν και προβλέψεις για το μέλλον. Χαλαρός, με χιούμορ, υπέκυπτε στις «πιέσεις» τις δικές μου, του Κατσιφάρα, του Παπούλια και όσων άλλων κατά καιρούς ήταν στην παρέα, για να προχωράει σε όλο και περισσότερα θέματα και πρόσωπα.

Κάποιες απ' αυτές τις συζητήσεις, και πάντα με την άδεια του Ανδρέα, μαγνητοφωνήθηκαν, με την προοπτική ότι ίσως χρησιμοποιηθούν στο μέλλον σαν υλικό για κάποιο βιβλίο. Ήταν για όλους εμάς απόλαυση να τον ακούμε να περιγράφει, με το δικό του τρόπο, πρόσωπα και πράγματα.

Σ' αυτό το βιβλίο θα περιληφθούν ορισμένα μόνο απομαγνητοφωνημένα αποσπάσματα από τις συζητήσεις που γίνονταν εκείνες τις αξέχαστες βραδιές. Ίσως σ' ένα άλλο βιβλίο, που ενδέχεται να ακολουθήσει στο μέλλον, εκεί ίσως περιληφθούν άλλα αποσπάσματα, που δεν είναι του παρόντος.

Μια απ' τις πιο σπαρταριστές αφηγήσεις, που ο Ανδρέας λάτρευε να κάνει και να ξανακάνει, είχε κεντρικό ήρωα τον Κ. Καραμανλή κατά την πρώτη τους κιόλας συνάντηση, μετά την επιστροφή του Ανδρέα απ' την Αμερική, τότε που συζητούσαν την ίδρυση του ΚΕΠΕ. Αυτή την αφήγηση θα τη συναντήσει ο φίλος αναγνώστης στο σχετικό κεφάλαιο του βιβλίου.

Εγώ πάλι είχα να το λέω με καμάρι ότι ο Κ. Καραμανλής ήταν θαυμαστής μου!

Στην πρώτη δεξίωση στο προεδρικό μέγαρο, για την επέτειο της αποκατάστασης της δημοκρατίας, μετά την επανεκλογή του, όταν συναντηθήκαμε με τον Ανδρέα, με χαιρετάει και μου λέει: «Σας γνωρίζω απ' τον Τύπο, χαίρομαι πάρα πολύ που σας γνωρίζω και από κοντά, εκτός από ωραία, είσαστε και Μακεδόνα».

Πάντα στη γιορτή μου έστελνε λουλούδια, με ευχές και κομπλιμέντα. Σε μια συνάντηση με τον Ανδρέα, αφού μου έστειλε χαιρετίσματα, του λέει: «Ένα απ' τα συν σου, Ανδρέα, είναι η γυναίκα σου. Σου προσθέτει πολλά στην προσωπική σου εικόνα». Ο Ανδρέας γύρισε χαρούμενος στο Μαξίμου, γιατί «ο Καραμανλής μού μιλούσε δέκα λεπτά για σένα, μου έλεγε πόσο προσφέρεις στην εικόνα μου, σε εκτιμάει πολύ».

Είχαν τέτοιες ιδιαίτερες, ανθρώπινες στιγμές στις συναντήσεις τους, έκαναν μέχρι και... σχόλια για άλλους. Μια φορά η κουβέντα τους ήρθε στον Ξεν. Ζολώτα και στην... ηλικία του.

«Εμένα μου έχει πει ότι είναι ενενήντα δύο», λέει ο Ανδρέας και ο Πρόεδρος του απαντάει: «Εμένα να ρωτήσεις πόσο είναι, που είμαι αρχαίος. Είναι ενενήντα πέντε κι ας λέει!»

«Πεντελικό»: «Αντώνη, ξαναρχίζουμε!»

ΤΟΝ ΑΝΔΡΕΑ, εκτός απ' την εκλογική αποτυχία και τον έντονο σκεπτικισμό για το τι σήμαινε και ως πού θα το πήγαινε ο Κ. Μητσοτάκης, τον αποσχολούσε έντονα η εντεινόμενη εσωκομματική αμφισβήτηση. Το καλοκαίρι του '90, στην Ελούντα, προβληματιζόταν ιδιαίτερα με τα φαινόμενα αυτά που, όπως έλεγε, οδηγούσαν το κόμμα σε μια χαλάρωση, μια αδράνεια. Αντιλαμβανόταν –και μου το έλεγε σε κάθε ευκαιρία– ότι στόχος συγκεκριμένων στελεχών του ΠΑΣΟΚ (και εδώ ανέφερε κυρίως τον Σημίτη, τη Βάσω Παπανδρέου, τη Μελίνα, την ομάδα των «λοχαγών», τον Παρ. Αυγερινό) ήταν ο ίδιος.

Εξέφραζε την εκτίμηση ότι όλοι αυτοί αλλά και άλλοι χρησιμοποιούσαν την υπόθεση της «κάθαρσης» και τα αποτελέσματα των εκλογών για να τον χτυπήσουν, «να μου πετάξουν βέλη», όπως συνήθιζε να λέει. Ήταν σχεδόν βέβαιος πως προσπαθούσαν να αξιοποιήσουν την πολιτική συγκυρία για να τελειώνουν τους λογαριασμούς τους μαζί του.

«Αυτοί μιλάνε για κάθαρση και κοιτάζουν εμένα», σχολίαζε διάφορες κινήσεις επώνυμων στελεχών.

Τον ενοχλούσε και τον προβλημάτιζε ότι αυτά τα σημεία της αμφισβήτησης είχαν τις επιπτώσεις τους στη λειτουργία του κόμματος, που μετά την ταραγμένη περίοδο '88-'90 έπρεπε να ανασυγκροτηθεί.

Θύμωσε, θυμάμαι, πολύ τη μέρα που εξεδόθη η καταδικαστική απόφαση για τους Ν. Αθανασόπουλο, Σ. Αποστολόπουλο και τους άλλους κατηγορούμενους της δίκης για το «καλαμπόκι». Ζητούσε να βρει μέλη του ΕΓ για να υπάρξει κάποια αντίδραση, να συνταχθεί μια ανακοίνωση και δεν μπορούσε να βρει κανέναν. Τελικά βρήκε τον Ν. Αθανασάκη και μαζί συνέταξαν ένα δελτίο Τύπου.

Τον ενοχλούσε επίσης πάρα πολύ η σκόπιμη, όπως τη χαρακτήριζε, αποστασιοποίηση συγκεκριμένων, επώνυμων στελεχών στο θέμα των πολιτικών διώξεων, η απουσία τους από μια μάχη την οποία ο Ανδρέας θεωρούσε πάρα πολύ σημαντική πρώτα για το ΠΑΣΟΚ και μετά για τον ίδιο και τα άλλα διωκόμενα στελέχη. Αυτό τον είχε πικράνει πολύ και πίστευε ότι οι «απόντες» είχαν συγκεκριμένο σχέδιο και στόχο.

«Ο Σημίτης και η Βάσω κάθονται και περιμένουν να εισπράξουν», συνήθιζε να λέει κουνώντας με νόημα το κεφάλι του. Σ' αυτούς, κυρίως, καταλόγιζε αδιαφορία και αποστασιοποίηση. Αλλά τον είχε προβληματίσει επίσης και η «μετριοπαθής» στάση που τηρούσε ο Κ. Λαλιώτης, τον ήθελε πιο «δυναμικό», αν και τότε είχαν συχνές συνεργασίες.

Αντίθετα, είχε εκτιμήσει σαν ιδιαίτερα θετική και αγωνιστική τη στάση του Ευάγ. Γιαννόπουλου, ο οποίος πάλευε νύχτα και μέρα, με καθημερινές εκπομπές στο «Κανάλι 29», με καθημερινή παρουσία σε ραδιόφωνα, τηλεοράσεις, εφημερίδες, με ομιλίες σε όλη την Ελλάδα, χαλκέντερος, αγωνιστικός, μαχητής.

Θαύμαζε αυτή την πολύμορφη, καθημερινή δραστηριότητα του Ευάγ. Γιαννόπουλου, εξετίμησε πάρα πολύ την προσφορά του και αυτό δεν το ξέχασε ποτέ, ακόμα κι όταν οι σχέσεις τους, αργότερα, πέρασαν δύσκολες φάσεις.

Έλεγε επίσης ότι ιδιαίτερα σημαντική ήταν η πολιτική μάχη που επίσης καθημερινά έδιναν ο Απ. Κακλαμάνης, ο Δημ. Τσοβόλας, ο Αν. Πεπονής, ο Γερ. Αρσένης, ο Ά. Τσοχατζόπουλος, ο Γ. Γεννηματάς, ο Γ. Χαραλαμπόπουλος, ο Χρ. Ροκόφυλλος, ο Κάρ. Παπούλιας, ο Γ. Ποττάκης και άλλα στελέχη, κάτω μάλιστα από δύσκολες συνθήκες και με την πλειοψηφία των ΜΜΕ εχθρική προς το ΠΑΣΟΚ και τα στελέχη του εκείνα που στέκονταν στο πλευρό του Ανδρέα.

Έβλεπε καθημερινά πως λοιδορούνταν και δέχονταν επιθέ-

141

σεις αυτοί που τολμούσαν «να πάνε κόντρα στο ρεύμα», όπως έ-
λεγε ο Ανδρέας, ενώ οι «απόντες» απολάμβαναν ασυλίας και «με-
θοδικά φτιάχνουν συσχετισμούς για την εσωκομματική αναμέ-
τρηση», όπως χαρακτηριστικά τόνιζε. Ήταν και γι' αυτό ιδιαίτε-
ρα συγκινημένος απ' την προσφορά των Μαν. Γλέζου, Αντ. Μπριλ-
λάκη, Γ. Αλ. Μαγκάκη, που σε καιρούς χαλεπούς τόλμησαν (χρει-
αζόταν πράγματι τόλμη τότε και αδιαφορία για το πολιτικό κό-
στος) να πουν ΟΧΙ στις μεθοδεύσεις για τη διάλυση του ΠΑΣΟΚ
και τον κατακερματισμό της δημοκρατικής παράταξης.

Πάρα πολύ σημαντική έβλεπε επίσης την παρουσία του Θ.
Πάγκαλου, ο οποίος με το πληθωρικό, δυναμικό του ύφος και στιλ
έδωσε σκληρές μάχες, βρέθηκε στην πρώτη γραμμή, συνέβαλε τα
μέγιστα στη στήριξη του Ανδρέα και του ΠΑΣΟΚ και δημιούργη-
σε πολλούς εχθρούς ακριβώς γι' αυτό. Ο Ανδρέας πάντα αναγνώ-
ριζε και πάντα το έλεγε αυτό, τη γενναία, μαχητική στάση του Θ.
Πάγκαλου εκείνη την περίοδο.

Κάπως έτσι διαμορφωνόταν το εσωκομματικό τοπίο και οι ανη-
συχίες του Ανδρέα για τις εξελίξεις εντείνονταν, όσο πλησίαζε το
Συνέδριο αλλά και οι δημοτικές εκλογές, όπου η διαμάχη συσχε-
τισμών είχε κορυφωθεί και αυτό, όπως υπογράμμιζε, επιδρούσε
αρνητικά στην εικόνα του κόμματος.

Γύρω απ' την υποψηφιότητα της Μελίνας για το δήμο της Α-
θήνας εξελίχθηκε ένα ολόκληρο παρασκήνιο, καθώς οι μνηστή-
ρες ήταν αρκετοί και η ΝΔ διχασμένη ως προς το δικό της υπο-
ψήφιο.

Η υποψηφιότητα της Μελίνας ήταν ιδέα και πρόταση του Κ.
Λαλιώτη και ο Ανδρέας τη δέχτηκε και τη στήριξε, αν και εκείνη
την περίοδο η σχέση του με τη Μελίνα δε βρισκόταν στο καλύτε-
ρο δυνατό σημείο. Αλλά ο Ανδρέας δεν το έλαβε καθόλου υπόψη
του αυτό. Βάρυνε η εκτίμησή του πως ήταν μια υποψηφιότητα
«λαμπερή και δυναμική, ικανή να προσφέρει όραμα και να συ-
σπειρώσει ευρύτερες δυνάμεις».

Η αλήθεια είναι, όπως εκτιμούσε ο Ανδρέας, ότι δε στηρίχτηκε με πάθος απ' όλες τις δυνάμεις του ΠΑΣΟΚ, λόγω ακριβώς των προβλημάτων που είχαν εμφανιστεί.

Σε ό,τι αφορά το Συνέδριο, είχε αποφασίσει από καιρό να προτείνει τη θεσμοθέτηση θέσης γραμματέα της ΚΕ, θέλοντας, όπως έλεγε, να αποκεντρώσει έτσι αρμοδιότητες και να γίνει λειτουργικότερη και αποδοτικότερη η δουλειά των κομματικών οργάνων. Μ' αυτή ακριβώς τη λογική έκανε την πρόταση και, απ' όσο γνωρίζω, δεν είχε κατά νου να δώσει «δαχτυλίδι» σε κάποιον προτείνοντάς τον για γραμματέα.

Όμως η όλη εικόνα που εμφάνιζε το ΠΑΣΟΚ τότε, οι προσωπικές φιλοδοξίες αλλά και η διάθεση από κάποιους να εκφράσουν με δυναμικό τρόπο την αμφισβήτησή τους προς το πρόσωπο του Ανδρέα, οδήγησε το κόμμα στο «Πεντελικό», σε μια κρίση που δύσκολα ελέγχθηκε και άφησε τα σημάδια της για μεγάλο χρονικό διάστημα, άφησε ρήγματα που δύσκολα έκλεισαν και πληγές που είναι ζητούμενο αν επουλώθηκαν, αυτό πίστευε ο Ανδρέας. Πολλές φορές μάλιστα, αργότερα, όταν εμφανίζονταν ή οξύνονταν εσωκομματικές συγκρούσεις, τον θυμάμαι να αναζητά τις αιτίες τους στα «ψυχικά χάσματα του "Πεντελικού"».

Ο Ανδρέας θεωρούσε βέβαια ότι ορισμένες συμμαχίες που είχαν διαμορφωθεί εκείνη την περίοδο ήταν «χωρίς πολιτικές αρχές, με μοναδικό κοινό στόχο να πλήξουν εμένα, να με μειώσουν». Είχε μάλιστα την επιπλέον πίκρα ότι όλα αυτά εξελίσσονταν σε μια εποχή που οι αντίπαλοί του τον ήθελαν ακριβώς πιο αδύναμο πολιτικά και αμφισβητούμενο, για να προωθήσουν ευκολότερα τα σχέδια της προσωπικής του εξόντωσης.

Μέχρι τις παραμονές της πρώτης Συνόδου της ΚΕ, που θα εξέλεγε γραμματέα και νέο ΕΓ, δεν πίστευε ότι η αμφισβήτησή του θα έπαιρνε τη μορφή ανοιχτής σύγκρουσης. Είχε μάλιστα εκείνο το διάστημα περάσει μια μικρή περιπέτεια με την υγεία του, χρειάστηκε να μείνει λίγες μέρες στο νοσοκομείο και όταν βγήκε εγκατασταθήκαμε προσωρινά στο ξενοδοχείο «Πεντελικό», μέχρι να ετοιμαστεί το σπίτι της οδού Έλλης, το οποίο είχαμε στο μεταξύ νοικιάσει.

Η απόφασή του να προτείνει τον Α. Τσοχατζόπουλο για γραμματέα της ΚΕ δεν είχε καμιά απολύτως σχέση με την πρόθεσή του να ελέγξει το κόμμα, όπως τον κατηγόρησαν τότε. Σ' αυτή την κριτική απαντούσε: «Αν πρόθεσή μου ήταν αυτή που μου καταλογίζουν, το κόμμα θα μπορούσα να το ελέγξω και με ένα άλλο πρόσωπο. Άλλωστε οι συσχετισμοί στην ΚΕ είναι τέτοιοι, που μου παρέχουν άνετα αυτή τη δυνατότητα».

Ο Ανδρέας είχε φυσικά εμπιστοσύνη στον Ά. Τσοχατζόπουλο, αλλά η απόφασή του εκείνη, όπως τόνιζε, είχε το χαρακτήρα ανταμοιβής και έκφρασης ευγνωμοσύνης στον Άκη για τις πολύτιμες υπηρεσίες που είχε προσφέρει στο κόμμα απ' την εποχή της ίδρυσής του και ακόμα παλιότερα, απ' την περίοδο του ΠΑΚ. Πίστευε ότι δικαιούνταν μια τέτοια αναγνώριση, απ' τη στιγμή μάλιστα που είχε εκφράσει την επιθυμία ότι θέλει τη θέση.

Ο Ανδρέας εκτιμούσε πάντα πολύ την εργατικότητα και την πίστη του Άκη, που είχε πετύχει σημαντικό έργο σ' όποιο υπουργείο είχε τοποθετηθεί. Πίστευε μάλιστα ότι η εικόνα που είχε διαμορφώσει η κοινή γνώμη γι' αυτόν μέσω των ΜΜΕ τον αδικούσε πολύ, γιατί, όπως έλεγε, «ο Άκης και ικανότητες και πολιτική άποψη διαθέτει, αλλά δεν είναι το στέλεχος που κάνει παιχνίδι με τα ΜΜΕ και αυτό το πληρώνει».

Εκεί λοιπόν, στο «Πεντελικό», όπου θα συνεδρίαζε και η ΚΕ, ο Τηλ. Χυτήρης τον ενημέρωσε κάποια μέρα ότι ο Κ. Λαλιώτης θέλει να τον συναντήσει για να του ζητήσει να είναι ο γραμματέας της ΚΕ. Το μετέφερε μάλιστα με τέτοιο τρόπο στον πρόεδρο, ώστε, όπως μου είπε μετά, του άφησε την αίσθηση ότι στηρίζει αυτή την επιθυμία του Λαλιώτη.

Ο Ανδρέας παραξενεύτηκε, γιατί είχε καταστήσει προς κάθε κατεύθυνση σαφή τη θέση του ότι γραμματέας της ΚΕ έπρεπε να είναι ο Ά. Τσοχατζόπουλος. Τότε άρχισε να διαισθάνεται, όπως χαρακτηριστικά είπε στον Αντ. Λιβάνη, «τα σημάδια του εκβιασμού». Αποφάσισε να μη δεχτεί σε καμιά απολύτως περίπτωση αυτό τον εκβιασμό, γιατί πίστευε ότι έτσι θα γινόταν «όμηρος κάποιων που θα επέλεγαν στη συνέχεια τη στιγμή της εξόδου μου». Έβλεπε δηλαδή αυτή την «ανταρσία» σαν την κορύφωση, για εκείνη τη στιγμή, της αμφισβήτησής του. Αλλιώτικα, έλεγε, «θα έ-

144

πρεπε να απορώ ότι επέλεξαν για σύγκρουση ένα θέμα που δεν είναι μείζονος σημασίας».

Δέχτηκε τον Κ. Λαλιώτη, ο οποίος πράγματι του είπε ότι επιμένει να προταθεί για γραμματέας της ΚΕ και του ξεκαθάρισε μάλιστα ότι δεν μπορεί να υποχωρήσει απ' αυτή του την αξίωση. «Απόφασή μου είναι ο Ά. Τσοχατζόπουλος και δε θα υποχωρήσω. Και σε παρακαλώ πολύ να το λάβεις σοβαρά υπόψη σου αυτό», απάντησε ο Ανδρέας.

Η συνάντηση έληξε άδοξα, μέσα σε παγωμένο κλίμα. Ο Ανδρέας έβλεπε την κρίση προ των πυλών. Πληροφορήθηκε από συνεργάτες του ότι την υποψηφιότητα Λαλιώτη θα τη στήριζαν οι «λοχαγοί», τα προσκείμενα στους Κ. Σημίτη και Β. Παπανδρέου μέλη της ΚΕ, ορισμένα μέλη της ΚΕ που δεν εντάσσονταν σε κάποια ομάδα, αλλά διατηρούσαν σχέσεις με τον Λαλιώτη, ο Θ. Πάγκαλος, ενώ ερωτηματικό ήταν η στάση που θα κρατούσε ο Γ. Γεννηματάς, ο οποίος πιεζόταν από προσκείμενα σ' αυτόν στελέχη να στηρίξει τον Λαλιώτη. Δέχτηκε και απ' τη Μελίνα ισχυρότατες πιέσεις προκειμένου να αλλάξει γνώμη. Αντέδρασε έντονα, με αποτέλεσμα οι σχέσεις τους να περάσουν άλλη μια κρίση.

Ζήτησε απ' τους Ά. Τσοχατζόπουλο, Χρ. Παπουτσή, Γ. Παναγιωτακόπουλο και Π. Λάμπρου να τον βεβαιώσουν ότι οι συσχετισμοί ευνοούν την υποψηφιότητα του Άκη και άρχισε να κάνει επαφές.

Συναντήθηκε με τους Γερ. Αρσένη, Ευάγ. Γιαννόπουλο, Γ. Χαραλαμπόπουλο, Γ. Αλευρά, Απ. Κακλαμάνη, Μιχ. Χαραλαμπίδη και άλλους και εξασφάλισε την υποστήριξή τους.

Παραμονή της Συνόδου της ΚΕ γίνεται γνωστό ότι τελικά ο Κ. Λαλιώτης αποσύρει την υποψηφιότητά του και υποψήφιος γραμματέας της ΚΕ θα είναι ο Παρ. Αυγερινός. Αντιλαμβάνεται ότι η «άλλη πλευρά» είναι αποφασισμένη για τη σύγκρουση. Οργίζεται και αποφασίζει ότι η σύγκρουση θα φτάσει στα άκρα, αν δεν εκλεγεί ο Άκης. Όχι από πείσμα, αλλά, όπως υπογράμμισε σε όσους συνάντησε ξανά εκείνη τη μέρα, γιατί «δεν είμαι σε καμιά περίπτωση διατεθειμένος να γίνω αιχμάλωτος ενός εκβιασμού και ενός παρασκηνίου για τον έλεγχο του κόμματος».

Προσπαθούσα όλη τη μέρα να τον κρατήσω ήρεμο, του έλεγα να μην αγχώνεται, αλλά αντιδρούσε με θυμό, οργή και πίκρα: «Δε βλέπεις, Δήμητρα, ποια μεταχείριση μου επιφυλάσσουν όλοι αυτοί που μου οφείλουν πολλά; Τι να πω; Όχι λοιπόν, δε θα περάσει. Δε θα βρουν σε μένα έναν Ανδρέα αιχμάλωτό τους».

Ένιωθε προδομένος, αισθανόταν πάλι μόνος. Αλλά, παρά την εύθραυστη κατάσταση της υγείας του, έβλεπα ξανά μπροστά μου τον Ανδρέα των ρήξεων.

Πολλοί αναρωτιούνται και σήμερα ως πού ήταν διατεθειμένος να φτάσει. Γνωρίζω, και το καταθέτω, ότι θα έφτανε ως τη ρήξη. Αυτή την απόφαση την πήρε το βράδυ της παραμονής της συνεδρίασης. Ενημέρωσε σχετικά ένα στενό κύκλο συνεργατών του. Στον Αντ. Λιβάνη τηλεφώνησε και του είπε:

«Αντώνη, προβλέπω μεγάλη κρίση, αλλά δεν είμαι διατεθειμένος να υποχωρήσω. Θα φτάσω στα άκρα. Να είσαι έτοιμος για όλα».

Αποφάσισε, αν έχανε την ψηφοφορία, να απευθυνθεί στο λαό και να συγκαλέσει την ΚΟ, να καταγγείλει την «ανταρσία» και τον «εκβιασμό» και να προχωρήσει σε «επανίδρυση του ΠΑΣΟΚ».

Για το ενδεχόμενο σύγκλησης της ΚΟ ενημέρωσε και τον Γ. Αλευρά, με τον οποίο οι σχέσεις τους είχαν αποκατασταθεί.

Περάσαμε ένα δραματικό βράδυ. Η οργή και η πίκρα δεν τον άφηναν να ηρεμήσει. Προσπαθούσα να τον κάνω να χαλαρώσει, του θύμιζα πόσες μάχες έχει δώσει και έχει κερδίσει, του έλεγα ότι η υγεία του απαιτεί να μην ταράζεται. Ένιωθε μια θύελλα μέσα του, όπως μου έλεγε, αλλά επαναλάμβανε διαρκώς: «Δε θα υποχωρήσω, δε θα περάσει».

Πρωί πρωί, τη μέρα της συνεδρίασης, κάνει ένα δραματικό τηλεφώνημα στον Αντ. Λιβάνη:

«Αντώνη, ανέβα πάνω. Πρέπει να τελειώνουμε. Είμαι αποφασισμένος για ένα νέο ξεκίνημα».

Κάλεσε στο μεταξύ και τους Άκη, Παπουτσή, Παναγιωτακόπουλο, Λάμπρου, με τους οποίους είχε ξεχωριστές συναντήσεις.

Όταν ήρθε ο Αντ. Λιβάνης, του επανέλαβε:
«Αντώνη, είμαι αποφασισμένος, θα κάνουμε νέο ξεκίνημα».

«Ανδρέα μου, έχουμε μεγαλώσει πια, είμαστε για τέτοια πράγματα;»

«Όχι, Αντώνη, το έχω αποφασίσει, δεν πάει άλλο. Θα με ακολουθήσεις;»

«Το ξέρεις ότι θα σε ακολουθήσω. Αλλά πιστεύω ότι θα την κερδίσεις την ψηφοφορία. Φώναξε και τον Γιώργο Γεννηματά και πες του τα ίδια».

Λίγο πριν ξεκινήσει η συνεδρίαση, συναντήθηκε έτσι και με τον Γεννηματά. Του μίλησε στην ίδια σκληρή, αποφασιστική γλώσσα. Του είπε ότι είναι ανυποχώρητος και του ζήτησε να στηρίξει την υποψηφιότητα Τσοχατζόπουλου.

Ο Γ. Γεννηματάς τού απάντησε: «Πρόεδρε, αν ήταν ο Λαλιώτης υποψήφιος, θα με έφερνες σε δύσκολη θέση. Τώρα όμως, αφού μου το ζητάς κιόλας, θα στηρίξω τον Άκη, το υπόσχομαι».

Ο Ανδρέας κατέβηκε στην ΚΕ και έκανε μια σύντομη, σκληρή ομιλία. Αναφέρθηκε σε «εκβιασμούς» και «παρασκήνιο», καταλήγοντας ότι παραμένει στην πρόταση του Άκη Τσοχατζόπουλου.

Τελικά την κέρδισε την ψηφοφορία, αλλά η κρίση αυτή στο «Πεντελικό» άφησε σημάδια και ρήγματα. Ήταν πλέον βέβαιος ότι το μπλοκ εσωκομματικής αντιπολίτευσης, που είχε εκφραστεί εκεί, δε θα σταματούσε, θα συνέχιζε να δρα και να τον αμφισβητεί. Αλλά ήθελε να τους αντιμετωπίσει πολιτικά και ενωτικά, αυτή ήταν η πάγια θέση του, ότι: *«Πρέπει να προχωράμε όλοι μαζί».*

Αυτό έχει τη σημασία του, γιατί τότε είχε δεχτεί εισηγήσεις από συνεργάτες του «να ξεκαθαρίσει το κόμμα». Του έλεγαν μάλιστα ότι αυτό που πρέπει να εξασφαλιστεί είναι μια «πολιτική ενότητα» και ότι πρέπει να προχωρήσει μ' όσους συμφωνούν μαζί του πολιτικά, γιατί διαφορετικά θα παρουσιάζονταν συνεχώς στο μέλλον προβλήματα και αμφισβητήσεις.

Δεν το έκανε, όπως δεν το έκανε και αργότερα, όταν σε άλλες κρίσεις που προέκυψαν δέχτηκε πάλι παρόμοιες εισηγήσεις. Πίστευε ότι είχε περάσει η εποχή των διαγραφών. Έτσι αρνήθηκε να προχωρήσει σε πειθαρχικά μέτρα κατά του Θ. Πάγκαλου, όπως του είχε προτείνει ο Κ. Λαλιώτης το καλοκαίρι του '95, ή κατά των «4», όπως πάλι του είχε προτείνει όταν άρχισε η αμφισβήτηση απ' τη μεριά τους να παίρνει διαστάσεις νέας εσωκομματικής κρίσης.

Πάντως εκείνη την εποχή τον άκουσα να λέει:

«Αν είχα δεχτεί τότε, μετά το "Πεντελικό", τις εισηγήσεις για ξεκαθάρισμα του κόμματος, δε θα φτάναμε εκεί που φτάσαμε σήμερα, αυτοί λειτουργούν σαν ξένο σώμα στο ΠΑΣΟΚ...»

Για μια μεγάλη περίοδο μετά το «Πεντελικό» οι σχέσεις του με τον Κ. Λαλιώτη παρέμεναν παγωμένες. Ορισμένοι συνεργάτες του, ο Γ. Παναγιωτακόπουλος και ο Π. Λάμπρου, αλλά και οι Χυτήρης, Αθανασάκης, του συνιστούσαν να ξαναφέρει τον Λαλιώτη κοντά του. Για ένα διάστημα αρνιόταν και να τον συναντήσει. Οι ίδιοι μου είπαν και μένα ότι «πρέπει και συ να παίξεις ένα ρόλο στην αποκατάσταση των σχέσεων του προέδρου με τον Λαλιώτη. Μίλα του, δεν πρέπει να συνεχιστεί αυτή η κατάσταση».

Άρχισα να του μιλάω, σιγά σιγά μαλάκωνε, ο πάγος άρχισε να σπάει. Ξεκίνησε μια έμμεση επαφή και λίγο μετά την απόφαση του Ειδικού Δικαστηρίου ξανασυναντήθηκαν συγκινημένοι και τα ξαναβρήκαν.

Αλλά, αμέσως μετά το «Πεντελικό», σοβαρή κρίση είχαν περάσει επίσης οι σχέσεις του Ανδρέα με τους *Χυτήρη, Αθανασάκη*. Ο Ανδρέας ήταν χολωμένος μαζί τους, γιατί πίστευε ότι δε στάθηκαν δίπλα του, ότι τον εγκατέλειψαν και στήριξαν τον Λαλιώτη. Αποφάσισε να τους απομακρύνει απ' τις θέσεις που είχαν, ο ένας δίπλα του και ο άλλος στο Γραφείο Τύπου του ΠΑΣΟΚ.

Ο Ν. Αθανασάκης ζήτησε να τον συναντήσει. Του εξήγησε ότι έχει παρεξηγηθεί και ότι παραμένει πάντα πιστός σ' αυτόν και τον παρακάλεσε να παραμείνει στη θέση του.

Παρόμοιες εξηγήσεις έδωσε και ο Τηλ. Χυτήρης, για τον οποίο χρειάστηκε να κάνει παρέμβαση στον Ανδρέα και ο Αντ. Λιβάνης, όπως έκανε και άλλες δύο φορές αργότερα, όταν πάλι ο Ανδρέας είχε σκεφτεί την αντικατάστασή του.

Η μεγάλη μοναξιά
του Ειδικού Δικαστηρίου

«ΔΕ ΘΑ ΔΩΣΩ ΤΗ ΧΑΡΑ στους διώκτες μου να με δουν στο εδώλιο».

Η απόφαση του Ανδρέα να αντιμετωπίσει *μόνο πολιτικά* τη διαδικασία στο Ειδικό Δικαστήριο ήταν δεδομένη, αναμενόμενη και ειλημμένη καιρό πριν από τον Απρίλιο του '91, οπότε ξεκίνησε η δίκη.

Είχε δείξει άλλωστε τις προθέσεις του, όταν αρνήθηκε να «απολογηθεί» στην κλήση που του είχε στείλει ο ανακριτής κ. Σπύρου. Τις είχε δείξει και τις είχε εκφράσει απ' την περίοδο που άρχισε η πολιτική του δίωξη, με τις δηλώσεις, τις συνεντεύξεις, τις ομιλίες του, με τη συγκλονιστική του παρουσία στη Βουλή, όταν απηύθυνε το «κατηγορώ» στους κατηγόρους του.

Δε διανοήθηκε ούτε στιγμή την παρουσία του στο εδώλιο, αν και υπήρξαν στελέχη του ΠΑΣΟΚ, λίγα, που εισηγήθηκαν κάτι τέτοιο. «Όταν έλεγα ότι όλα αυτά δε με αγγίζουν, το εννοούσα», ήταν η απάντησή του.

Επιπλέον, όπως έχω ξαναπεί, ο Ανδρέας πίστευε πολύ στο «κλίμα». Έλεγε λοιπόν ότι μια εικόνα δική του στο Δικαστήριο θα έφερνε πολύ μεγαλύτερα αποτελέσματα απ' όσα είχαν πετύχει μέχρι τότε οι αντίπαλοί του, ότι θα τον τσαλάκωνε πολιτικά, ότι θα αμαύρωνε και τη διεθνή του εικόνα, αφού θα ταξίδευε σε όλο το κόσμο.

Είχε αποφασίσει επομένως πολύ πριν από τη δίκη ότι δε θα πήγαινε στο Δικαστήριο. Περισσότερη συζήτηση έγινε και μεγαλύτερος προβληματισμός υπήρξε για το αν θα όριζε συνηγόρους.

Και σ' αυτό είχε πάρει τις αποφάσεις του, σε συνεργασία με τον Αντ. Λιβάνη, του οποίου η παρουσία δίπλα στον Ανδρέα και στη διάρκεια της επώδυνης περιόδου της δίκης ήταν πολύτιμη, ανεκτίμητη. Είχαν αποφασίσει ότι η καθαρά πολιτική αντιμετώπιση της διαδικασίας σήμαινε ότι δεν έπρεπε να υπάρχει ούτε παρουσία δικηγόρων. Εξέτασαν όλες τις πτυχές του θέματος και κατέληξαν σ' αυτή την απόφαση.

Όμως υπέρ της παρουσίας δικηγόρων είχαν ταχθεί αρκετοί απ' τους συνεργάτες του καθώς και νομικοί, τους οποίους συμβουλευόταν εκείνη την κρίσιμη περίοδο, όπως ο Β. Βενιζέλος και ο Γ. Σταμούλης.

Έτσι για το θέμα αυτό πραγματοποιήθηκαν περισσότερες συζητήσεις και συσκέψεις, αλλά η απόφαση δεν άλλαξε. Και οφείλω να καταθέσω ότι την ίδια θέση με τον Ανδρέα πάνω σ' αυτό το θέμα είχε και ο Ευάγ. Γιαννόπουλος, που έδινε τότε τη δική του καθημερινή μάχη υπέρ του ΠΑΣΟΚ και του προέδρου.

Συγκροτήθηκε πάντως μια ομάδα νομικών για την καθημερινή παρακολούθηση των εξελίξεων, ώστε να προτείνει πολιτικές παρεμβάσεις, όπου και όποτε το έκρινε αναγκαίο. Πυρήνας της ήταν οι Απ. Κακλαμάνης, Αντ. Βγόντζας, Β. Βενιζέλος, Γ. Σταμούλης και Χρ. Ροκόφυλλος.

Οι εννιά περίπου μήνες, απ' τον Απρίλιο του '91 ως τις 16 Ιανουαρίου του '92, που διήρκεσε η διαδικασία στο Ειδικό Δικαστήριο, ήταν για μας περίοδος καθημερινής δοκιμασίας, μεταπτώσεων, εναλλαγής συναισθημάτων, φθοράς, φόβων και προσδοκιών. Βιώσαμε μια επώδυνη καθημερινότητα, της οποίας οι εμπειρίες με σημάδεψαν. Μα πάνω απ' όλα ζήσαμε μια επώδυνη μοναξιά, την οποία αισθανόταν πιο έντονα ο Ανδρέας, καθώς, όπως μου έλεγε στις ατέλειωτες ώρες συζητήσεων που είχαμε, «μέτραγε τους φίλους του». Δεν τους βρήκε όσους περίμενε.

Ήταν, απ' την άλλη μεριά, μια περίοδος που η σχέση μας απέδειξε πόσο ισχυρή είναι. Το να πω ότι δεθήκαμε ακόμα περισσότερο μέσα απ' αυτή τη δοκιμασία μού φαίνεται ακόμα και σήμερα, τόσα χρόνια μετά, φτωχό κι ασήμαντο για να αποδώσει αυτά τα κοινά μας συνταρακτικά βιώματα εκείνης της περιόδου. Ήμασταν σχεδόν μόνοι. Πολύτιμες αλλά λίγες οι επισκέψεις φίλων, πλην της καθημερινής σχεδόν παρουσίας του Αντ. Λιβάνη. Το τηλέφωνο χτυπούσε σπάνια. Ήταν τότε που ζήσαμε έντονα αυτή την «απομόνωση», για την οποία μίλαγε όλο το προηγούμενο διάστημα ο Ανδρέας. Έρχονταν επίσης σχεδόν μέρα παρά μέρα ο Γ. Κατσιφάρας και πολύ συχνά ο Κάρ. Παπούλιας.

Είχαν προηγηθεί, ακόμα και λίγο πριν ξεκινήσει η δίκη, «φιλικές» παραινέσεις και «συμβουλές» και από πολιτικούς και από οικονομικούς παράγοντες προς τον Ανδρέα να «αποσυρθεί». Συνοδεύονταν από υποσχέσεις ότι σε μια τέτοια περίπτωση θα βρισκόταν τρόπος «να διευθετηθεί το θέμα».

Πήραν την απάντηση που ταίριαζε να δοθεί απ' τον Ανδρέα, ο οποίος ακόμα και σ' εκείνες τις κρίσιμες ώρες δε διανοήθηκε κανενός είδους συναλλαγή.

Μέσα σ' αυτό το γκρίζο τοπίο, μέσα σ' αυτή τη μελαγχολική ατμόσφαιρα, εγώ έδινα τη δική μου καθημερινή μάχη. Έπρεπε να στήσω έναν «προστατευτικό κλοιό» γύρω απ' τον Ανδρέα, ώστε να μην επηρεάζεται και φθείρεται από μια καθημερινότητα απροσδόκητη όσο και επώδυνη, να παραμένει σε ετοιμότητα, ώστε να παρεμβαίνει εκεί ακριβώς που έπρεπε.

Έπρεπε ταυτόχρονα να ξεπερνάω τους δικούς μου φόβους και αγωνίες, που επίσης έρχονταν και έφευγαν καθημερινά, χωρίς να τα δείχνω καθόλου στον ίδιο. Οι δικές μου μεταπτώσεις έπρεπε να είναι «αόρατες» και να μου βγαίνει μόνο η αισιόδοξη πλευρά, ακόμα κι όταν δεν υπήρχε.

Γνώριζα καλά ότι η υπέρμετρη ψυχολογική του επιβάρυνση μπορούσε να έχει άμεση επίπτωση στην υγεία του, στην κατάσταση που βρισκόταν.

Είχα επιπλέον επωμιστεί το ρόλο να του μεταφέρω τα «άσχημα μαντάτα», που έπρεπε οπωσδήποτε να μάθει και δεν μπορούσα να του κρύψω, ρόλο ιδιαίτερα δύσκολο.

Θυμάμαι πώς αντέδρασε όταν τον ενημέρωσα για την πτώση του Μένιου στο Ειδικό Δικαστήριο, μια εικόνα που λες κι ερχόταν από αρχαία τραγωδία. Κινδύνευσε να καταρρεύσει και κατέβαλα μεγάλες προσπάθειες για να το αποτρέψω. Συγκλονίστηκε, θέλησε να μείνει για κάμποση ώρα μόνος... Περάσαμε πάρα πολλές ώρες συζητώντας οι δυο μας εκείνη την περίοδο. Διδάχτηκα απ' τη γαλήνη, τη στωικότητα και τη σοφία που εξέπεμπε.

Προσπαθούσα να του μιλάω για ευχάριστα πράγματα, να απομακρύνω τη σκέψη του απ' την ομιχλώδη πραγματικότητα. Χαμογελούσε και μου έλεγε: «Το ξέρω, Δήμητρα, πας να με αποπροσανατολίσεις».

Του κρατούσα τότε τρυφερά το χέρι, τον φιλούσα και του έλεγα: «Θα δικαιωθείς και τότε θα τα ξεχάσεις όλα».

Πολλές φορές τον έβλεπα να κοιτάει μακριά, απόμακρο, βυθισμένο στους συλλογισμούς του. Τον... επανέφερα τότε στην «τάξη» μ' ένα φιλί, μ' ένα καλαμπούρι, μ' ένα τρυφερό αγκάλιασμα.

Ζήσαμε αυτή τη μοναξιά ξέροντας και οι δύο πως το ρίσκο ήταν μεγάλο, πως παιζόταν το πολιτικό του μέλλον, πως πάνω στη δική του καταδίκη, που για ένα μεγάλο διάστημα θεωρούνταν πολύ πιθανή, είχαν γίνει μεγάλες πολιτικές επενδύσεις άλλων και μάλιστα όχι μόνο των πολιτικών του αντιπάλων... Μα σε καμιά στιγμή, όλο αυτό το διάστημα, δεν τον άκουσα να λέει πως έπρεπε να χειριστεί το θέμα διαφορετικά, πως αναθεωρεί κάποια απ' τις επιλογές του. Έδειχνε μόνο πολλές φορές πικρία, γιατί περίμενε να είναι περισσότεροι αυτοί που θα ήταν κοντά του. Πικρία, γιατί δε φανταζόταν τέτοια αντιμετώπιση αυτός, που ακόμα και τους πιο σκληρούς πολιτικούς του αντιπάλους τούς είχε αντιμετωπίσει με πολιτικά μέσα.

Ιδιαίτερα πικραμένος ήταν με την ιστορική ηγεσία της παραδοσιακής Αριστεράς. «Δεν το περίμενα απ' τον Χαρίλαο», τον άκουσα να λέει πολλές φορές.

Μου αφηγήθηκε, εκείνες τις μέρες, πολλά κομμάτια απ' τη ζωή του, τα παιδικά του χρόνια, τις σχέσεις του με τον πατέρα του, τα δύσκολα χρόνια στην Αμερική, την επιστροφή στην Ελλάδα, την ανάμειξή του στην πολιτική, τη δικτατορία, τους αγώνες του ΠΑΚ, την ίδρυση και πορεία του ΠΑΣΟΚ, τη γνωριμία του με ξένους πολιτικούς ηγέτες... Ήταν οι στιγμές της γαλήνης. Μετά έρχονταν οι στιγμές της έντασης, της αγωνίας, της αβεβαιότητας, της φουρτούνας. Τότε προσπαθούσα να του προσφέρω κουράγιο, αν και μέσα μου ήμουν κι εγώ φορτισμένη και φοβισμένη.

Σε τέτοιες στιγμές, όταν ξανά ηρεμούσε και ήταν πάλι αισιόδοξος, μου είχε πει αινιγματικά κάμποσες φορές: *«Να το ξέρεις, Δήμητρα, αυτή σου τη συμπαράσταση εγώ μια μέρα θα την αναγνωρίσω επίσημα και δημόσια».*

Κράτησε την υπόσχεσή του. Και στις 10 Οκτωβρίου του '93, τις στιγμές της μεγάλης του νίκης, της μεγάλης του πολιτικής δικαίωσης, αιφνιδίασε τους πάντες (και εμένα), όταν μιλώντας στο λαό είπε: «Ευχαριστώ τη γυναίκα μου, τη Δήμητρα...»

Τον ευχαριστώ γι' αυτό...

Είχαμε αποφασίσει ότι ο ίδιος δε θα παρακολουθούσε την τηλεοπτική μετάδοση της δίκης. Αυτό το καθήκον το είχα αναλάβει εγώ και μάλιστα με δυσκολίες, γιατί έπρεπε να κλέβω χρόνο για να το κάνω, χωρίς να με παίρνει είδηση κιόλας, γιατί, όσες φορές συνέβη αυτό, ήθελε να «κολλήσει» στην τηλεόραση. Του έλεγα τότε: «Πρέπει να κρατήσεις την ισορροπία σου, δεν μπορείς να δηλητηριάζεσαι μ' όλα αυτά, σε παρακαλώ, κράτα τις εφεδρείες σου, κράτα τις δυνάμεις σου. Μόνο μ' αυτές θα βγούμε απ' το αδιέξοδο, εσύ είσαι αυτός που θα οδηγήσει και πάλι το ΠΑΣΟΚ στη νίκη, οφείλεις στον εαυτό σου και στο λαό τη δικαίωση».

Παρά τις ψυχολογικές μεταπτώσεις, *δεν έχασε ποτέ την πίστη του ότι θα ερχόταν η ώρα της δικαίωσης.*

Ήταν ακριβώς αυτός ο στόχος, αυτό το κίνητρο, απ' όπου αντλούσε δυνάμεις.

Η ενημέρωση για την καθημερινή πορεία της διαδικασίας γινόταν κυρίως απ' τους Λιβάνη, Κατσιφάρα, Βγόντζα. Όσο προχωρούσε η διαδικασία, η ομάδα των νομικών που λειτουργούσε για να ενισχύει την πολιτική επιχειρηματολογία και αντιμετώπιση της δίκης συμπληρώθηκε από ένα Γραφείο, που συγκρότησε με δική του πρωτοβουλία ο Γιώργος Μίρκος, φίλος του Ανδρέα, και έκανε δουλειά μελέτης - τεκμηρίωσης - αξιοποίησης στοιχείων.

Σ' όλο αυτό το διάστημα των εννιά μηνών ο Ανδρέας παρακολουθούσε από κοντά και είχε εντυπωσιαστεί απ' τη δράση δύο στελεχών του, με τα οποία δέθηκε έτσι περισσότερο.

Παρακολουθούσε με συγκίνηση (ζητούσε μόνιμα ενημέρωση γι' αυτό) την καθημερινή μάχη που έδινε με αυταπάρνηση, κάτω από αντίξοες συνθήκες, ο Δημ. Τσοβόλας. Τον Τσοβόλα τον συμπαθούσε πάντα ιδιαίτερα, εκτιμούσε την εντιμότητα και αγωνιστικότητά του, αλλά εκείνη την περίοδο θαύμασε τη μαχητικότητά του, τον τρόπο που υπεράσπιζε τον εαυτό του, τον Ανδρέα, το ΠΑΣΟΚ.

«Είναι ένας γνήσιος μαχητής, Δήμητρα». Αυτό μου το είχε πει πάρα πολλές φορές. Τον πίκραινε το γεγονός ότι πολλά επώνυμα στελέχη του ΠΑΣΟΚ τον αντιμετώπιζαν ελιτίστικα, ακόμα και με εχθρότητα, και αυτό φάνηκε περισσότερο μετά την απόφαση του Ειδικού Δικαστηρίου. Τον ενοχλούσε ότι και ο Δημ. Τσοβόλας είχε απομονωθεί όχι μόνο από αντιπάλους, αλλά και από αρκετούς «φίλους»... Ήξερε –και δεν έπεσε έξω σ' αυτό– ότι μετά τη δίκη κάποιοι θα επιδίωκαν να κλείσουν τους λογαριασμούς τους με το «λαϊκιστή» Τσοβόλα, έτσι τον αποκαλούσαν ο Σημίτης, η Βάσω, ο Τζουμάκας και άλλοι.

Είχε εντυπωσιαστεί επίσης απ' τη στήριξη, νομική, πολιτική, ψυχολογική, που παρείχε στους κατηγορούμενους αλλά και στον κόσμο του ΠΑΣΟΚ ο Ευάγ. Γιαννόπουλος, ο οποίος είχε οργανώσει την «αντιδίκη» στο «Κανάλι 29» και μαχόταν καθημερινά με το δικό του τρόπο για τη δικαίωση του Ανδρέα και του ΠΑΣΟΚ.

Όργωνε επίσης όλη την Ελλάδα και στήριζε ψυχολογικά τις οργανώσεις, τον απλό κόσμο, τους οργανωμένους οπαδούς. Έδινε σκληρές, καθημερινές μάχες στη Βουλή κατά της κυβέρνησης Μητσοτάκη, πάλευε κατά του κ. Κόκκινου.

«Είναι χαλκέντερος», σχολίαζε ο Ανδρέας και μετά άφηνε το παράπονό του, κάνοντας τη σύγκριση: «Ο Ευάγγελος, παρά την ηλικία του, μάχεται. Οι άλλοι πού είναι;»

Ο Ανδρέας θεωρούσε ακόμα εξαιρετικά σημαντική τη στήριξη που είχε και τότε απ' τους αδελφούς Κουρή, που είχαν πράγματι θέσει στη διάθεσή του το «Κανάλι», το ραδιόφωνο, τις εφημερίδες τους.

Εκτιμούσε ότι, εκτός από τις εκπομπές του Ευάγ. Γιαννόπουλου, πρόσφερε επίσης πολύτιμες υπηρεσίες στη στήριξη του κόσμου του ΠΑΣΟΚ και την αποκάλυψη της πολιτικής σκευωρίας και η εκπομπή «Επί του Πιεστηρίου», που την παρακολουθούσε τα περισσότερα βράδια.

Τη στήριξη αυτή δεν την ξέχασε και την αναγνώριζε και όταν αργότερα, χωρίς δική του ευθύνη, ήρθε σε κόντρα με τον Γ. Κουρή.

Μάλιστα μετά τις εκλογές του ’90 και τη ρήξη Κουρή - Λαλιώτη, όταν πολλά στελέχη, κυρίως δε οι Σημίτης - Τζουμάκας - Σκανδαλίδης - Πάγκαλος - Βάσω - «λοχαγοί», ζητούσαν «να τελειώσει επιτέλους οι θανάσιμος εναγκαλισμός με τον αυριανισμό», ο Ανδρέας είχε την άποψη να οριοθετηθούν μεν οι σχέσεις με το συγκρότημα, αλλά να μην υπάρξει ρήξη και ανέθεσε ειδικό διαμεσολαβητικό ρόλο στους Γ. Γεννηματά και Ευάγ. Γιαννόπουλο.

Βέβαια σήμερα οι περισσότεροι απ’ τους πούρους «αντιαυριανιστές» έχουν στενές πολιτικές σχέσεις με τον κ. Γ. Κουρή...

Μηνύματα καταδίκης

Παρά το γεγονός ότι οι αποκαλύψεις της πολιτικής σκευωρίας διαδέχονταν η μία την άλλη στο Ειδικό Δικαστήριο, οι πληροφορίες που έρχονταν από διάφορες πλευρές και πηγές επέμεναν ότι θα υπάρξει καταδίκη του Ανδρέα.

Τα εις βάρος του επιχειρήματα κατέρρεαν. Τα «νοσήλια του Χέρφιλντ», η απογοητευτική για τους κατηγόρους του παρουσία του Κοσκωτά στο Ειδικό Δικαστήριο, η αποκάλυψη της πλαστότητας του «ιδιόγραφου σημειώματος του Ανδρέα προς Κοσκωτά», οι κατευθυνόμενοι μάρτυρες και τα αποκαλυπτήριά τους, η εντυπωσιακή μεταστροφή των εκδοτών που κατέθεσαν και δεν προσκόμισαν κανένα στοιχείο εις βάρος του, οι θαρραλέες παρεμβάσεις του Ν. Γαλανού, όλα αυτά είχαν απομυθοποιήσει τα όσα προηγήθηκαν εις βάρος του Ανδρέα. Είχε αντιστραφεί στην κοινή γνώμη το εις βάρος του κλίμα και διαμορφωνόταν η πεποίθηση ότι, πέραν των πολιτικών του ευθυνών, δεν είχε την παραμικρή ανάμειξη στο σκάνδαλο.

Οι κατήγοροί του βρέθηκαν πλέον σε θέση απολογίας, ο κόσμος του ΠΑΣΟΚ μετά από μια περίοδο «μουδιάσματος» έπαιρνε πάλι τα πάνω του, ωστόσο οι πληροφορίες έλεγαν: *για λόγους εμφανούς σκοπιμότητας, η απόφαση θα είναι καταδικαστική.*
Και ήταν πληροφορίες προερχόμενες από πηγές δύσκολα αμφισβητούμενες. Μεταξύ άλλων και *δύο ξένοι ηγέτες, ο ένας Κύπριος,* μας είχαν διαμηνύσει αυτές τις πληροφορίες, αλλά και οικονομικοί παράγοντες της χώρας, καθώς και προσωπικότητες που σχετίζονταν με το περιβάλλον του Κ. Μητσοτάκη. Διευκρίνιζαν δε ότι θα ήταν τέτοια η απόφαση, ώστε να μη δημιουργηθεί πολιτικό πρόβλημα, να μην κινητοποιηθούν οι οπαδοί του ΠΑΣΟΚ, αλλά και να ικανοποιηθούν αυτοί που παρέπεμψαν τον Α. Παπανδρέου: *δύο χρόνια με αναστολή, για ηθική αυτουργία.*
Θυμάμαι ότι και ο δημοσιογράφος Στ. Λυγερός, σε μια γιορτή που κάναμε στο σπίτι, στις 3 Σεπτεμβρίου του '91, με καλεσμένους δημοσιογράφους, με πλησίασε κάποια στιγμή και μου είπε: «Μην απατάσαι, Δήμητρα, δύο χρόνια με αναστολή θα έχει ο Παπανδρέου, οι πληροφορίες είναι σίγουρες».
Ήταν φανερό ότι αυτοί που παρέπεμψαν τον Ανδρέα ήθελαν την καταδίκη του, για να μείνει το πολιτικό στίγμα και να δικαιωθεί η παραπομπή, και βέβαια δεν τολμούσαν να σκεφτούν φυλάκισή του, γιατί ασφαλώς γνώριζαν τις τρομακτικές πολιτικές παρενέργειες. Ήταν γι' αυτούς μια διέξοδος.
Ο Ανδρέας έπαιρνε αυτές τις πληροφορίες και στενοχωριόταν βαθιά.
Όπως έλεγε, με μια τέτοια απόφαση θα επιχειρούσαν να τον εξουδετερώσουν πολιτικά αφήνοντάς του το στίγμα της ανάμειξης στο σκάνδαλο. Τον ενοχλούσε αφάνταστα μια τέτοια προοπτική, εκτιμούσε ότι θα αποτελούσε βαρύτατο πολιτικό πλήγμα, δεν μπορούσε καν να σκέφτεται μια τέτοια εξέλιξη. Τότε, σε μια συζήτηση που είχαμε, μου λέει:

«Θυμάσai, Δήμητρα, που δε δέχτηκα τότε, στις παραμονές των εκλογών του '89, την πρόταση για συνάντηση με το εβραϊκό λόμπι; Ίσως να ήταν διαφορετικά τα πράγματα, αλλά βεβαίως δεν το έχω μετανιώσει καθόλου, δε θα μπορούσα να το κάνω».

Πράγματι, λίγο πριν από τις εκλογές του '89, δύο στελέχη του ΠΑΣΟΚ μετέφεραν στον Ανδρέα την πρόταση να συναντηθεί με έναν επιφανή, διεθνή παράγοντα, επικεφαλής ενός εκ των εβραϊκών λόμπι. Ρώτησε προς τι η συνάντηση και του είπαν ότι θα του μεταφερόταν η εξής πρόταση: *να προχωρήσει σε αναγνώριση του Ισραήλ και σε αντάλλαγμα τα διεθνή ΜΜΕ, που ελέγχονταν από εβραϊκά κεφάλαια, θα σταματούσαν αμέσως τις επιθέσεις εναντίον του.*

Ήταν μια περίοδος που και πάρα πολλά ΜΜΕ στο εξωτερικό είχαν μπει στο χορό των επιθέσεων εναντίον μου και αυτό δημιουργούσε ένα δυσμενές διεθνές κλίμα, που είχε φυσικά τον αντίκτυπό του και στο εσωτερικό. Και θα ήταν μια «ανάσα» αν πετύχαινε μια αλλαγή συμπεριφοράς απέναντί του από μεγάλα, διεθνή μέσα ενημέρωσης.

Τα δύο στελέχη του ΠΑΣΟΚ που του μετέφεραν την πρόταση του συνέστησαν να δεχτεί τουλάχιστον τη συνάντηση. Ο Κάρ. Παπούλιας, τον οποίο ενημέρωσε, ήταν κατηγορηματικά αντίθετος.

Ο Ανδρέας δε χρειάστηκε να το ζυγίσει πολύ. Η φιλία του με τους Άραβες υπερίσχυσε, ήταν άλλωστε βαθιά και πολύχρονη.

«Θα τους απογοητεύσω, δεν μπορώ να τους πουλήσω, ούτε βεβαίως μπορώ να αναιρέσω την πολιτική μου», ήταν η απάντησή του.

Δεν μπορούσε να διανοηθεί ότι ο αραβικός κόσμος, με τον οποίο διατηρούσε τόσο στενές φιλικές σχέσεις και είχε ισχυρότατους δεσμούς, θα εισέπραττε μια απογοήτευση απ' το «φίλο και αδελφό Ανδρέα», ακόμα κι αν έδειχνε κατανόηση στη δύσκολη θέση που βρισκόταν. Ούτε φυσικά μπορούσε να πουλήσει την πολιτική του, ακόμα κι αν το αντάλλαγμα ήταν άκρως δελεαστικό.

Πάντως πίστευε ότι η ολομέτωπη επίθεση που είχε εξαπολυθεί εναντίον του σχετιζόταν άμεσα με την ενόχληση που είχε προκαλέσει η «Πρωτοβουλία των 6». Εκτιμούσε ότι είχαν δημιουργήσει πολλά προβλήματα στους «φύλακες» και εγγυητές της διεθνούς τάξης πραγμάτων και έπρεπε να εξοντωθούν.

Παρατηρούσε ότι η Γκάντι δολοφονήθηκε, ο Πάλμε δολοφονήθηκε, ο Ντε λα Μαντρίντ εξουδετερώθηκε, ο Νιερέρε αποσύρθηκε, «πρέπει και ο Παπανδρέου να βγει απ' τη μέση».

Προέβλεπε επίσης ότι είχε μεγάλη σημασία τότε η επικράτηση συντηρητικών δυνάμεων στην Ευρώπη, ώστε τα πράγματα να πάνε σε μια ελεγχόμενη αλλαγή σκηνικού, ακόμα και σε αλλαγή του χάρτη στα Βαλκάνια. Του είχε προξενήσει μεγάλη εντύπωση η ανάλυση ενός Αμερικανού δημοσιογράφου και αναλυτή με στενές σχέσεις με το Στέιτ Ντιπάρτμεντ, ο οποίος παρουσίαζε το «νέο χάρτη του κόσμου», με όλες τις αλλαγές που επρόκειτο να γίνουν, μεταξύ αυτών και στα Βαλκάνια. Τον είχε εντυπωσιάσει και το κράτησε αυτό το κομμάτι. Προβληματιζόταν δε έντονα για τις επιπτώσεις που θα είχε πιθανός διαμελισμός της Γιουγκοσλαβίας...

Η πρώτη δικαίωση

Όσο πλησίαζε η ώρα της απόφασης, ο Ανδρέας έλεγε: «Φοβάμαι πως θα το πάνε σε καταδίκη»· εγώ, στο δικό μου ρόλο πάντα, του απαντούσα: «Αντί να φθείρεσαι με τέτοιες σκέψεις, ετοιμάσου να γίνεις πρωθυπουργός πάλι. Δεν αρχίζεις να ασχολείσαι με τον κατάλογο των συνεργατών σου;»

Έμοιαζε με θέατρο του παραλόγου, αλλά εγώ έπρεπε να τον στηρίξω ψυχολογικά, για κάθε ενδεχόμενο. Είχα και εγώ τους φόβους μου, απείρως περισσότερους, αλλά δεν είχα δικαίωμα να τους δηλώνω. Όταν «έσπαγα», κλειδωνόμουν σ' ένα δωμάτιο και έκλαιγα, αλλά για πολύ λίγο, γιατί έπρεπε να πάω γρήγορα κοντά του.

Οι πληροφορίες που έφταναν ήταν αλληλοσυγκρουόμενες, όλοι έφερναν και από μια πληροφορία ή άποψη. Το κλίμα άλλαζε μέρα τη μέρα, στιγμή τη στιγμή. Ο Γ. Παναγιωτακόπουλος διαβεβαίωνε ότι οι οργανώσεις είναι έτοιμες για κινητοποίηση σε περίπτωση καταδίκης.

Η μεταστροφή του κλίματος στο λαό και η διάθεσή του να κινητοποιηθεί για να στηρίξει τον Ανδρέα ήταν αυτό που του έδινε δύναμη και ελπίδες. Αυτή η σχέση του με το λαό ήταν πάντα παρούσα στις πιο δύσκολες ώρες, δεν άλλαξε ποτέ. Ήξερε και το έλεγε πως ο λαός ήταν η ασπίδα προστασίας του. Το σύνθημα «κάτω τα χέρια απ' τον Ανδρέα», που είχε αρχίσει να ακούγεται, τον ενθάρρυνε, τον ενθουσίαζε. Το κλίμα είχε πράγματι αλλάξει και τα μηνύματα γι' αυτό έρχονταν από παντού. Η διαδικασία στο Ειδικό Δικαστήριο είχε καταλήξει να αποκαλύψει την πολιτική σκευωρία, αντί, όπως πολλοί και από πολλές πλευρές προσδοκούσαν, να αποκαλύψει την ενοχή του Ανδρέα. Και αυτό το είχαν αντιληφθεί και οι διώκτες του.

«Δε θα τολμήσουν, δεν μπορούν να το κάνουν», έλεγε σε στιγμές αισιοδοξίας.

Αλλά, είπαμε, έβλεπε και τις πολιτικές σκοπιμότητες και αυτό του δημιουργούσε αμφιβολίες. Ήταν αυτή η γοργή εναλλαγή συναισθημάτων που μας ταλάνισε για καιρό και άφησε σημάδια στην υγεία του Ανδρέα...

Όταν άρχισε η σύσκεψη των μελών του Ειδικού Δικαστηρίου για την έκδοση της απόφασης, όταν έφτανε η οριακή στιγμή, δεχτήκαμε μια ψυχρολουσία.

Μας επισκέφθηκε επιφανής εξωπολιτικός παράγοντας, που διατηρούσε σχέσεις με τον Κ. Μητσοτάκη. Ζήτησε να συναντήσει τον Ανδρέα ιδιαιτέρως. Του μετέφερε την «ασφαλή πληροφορία» ότι τελικά η απόφαση θα είναι καταδικαστική και η ποινή θα είναι:

«Δύο χρόνια με αναστολή, χωρίς πάντως στέρηση των πολιτικών δικαιωμάτων».

Όταν έφυγε, αντίκρισα έναν Ανδρέα ανέκφραστο. Έχοντας περάσει τόσα μαζί του και έχοντας δεθεί τόσο μαζί του, μπορούσα να τον «διαβάσω». Κατάλαβα ότι κάτι δεν πάει καλά, ότι κάποιο άσχημο μήνυμα υπάρχει. Τον πίεσα να μου πει τι συμβαίνει, τι του είπε ο επισκέπτης. Παρέμενε αμίλητος, δεν ήθελε με τίποτα να μου πει τι είχε μάθει.

Ζήτησε στο τηλέφωνο τον Αντ. Λιβάνη και του είπε: «Έλα αμέσως, τώρα, σε παρακαλώ, στο σπίτι, πρέπει να σε ενημερώσω για κάτι σημαντικό».

Βεβαιώθηκα πλέον ότι τα πράγματα πάνε άσχημα. Τον πίεσα, του είπα: «Για εννιά μήνες περάσαμε τόσα μαζί, αντιμετωπίσαμε τόσες φουρτούνες και τώρα, την τελευταία στιγμή, μου κρύβεις κάτι που συμβαίνει, όσο σοβαρό κι αν είναι;»

«Άκουσε, Δήμητρα», μου λέει, «πρέπει να είμαστε ψύχραιμοι, το οφείλουμε αυτό στον κόσμο που μας στηρίζει και σε όσους στάθηκαν δίπλα μας. Το οφείλουμε και στους εαυτούς μας. Δυστυχώς οι εξελίξεις δεν είναι θετικές...»

Και μου ανέφερε τα όσα του μεταφέρθηκαν. Κατέρρευσα. Έβλεπα ένα όνειρο, της δικαίωσης του ανθρώπου μου, που με τόσο κόπο, πόνο και προσπάθεια είχα φτιάξει, να γκρεμίζεται.

Ήθελα πολύ να ξεσπάσω, αλλά δεν είχα το δικαίωμα. «Και βέβαια, αγάπη μου, θα το αντιμετωπίσουμε και θα το περάσουμε», του είπα, αλλά πλέον μου ήταν αφόρητα δύσκολο να προσποιηθώ. Το κατάλαβε και μου ζήτησε υπόσχεση ότι «δε θα κλάψεις και θα παραμείνεις ψύχραιμη».

Μείναμε κάμποση ώρα μόνοι κρατώντας ο ένας το χέρι του άλλου. Ήταν απ' τις πιο οδυνηρά όμορφες δικές μας στιγμές. Μου μίλησε τρυφερά, ότι νέοι αγώνες έρχονται και πρέπει να είμαστε αποφασισμένοι για να τους δώσουμε και μου υποσχέθηκε για άλλη μια φορά ότι πάντα θα με αγαπάει.

Κάποια στιγμή μού ζήτησε να μείνει μόνος και για μοναδική φορά το είδα σαν λύτρωση. Έφυγα τρέχοντας, κλείστηκα στο δωμάτιό μου και ξέσπασα. Ένιωθα τις αντοχές μου να έχουν εξαντληθεί. Αλλά σε λίγο συνήλθα, είπα ότι του οφείλω να σταθώ δίπλα του γενναία και σ' αυτή τη δύσκολη ώρα δεν έχω ούτε το δικαίωμα ούτε την πολυτέλεια για λιποψυχία.

Όταν πάντως ήρθε ο Αντ. Λιβάνης, με βρήκε σε άσχημη κατάσταση.

«Τι συμβαίνει, Δήμητρα;»

«Δεν πάνε καλά τα πράγματα, αλλά θα σ' τα πει ο πρόεδρος».

Μπήκε στο γραφείο του Ανδρέα, ο οποίος τον ενημέρωσε για τις πληροφορίες που είχε. Του είπε ότι είναι πάρα πολύ στενο-

Ο ηγέτης.

Χέρφιλντ, 5-9-'88.

Σεντ Τόμας.

Δύο φωτογραφίες από την Ανάσταση στην Κω, 29-4-'89.

Φωτογραφίες από τη μέρα του γάμου, στις 13 Ιουλίου 1989.

Πρωτοβουλία για την ειρήνη.

Πρέσπες.

Με τον Πρόεδρο Κ. Καραμανλή στο προεδρικό μέγαρο.

Στο Χέρφιλντ με τον Μαγκντί Γιακούμπ.

Στο ναό της Μεγαλόχαρης, 3-6-'90.

Στη γέφυρα του «Επτάνησος», 3-6-'90.

Εν πλω προς την Τήνο, 3-6-'90.

χωρημένος, ότι βρίσκεται μπροστά σε μια εξέλιξη και θα πρέπει να αποφασίσει τι θα κάνει. Και πρόσθεσε: «Κοίταξε, Αντώνη. Μια καταδίκη μου δημιουργεί σοβαρά προβλήματα διεθνώς. Πρέπει να δω τι θα κάνω. Μπορεί να είναι χωρίς στέρηση των πολιτικών δικαιωμάτων, αλλά η καταδίκη μένει. Για σκέψου να εκλεγώ πάλι πρωθυπουργός και να λένε οι αντίπαλοί μου ότι είμαι πρωθυπουργός καταδικασμένος. Σκέψου επίσης να πρέπει να πηγαίνω στο εξωτερικό, να έχω συναντήσεις με ξένους ηγέτες και να γνωρίζουν όλοι ότι έχω καταδικαστεί. Ποιο κύρος θα έχω, με ποιο κύρος θα εκπροσωπώ τη χώρα; Πρέπει, λοιπόν, να δούμε τι θα κάνουμε».

Ο Αντ. Λιβάνης –πάντα κοντά του, πάντα ο άνθρωπος που του διασκέδαζε τις ανησυχίες, απ' το ξεκίνημα της δίκης έδινε μια αισιόδοξη εικόνα, είχε πάντα την άποψη πως τελικά θα αθωωθεί ο Ανδρέας– προσπάθησε να τον καθησυχάσει λέγοντάς του: «Μην ανησυχείς, δεν μπορεί να είναι έτσι, θα αθωωθείς». Μετέφερε δύναμη και αισιοδοξία στον Ανδρέα. Πράγματι, όταν έφυγε, τον άφησε πιο ήρεμο και σίγουρο.

Το βράδυ της 16ης Ιανουαρίου είχαν ετοιμάσει δύο μηνύματα, ένα για πιθανή καταδίκη και ένα για αθώωση. Υπήρχε ένας πυρετός, μια κινητικότητα μεταξύ Χαριλάου Τρικούπη και Εκάλης. Είχε φτάσει η μεγάλη στιγμή, όπου όλα παίζονταν. Νευρικότητα, ανησυχία, αισιοδοξία εναλλάσσονταν.

Στο μεταξύ υπήρχε μια ανεξέλεγκτη ροή πληροφοριών, που σε ζάλιζε. Ο καθένας είχε και μια πηγή και μετέφερε μια πληροφορία για την απόφαση. Συνεργάτες, στελέχη του ΠΑΣΟΚ, δημοσιογράφοι τηλεφωνούσαν και έδιναν τη δική τους εκδοχή.

Ο Ανδρέας ήρεμος, μέσα σ' αυτή τη χαοτική ατμόσφαιρα, ρώτησε μόνο πώς αντιδρά ο κόσμος. Του λέμε πως έχει αρχίσει και συγκεντρώνεται κόσμος έξω απ' το σπίτι, ότι υπάρχει αγωνιστική διάθεση, ότι φωνάζουν το σύνθημα «κάτω τα χέρια απ' τον Ανδρέα», ότι τηλεφωνούν στη Χαριλάου Τρικούπη απ' όλη την Ελλάδα, ρωτάνε, εκφράζουν συμπαράσταση. Αυτό τον ικανοποίησε ιδιαίτερα, χωρίς κόσμο τού ήταν δύσκολο, με τον κόσμο ζούσε. Στο μεταξύ έχουν αρχίσει κι έρχονται σιγά σιγά στο σπίτι κομματικά στελέχη. Απ' τους πρώτους η Μελίνα, ο Τσούρας, ο Γεννηματάς. Ο Χυτήρης και ο Αθανασάκης πηγαινοέρχονται μεταξύ Χαριλάου Τρικούπη και σπιτιού, απέξω δημοσιογράφοι, τηλεοπτικά συνεργεία.

Αργότερα το σπίτι γέμισε από στελέχη του κόμματος. Μοναδικοί απόντες οι λεγόμενοι «εκσυγχρονιστές» και οι «λοχαγοί», γενικά απόντες και από χαρές και από λύπες. Όπως σχολίασε την επομένη ο Ανδρέας, «απόντες και απ' τη δίκη, απόντες και απ' την απόφαση, λειτουργούν σαν ξένο σώμα».

Τα τηλέφωνα έχουν σπάσει, ο ίδιος έχει φτάσει σε υπερένταση, έχει αλλεπάλληλα συναισθηματικά σκαμπανεβάσματα, πότε ζαλισμένος, πότε φορτισμένος, πότε αγωνιστικός, πότε εκνευρισμένος, πότε ήρεμος, πότε με τα χέρια κρύα, πότε με τα χέρια ιδρωμένα, πότε με τις γραμμές του προσώπου τραβηγμένες. Οι συζητήσεις δίνουν και παίρνουν, τα προγνωστικά και οι πληροφορίες συνεχίζουν να πηγαινοέρχονται.

Αίφνης, η μεγάλη στιγμή. Απ' την ανοιχτή τηλεόραση βλέπουμε τον Βασ. Κόκκινο να απαγγέλλει την απόφαση. Σιγή. Και σε λίγο, στο άκουσμα της αθώωσης του Ανδρέα, ενθουσιασμός, χειροκροτήματα, συγχαρητήρια.

Ο ίδιος βγάζει έναν αναστεναγμό, χαμογελά, τα μάτια του λάμπουν με τη δική τους, μοναδική λάμψη, που είχε μήνες να φανεί. Αγκαλιαζόμαστε, φιλιόμαστε και ξέρουμε καλά και οι δύο τι σημαίνει για μας αυτό το φιλί, μετά από τόσους μήνες προσμονής, καθημερινού αγώνα, αγωνίας, μοναξιάς...

«*Δικαίωση*» είναι η λέξη που λέμε ο ένας στον άλλο, λες και το είχαμε συνεννοηθεί. «Σ' ευχαριστώ», μου ψιθυρίζει. «Σ' αγαπάω», του λέω.

Ύστερα τον «παραδίνω» στους φίλους, τους συνεργάτες, τους δημοσιογράφους, που του δίνουν συγχαρητήρια, του μιλούν, του τηλεφωνούν.

Μένω παράμερα, νιώθω ευτυχισμένη, τον καμαρώνω να λάμπει, τον βλέπω έτοιμο να «πετάξει», τον χαίρομαι.

Όμως, παράξενο, εκείνη τη στιγμή με άγγιξε και μια πίκρα, ένα παράπονο. Σκέφτομαι: «Γιατί έπρεπε να τα περάσουμε όλα αυτά; Γιατί τόσος πόνος;» Όμως αυτό που κυριαρχεί τελικά είναι η χαρά, το αίσθημα της δικαίωσης, η γαλήνη.

Η μοναδική στιγμή εκείνες τις ώρες που τα μάτια του Ανδρέα είχαν και πάλι μια σκιά, που είδα ξανά θυμό και οργή, πίκρα, ε- ρωτηματικά, ήταν η στιγμή που άκουσε την καταδίκη του Δημ. Τσοβόλα. «Είναι άδικο», σχολίασε, «θα πρέπει να το παλέψου- με»...

«Γυρίζω σελίδα»...

Η αρχοντιά, η γενναιότητα, η μεγαλοψυχία του Ανδρέα, μοναδι- κά χαρακτηριστικά ενός μεγάλου ηγέτη, ξεδιπλώθηκαν σ' όλο τους το μεγαλείο εκείνη τη βραδιά, την αξέχαστη βραδιά της δι- καίωσης.

Αυτή η στωικότητα, που θύμιζε Γκάντι, και η μεγαλοψυχία, η ευγένεια, που είχε καλλιεργήσει μέσα από μια πολυτάραχη ζωή με πλούσιες εμπειρίες, ήταν όλα αυτά που καθόρισαν το περιε- χόμενο του μηνύματός του.

Όσοι περίμεναν από έναν άνθρωπο που είχε υποστεί έναν πρω- τοφανή διασυρμό, μια λαίλαπα ταπείνωσης κι εξόντωσης, να α- κούσουν πιθανώς ότι οι κατήγοροι και οι διώκτες του οφείλουν να πληρώσουν για τις ευθύνες τους διαψεύστηκαν. Άκουσαν αντίθε- τα εκείνο το μεγαλειώδες, το συγκλονιστικό, το υπεράνω μικρο- τήτων *«γυρίζω σελίδα»*, εκείνη τη βραδιά της δικαίωσης, που ενδε- χομένως, ανθρώπινα, θα ήταν κατανοητή και μια κουβέντα πα- ραπάνω.

Άκουσαν τον Ανδρέα, γιατί αυτός ήταν ο Ανδρέας.

Δεν ήταν ούτε σκοπιμότητα ούτε, πολύ περισσότερο, αδυναμία, γιατί απαιτείται δύναμη και περίσσευμα καρδιάς για ν' αντιδράς με τέτοιο τρόπο, όταν έχεις περάσει τόσα πολλά. Και ήταν ακρι- βώς αυτή η *ευγένεια* και η *μεγαλοψυχία* που τον χαρακτήριζαν πά- ντα, καθόριζαν την πολιτική του συμπεριφορά και τις ανθρώπινες στιγμές του. Ποτέ δεν προσπάθησε να εκμεταλλευτεί την α-δυναμία ή τη δύσκολη θέση του αντιπάλου του, δεν ήταν της ά-ποψης να τον «στριμώξει στο ρινγκ». Ποτέ δε διανοήθηκε να α-ξιοποιήσει προς όφελός του το στραπατσάρισμα των επιλογών της άλλης πλευράς, ακόμα κι αν η επιτυχία αυτών των επιλογών θα σήμαινε το δικό του πολιτικό αφανισμό.

Σαν άνθρωπος που έβγαινε από άλλες, ιπποτικές εποχές, έ-δειξε στην πράξη ότι αυτό το «γυρίζω σελίδα» το εννοούσε, με τον τρόπο που αντιμετώπισε, λίγα χρόνια αργότερα, τις παραπομπές Μητσοτάκη.

Ευγενής, πράος και υπεράνω μικροτήτων ήταν και στην κα-θημερινή συμπεριφορά του. Ήταν ο πρωθυπουργός που χαιρε-τούσε διά χειραψίας τον υδραυλικό στο Μαξίμου, με την ίδια ευ-γένεια που χαιρετούσε έναν ξένο ηγέτη. Ήταν ο ηγέτης που το «ευ-χαριστώ» το έλεγε δεκάδες φορές κάθε μέρα, και στον υπουργό του και στη γραμματέα του που του πήγαινε τις εφημερίδες.

Ήταν ο σύντροφος που στα δέκα χρόνια που ζήσαμε μαζί δε μου είπε ποτέ μια πικρή κουβέντα, που είχε σαν απάντηση πάντα το γαλήνιο «μη φωνάζεις, Δήμητρα, έχεις δίκιο, αλλά μη φωνά-ζεις», αν καμιά φορά εκνευριζόμουν με κάτι ή με κάποιον. Εκτός απ' την απέραντη φυσική του ευγένεια, είχε εκπαιδεύσει τον ε-αυτό του να είναι έτσι μοναδικά πράος.

Ακόμα και όταν χτυπούσε το χέρι του στο τραπέζι, για να πε-ράσει μια πολιτική του επιλογή, ακόμα και τότε η κίνηση είχε αρ-χοντιά, δε διακρινόταν απ' τη μικρόψυχη επιθετικότητα, απ' την εμπάθεια των μικρών...

Σκιές πάνω απ' τη νίκη – «να τελειώνουμε με Τσοβόλα...»

Την ευφορία για την ηθική και νομική δικαίωση του Ανδρέα σκία-σε, τις πρώτες μέρες μετά την απόφαση του Ειδικού Δικαστηρί-ου, η εξέλιξη της υπόθεσης του Δημ. Τσοβόλα και η αντιμετώπι-σή του από πολλά πρωτοκλασάτα στελέχη του ΠΑΣΟΚ.

Πολλοί τότε φοβήθηκαν το λαϊκό έρεισμα που είχε αποκτήσει

ο Τσοβόλας, μετά τη σκληρή, ασυμβίβαστη μάχη που έδινε για εννιά μήνες στην αίθουσα του Ειδικού Δικαστηρίου. Η καταδίκη του, κατάφωρα άδικη στα μάτια της κοινής γνώμης, ακόμα και κατά την εκτίμηση των πολιτικών μας αντιπάλων, τον κατέστησε α-κόμα περισσότερο συμπαθή στο λαό, δημιούργησε ένα ρεύμα συμπαράστασης.

Αλλά παράλληλα αυτή η καταδίκη έθετε και ένα δίλημμα στο ΠΑΣΟΚ: να εξαγοραστεί η ποινή ή να μπει ο Τσοβόλας στη φυλακή, οπότε θα δημιουργηθούν άλλου είδους προβλήματα;

Οι επώνυμοι του Κινήματος, που δεν έβλεπαν με καλό μάτι το ανέβασμα των μετοχών του και τα ερείσματα που είχε αποκτήσει στο λαό, ήδη απ' το πρώτο βράδυ της απόφασης εισηγήθηκαν στον Ανδρέα την εξαγορά της ποινής· όπως έλεγαν, η φυλάκισή του θα είχε παρενέργειες μη ελεγχόμενες. Χρησιμοποιούσαν όμως και ένα άλλο επιχείρημα, ότι «δεν πρέπει να ηρωοποιηθεί ο Τσοβόλας». Πρότειναν μάλιστα να ζητήσει ο ίδιος ο Ανδρέας απ' τον Δημ. Τσοβόλα «να υποβάλει αίτημα στο ΠΑΣΟΚ για εξαγορά της ποινής του». Δεν ήθελαν την απόφαση αυτή να την επωμιστεί το ΕΓ, γιατί έβλεπαν ότι ένα μέρος της κοινής γνώμης ήταν αντίθετο σε κάτι τέτοιο.

Ο ίδιος ο Δημ. Τσοβόλας, που είχε καταφύγει στη Χαριλάου Τρικούπη ζητώντας την πολιτική κάλυψη του κόμματός του, δήλωνε πως θα σεβαστεί την απόφαση που θα πάρει το ΠΑΣΟΚ.

Είχε δημιουργηθεί ένας γόρδιος δεσμός και το πρόβλημα ο-ξυνόταν απ' το αρνητικό εις βάρος του Τσοβόλα κλίμα στο ΕΓ, τα περισσότερα μέλη του οποίου, όπως πίστευε και μου έλεγε ο Ανδρέας, επιθυμούσαν την απομυθοποίησή του.

Οι μέρες περνούσαν και το αδιέξοδο παρέμενε. Τότε ένα μέλος του ΕΓ εισηγήθηκε στον Ανδρέα να προταθεί στον Τσοβόλα να δεχτεί την εξαγορά της ποινής του και σε «αντάλλαγμα» να είναι σε επαναληπτικές εκλογές που θα γίνονταν στη Β΄ Αθηνών η σύζυγός του Ρένα υποψήφια για να καταλάβει την έδρα του!

Η πρόταση διέρρευσε στον Τύπο και ο Δημ. Τσοβόλας αντέδρασε οργισμένα με τη δήλωση ότι δεν έδωσε όλο αυτό τον αγώνα για τιμές και αξιώματα. Ουσιαστικά δηλαδή προειδοποιούσε ότι δε δεχόταν την πολιτική του απομυθοποίηση που κάποιοι μεθόδευαν.

Τελικά το ΕΓ αποφάσισε και πήρε την ευθύνη να εξαγοραστεί η ποινή και το αδιέξοδο ξεπεράστηκε, ωστόσο τα όσα έγιναν στο παρασκήνιο έριξαν τη σκιά τους και έδειξαν πως οι διαφορές που υπήρχαν παρέμεναν και δε θα ήταν εύκολο να καλυφθούν.

Ο Ανδρέας έδειχνε απαισιόδοξος απ' τη διαπίστωση «ασυνεννοησίας», όπως χαρακτηριστικά έλεγε. Έβλεπε και μου έλεγε συχνά πως «αυτοί που απουσίασαν απ' τη μάχη θα είναι οι πρώτοι που θα τρέξουν για να ωφεληθούν».

Τον απογοήτευσε επίσης η αχαριστία που διαπίστωνε όχι μόνο κατά του Δημ. Τσοβόλα αλλά και όσων στο διάστημα της μεγάλης κρίσης είχαν σταθεί δίπλα του και τον στήριξαν.

Ήδη δειλά δειλά εμφανίζονταν στον ορίζοντα τα πρώτα σημεία απόπειρας διαχωρισμού των στελεχών σε «λαϊκιστές» και «εκσυγχρονιστές». Δεν αποδέχτηκε ποτέ αυτό το διαχωρισμό, τον χαρακτήριζε «απολίτικο» και «ρατσιστικό» και τον απέδιδε σε σκοπιμότητες που είχαν να κάνουν με το μέλλον του ΠΑΣΟΚ, με το ζήτημα της διαδοχής...

Στο πρόσωπο του Δημ. Τσοβόλα ο Ανδρέας έβλεπε πάντα τον έντιμο, ασυμβίβαστο αγωνιστή, που μαχόταν για τις αρχές του δίχως να υπολογίζει το πολιτικό κόστος, δίχως να παίρνει υπόψη του ότι απέναντί του μπορεί να υπήρχαν πολλά και μεγάλα συμφέροντα.

Αυτή η εκτίμηση δεν άλλαξε ακόμα και όταν, μετά τις εκλογές του '93, οι σχέσεις τους πέρασαν από διακυμάνσεις. Ο Ανδρέας δεν αποδέχτηκε ποτέ τις κατηγορίες για «λαϊκισμό», «ξεπερασμένη νοοτροπία», «δογματισμό», που εκτόξευαν εναντίον του Δημ. Τσοβόλα πολλοί σύντροφοί του. Ακόμα και σε περιόδους που οι σχέσεις τους περνούσαν κρίση, δεν έπαψε να τον αγαπάει και να του αναγνωρίζει ότι οι θέσεις του ξεκινούσαν από αγνή αφετηρία, όπως έλεγε. Γνώριζε καλά πως ο Δημ. Τσοβόλας δεν μπήκε ποτέ σε εσωκομματικό παιχνίδι συσχετισμών, έτσι που έμοιαζε «μοναχικός καβαλάρης».

Του καταλόγιζε, απ' την άλλη μεριά, μια «υπερβολική ευαισθησία» που, όπως τόνιζε, τον οδηγούσε πολλές φορές σε ακραίες εκτιμήσεις, τον έκανε δύσκολο στις σχέσεις του, του δημιουργούσε ένα «σύνδρομο πανταχόθεν βαλλόμενου».

«Είναι κάποιες φορές άκαμπτος, δύσκολος, μονοκόμματος», σχολίαζε.

Μετά τις εκλογές του '93, ο Ανδρέας ανέθεσε στον Δημ. Τσάτσο την εξεύρεση νομικής φόρμουλας για την πλήρη ηθική και πολιτική αποκατάσταση του Δημ. Τσοβόλα.

Η φόρμουλα που πρότεινε ο Δημ. Τσάτσος, με αρκετή καθυστέρηση, που δημιούργησε προβλήματα, τριβές και τη δυσφορία του Τσοβόλα, δεν ικανοποίησε τον ίδιο τον άμεσα ενδιαφερόμενο, που έκρινε ότι δεν του παρείχε πλήρη κάλυψη και δικαίωση.

Απαιτήθηκαν νέες συσκέψεις, συζητήσεις και διαβουλεύσεις, μέχρι να διευθετηθεί το ζήτημα.

Απέμενε η υλοποίηση της δέσμευσης που είχε αναληφθεί για τη συμμετοχή του στην κυβέρνηση. Έγιναν αρκετές συζητήσεις πού μπορεί να χρησιμοποιηθεί. *Προέκυψαν αρνήσεις* στην πρόταση για τοποθέτησή του στο οικονομικό επιτελείο, όπως ήταν φυσιολογικό και αναμενόμενο.

Τελικά επικράτησε η άποψη να οριστεί υπουργός Επικρατείας προς το παρόν και το ζήτημα να επιλυθεί οριστικά στον πρώτο ανασχηματισμό.

Την πρόταση μετέφερε στον Δημ. Τσοβόλα ο Δημ. Τσάτσος, σε επίσκεψη που του έκανε στο σπίτι του περί τα τέλη Δεκεμβρίου. Ο Δημ. Τσοβόλας την αρνήθηκε με το επιχείρημα ότι του προσφέρεται μια θέση στην κυβέρνηση καθαρά διακοσμητική, χωρίς ουσιαστικά καμία αρμοδιότητα.

Ο Ανδρέας στενοχωρήθηκε, τον πείραξε η άρνηση, όπως επίσης τον πείραξε το γεγονός ότι ο Δημ. Τσοβόλας είχε στο μεταξύ αρχίσει να ασκεί οξεία κριτική στην οικονομική πολιτική της κυβέρνησης. Ο πρόεδρος τη θεωρούσε αναγκαία αυτή την οικονομική πολιτική και πίστευε ότι την υλοποιούσε με επιτυχία ο Γ. Γεννηματάς. Είπε πάντως ότι θα διευθετηθεί το θέμα στον ανασχηματισμό.

Τον Ιούλιο του '94, στον πρώτο ανασχηματισμό, προβληματίστηκε αρκετά για την τοποθέτησή του. Στις συζητήσεις που έγιναν, διαπιστωνόταν ότι είναι δύσκολο να τοποθετηθεί σε οικονομικό υπουργείο, αφού συνέχιζε να διαφωνεί με την οικονομική πολιτική. Επιπλέον ήταν δύσκολο να αντικατασταθεί ο Αλ. Παπαδόπουλος, ο οποίος μετά το θάνατο του Γ. Γεννηματά είχε τοποθετηθεί στη θέση του υπουργού Οικονομικών, γιατί θεωρούνταν ιδιαίτερα επιτυχημένος.

Μετά από σκέψη κατέληξε να του προτείνει το υπουργείο Εργασίας. Παραμονές του ανασχηματισμού τού τηλεφώνησε και είχε μαζί του μια μακροσκελέστατη συνομιλία. Του μετέφερε την πρόταση για το υπουργείο Εργασίας, αλλά εισέπραξε πάλι την αρνητική του απάντηση. Το επιχείρημα παρέμενε, ότι δηλαδή συνεχίζει να διαφωνεί με την ακολουθούμενη οικονομική πολιτική. Για το θέμα αυτό η συζήτηση ήταν μακρά, δεν πέτυχε να τον πείσει.

Οφείλω να καταθέσω ότι δεν ανταποκρίνονταν στην αλήθεια οι πληροφορίες και οι φήμες που διέρρευσαν τότε, ότι δηλαδή είχε ζητήσει το υπουργείο Οικονομικών και ο Ανδρέας τού το αρνήθηκε. Ήμουνα παρούσα σ' όλη τη διάρκεια της συνομιλίας και γνωρίζω πως αυτό δε συνέβη. Μπορώ να πω ακόμα πως, αν και τελικά δε συμφώνησαν, ωστόσο το κλίμα στη διάρκεια της συζήτησης ήταν φιλικό.

Στη συνέχεια ο Δημ. Τσοβόλας συνέχιζε να εκφράζει τις διαφωνίες του στα κομματικά όργανα και να αποστασιοποιείται ολοένα και περισσότερο απ' την κυβερνητική πολιτική. Ο Ανδρέας ενοχλούνταν απ' τη στάση του, ωστόσο πάντα τον διαχώριζε απ' τους άλλους διαφωνούντες, γιατί, όπως εκτιμούσε, κατέθετε πολιτικές απόψεις μέσα στα όργανα και δεν κατέφευγε σε «κινήσεις εντυπωσιασμού και παιχνίδια με τα ΜΜΕ, όπως κάνουν οι άλλοι».

Ήταν έκπληξη γι' αυτόν η αποχώρηση του Τσοβόλα στη διάρκεια εκείνης της θυελλώδους συνεδρίασης της ΚΕ, όπου μίλησε με πολύ σκληρή γλώσσα για τους «4». Δεν περίμενε ότι θα αντιδρούσε μ' αυτό τον τρόπο και το απέδωσε και πάλι στην υπερβολική του ευαισθησία και σε «παρεξήγηση». Στενοχωρήθηκε πολύ, τον Τσοβόλα τον ήθελε στο κόμμα, όσες διαφορές και αν είχαν προκύψει, γιατί πάντα σεβόταν την εντιμότητα και συνέπειά του.

Όταν, το απόγευμα εκείνης της μέρας, επιστρέψαμε στο σπίτι, ο Ανδρέας πήγε στο γραφείο του και τον ζήτησε στο τηλέφωνο. Του διευκρίνισε ότι όσα είχε πει στην ΚΕ σε καμία περίπτωση δεν τον αφορούσαν, γιατί ποτέ δεν πίστεψε ότι έκανε αγώνα χωρίς αρχές. Του τόνισε ότι «είσαι ένα στέλεχος απαραίτητο στο κόμμα», κατέβαλε προσπάθειες για να τον πείσει να αλλάξει την απόφασή του. Ούτε αυτή τη φορά πέτυχε να τον πείσει...

Πρέπει, τέλος, να αποκαλύψω, για πρώτη φορά, ότι ο Ανδρέας στο Ωνάσειο πολλές φορές, σε διαστήματα που δε βρισκόταν σε καταστολή, μου είχε πει ότι «πρέπει να φέρουμε τον Δημ. Τσοβόλα πίσω στο κόμμα». Και δεν το είχε πει μόνο σε μένα. Το είχε πει και στον Αντ. Λιβάνη και στον Γ. Παναγιωτακόπουλο.

Επαναληπτικές εκλογές στη Β΄ Αθήνας: άλλη μια νίκη του Ανδρέα

Ίσως λίγοι γνωρίζουν, ακόμα και σήμερα, ότι στην απόφαση για τη διεξαγωγή επαναληπτικών εκλογών στη Β΄ Αθήνας, για την α-ντικατάσταση του Δημ. Τσοβόλα, η θέση του Ανδρέα, υπέρ της διε-ξαγωγής των εκλογών, ήταν *μειοψηφία στο ΕΓ*.

Τα περισσότερα μέλη του Εκτελεστικού ήταν από επιφυλα-κτικά έως αρνητικά στην πρόταση για εκλογές, με το επιχείρημα ότι μετά από μια νίκη που έχει κερδηθεί, με την απόφαση του Ει-δικού Δικαστηρίου, διακινδυνεύουμε ήττα στο επίπεδο των εντυ-πώσεων. Έλεγαν ότι ο λαός της Β΄ Αθήνας δεν είχε λόγους να κι-νητοποιηθεί υπέρ του ΠΑΣΟΚ, ότι γενικά υπήρχε πλέον ένα κλί-μα αδιαφορίας, ότι μια εκλογική αναμέτρηση θα χαρακτηριζόταν άγονη, ότι θα έπαιρνε τα χαρακτηριστικά ενός «πολιτικού πεί-σματος».

Η σαφής θέση των άλλων κομμάτων ότι θα απείχαν απ' τις ε-κλογές φαινόταν να ενισχύει τα επιχειρήματα όσων διαφωνούσαν. Ορισμένοι έλεγαν ότι «κινδυνεύουμε να φανούμε γραφικοί».

Όπως μου έλεγε τότε ο Ανδρέας, αυτοί που στήριζαν την ά-
ποψή του υπέρ των εκλογών στο Εκτελεστικό ήταν οι Άκης, Αρ-
σένης, Κακλαμάνης, Πεπονής.

Επέμεινε όμως μέχρι τέλους και την επέβαλε αυτή του την ε-
πιλογή, γιατί τη θεωρούσε ιδιαίτερα σημαντική. Πίστευε, και το
έλεγε, ότι, αν σε μια τέτοια εκλογική αναμέτρηση στη μεγαλύτε-
ρη περιφέρεια της χώρας το ΠΑΣΟΚ πετύχαινε να αυξήσει τα πο-
σοστά του, αυτό θα ήταν μια σημαντική πολιτική νίκη, που θα
κατοχύρωνε τη νίκη του Ειδικού Δικαστηρίου και θα εξέπεμπε έ-
να μήνυμα, θα λειτουργούσε καταλυτικά υπέρ της αντιστροφής του
κλίματος σε όλη την Ελλάδα, θα δημιουργούσε ένα κλίμα συ-
σπείρωσης παντού. Έλεγε ότι θα ήταν αυτό η καλύτερη επένδυ-
ση για το μέλλον, ένα μήνυμα προς πολλές κατευθύνσεις.

Πίστευε πολύ στις θετικές επιπτώσεις που θα είχε μια επιτυ-
χία στη Β΄ Αθήνας και στο επιχείρημα περί αδιαφορίας και μη κι-
νητοποίησης του λαού αντιπαρέτασσε το... ένστικτό του. «Το έν-
στικτό μου λέει ότι τελικά ο λαός θα κινητοποιηθεί, αρκεί βέβαια
να δουλέψουμε κι εμείς...»

Τελικά την πέρασε την άποψή του και δικαιώθηκε. Όντως η
νίκη που επετεύχθη τότε συνετέλεσε τα μέγιστα στην αλλαγή, την
ανατροπή του πολιτικού σκηνικού και στάθηκε η αφετηρία του ε-
κλογικού θριάμβου του Οκτωβρίου του '93.

Από εκείνη την περίοδο θυμάμαι έντονα τη μεγάλη συγκέ-
ντρωση στο Περιστέρι, το ξέσπασμα του λαού, την αποθέωσή του
και έναν Ανδρέα θεϊκό. Είχε μάλιστα και το μικρό της παρασκή-
νιο η παρουσία του εκεί. Την προηγούμενη μέρα είχε κλείσει η
φωνή του, είχε βραχνιάσει και είχε υψηλή πίεση. Οι γιατροί α-
νησύχησαν, όλοι αγχωθήκαμε. Πήρε χάπια για την υπέρταση, ε-
νώ για το κλείσιμο της φωνής χρησιμοποιήθηκαν μαλακτικά. Η
κατάσταση με τη φωνή δεν είχε βελτιωθεί ως το μεσημέρι. Έ-
τρεμα καθώς πηγαίναμε στο Περιστέρι. Ο Παναγιωτακόπουλος
μας είχε πει πως ήταν μια συγκέντρωση μυθική. Όταν φτάσαμε
όμως και είδαμε αυτή την παλλόμενη λαοθάλασσα, δεν πιστεύα-
με στα μάτια μας. Τον είδα ξαφνικά, σαν να μην είχε προηγηθεί
τίποτα, να απλώνει πάλι με εκείνο το μαγικό του τρόπο τα χέρια

του, να αγκαλιάζει τον κόσμο, να αρχίζει τη «συνομιλία» μαζί του με μια φωνή... καμπάνα. Όσοι ξέραμε είχαμε μείνει έκπληκτοι. Ο Κρεμαστινός εντυπωσιάστηκε, ήταν φανταστικό αυτό το «ντοπάρισμα» που έπαιρνε απ' την επαφή του με το λαό.

Συνηθίζαμε πάντα μετά τις συγκεντρώσεις, όταν γυρίζαμε στο σπίτι, να βλέπουμε απ' το βίντεο τη συγκέντρωση. Μου ζητούσε μάλιστα να του κάνω τις παρατηρήσεις μου και ήμουν πάντα... αυστηρός κριτής. Ήταν απ' τις τρυφερές, τις δικές μας στιγμές.

Εκείνο το βράδυ και ο ίδιος εντυπωσιάστηκε απ' την παρουσία του. «Είδες, Δήμητρα; Τα κατάφερα. Θα νικήσουμε, θα πετύχουμε το στόχο».

Τη βραδιά των αποτελεσμάτων δεν είχε άγχος, ήταν σίγουρος. Ήταν άλλη μια βραδιά προσωπικού του θριάμβου, γιατί ήταν αυτός και λίγα μόνο στελέχη που πίστεψαν σ' αυτές τις εκλογές, σ' αυτή την πολιτική κίνηση.

Μετά την απόφαση του Ειδικού Δικαστηρίου και στη διάρκεια της προετοιμασίας για τις επαναληπτικές εκλογές στη Β' Αθήνας αποκαταστάθηκαν πλήρως και οι σχέσεις του με τον Κ. Λαλιώτη, ο οποίος μάλιστα είχε αναλάβει την προεκλογική καμπάνια και τα πήγε περίφημα.

Εκείνη την περίοδο, το κλίμα πλέον ήταν φανερό ότι είχε αλλάξει, αρχίζει να σπάει και η «απομόνωσή» μας. Όλοι βλέπουν ξανά στο πρόσωπο του Ανδρέα τον επόμενο πρωθυπουργό. Εκεί που πριν τα τηλέφωνα δε χτυπούσαν, ξαφνικά άρχισαν να έρχονται βροχή οι προσκλήσεις για γεύματα, για συζητήσεις, για κοσμικές εκδηλώσεις. Δεν είναι πλέον, ακόμα και για τα συμφέροντα που τον πολέμησαν, που επένδυσαν στην πολιτική του εξόντωση, ούτε ο «κλέφτης» ούτε ο «φαύλος που έπεσε» ούτε ο «γέρος που πρέπει να φύγει» ούτε ο πολιτικός ηγέτης του οποίου η παρουσία αποτελεί εμπόδιο στις πολιτικές εξελίξεις. «Το περίμενα αυτό, Δήμητρα, ήταν αναμενόμενο. Αφού δεν πέτυχαν να με τελειώσουν, τώρα θα με δεχτούν σαν αναγκαίο κακό», σχολιάζει πικρόχολα με την πείρα και τη σοφία του.

Βιομήχανοι, άνθρωποι του οικονομικού κατεστημένου, εκδότες μάς καλούν συνεχώς, ζητούν συναντήσεις και επαφές. Ιδιαίτερα στα ΜΜΕ το κλίμα έχει αλλάξει, είναι αισθητή πλέον μια μεταστροφή, είναι διάχυτη στην ατμόσφαιρα η αίσθηση ότι το α-πρόσμενο για τους πάντες «come back» του Α. Παπανδρέου έχει κιόλας δρομολογηθεί. Είναι απ' τις περιπτώσεις (και δεν είναι η μόνη ούτε η πρώτη) που, σε ό,τι αφορά τον Α. Παπανδρέου, και αναλύσεις διαψεύστηκαν και προσδοκίες τινάχτηκαν στον αέρα και επενδύσεις χρεοκόπησαν.

Και μέσα στο ίδιο του το κόμμα παίρνει μια μικρή «περίοδο χάριτος» απ' την οργανωμένη σε βάρος του αμφισβήτηση, η ηγεσία της οποίας για ένα διάστημα εμφανίζεται να συμβιβάζεται με την ιδέα ότι ζήτημα αποχώρησής του δεν μπορεί πλέον να τεθεί ούτε άμεσα ούτε έμμεσα.

Εξαίρεση οι τρεις βουλευτές, Κεδίκογλου, Καστανίδης και Παπαδόπουλος, που έθεσαν με δηλώσεις τους θέμα ικανότητας του Ανδρέα να ανταποκριθεί στα καθήκοντά του.

Αντέδρασε άμεσα και ζήτησε τη διαγραφή τους, γιατί, όπως είπε στον Αντ. Λιβάνη, «οποιαδήποτε αμφισβήτηση αυτή την περίοδο ανατρέπει το κλίμα νίκης που έχει διαμορφωθεί».

Δε δεχόταν καμιά συζήτηση, αν και οι αντιδράσεις που υπήρξαν ήταν πολλές και έντονες. Ούτε ο Γεννηματάς ήθελε τις διαγραφές ούτε ο Λαλιώτης. Ο Λιβάνης και ο Χυτήρης τού υπενθύμισαν ότι... το Πειθαρχικό είχε καταργηθεί με απόφαση του Συνεδρίου. Ήταν ανένδοτος, επέμενε, «αποκλείεται να τους ανεχτώ», έλεγε. Τελικά βρέθηκε η φόρμουλα της διαγραφής τους απ' την ΚΟ.

Παραμονές των εκλογών του '93 κάποιοι του «υπενθύμισαν» πως έπρεπε να τελειώνει το θέμα με τους «τρεις» για να περιληφθούν ξανά στα ψηφοδέλτια. Ζήτησε να έχει επιστολές τους και επέμενε σ' αυτό. Οι Κεδίκογλου, Καστανίδης έστειλαν επιστολές, με τις οποίες έδιναν εξηγήσεις και δήλωναν πως είχαν παρεξηγηθεί τα όσα είχαν πει. Ο Ηλ. Παπαδόπουλος δεν έστειλε και τελικά έμεινε εκτός ψηφοδελτίου.

Ήταν πράγματι πεποίθησή του τότε ότι, αν συνεχιζόταν η αμφισβήτησή του, θα κινδύνευε να τιναχτεί στον αέρα αυτό το κλί-

μα νίκης, αυτή η καλή εικόνα που είχε διαμορφωθεί. Και ήταν α-
ποφασισμένος να μην το ανεχτεί αυτό.

Μια συνάντηση με τον Μιτεράν...

Ο Ανδρέας δεν ξέχασε ποτέ, ως το τέλος της ζωής του, ότι αυτός
που έσπασε πρώτος την πολιτική του απομόνωση ήταν ο μεγάλος
του φίλος Φρανσουά Μιτεράν, ο οποίος με μια μεγάλη, γενναία
χειρονομία μάς κάλεσε στα Ηλύσια σε μια περίοδο που μια τέτοια
κίνηση, και μάλιστα από Πρόεδρο Δημοκρατίας, δεν ήταν εύκο-
λη υπόθεση.

Του χρωστούσε πάντα ευγνωμοσύνη γι' αυτό και έλεγε με κά-
θε ευκαιρία πως τότε ο Μιτεράν έδειξε πόσο φίλος και πόσο γεν-
ναίος ήταν.

Ενθουσιάστηκε, όταν στη διάρκεια του γεύματος στο προε-
δρικό μέγαρο ο Μιτεράν μάς είπε, με το γνωστό του «αυτοκρα-
τορικό» ύφος, πως η πρόσκλησή μας ήταν μια συνειδητή επιλο-
γή του, με την οποία ήθελε και πολιτική στήριξη να προσφέρει
στον Ανδρέα, αλλά και να δείξει ότι... του άρεσε και η σχέση μας.

Έδειχνε ιδιαίτερα κολακευμένος ο Ανδρέας, όταν άκουγε τα
κομπλιμέντα του φίλου του προς εμένα, όταν άκουγε τον Μιτε-
ράν να μου λέει πως τον έχω γοητεύσει και ότι αυτό έχει ιδιαίτε-
ρη σημασία, γιατί «αγαπώ τις γυναίκες, αλλά είμαι και καλαί-
σθητος». Και ιδιαίτερα περήφανος, όταν ο Μιτεράν τού είπε «συγ-
χαρητήρια» για την επιλογή του. Και αυτά τα ωραία λόγια που εί-
χα εισπράξει απ' το φίλο του μου τα θύμιζε πάντα...

Είχαν μεγάλη εκτίμηση και αγάπη ο ένας για τον άλλο· επρό-
κειτο για μια φιλία που ποτέ δεν μπήκε σε δοκιμασία, ακόμα κι
όταν είχαν πολιτικές διαφωνίες, όπως στο θέμα των Σκοπίων, για
το οποίο ο Ανδρέας παραπονιόταν ότι δεν είχε την πλήρη κατα-
νόηση και στήριξη του Μιτεράν.

Εκείνη την πρόσκληση, με την οποία επανεμφανίστηκε στη
διεθνή σκηνή μετά από ένα διάστημα «απομόνωσης», ο Ανδρέας
την εξετίμησε αφάνταστα. Μου μιλούσε πάντα για τις κοινές τους

μνήμες, για μια περίπου κοινή ιστορική τους διαδρομή. Μου έλεγε πόσες προσπάθειες έκανε ο Μιτεράν μέχρι να έρθει στην εξουσία. Θυμόταν ότι στις αρχές της δεκαετίας του '80 ήταν οι πρώτοι σοσιαλιστές που είχαν εξουσία στη Νότια Ευρώπη, ότι έκαναν κοινούς αγώνες.

Ο Φρανσουά Μιτεράν, εκτός από παντοτινός φίλος του Ανδρέα, ήταν και μεγάλος φίλος της Ελλάδας, λάτρευε τη χώρα μας, την ιστορία της, τη φυσική της ομορφιά. Διάλεγε συχνά την Ελλάδα για τόπο διακοπών και ερχόταν πολλές φορές ινκόγκνιτο. Του έβρισκε ο μακαρίτης ο Χρ. Μαχαιρίτσας σπίτια για να μείνει και έκανε εδώ τις διακοπές του. Θυμάμαι ότι και μετά το Ευρωπαϊκό Συμβούλιο του Ιουνίου του '94 έμεινε λίγες μέρες παραπάνω στην Κέρκυρα για ξεκούραση.

Για μένα η συνάντηση εκείνη με τον Μιτεράν στο μέγαρο των Ηλυσίων είχε και μια ξεχωριστή σημασία. Ήταν η πρώτη φορά που συνόδευα τον Α. Παπανδρέου ως σύζυγος σε συνάντηση με ξένο ηγέτη. Μου ήταν φοβερά δύσκολο να προσαρμοστώ σ' έναν τέτοιο ρόλο, δεν το άντεχα ψυχολογικά, πολύ περισσότερο που η πρώτη αυτή επαφή ήταν με έναν άνθρωπο-μύθο. Ο Ανδρέας ήρεμα προσπαθούσε να με καθησυχάσει, μου μίλαγε για την ιστορική του σχέση με το Γάλλο Πρόεδρο, που υπερέβαινε κατά πολύ τις τυπικότητες και τα πρωτόκολλα. «Θα δεις, Δήμητρα, δεν είναι τίποτα φοβερό, θα το ξεπεράσεις εύκολα».

Παρ' όλα αυτά στο ξενοδοχείο, λίγο πριν από τη συνάντηση, με έπιασε κάτι σαν υστερία. Του λέω: «Δεν μπορώ να έρθω, δεν το αντέχω, δε θα τα καταφέρω, αισθάνομαι πολύ άσχημα, γιατί μου το κάνεις αυτό;»

«Μα, Δήμητρα, έχει καλέσει και τους δύο μας, δεν μπορώ να πάω μόνος...»

Όμως ο Φρανσουά Μιτεράν με κέρδισε αμέσως με τη ζεστασιά, τη γλυκύτητα, την απλότητα και εγκαρδιότητα που μας υποδέχτηκε. Ιδιαίτερα τα κομπλιμέντα προς εμένα κατάργησαν μέσα σε λίγα λεπτά την τεράστια απόσταση που ένιωθα ότι μας χωρίζει. Παρά το «αυτοκρατορικό» ύφος του στις επίσημες συναντήσεις, που τον έβλεπες να τον διακρίνει και όταν ήσουν κοντά του, είχε ωστόσο τον τρόπο να δημιουργεί μια αμεσότητα. Αντίθετα, την Ντανιέλ, τη σύζυγό του, ευγενέστατη και γλυκιά, την ένιωθες κάπως πιο απόμακρη. Στη διάρκεια του γεύματος ένιωθα ήδη πιο χαλαρά, πιο άνετα, είχα «λυθεί». Θυμάμαι μάλιστα ότι έπαιξα κιόλας με τον τεράστιο σκύλο του Μιτεράν, που κάθε τόσο τον τάιζα.

Έτσι απλά είχε καταργηθεί κάθε απόσταση μέσα σε λίγη ώρα. Και φυσικά τότε για πρώτη φορά ένιωσα τι σημαίνει, πόσο πολύτιμο είναι να παρακολουθείς από κοντά τη συζήτηση ανάμεσα σε δύο «ιερά τέρατα» της πολιτικής. Τότε αντιλαμβάνεσαι πόση διαφορά χωρίζει δύο ηγέτες τέτοιου βεληνεκούς απ' τους άλλους πολιτικούς που έχεις γνωρίσει. Απολαμβάνεις την κουβέντα τους για τη διεθνή πολιτική, για τις εξελίξεις στον κόσμο, την Ευρώπη, τα Βαλκάνια. Θέλω να πω ότι τον Ανδρέα και την ανάλυσή του για τα διεθνή άκουγαν πάντα με ιδιαίτερη προσοχή όλοι οι ξένοι ηγέτες με τους οποίους συναντήθηκε. Του είχαν σεβασμό και εκτίμηση και, όπως έλεγαν, έβλεπαν σ' αυτόν όχι μόνο τον πολιτικό, αλλά και τον ακαδημαϊκό αναλυτή. Δε θα ξεχάσω ποτέ πόσο είχε εντυπωσιάσει τον Κλίντον στην πρώτη συνάντηση που είχαν στις Βρυξέλλες, τον Ιανουάριο του 1994.

Και ο Μιτεράν γοήτευε τον Ανδρέα και με γοήτευσε και μένα. Δεν ήταν μόνο ο μεγάλος πολιτικός, αλλά και ο διανοούμενος, ο ουμανιστής.

Θυμάμαι πως ο Ανδρέας σχολίαζε πάντα τον «αυτοκρατορικό αέρα» που τον διέκρινε. «Έρχεται, Δήμητρα», μου έλεγε, «πάντα τελευταίος στις "οικογενειακές" φωτογραφίες που βγάζουμε στα ευρωπαϊκά συμβούλια ή στις άλλες συνόδους. Και στις συνεδριάσεις φτάνει πάντα ένα τέταρτο περίπου μετά τους άλλους. Θέλει να το κάνει εμφανές ότι ξεχωρίζει...»

Ο «αδελφός» Αραφάτ

Απ' τους άλλους ηγέτες που γνώρισα κοντά στον Ανδρέα ξεχωριστή εντύπωση μου έκανε ο Αραφάτ. Επίσης παντοτινός φίλος και «αδελφός» του Ανδρέα, έτσι τον αποκαλούσε. Ο Αραφάτ τον λάτρευε τον Παπανδρέου και πάντα θυμόταν με ευγνωμοσύνη τη μεγάλη βοήθεια που είχε προσφέρει στους Παλαιστίνιους. Δεν ξεχνούσε ποτέ τη συμπαράσταση στο μεγάλο βομβαρδισμό της Βηρυτού, το 1982, τότε που η Ελλάδα είχε γίνει ο φιλόξενος χώρος υποδοχής των Παλαιστίνιων μαρτύρων.

Ο Αραφάτ αναγνώριζε, και το έλεγε πάντα, ότι ο Ανδρέας αυτή του τη φιλοαραβική πολιτική την πλήρωνε στη Δύση, που τον αντιμετώπιζε με καχυποψία.

Είχαν βαθιά φιλία και αλληλοεκτίμηση, για τον Ανδρέα ήταν ο «επαναστάτης φίλος».

Η τελευταία τους συνάντηση, λίγες μέρες πριν φύγει ο Ανδρέας, θα μου μείνει αξέχαστη. Σαν κάπου να έβλεπαν ότι δε θα ξαναβρεθούν, κοίταζαν με αγάπη ο ένας τον άλλο, ενώ η συγκίνηση ήταν φανερή και στους δύο. Η σκηνή του τελευταίου τους χαιρετισμού λες κι έβγαινε από αρχαία τραγωδία...

Εγώ ήμουν κατά κάποιο τρόπο εξοικειωμένη με τον αραβικό κόσμο, είχα ζήσει παιδί στο Λίβανο και τη Μέση Ανατολή, όταν υπηρετούσε εκεί ο πατέρας μου ως στρατιωτικός ακόλουθος στην ελληνική πρεσβεία. Είχα αγαπήσει τους Άραβες, την περηφάνια τους, τη φιλοξενία τους, την ιδιόμορφη μαχητικότητά τους.

Ήταν και ο Αραφάτ για μένα ένας μύθος, ο επαναστάτης, ο καθοδηγητής ενός διωκόμενου λαού. Το έντονο χαρακτηριστικό του, όταν τον γνώρισα από κοντά, ήταν τα γλυκά και πονηρά μάτια του, που σε κοιτάζουν ερευνητικά. Εκπέμπει μια γλυκύτητα και μια ομορφιά ψυχής, που απομυθοποιεί, λες, την εικόνα του τραχύ επαναστάτη, του ηγέτη που έγραψε ιστορία με το όπλο στο χέρι, του ένοπλου αγωνιστή που για μια μεγάλη περίοδο ήταν για τη Δύση ο «τρομοκράτης», του καθοδηγητή που οδηγεί το λαό του στην απόκτηση πατρίδας, σαν ένας νέος Μωυσής. Όταν τον γνωρίσεις από κοντά, βλέπεις τον επαναστάτη-διανοούμενο, τον ανήσυχο άνθρωπο που απολαμβάνεις την παρέα του.

Ήταν ο πρώτος ξένος ηγέτης που επισκέφθηκε την Ελλάδα όταν ο Ανδρέας έγινε πάλι πρωθυπουργός, λίγες εβδομάδες μετά τις εκλογές του '93. Ξανασυναντήθηκαν με ιδιαίτερη συγκίνηση, με θερμά λόγια. Τότε γνώρισα και τη σύζυγό του, τη Σούχα. Συμπαθέστατη, γλυκιά, νέα γυναίκα και πολύ απλή. Γίναμε σχεδόν αμέσως φίλες, μιλήσαμε αρκετά για τις εμπειρίες μας δίπλα σε δύο μεγάλους ηγέτες. Για ένα διάστημα διατηρήσαμε τηλεφωνική ε-πικοινωνία. Μιλάμε στον ενικό, νιώθουμε κοντά, αν και έχουμε καιρό να βρεθούμε.

Απ' τους Άραβες ηγέτες με εντυπωσίασε επίσης ο *Χουσεΐν*, ο βασιλιάς της Ιορδανίας, όπως και η συμπαθέστατη γυναίκα του Νουρ. Ήταν και οι δύο πολύ θερμοί μαζί μας, όταν επισκεφθήκαμε την Ιορδανία, και μας φιλοξένησαν ιδιαίτερα ζεστά, εντυπωσιακά. Ο Χουσεΐν προς τα έξω έχει την εικόνα του σκληρού μονάρχη. Δεν ξέρω πόσο ανταποκρίνεται στην πραγματικότητα. Εγώ γνώρισα έναν ηγέτη ήρεμο, ευγενή, με πλούσια κουλτούρα, έναν η-γέτη που συνδυάζει με άψογο τρόπο την αραβική παράδοση με τη γνώση του δυτικού πολιτισμού.

Ένας άλλος πολύ καλός φίλος του Ανδρέα απ' τον αραβικό κόσμο, ο *Άσαντ* της Συρίας, φέρει πολύ έντονα, και το διακρίνεις εύκολα αυτό, τα μεσανατολικά μυστηριώδη χαρακτηριστικά. Πιο λιγομίλητος αυτός αλλά ιδιαίτερα ζεστός, ευγενής, φιλόξενος.

Θαύμασα την ευγένεια ψυχής, τον ορμητικό του χαρακτήρα, τα φιλόδοξα όνειρα αλλά και την κουλτούρα του *Ρατζίβ Γκάντι*. Ο Ανδρέας τον εκτιμούσε βαθιά, έλεγε ότι έφερε πολλά απ' τα χαρακτηριστικά της μητέρας του και ότι είχε τις δυνατότητες να διαδραματίσει σημαντικό ρόλο στα διεθνή πράγματα. Δυστυχώς δεν πρόλαβε.

Στον *Τζ. Νιερέρε* αυτό που σε εντυπωσίαζε ήταν μια γλυκύτητα αναμεμειγμένη με πόνο. Παρά την ηλικία του, έβγαζε μια ζωτικότητα, μια ενέργεια που ήταν φανερή όταν βρισκόσουν μπροστά στον Αφρικανό επαναστάτη.

Ο πιο συμπαθής, απίστευτα ήρεμος, πράος και φοβερά απλός απ' τους ξένους ηγέτες που γνώρισα ήταν ο *Ούλοφ Πάλμε*. Πράγματι η απλότητά του ήταν απίστευτη, είχε μια μοναδική ικανότητα να ανακατεύεται με το λαό, να είναι σ' όλες του τις εκφράσεις και

177

κινήσεις ένας καθημερινός άνθρωπος. Ωστόσο ήταν πιο εύκολο να διακρίνεις σ' αυτόν τα χαρακτηριστικά του ηγέτη, ανεπιτήδευτα αλλά έντονα. Ο Ανδρέας, που τον γνώριζε χρόνια και είχε στενή φιλική σχέση μαζί του, μου έλεγε εντυπωσιασμένος: «Αυτόν, Δήμητρα, μπορείς να τον δεις πολύ εύκολα στην ουρά έξω από έναν κινηματογράφο να περιμένει να κόψει εισιτήριο ή να τον συναντήσεις στο τραμ να πηγαίνει κάπου». Τον θεωρούσε πρωτοπόρο της αριστερής σοσιαλδημοκρατίας και ο ίδιος ο Πάλμε ήταν περήφανος για το σουηδικό μοντέλο. Πίστευε δυνατά, βαθιά στην ειρήνη. Απεχθανόταν τα μέτρα ασφαλείας και λάτρευε να «χάνεται» μόνος μέσα στον κόσμο, σ' ένα δρόμο, σε μια πλατεία. Δυστυχώς αυτό το πλήρωσε τελικά.

Απ' τους Βαλκάνιους ηγέτες που γνώρισα, ιδιαίτερα συμπαθής ήταν ο *Ζίβκοφ*, ήρεμος αλλά εξαιρετικά επίμονος στις θέσεις του. Επίμονος μεν και δογματικός αλλά ευγενής και πάντα καλός φίλος τόσο του Ανδρέα όσο και της Ελλάδας. Με τον Ανδρέα είχαν άριστη συνεργασία, γιατί είχαν περίπου κοινές θέσεις για τις σχέσεις των δύο χωρών με την Τουρκία. Δεν ξεχνούσε ποτέ τον ειδικό ρόλο της Βουλγαρίας του Ζίβκοφ στην ελληνοτουρκική κρίση του Μαρτίου του '87. Έλεγε πάντα πως το ταξίδι που έκανε ο Κάρ. Παπούλιας στη Σόφια είχε κρίνει πάρα πολλά, του είχε επιτρέψει να κάνει τις κατάλληλες κινήσεις και του έλυσε τα χέρια τόσο σε στρατιωτικό όσο και σε διπλωματικό επίπεδο. Ο άξονας Αθήνα - Σόφια - Βελιγράδι ήταν για μια μεγάλη περίοδο συστατικό στοιχείο της βαλκανικής πολιτικής του Ανδρέα.

Ο Ζίβκοφ τού έλεγε πάντα: «Όσο είμαι εγώ στα πράγματα, η Ελλάδα δεν κινδυνεύει από μας». Και στάθηκε πάντα στο πλευρό του και ο Ανδρέας τού το αναγνώριζε αυτό. Και λίγο πριν από τις εκλογές του '89 τον είχε βοηθήσει με την επίσκεψή του στην Ελλάδα και τη συνάντηση που είχαν τότε στην Αλεξανδρούπολη, είχε σπάσει την απομόνωση που είχαν επιβάλει εκείνη την εποχή στον Παπανδρέου πολλοί και από πολλές πλευρές.

Μια άλλη επίσκεψη ξένου ηγέτη εκείνη την εποχή, που επίσης θυμόταν πάντα με ευγνωμοσύνη ο Ανδρέας, ήταν του ηγέτη της Νικαράγουα *Ντανιέλ Ορτέγκα*, του Λατινοαμερικάνου επαναστάτη, που επίσης τον εκτιμούσε και τον θαύμαζε. Για την επίσκεψη Ορτέγκα είχαν παίξει ρόλο ο Κάρ. Παπούλιας και ο Τζορτζ Χάλακ, που ήταν τότε πρόξενος της Νικαράγουα στην Ελλάδα.

Γενικά οι σχέσεις που πάντα διατηρούσε ο Ανδρέας με τις χώρες του Τρίτου Κόσμου, τις αραβικές χώρες αλλά και τις χώρες του πρώην υπαρκτού σοσιαλισμού την περίοδο '81 - '89, η πολιτική του για την ειρήνη, η «Πρωτοβουλία των 6» καθώς και η βαλκανική πολιτική του τον είχαν καταστήσει το «άτακτο παιδί της Δύσης», τον «αιρετικό» και «ανεπιθύμητο». Αλλά ήταν σχέσεις που, όπως έλεγε, είχαν σφυρηλατηθεί μέσα από αγώνες και κοινές εμπειρίες, σχέσεις ισορροπίας, ενίσχυσης της χώρας μας στη διεθνή σκηνή και στα Βαλκάνια, σχέσεις που έπαιρναν υπόψη την ανάγκη διεθνών ισορροπιών. Όπως έλεγε, θεωρούσε το μονόπλευρο προσανατολισμό, το να σε πιστεύουν οι ισχυροί «δεδομένο», ότι δεν εξυπηρετούσε ιδιαίτερα τα ελληνικά συμφέροντα.

Αλλά οι σχέσεις ιδιαίτερα με τον Τρίτο Κόσμο, όπως τόνιζε, του «πήγαιναν» και πολιτικά. Συγκινούνταν και ευαισθητοποιούνταν απ' τους αγώνες των λαών του Τρίτου Κόσμου, θεωρούσε μεγάλη του κατάκτηση ότι στη διάρκεια της πολιτικής του διαδρομής είχε αποκτήσει φιλικές σχέσεις με επαναστάτες όπως ο Αραφάτ, ο Κάστρο, ο Ορτέγκα, ο Τίτο.

Για όσους τον κατηγορούσαν για τα «ανοίγματα» προς τις χώρες του πρώην υπαρκτού σοσιαλισμού είχε την απάντηση ότι αυτή η πολιτική αναδείκνυε τη διεθνή θέση της χώρας μας και συντελούσε στη διατήρηση των αναγκαίων ισορροπιών. Υπενθύμιζε δε με νόημα ότι κάποιες επιλογές του, που είχαν επικριθεί με τη μέγιστη σφοδρότητα, είχαν εκ των υστέρων δικαιωθεί, όπως, για παράδειγμα, η θέση που πήρε για την κατάρριψη του νοτιοκορεατικού «Τζάμπο», η επίσκεψη που είχε κάνει στον Γιαρουζέλσκι.

Θεωρούσε πάντα χρήσιμες τις προσωπικές σχέσεις που είχε οικοδομήσει με ηγέτες χωρών του Τρίτου Κόσμου. Θυμάμαι πόσο είχε συγκινηθεί όταν ο Σαντάμ Χουσεΐν ανταποκρίθηκε άμεσα σε επιστολή που του έστειλε στη διάρκεια του πολέμου στον

179

Κόλπο, με την οποία του ζητούσε τον απεγκλωβισμό Ελλήνων που είχαν εγκλωβιστεί στην περιοχή.

Έδινε πολύ μεγάλη σημασία στη βαλκανική του πολιτική. Είχε στενοχωρηθεί πολύ όταν άρχισε ο διαμελισμός της Γιουγκοσλαβίας, που πάντως τον είχε προβλέψει. «Ανοίγει τους ασκούς του Αιόλου στα Βαλκάνια», έλεγε και προέβλεψε ότι το γεγονός αυτό θα έχει σαν επίπτωση τη δημιουργία του προβλήματος με τα Σκόπια.

Επέρριπτε γι' αυτό ευθύνες όχι μόνο στον Κ. Μητσοτάκη, αλλά και στον Αντ. Σαμαρά, που είχε χειριστεί το θέμα ως υπουργός Εξωτερικών τότε.

Για το διαμελισμό της Γιουγκοσλαβίας θεωρούσε υπεύθυνη την πολιτική της Γερμανίας και του Βατικανού και το είχε πει δημόσια.

Είχε φιλική σχέση με τον *Φάτος Νάνο,* τον οποίο είχε επανειλημμένα φιλοξενήσει στην Αθήνα και τον συναντούσε συχνά. Ο Αλβανός ηγέτης είχε στείλει στον Ανδρέα αρκετές επιστολές απ' το κελί του, όταν ήταν φυλακισμένος.

Ένα στέλεχος που εκτιμούσε ο Ανδρέας σε ό,τι αφορά χειρισμούς θεμάτων εξωτερικής πολιτικής ήταν ο Κάρ. Παπούλιας, ο οποίος στα θέματα αυτά είχε ταυτόσημες θέσεις. Του είχε εμπιστοσύνη, γιατί γνώριζε ότι εξέπεμπαν σε περίπου κοινό μήκος κύματος.

Εμπιστοσύνη είχε και στον Θ. Πάγκαλο, αλλά μόνο για το χειρισμό θεμάτων της Ευρωπαϊκής Ένωσης. Έλεγε ότι μπορούσε να αποχωρήσει ήσυχος από μια σύνοδο της ΕΕ, αν στη θέση του έμενε ο Θ. Πάγκαλος, γιατί πίστευε στην ικανότητα χειρισμών του και στη βαθιά γνώση που είχε στα θέματα αυτά. Η εμπιστοσύνη όμως περιοριζόταν σ' αυτά τα ζητήματα, γιατί για άλλα θέματα εξωτερικής πολιτικής είχε την εκτίμηση ότι ο Πάγκαλος δεν είχε σταθερές θέσεις.

Θεωρούσε πετυχημένη τη θητεία στο υπουργείο Εξωτερικών τόσο του Γ. Χαραλαμπόπουλου όσο και του Γ. Καψή.

Τα τελευταία χρόνια συνεργαζόταν επίσης στενά για θέματα εξωτερικής πολιτικής με τους Γερ. Αρσένη και Χρ. Παπουτσή.

Πολλοί πιστεύουν πως μετά το '93 σε θέματα εξωτερικής πολιτικής είχε αλλάξει, ότι δεν εμφορούνταν απ' τις «τριτοκοσμικές αντιλήψεις» της περιόδου '81-'89, ότι ήταν πιο «προσγειωμένος». Αυτό το είχε συζητήσει πολλές φορές με συνεργάτες του και με δημοσιογράφους. Η απάντηση που έδινε στα σχετικά ερωτήματα ήταν πως είχε αλλάξει ο κόσμος, είχαν ανατραπεί οι διεθνείς συσχετισμοί, είχαν διαμορφωθεί νέες ισορροπίες και αυτό όφειλε να το λαμβάνει σοβαρά υπόψη του. «Δεν υπάρχει πλέον διπολισμός, έχουν δημιουργηθεί νέοι συσχετισμοί», έλεγε.

Και στα Βαλκάνια είχε δημιουργηθεί μια νέα πραγματικότητα και αυτό τον προβλημάτιζε ιδιαίτερα.

Αλλά ισχυριζόταν πάντα ότι δεν εγκατέλειπε βασικές του αρχές. Η διεθνής σκηνή επέβαλε πλέον μια νέα, ρεαλιστική προσέγγιση.

Η μεγάλη πορεία προς τη νέα νίκη

«ΕΙΝΑΙ ΜΙΑ ΜΑΓΙΚΗ ΒΡΑΔΙΑ», είχα απαντήσει όταν με ρώτησαν οι δημοσιογράφοι πώς αισθάνομαι μετά την πρώτη, μεγάλη προεκλογική συγκέντρωση της Θεσσαλονίκης. Και αισθανόμουν ακριβώς έτσι, ήταν αυτό ακριβώς που μου είχε πει ο Ανδρέας μόλις τελείωσε εκείνη η συγκλονιστική συγκέντρωση. «Είναι μια μαγική βραδιά, Δήμητρα», είπε μόλις κατέβηκε απ' την εξέδρα και πανευτυχής με αγκάλιασε. Έλαμπε, ήταν σίγουρος για τη νέα μεγάλη νίκη, το μήνυμα του λαού ήταν καταλυτικό. Μια έκρηξη πάθους, μια αποδέσμευση πάθους που ο Ανδρέας έλεγε ότι του θύμιζε μέρες του '81.

Και ήταν ακριβώς αυτό το χαρακτηριστικό εκείνων των προεκλογικών συγκεντρώσεων και αυτών όπου μίλησε ο Ανδρέας και αυτών όπου μίλησαν άλλα στελέχη του ΠΑΣΟΚ: μια πρωτοφανής έκλυση πάθους, που εντυπωσίαζε περισσότερο απ' τις συγκλονιστικές σε όγκο συγκεντρώσεις. Μια έκρηξη, ένας παλμός, ένας ενθουσιασμός, αυτό το κλίμα στο οποίο πάντα πίστευε. Ξανάβρισκε το μαγικό νήμα που τον έδενε με το λαό και αυτό του έδινε φτερά. Ήταν και ο ίδιος «ένας Ανδρέας απ' τα παλιά». Ήταν βέβαιος για το αποτέλεσμα των εκλογών, τα μηνύματα δε σήκωναν καμιά αμφισβήτηση.

Ότι οι εκλογές θα γίνουν πρόωρα και το ΠΑΣΟΚ θα τις κερδίσει το είχε προβλέψει καιρό πριν. Και τη μέρα που προκηρύχθηκαν οι εκλογές ανακουφισμένος είπε: «Πάμε τώρα για τη νέα νίκη, οι εκλογές είναι δικές μας».

Αλλά την έκταση του λαϊκού πάθους τη συνέλαβε στη Θεσσαλονίκη. Τότε, μετά τη συγκέντρωση εκείνη, μίλησε για πρώτη φορά για: «*Νίκη ανάλογη μ' αυτή του '81*». Και επιβεβαιώθηκε πλήρως. Του θύμισε αλησμόνητες μέρες του παρελθόντος αυτή η πρωτόγνωρη συγκέντρωση της Θεσσαλονίκης, τις μέρες των οραμάτων, της πίστης, του δύσκολου, ανηφορικού μα θριαμβικού δρόμου.

Και τούτο το τέρμα, όπου πλησίαζε ξανά, *η πολιτική του πλέον δικαίωση* ερχόταν μετά από ένα μακρύ, επώδυνο δρόμο που ξεκίνησε το '88. Ερχόταν μετά από μάχες σκληρές, οριακές μάχες για την πολιτική και προσωπική του επιβίωση, τις περισσότερες απ' τις οποίες τις έδωσε με πολύ λίγους φίλους.

Τον έβλεπα περήφανο, γενναίο, σίγουρο και αισθανόμουν ευτυχισμένη που τον συντρόφεψα σ' όλη αυτή τη δύσκολη πορεία. Ήταν για μένα λύτρωση που τον καμάρωνα να ζει τη δική του α- νάσταση. Σ' αυτή την ανάσταση είχαμε πιστέψει και οι δυο μας, είχαμε παλέψει γι' αυτή. Είχαμε ζήσει γι' αυτή την επιστροφή, την οποία πριν από λίγα χρόνια θεωρούσαν αδιανόητη εχθροί και φίλοι.

Τους διέψευσε όλους ο Ανδρέας.

Η διαφορά ήταν πως τώρα οι φίλοι μετριούνταν περισσότεροι... Αλλά είχε και αυτό το μεγαλείο, να προσπερνάει τους μικρούς και να ξεχνάει τις μικρότητες...

Τώρα η «συνοδεία» ήταν πολύ μεγαλύτερη, καμιά σχέση με τις ατέλειωτες ώρες της μοναξιάς. Αυτό που τον ενδιέφερε όμως, αυτό που τον ανάσταινε ήταν η επαφή του με το λαό. Αυτό ζούσε, αυτό ήθελε και χαιρόταν, ότι αυτή η σχέση με το λαό δεν είχε ποτέ χαθεί, αυτό του έδινε δύναμη, γιατί γνώριζε τις δυσκολίες που θα αντιμετώπιζε μετά τις εκλογές.

Τη Θεσσαλονίκη διαδέχτηκε η Πάτρα· εκεί το πανηγύρι είχε αρχίσει ώρες πριν από τη συγκέντρωση, η έκταση της αποθέωσής του ήταν απίστευτη. Αξέχαστη εμπειρία η διαδήλωση μοτοσικλετιστών έξω απ' το ξενοδοχείο, που ήθελαν να βγει να τους χαιρετίσει. Ήταν ένα νέο, ελπιδοφόρο στοιχείο των εκλογών η συγκλονιστική συμμετοχή της νεολαίας, με την οποία είχε πάντα ι- διαίτερη σχέση. Τα τελευταία χρόνια η νεολαία έδειχνε ν' απο- ξενώνεται όχι μόνο απ' το ΠΑΣΟΚ, αλλά απ' την πολιτική γενικότερα. Τον προβλημάτιζε και τον στενοχωρούσε αυτή η διαπίστωση. Απέδιδε το φαινόμενο στην έλλειψη οράματος. «Η νεολαία είναι πάντα απαιτητική και έχει δίκιο, απαιτεί όραμα», συνήθιζε να λέει. Τώρα φαινόταν να ξανασυναντά τους νέους και αυτό τον έκανε ευτυχή. Το πάθος των δεκαοχτάρηδων ήταν η καλύτερη τόνωση. Για τον Ανδρέα σήμαινε πολλά το να σε πιστεύει η νεολαία. Και ήταν ακριβώς η μεγάλη συγκέντρωση της Νεολαίας στο Στάδιο Ειρήνης και Φιλίας, η οποία ξεχείλιζε από αγωνιστικότητα, που τον μάγεψε. Του έδινε πολλά φτερά η διαπίστωση ότι μπορεί ακόμα να εμπνέει τους νέους ανθρώπους, την είχε ανάγκη αυτή τη διαπίστωση.

Η συγκλονιστική παρουσία των νέων ανθρώπων στο τελευταίο αντίο προς τον Ανδρέα στη Μητρόπολη και τη μέρα της κηδείας ήταν, σκέφτομαι τώρα, η μεγάλη του δικαίωση. Αγόρια και κορίτσια, πολλά απ' τα οποία δεν είχαν καν γεννηθεί το '81, στέκονταν με πόνο και αγάπη μπροστά του, τον αποχαιρετούσαν με δάκρυα, έλεγαν «σ' ευχαριστούμε που μας έκανες να πιστέψουμε σε κάτι», του έδειχναν λατρεία, ένιωθαν συντριβή για την απώλειά του, αισθάνονταν κενό.

Λίγες μέρες πριν φύγει είχε συναντηθεί με τη γραμματέα της Νεολαίας ΠΑΣΟΚ Τ. Αντωνίου και ρωτούσε να μάθει πώς πάει η νεολαία...

Η τελευταία προεκλογική συγκέντρωση στο Πεδίο του Άρεως, ατέλειωτη σε συμμετοχή και συγκλονιστική σε παλμό, όπως και οι προηγούμενες, η τελευταία εμφάνιση στην εξέδρα, το ραντεβού της κάλπης, η σιγουριά για τη νίκη, το κλίμα της πολιτικής δικαίωσης, όλα τον οδηγούσαν σε μια κατάσταση ευφορίας αλλά και αίσθησης της βαριάς ευθύνης που θα αναλάμβανε σε λίγες ώρες. Ήξερε ότι αυτός ο λαός που τον αποθέωνε και τον είχε χρίσει πρωθυπουργό ήδη πριν από τις εκλογές είχε απαιτήσεις και δεν έπρεπε να διαψευστεί. Γνώριζε πάρα πολύ καλά ότι τα ανοιχτά μέτωπα στα εθνικά θέματα και στην οικονομία ήταν πολλά.

Αυτή τη φορά ήταν αποφασισμένος να προχωρήσει σε *ανανέ-*

ωση, ήξερε ότι ο λαός προσέβλεπε σε ανανέωση. Θα έφερνε λοιπόν νέα πρόσωπα στο προσκήνιο, θα τους έδινε την ευκαιρία να δουλέψουν και να διακριθούν, παράλληλα με τα παλιότερα δοκιμασμένα στελέχη. Άλλωστε την εικόνα της ανανέωσης την είχε δώσει και με τη σύνθεση των ψηφοδελτίων.

Παρασκευή βράδυ και οι συζητήσεις που γίνονται αφορούν μόνο την έκταση της νίκης και τη διαφορά που θα υπήρχε με τη ΝΔ. Ο Ανδρέας απ' την προηγούμενη, μετά τη συγκέντρωση της Αθήνας, μίλαγε για «ποσοστό από 45% και πάνω και μια διαφορά με τη ΝΔ κοντά σ' αυτή του '81». Απ' την αρχή της προεκλογικής περιόδου έκανε συχνές αναφορές σε «κλίμα '81», είχε μια σιγουριά τέτοια και τόση, που ακόμα και στενοί του συνεργάτες δεν τη συμμερίζονταν και έκαναν πιο μετριοπαθείς εκτιμήσεις, μίλαγαν για διαφορά «μόνο» τεσσάρων πέντε μονάδων απ' τη ΝΔ. Ο Ανδρέας επέμενε: «Το κλίμα που έχει διαμορφωθεί θα φέρει κοντά μας τη μεγάλη πλειοψηφία των αναποφάσιστων». Ιδιαίτερα πόνταρε στη μεγάλη συμμετοχή και κινητοποίηση της νεολαίας, τον είχε συγκινήσει εξαιρετικά.

Σ' αυτές τις εκλογές ο Ανδρέας πρότεινε στον Αντ. Λιβάνη θέση στο ψηφοδέλτιο Επικρατείας. Το θεωρούσε δεδομένο ότι άξιζε μια τέτοια θέση, μετά από τόσα χρόνια κοινών αγώνων, κοινής πορείας, μέγιστης προσφοράς του Αντώνη. Ίσως κάπου στο βάθος να ένιωθε πως ήταν οι τελευταίες του εκλογές και ήθελε να κάνει αυτή τη χειρονομία στον πιστό του φίλο. Ο Λιβάνης στην αρχή είχε ενδοιασμούς, δεν ήθελε. «Τι θα πουν οι άλλοι, Ανδρέα μου, άσε να προσφέρω από άλλη θέση», του έλεγε. Ο Ανδρέας ήταν αμετάπειστος, κατηγορηματικός: «Όχι, Αντώνη, θα είσαι στη λίστα Επικρατείας, τελείωσε».

Πάντως μετά τις εκλογές ο Ανδρέας στενοχωρήθηκε πολύ που οι Γ. Αλευράς και Γ. Χαραλαμπόπουλος πικράθηκαν επειδή έμειναν εκτός κυβέρνησης. Δεν το έκανε αυτό χωρίς πολλή σκέψη, προβληματισμό και ψυχικό κόστος. Αλλά ήθελε οπωσδήποτε να δώσει την εικόνα της ανανέωσης και αυτό το «πλήρωσαν» κατά κάποιο τρόπο οι δύο παλιοί, καλοί του φίλοι.

Σάββατο μεσημέρι, παραμονή των εκλογών, μια ηλιόλουστη, ελπιδοφόρα μέρα. Είχε ξεκινήσει ευδιάθετος, μου έκανε και αστεία. «Είδες, Δήμητρα, και ο καιρός είναι μαζί μας, τα πάντα μάς ευνοούν».

Τα μηνύματα που έρχονταν απ' τη Χαριλάου Τρικούπη έλεγαν για τεράστια μετακίνηση ετεροδημοτών, για κλίμα ενθουσιασμού και νίκης που έχει μεταφερθεί σε κάθε γωνιά της Ελλάδας. Οι τελευταίες αναλύσεις δημοσκοπήσεων φαίνονταν να δικαιώνουν τα προγνωστικά του Ανδρέα για τα εκλογικά ποσοστά. Ακόμα και τότε όμως ορισμένα στελέχη κρατούσαν χαμηλότερους τόνους, είχαν μια πιο συγκρατημένη αισιοδοξία.

Αποφασίσαμε να πάμε για φαγητό στου «Λεωνίδα», με τους Χυτήρη, Λαλιώτη, Κουβελάκη, Κρεμαστινό.

Ο Κ. Λαλιώτης είχε αναλάβει το σχεδιασμό και αυτής της προεκλογικής εκστρατείας και, κατά κοινή ομολογία, τα πήγε περίφημα. Ιδιαίτερα η καθημερινή επαφή με τους δημοσιογράφους στη Χαριλάου Τρικούπη τις τελευταίες προ των εκλογών μέρες και το κλίμα που δημιουργούσε είχαν ενθουσιάσει τον Ανδρέα. Εκείνη την περίοδο οι σχέσεις τους είχαν επανέλθει στις παλιές, καλές μέρες, όταν για τον Ανδρέα ο Λαλιώτης ήταν το «άλλο του παιδί».

Ο Ανδρέας πάντως αναγνώριζε, και το έλεγε σε κάθε ευκαιρία, τη σημαντική προσφορά που είχαν σ' όλες τις εκλογικές αναμετρήσεις δύο στελέχη της Χαριλάου Τρικούπη, με την «αφανή» αλλά σε κάθε περίπτωση ουσιαστική δουλειά που έκαναν: ο *Γ. Σουλαδάκης* και ο *Μεν. Γκίβαλος*. Δύο στελέχη «σεμνά και παραγωγικά», όπως τους χαρακτήριζε, «με κομματική συνείδηση πάντα και που ποτέ δεν αναζήτησαν τιμές και αξιώματα, παρά την ιστορική τους παρουσία και προσφορά μέσα στο Κίνημα».

Μπαίνοντας στην αίθουσα του εστιατορίου βρεθήκαμε μπροστά σε μια απρόσμενα συγκινητική ατμόσφαιρα. Όλοι όσοι βρίσκονταν εκεί σηκώθηκαν και χειροκροτούσαν μέσα σε θερμό κλίμα, αρκετοί φώναζαν «αύριο θα είσαι ο πρωθυπουργός», ορισμένοι ήρθαν κοντά του και τον χαιρέτησαν με σεβασμό και αγάπη.

Επικρατούσε ενθουσιασμός, οι δημοσιογράφοι κατέγραφαν το κλίμα.

Ήμουν συγκινημένη και περήφανη. Εκείνη τη στιγμή μού πέρασε αστραπή απ' το νου μια εντελώς διαφορετική εικόνα λίγα χρόνια πίσω, παραμονές εκλογών του '89. Τότε, μετά από μια συναυλία, είχαμε πάει για φαγητό με τον Γ. Νταλάρα σε κεντρικό εστιατόριο. Συναντήσαμε παγωμένη ατμόσφαιρα και σε κάποια στιγμή ένας απ' τους θαμώνες με σιγανή φωνή είπε «καλαμπόκι». Του είχε στοιχίσει πολύ αυτό, τον είχε πικράνει, το πήρε κατάκαρδα.

Τώρα το κλίμα είχε εντελώς αντιστραφεί, τώρα ήταν ξανά ο δικαιωμένος ηγέτης και άνθρωπος που επέμεινε κόντρα σε μυριάδες κύματα, για να ζήσει ακριβώς τη στιγμή της δικαίωσης. Σκέφτηκα: «Άραγε πόσοι απ' αυτούς που αμφισβήτησαν την εντιμότητά του, που τον είπαν κλέφτη, πόσοι απ' αυτούς σήμερα έχουν μετανιώσει;»

Ξαφνικά, ενώ έχουμε καθίσει στο τραπέζι, συμβαίνει κάτι συγκινητικό, κάτι που ποτέ δεν το ξέχασε. Ένα κοριτσάκι πέντ' έξι ετών, από διπλανό τραπέζι, φεύγει απ' την αγκαλιά της μητέρας του, έρχεται κοντά του, τον φιλάει και κουρνιάζει τρυφερά στην αγκαλιά του. Συγκινημένος το χαϊδεύει. Περνάνε πέντε λεπτά, περνάνε δέκα και το κοριτσάκι είναι πάντα εκεί, στην αγκαλιά του, δε θέλει να φύγει. Κάποια στιγμή ο Ανδρέας αρχίζει να αισθάνεται αμηχανία, εγώ αστειεύομαι, «κοίτα να δεις ρεύμα που έχεις και στις πάρα πολύ νέες γυναίκες», τελικά ήρθε η μητέρα του παιδιού και με δυσκολία το πήρε απ' την αγκαλιά του. Ήταν πολύ όμορφη και τρυφερή όλη η σκηνή, μας συγκίνησε όλους και περισσότερο τον ίδιο.

Η βραδιά κύλησε με σχέδια για την κυβέρνηση, για την πολιτική που θα πρέπει να υλοποιηθεί στα εθνικά θέματα και την οικονομία. Ήταν τα θέματα στα οποία έδινε προτεραιότητα.

Η μεγάλη νύχτα

Το απόγευμα πέρασε με τηλεφωνήματα σε συνεργάτες του και το βράδυ του Σαββάτου ήταν μια απ' τις πιο τρυφερές νύχτες που περάσαμε. Η αυλαία είχε πέσει· είναι η βραδιά της μεγάλης, γλυκιάς αναμονής και προσμονής, θέλουμε εκείνη τη νύχτα να μείνουμε μόνοι, νιώθουμε αυτή την ανάγκη, να ζήσουμε έντονα αυτές τις ώρες.

Ήταν το τέρμα ενός ταξιδιού γεμάτου φουρτούνες και τώρα πλησιάζαμε στο ήρεμο λιμάνι. Ήταν ένα βράδυ που κοιμηθήκαμε ελάχιστα, ήθελε να μιλήσει πολύ και για πολλά κρατώντας με αγκαλιά. Οι μνήμες, καλές και πικρές, τον τύλιγαν, οι σκέψεις εναλλάσσονταν, τα συναισθήματα τον φόρτιζαν.

«Σκέψου, Δήμητρα, ξεκινήσαμε σχεδόν μόνοι, με πολύ λίγους κοντά μας, δίπλα μας. Ελάχιστοι πίστεψαν ότι θα τα καταφέρουμε. Τους διαψεύσαμε, γιατί πιστέψαμε βαθιά στη δικαίωση. Τώρα έχουν γίνει πάλι πολλοί όσοι είναι μαζί μας». Το έλεγε με πίκρα και ικανοποίηση μαζί.

Η λέξη «δικαίωση» ήταν η κυρίαρχη γι' αυτόν τα τελευταία χρόνια και μαζί η κινητήρια δύναμη για να ξεπερνάει το ένα κύμα πριν αντιμετωπίσει το άλλο.

«Η παρουσία σου, Δήμητρα, δίπλα μου, με βοήθησε πολύ, όσο δεν μπορείς να φανταστείς. Σ' το χρωστάω και δε θα το ξεχάσω ποτέ. Δεν ξέρω πώς να σ' ευχαριστήσω».

Του είπα ότι σημασία τώρα πια έχει μόνο ότι φτάνουμε στο τέρμα που εμείς πιστέψαμε. Ότι για μένα βαραίνει το ότι τήρησε τους όρκους ζωής που είχε δώσει στο Χέρφιλντ, στο Γενικό Κρατικό και σε άλλες περιπτώσεις που έδινε τη μάχη του.

Κάποια στιγμή, μου θύμισε τον πρώτο μας χορό, τότε που τον αποκαλούσα ακόμα «κύριε πρόεδρε» και με μάλωνε τρυφερά. Μου ζήτησε να χορέψουμε.

Ο χορός ήταν πάντα ένας τρόπος έκφρασης για τον Ανδρέα. Όταν χόρευε, «μίλαγε» και έβγαζε πάντα με φοβερό πάθος τα αισθήματά του. Όλοι ξέρουν ότι ήταν δεινός χορευτής του ζεϊμπέκικου, του χορού που λάτρευε. Λίγοι όμως γνωρίζουν πως χόρευε υπέροχα στις καλές του στιγμές και ροκ εν ρολ, ήταν μάλιστα και σ' αυτό το χορό έξοχος. Όπως μου έλεγε, ήταν με τον τρόπο του ένας «ροκάς» και πρόσθετε αστειευόμενος: «Μήπως δεν είμαι άλλωστε ένας ροκάς της πολιτικής;» Πολλές φορές ζητούσε να α- κούσει τραγούδια των sixties και τα απολάμβανε. Λάτρευε επίσης την τζαζ.

Εκείνο το βράδυ μού ζήτησε να χορέψουμε ένα ταγκό. «Πάντα στις όμορφες στιγμές χρειάζομαι ένα χορό», μου είπε τρυφερά. Ήθελε να μιλήσουμε πολύ. Εγώ του έλεγα ότι πρέπει να ξεκουραστεί, να είναι φρέσκος την άλλη μέρα και αυτός είχε διάθεση να θυμηθεί παλιότερες εκλογές και συντρόφους που είχαν φύγει.

Νοστάλγησε εκείνο το βράδυ τον *Αντώνη Στρατή,* το «γυναικά», όπως τον αποκαλούσε με αγάπη, τις όμορφες περιπέτειές τους, τη ζωή που έκαναν μαζί. Θυμήθηκε τον *Πέτρο Μόραλη,* τον οποίο ε- κτιμούσε και αγαπούσε βαθιά.

Θυμήθηκε τον *Μ. Κουτσόγιωργα* και το τραγικό του τέλος. «Πάντα στις εκλογές ο Μένιος βοηθούσε πολύ», μου είπε.

Μου ανέφερε άλλα τρία πρόσωπα, που του ήταν πολύτιμοι φίλοι, συνεργάτες και σύμβουλοι στις εκλογικές αναμετρήσεις.

Τον *Αντ. Λιβάνη,* το «μαέστρο» που κατηύθηνε τα πράγματα, έπιανε και μετέφερε κλίμα, λειτουργούσε «πυροσβεστικά», όπου διαπιστώνονταν προβλήματα, είτε στα ψηφοδέλτια ή όπου αλλού.

Τον *Γ. Καράτση,* τον «ήρεμο αναλυτή», το φίλο στου οποίου τις προβλέψεις και τις αναλύσεις «είναι δύσκολο να πεις όχι, γιατί σπάνια πέφτει έξω».

Τον *Γ. Κίσσονα,* τον «αρχιτέκτονα της αριθμητικής ανάλυσης», τον παλιό φίλο απ' την εποχή του ΠΑΚ. «Αυτός, Δήμητρα, τρελαίνει με τα νούμερα, αλλά έχει σχεδόν πάντα δίκιο». Διηγήθηκε με ευχαρίστηση παλιές ιστορίες του ΠΑΚ με πρωταγωνιστή τον Γ. Κίσσονα και υπογράμμιζε πως «κάθε φορά στις εκλογές ο Κίσσονας αναλαμβάνει και πάντα φέρνει με επιτυχία σε πέρας και έ- ναν άλλο ρόλο, της κινητοποίησης των μεταναστών ιδιαίτερα στη Γερμανία, αλλά όχι μόνο».

Θυμήθηκε τον «αέρα» των εκλογών του '81, αλλά «αξέχαστες θα μου μείνουν οι εκλογές του '77, τότε αναδειχτήκαμε δεύτερο κόμμα και όλοι συνειδητοποίησαν ότι ήμασταν η ανερχόμενη δύναμη, ότι βαδίζαμε προς την εξουσία». Ξαναήρθε σε μας. «Αγάπη μου, μου έφερες γούρι. Ξέρεις, όταν σου πρότεινα στο Γενικό Κρατικό να παντρευτούμε, ήθελα να σου αφήσω κληρονομιά το "σύζυγος πρωθυπουργού". Αρνήθηκες και παντρευτήκαμε όταν δεν ήμουν πρωθυπουργός. Αλλά, όπως διαπιστώνεις, τον τίτλο... δε θα τον αποφύγεις».

Ύστερα ξανά οι μνήμες στο '89 και όλη τη σκοτεινή περίοδο που ακολούθησε. «Νομίζω πως ο Χαρίλαος, όταν ήρθε να με δει στο Γενικό Κρατικό και είδε την ατμόσφαιρα, όταν έπρεπε να φορέσει ειδική φόρμα και μάσκα για να με συναντήσει, όταν είδε με πόση δυσκολία μιλούσα, μάλλον θα σκέφτηκε πως δε θα βγω ζωντανός από κει». Η στάση ειδικά του *Χαρ. Φλωράκη* εκείνη την εποχή ήταν μια αρνητική έκπληξη για τον Ανδρέα. Ενώ για τον *Λ. Κύρκο* έλεγε πως δεν του έκανε μεγάλη εντύπωση η συμπεριφορά του, για τον Χαρίλαο πάντα προβληματιζόταν και αναζητούσε το «γιατί».

Ύστερα άρχισε να σχολιάζει το ρόλο κάποιων εκδοτών και δημοσιογράφων, απ' την εποχή του Χέρφιλντ και μετά. Όταν διαπίστωσαν ότι δεν *του βγήκε* ο πολιτικός και βιολογικός του αφανισμός, άλλαξαν οι ρόλοι. Ήταν μέσα στο παιχνίδι. «Και ξαφνικά από "κλέφτης", "φαύλος" και "απατεώνας", έγινα ξανά ο μελλοντικός πρωθυπουργός». Και συνέχισε: «Εκείνο που με εξόργιζε όμως ήταν το άνανδρο παιχνίδι σε βάρος σου, με τις φωτογραφίες, τα δημοσιεύματα και τα υπόλοιπα. Ήσουν κι εσύ ένα θύμα αυτής της ιστορίας».

Οι απόντες του '89...

Στη συνέχεια σχολίασε πικρόχολα τη στάση ορισμένων στελεχών του ΠΑΣΟΚ, των «απόντων από την ώρα της μάχης», όπως έλεγε. «Θυμήσου πόσοι γεμίζανε τις τηλεοπτικές εκπομπές και δε βρίσκανε μια λέξη συμπαράστασης να πούνε για μένα. Ο *Σημίτης* μόνο για "κάθαρση" μίλαγε και για την ανάγκη να γίνει οπωσδήποτε η δίκη. Η *Βάσω* έφερνε τις επιστολές Ντελόρ και μετά σιωπούσε. Στο δικαστήριο δεν εμφανίστηκαν, λες και επρόκειτο για δίκη στελεχών άλλου κόμματος. Πόσο μακριά είναι ψυχικά... Και ο Σμυρλής και ο Μαλέσιος και οι άλλοι βγαίνανε και μιλάγανε για την προσωπική μου ζωή, ήταν φαίνεται το μόνο που τους ενδιέφερε. Και ήρθε τώρα ο Άκης για να μου πει πως παρακαλάγανε να μπούνε στα ψηφοδέλτια...»

Όμως στα ψηφοδέλτια τους είχε βάλει. Γιατί, όπως εξήγησε, *«πρέπει να προχωρήσουμε όλοι μαζί, τα προβλήματα είναι πολλά και μεγάλα και χρειάζονται τη συμμετοχή όλων. Και αυτό θα φανεί και στην κυβέρνηση. Εγώ δε θα λειτουργήσω με λογική αποκλεισμών και θα έχω στην κυβέρνηση και τους παρόντες και τους απόντες της μάχης».*

Όμως σ' εκείνη την de profundis εξομολόγησή του, με πίκρα παραδέχτηκε ότι είχε κατά βάθος πειστεί πως ορισμένα απ' τα στελέχη του συμμετείχαν στην προσπάθεια πολιτικής του εξόντωσης. Όταν τον ρώτησα γιατί, μου απάντησε:

«Κάποιοι βιάστηκαν να ξεμπερδεύουν μαζί μου. Έκριναν ότι η στιγμή ήταν κατάλληλη. Είχαν πειστεί πως η δίωξη και η καταδίκη μου θα επέφεραν και το πολιτικό μου τέλος. Και είχαν πάρει θέσεις στο στρατόπεδο των διωκτών. Δυστυχώς γι' αυτούς, τους διέψευσα».

Έκανε μάλιστα και χιούμορ:

«Δεν πιστεύω, Δήμητρα, να έχει ετοιμάσει ο Σημίτης πάλι καμιά συνέντευξη για αύριο το βράδυ, για την περίπτωση εκλογικής μας αποτυχίας. Αυτή τη φορά δεν το πιστεύει ούτε ο ίδιος».

Ο Ανδρέας δεν μπορούσε να λησμονήσει ότι, όπως είχε πληροφορηθεί από συνεργάτες του, ο Κ. Σημίτης ήταν σίγουρος πως στις επαναληπτικές εκλογές της Β΄ Αθήνας το αποτέλεσμα δε θα ήταν θετικό για το ΠΑΣΟΚ και είχε κλείσει σε γνωστό δημοσιογράφο τηλεοπτική παρουσία στο «MEGA» το βράδυ των εκλογών. Κατά τις ίδιες πληροφορίες του, ο Κ. Σημίτης θα «άδειαζε» σ' αυτή τη συνέντευξη τον Ανδρέα, θα του καταλόγιζε αποκλειστικά τις ευθύνες της αποτυχίας, θα τον κατηγορούσε ότι έκανε επιλογή ήττας και με έμμεσο αλλά σαφή τρόπο θα έβαζε θέμα ηγεσίας, θα ζητούσε την απομάκρυνσή του.

«Γι' αυτό κάποιοι μείνανε πίσω. Δεν πιστεύανε. Θυμάσαι τις πληροφορίες που είχανε τότε ορισμένοι πως δε μου μένει πολύς χρόνος ζωής; Αυτό ερμηνεύει κατά πολύ τη συμπεριφορά τους...»

Η συμπεριφορά ορισμένων στελεχών του εκείνη την περίοδο τον είχε όντως πικράνει αφάνταστα. Και μπορεί να μην το ξέχασε αυτό, αλλά *ποτέ δε λειτούργησε υπό το βάρος αυτής της προσωπικής συναισθηματικής φόρτισης.* Ήθελε, και το έδειχνε, να προχωρήσει με όλους μαζί, τον διέκρινε μια στάση πατέρα που δέχεται τα «άτακτα» παιδιά του, ακόμα κι αν δε συγχωρεί τις αμαρτίες τους...

Ήξερα ότι αυτές οι μνήμες τον πλήγωναν πάντα πολύ. Προσπάθησα να του αλλάξω κουβέντα. Τον ρώτησα τι θα κάνει με τον Κ. Μητσοτάκη, εναντίον του οποίου υπήρχαν κατηγορίες για σκάνδαλα, υποκλοπές, υπόθεση ΑΓΕΤ.

«Άκουσε, Δήμητρα, δεν πιστεύω να μου προκύψεις... Μαρίκα, που θα ήθελε να με δει οπωσδήποτε στη φυλακή. Ο Κ. Μητσοτάκης είναι αυτός που με πολέμησε όσο κανείς άλλος. Και χρησιμοποίησε όλα τα όπλα. Ξέρεις όμως, ποτέ στην πολιτική μου πορεία δεν έμαθα να χρησιμοποιώ τα ίδια τα όπλα του αντιπάλου για να τον εξοντώσω. Βεβαίως οι επιτροπές που θα συγκροτηθούν για να διερευνήσουν τις καταγγελίες θα κάνουν τη δουλειά τους· σ' αυτό έχω δεσμευτεί και δεν είμαι διατεθειμένος να υποχωρήσω. Δεν προτίθεμαι όμως να πάω σε Ειδικά Δικαστήρια, δε μου πάνε αυτά. Σκέψου τι εικόνα θα δώσουμε διεθνώς αλλά και στη νέα γενιά...»

Ήταν έκπληξη για μένα η απάντησή του αυτή. Μέσα στον πυρετό της προεκλογικής περιόδου, δεν τον είχα ρωτήσει ποτέ γι' αυτό το θέμα. Μου είχε προξενήσει βέβαια εντύπωση ότι στις ομιλίες του δεν είχε αξιοποιήσει εκλογικά τις καταγγελίες κατά του Κ. Μητσοτάκη, που είχαν πάρει πολύ μεγάλη έκταση στα ΜΜΕ. Αλλά αυτή την απάντηση δεν την περίμενα. Γνώριζα ότι για τον Κ. Μητσοτάκη είχε τη χειρότερη δυνατή άποψη, ότι τον θεωρούσε αδίστακτο, εξαρτημένο, ότι ποτέ δεν του είχε συγχωρήσει την αποστασία του '65, ότι πολλές φορές επαναλάμβανε αυτό που είχε πει ο Σοφ. Βενιζέλος, πως μπορεί να πουλήσει μέχρι και την Ακρόπολη και μάλιστα με πολύ μικρή τιμή.

Θυμάμαι, κάποια συζήτηση γινόταν στη Βουλή και είχαμε πάει στο «Μεριντιέν» για να ξεκουραστεί για λίγο. Ξαφνικά, παρακολουθούσε τηλεόραση και βλέπει τον Κ. Μητσοτάκη να κραδαίνει το γνωστό τεύχος του *Time*. Για πότε σηκώθηκε, ετοιμάστηκε, ούτε που το πήρα είδηση. Έφυγε σαν σίφουνας για τη Βουλή, για να απαντήσει· ήταν σε έξαλλη κατάσταση.

Τα είχα ζήσει όλα αυτά μαζί του, τι είχε υποστεί και πόσο τον είχε επηρεάσει και στην υγεία του. Αυτό όμως που δεν είχα καταλάβει –γι' αυτό η έκπληξή μου την παραμονή της δικαίωσής του– ήταν ότι για τον Ανδρέα αυτού του είδους η αντιπαράθεση ήταν ξένη. Δεν ήταν ποτέ στις αρχές του ο ρεβανσισμός, του ήταν άγνωστη λέξη. Και αυτά που έλεγε τα πίστευε και τα έκανε πράξη λίγο αργότερα.

Σκέφτηκα πως έβγαζε μια ωριμότητα και μια σοφία, είχε κατασταλάξει πού θα πάει, τι θα κάνει, πώς θα πορευτεί.

Μετά η κουβέντα ξαναήρθε στο κόμμα. Τον ρώτησα τι γνώμη έχει για αναλύσεις που είχαν γίνει, ότι έπαιρνε πλέον τα χαρακτηριστικά ενός εθνικού ηγέτη, ότι σιγά σιγά φαινόταν να λειτουργεί υπεράνω κομματικών αντιπαραθέσεων και μικροτήτων. Γέλασε.

«Στην Ελλάδα δε σου αναγνωρίζουν εύκολα τον τίτλο του εθνικού ηγέτη, τουλάχιστον εν ζωή. *Πάντως τα τελευταία χρόνια αισθάνομαι σαν να με έχει κουράσει το κόμμα. Όλες αυτές οι αντιπαραθέσεις, οι προσωπικές φιλοδοξίες, οι μάχες συσχετισμών δημιουργούν κρίσεις που δεν έχουν σχέση με την πολιτική αντιπαλότητα. Αυτοί οι διαχωρισμοί στελεχών, οι ετικέτες, οι ομαδοποιήσεις. Με έχουν κουράσει όλα αυτά.* Τι παρέμβαση να κάνω; Είναι μεγάλα παιδιά και διαθέτουν κοινό νου. Κάποτε με έλεγαν αυταρχικό, συγκεντρωτικό. Τώρα μου ζητάνε να παρεμβαίνω όχι για ζητήματα πολιτικής, αλλά για να επιλύω διαφορές προσωπικού χαρακτήρα. Είναι όμως το κόμμα που ίδρυσα, το αγαπάω, μου είναι δύσκολο να το αφήσω, έχω ευθύνες».

Κοιμηθήκαμε σχεδόν πρωί, αφού η κουβέντα ξαναπέρασε απ'

τις δοκιμασίες όλων αυτών των τελευταίων χρόνων, απ' τη μεγάλη μοναξιά μιας ολόκληρης περιόδου, απ' τη σχέση μας και πώς σφυρηλατήθηκε όλα αυτά τα γκρίζα χρόνια. Τον παρακολούθησα για λίγο, καθώς κοιμήθηκε. Ήταν γαλήνιος, σίγουρος, έβγαζε μια ομορφιά, την ομορφιά της μεγάλης επιστροφής, της δικαίωσης...

Η μέρα της νίκης...

Ξύπνησε αργά την Κυριακή. Ήταν χαρούμενος, λαμπερός και ανυπόμονος. Πήγα στην Ελευσίνα για να ψηφίσω, γύρισα και πήγαμε για να ψηφίσει στην οδό Αχαΐας. Κόσμος, συνθήματα, ενθουσιασμός, πίστη. Ήταν ευτυχής.

Το μεσημέρι δεν του κόλλαγε ύπνος. Του είπα να ξαπλώσει, για να είναι ξεκούραστος το βράδυ. Ήθελε να μάθει για το κλίμα, άρχισε τα τηλεφωνήματα, ήταν σε υπερένταση, ρώταγε για τα μηνύματα που έρχονται απ' την επαρχία.

Σίγουρος αλλά ανυπόμονος, λες και ήθελε να μικρύνει το χρόνο που τον χώριζε απ' τη μεγάλη στιγμή. Όταν άρχισαν να φτάνουν τα πρώτα αποτελέσματα, δεν κρατιόταν.

Αγωνία, χαρά, συγκίνηση. Λαλιώτης, Λιβάνης, Άκης, Χυτήρης, Αθανασάκης συνεχώς του μετέδιδαν και του μετέφεραν τον αέρα της μεγάλης νίκης, τόσο μεγάλης, όσο την περίμενε.

«Όπως έλεγα, το ξεπερνάμε το 45%. Πάμε για θρίαμβο, όπως το '81», έλεγε και ξανάλεγε πανευτυχής.

Μείναμε για πολύ λίγο μόνοι, συγκινημένοι. Δε λέγαμε τίποτα, είχαμε πει τόσα το περασμένο βράδυ. Αγκαλιαστήκαμε, φιληθήκαμε, τα μάτια υγρά, *η νίκη είχε έρθει, η δικαίωση είχει έρθει.*

Το σπίτι γέμισε με κόσμο, απλό κόσμο που είχε καταλάβει και το δρόμο απέξω, συνθήματα, εκδηλώσεις λατρείας. Παρακολουθούσαμε για λίγο απ' την τηλεόραση τις εκδηλώσεις χαράς και θριάμβου σ' όλη την Ελλάδα, στην Αθήνα, στη Χαριλάου Τρικούπη.

Είχαν αρχίσει να έρχονται συνεργάτες του, τα παιδιά του, κομματικά στελέχη, όλο το ΠΑΣΟΚ ήταν εκεί. *Όλο το ΠΑΣΟΚ, πλην των «εκσυγχρονιστών»,* που ήταν απόντες και αυτή τη μεγάλη βραδιά, για άλλη μια φορά.

Ένταση, χειροκροτήματα, φιλιά, συγχαρητήρια, εκείνος λάμπει. Αποσύρεται για λίγο με τους Χυτήρη και Αθανασάκη, για μια τελευταία ματιά στο κείμενο του μηνύματος.

Η ώρα του μηνύματος. Οι κάμερες έχουν στηθεί, είναι έτοιμος, ξεκινάει, εγώ στέκομαι σε μια γωνιά, πίσω από τις κάμερες και τον καμαρώνω και ξαφνικά ακούω:

«Ευχαριστώ τη γυναίκα μου, τη Δήμητρα...»

Δεν το περίμενα και δεν το γνώριζε κανένας, ούτε οι συνεργάτες του, δεν είχε προϊδεάσει κανέναν. Ήταν δική του επιλογή να το πει εκείνη τη στιγμή, την ώρα του θριάμβου.

Ένιωσα να με πλημμυρίζει μια ευτυχία ανείπωτη, αλλά δεν την άντεχα, δε συγκρατήθηκα, έβαλα τα κλάματα, προς στιγμήν σταμάτησα να αισθάνομαι τι συμβαίνει γύρω μου. Ήθελα να φωνάξω σ' όλο αυτό τον κόσμο που για χρόνια, σε όλη την Ελλάδα, μου έλεγε «να μας τον προσέχεις, Δήμητρα» και με φόρτωνε με χαρά, ευθύνη και άγχος, ήθελα να φωνάξω: *«Σας τον παρέδωσα όπως θέλατε, είναι ξανά ο πρωθυπουργός σας, όπως ζητούσατε».*

Ένιωθα να μου φεύγει αυτό το βάρος, που κουβαλούσα για χρόνια, γευόμουν το μικρό κομμάτι της δικής μου δικαίωσης.

Έλεγα μέσα μου: «Χαλάλι οι μάχες, η αγωνία, οι νύχτες που πέρασα άγρυπνη στο πλευρό του, στα νοσοκομεία». Μετά ήθελα πάλι να φωνάξω σ' όλο αυτό τον κόσμο, που ήταν έξω απ' το σπίτι, που ήταν στους δρόμους σ' όλη την Ελλάδα: «Έκανα το χρέος μου, σας τον παραδίδω». Ένιωθα ένα αίσθημα πληρότητας, συγκινημένη, ευτυχισμένη.

Μετά επανήλθα, το μήνυμα είχε τελειώσει, συζητούσαν για το «ευχαριστώ τη γυναίκα μου, τη Δήμητρα». Έβλεπα και πρόσωπα ικανοποιημένα και πρόσωπα κατηφή, σε κάποιους εμφανώς δεν άρεσε αυτή η αναφορά και το έδειχναν με τον τρόπο τους. Κάποιοι έλεγαν: «Πρόεδρε, μας την έφερες, χαλάς την πιάτσα...»

Ήταν πάλι ένας απρόβλεπτος Παπανδρέου. Σε λίγο, που μείναμε πάλι μόνοι, του λέω: «Δεν το περίμενα, σ' ευχαριστώ».

«Δε σου είχα πει, αγάπη μου, ότι κάποια στιγμή θα σ' ευχαριστήσω δημόσια; Το όφειλα. Δεν ξέρει ο κόσμος τι ρόλο έχεις παίξει, πόσο με βοήθησες να σταθώ. Δεν ξέρω αν θα υπήρχε αυτή η μέρα, αν δεν ήσουν εσύ. Το οφείλω και σε σένα ότι μοιράζομαι αυτή τη μέρα με το λαό, με τους συνεργάτες μου, με όσους στάθηκαν δίπλα μου, και το αναγνώρισα».

Έπλεα σε πελάγη ευτυχίας. Ξαναβγήκαμε έξω, χάθηκε μέσα στον κόσμο, μιλούσε με όλους, πέταγε. Τον κοίταζα, τον καμάρωνα. Σε λίγο βγήκε στο μπαλκόνι, χαιρέτισε τον κόσμο που ήταν συγκεντρωμένος στο δρόμο έξω απ' το σπίτι, αποθεώθηκε.

Επιστρέφει και ξαφνικά μου λέει:

«Έλα, σε παρακαλώ, θα βγούμε μαζί».

«Ντρέπομαι, δε γίνεται, εξάλλου είναι δική σου μόνο η βραδιά απόψε».

«Δε γίνεται, σε φωνάζουν, σε ζητάνε, έλα».

Βγήκα μαζί του. Ακούγοντας τον κόσμο μέσα στην αποθέωση του Ανδρέα να φωνάζει και τ' όνομά μου, κόπηκαν τα πόδια μου. Ήταν η δεύτερη φορά που ένιωσα ακριβώς έτσι, να μου κόβονται τα πόδια. Η πρώτη ήταν στην επιστροφή απ' το Χέρφιλντ, στη σκάλα του αεροπλάνου. Αισθάνθηκα πόσο βαρύ είναι να έρχεσαι αντίκρυ με τον κόσμο, ακόμα κι αν νιώθεις πως αυτός ο κόσμος σ' αγαπάει...

Προσπαθούσα να συνειδητοποιήσω για άλλη μια φορά το μέγεθος του ηγέτη που είχε δεθεί μ' αυτό τον κόσμο με μια μοναδική σχέση.

Και κείνη τη βραδιά ο Ανδρέας, ο δικαιωμένος ηγέτης, είπε σ' αυτό το λαό που συνέχισε να τον πιστεύει, κάτω απ' τις πιο δύσκολες συνθήκες, ότι ήταν ξανά παρών, ότι η νίκη, που γι' αυτή πορεύτηκαν μέσα από φουρτούνες, ήρθε...

Ο Ανδρέας συνήθιζε να λέει στις «χαλαρές» μας συζητήσεις, σε κουβέντες με συνεργάτες του και στις όμορφες βραδιές της Ελούντας πως «ο πρωθυπουργός χαίρεται πάντα την πρώτη μέρα μόνο». Το έλεγε μεν μεταξύ σοβαρού και αστείου, αλλά το πίστευε. Και εξηγούσε ότι, μόλις τελειώνει η ευφορία, οι χαρές και τα επινίκια, αρχίζει η μάχη με τα προβλήματα απ' την άλλη κιόλας μέρα.

«Εκτός αυτού», πρόσθετε, «έχεις να κάνεις και κυβέρνηση και εκεί αρχίζουν τα δύσκολα». Και είχε τους λόγους του να το λέει αυτό, όπως είχε φυσικά και τις εμπειρίες του.

Στο διάστημα '81-'89 είχε κάνει δεκάξι ανασχηματισμούς και κυβερνήσεις. Προς τα έξω έχει περάσει η εικόνα πως του άρεσε να αλλάζει συχνά σύνθεση στην κυβέρνηση και ότι, περίπου, ήταν παιχνίδι γι' αυτόν να κάνει ανασχηματισμούς.

Ίσως ν' αληθεύει, αν και όσοι τον γνώρισαν από κοντά τότε λένε πως τα πράγματα δεν έχουν έτσι ακριβώς.

Εγώ, μεταφέροντας την εμπειρία μου απ' την περίοδο '93-'96, θα καταθέσω κάτι που σίγουρα θα σχολιαστεί περίεργο ή αιρετικό: *δεν του άρεσε καθόλου* η διαδικασία σχηματισμού κυβερνήσεων και ανασχηματισμών. Μπορώ να πω μάλιστα ότι την απεχθανόταν και την αντιμετώπιζε με δυσφορία, του ήταν μια διαδικασία στενόχωρη και σε κάποιες περιπτώσεις *επώδυνη*.

Ενώ έκανε το βασικό κορμό της κυβέρνησης –και εκεί οι επιλογές ήταν απόλυτα δικές του– και μέχρι εκεί τα πράγματα κυλούσαν ομαλά, μετά άρχιζαν οι παρεμβάσεις για τις υπόλοιπες κυβερνητικές θέσεις. Ήταν ακριβώς το σημείο απ' το οποίο επιθυμούσε να αποστασιοποιηθεί, τον κούραζε και τον στενοχωρούσε, αλλά δεν μπορούσε.

Συνεργάτες του ασκούσαν διακριτικές «πιέσεις» για κάποια ονόματα. Κάποια στελέχη τηλεφωνούσαν από μόνα τους ή ζητούσαν συνάντηση για να αυτοπροταθούν. Κάποιοι άλλοι προσπαθούσαν να περάσουν στη λίστα μέσω του Χυτήρη, του Βενιζέλου, του Καρχιμάκη, ακόμα και μέσω του Γ. Φλούδα ή του Α. Αλεξόπουλου (χαρακτηριστική περίπτωση βουλευτής του Υπολοίπου Αττικής, ο οποίος για ένα διάστημα υπήρξε μέλος της κυβέρνησης). Μέλη του ΕΓ και κυβερνητικά στελέχη έστελναν «σημειώματα» με προτάσεις, ενώ στο γραφείο του Αντ. Λιβάνη συνωστίζονταν αιτήματα για... τρεις κυβερνήσεις. Θυμάμαι την περίπτωση βουλευτή, ο οποίος παραμονές ανασχηματισμού έστελνε ψάρια σε ασημένιες πιατέλες και ένα σημείωμα με το όνομά του. Τις πιατέλες δεν τις δεχόταν ποτέ πίσω!

Εκεί που η κατάσταση γινόταν φοβερή ήταν με ορισμένους εξ

αυτών, που πληροφορούνταν ότι κινδυνεύουν να βγουν απ' την κυβέρνηση. Εκεί οι πιέσεις και οι μεσολαβήσεις έπαιρναν και έναν προσωπικό, δραματικό χαρακτήρα. Όχι από όλους. Οφείλω, για παράδειγμα, να θυμηθώ και να καταθέσω τον αξιοπρεπέστατο τρόπο με τον οποίο αντιμετώπισε την απομάκρυνσή του απ' την κυβέρνηση ο *Γ. Σουλαδάκης*. Οφείλω να καταθέσω επίσης την πολιτικότατη στάση του *Αν. Πεπονή*, ο οποίος ούτε άμεσα ούτε έμμεσα ποτέ ζήτησε συμμετοχή σε κυβέρνηση, δε δίστασε να παραιτηθεί για λόγους ευθυξίας και, όπως έλεγε ο Ανδρέας, έδειχνε να λειτουργεί υπεράνω αξιωμάτων.

Ο Ανδρέας αποστρεφόταν να μπαίνει στη λογική αυτών των διαδικασιών, τον ενοχλούσε αφόρητα. Μέσα σε δύο χρόνια περίπου έκανε δύο ανασχηματισμούς, που πάντα του κόστιζαν ψυχικά.

Τον δεύτερο, φθινόπωρο του '95, τον υπαγόρευσαν οι εξελίξεις και η συγκυρία. Τον πρώτο, τον Ιούλιο του '94, τον αποφάσισε γιατί είχε πειστεί πως χρειάζονταν διορθωτικές παρεμβάσεις στην κυβέρνηση, την οποία ήθελε να ισχυροποιήσει ενόψει και επικείμενης εκλογής Προέδρου Δημοκρατίας, την άνοιξη του '95. Ήθελε να έχει χρόνο μπροστά της η κυβέρνηση αυτή, για να παράξει έργο. Έλεγε μάλιστα χαριτολογώντας ότι αυτός ο ανασχηματισμός ήταν ο πρώτος και μοναδικός «προαναγγελθείς». Τον είχε ετοιμάσει στην Κέρκυρα, μετά το Ευρωπαϊκό Συμβούλιο του Ιουνίου.

Συνήθως ξεκινούσε με σαφείς προθέσεις και κατέληγε να συζητά στο τέλος προβλήματα που προέκυπταν από «καραμπόλες» και παρεμβάσεις. Ποτέ ωστόσο δεν έκανε αλλαγές στο βασικό του σχεδιασμό για τον κορμό της κυβέρνησης. Εκεί δε δεχόταν καμιά παρέμβαση. Αλλά δεν ήταν ασύνηθες φαινόμενο να γίνονται αλλαγές ως την τελευταία στιγμή σε δευτερεύουσες θέσεις. Για παράδειγμα, στον τελευταίο ανασχηματισμό ο Χ. Καστανίδης προστέθηκε στη λίστα στο «παρά πέντε», μετά από πρόταση του Άκη. Αντίστοιχα την τελευταία στιγμή διεγράφη ο Στ. Παπαθεμελής, για λόγους που δεν είναι του παρόντος να αναφέρω, σχετίζονται πάντως με την παραμονή στην κυβέρνηση, την ύστατη στιγμή, σημερινού υπουργού.

Την κυβέρνηση που συγκροτήθηκε μετά τις εκλογές του '93 ο Ανδρέας την είχε προετοιμάσει μέρες πριν, μετά από συνεργασίες που είχε με πολλά στελέχη και συνεργάτες του. Ήταν μάλιστα ευχαριστημένος απ' τη σύνθεσή της και έλεγε ότι ήταν μια απ' τις καλύτερες κυβερνήσεις που είχε κάνει. Έδινε, όπως σχολίαζε, το στίγμα «και της ανανέωσης και της αποτελεσματικότητας».

Ωστόσο και σ' αυτή την κυβέρνηση έγιναν ορισμένες αλλαγές, όχι βέβαια σημαντικές, μέχρι να δοθεί στη δημοσιότητα. Ήταν πολλές φορές ο Ανδρέας όμηρος συναισθημάτων, ανθρώπινων συναισθημάτων, παρά την αντίθετη εικόνα που έβγαινε προς τα έξω. Σε ορισμένες περιπτώσεις μάλιστα αυτό τον οδηγούσε σε επιλογές τις οποίες αργότερα χαρακτήριζε ατυχείς...

Κατ' αρχάς είχε κλείσει το θέμα του οικονομικού επιτελείου της κυβέρνησης. Ο *Γ. Γεννηματάς* είχε ζητήσει τα υπουργεία Εθνικής Οικονομίας και Οικονομικών, είχαν συζητήσει και είχαν συμφωνήσει. Εκτιμούσε το γεγονός ότι ο Γ. Γεννηματάς ήταν σε θέση να εξασφαλίσει κλίμα συναίνεσης, το οποίο θεωρούσε απαραίτητη προϋπόθεση επιτυχίας της οικονομικής πολιτικής. Από ανιχνεύσεις που είχε κάνει και στο χώρο της βιομηχανίας και στους συνδικαλιστές διαπίστωνε πως ο Γ. Γεννηματάς ήταν αποδεκτός. Είχαν συζητήσει εκτενέστατα και την οικονομική πολιτική, ενώ είχαν συμφωνήσει και στους συνεργάτες που θα είχε ο Γ. Γεννηματάς στα υπουργεία.

Την τελευταία στιγμή, το βράδυ των εκλογών, πήγε προς στιγμήν να δημιουργηθεί πρόβλημα με τον *Γ. Παπαντωνίου*. Με πλησιάζει κάποια στιγμή, την ώρα των πανηγυρισμών στην Εκάλη, και μου λέει: «Θέλω να μιλήσω οπωσδήποτε με τον πρόεδρο».

Όταν τον είδε, του είπε πως δε δέχεται θέση υφυπουργού και ζητάει να είναι αναπληρωτής υπουργός. Ο πρόεδρος το συζήτησε με τον Γεννηματά, ο οποίος δυσφόρησε ιδιαίτερα. Για να μην προκύψουν προβλήματα, συμφώνησαν τελικά να γίνει αποδεκτό το αίτημα του Γ. Παπαντωνίου.

Είχαν κλείσει επίσης πριν απ' τις εκλογές την τοποθέτηση

του *Κ. Λαλιώτη* στο ΥΠΕΧΩΔΕ, του *Ά. Τσοχατζόπουλον* στο Εσωτερικών, του *Κάρ. Παπούλια* στο Εξωτερικών και του *Γερ. Αρσένη* στο Άμυνας. Με όλους αυτούς είχε συζητήσει ο Ανδρέας, γιατί, όπως είπα, ήθελε να έχει έτοιμο το βασικό κορμό της κυβέρνησης.

Στο υπουργείο Εξωτερικών τοποθέτησε και τον *Θ. Πάγκαλο*, αν και γνώριζε ότι θα ήταν δύσκολη η συμβίωσή του με τον Κάρ. Παπούλια. Εκτιμούσε όμως πάντα τις ικανότητές του στα ευρωπαϊκά θέματα και τον θεωρούσε απαραίτητο εκεί, ενόψει μάλιστα και της ελληνικής προεδρίας στην ΕΕ.

Για τη θέση του προέδρου της Βουλής τού είχαν γίνει προεκλογικά διάφορες προτάσεις. Του είχαν προταθεί οι *Απ. Κακλαμάνης, Γ. Αλευράς, Αν. Πεπονής* και *Ευάγ. Γιαννόπουλος*. Ο Γ. Αλευράς το ήθελε πολύ, αλλά ο πρόεδρος κατέληξε στον Απ. Κακλαμάνη, γιατί ήθελε και σ' αυτή την πάρα πολύ σημαντική και θεσμική θέση να δώσει το στίγμα της ανανέωσης. Ήθελε να φύγει απ' την πάγια λογική, που υπήρχε μέχρι τότε, ότι στη θέση του προέδρου της Βουλής τοποθετούνταν κάποιος που ετοιμαζόταν για «τιμητική αποστρατεία». Έτσι επέλεξε τον Απ. Κακλαμάνη και αυτό μάλιστα είχε σαν αποτέλεσμα να πικραθεί και να εκφράσει έντονα τη δυσφορία του ο Γ. Αλευράς.

Το βράδυ των εκλογών, λίγο πριν φύγει απ' την Εκάλη, ο Γ. Αλευράς πήρε παράμερα τον πρόεδρο και του είπε με οργή:

«Εμάς, λοιπόν, τους παλιούς, μας ρίχνεις τώρα στον κάλαθο των αχρήστων; Συγχαρητήρια, Ανδρέα...»

Προσπάθησε να του εξηγήσει για ποιο λόγο δεν του πρόσφερε τη θέση του προέδρου της Βουλής. Μάταια, ο Γ. Αλευράς τού έριξε ένα παγωμένο βλέμμα κι έφυγε.

Ο Ανδρέας σκοτείνιασε, στενοχωρήθηκε πολύ, ήταν το πρώτο σοκ που δεχόταν μέσα στη χαρά της νίκης, από έναν παλιό φίλο και συνεργάτη του...

Πίκρα εξέφρασε, πολύ πιο διακριτικά, και ο Γ. Χαραλαμπόπουλος, ότι δεν αξιοποιήθηκε στην κυβέρνηση.

Στα νέα πρόσωπα περιλαμβάνονταν οι Γ. Κουβελάκης, Β. Βενιζέλος, Θ. Μικρούτσικος, Δημ. Φατούρος.

200

Ο Ανδρέας ήρθε σε επαφή με τον Γ. Κουβελάκη μέσω του Κάρ. Παπούλια, με τον οποίο είναι φίλοι. Το τελευταίο πριν από τις ε- κλογές διάστημα είχαμε αποκτήσει κοινωνικές σχέσεις. Τον είχε εκτιμήσει. Εκείνη την περίοδο, μετά την προκήρυξη των εκλο- γών, προβληματιζόταν έντονα για τη χρησιμοποίηση νέων προ- σώπων στην κυβέρνηση που θα έκανε· ότι θα κέρδιζε τις εκλογές το θεωρούσε δεδομένο. Οι προτάσεις ήταν πολλές, όταν έγιναν γνωστές οι προθέσεις του, και περιλάμβαναν πρόσωπα και απ' το δικαστικό χώρο και απ' τον καλλιτεχνικό και απ' το χώρο των αν- θρώπων του πνεύματος. Είχε αποφασίσει την αξιοποίηση του *Γ. Κουβελάκη,* αλλά συζητούσε το υπουργείο που θα του ανέθετε. Σκέ- φτηκε το υπουργείο Δικαιοσύνης, για το οποίο συζητούσε επίσης και τον Ευάγ. Γιαννόπουλο. Αποφάσισε τελικά να τοποθετήσει τον Ευάγ. Γιαννόπουλο στο υπουργείο Εργασίας, ήθελε εκεί ένα στέλεχος έμπειρο και με γνώση του χώρου. Έτσι ο Γ. Κουβελάκης τοποθετήθηκε στο υπουργείο Δικαιοσύνης και θυμάμαι ότι αυτή η επιλογή είχε εκτιμηθεί τότε σαν μια απ' τις πιο πετυχημένες και πάντως μια απ' τις εντυπωσιακές κινήσεις του Ανδρέα. Ιδιαίτερα ενθουσιασμένη ήταν η Μελίνα και είχε δώσει συγχαρητήρια στον πρόεδρο για την επιλογή Κουβελάκη.

Με τη *Μελίνα* πάντως υπήρξαν προβλήματα στο σχηματισμό της κυβέρνησης. Βεβαίως ο Ανδρέας θεωρούσε δεδομένο ότι θα ήταν στο υπουργείο Πολιτισμού. Παρ' όλα τα προβλήματα υγεί- ας που αντιμετώπιζε, δε σκέφτηκε ούτε μια στιγμή να την αφήσει εκτός κυβέρνησης. Μπορεί οι σχέσεις τους να είχαν περάσει από διακυμάνσεις, μπορεί να είχε πικραθεί πολλές φορές απ' τη συ- μπεριφορά της Μελίνας απέναντί του, αλλά σε καμιά περίπτωση δε λειτουργούσε υπό το βάρος αυτών των συναισθημάτων. Θεω- ρούσε ότι το υπουργείο Πολιτισμού δικαιωματικά της ανήκει, υ- πολόγιζε πολύ στη διεθνή της εικόνα και θαύμαζε το ταμπερα- μέντο της.

Στην αρχή η Μελίνα αντέδρασε στην τοποθέτηση του Θ. Μι- *κρούτσικου* στο υπουργείο Πολιτισμού. Μετά από αλλεπάλληλες συζητήσεις με τον Ανδρέα το δέχτηκε, δημιουργήθηκε όμως άλ- λο πρόβλημα, με τις αρμοδιότητες του υπουργείου, το οποίο ανέλαβε να διευθετήσει και αυτή τη φορά ο Αντ. Λιβάνης... Ο πρόεδρος τον τοποθέτησε, τιμητικά, στην τελευταία θέση του ψηφοδελτίου Επικρατείας και μετά τις εκλογές αποφάσισε να τον τοποθετήσει στην κυβέρνηση. Συμφωνούσε και ο Αντ. Λιβάνης, ο οποίος επίσης τον εκτιμά ιδιαίτερα.

Επιθυμία του ήταν να έχει στην κυβέρνηση και ορισμένους εξωκοινοβουλευτικούς. Επέλεξε τον *Δημ. Φατούρο* για το υπουργείο Παιδείας, τον *Ν. Κυριαζίδη*, του οποίου εκτιμούσε ιδιαίτερα τις ικανότητες στη διαχείριση του εξωτερικού χρέους, τον *Δημ. Κρεμαστινό*.

Με τον Δημ. Κρεμαστινό ήταν ιδιαίτερα συνδεδεμένοι, πέραν της σχέσης γιατρού - ασθενή. Προβληματίστηκε αν έπρεπε να χρησιμοποιήσει στην κυβέρνηση τον προσωπικό του γιατρό και ευαισθητοποιήθηκε, όταν διαπίστωσε πως ο Δημ. Κρεμαστινός το ήθελε.

Στον *Κ. Σημίτη* είχε αποφασίσει να δώσει το υπουργείο Βιομηχανίας, αφού αποκλείστηκε απ' την αρχή η τοποθέτησή του στο υπουργείο Εθνικής Οικονομίας. Το είχε συζητήσει και με τον Γ. Γεννηματά αυτό, ο οποίος συμφωνούσε απόλυτα. Ο Κ. Σημίτης διαμήνυσε, μέσω του Αντ. Λιβάνη, ότι δέχεται μόνο με την προϋπόθεση να πάρει και το υπουργείο Εμπορίου «πακέτο» με το Βιομηχανίας.

Τον *Β. Βενιζέλο* είχε αποφασίσει επίσης πριν από τις εκλογές να τον έχει στην κυβέρνηση. Εκτιμούσε τις ικανότητές του, είχαν έρθει κοντά την περίοδο της πολιτικής δίωξης και του Ειδικού Δικαστηρίου και πίστευε πως η είσοδός του στην κυβέρνηση θα είχε θετικό αντίκτυπο, αφού ο Β. Βενιζέλος «πέρναγε» πολύ καλά στην κοινή γνώμη, εντυπωσίαζε με την παρουσία του και την ικανότητα χειρισμού του λόγου. Ο ίδιος επιθυμούσε κάποια θέση στο υπουργείο Εξωτερικών. Βρέθηκε τελικά στη Ζαλοκώστα –και αποδείχτηκε απόλυτα επιτυχημένη η θητεία του εκεί– μετά από δύο αρνήσεις που είχε ο πρόεδρος σε προτάσεις που έκανε για τη θέση του κυβερνητικού εκπροσώπου.

Την πρώτη βολιδοσκόπηση την έκανε σε ένα δημοσιογράφο, τον οποίο εκτιμούσε και αγαπούσε βαθύτατα, ενώ πίστευε πολύ και στις ικανότητές του, τον *Λ. Καραπαναγιώτη*. Ο Ανδρέας θεωρούσε το διευθυντή των *Νέων* ένα απ' τα πιο ικανά και έντιμα στοιχεία του χώρου της δημοσιογραφίας, έναν απ' τους «τελευταίους των Μοϊκανών», όπως έλεγε. Είχε πάντα άριστη σχέση μαζί του, συζητούσαν συχνά, υπολόγιζε πάντα τη γνώμη του, τον θεωρούσε «ευπατρίδη». Ήταν αμοιβαία τα αισθήματα αγάπης και εκτίμησης. Είναι άλλωστε ενδεικτικό του μεγάλου σεβασμού που έτρεφε ο Ανδρέας προς τον Λ. Καραπαναγιώτη το γεγονός ότι, όταν αποφάσισε τη σύσταση του Ιδρύματος Α. Παπανδρέου, ήταν απ' τους πρώτους που σκέφτηκε να προτείνει ως ισόβιο μέλος του. Ο Λ. Καραπαναγιώτης δέχτηκε την πρόταση και ευχαρίστησε τον πρόεδρο για την τιμή που του έκανε. Τότε όμως αρνήθηκε ευγενικά την πρόταση για τη θέση του κυβερνητικού εκπροσώπου.

Η δεύτερη επιλογή για τη θέση αυτή ήταν ο *Γ. Ρωμαίος*, ο οποίος επίσης αρνήθηκε, λέγοντας ότι προτιμά ν' ασχοληθεί με ευρωπαϊκά θέματα, που γνωρίζει και καλά. Έτσι και έγινε.

Τοποθέτησε λοιπόν τον Β. Βενιζέλο κυβερνητικό εκπρόσωπο, ο οποίος αποδείχτηκε μια απ' τις μεγάλες ευχάριστες εκπλήξεις της νέας κυβέρνησης. Επίσης είχε αποφασίσει την αναβάθμιση της Γενικής Γραμματείας Τύπου σε υπουργείο και την υλοποίησε στον πρώτο ανασχηματισμό.

Ο *Τηλ. Χυτήρης* ήθελε να είναι στην κυβέρνηση και το ζήτησε απ' τον Ανδρέα.

Ο *Γ. Λιάνης* είχε επίσης ζητήσει πριν από τις εκλογές να πάρει τη θέση του υφυπουργού Αθλητισμού. Την ήθελε πολύ, έλεγε ότι γνωρίζει άριστα το χώρο, ότι έχει ιδέες για να κάνει έργο. Ο Ανδρέας προβληματίστηκε πολύ αν θα τον τοποθετήσει, πίστευε ότι θα θεωρούνταν χαριστική τοποθέτηση, λόγω της σχέσης του με εμένα, μέχρι την τελευταία στιγμή δίσταζε να αποφασίσει. Ο Γιώργος τότε απευθύνθηκε σε πολλούς προκειμένου να είναι οπωσδήποτε στην κυβέρνηση. Χρησιμοποίησε εμένα, τον Λ. Παπαδόπουλο, τον Αντ. Λιβάνη, έφτασε ως τον Γ. Γεννηματά, μέχρι τον Θύμιο Λιβάνη, έναν εκ των γιατρών του προέδρου, έβαλε να μιλήσει στον Ανδρέα.

Αυτονόητη θεωρήθηκε –και ήταν– η συμμετοχή στην κυβέρνηση και στις συγκεκριμένες θέσεις που είχαν των *Αντ. Λιβάνη* και *Αν. Πεπονή.*

Σ' ό,τι αφορά τον Αντ. Λιβάνη, απλά επικυρώθηκε και τυπικά ένας ρόλος ουσιαστικού συμβούλου, στενού συνεργάτη και φίλου, που είχε για τριάντα πέντε χρόνια δίπλα στον Ανδρέα. Ήταν η τελευταία χρονική περίοδος συνεργασίας τους, πάντα ώριμη και παραγωγική.

Ο *Αν. Πεπονής*, κατά την άποψη του Ανδρέα, ήταν το πρώτο μέλος της κυβέρνησης που υλοποίησε και μάλιστα με επιτυχία μια μεγάλη προεκλογική δέσμευση του ΠΑΣΟΚ, μια μεγάλη θεσμική εξαγγελία.

Συνάντησε μεγάλες αντιδράσεις αυτή η θεσμική παρέμβαση και μέσα στους κόλπους του ΠΑΣΟΚ, όχι μόνο απ' τους θιγόμενους αλλά και από όσους –και ήταν πολλοί– επιχείρησαν να καταστρατηγήσουν το νόμο, αντιδράσεις που έφταναν και μέχρι τον πρόεδρο. Τις αγνοούσε και παρείχε πάντα πλήρη κάλυψη στον υπουργό του. Στενοχωρήθηκε ιδιαίτερα όταν ο Αν. Πεπονής παραιτήθηκε από ευαισθησία εξαιτίας δημοσιεύματος μιας εφημερίδας. Τον ήθελε στην κυβέρνηση και τον χρησιμοποίησε ξανά, στην πρώτη ευκαιρία.

Ήταν για μένα εντυπωσιακή και βέβαια πρωτόγνωρη αυτή η εμπειρία που έζησα κοντά στον Ανδρέα κατά το σχηματισμό της κυβέρνησης. Ήταν για μένα ένας νέος χώρος, να παρακολουθώ τη δράση του πρωθυπουργού πλέον. Ομολογώ πως τον φανταζόμουν μυθικό, αλλά σύντομα προσγειώθηκα. Διαπίστωσα ότι ο ανθρώπινος παράγοντας καθορίζει σε καταλυτικό βαθμό την πολιτική συμπεριφορά και οι φιλοδοξίες υπερτερούν σε πάρα πολλές περιπτώσεις της πολιτικής άποψης.

Παρά τα όσα είδαν το φως της δημοσιότητας, δεν είχα και δε θα μπορούσα να έχω ανάμειξη στα όσα διαδραματίστηκαν κατά το σχηματισμό της κυβέρνησης, με εξαίρεση το ότι μίλησα και εγώ στον Ανδρέα, όπως και άλλοι, για τον Γ. Λιάνη.

Αυτό που δεν κατάλαβα –και το πλήρωσα αργότερα– ήταν ότι η εξουσία που είχα αποκτήσει, de facto εξουσία ως σύζυγος του πρωθυπουργού και αμέσως μετά ως διευθύντρια του Ιδιαίτερου Γραφείου του, με καθιστούσε περισσότερο ευάλωτη. Δεν το πρόσεξα αυτό, με αποτέλεσμα μελλοντικά λάθη.

Δεν αντιλήφθηκα επίσης ότι στην τηλεοπτική δημοκρατία έχει πολύ μεγάλη σημασία η εικόνα, το φαίνεσθαι, πολλές φορές μεγαλύτερη απ' το ίδιο το γεγονός. Το πλήρωσα και αυτό...

Μια «ανάκριση» πριν από τις εκλογές...

Πριν όμως απ' την εμπειρία αυτής της εξουσίας είχα ζήσει, λίγο πριν από τις εκλογές, μια άλλη εμπειρία που με καθήλωσε, μου αποκάλυψε τον πραγματικό τρόπο λειτουργίας μιας υπερδύναμης στις σχέσεις της με άλλες χώρες, αλλά και μεγέθυνε στα μάτια μου και την καρδιά μου το μεγαλείο, τη σοφία και την ωριμότητα του πολιτικού ηγέτη Α. Παπανδρέου.

Προεκλογικά πήραμε πρόσκληση για ένα γεύμα στην αμερικανική πρεσβεία. Τυπικός λόγος της πρόσκλησης η παρουσία στη χώρα μας τριών γερουσιαστών. Βεβαίως ο Ανδρέας ήταν σίγουρος πως η πραγματική αιτία ήταν η διερεύνηση των προθέσεών του ενόψει της, σίγουρης σε όλους, ανάληψης της πρωθυπουργίας:

«Τους γνωρίζω, έτσι λειτουργούν. Επιθυμούν να μάθουν ποια πολιτική προτίθεμαι να ακολουθήσω στα θέματα που τους ενδιαφέρουν».

Το τι σημαίνει αυτό το είδα αμέσως μετά το γεύμα, όταν ο πρέσβης, ήταν ακόμα τότε ο κ. Σωτήρχος, μας κάλεσε σε έναν ιδιαίτερο χώρο, για μια «μικρή συζήτηση». Μαζί με τους γερουσιαστές και τον πρέσβη ήρθαν και ορισμένοι σύμβουλοι.

Άρχισαν να τον ρωτάνε διάφορα, απ' τα πιο πιθανά έως τα πιο απίθανα για μένα. Οι ερωτήσεις ήταν σκληρές, αλλεπάλληλες. Ο Ανδρέας απαντούσε με άνεση, με αέρα, στη συνέχεια προστέθηκε στη συζήτηση και ο επιτετραμμένος της πρεσβείας Γουίλιαμς, ήρθαν κι άλλοι, η συζήτηση άρχισε να παίρνει τη μορφή διάλεξης.

Εγώ ένιωθα να βρίσκομαι σε μια ατμόσφαιρα πολύ «επαγγελματική». Η μία ερώτηση διαδεχόταν την άλλη και μου έκανε εντύπωση ότι οι ερωτήσεις ήταν μοιρασμένες, σαν να επρόκειτο για συνέντευξη.

Απαντούσε με διπλωματικότητα, αλλά χωρίς, σε καμιά περίπτωση, να δίνει την εικόνα του αρεστού. Ήταν ήρεμος, χαλαρός, σε κάθε απάντηση που έδινε πρόσθετε και δόσεις διεθνούς ανάλυσης, για να την τεκμηριώσει. Οι άλλοι εντυπωσιάζονταν, άλλωστε οι ερωτήσεις τους αφορούσαν μια πολύ μεγάλη γκάμα θεμάτων, απ' τα ελληνοτουρκικά μέχρι τη Μέση Ανατολή, απ' τις σχέσεις με τις αραβικές χώρες μέχρι τα Βαλκάνια.

Μου ήρθε στο νου εκείνη η περίφημη συνέντευξη που είχε δώσει το 1981, μόλις έγινε πρώτη φορά πρωθυπουργός, στους τρεις Αμερικανούς δημοσιογράφους, που είχε εντυπωσιάσει. Την είχα παρακολουθήσει απ' την τηλεόραση, ως απλή τηλεθεατής και θαυμάστρια του Παπανδρέου.

Τώρα καθόμουν δίπλα του και είχα πάλι την αίσθηση μιας συνέντευξης, με το ίδιο σκληρές ερωτήσεις, αλλά και τον ίδιο εντυπωσιακό Παπανδρέου, να δείχνει μια βαθιά γνώση της διεθνούς κατάστασης, μια εξαιρετική διεισδυτικότητα και αναλυτικότητα όχι μόνο στα θέματα εξωτερικής πολιτικής της χώρας μας, που κυρίως αφορούσαν οι ερωτήσεις, αλλά και σ' όλα τα άλλα θέματα της διεθνούς επικαιρότητας.

Μου προξένησε αίσθηση ότι επέμεναν ιδιαίτερα σε ζητήματα που οι ίδιοι χαρακτήριζαν «αντιμετώπιση τρομοκρατίας» και είχαν σχέση με τη Λιβύη, τον Καντάφι αλλά και τους Κούρδους, κυρίως το PKK.

Οι απαντήσεις του δεν τους ικανοποιούσαν μεν πάντα, αυτό φαινόταν απ' τις ερωτήσεις που ακολουθούσαν, αλλά τους εντυπωσίαζαν, ήταν τεκμηριωμένες.

Στα ελληνοτουρκικά έδειχναν ιδιαίτερο ενδιαφέρον να ακούσουν αν μπορούσε να γίνει *διάλογος* μεταξύ των δύο χωρών. Απάντησε κοφτά και πειστικά κάνοντας μια σύντομη αναδρομή στις σχέσεις Ελλάδας - Τουρκίας, για να καταλήξει: «Διάλογος στη συγκεκριμένη περίπτωση σημαίνει επομένως αποδοχή και νομιμοποίηση αξιώσεων και διεκδικήσεων σε βάρος της Ελλάδας». Ύστερα εξήγησε αναλυτικά ότι η Τουρκία έχει μια στρατηγική που οδηγεί στη διεκδίκηση συγκυριαρχίας στο Αιγαίο και αυτό, όπως τόνισε, *«καμιά ελληνική κυβέρνηση δε θα το αποδεχτεί»*. Παρέθεσε στοιχεία απ' την ελληνοτουρκική κρίση του '87 και τους χειρισμούς που έκανε τότε.

Δέχτηκε αρκετές ερωτήσεις για το Κυπριακό, το οποίο χαρακτήρισε «κλειδί» για την εξέλιξη των ελληνοτουρκικών σχέσεων. Εξήγησε γιατί η κυβέρνησή του θα θεωρήσει casus belli οποιαδήποτε προέλαση των τουρκικών στρατευμάτων στην Κύπρο.

Επέμεινε ιδιαίτερα να αναλύσει ποιους κινδύνους εγκυμονεί για την ειρήνη η κατάσταση στα Βαλκάνια.

Έγιναν και ερωτήσεις για εσωτερικά, κυρίως για την οικονομική πολιτική. Αλλά η μεγάλη πλειοψηφία των ερωτήσεων αφορούσε την εξωτερική πολιτική.

Η ιδιόμορφη αυτή «συνέντευξη» διήρκεσε περίπου μιάμιση ώρα. Σε ορισμένες στιγμές, ένιωθα ότι θα πρέπει να αισθάνεται το «φόβο του τερματοφύλακα πριν απ' το πέναλτι», αλλά αυτός, χαλαρός, ήρεμος, άνετος, απαντούσε με χαμόγελο και ανάλυση. Τον θαύμαζα για την ψυχραιμία που έδειχνε και για την πειθώ που εξέπεμπε.

Στο τέλος της συζήτησης ήταν φανερό απ' τις αντιδράσεις τους ότι τους κέρδισε. Είχαν μπροστά τους έναν ώριμο, ρεαλιστή αλλά όχι ενδοτικό πολιτικό ηγέτη.

Όταν πήραμε το δρόμο της επιστροφής για το σπίτι, με ρώτησε: «Πώς τα πήγα;» Του λέω: «Σε θαύμασα, με κατέπληξε η ψυχραιμία σου, αλλά τι ερωτήσεις ήταν αυτές, τρόμαξα, σαν έμπειροι δημοσιογράφοι ρωτούσανε».

Γέλασε. «Θέλανε να μάθουνε, καμιά ερώτηση δεν ήταν τυχαία, αν και, ομολογώ, κάποιες ερωτήσεις δεν τις περίμενα. Απάντησα καλά, τι λες;»

«Ήσουν διπλωματικός αλλά σκληρός».

«Όμως δυο τρεις ερωτήσεις με ανησύχησαν. *Μου έδειχναν πού το πάνε. Φαίνεται ότι θα επιμείνουν ιδιαίτερα στο διάλογο με την Τουρκία. Δείχνουν να τη θέλουν πολύ την προσέγγιση».*

«Νομίζω πάντως ότι τους κέρδισες, είχες επιχειρήματα».

«Ίσως, αλλά οι προθέσεις τους για τα ελληνοτουρκικά δείχνουν ότι δεν έχουν αλλάξει γραμμή».

Αυτό το θέμα τον έκαιγε πάντα. Και δε σταμάτησε να ανησυχεί για τις εξελίξεις στις ελληνοτουρκικές σχέσεις, για τις προθέσεις των Αμερικανών, για τις πιέσεις που θα δεχόταν η Ελλάδα για να πάει σε διάλογο με την Τουρκία. Είχε τους λόγους του, γνώριζε πολύ καλά ότι απ' το τέλος του '95 οι πιέσεις αυτές θα γίνουν πιο έντονες. Το είχε πει καθαρά σ' εκείνη την τελευταία συνέντευξή του στη Θεσσαλονίκη. Ήταν μάλιστα ένα σημείο της συνέντευξης που προξένησε εντύπωση.

Αυτό που τον είχε ανησυχήσει ιδιαίτερα ήταν μια ενημέρωση που είχε λίγο καιρό πριν από τη συνέντευξη, απ' την οποία προέκυπτε ότι οι Αμερικανοί είχαν εντοπίσει, μέσω δορυφόρου τελευταίας τεχνολογίας, κοίτασμα πετρελαίου στο Αιγαίο, που εκτείνεται απ' τα Ίμια ως τη Γαύδο ακολουθώντας μια περίεργη πορεία.

Ήταν πηγή άριστη και μη επιδεχόμενη αμφισβήτησης αυτή που τον ενημέρωσε. «Δε θα το αφήσουν έτσι», έλεγε.

Ένα απ' τα λίγα σχόλια που έκανε για την κυβέρνηση του κ. Σημίτη, και το έκανε αρκετές φορές, ήταν το «ανησυχώ για τις εξελίξεις στα εθνικά θέματα».

Και γνωρίζω –θ' αναφερθώ σ' αυτό σε άλλο σημείο του βιβλίου– ότι στην παρέμβαση που θα έκανε στο Συνέδριο, είτε με σύντομη ομιλία, αν πήγαινε, είτε με μήνυμα, αν δε θα μπορούσε να πάει, θα έδινε ιδιαίτερη έμφαση, θα επέμενε ιδιαίτερα στην ανάγκη να μην αλλοιωθεί η πατριωτική φυσιογνωμία του ΠΑΣΟΚ και να συνεχιστούν οι πάγιες θέσεις του Κινήματος στα εθνικά θέματα.

Όσο είχε εντυπωσιάσει τους Αμερικανούς εκείνο το βράδυ, παραμονές εκλογών, στην πρεσβεία ο Ανδρέας, άλλο τόσο είχε επιτυχία στην πρώτη του συνάντηση με τον Κλίντον, τον Ιανουάριο του '94 στις Βρυξέλλες, στην κοινή συνάντηση ΗΠΑ - ΝΑΤΟ - Ευρωπαϊκής Ένωσης.

Ήταν η πρώτη γνωριμία και επαφή με τον «πλανητάρχη» και εκεί πήρε την προφορική πρόσκληση να επισκεφθεί τις ΗΠΑ. Ήταν άλλη μια δικαίωσή του ότι αυτός, που στη δεκαετία του '80 ήταν ουσιαστικά persona non grata στο Λευκό Οίκο, τώρα, στις αρχές της νέας του πρωθυπουργικής θητείας, δεχόταν πρόσκληση και μάλιστα χωρίς να έχει κάνει συμβιβασμούς στην πολιτική του.

Είχε εντυπωσιάσει το νέο Αμερικανό Πρόεδρο με την ανάλυση που έκανε για τη διεθνή κατάσταση στη διάρκεια του γεύματος, ώστε ο Κλίντον ζήτησε να συνεχιστεί η συζήτηση, το πρόγραμμα παρατάθηκε και αυτό είχε σαν αποτέλεσμα να καθυστερήσει την αναχώρησή του για τη Βαρσοβία (ήταν η πρώτη του ευρωπαϊκή περιοδεία).

Σ' εκείνο το γεύμα ήταν τρεις ομιλητές, Ντελόρ, Κλίντον, Παπανδρέου. Κατέληξε σε μια πολιτική και ακαδημαϊκή ανάλυση του Ανδρέα, με τον Αμερικανό Πρόεδρο εντυπωσιασμένο κυρίως να ακούει και να κάνει ερωτήσεις, για τα ευρωπαϊκά, για τη διαμόρφωση της νέας διεθνούς σκηνής, που ήταν το αγαπημένο θέμα του Ανδρέα, για τις σχέσεις Βορρά - Νότου, που ήταν το θέμα που γνώριζε πάρα πολύ καλά, για διάφορα άλλα ζητήματα.

Γύρισε στο ξενοδοχείο πολύ ευχαριστημένος, γνώριζε ότι είχε βγάλει μια πολύ καλή εικόνα ακαδημαϊκού και πολιτικού. Μου είπε ότι συμφώνησαν με τον Κλίντον να τα ξαναπούν σύντομα στο Λευκό Οίκο.

Δεν είχε πάντως και αυταπάτες, η πλούσια εμπειρία του τον οδηγούσε στο να είναι προσγειωμένος και να μην παρασύρεται από εντυπώσεις. Αφού μου είπε πόσο ευχαριστημένος ήταν, πρόσθεσε:

«Βέβαια η πολιτική των ΗΠΑ στα διεθνή θέματα δεν εξαρτάται από Προέδρους, είναι πάγια. Και η πολιτική αυτή δεν αλλάζει εύκολα. Ο κάθε Πρόεδρος όμως δίνει το δικό του χρώμα και εκεί έχει κανείς περιορισμένες, βέβαια, δυνατότητες να παρέμβει. Αλλά, επιτέλους, συνάντησα ένα άλλο κλίμα, ένα κλίμα σεβασμού και διαλόγου, που δεν το συναντούσες στο παρελθόν. Καμιά σχέση με το παγωμένο κλίμα του παρελθόντος, που είχες την αίσθηση ότι μίλαγες σε τοίχο».

Ο Ανδρέας θυμόταν πάντα και ανέφερε συχνά μια άλλη συνάντηση που είχε παλιότερα, πάλι στις Βρυξέλλες, με τον τότε Πρόεδρο Ρίγκαν, μέσα σε ένα εντελώς διαφορετικό κλίμα. Ήταν πάλι πρωθυπουργός και η συνάντηση ήταν ιδιαίτερη, στο δωμάτιο του ξενοδοχείου όπου έμενε ο Αμερικανός Πρόεδρος.

Όπως έλεγε, του έκανε εντύπωση η παγωμένη ατμόσφαιρα που συνάντησε, ατμόσφαιρα που γινόταν ακόμα πιο βαριά απ' την εμφανέστατη παρουσία των ανδρών της προσωπικής του ασφάλειας, οπλισμένων, σ' όλες τις γωνιές του χώρου.

Παρών ήταν και ο τότε υπουργός Εξωτερικών των ΗΠΑ, ο Αλ. Χέιγκ. Μετά τα τυπικά ο Ανδρέας άρχισε να μιλάει για τις ελληνοτουρκικές σχέσεις, για το Αιγαίο, για την πορεία των ελληνοαμερικανικών σχέσεων. Ξαφνικά ανακαλύπτει έκπληκτος ότι περίπου μονολογεί. «Όταν μιλάς με κάποιον», έλεγε όταν αναφερόταν στο περιστατικό, «παρακολουθείς και τις αντιδράσεις του. Προσπαθείς να καταλάβεις από κάποιες ενδείξεις, κάποιες συσπάσεις του προσώπου, αν συναντάς αποδοχή, απόρριψη, συμφωνία, δυσανασχέτηση, ευχαρίστηση, προβληματισμό, έκπληξη. Με τον Ρίγκαν διαπίστωσα, προς μέγιστη έκπληξη και αμηχανία μου, ότι είχα απέναντί μου μια ανέκφραστη, σχεδόν παγωμένη μάσκα. Καμιά αντίδραση, καμιά σύσπαση, δεν κουνήθηκε ρυτίδα. Μου δημιούργησε αμηχανία, δυσκολία, έλεγα μέσα μου: "Τι κάνω τώρα, τι λέω;" Έβλεπα τον Χέιγκ και κάποιο σύμβουλο του Ρίγκαν να του φέρνουν κάποιες κάρτες και να τον ενημερώνουν, με λίγα λόγια, για κάποια θέματα που θα έθιγε. Και ο ίδιος μίλαγε πάρα πολύ σύντομα, λίγες μόνο φράσεις για κάθε θέμα. Διαπίστωσα ότι του έλειπε βαθιά γνώση των θεμάτων, ότι τα πέρναγε επιφανειακά, με δυο τρεις λέξεις».

Και συνέχιζε μεταφέροντας αυτή του την εμπειρία: «Αφού είχα τελειώσει μια απ' τις τοποθετήσεις μου, γυρίζει ο Ρίγκαν και ρωτάει τον Χέιγκ: "Είναι αυτή η υπόθεση περί Αιγαίου;" Εκεί κατέρρευσα. Κατάλαβα ότι τόση ώρα μιλούσα στον αέρα... Ήταν μια συνάντηση αποτυχημένη, μια συνάντηση χωρίς διάλογο, χωρίς συζήτηση και επιπλέον μέσα σε παγωμένη ατμόσφαιρα. Σοκαρίστηκα».

Τώρα, έλεγε, με τον Κλίντον, υπάρχει και τείνει να διαμορφωθεί ένα διαφορετικό κλίμα.

Βεβαίως θετικές εντυπώσεις είχε και απ' τη συνάντησή του με τον Μπους. Θετικές σε σύγκριση με την ατμόσφαιρα και το κλίμα της συνάντησης με τον Ρίγκαν. Αναγνώριζε στον Μπους εμπειρία και γνώση των διεθνών θεμάτων, παρά τις διαφορετικές απόψεις που είχαν σε αρκετά ζητήματα. Αλλά πάντα έλεγε ο Ανδρέας, και το τόνιζε και τότε, που είχε αρχίσει να διαμορφώνεται ένα θετικό κλίμα στη σχέση του με τον Κλίντον και έβλεπε γενικότερα μια πολιτική *ανοιχτών οριζόντων*», όπως υπογράμμιζε, απ' το νέο Αμερικανό Πρόεδρο, ότι «η ουσία της πολιτικής τους δεν αλλάζει εύκολα, απαιτούνται σκληρές προσπάθειες και σκληρές διαπραγματεύσεις...»

Η δική μου πρώτη εντύπωση απ' τον Κλίντον σ' εκείνη την πρώτη συνάντηση των Βρυξελλών ήταν πως επιβάλλεται με τη φυσική του παρουσία. Ζωντανός, κινητικός, γεμίζει το χώρο, δίνει την εικόνα ενός movie star, που δεν είναι ωστόσο απλά και μόνο ο σταρ, αλλά κερδίζει και με το λόγο του, την ευγένεια και την απλότητά του.

Μόλις τελείωσε η κοινή συνέντευξη Τύπου Κλίντον - Παπανδρέου - Ντελόρ, σηκώνονται οι τρεις, προχωράνε και εγώ πάω να ακολουθήσω τον Ανδρέα. Ο Κλίντον σταματάει και ο Ανδρέας με συστήνει. «Χαίρομαι πολύ που σας γνωρίζω, είχαμε μια πάρα πολύ καλή συνεργασία με το σύζυγό σας», μου λέει ο Αμερικανός Πρόεδρος.

Ο Ανδρέας μού έκανε χιούμορ: «Ξέρεις, σε είχε προσέξει από πριν, όταν είδε ότι είχαν πέσει όλοι οι φωτογράφοι και όλες οι κάμερες πάνω σου. Τον εντυπωσίασε και εγώ του είπα ότι είσαι η σύζυγός μου...»

Ήταν περήφανος πάντα να με γνωρίζει σε ξένους ηγέτες, το χαιρόταν, το απολάμβανε και με πείραζε κιόλας: «Εσύ, παιδί μου, έχεις γίνει φίρμα σε όλα τα μήκη και πλάτη της γης». Και πάντα με έναν καλό, ενθαρρυντικό λόγο να με «σπρώχνει», όταν εγώ, ιδιαίτερα τον πρώτο καιρό, είχα μεγάλο πρόβλημα, ένιωθα αμηχανία και φόβο στη γνωριμία με μεγάλους πολιτικούς, δεν άντεχα τα πρωτόκολλα, μου προξενούσαν αλλεργία οι τυπικότητες. Αισθανόταν επίσης περηφάνια και το έλεγε όταν εισέπραττα φιλοφρονήσεις.

Σ' εκείνη τη συνάντηση των Βρυξελλών γνωρίστηκε και με την Τανσού Τσιλέρ· είχαν και κάποια ολιγόλεπτη, τυπική συνάντηση.

Τον ρώτησα να μου πει τις εντυπώσεις του.

«Συμπαθής σαν παρουσία, αν και κοντή, κινητική και φαίνεται δραστήρια. Αλλά, για να σου πω την αλήθεια, δε με εντυπωσίασε ιδιαίτερα με τις γνώσεις της απ' τη λίγη ώρα που μιλήσαμε καθώς και απ' τις παρεμβάσεις της στη Σύνοδο».

Η Τσιλέρ κατά τη συνάντησή τους είπε στον Ανδρέα ότι τον γνώριζε ως διαπρεπή οικονομολόγο και καθηγητή απ' την εποχή που σπούδαζε οικονομικά στο Χάρβαρντ. «Με είχατε εντυπωσιάσει, κύριε πρόεδρε, είχατε σπουδαία φήμη και όλοι σας σέβονταν», του είπε.

Εκείνη την περίοδο της ζωής του ο Ανδρέας τη χαρακτήριζε ως την πιο παραγωγική στην ακαδημαϊκή του πορεία.

Η δική μου δικαίωση – και τα δικά μου λάθη

ΟΤΑΝ ΤΟ ΒΡΑΔΥ των εκλογών της 10ης Οκτωβρίου ο Ανδρέας έ-
κανε εκείνη την υπέροχη χειρονομία, αναγνωρίζοντας το δικό μου
ρόλο δίπλα του στο μήνυμά του προς το λαό, ένιωθα η πιο ευτυ-
χισμένη γυναίκα στον κόσμο.

Ήταν, με εξαίρεση τη μέρα που άρχισε η σχέση μας, η πιο ό-
μορφη, η πιο ευτυχισμένη βραδιά της ζωής μου. Αισθανόμουν, το
ζούσα, ότι εκείνες τις ώρες της προσωπικής και πολιτικής του δι-
καίωσης είχε έρθει μαζί η στιγμή και της δικής μου δικαίωσης.

Μου φαίνονταν πια πολύ μακρινές οι εποχές που οι επιθέσεις,
οι λοιδορίες, οι προσωπικοί μου λιθοβολισμοί ήταν απ' τα βασι-
κά στοιχεία της απάνθρωπης και πέραν κάθε ορίου δεοντολογίας
μεταχείρισης του Ανδρέα. Ένιωθα φυσικό ότι η δική του δικαίω-
ση έφερνε και τη δική μου. Η αντιμετώπιση που είχα απ' τον κό-
σμο, η αναγνώριση και το ευχαριστώ που έκουγα και έβλεπα στα
μάτια τους πρόσθεταν ανείπωτη συγκίνηση στην ανείπωτη χαρά
και περηφάνια μου.

Αισθανόμουν ικανοποίηση ότι ο κόσμος μού ανταπέδιδε το ό-
τι είχα σταθεί δίπλα στην ηγέτη του, τον στήριξα και τον βοήθη-
σα και τους τον «παρέδιδα» ξανά πρωθυπουργό, όπως ήθελαν.
Ότι τον «πρόσεξα», όπως τόσα χρόνια με πρόσταζαν.

Οι στιγμές που έζησα, όταν βγήκαμε μαζί στο μπαλκόνι του
σπιτιού, παρόμοιες σκηνές που είχα ζήσει σ' όλη τη διάρκεια της
προεκλογικής περιόδου, ήταν για μένα πρωτόγνωρες, συγκλονι-
στικές και είναι πάντα βαθιά χαραγμένες στη μνήμη μου.

Ήμουν πάντα ένα κομμάτι αυτού του απλού κόσμου, ένιωθα και νιώ-

213

θω και σήμερα και θα νιώθω πάντα ότι ποτέ δεν έφυγα από κοντά τους.

Εκείνο το βράδυ, είτε το ήθελα είτε όχι, είτε το προσδοκούσα είτε όχι, είτε μου άρεσε είτε όχι, γινόμουν de facto ένα πολιτικό πρόσωπο. Και αποκτούσα εξουσία, όσο κι αν δεν ήθελα να το παραδεχτώ.

Μία σύζυγος πρωθυπουργού, με μια μοναδική μάλιστα σχέση μαζί του, αποκτάει εξουσία, ακόμα κι αν δεν το επιδιώκει.

Σήμερα, κοιτάζοντας τα πράγματα από απόσταση, νιώθω ότι κατά βάθος, ακόμα κι αν δεν ήθελα να το ομολογήσω, με κολάκευε η αίσθηση πως διαθέτω κάποια εξουσία, πως πολλοί υπολογίζουν σ' αυτή την εξουσία και άρα εξαρτώνται σε ένα βαθμό από μένα.

Επίσης βλέπω ότι η αίσθηση της de facto πολιτικής μου παρουσίας επίσης με κολάκευε, κατά κάποιο τρόπο με απογείωνε και με έφτανε σε ύψη που ποτέ δεν είχα γνωρίσει.

Ο ίλιγγος απ' αυτά τα ύψη με έκανε δεσμώτη του

Πολύ απλά και ανθρώπινα, δεν ήξερα σε μεγάλο βαθμό πώς να χρησιμοποιήσω αυτά που είχα στα χέρια μου, την πολιτική παρουσία και την εξουσία.

Αυτό με παρέσυρε σε μια σειρά από λάθη, τα οποία αναγνωρίζω. Είναι άλλο ζήτημα αν πολλά απ' αυτά τα λάθη σκόπιμα διογκώθηκαν για να αξιοποιηθούν είτε σε βάρος του Ανδρέα είτε σε βάρος μου. Είναι άλλο θέμα αν αρκετά λάθη κατασκευάστηκαν ή εφευρέθηκαν απ' όσους ποτέ δεν ανέχτηκαν την παρουσία μου δίπλα στον Ανδρέα και την πολέμησαν με όλα τα μέσα και εξακολουθούν ακόμα και σήμερα να την πολεμούν.

Η κακοπιστία και η ιδιοτέλεια στην αντιμετώπισή μου δεν μπορεί να αποτελέσουν άλλοθι δικό μου για τα λάθη μου, ούτε και η μικρότητα, η κακότητα και η σκοπιμότητα.

Γιατί κάποια λάθη διέπραξα και ασφαλώς θα διέπραττα περισσότερα, αν δεν υπήρχε δίπλα μου η καταλυτική παρουσία του Ανδρέα για να με διορθώνει, να με νουθετεί, να με συμβουλεύει, να λειτουργεί σε ορισμένες περιπτώσεις αποτρεπτικά.

Λίγο καιρό πριν από τις εκλογές, σε μια συνέντευξή μου είχα δηλώσει ότι δεν είναι στις προθέσεις μου να λειτουργήσω σαν μια Εβίτα της Ελλάδας.

Και το πίστευα βαθιά, ήταν η αληθινή μου πρόθεση. Κατανοούσα ότι μια τέτοια επιδίωξη θα έκανε κακό στον Ανδρέα και θα λειτουργούσε καταστρεπτικά για μένα. Άλλωστε ίσως να έλεγα και κάτι αυτονόητο, αφού τέτοια φαινόμενα ήταν από δύσκολο έως απίθανο να ευδοκιμήσουν δίπλα σε έναν πολιτικό του ειδικού βάρους και της προσωπικότητας του Ανδρέα.

Αν και ήμουν ειλικρινής, ωστόσο δεν είχα αντιληφθεί πως *η αίσθηση των ορίων* ήταν που θα έδειχνε στην πράξη αν αυτά που έλεγα τα έλεγα σοβαρά, αυτή ήταν η αληθινή μου πρόθεση.

Φοβούμαι πως σ' αυτή την οριοθέτηση δεν τα κατάφερα πάντα καλά. Βεβαίως ποτέ δεν επιδίωξα δράση και ρόλο Εβίτας, ωστόσο δεν ήταν πάντα η συμπεριφορά μου τέτοια, ώστε να μην περνάει προς τα έξω και η αντίστοιχη εικόνα.

Δεν είναι εύκολο να σου χαϊδεύουν τα όποια σύνδρομα κολακείας ανθρώπινα φέρεις και εσύ να μπορείς να στέκεσαι υπεράνω και να είσαι πάντα ανώτερος. Δεν είναι εύκολο να μπορείς να ξεχωρίζεις πάντα την ανθρώπινη σχέση και φιλία απ' το ιδιοτελές πλησίασμα, την ανιδιοτελή συμπεριφορά απ' τη στόχευση σε επένδυση.

Δεν είναι καλοί σύμβουλοι η οίηση και η αίσθηση αυτάρκειας. Δεν προσφέρεις πάντα καλές υπηρεσίες στον άνθρωπο που ασφαλώς αγαπάς, αν δεν υπολογίζεις πριν από κάθε κίνηση την εικόνα που θα παροχετευτεί προς τα έξω σαν παράγωγο αυτής της κίνησης, ανεξάρτητα και πέραν προθέσεων. Δεν αρκεί η καλή πρόθεση για το σωστό αποτέλεσμα.

Τα λάθη μου αφορούσαν και επιλογές προσώπων και επιλογές πρακτικής.

Έχω πει και σ' άλλο σημείο του βιβλίου πως σ' όλη μου τη ζωή είχα ανώμαλες προσγειώσεις και εναλλαγή καταστάσεων με τρομακτική ταχύτητα, έτσι που, πριν προλάβω να προσαρμοστώ στη μια κατάσταση, να ακολουθεί άλλη. Αυτό δημιουργεί αναπόφευκτα αδυναμίες και λάθη. Ωστόσο ορισμένα θα μπορούσαν να έχουν αποφευχθεί.

Αυτό που με τίποτα δεν μπορώ να δεχτώ απ' την κριτική που έχει γίνει είναι ότι ο Ανδρέας είχε την όποια σχέση εξάρτησης α- πό μένα. Αυτό αποτελεί ασέβεια και ύβρι πρώτα προς τον Ανδρέα και απάντησε πάρα πολύ καθαρά στη Θεσσαλονίκη, στην τελευ- ταία του συνέντευξη.

Αυτό το επιχείρημα το χρησιμοποιεί κυρίως και κατά κόρον η οικογένειά του, με πολλαπλές σκοπιμότητες. Και δεν αποτελεί ύ- βρι μόνο προς τον άνθρωπο Ανδρέα, αλλά και προς τον πολιτικό Παπανδρέου που, εκείνη την περίοδο που κατηγορείται για πλή- ρη εξάρτηση λόγω φυσικής και πνευματικής αδυναμίας, εκείνη α- κριβώς την περίοδο οδηγούσε το ΠΑΣΟΚ σε μια περιφανή εκλο- γική νίκη, έδινε με επιτυχία καθημερινές μάχες για τα εθνικά θέ- ματα, προκαλούσε το θαυμασμό ξένων ηγετών, έδινε σχεδόν μό- νος του τη μάχη για τη δραχμή.

Ας προσέξουν λοιπόν και όσα απ' τα στελέχη του ΠΑΣΟΚ με ευκολία, ασέβεια και εμφανή σκοπιμότητα επαναλαμβάνουν αυ- τό το υβριστικό επιχείρημα.

Όλοι γνωρίζουν πως τις μεγάλες αποφάσεις ο Ανδρέας τις έ- παιρνε μόνος του, ήταν δικές του επιλογές. *Αυτό έγινε και κάτω απ' τις πιο δύσκολες και τραγικές συνθήκες, στο Ωνάσειο. Και τότε ακόμα δεν του επιβλήθηκαν αποφάσεις, ενημερώθηκε και έκανε μόνος του ιστορικές ε- πιλογές.*

Γι' αυτό το θέμα εγώ έχω μιλήσει και έχω δώσει τη δική μου ερμηνεία, στη συνέντευξη στη Λιάνα Κανέλλη. Είπα ότι όλα όσα λέγονται και γίνονται αφορούν το «οικόσημο», το όνομα Παπαν- δρέου. *Αυτό είναι που ενοχλεί, ότι φέρω το όνομα, ότι αυτά τα δέκα χρό- νια που έζησα δίπλα στον Ανδρέα είναι η πολύτιμη κληρονομιά μου.*

Αλλά αυτό δε γίνεται να το χαρίσω σε κανέναν, ούτε να το α- νταλλάξω με τίποτα.

Γι' αυτά έχει μιλήσει και ο ίδιος ο Ανδρέας, κατηγορηματικά και υπεύθυνα. Και έχει μιλήσει τόσο σε συνεντεύξεις του, όσο και με τις δύο διαθήκες του. Υπήρξε σαφής και στις σκέψεις του και στην καταγραφή των προθέσεών του. Και σ' αυτά που αφήνει πα- ρακαταθήκη του εγώ δεν έχω να προσθέσω τίποτα. *Ούτε επιθυμώ να γίνω μέρος μιας κρίσης που δε συνεισφέρει στη μνήμη του.*

216

Κάποιες στιγμές, απ' το '88 ως το '93, ένιωθα τύψεις ότι εξαιτίας της σχέσης μας οι αντίπαλοί του είχαν βρει άλλο ένα ευάλωτο σημείο για να τον χτυπάνε. Αλλά επ' αυτού ήταν επίσης κατηγορηματικός: «Δήμητρα, είσαι επιλογή μου. Δε θα επιτρέψω σε κανένα να το αμφισβητήσει αυτό. Και αναλαμβάνω το όποιο κόστος». Αδυναμία, ναι, μου είχε και την έδειχνε. Αλλά απ' το σημείο αυτό μέχρι την εξάρτηση η απόσταση είναι τεράστια, τόση που ένας Παπανδρέου δε θα ήθελε ποτέ να διανύσει. Αλλά, αν η απόσταση από την αδυναμία ως την εξάρτηση είναι πολύ κοντινή για κάποιους, για το χαρακτήρα του Ανδρέα Παπανδρέου η απόσταση αυτή ήταν τεράστια...

Ήδη απ' το βράδυ των εκλογών εκείνο το «ευχαριστώ τη γυναίκα μου, τη Δήμητρα» πάγωσε πολλούς, το είδα στα πρόσωπά τους. Πολλά μαχαίρια ακονίστηκαν, πολλά βέλη βγήκαν απ' τις φαρέτρες τους, πολλά όπλα ετοιμάστηκαν.

Στοιχειώδης πρόνοια προστασίας του Ανδρέα και δικής μου αυτοπροστασίας θα έπρεπε να μου επιβάλει να του ζητήσω αναβολή ολιγοήμερη της ανακοίνωσης ότι τοποθετούμαι διευθύντρια του Ιδιαίτερου Γραφείου του πρωθυπουργού. Ίσως ακόμα θα έπρεπε να προβληματιστούμε και για επανεξέταση αυτής της απόφασης. Αλλά και αν αυτό ήταν αδύνατο (ο Ανδρέας το είχε αποφασίσει και ήταν ανένδοτος), η αναβολή για λίγες μέρες, ενώ δε θα άλλαζε τίποτα επί της ουσίας, θα μας απάλλασσε από μια σειρά αρνητικών σχολίων και επιπτώσεων σε επίπεδο εντυπώσεων. Γιατί ασφαλώς δημιούργησε εντύπωση και προκάλεσε σχόλια το γεγονός ότι η πρώτη πράξη του Ανδρέα ως πρωθυπουργού ήταν να με διορίσει διευθύντρια του Ιδιαίτερου Γραφείου του.

Ήταν ένα πρώτο λάθος, που έδωσε λαβή σε επικρίσεις για πολιτικές μου φιλοδοξίες, με κατέστησε ευάλωτη ακόμα και στην πλέον κακόβουλη κριτική και δημιούργησε ένα μύθο περί παρεμβάσεών μου στο έργο της κυβέρνησης.

Βεβαίως η ίδια η απόφαση για την τοποθέτησή μου στη συγκεκριμένη θέση θα ήταν πολύ δύσκολο να αλλάξει. Είχε συζητηθεί αρκετά πριν από τις εκλογές και είχε υπαγορευτεί από συγκεκριμένες αναγκαιότητες που σχετίζονταν και με την κατάσταση της υγείας του Ανδρέα.

Κατ' αρχάς η επιλογή του καθορίστηκε απ' το γεγονός ότι τα τελευταία χρόνια ουσιαστικά ήμουν εγώ υπεύθυνη του Γραφείου του. Η Αγγέλα Κοκκόλα απ' την αρχή είχε μια καθαρή και συνεπή θέση απέναντι στη σχέση μας. Δεν την ήθελε και δεν επιδίωξε ποτέ να το κρύψει. Αυτό δημιούργησε ορισμένα προβλήματα, δεδομένου ότι στο θέμα της σχέσης μας ο Ανδρέας δε σήκωνε κουβέντα. Το ψυχικό χάσμα που προέκυψε οδήγησε σε μια κοινή συναινέσει διακοπή της συνεργασίας τους. Έκτοτε τα καθήκοντά της τα ανέλαβα εγώ· άλλωστε αυτή η θέση προϋποθέτει μια σχέση απόλυτης εμπιστοσύνης.

Υπολογίζαμε, στη συζήτηση που έγινε πριν από τις εκλογές, τις πιθανές αντιδράσεις που θα προκαλούσε η και τυπική τοποθέτησή μου στη θέση αυτή μετεκλογικά. Μετά τη συζήτηση κατέληξε ο ίδιος σ' αυτή την απόφαση, αφού τελικά μέτρησε η άποψη πως μια αλλαγή εκείνη τη στιγμή θα δημιουργούσε περισσότερα ουσιαστικά προβλήματα. Και δε θα ήταν ειλικρινές να κατείχε τυπικά άλλος τη θέση και εγώ να ασκώ ουσιαστικά καθήκοντα.

Οφείλω πάντως να πω ότι εγώ είχα και το άγχος της στενής παρακολούθησης της υγείας του και πίστευα ότι απ' τη θέση αυτή θα το πετύχαινα με τον καλύτερο δυνατό τρόπο.

Ήμουν σίγουρη ότι θα μπορούσα έτσι να τον αποτρέπω απ' τις συνήθεις *υπερβολές,* που πάντα χαρακτήριζαν τη συμπεριφορά του, όταν επρόκειτο για πολιτική δράση. Εκεί δεν υπολόγιζε τίποτα, ούτε την κατάσταση της υγείας του ούτε τις πιθανές επιπτώσεις της πράξης του. Ήξερα, τόσα χρόνια κοντά του είχα γίνει «ειδικός» και ήθελα να φιλτράρω κάποια πράγματα, δε λειτουργούσα επαγγελματικά αλλά με τη νοοτροπία να μην τον αναλώνω σε μικρά ζητήματα.

Θα αναφέρω ένα χαρακτηριστικό παράδειγμα του πώς λειτουργούσε δίχως να υπολογίζει θέματα υγείας. Επρόκειτο να γίνει μια σύνοδος της Σοσιαλιστικής Διεθνούς και την άλλη μέρα θα αναχωρούσαμε για το Βερολίνο. Το βράδυ ένιωσε ότι έχει πυρετό και φοβήθηκε ότι ο γιατρός ενδέχεται να του πει να μην πάει.

Έστειλε λοιπόν την Ιωάννα κρυφά από μένα να του φέρει ένα κουτί ασπιρίνες και πήρε δύο μαζί, χωρίς να πει τίποτα σε κανέναν. Το αποτέλεσμα ήταν να πάθει γαστρορραγία...

Εγώ όλα αυτά έπρεπε να τα παρακολουθώ και να τα ελέγχω σε εικοσιτετράωρη βάση. Είχαμε επιπλέον οικοδομήσει μια τέτοια σχέση, που μιλούσαμε με τα μάτια, μπορούσα κάθε στιγμή να βλέπω και να ξέρω πώς αισθάνεται, αν είναι ικανοποιημένος ή δυσαρεστημένος, αν κάτι δεν του πάει καλά ή τον ενοχλεί.

Αυτού του είδους η επικοινωνία άρεσε και στους δυο μας. Θυμάμαι όταν τον παρακολουθούσα απ' το θεωρείο της Βουλής ή απ' την πρώτη θέση σε συνεδριάσεις ΚΕ και ΚΟ. Αρκετές φορές σήκωνε τα μάτια, με αναζητούσε, όταν με έβλεπε του έκανα νεύμα με το κεφάλι και συνέχιζε.

Οφείλω να πω ότι όλα αυτά τα χρόνια στο Γραφείο του Ανδρέα πολύτιμοι συνεργάτες και συμπαραστάτες ήταν ο *Γιώργος Φλούδας*, που κάποια στιγμή τού έδειξε τόση εμπιστοσύνη ο Ανδρέας, ώστε έγινε ένας εκ των εξ απορρήτων του. Η *Φρύνη, η Ιωάννα, η Δήμητρα (Ντέμη)* ήταν ο πυρήνας και η ψυχή της δουλειάς του Γραφείου. Νιώθαμε πραγματικά τυχεροί που είχαμε κοντά μας αυτά τα νέα παιδιά, εξαιρετικούς χαρακτήρες, εργατικούς, με αγάπη για τον Ανδρέα, με κέφι, με ζεστασιά. Η σχέση μας ξεπέρασε κατά πολύ τα τυπικά, επαγγελματικά όρια, έγινε σχέση ανθρώπινη, φιλική. Στάθηκαν πάντα κοντά στις δύσκολες ώρες, ξενύχτησαν τις ατέλειωτες βραδιές του Ωνασείου, συμπαραστάθηκαν στη μοναξιά που ακολούθησε μετά την παραίτηση.

Έκλαψαν τον Ανδρέα σαν πατέρα, όταν έφυγε. Και στάθηκαν κοντά μου πολύ περισσότερο από πάρα πολλούς ευεργετηθέντες και αναδειχθέντες απ' τον Ανδρέα. Τους ευχαριστώ πάντα γι' αυτό.

Άψογη ήταν επίσης η συνεργασία και φιλική και ανθρώπινη η σχέση που οικοδομήθηκε με τον *Μ. Καρχιμάκη* και τον *Π. Αλεξανδρή*, συμβούλους του Ανδρέα, που επίσης συμπαραστάθηκαν σε δύσκολες στιγμές, τον αγαπούσαν και ήταν παρέα του, όταν ανθρώπινα ήθελε να χαλαρώσει, να ξεφύγει απ' την ένταση της δουλειάς, να πει δυο κουβέντες με φίλους. Έτσι, φίλους τούς αισθανόταν και πολλές φορές τούς άνοιγε την ψυχή του. Είχαν κερδίσει και αυτοί την εμπιστοσύνη του.

Πρέπει ακόμα να αναφερθώ στην *Τέτη Γεωργαντοπούλου*, που με ευσυνειδησία και αγάπη δούλευε αποτελεσματικά ως υπεύθυνη Διεθνών και Δημοσίων Σχέσεων.

«Μεταξύ μας, αυτή τη θέση δίπλα στον πρόεδρο, υπεύθυνη του Γραφείου του, την ήθελες μόνο ως σύζυγος που ανησυχεί και αισθάνεται την ανάγκη να του προσφέρει ζεστασιά και προστασία ή μήπως σε επηρέασε και κάποιο σκίρτημα πολιτικής φιλοδοξίας, ακόμα κι αν δεν ήθελες να το παραδεχτείς;»

Την ερώτηση μου την έκανε ένας καλός μου φίλος, όταν η φιλολογία περί προθέσεων για πιθανή ανάμειξή μου στην πολιτική έδινε κι έπαιρνε. Του απάντησα ως εξής και νομίζω πως η απάντηση αυτή ισχύει και σήμερα:

«Κάποτε ο Ανδρέας μού έλεγε κάτι ωραίο, που είχε ακούσει απ' τον πατέρα του: έρωτας είναι να χαίρεσαι όταν βλέπεις τον άλλο, αλλά αγάπη είναι να λυπάσαι όταν υπάρχει η απουσία του. Τον Ανδρέα τον αγαπώ και όταν αγαπάς είσαι και ευάλωτος και αδύναμος, νιώθεις όμως πολύ όμορφα. Και εισπράττεις κόστος, όμως δεν το υπολογίζεις. Εξαιτίας των περιπετειών που πέρασε με την υγεία του, απώθησα το αίσθημα της μητρότητας.

»Για μένα το συγκλονιστικότερο είναι αυτή η μοναδική αγάπη και τίποτ' άλλο δεν έχει σημασία, παρά να διαρκέσει όσο γίνεται περισσότερο, του το χρωστάω. Δε θα σου έλεγα όμως όλη την αλήθεια, αν δεν παραδεχόμουν πως κοντά στον Ανδρέα σαγηνεύτηκα από την πολιτική. Άλλωστε κάθε μέρα μαζί του είναι μια μοναδική εμπειρία, ένα πολιτικό φροντιστήριο. Ερωτεύτηκα λοιπόν την πολιτική μαζί του. Αλλά απ' το σημείο αυτό μέχρι να σου πω αν θέλω να ασχοληθώ με την πολιτική υπάρχει απόσταση. Πάντως την εποχή που ανέλαβα τη διεύθυνση του Γραφείου του δεν επηρεάστηκα από κάποιο τέτοιο σκίρτημα, όπως λες. Ο χρόνος θα δείξει. *Ο έρωτας δεν οδηγεί πάντα σε γάμο, αλλά ούτε είμαι και της άποψης πως ο γάμος σκοτώνει τον έρωτα».*

Αυτό πίστευα και τότε και αυτό συνεχίζω να πιστεύω. Αλλά σίγουρα η σύνδεση της θέσης μου με το άνοιγμα της συζήτησης περί πολιτικών μου βλέψεων έγινε αντικείμενο εκμετάλλευσης, ξεκίνησε μια φιλολογία και μια διαρκή συζήτηση σε μια περίοδο που είχαν αρχίσει πάλι τα χτυπήματα κατά του Ανδρέα, που περνούσαν ξανά μια περίοδο αμφισβήτησης, και αυτό τελικά έβλαψε.

Δεν αναφέρομαι κυρίως στην απάντηση που έδωσε ο Ανδρέας όταν στις 24 Ιουλίου 1995, στη συνάντηση που είχε με πολιτικούς συντάκτες στην Εκάλη, ρωτήθηκε απ' τη Λιάνα Κανέλλη αν θα με στηρίξει σε περίπτωση που αποφασίσω να πολιτευτώ.

Η ερώτηση, παρά τα όσα γράφτηκαν και ειπώθηκαν, δεν ήταν προσυνεννοημένη, και το τονίζω. Ήταν, νομίζω, μια εύλογη δημοσιογραφική ερώτηση και ο Ανδρέας έδωσε απλά την απάντηση που ήθελε.

Η φιλολογία υπήρχε ούτως ή άλλως και τα σχετικά δημοσιεύματα ανθούσαν. *Έδειξα μια ανοχή*, που όξυνε τις αντιδράσεις και δημιούργησε μια εστία κριτικής.

Ήταν και αυτό λάθος μου. Δεν κατάλαβα ότι οι επικριτές είχαν ένα βασικό επιχείρημα, ότι δε δικαιούμαι να χρησιμοποιώ τη θέση που είχα δίπλα στον πρωθυπουργό για να αποκτήσω πολιτική δύναμη. Εύλογο επιχείρημα, που περνούσε στην κοινή γνώμη.

Σήμερα νομίζω ότι θα έπρεπε να χειριστώ διαφορετικά το ζήτημα. Αλλά τότε και η έλλειψη εμπειρίας και η οίηση, που ομολογώ ότι διέκρινε πολλές απ' τις ενέργειές μου, δε με άφησαν να αντιληφθώ ότι κατείχα μια θέση που με καθιστούσε όμηρο και ευάλωτη σε κριτική.

Πάντως αυτή η αυτοκριτική μου απευθύνεται σ' όσους καλόπιστα μου άσκησαν κριτική και είχαν δίκιο. Γιατί δυστυχώς περίσσεψε και σ' εκείνες τις αντιδράσεις και η κακοπιστία και η υποκρισία. Υπήρξε, για παράδειγμα, βουλευτής γειτονικού προς την Αθήνα νομού, ο οποίος επί μήνες προσπαθούσε να με προσεγγίσει προκειμένου να μπει στην κυβέρνηση, μου αναγνώριζε δηλαδή έτσι και πολιτικό ρόλο και δικαίωμα παρέμβασης, τότε που επρόκειτο για το συμφέρον του. Μετά τη δήλωση του Ανδρέα ο βουλευτής αυτός ήταν απ' τους πρώτους που στράφηκε εναντίον μου και εναντίον του πρωθυπουργού! Άλλος βουλευτής, απ' την Κρήτη, είχε έρθει εκείνο το καλοκαίρι στην Ελούντα και μου πρόσφερε τη βουλευτική του έδρα γιατί, όπως έλεγε, θεωρεί απαραίτητη την ανάμειξή μου στην πολιτική. Ο βουλευτής αυτός σήμερα πρωτοστατεί σε δηλώσεις απαξιωτικές σε βάρος μου!

Ωστόσο όλα αυτά τα φαινόμενα πολιτικής κρίσης και παρακμής ασφαλώς και δεν αποτελούν άλλοθι για τα δικά μου σφάλματα, ούτε με απαλλάσσουν απ' τις ευθύνες μου. Άμα δεν ξέρεις πώς να χειριστείς την όποια εξουσία έχεις, ασφαλώς θα πέσεις σε λάθη. Αυτό έπαθα κι εγώ. Ο χειρότερος συνδυασμός σε τέτοιες περιπτώσεις είναι η έλλειψη εμπειρίας μαζί με την *αλαζονεία και την οίηση*. Δυστυχώς ορισμένες φορές χαρακτήρισαν τις πράξεις μου. Με κατηγόρησαν ότι απέκτησα «*περιβάλλον*», που πολλές φορές έκανε παρεμβάσεις. Με το χέρι στην καρδιά θέλω να πω τούτο. Ποτέ κανείς απ' τους συνεργάτες μου δε φιλοδόξησε να μεταβληθεί σε «περιβάλλον», σε καμαρίλα, και αυτό τους τιμά όλους. Θα τους αδικούσα τα μέγιστα, αν ισχυριζόμουν το αντίθετο. Ήταν άνθρωποι, φίλοι αξιοπρεπείς και έντιμοι και σεμνοί.

Ωστόσο, ενώ απ' αυτή την άποψη δεν είχα «περιβάλλον», κάποιοι (όχι πολλοί, αλλά πάντως υπήρξαν) απ' όσους κατά καιρούς συνδέθηκαν μαζί μου επιδίωξαν σαφέστατα να «παίξουν» το ρόλο του «περιβάλλοντος», να περάσουν προς τα έξω την εικόνα ή την αίσθηση ότι είναι μέλη του «περιβάλλοντός» μου. Ο στόχος σαφής: να αποκτήσουν εξουσία και οφέλη.

Είναι αυτοί που επένδυσαν επίσης σε αξιώματα εκμεταλλευόμενοι την όποια σχέση είχαν μαζί μου, όχι πολλοί, αλλά υπήρξαν. Το παιχνίδι της εξουσίας έχει πολλές πτυχές και πολλούς κανόνες και αυτό δυστυχώς άργησα να το αντιληφθώ.

Εδώ υπήρξαν περιπτώσεις που κάποιοι «πούλαγαν» ότι έχουν σχέση μαζί μου, ότι είναι φίλοι μου, ενώ κάτι τέτοιο δε συνέβαινε. Όταν βρίσκεσαι σε μια τέτοια θέση, χρειάζεται μεγάλη ικανότητα για να διαχωρίσεις τη *φιλία* απ' την προς όφελος *κολακεία*. Όταν κατέχεις μια τέτοια θέση, είναι φυσικό να έρθεις αντιμέτωπος με τέτοια φαινόμενα.

Δεν τα πολέμησα πάντα, όπως έπρεπε και όφειλα. Τα πολέμησα και τα εξοβέλισα αρκετές φορές, αλλά όχι πάντοτε. Ορισμένες φορές ανέχτηκα την επώαση και ανάπτυξη τέτοιων φαινομένων. Δεν τα καλλιέργησα, αλλά και δεν περίμενα την ύπαρ-ξή τους.

Αυτό ήταν το περίφημο «περιβάλλον» και αυτό είναι το μερί-διο της ευθύνης μου, *είναι άλλο ένα απ' τα λάθη μου.*

Ως ένα βαθμό οφείλεται στην ανθρώπινη αδυναμία, που σε ω-θεί να ανέχεσαι την κολακεία, το χάιδεμα των αφτιών, την προ-σφορά φιλίας που όμως στο βάθος έχει στόχο την απόκτηση ο-φέλους και εξουσίας.

Επαναλαμβάνω, δεν ήταν πολλά αυτά τα φαινόμενα, αλλά δεν έλειψαν κιόλας.

Με την όση εμπειρία πλέον διαθέτω λέω πως ο μεγαλύτερος αγώνας που έχει να δώσει κανείς καθημερινά, ιδιαίτερα όταν έ-χει εξουσία, είναι για να αυξήσει τα αντισώματά του, να ισχυρο-ποιήσει τις προσωπικές του αντιστάσεις.

Απ' αυτή την εικόνα, που σκόπιμα διογκωνόταν από ορισμένα ΜΜΕ, προέκυψε η κριτική περί *παρεμβάσεών* μου στο κυβερνητικό έργο.

Όση αυτοκριτική διάθεση κι αν έχω, αυτή ειδικά την κριτική τη θεωρώ άδικη. Όχι, δεν υπήρξαν τέτοιου είδους παρεμβάσεις μου. Ουδέποτε σήκωσα τηλέφωνο για να επικοινωνήσω με μέλος της κυβέρνησης, παρά μόνο με εντολή του Ανδρέα. Ποτέ άμεσα ή έμμεσα δεν άσκησα πίεση σε υπουργό ή υφυπουργό για κάποιο θέμα. *Προκαλώ* οποιονδήποτε απ' τα μέλη των κυβερνήσεων της περιόδου '93-'96, των κυβερνήσεων του Α. Παπανδρέου, να με διαψεύσει και να ισχυριστεί το αντίθετο. Αν μου ζητούσε για κά-ποιο θέμα ο Ανδρέας τη γνώμη μου, την έλεγα. Μέχρι εκεί.

Ενδιαφέρθηκα, και δεν το θεωρώ παρέμβαση, για το θέμα των Μετεώρων και για τις εκδηλώσεις της Πάτμου, ύστερα από πρό-ταση της Ελ. Παπαζώη, που επέμενε να με βάλει μπροστά στην οργάνωση αυτής της σύναξης της Ορθοδοξίας. Δεν πήγα ποτέ πιο πέρα απ' όσο η θέση που κατείχα επέτρεπε και δεν έχουν καμιά σχέση με την πραγματικότητα τα όσα γράφτηκαν, ότι εγώ προή-δρευα σε συσκέψεις και άλλα συναφή. Απόπειρες παρεμβάσεων ενδεχομένως έγιναν από κάποιους που επέμεναν να λειτουργούν στ' όνομά μου, χωρίς όμως τη δική μου εξουσιοδότηση ή χωρίς καν να το ξέρω.

Άλλωστε, όσοι γνώριζαν τον Ανδρέα ξέρουν καλά πως δεν α- νεχόταν τέτοιου είδους παρεμβάσεις, όση αδυναμία και αν είχε σε κάποιον. Και θα επαναλάβω πως πολλοί απ' αυτούς που σήμερα με κατηγορούν για παρεμβάσεις αποτελούν χαρακτηριστικά παραδείγματα στελεχών που μου αναγνώριζαν άμεσα ή έμμεσα de facto πολιτικό ρόλο.

Κλασική τέτοια περίπτωση ο *Κ. Σκανδαλίδης*, ο οποίος λίγο πριν μπει ο Ανδρέας στο Ωνάσειο με πίεζε πολύ προκειμένου να πείσω τον Ανδρέα να συναντηθεί με τον *Κ. Σημίτη*. Εγώ του έλεγα ό- τι αυτό είναι θέμα του ίδιου και αυτός επέμενε: «Πρέπει να καταλάβεις πως μόνο εσύ μπορείς να τον πείσεις, πρέπει να παίξεις το ρόλο σου».

Επίσης, στην περίοδο του Ωνασείου ο ίδιος μου πρότεινε να πείσω τον Ανδρέα να παραιτηθεί και σε αντάλλαγμα μου προσέφερε στήριξη για πολιτική καριέρα. Αλλά σ' αυτό θα αναφερθώ στη συνέχεια.

Ή μήπως δεν ήταν η Ελ. Παπαζώη, από τα ικανά στελέχη της σημερινής κυβέρνησης, που με αποκαλούσε «θεσμό», με προέτρεπε ν' ασχοληθώ με την πολιτική και έφτασε στο σημείο στις 26 Οκτωβρίου του '95 να έρθει απρόσκλητη να μου ευχηθεί για τη γιορτή μου επιμένοντας: «Πρέπει οπωσδήποτε να πω χρόνια πολλά στη Δήμητρα, δε φεύγω αν δεν της ευχηθώ».

Οι «Σειρήνες» που μου χάιδευαν τα αφτιά ήταν πολλές. Οι αντιστάσεις μου ίσως όχι αυτές που έπρεπε. Λάθος μου.

Κατηγορήθηκα για προσπάθειες επηρεασμού του Ανδρέα σχετικά με πρόσωπα. Η αλήθεια είναι πως ο ίδιος ορισμένες φορές ζητούσε τη γνώμη μου για πρόσωπα, όπως ζητούσε τη γνώμη πολλών άλλων. Την έδινα και δε νομίζω ότι τον επηρέαζα περισσότερο από συνεργάτες του.

Αν κάποιοι θεωρούν λάθος μου ότι για ορισμένα πρόσωπα σε δευτερεύ-

ουσες θέσεις έπαιρνα εγώ την πρωτοβουλία να του μιλήσω, να το δεχτώ. Με εξαίρεση τον Γ. Λιάνη, για τον οποίο πράγματι ζήτησα να συμμετάσχει στην κυβέρνηση, άλλες παρεμβάσεις σ' αυτό το επίπεδο δεν έκανα. Ο Τηλ. Χυτήρης, ο οποίος ήταν πολύ κοντά στον πρόεδρο και στους δύο ανασχηματισμούς τού '94 και του '95, μπορεί να πει αν άσκησα πιέσεις ή έκανα άλλου είδους παρεμβάσεις.

Και όμως ήταν πολλοί αυτοί που μου ζητούσαν επίμονα να μεσολαβήσω για να μπουν στην κυβέρνηση και σήμερα με κατηγορούν.

Επαναλαμβάνω όμως, παραδέχομαι ότι πήρα πρωτοβουλίες για τοποθετήσεις προσώπων σε άλλες θέσεις, όπως για τον Ε. Γιαννακόπουλο, τον Γ. Ρουμπάτη, τον Α. Κοσώνα, τον Παν. Παναγιώτου.

Ένα από τα μεγαλύτερα λάθη μου, ίσως το μεγαλύτερο, είναι πως δεν προστάτευα πάντα όσο έπρεπε τη δημόσια εικόνα του Ανδρέα. Οποιοδήποτε δικό μου λάθος, οποιαδήποτε δική μου ανοησία, αντανακλούσε και στον Ανδρέα, του δημιουργούσε προβλήματα, τον καθιστούσε τρωτό σε κριτική, καλόπιστη ή κακόπιστη. Μπορεί να είχα σαν αφετηρία καλές προθέσεις, ωστόσο τα αποτελέσματα ορισμένες φορές δεν ήταν αντίστοιχα των προθέσεων.

Η πλέον χαρακτηριστική περίπτωση είναι της περιβόητης και πολυσυζητημένης «ροζ βίλας», όπου εκεί φάνηκε με τον πιο ανάγλυφο τρόπο η έλλειψη εκ μέρους μου αίσθησης ορίων μεταξύ καλής πρόθεσης και πρόκλησης. Δεν είχα άλλο σκοπό, όταν αγοράστηκε το οικόπεδο Λουμίδη και άρχισε να κατασκευάζεται το σπίτι, απ' το να εξασφαλίσω στο σύντροφό μου έναν αξιοπρεπή χώρο, τον οποίο να χαίρεται και στον οποίο θα περνούσε ευχάριστα τα τελευταία χρόνια της ζωής του. Τον δικαιούνταν έναν τέτοιο χώρο και ως άνθρωπος και ως πρωθυπουργός, αυτός που ποτέ στη ζωή του δεν ασχολήθηκε με τέτοιου είδους «πολυτέλειες». Τον είχε ανάγκη λόγω της εύθραυστης υγείας του, που επέβαλε ένα ήρεμο και άνετο περιβάλλον. Τον είχε ανάγκη και ως πολιτικός, που έπρεπε να έχει έναν αξιοπρεπή χώρο για να δέχεται ξένους ηγέτες, να συγκαλεί συσκέψεις, να συναντά ανθρώπους του πνεύματος και της τέχνης. Στο κάτω κάτω, σκεφτόμουν, ένας Ανδρέας Παπανδρέου, που ήταν μια ζωή «μέτοικος», άξιζε στην τελευταία περίοδο της ζωής του να απολαύσει κάτι που είχε στερηθεί, έναν όμορφο χώρο, όπου θα μπορούσε να εργάζεται άνετα, να διαμένει, να ηρεμεί, να περνάει ανθρώπινες στιγμές με φίλους και συνεργάτες.

Ο ίδιος ο Ανδρέας, αντίθετα με τα όσα γράφτηκαν ή ειπώθηκαν, ήταν σύμφωνος με το χτίσιμο του σπιτιού, χάρηκε σαν μικρό παιδί όταν το είδε και, όπως ο ίδιος έλεγε, απολάμβανε τη διαμονή και την εργασία σ' αυτό το χώρο, τους λίγους δυστυχώς μήνες που πρόλαβε να μείνει. Ούτε αντέδρασε ούτε εξέφρασε δυσαρέσκεια.

Πέραν όμως των προθέσεων, σ' αυτές ειδικά τις περιπτώσεις ισχύει το περί της γυναίκας του καίσαρα, που δεν πρέπει μόνο να είναι, αλλά και να φαίνεται τίμια. *Μεταξύ των προθέσεων και του αποτελέσματος εμφιλοχώρησε κάτι που ελαφρά τη καρδία το προσπέρασα:* η πρόκληση. Ήταν ο παράγοντας που δεν έλαβα υπόψη μου. Μεγάλο λάθος. Λάθος που κόστισε και στον Ανδρέα, προκάλεσε πλήγματα στην εικόνα του, τον κατέστησε στόχο αθλιοτήτων και εν πολλοίς όμηρο άδικης και μικρόψυχης κριτικής, σαν αυτής του Θ. *Πάγκαλου.* Ήταν πρόκληση ότι το σπίτι πήρε τις διαστάσεις, σαν εικόνα, μιας πολυτελούς βίλας που απέπνεε νεοπλουτίστικη νοοτροπία, εξέπεμπε χλιδή. Μπορεί αυτή η εικόνα να μην ανταποκρίνεται εν πολλοίς στην πραγματικότητα, αλλά έτσι πέρασε στα μάτια της κοινής γνώμης και αυτό, δυστυχώς, δεν μπόρεσε να αλλάξει.

Είναι αλήθεια ότι φίλοι και μέλη του ΠΑΣΟΚ που αγαπούσαν τον Ανδρέα βοήθησαν πολύ με δουλειά και πολύ καλές τιμές (σχεδόν τιμές κόστους) στο χτίσιμο και στα υλικά καθώς και σε πολλές άλλες εργασίες. Αλλά αυτή η αλήθεια δεν απέτρεψε σχόλια κακόβουλα και δημοσιεύματα αναληθή που υπαινίσσονταν σκοτεινές δοσοληψίες και ύποπτες συναλλαγές. Όλα τούτα καμιά σχέση δεν έχουν με την πραγματικότητα. Η αλήθεια είναι αυτή που περιγράφεται στις δηλώσεις «πόθεν έσχες». Και όμως, πάνω στο ψέμα των εντυπώσεων επένδυσαν ακόμα και στελέχη του ΠΑΣΟΚ προκειμένου να πλήξουν τον Ανδρέα, πολιτικά και ανθρώπινα. Άρπαξαν την ευκαιρία για να δημιουργήσουν πολιτικό ζήτημα, χτυπώντας τον σ' ένα απ' τα πιο ευαίσθητα σημεία του, μετά την οδυνηρή περιπέτεια του '89. Γνωρίζω καλά πως η άδικη επίθεση του Θ. Πάγκαλου τον πίκρανε όσα λίγα γεγονότα τον πίκραναν μετά το '93, ακριβώς γι' αυτό.

Λάθος μου όμως, που δε σβήνει απ' τη σκοπιμότητα και την υπερβολική, άδικη και κακόβουλη κριτική, ότι δεν προνόησα για μια πιο απλή, σεμνή εικόνα, που θα εξασφάλιζε μεν όσα ήθελα και ονειρευόμουν για τον Ανδρέα και παράλληλα δε θα προκαλούσε.

Ανθρώπινα, έχω να θυμηθώ τη συγκίνησή του για τη στήριξη που πρόσφερε εκείνη την ώρα, του καταιγισμού των επικρίσεων και του πολέμου των σκοπιμοτήτων, ο *Ευάγ. Γιαννόπουλος,* με το δικό του, ιδιόμορφο τρόπο, αλλά με γενναιότητα, που χρειαζόταν να τη διαθέτει κανείς για να πάει «κόντρα στο ρεύμα».

Ασφαλώς έκανα κι άλλα λάθη, που συνέτειναν στη μη προστασία της καλής εικόνας και της δικής μου και του Ανδρέα. Ήταν λάθος μου, και έδειξα και σ' αυτή την περίπτωση άγνοια ορίων, ότι τις δικές μου φιλικές σχέσεις και γνωριμίες ως ένα βαθμό τις πέρασα προς τα έξω και ως παρέες του Α. Παπανδρέου.

Ο ίδιος είχε τους δικούς του φίλους, τις δικές του παρέες, τους ανθρώπους με τους οποίους περνούσε πάντα ευχάριστα, απολάμβανε και χαιρόταν τη συντροφιά τους, τον Παπούλια, τον Κατσιφάρα, τον Λιβάνη σε ένα άλλο επίπεδο· τα τελευταία χρόνια είχε δεθεί και με ορισμένους απ' τους γιατρούς του, όπως τον Δημ. Κρεμαστινό και τον Αίαντα Αντωνιάδη. Απολάμβανε επίσης τα τελευταία χρόνια τη συντροφιά του οδοντογιατρού του, του *Πέτρου Πετρογιάννη,* και της συζύγου του, της *Κατερίνας,* τους οποίους είχε εκτιμήσει βαθιά και με τους οποίους είχε δεθεί και γι' αυτό τους ήθελε πολλές φορές κοντά στη συντροφιά του. Ο Πέτρος και η Κατερίνα είναι φίλοι μου απ' τα εφηβικά μου χρόνια, κάναμε και κάνουμε πάρα πολύ όμορφη παρέα και στάθηκαν πάντα κοντά μου, σε καλές και κακές στιγμές. Είναι και σήμερα κοντά μου και μου συμπαραστέκονται και νιώθω όμορφα που η φιλία αυτή συνεχίζεται. Έγιναν παρέα του Ανδρέα και αυτό ήταν δική του επιλογή. Δε χρειάστηκε καν να το επιδιώξω. Θυμάμαι ότι πολλές φορές, όταν το ΠΑΣΟΚ ήταν στην αντιπολίτευση, πήγαινε στο οδοντιατρείο και καθόταν ώρες μετά την ιατρική επίσκεψη και μίλαγε με τον Πέτρο, του άρεσε. Μάλιστα σε κάποιες από εκείνες τις επισκέψεις έβρισκε την ευκαιρία... να παραβαίνει τη συμφωνία που είχαμε κάνει, ότι δε θα παρακολουθεί απ' την τηλεόραση τη διαδικασία του Ειδικού Δικαστηρίου.

Είχε λοιπόν ο Ανδρέας τις παρέες που αυτός είχε επιλέξει. Και εγώ, πέρα απ' τις κοινές παρέες, είχα και τους δικούς μου φίλους. Φίλους απ' τα παλιά, που μου είχαν συμπαρασταθεί σε δύσκολες ώρες και αισθανόμουν άνετα μαζί τους και γι' αυτό δεν έχω μετανιώσει καθόλου.

Δεν έχω μετανιώσει για τη φιλική μου σχέση, για παράδειγμα, με τον *Μάνο Θωμαδάκη,* τον οποίο γνώριζα χρόνια πριν. Απ' το σημείο αυτό όμως μέχρι το σημείο να γίνει συνδαιτυμόνας του Α. Παπανδρέου υπάρχει απόσταση. Όχι γιατί αυτό ήταν κατ' ανάγκη κακό. Απ' τη στιγμή όμως που λόγω της ενασχόλησής του με την αστρολογία είχε γίνει στόχος άδικων εν πολλοίς επιθέσεων, το να φαίνεται ότι ανήκει στο «περιβάλλον» του Ανδρέα δημιουργούσε προβλήματα και μια αρνητική εικόνα για τον πρωθυπουργό και τον πολιτικό ηγέτη. Και όφειλα να τον προστατεύσω. *Ήταν λάθος μου* ότι δεν το έκανα, γιατί η προς τα έξω εικόνα έχει ιδιαίτερη σημασία. Και μάλιστα αυτό το λάθος το εισέπραττε και ο Μ. Θωμαδάκης, ο οποίος δέχτηκε σκληρές και άδικες επιθέσεις, χαρακτηρίστηκε «μάγος», «απατεώνας», πλήρωσε πολύ άσχημα τη φιλία του με τη σύζυγο του πρωθυπουργού. Είναι αναπόφευκτο, άμα βρίσκεσαι στη σκηνή, μπορεί να χειροκροτηθείς, αλλά μπορεί και να πετροβοληθείς. Σε κάθε περίπτωση είσαι εκτεθειμένος.

Με αφορμή τη φιλία μου με τον Μ. Θωμαδάκη και την κακό-

βουλη διάσταση που δόθηκε από αρκετά ΜΜΕ στις δραστηριό-
τητές του, παίχτηκε και ένα άλλο άσχημο παιχνίδι σε βάρος μου,
που είχε να κάνει με την εικόνα μου, αυτό όμως είχε την αντανά-
κλασή του και σ' εκείνη του Ανδρέα. Κατασκευάστηκε η εντύπω-
ση πως είμαι έρμαιο μάγων, καφετζούδων, χαρτοριχτρών, μια
σκοτεινή εικόνα για δραστηριότητες από φαιδρές έως ύποπτες. Α-
κόμα και η θρησκευτική μου πίστη έγινε προσπάθεια να παρου-
σιαστεί προς τα έξω ως ανόητη και σκοτεινή, μεσαιωνική θρη-
σκοληψία. Γράφτηκαν δεκάδες ρεπορτάζ, που δεν έχουν καμιά
σχέση με την πραγματικότητα, κατασκευάστηκαν φανταστικά σε-
νάρια, με ένα μόνο στόχο: να δοθεί η εικόνα μιας συζύγου πρω-
θυπουργού που είναι εξαρτημένη από τέτοια φαινόμενα, εικόνα
άκρως μειωτική αλλά και απόλυτα φανταστική.

Κατ' αρχάς η φιλία μου με τον Μ. Θωμαδάκη δε σχετιζόταν με
τις δραστηριότητές του, οι οποίες ούτως ή άλλως δεν έχουν σε τί-
ποτα να κάνουν με «μάγους», «τελετές» και λοιπά συναφή. Δε θα
έλεγα αλήθεια αν ισχυριζόμουν ότι δεν είχα κάποια μεταφυσική
επιρροή, αυτή που καθορίζει τη σχέση των περισσότερων αν-
θρώπων με το άγνωστο. Απ' αυτή την άποψη, κάποιες στιγμές
μπορεί να έδειχνα ένα ενδιαφέρον για τα όσα έλεγε ο Θωμαδά-
κης, αλλά ως εκεί. Ούτε προσωπικό αστρολόγο τον είχα ούτε ε-
πηρέαζε σε καμιά περίπτωση, άμεσα ή έμμεσα, γεγονότα που
σχετίζονταν καθ' οιονδήποτε τρόπο με την πολιτική. Ούτε υπήρ-
ξαν ποτέ δίπλα μου ή γύρω μου μέντιουμ, καφετζούδες ή χαρτο-
ρίχτρες.

Η μόνη αλήθεια απ' όσα περιέχονταν σε εμβριθή κατά τα άλ-
λα ρεπορτάζ είναι η σχέση μου με τη Μάρθα. Ομολογώ ότι πι-
στεύω στο ξεμάτιασμα, άλλωστε αυτό το δέχεται και η Εκκλησία.
Αυτή είναι όντως μια απ' τις «αμαρτίες» μου. Και απ' αυτή την πί-
στη μου ξεκίνησε και η σχέση μου με τον πατέρα Νεκτάριο, έναν
άξιο ιερωμένο, μαχητή της Ορθοδοξίας και καλό φίλο.

Για τις σχέσεις μου με την Ορθοδοξία, για την πίστη μου, για
τα όσα, ελάχιστα, έκανα ορμώμενη απ' την πίστη μου αισθάνομαι
υπερήφανη, όσο κι αν κάποιοι και αυτό ακόμα το εκμεταλλεύτη-
καν για να με εμφανίσουν ως θρησκόληπτη. Αυτό που έκανα το

229

πίστευα βαθιά, γιατί πραγματικά το πιστεύω και βαθιά το αισθάνομαι ότι ο Θεός μού χτύπησε την πόρτα στο Χέρφιλντ. Είναι και σήμερα το καταφύγιό μου. Ένα απ' τα πράγματα για τα οποία δεν έχω μετανιώσει είναι το εκκλησάκι στον κήπο του σπιτιού. Πέρασα και περνάω δικές μου στιγμές εκεί προσευχόμενη, όπως και ο Ανδρέας κατέφευγε εκεί και προσευχόταν, όσες φορές ένιωθε την ανάγκη.

Μία απ' τις ελάχιστες αλήθειες απ' τα όσα περί Ωνασείου σενάρια κατασκευάστηκαν ήταν ότι με επισκέπτονταν φίλοι μου ιερωμένοι, μου έδιναν κουράγιο, με βοηθούσαν και τους ευχαριστώ γι' αυτό. Προσεύχονταν για τον Ανδρέα, ο οποίος με το δικό του τρόπο είχε επίσης συνδεθεί με την Ορθοδοξία τα τελευταία χρόνια. Και στο Ωνάσειο μια απ' τις πιο συγκινητικές του στιγμές ήταν όταν ζήτησε απ' τον πνευματικό του πατέρα Τιμόθεο Ηλιάκη να τον κοινωνήσει.

Αυτό που δεν έπρεπε να κάνω στο Ωνάσειο, που ήταν ένα απ' τα *λάθη μου* και είχε αρνητικές επιπτώσεις και παρενέργειες και έχω μετανιώσει γι' αυτό, ήταν οι δύο συζητήσεις που είχα, μέσω κινητού τηλεφώνου, με δύο δημοσιογράφους περιοδικών, οι οποίες μετασχηματίστηκαν σε συνεντεύξεις. Η αλήθεια είναι πως ποτέ δε δόθηκε η έγκρισή μου να δοθούν σαν συνεντεύξεις. Και αυτό έχει συμβεί αρκετές φορές. Συνέβη και αργότερα, να μιλάω δηλαδή φιλικά με ένα δημοσιογράφο και στη συνέχεια να βλέπω αυτή τη συζήτηση σαν συνέντευξη δίχως να γνωρίζω τίποτα και φυσικά χωρίς να υπάρχει δική μου συναίνεση, με όση αυθαιρεσία αυτό συνεπάγεται. Αλλά αυτό δε με απαλλάσσει απ' τις ευθύνες μου, πιστεύω πως δεν έπρεπε να είχα μιλήσει σ' εκείνη ειδικά τη συγκυρία όπου ό,τι κι αν έλεγα θα παρερμηνευόταν και θα εμπλέκετο στις πολιτικές εξελίξεις αναπόφευκτα. Δε με αθωώνει ούτε η ψυχολογική κατάσταση που βρισκόμουν, η μοναξιά, η πίκρα, η απόγνωση που ένιωθα.

Και οφείλω να πω ακόμα πως η πλειοψηφία των δημοσιογράφων που έμειναν εκατόν είκοσι τρεις μέρες στο Ωνάσειο και

κάλυψαν τα συγκλονιστικά ανθρώπινα και πολιτικά γεγονότα ε-
κείνης της δραματικής περιόδου στάθηκαν *υπεύθυνα και με σεβασμό*.
Οι, ευτυχώς, λίγοι που βρήκαν ευκαιρία να αναδειχθούν σε ήρω-
ες του κιτρινισμού και να διακριθούν σε ανθρωποφάγες επιδό-
σεις έχουν κριθεί και απ' τους συναδέλφους τους και απ' την κοι-
νή γνώμη, άλλωστε και η σημερινή τους στάση παραπέμπει στη
συμπεριφορά εκείνης της περιόδου...

Υπήρξαν επίσης και δημοσιογράφοι, και αξίζει να αναφερ-
θούν, που δε δίστασαν να προτάξουν την ανθρωπιά στη στάση
τους και ποτέ δεν επιχείρησαν να εξαργυρώσουν τη φιλική μας
σχέση, τις καθημερινές σχεδόν συζητήσεις μας, για μια δημοσιο-
γραφική «επιτυχία». Τελικά, σκέφτομαι, ο καθένας κρίνεται, δεί-
χνει το ποιοτικό του ανάστημα σε τέτοιες στιγμές...

Αισθάνομαι την ανάγκη να διευκρινίσω πως η αναφορά αυτή σε
όσα θεωρώ λάθη μου, κρίνοντας τα πράγματα από απόσταση, δε
γίνεται σε καμιά περίπτωση προκειμένου να «εξαγνιστώ», αλλά ού-
τε και για να απολογηθώ. Όχι. Πιστεύω πως οφείλω στον Ανδρέα,
στα δέκα χρόνια που ζήσαμε μαζί, να σταθώ απέναντι στα γεγο-
νότα και να κάνω τον απολογισμό μου, όχι την απολογία μου. Να
ζυγίσω τα συν και τα πλην, όπως εγώ τα αντιλαμβάνομαι, να προ-
σπαθήσω ν' αξιολογήσω αυτή τη μοναδική εμπειρία-πορεία. Η
χρονική απόσταση με διευκολύνει. Δεν πετάω ούτε απορρίπτω τί-
ποτα απ' όσα έζησα, αντίθετα τα κουβαλάω μέσα μου, πολύτιμη
κληρονομιά αυτής της σχέσης. Τα όσα συγκλονιστικά βίωσα μου
ανήκουν.

Αυτοκριτικά βλέπω ότι ασφαλώς μπορούσα κι έπρεπε ν' απο-
φύγω σφάλματα. *Και αυτό οφείλω να το καταθέσω επίσης πρώτα πρώτα*
σ' όσους καλόπιστα και με αγάπη με επέκριναν. Ακόμα σ' όσους με α-
νέχτηκαν χωρίς να με κολακέψουν, καθώς και σ' αυτούς που όταν
ο Ανδρέας έφυγε στάθηκαν και στέκονται κοντά μου, δε μέτρη-
σαν την παρουσία τους με τη μεζούρα της όποιας εξουσίας είχα
και δεν έχω.

Οι πολιτικές μου «φιλοδοξίες»

Αναφέρθηκα παραπάνω στο πώς διαμορφώθηκαν οι σχέσεις μου με την πολιτική, μέσα απ' αυτή την πολύτιμη, δεκάχρονη κοινή διαδρομή με τον Ανδρέα.

Αυτό που είπα στη Λιάνα Κανέλλη, στη συνέντευξη του Νοεμβρίου του '95, ότι «δεν μπορώ ν' αποφασίσω μ' ένα πιστόλι στον κρόταφο», το πίστευα. Ένιωθα να πιέζομαι και να εκβιάζομαι για να πω αν θ' ασχοληθώ με την πολιτική ή όχι, αν θα είμαι ή όχι υποψήφια στις επόμενες εκλογές. Αν θέλω όμως να είμαι ειλικρινής και τίμια, πρέπει να ομολογήσω πως αυτό το κλίμα πίεσης και εκβιασμού, που με πολιορκούσε και με κρατούσε σε μια διαρκή ομηρία, το ανέχτηκα ως ένα βαθμό. Κολάκευε τα όποια στοιχεία ματαιοδοξίας έχω το γεγονός ότι η πλειοψηφία των ΜΜΕ ασχολιόταν για ένα μεγάλο διάστημα αποκλειστικά μ' αυτό το θέμα. Όχι ότι με είχε κατακτήσει το σύνδρομο της δημοσιότητας, αλλά στο βαθμό που δεν είχα αποφασίσει τι θα κάνω (και αυτό είν' αλήθεια), κάπου, κατά βάθος, έλεγα «άσ' τους να το κρατάνε στην επικαιρότητα». Διευκρινίζω, δεν το υπέθαλπα, αλλά ως ένα βαθμό το ανεχόμουν. Όμως αυτή η κατάσταση, αυτό το κλίμα δημιούργησε πολιτικές παρενέργειες. Εκτός αυτού άρχισε να γίνεται βρόγχος στο λαιμό και να με πιέζει εκβιαστικά.

Κάποια στιγμή, ακριβώς επειδή με την πολύτιμη βοήθεια του Ανδρέα συνειδητοποίησα τα παραπάνω, προσπάθησα, μέσω και της συνέντευξης στη Λιάνα, να περάσω το μήνυμα «σταματήστε, δε με απασχολεί τώρα αυτό το ζήτημα, ας τελειώνει η εκμετάλλευση και η σπέκουλα». Δεν ήταν όμως εύκολο να ελεγχθεί, *γιατί πλέον ήταν προϊόν εμπορεύσιμο*, ήταν ένα στοιχείο αξιοποιήσιμο για να χτυπηθεί ο Ανδρέας, να ενταθεί η αμφισβήτησή του, κυρίως απ' την τότε εσωκομματική αντιπολίτευση και λιγότερο απ' τους πολιτικούς του αντιπάλους, που έδειξαν συμπεριφορά πιο ανθρώπινη και αξιοπρεπή.

Ακόμα όμως και τότε υπήρχαν κομματικά στελέχη που επέμεναν ότι πρέπει να δηλώσω πως ναι, θα ασχοληθώ με την πολιτική. Το περίεργο και αξιοθρήνητο είναι πως ορισμένοι, αφού πολύ εύκολα πέρασαν αμέσως μετά στο «εκσυγχρονιστικό» στρατόπεδο, άρχισαν να με λιθοβολούν. Δείγματα ήθους και αξιοπρέπειας... Μάλιστα κάποιοι, αφού άλλαξαν «χρώμα», αμείφθηκαν προφανώς για τις υπηρεσίες τους και με υπουργικούς θώκους.

Ο Ανδρέας, σε αρκετές συζητήσεις που είχαμε κάνει, δεν ήταν αντίθετος με την ανάμειξή μου στην πολιτική. Είχε μια άποψη, μια στάση για το θέμα αυτό, που συνοψιζόταν στα εξής δύο σημεία:

Οποιαδήποτε απόφαση έπρεπε να είναι αποκλειστικά δική μου, χωρίς επηρεασμούς και πιέσεις προς τη μία ή την άλλη κατεύθυνση.

Δεν έπρεπε καθόλου να βιαστώ, αλλά να ζυγίσω ψύχραιμα και υπεύθυνα τα πράγματα, πριν κάνω τις επιλογές μου.

Ο ίδιος δεν προσπάθησε να με επηρεάσει. Έλεγε: «Απ' τη στιγμή που θεωρώ ότι είναι δικαίωμά σου και διαθέτεις τις ικανότητες, η απόφαση είναι δική σου».

«Δεν ξέρεις, Δήμητρα, πώς θα είναι το πολιτικό σκηνικό σε δέκα χρόνια. Ποια κόμματα θα υπάρχουν, ποιες πολιτικές δυνάμεις θα έχουν διαμορφωθεί. Οπωσδήποτε το τοπίο δε θα μοιάζει με το σημερινό».

Μάλιστα κάποιες φορές, μεταξύ σοβαρού και αστείου, μου έλεγε:

«Είσαι βέβαιη ότι με τον τάδε και τον τάδε», και μου ανέφερε ονόματα συγκεκριμένων στελεχών του ΠΑΣΟΚ, που ο ίδιος πίστευε ότι «παίζουν» σε κεντροδεξιά σενάρια... «θα είσαι στο ίδιο κόμμα;»

Το ζήτημα αυτό, των πολιτικών εξελίξεων, τον απασχολούσε έτσι κι αλλιώς έντονα και έκανε ατέλειωτες συζητήσεις με φίλους και συνεργάτες του για τη διαμόρφωση νέου πολιτικού σκηνικού, το οποίο θεωρούσε βέβαιο. Ένας απ' τους σοβαρούς προβληματισμούς του ήταν:

«Το θέμα δεν είναι αν θα υπάρχει το ΠΑΣΟΚ στο 2005 και ποια δύναμη θα έχει. Το θέμα είναι ποιες κοινωνικές δυνάμεις θα εκπροσωπεί τότε, πώς θα έχουν διαταχθεί οι κοινωνικές δυνάμεις».

Σκεφτόταν, παρά τα όσα περί του αντιθέτου έχουν λεχθεί, πολύ για το μέλλον. Και μπορώ να αποκαλύψω για πρώτη φορά πως, αν και προς τα έξω έχει περάσει η ακριβώς αντίθετη εικόνα, είχε κάνει και τις προσωπικές του επιλογές. Θα τις αναφέρω στη συνέχεια του βιβλίου.

Πίστευε ακόμα πως αρκετά στελέχη του ΠΑΣΟΚ είχαν κάνει πλέον άλλες πολιτικές και ιδεολογικές επιλογές, ότι οι νέες θέσεις τους δεν είχαν σχέση με τη φυσιογνωμία του ΠΑΣΟΚ όπως ο ίδιος, ως ιδρυτής, την έβλεπε. Μεταξύ αυτών κατέτασσε και τον Κ. Σημίτη και τη Βάσω Παπανδρέου. Και πολλές φορές σε ομιλίες του σε κομματικά όργανα είτε τους ανέφερε έμμεσα (όπως στην περίφημη ομιλία του στην ΚΟΕΣ του Συνεδρίου του '90, οπότε επέκρινε με σφοδρότητα τους πολιτικούς-τεχνοκράτες και απέρριψε σημείο προς σημείο τις θέσεις που είχε διατυπώσει ο Κ. Σημίτης για τα εθνικά θέματα) είτε τους φωτογράφιζε, όπως στην ομιλία του στην τελευταία Σύνοδο της ΚΕ, πριν μπει στο Ωνάσειο.

Ο Ανδρέας, ακριβώς λόγω των θέσεων που είχε σε ό,τι αφορά τη δική μου σχέση με την πολιτική, δυσφορούσε και με όσους με κολάκευαν και με όσους μου έκαναν επιθέσεις και με επέκριναν για υποτιθέμενες πολιτικές μου φιλοδοξίες. Ήταν απόλυτος: δεν έπρεπε να πιεστώ ούτε προς τη μία ούτε προς την άλλη κατεύθυνση. Δεν του άρεσε, για παράδειγμα, όταν κάποια στελέχη κι άλλοι συνεχώς τόνιζαν πως έπρεπε άμεσα να αναγγείλω την απόφασή μου να πολιτευτώ.

Δυσφόρησε όμως και με συνέντευξη του Κ. Λαλιώτη τον Αύγουστο του '95, με την οποία με προέτρεπε να εγκαταλείψω τη σκέψη να ασχοληθώ με την πολιτική, ως ψυχοφθόρον είδος.

Με την ευκαιρία θέλω να τονίσω πως το επεισόδιο που πρωτοέγραψε η *Αυριανή* ότι συνέβη στην Ελούντα ανάμεσα σε μένα και τον Ανδρέα, με αφορμή τα όσα έλεγε ο Ν. Κοκκίνης εκείνη την περίοδο προτρέποντάς με να αναμειχθώ στην πολιτική, είναι απολύτως φανταστικό και ουδέποτε συνέβη. Αναπαρήχθη και πρόσφατα και το σενάριο μάλιστα εμπλουτίστηκε με βατραχάνθρωπο που δήθεν αντέδρασε και άλλα ευφάνταστα. Επαναλαμβάνω, όλα τούτα δεν έχουν καμιά απολύτως σχέση με την πραγματικότητα.

Ο Γ. Λιάνης επίσης μου είχε προτείνει να μου παραχωρήσει τη θέση του στη Φλώρινα και ο ίδιος ήταν διατεθειμένος να πολιτευτεί στη Θεσσαλονίκη ή στην Αθήνα. Ήταν βέβαιος, όπως υπογράμμιζε, μετά τις δύο επισκέψεις που είχα κάνει στη γενέτειρά μου, ότι η εκλογή μου ήταν δεδομένη και μάλιστα με υψηλότατο ποσοστό.

Στο Συνέδριο του Απριλίου του 1994 υπήρξε προβληματισμός και έγιναν πολλές συζητήσεις αν θα είμαι υποψήφια για την ΚΕ. Σύνεδρος ήμουν, είχα εκλεγεί μάλιστα με πολύ υψηλό ποσοστό. Και σ' αυτή την περίπτωση δεν υπήρξε αρνητική τοποθέτηση του Ανδρέα. Είχε όμως δύο ενστάσεις, μήπως ήταν νωρίς για να ενταχθώ σε κομματικό όργανο, καθώς και ποια θα ήταν η σειρά εκλογής μου. Θεωρούσε βέβαιο ότι θα εκλεγώ, αλλά υπολόγιζε το ενδεχόμενο να μην εκλεγώ σε καλή θέση, να εκφραστεί δηλαδή, μέσω της καταψήφισής μου, από την εσωκομματική αντιπολίτευση δυσαρέσκεια προς το πρόσωπό του.

Δε με πίεσε ούτε υπέρ ούτε κατά της υποψηφιότητάς μου. Μου είπε: «Είναι δική σου απόφαση». Όταν του ζήτησα τη γνώμη του και επέμενα να την έχω, μου επισήμανε τα όσα παραπάνω αναφέρω.

Επειδή έβλεπε ότι έκλινα υπέρ της υποψηφιότητας, ζήτησε από συνεργάτες του που ασχολούνταν με το κόμμα να του πουν τη γνώμη τους για τη σειρά εκλογής μου, τον ενδιέφερε πολύ αυτό. Τον διαβεβαίωσαν ότι θα ήταν πολύ καλή. Ο Μιχάλης Καρχιμάκης, θυμάμαι, έλεγε πως θα εκλεγώ σίγουρα μέσα στους δεκαπέντε πρώτους.

Πλησίαζαν οι μέρες του Συνεδρίου, γίνονταν συζητήσεις, υπήρχε προβληματισμός, αλλά εγώ δεν είχα ακόμα αποφασίσει. Τρεις μέρες πριν ξεκινήσει το Συνέδριο είπα στον εαυτό μου ότι αυτό το ζήτημα πρέπει να τελειώνει και η απόφαση πρέπει να είναι δική μου. Πέρασα μια ολόκληρη νύχτα ζυγίζοντας τα υπέρ και τα κατά, προσπαθώντας να μετρήσω τις επιπτώσεις από μια τέτοια κίνηση, τα προβλήματα που πιθανώς θα προκαλούσε στον Ανδρέα, την αντιμετώπισή της απ' το Κίνημα, τα ΜΜΕ. Αυτό που καθόρισε την απόφασή μου ήταν η σκέψη πως η υποψηφιότητά μου ήταν πολύ πιθανό ότι θα έδινε ένα επιχείρημα κατά του Ανδρέα στο Συνέδριο. Θα έλεγαν πολλοί ότι προωθεί τη γυναίκα του σε κομματικό όργανο, θα έδιναν και θα έπαιρναν τα σενάρια για το μελλοντικό ρόλο που μου επιφυλάσσει. Σκέφτηκα: «Εδώ έχουν πει και γράψει ότι... μου έχει κληροδοτήσει το κόμμα, έχουν όριο στο πού θα φτάσουν;» Έπειτα μου πέρασε απ' το νου, με φόβο, η σκέψη πως, αν ο Ανδρέας πάθει τίποτα ή αποφασίσει κάποια στιγμή να αφήσει το κόμμα και να πάει για Πρόεδρος της Δημοκρατίας, εγώ θα ήμουν πολύ μόνη σ' ένα Κίνημα, σε μια ΚΕ χωρίς αυτόν. Ποτέ δεν είδα τον εαυτό μου σ' ένα χώρο δίχως τον Ανδρέα, ποτέ δεν είχα δει τον εαυτό μου να δρα αυτόνομα, χωρίς την παρουσία του, ήμουν εγώ που είχα μια σχέση εξάρτησης απ' αυτόν.

Αποφάσισα να μη θέσω υποψηφιότητα. Του το είπα το πρωί, όταν γυρίσαμε απ' την Εκάλη στο Μαξίμου. Του είπα πως αυτή είναι η απόφασή μου και δεν την αλλάζω. Μου απάντησε:

«Νομίζω ότι αποφάσισες σωστά. Είναι βέβαια μια καλή ευκαιρία για να ασχοληθείς πιο ενεργά με το Κίνημα, αλλά θα σου δοθούν κι άλλες. Είναι απόφασή σου και τη σέβομαι και να ξέρεις ότι θα είμαι κοντά σου και θα σε στηρίξω στην όποια απόφασή σου στο μέλλον».

Σήμερα σκέφτομαι πως μπορεί τότε να έχασα μια ευκαιρία να γίνω μέλος της ΚΕ και να νομιμοποιηθώ έτσι πολιτικά (ο Ανδρέας πίστευε ότι θα έβγαινα σίγουρα), αλλά έκανα μια κίνηση, μια επιλογή που τον προστάτευσε από επιθέσεις, κριτική, αμφισβήτηση. Αναλογίζομαι πως, αν είχα τη δύναμη, την πρόνοια, ακόμα και πιο ενεργοποιημένο το ένστικτο αυτοσυντήρησης, θα είχα κάνει περισσότερες τέτοιες κινήσεις απ' όσες τελικά έκανα...

Στο πλαίσιο της πολεμικής που γινόταν για μια μακρά περίοδο, ότι δήθεν έκανα παρεμβάσεις, ότι θέλω να υλοποιήσω άμεσα τις όποιες πολιτικές μου φιλοδοξίες, ότι επιχειρώ να επιβάλω στον πρωθυπουργό δικές μου επιλογές, κατά καιρούς κατασκευάζονταν ορισμένοι μύθοι, γύρω απ' τους οποίους πλεκόταν ένας ολόκληρος καμβάς παραπληροφόρησης.

Ένας απ' τους μύθους ήταν πως στον τελευταίο ανασχηματισμό επιδίωξα να γίνω υπουργός Πολιτισμού, για να καλλιεργήσω έτσι το πολιτικό μου προφίλ. Ανήκει και αυτό, όπως και τόσα άλλα, στη σφαίρα του απολύτως φανταστικού. Ούτε συζήτηση ούτε πρόθεση ούτε καν σκέψη υπήρξε για κάτι τέτοιο. Εκτός αυτού, δε διανοήθηκα ποτέ ότι θα εγκατέλειπα τον Ανδρέα, ότι θα ήμουν μακριά του αφήνοντας τη θέση της διευθύντριας του Ιδιαίτερου Γραφείου του. Ούτε ο ίδιος θα συζητούσε ποτέ ένα τέτοιο ενδεχόμενο. Δεν ήθελε να με αισθάνεται για ώρες μακριά του. Έχω εξηγήσει παραπάνω ποιοι λόγοι πρυτάνευσαν προκειμένου να ληφθεί η απόφαση για την τοποθέτησή μου στη συγκεκριμένη θέση.

Σ' εκείνο όμως τον ανασχηματισμό οφείλω να ομολογήσω πως... διέπραξα πολιτική παρέμβαση. Ένα απ' τα κεντρικά ζητήματα των διαβουλεύσεων και των σκέψεων κατά το σχηματισμό εκείνης της κυβέρνησης ήταν αν η *Βάσω Παπανδρέου* θα συμμετείχε στο νέο κυβερνητικό σχήμα. Ο Ανδρέας την ήθελε, δεδομένου ότι επιθυμούσε συμμετοχή όλων των ρευμάτων στην κυβέρνηση, και της το πρότεινε μέσω του Αντώνη Λιβάνη. Όμως η Β. Παπανδρέου διαμήνυσε πως έθετε ως προϋπόθεση συζήτησης αυτής της πρότασης να μιλήσει πρώτα με τον πρωθυπουργό. Ο Ανδρέας στην αρχή δεν το δέχτηκε, θεωρούσε απαράδεκτο να τίθενται όροι και ειδικά είχε μια αρνητική στάση απέναντι σε όρους που κατά καιρούς έβαζε η Βάσω για διάφορα θέματα. Μετά άρχισε να το σκέφτεται και να το συζητά. Του είπαν και οι συνεργάτες του ότι καλό θα ήταν να συζητήσει μαζί της, για να μην της δίνει επιχειρήματα. Το συζητούσε, αλλά δεν το αποφάσιζε. Λίγες ώρες πριν ανακοινωθεί η νέα κυβέρνηση, ακόμα αμφιταλαντευόταν. Κοντά του ήμουν εγώ και ο Τηλέμαχος Χυτήρης, ο οποίος σ' εκείνο τον ανασχηματισμό διαδραμάτισε σημαντικό ρόλο. Η ώ-

237

ρα περνούσε και κάποια στιγμή του λέω: «Αποφάσισε και τηλεφώνησέ της. Αφού θέλεις να τη βάλεις στην κυβέρνηση, πρέπει να της μιλήσεις, όπως ζητάει. Διαφορετικά θα το χρεωθείς και εσύ και εγώ».

Ίσως ήταν αυτή η προτροπή που τον έκανε να σταματήσει να αμφιταλαντεύεται και να αποφασίσει αμέσως. Ζήτησε να του βρουν στο τηλέφωνο τη Β. Παπανδρέου και μίλησε μαζί της. Όπως είναι γνωστό, η Β. Παπανδρέου δε δέχτηκε τις προτάσεις του και έτσι δεν μπήκε στην κυβέρνηση...

Ο Ανδρέας και η Ορθοδοξία

ΕΝΑΣ ΑΠ' ΤΟΥΣ ΜΥΘΟΥΣ που κατασκευάστηκαν για να «αποδειχτεί» η δήθεν εξάρτηση του Ανδρέα από μένα ήταν πως τον «τράβηξα» στην Εκκλησία χωρίς τη θέλησή του, ότι του επέβαλα να ασχοληθεί με πράγματα που ποτέ στη ζωή του δεν τον απασχόλησαν. Είπαν πολλοί πως δεν περιποιούσε τιμή στον Ανδρέα η εικόνα του ανήμπορου πολιτικού ηγέτη που πήγαινε κάθε χρόνο στην Τήνο για το τάμα που είχα κάνει στο Χέρφιλντ. Είναι αλήθεια πως πριν με γνωρίσει δεν είχε τη στενή σχέση με την Εκκλησία που απέκτησε μετά. Δεν είναι αλήθεια όμως ό-τι εγώ ήμουν που του επέβαλα αυτή τη στροφή. Βεβαίως και μου άρεσε ότι ο σύντροφός μου απέκτησε μια νέα επαφή με την Ορθοδοξία και συνέβαλα κατά τι σ' αυτό. Όμως δεν του επέβαλα τίποτα και θα επαναλάβω πως δεν ήταν ποτέ ο άνθρωπος που θα του ε-πέβαλε κανείς κάτι. Αυτό το ξέρουν καλά όσοι τον γνώρισαν. Κατ' αρχάς δεν ήταν ούτε εχθρικός ούτε αποξενωμένος απ' την Εκκλησία.

Διατηρούσε μια ιδιόμορφη, δική του σχέση, με το δικό του τρόπο. Επιπλέον είχε μια πολύ συγκεκριμένη φιλοσοφική θεώρηση για το ρόλο της Ορθοδοξίας στις σύγχρονες κοινωνικές και πολιτικές εξελίξεις. Πίστευε επίσης βαθιά στο ρόλο που εν δυνά-μει μπορούσε και έπρεπε να διαδραματίσει η Εκκλησία στην πο-ρεία των εθνικών μας θεμάτων, που ήταν πάντα το πρώτο και με-γάλο του μέλημα. Έβλεπε, με τη διορατικότητα που τον διέκρι-νε, την πολιτική δράση του Βατικανού στα Βαλκάνια και πού αυ-τή οδηγούσε. Γνώριζε ότι στις επιδιώξεις της Τουρκίας ήταν η

239

δημιουργία «μουσουλμανικού τόξου», που θα είχε στόχο και στην Ελλάδα.

Αναγνώριζε δηλαδή συγκεκριμένο ρόλο στην Εκκλησία και ε-κεί ήταν που ασκούσε κριτική: ότι εν τέλει η Εκκλησία δεν έκανε το κοινωνικό και εθνικό «άνοιγμα» που έπρεπε και παρέμενε καθηλωμένη σε αγκυλώσεις, άρα έμενε και έξω απ' τις εξελίξεις.

Στο Χέρφιλντ άγγιξε τα σύνορα του θανάτου και αυτό ανθρώπινα τον επηρέασε. Δεν είναι αδυναμία, είναι η ανθρώπινη προσέγγιση, που έρχεται σε τέτοιες στιγμές και, νομίζω, έρχεται για τον καθένα. Όταν άρχισε να συνέρχεται και του μίλησα για το τάμα στην Τήνο που είχα κάνει, το αντιμετώπισε σαν κάτι το απολύτως φυσιολογικό. Καθόλου δε δυσανασχέτησε, αντίθετα είπε: «Βεβαίως και θα το τηρήσουμε». Κάποιες στιγμές άρχισε να μου μιλάει μόνος του, ότι γύρισε στη ζωή «και με τη βοήθεια του Θεού». Μου είπε ότι γνώριζε πως οι πιθανότητες να ζήσει ήταν πολύ λίγες.

Διαπίστωνα μια μεταστροφή, που ήρθε χωρίς δική μου πίεση, άλλωστε ούτε κι εγώ είχα πριν από το Χέρφιλντ κάποια ιδιαίτερη και πολύ κοντινή σχέση με τη θρησκεία.

Μετά την εκπλήρωση του πρώτου τάματος στην Τήνο, αρχίσαμε να συζητάμε πιο συστηματικά για την Ορθοδοξία. Μου έλεγε ότι νιώθει πιο κοντά στη θρησκεία. Ο πατέρας Τιμόθεος Ηλιάκης είχε αρκετές συζητήσεις μαζί του, έπαιξε σημαντικό ρόλο. Ποτέ, μα ποτέ όμως δεν προσέγγισε αυτή τη νέα σχέση του με την Εκκλησία με τρόπο θρησκόληπτο. Κατανοούσε απόλυτα τα όρια ανάμεσα στην πίστη και τη θρησκοληψία. Απ' την περίοδο εκείνη προσπαθούσε πιο συγκεκριμένα και ενεργά να συμβάλει ώστε η Εκκλησία να διαδραματίσει τον κοινωνικό και εθνικό ρόλο που ό-φειλε. Αυτή τη θεώρηση την περιλάμβανε και σε ομιλίες, σε κείμενα, σε πολιτικές θέσεις. Έδινε μεγάλη σημασία στο ρόλο της Ορθοδοξίας στα Βαλκάνια, μετά μάλιστα από την ανάλυση για το ρόλο του Βατικανού στο διαμελισμό της πρώην Γιουγκοσλαβίας. Αυτές του τις θέσεις τις ανέπτυσσε και σε συζητήσεις του με ξένους ηγέτες. Θυμάμαι χαρακτηριστικά μια πολύ ενδιαφέρουσα συζήτηση με τέτοιο περιεχόμενο, που είχε με τον Πρόεδρο Μιτεράν.

Αναπροσαρμόστηκαν σε θετικότερη βάση και οι σχέσεις του

με την επίσημη ελληνική Εκκλησία, που εκτίμησε αυτή τη νέα προσέγγισή του.

Νομίζω ότι ποτέ πριν κυβέρνηση του ΠΑΣΟΚ δεν είχε τόσο καλές σχέσεις με την Εκκλησία. Και όχι μόνο με την ελληνική, αλλά και με τους επικεφαλής της Ορθοδοξίας ανά τον κόσμο. Και αυτό έπαιξε κάποιο ρόλο στην προώθηση των εθνικών θεμάτων αλλά και στην αναβάθμιση της θέσης της Ελλάδας διεθνώς. Αναβαθμίστηκαν οι σχέσεις με τη σερβική Εκκλησία, την αρχιεπισκοπή Βορείου και Νοτίου Αμερικής, με ευρωπαϊκές και αφρικανικές Εκκλησίες. Θυμάμαι ότι αυτό ήταν κάτι που αναγνώρισε ο Αν. Πεπονής, όταν πηγαίναμε πετώντας με το «Φάλκον» στη Ζυρίχη, για τα εγκαίνια του ελληνορθόδοξου ναού που έγινε με δωρεά της οικογένειας Αγγελοπούλου. «Η κυβέρνησή μας έχει τις πιο καλές σχέσεις που είχε ποτέ κυβέρνηση του ΠΑΣΟΚ με την Ορθοδοξία», μου είπε.

Πίστεψε πολύ ο Ανδρέας σ' αυτή τη σύνδεση ελληνισμού και Ορθοδοξίας. Και όταν χρειάστηκε το έδειξε, αν και γνώριζε ότι κάτι τέτοιο σημαίνει κόστος, αν και δέχτηκε ισχυρές πιέσεις για να υιοθετήσει η κυβέρνησή του θέσεις τις οποίες ο ίδιος απέρριπτε και πολιτικά και θρησκευτικά.

Η επικύρωση της Συνθήκης Σένγκεν και οι πιέσεις που δέχτηκε για να προχωρήσει στη Βουλή· η άρνησή του να το πράξει αποτελεί μια χαρακτηριστική τέτοια περίπτωση.

Οι προβληματισμοί και οι ενστάσεις που είχε ήταν τόσο θεσμικού-δημοκρατικού όσο και θρησκευτικού περιεχομένου. Σε συζητήσεις που είχε με μέλη της κυβέρνησης, κυρίως με τους Κάρολο Παπούλια και Γ. Αλ. Μαγκάκη, με άλλους συνεργάτες του και με μένα, εξέφραζε ανησυχία ότι η επικύρωση της Συνθήκης απειλούσε τη λειτουργία της δημοκρατίας, φαλκίδευε τα ατομικά δικαιώματα των πολιτών, δημιουργούσε πολλών ειδών εξαρτήσεις των μικρότερων χωρών-μελών της ΕΕ. Η άποψή του ήταν πως η κυβέρνηση οφείλει να μελετήσει πολύ το θέμα αυτό, πριν πάρει νομοθετικές πρωτοβουλίες.

Ήταν, απ' την άλλη μεριά, και η Εκκλησία που αντιδρούσε. Ο αρχιεπίσκοπος Σεραφείμ σε συνάντηση που είχε μαζί του συζήτησε τους λόγους για τους οποίους η ορθόδοξη Εκκλησία είναι κατά της επικύρωσης της Συνθήκης. Του ζήτησε να τους μελετήσει και τον παρακάλεσε να στηρίξει η κυβέρνηση τον αγώνα για να μην περάσει. Ήταν αυτό ένα στοιχείο που τον προβλημάτισε ακόμα περισσότερο. Απ' την άλλη υπήρχαν πιέσεις απ' την ΕΕ ότι και η Ελλάδα είναι υποχρεωμένη να επικυρώσει τη Συνθήκη. Και μέλη της κυβέρνησης πίεζαν προς αυτή την κατεύθυνση· ανάμεσά τους πρωτοστατούσε ο Γ. Παπανδρέου και το γεγονός αυτό τον είχε ενοχλήσει.

Έδωσε οδηγίες, σε σύσκεψη που έγινε, στον Γ. Αλ. Μαγκάκη να μελετηθεί επισταμένως το θέμα και κυρίως να διερευνηθεί αν μπορούσε να υπάρξει αποτελεσματικός τρόπος προστασίας του πολίτη απ' το ηλεκτρονικό φακέλωμα.

Όταν πραγματοποιήθηκε η επίσημη επίσκεψη στις ΗΠΑ, του προξένησε μεγάλη εντύπωση και είδε με ιδιαίτερο ενδιαφέρον το γεγονός ότι οι εκπρόσωποι των εβραϊκών οργανώσεων επέμεναν ιδιαίτερα σ' αυτό το ζήτημα, την επικύρωση δηλαδή της Συνθήκης Σένγκεν. Συγκεκριμένα, όταν βρισκόμασταν στην Νέα Υόρκη, υπήρξε συνάντηση με εκπροσώπους εβραϊκών λόμπι. Ένα απ' τα πρώτα θέματα που έθεσαν, ιδιαίτερα επίμονα, ήταν το μεγάλο ενδιαφέρον που είχαν αν η Ελλάδα θα επικυρώσει τη Συνθήκη και πότε. Το επιχείρημα που χρησιμοποιούσαν ήταν η ανάγκη καταπολέμησης της τρομοκρατίας. Μάλιστα, ιδιαίτερα διακριτικά και έντεχνα συνέδεαν την επικύρωση της Συνθήκης με τη βελτίωση των σχέσεων της Ελλάδας με το Ισραήλ αλλά και τις εβραϊκές οργανώσεις.

Τον Ανδρέα τον ενδιέφερε αυτό το ζήτημα, πολύ περισσότερο αφού πίστευε ότι είχε πάντα απέναντί του τα εβραϊκά λόμπι. Το αίτημα ωστόσο τον προβλημάτισε και τον έκανε να ξαναδεί με ακόμα μεγαλύτερη προσοχή το όλο θέμα, αν και διαπίστωνε πως η καθυστέρηση και ακόμα πιο πολύ η άρνηση επικύρωσης της Συνθήκης σήμαινε κόστος για τον ίδιο και την κυβέρνησή του. Έλαβε υπόψη του με μεγαλύτερο ενδιαφέρον και την αρνητική τοποθέτηση της Εκκλησίας. Δέχτηκε και εισήγηση απ' τον Γ. Αλ. Μαγκάκη, με τον οποίο είχε νέα συνάντηση, ότι δεν υπήρχε αποτελεσματικός τρόπος προστασίας απ' το ηλεκτρονικό φακέλωμα. *Αποφάσισε τελικά να παγώσει την επικύρωση της Συνθήκης, παρά τις πιέσεις από πολλές κατευθύνσεις για το αντίθετο.* Και σε συζητήσεις που είχε αργότερα με συνεργάτες του εξέφραζε την εκτίμηση πως ήταν αναγκαίο αυτό το «πάγωμα», δίνοντας ιδιαίτερη έμφαση και στις θέσεις της Εκκλησίας.

Το θέμα του χαρακτηρισμού των *Μετεώρων* ως χώρου ιερού ήταν ένα άλλο ζήτημα στο οποίο δέχτηκε και υιοθέτησε ο Ανδρέας θέσεις και προτάσεις της Εκκλησίας, αν και υπήρχαν σφοδρότατες αντιδράσεις στην ΚΟ του ΠΑΣΟΚ και προέκυψε κίνδυνος για σοβαρή κρίση στους κόλπους της.

Στο θέμα αυτό ομολογώ πως έκανα κι εγώ «παρέμβαση», που, μάλιστα, αξιοποιήθηκε για να στηριχτεί η περί παρεμβάσεών μου φιλολογία και μυθολογία.

Οι μοναχοί των μονών των Μετεώρων έστειλαν στο Ιδιαίτερο Γραφείο του πρωθυπουργού το σχετικό φάκελο με το αίτημά τους, ενώ επισκέφθηκαν και ενημέρωσαν και τους Αντώνη Λιβάνη, Κώστα Λαλιώτη, Θάνο Μικρούτσικο και Αντώνη Βγότζα. Προέκυπτε ότι η προσπάθεια είχε ξεκινήσει, χωρίς όμως να τελεσφορήσει, απ' την περίοδο που ήταν υπουργός Πολιτισμού η Ντόρα Μπακογιάννη. Το αίτημά τους, απ' τη μελέτη του φακέλου και απ' την ενημέρωση που έκαναν, κρίθηκε σωστό και δίκαιο απ' τα κυβερνητικά στελέχη με τα οποία ήρθαν σε επαφή. Ήμουν και εγώ συμπαραστάτης τους και είχα στο χειρισμό του θέματος την πολύτιμη συνεργασία του Μιχάλη Καρχιμάκη.

Ο Ανδρέας, όταν ενημερώθηκε, συμφώνησε επίσης αμέσως και ζήτησε τη συνεργασία των συναρμόδιων υπουργείων προκειμένου να υλοποιηθεί το αίτημα των μοναχών των Μετεώρων.

Παρ' όλα αυτά οι αντιδράσεις ήταν ισχυρότατες και προέρχονταν και από, τοπικούς κυρίως, βουλευτές και από εκπροσώπους της Τοπικής Αυτοδιοίκησης, οι οποίοι έβλεπαν ότι θα χάσουν σημαντικά έσοδα απ' την «τουριστική αξιοποίηση» της περιοχής, αν ο χώρος κηρυσσόταν ιερός. Ασκούνταν φοβερές πιέσεις από βουλευτές και δημάρχους προς τους υπουργούς προκειμένου να μην προχωρήσει η κυβέρνηση στην ανακήρυξη της ιερότητας του χώρου. Ένα επιχείρημα που χρησιμοποιούνταν ήταν η δική μου συναίνεση, ο αγώνας που έδινα και εγώ υπέρ του αιτήματος της μοναστικής κοινότητας. Έλεγαν δηλαδή σε υπουργούς, όπως ο Λαλιώτης, ο Λιβάνης, ο Μικρούτσικος, ότι... είχαν γίνει υποχείριά μου.

Οι μοναχοί, απ' την πλευρά τους, ήταν –και δικαίως– ανυποχώρητοι, προέβησαν σε συλλογή χιλιάδων υπογραφών και έδιναν το δικό τους αγώνα.

Στενός φίλος και συνεργάτης του Ανδρέα, που ήταν αντίθετος στο αίτημα των μοναχών, όταν είδε ότι ήμουν στο πλευρό τους χρησιμοποιώντας την όποια επιρροή μπορούσα να ασκήσω, προσπάθησε να με μεταπείσει με το έσχατο επιχείρημα: ένας εκ των μοναχών, που πρωτοστατούσε, ήταν, μου είπε, βασιλικός. Του απάντησα πως δε με απασχολεί αυτό, εφόσον θεωρώ το αίτημα δίκαιο. Επιπλέον, του είπα πως τους ανθρώπους τούς φέρνεις κοντά σου όταν τους συμπαραστέκεσαι και ότι είμαι αποφασισμένη να υπερασπίσω αυτό που πιστεύω ως το τέλος.

Οι Κώστας Λαλιώτης και Κώστας Σκανδαλίδης βοήθησαν πολύ στον κατευνασμό των αντιδράσεων που υπήρχαν στην ΚΟ, όπως βέβαια και ο Αντώνης Λιβάνης, γιατί ήταν πράγματι ιδιαίτερα έντονες. Τελικά η ρύθμιση πέρασε, αφού χρειάστηκε να δοθούν σκληρές μάχες. Και πέρασε βασικά γιατί ο Ανδρέας, που είχε πειστεί για το δίκαιο του αιτήματος, επέμενε μέχρι τέλους. Το θεωρούσε, όπως έλεγε, μια ελάχιστη προσφορά του προς την Ορθοδοξία.

Οι μοναχοί σε ανταπόδοση μας ανακήρυξαν «κτίτορες», τους πρώτους μετά από εξακόσια χρόνια.

Γι' αυτή τη μικρή μάχη που έδωσα τότε αισθάνομαι υπερήφανη, παρά την κριτική που εισέπραξα για «παρεμβάσεις». Πιστεύω πως άξιζε τον κόπο. Θέλω πάντως να καταθέσω πως η κυβέρνηση δε θα προχωρούσε στη ρύθμιση, λόγω των αντιδράσεων,

244

που ήταν πολλές, αν δεν έμενε ανυποχώρητος ως το τέλος ο Ανδρέας, ενώ σημαντικότατη ήταν η συμβολή και του Κ. Λαλιώτη. Η στάση των μοναχών σ' όλη τη διάρκεια της περιπέτειας του Ωνασείου με συγκίνησε ιδιαίτερα. Έδειξαν ότι γνωρίζουν να ανταποδίδουν, έδειξαν ότι δεν ξεχνούν. Επισκέφθηκαν τον Ανδρέα πολλές φορές, προσευχήθηκαν, ήρθαν και λειτούργησαν στο εκκλησάκι του σπιτιού. Και σήμερα είναι απ' τους λίγους που θυμούνται, που μου συμπαραστέκονται.

Όταν ο πρωθυπουργός κ. Σημίτης επισκέφθηκε τα Μετέωρα, θυμήθηκαν και έκαναν ειδική αναφορά στο ρόλο του πρωθυπουργού Α. Παπανδρέου για το θέμα εκείνο, αναφορά που ο κ. Σημίτης είχε παραλείψει να κάνει...

245

Και όμως, είχε αποφασίσει την αποχώρηση...

«ΝΙΩΘΩ, ΩΣ ΙΔΡΥΤΗΣ ΤΟΥ ΚΙΝΗΜΑΤΟΣ και πρόεδρός του, βαριά την ευθύνη, το ιστορικό χρέος το δικό μου απέναντί σας. Σ' όλους μαζί και στον καθένα ξεχωριστά, απέναντι στην εικοσάχρονη ιστορική μας διαδρομή και τους κοινούς μας αγώνες... Μαζί θα εγγυηθούμε την ενότητα του Κινήματος. Μαζί θα την εγγυηθούμε. Όχι μια αφηρημένη ενότητα, βασισμένη σε γενικές και αόριστες επικρίσεις απέναντι στον ανύπαρκτο φόβο της διάσπασης. Αλλά μια συνειδητή, πολιτική ενότητα, που χτίζεται με δημοκρατία, ανανέωση, συλλογικότητα, σύγχρονη λειτουργία. Το ΠΑΣΟΚ δε γεννήθηκε για να αποτελέσει διάττοντα αστέρα στα δημόσια πράγματα του τόπου. Ούτε χαρίζεται ούτε κληρονομείται ούτε τεμαχίζεται σε τιμάρια...»

Το απόσπασμα αυτό από την ομιλία με την οποία ο Ανδρέας έκλεισε τις εργασίες του 3ου Συνεδρίου του ΠΑΣΟΚ, την Κυριακή 17 Απριλίου 1994, είναι, απ' όσα μπορώ να γνωρίζω, ζώντας καθημερινά για δέκα χρόνια δίπλα του, ένα απ' τα πλέον αντιπροσωπευτικά των σκέψεων και προθέσεών του για το Κίνημα που ίδρυσε και για την προσωπική του πορεία. Ιδιαίτερη αίσθηση είχε προκαλέσει η αναφορά πως το ΠΑΣΟΚ «ούτε χαρίζεται ούτε κληρονομείται ούτε τεμαχίζεται σε τιμάρια», μια αναφορά που επανέλαβε αργότερα και στην Πανελλαδική Συνδιάσκεψη και σε συνόδους της ΚΕ.

Πολλές ερμηνείες είχαν δοθεί γι' αυτό ειδικά το απόσπασμα, κατά το πλείστον απ' την οπτική γωνία με την οποία ο καθένας προσέγγιζε το θέμα ή κατά τις κρυφές προσδοκίες του, άρα μη αντιπροσωπευτικές των προθέσεων του Ανδρέα. Προθέσεων σαφών και πρωτίστως πολιτικών, αφού αυτό, δηλαδή οι πολιτικές, ήταν πάντα η αγωνία του, το άγχος του, το πρώτο μέλημά του και από τις πολιτικές έκρινε πάντα τα πρόσωπα.

Πριν απ' όλα και πάνω απ' όλα τον ενδιέφερε η πολιτική και η αντίθεσή του με τους λεγόμενους εκσυγχρονιστές ξεκινούσε απ' αυτό ακριβώς το σημείο. Θεωρούσε δηλαδή τον «εκσυγχρονισμό», όπως εκφραζόταν απ' τα στελέχη εκείνα που τον επικαλούνταν, έ- να νεφέλωμα *«χωρίς πολιτικό περιεχόμενο, με έμφαση στην τεχνοκρατι- κή-διαχειριστική αντίληψη»*. Έτσι ερμήνευε και το γεγονός ότι το «εκ- συγχρονιστικό» ρεύμα είχε τη στήριξη του οικονομικού και εκ- δοτικού κατεστημένου, γιατί πίστευε πάντα πως «διαχειριστικές και τεχνοκρατικές αντιλήψεις είναι εύκολα ελέγξιμες». *Είναι δε χα- ρακτηριστικό ότι τις αντιλήψεις αυτές τις συνέδεε και με κεντροδεξιά και με οικουμενικά σενάρια* και είχε δώσει, με ομιλίες και εισηγήσεις του σε κομματικά όργανα, μάχη ενάντια σ' αυτό που ο ίδιος χαρακτήρι- ζε «τεχνοκρατική αντίληψη της πολιτικής».

Πολλές φορές μιλώντας με συνεργάτες του έκανε αναφορές σε όλα τα παραπάνω. Μια φορά μάλιστα, στην Ελούντα, θυμάμαι πολύ καλά, είχε καταφερθεί με δριμύτητα εναντίον *των «πολιτικών του σωλήνα», που δε θα πρέπει να κυβερνήσουν αυτή τη χώρα.*

Ενδεικτικό άλλωστε των προθέσεων και σκέψεών του είναι το αμέσως επόμενο απόσπασμα απ' την ίδια ομιλία του, στις 17 Α- πριλίου 1994:

«Οραματίζομαι ξανά την πολιτική στο προσκήνιο, να γίνεται δύ- ναμη δημιουργίας και αλλαγής, να διαλύει τα σύννεφα της πα- ρακμής.

»Οραματίζομαι την πατρίδα μας να περνά τις Συμπληγάδες με αισιοδοξία και ιστορική πίστη στην αποστολή του ελληνισμού.

»Οραματίζομαι έναν κόσμο δικαιότερο, ασφαλέστερο και ευη- μερούντα, να απαντά στον κόσμο της βαρβαρότητας.

»Οραματίζομαι έναν κόσμο που καθιστά τον άνθρωπο ξανά υ- ποκείμενο της ιστορίας και της τύχης του».

Ήταν, κατά κάποιο τρόπο, το ιδεολογικό και πολιτικό μανι- φέστο του σε μια περίοδο που δεν έμοιαζε, όπως υπογράμμιζε, με το '74, όταν ίδρυσε το ΠΑΣΟΚ. Και ένιωθε την ανάγκη να κάνει τέτοιες αναφορές, που είχαν στο επίκεντρό τους την πολιτική και τον άνθρωπο. Ήταν η απάντησή του, όπως τόνιζε, στην απολιτικοποίηση, την αποϊδεολογικοποίηση, στην οποία οδηγούν οι τεχνοκρατικές προσεγγίσεις.

Ανησυχούσε έντονα και τον απασχολούσε βαθύτατα, παρά την περί του αντιθέτου αντίληψη που ορισμένοι σκόπιμα είχαν καλλιεργήσει, το μέλλον του ΠΑΣΟΚ αλλά και της πολιτικής συνολικότερα. Εκτιμούσε πως οι δυνάμεις εκείνες που επιθυμούσαν να ελέγξουν το πολιτικό σκηνικό θα στήριζαν πολιτικούς-τεχνοκράτες και θα επιδίωκαν και κάτι πάρα πολύ ουσιαστικό, όπως ο ίδιος πίστευε: *τον κερματισμό των πολιτικών δυνάμεων, ώστε να είναι ευχερέστερος ο έλεγχος.*

Υπογράμμιζε ωστόσο πολύ συχνά, σε κάθε ευκαιρία, σε πάρα πολλές συζητήσεις, πως: *«η ενότητα πρέπει να είναι πολιτική και να στηρίζεται σε αρχές, διαφορετικά»,* τόνιζε, *«είναι επίπλαστη και εμπεριέχει το σπέρμα της διάσπασης».*

Αυτό το ζήτημα της *πολιτικής ενότητας* τον απασχολούσε πάρα πολύ έντονα, αποτελούσε το μόνιμο προβληματισμό του. Δύο ήταν τα βασικά του συνθήματα-οράματα:

– *Ενιαίο, μεγάλο ΠΑΣΟΚ* – όλοι μαζί, ενότητα, αλλά και

– *Σαφείς πολιτικές επιλογές* – σαφής πολιτική και ιδεολογική φυσιογνωμία του ΠΑΣΟΚ.

Ένα θέμα που τον πονούσε πολύ, που το είχε συζητήσει εκατοντάδες φορές με συνεργάτες και φίλους, ήταν η πίστη του ότι *«το '89 έγινε το πρώτο πείραμα για τη διάσπαση και τον έλεγχο».* Γι' αυτόν είχε πολύ μεγάλη σημασία, και το τόνιζε σε κάθε ευκαιρία, η στάση που είχε κρατήσει το κάθε στέλεχος τότε. Ήταν γι' αυτόν *κριτήριο* στην εκτίμηση που έκανε για τις προθέσεις και το μελλοντικό ρόλο του καθενός.

Ακριβώς λόγω αυτής της πεποίθησης θεωρούσε ιδιαίτερα σημαντική την *πολιτική του δικαίωση.*

Πίστευε όμως και φοβόταν πως το πείραμα θα επαναλαμβανόταν, κάτω από άλλες συνθήκες βέβαια και με διαφορετικούς όρους.

Όταν, το φθινόπωρο του '94, πληροφορήθηκε για τη συγκρότηση της «Ομάδας των 4», από δημοσιεύματα αλλά και από ενημέρωση από ανώτατο στέλεχος του ΠΑΣΟΚ, που διαδραμάτισε

τότε σημαντικό ρόλο στις εξελίξεις, το πρώτο σχόλιο που έκανε ήταν το εξής:
«Το ανέμενα. Θα προσπαθήσουν με κάθε τρόπο να υπονομεύσουν εμένα και, αν δεν υποκύψω, θα απειλήσουν την ενότητα του ΠΑΣΟΚ».

Του έγιναν τότε αρκετές εισηγήσεις να απαντήσει με διοικητικά μέτρα, ακόμα και από στελέχη που σήμερα στηρίζουν τους «εκσυγχρονιστές». Μπορώ να πω μάλιστα πως ακριβώς ορισμένοι εξ αυτών πλειοδοτούσαν σε προτάσεις για πειθαρχικού τύπου αντιμετώπιση των διαφωνούντων. Υπάρχουν επ' αυτού και γραπτές εισηγήσεις ορισμένων προς τον Ανδρέα, που τον προτρέπουν περίπου να ξεμπερδεύει, να τελειώνει με τους «4».

«Στόχος είσαστε εσείς», του σημείωνε εγγράφως επιφανές, επώνυμο στέλεχος και συνέχιζε: *«Έχουμε να κάνουμε με ένα νέο '89. Ο απλός οπαδός, ο φίλος του ΠΑΣΟΚ απορεί και βρίσκεται σε αμηχανία που δε γίνεται ούτε μια διαγραφή ούτε μια αποπομπή.* Και αρχίζει να σκέφτεται ότι ο Σημίτης, η Βάσω έχουν δύναμη στα χέρια τους...»

Το εν λόγω στέλεχος σήμερα στηρίζει τον Κ. Σημίτη. Ίσως το ξανασκέφτηκε το ζήτημα πιο ψύχραιμα...

Ο Ανδρέας δε διατηρούσε την παραμικρή αμφιβολία ότι στόχος ήταν ο ίδιος και η πολιτική του παρουσία. Σε μια συνέντευξη που είχε δώσει εκείνη την περίοδο στα *Νέα* τόνιζε:
«Δεν έχω την παραμικρή αμφιβολία ότι, αν πω ότι αποχωρώ, όλες αυτές οι επιθέσεις θα σταματήσουν».

Αλλά, από την άλλη μεριά, δεν πίστευε πως οι καιροί επιτρέπουν πλέον τη λήψη πειθαρχικών μέτρων, τη διοικητική αντιμετώπιση των πολιτικών αντιπαραθέσεων. Εκτιμούσε πως είχε περάσει η πολιτική ζωή σε νέα φάση και ότι οι «4» έπρεπε ν' αντιμετωπιστούν πολιτικά. Δεν παρέλειπε ωστόσο να υπενθυμίζει σε συνομιλητές του ότι: *«Ναι, αν βρισκόμασταν σε άλλη περίοδο, θα προχωρούσα σε διαγραφές...»*

Αυτό που τον πίκραινε αφάνταστα ήταν η πεποίθηση ότι οι «4» και όσοι τους ακολουθούσαν εκμεταλλεύονταν την κατάσταση της υγείας του για να του κάνουν αντιπολίτευση. Αυτό δεν το άντεχε, τον πλήγωνε ανθρώπινα, κυριολεκτικά τον έφερνε μέρα τη μέρα όλο και πιο κοντά σε σοβαρά προβλήματα. Έλεγε σε συνεργάτες του, όπως ο Αντώνης Λιβάνης, ο Χρήστος Παπουτσής, ο Άκης Τσοχατζόπουλος, ο Γιώργος Κατσιφάρας:

«Δε θα μπορούσα να φανταστώ ότι θα με μεταχειρίζονταν μ' αυτό τον τρόπο στελέχη του κόμματος που ίδρυσα...»

Έβγαζε μια πίκρα, μια ανθρώπινη διαμαρτυρία.

Δε θεωρούσε καθόλου τυχαία την περίοδο που η τότε εσωκομματική αντιπολίτευση επέλεξε για να τον αμφισβητήσει, λίγους μήνες πριν αντιμετωπιστεί το ζήτημα της εκλογής νέου Προέδρου της Δημοκρατίας... Πίστευε πως αυτοί που έθεταν σαν στόχο την αποχώρησή του, την απόσυρσή του απ' το πολιτικό σκηνικό, επιδίωκαν να δημιουργήσουν το κατάλληλο κλίμα ώστε η αποχώρησή του να γίνει μέσω απόφασής του να καταλάβει τη θέση του Προέδρου της Δημοκρατίας. Είναι χαρακτηριστικό πως, πέραν πολιτικών παραγόντων που, άμεσα ή έμμεσα, προέτρεπαν προς μια τέτοια κατεύθυνση, υπήρξαν και εξωπολιτικοί παράγοντες που διακριτικά συνιστούσαν τη μετακίνησή του στην Προεδρία της Δημοκρατίας. Δεν αναφέρομαι βέβαια στα στελέχη εκείνα του ΠΑΣΟΚ, ανάμεσά τους και ορισμένα μέλη του ΕΓ, που πρότειναν κάτι τέτοιο επειδή πίστευαν ότι έπρεπε ο Ανδρέας να καταλάβει το ύπατο πολιτειακό αξίωμα και το έκαναν αυτό καλή τη πίστει, σαν αποτέλεσμα ανάλυσης και εκτίμησής τους. Ο Ανδρέας πάντα, στις σχετικές συζητήσεις εκείνης της περιόδου, ξεχώριζε αυτά τα στελέχη απ' την εσωκομματική αντιπολίτευση που, όπως πίστευε, ήθελε να τον σπρώξει στην «αποστρατεία».

Πάντως το παιχνίδι που παιζόταν από πολιτικούς και εξωπολιτικούς παράγοντες το είχε καταλάβει και αναλύσει απ' την αρχή. Έκανε εκείνη την περίοδο αρκετές συζητήσεις και συσκέψεις με συνεργάτες του με αντικείμενο αυτό το θέμα.

Τον ίδιο τον απασχόλησε για λίγο το ενδεχόμενο να διεκδικήσει τη θέση του Προέδρου της Δημοκρατίας. Ξεκαθάρισε τις προθέσεις του από νωρίς και τις δημοσιοποίησε έγκαιρα. *Είχε την άποψη πως, αν διεκδικούσε αυτό το αξίωμα απ' το 1995, έβγαινε απ' την ενεργό πολιτική δράση χωρίς να έχει ολοκληρώσει ένα έργο που ο ίδιος θεω-*

ρούσε ιδιαίτερα σημαντικό και δίχως να έχει εγγυηθεί διαδικασίες διαδοχής στο κόμμα που ίδρυσε και του οποίου το μέλλον τον ενδιέφερε.

Γενικά δεν τον ενθουσίαζε άλλωστε ένα αξίωμα το οποίο θεωρούσε μεν εξόχως τιμητικό, αλλά πίστευε πως δεν έδινε ουσιαστικά περιθώρια πολιτικής δράσης. Ασφαλώς εκτιμούσε ότι ήταν σωστή η συνταγματική μεταρρύθμιση του '85, με την οποία περιορίστηκαν οι εξουσίες του Προέδρου της Δημοκρατίας, απλά δεν τον συγκινούσε τον ίδιο η θέση. Έβλεπε τον εαυτό του ακόμα να δρα ζωντανά πολιτικά και *άφηνε για την επόμενη προεδρική εκλογή, του 2000, τη σχετική συζήτηση σε ό,τι αφορά τον ίδιο.* Δεν ήταν δηλαδή κάτι που απέκλειε για το μέλλον.

Για να μη διαιωνίζεται η περί των προθέσεών του συζήτηση και φιλολογία, πράγμα που πίστευε ότι έκανε κακό και στο κόμμα και στην κυβέρνηση, ήδη απ' το Νοέμβριο του '94, σε σύνοδο της ΚΕ, τόνισε πως:

«Σε ό,τι με αφορά, δεν ανήκει στις προθέσεις μου» (η διεκδίκηση της θέσης του Προέδρου της Δημοκρατίας).

Ήταν μια τοποθέτηση που προκάλεσε αίσθηση. Ελάχιστοι την ανέμεναν, τουλάχιστον τόσο νωρίς. Αρκετοί, εντός και εκτός ΠΑΣΟΚ, αναγκάστηκαν να αναπροσαρμόσουν την τακτική τους, χωρίς ωστόσο να αλλάξουν στρατηγική. Θυμάμαι ότι μετά την ομιλία του σ' εκείνη την ΚΕ, ο Κ. Λαλιώτης τού είχε πει:

«Νομίζω, πρόεδρε, πως πολλοί μέσα και έξω απ' το ΠΑΣΟΚ θα αισθάνονται το έδαφος να φεύγει κάτω απ' τα πόδια τους...»

Τα στελέχη εκείνα που τα τελευταία χρόνια στήριζαν τις επιλογές του και δεν τον αμφισβητούσαν, πέρα από οποιαδήποτε κριτική έκαναν, συμφώνησαν μ' αυτή την απόφασή του. Τον θεωρούσαν *εγγύηση* μιας ομαλής πορείας του ΠΑΣΟΚ, χωρίς κλυδωνισμούς και κίνδυνο διάσπασης. Τον θεωρούσαν εγγύηση μιας μαζικής και δημοκρατικής διαδικασίας για τη διαδοχή, που δε θα αμφισβητούνταν και θα διασφάλιζε τόσο την ενότητα όσο και τη διατήρηση της ιδεολογικής και πολιτικής φυσιογνωμίας του Κινήματος που ο Ανδρέας ίδρυσε.

Ο ίδιος εκείνη την περίοδο είχε πολλές συνεργασίες και συζητήσεις με στελέχη που εμπιστευόταν, που θεωρούσε ότι ήταν κοντά του. Τον απασχολούσαν έντονα αυτά τα ζητήματα και ήθελε να έχει τις θέσεις όσων περισσότερων στελεχών γινόταν.

Είναι αλήθεια πως μετά το '89 οι κομματικές διαδικασίες, με τον τρόπο που γίνονταν, τον είχαν κουράσει. Ένιωθε μακριά, αποστασιοποιημένος απ' τις προσωπικές αντιπαραθέσεις, τις διαμάχες συσχετισμών, τον τρόπο με τον οποίο προωθούνταν, θεμιτές κατά τα άλλα, προσωπικές φιλοδοξίες. Τον απογοήτευε η «μη παραγωγή πολιτικής», όπως χαρακτηριστικά υπογράμμιζε. Τον ενοχλούσε ότι και η νέα γενιά στελεχών, με κάποιες εξαιρέσεις, κληρονομούσε τα αρνητικά χαρακτηριστικά παλιότερων. Τον πίκραινε ότι ελάχιστοι έμοιαζαν να ενδιαφέρονται για την πολιτική ταυτότητα του Κινήματος. Δεν του πήγαινε, και το έλεγε συχνά, αυτού του τύπου η αντιπαράθεση, αυτή η πολιτική απραξία.

Είχα παρακολουθήσει αρκετές απ' τις συζητήσεις που είχε κάνει πάνω σ' αυτόν ακριβώς τον προβληματισμό. Πολλές βραδιές στην Ελούντα τον απασχολούσαν αυτά ακριβώς τα ζητήματα. *Όλα αυτά όμως σε καμιά απολύτως περίπτωση δεν τον οδηγούσαν στην αδιαφορία για το μέλλον του πολιτικού του «παιδιού», που ήταν το ΠΑΣΟΚ. Ίσα ίσα, αυτό το μέλλον τον προβλημάτιζε ιδιαίτερα.*

Αλλά, επαναλαμβάνω, πάνω απ' όλα γι' αυτόν, έναν κατ' εξοχήν πολιτικό, προείχε η πολιτική. Ήταν και γι' αυτό που αισθανόταν «απέναντι» τους λεγόμενους «εκσυγχρονιστές».

Σε κάποιες απ' τις de profundis εξομολογήσεις του, που ήμουν παρούσα, την περίοδο που η αμφισβήτησή του έπαιρνε διαστάσεις, στα μέσα του '95, ο συνομιλητής του, πιστός του συνεργάτης, τον ρώτησε:

«Πιστεύεις, πρόεδρε, ότι οι "4" μπορεί κάποια στιγμή να κερδίσουν το κόμμα;»

Η απάντηση που έδωσε ήταν:

«Δεν το πιστεύω. Αλλά για να μη γίνει αυτό θα πρέπει να υπάρξει πολιτική αντιπαράθεση στις θέσεις τους».

Έχοντας παρακολουθήσει δεκάδες συζητήσεις του γι' αυτά τα θέματα, είμαι σε θέση να γνωρίζω πως μέχρι την είσοδό του στο Ωνάσειο αυτό πί-

στευε. Είμαι σε θέση επίσης να αποκαλύψω ότι δυο μέρες πριν από την ψηφοφορία στην ΚΟ για την εκλογή νέου πρωθυπουργού είχε ζητήσει από δύο ιστορικά στελέχη του ΠΑΣΟΚ να βοηθήσουν ώστε να μην εκλεγεί ο Κ. Σημίτης πρωθυπουργός.

Στη μία απ' τις δύο ολιγόλεπτες συναντήσεις ήμουν μπροστά. Την άλλη μού τη μετέφερε ο συνεργάτης του στον οποίο έγινε η πρόταση απ' τον Ανδρέα και του οποίου την αξιοπιστία μού είναι ανθρωπίνως αδύνατο να αμφισβητήσω για πολύ συγκεκριμένους, ιστορικούς λόγους.

Στο κατάλληλο σημείο του βιβλίου θα γίνει πιο συγκεκριμένη αναφορά σ' αυτό το θέμα. *Και ίσως σε ένα επόμενο βιβλίο να είμαι σε θέση να καταθέσω περισσότερες αναφορές από εκείνη την κρίσιμη περίοδο, απ' το τέλος του '94 ως το τέλος του '95, που κρίθηκαν πολλά.*

Δεν πίστευε λοιπόν ότι οι «εκσυγχρονιστές» μπορούσαν να είναι η διάδοχη λύση στο ΠΑΣΟΚ. Απ' την άλλη μεριά όμως τον απογοήτευε το γεγονός ότι μια σειρά στελεχών που είχαν διαφορετικές απόψεις και συγκροτούσαν τη λεγόμενη «νομιμότητα» έδιναν, σε πολλές περιπτώσεις, «μάχες οπισθοφυλακών και συσχετισμών», όπως χαρακτηριστικά υπογράμμιζε.

Είχα ζήσει, για παράδειγμα, από πολύ κοντά τις προσπάθειες που κατέβαλε, πριν από το Συνέδριο του Απριλίου του '94, για να πείσει τον *Άκη Τσοχατζόπουλο* να μην επικεντρώσει τη διαδικασία στο θέμα του «ασυμβίβαστου». Του έλεγε ότι αυτό είναι λάθος και ότι πάει σε μια μάχη χωρίς πολιτικό περιεχόμενο. Του υπέβαλε διάφορες εναλλακτικές προτάσεις, προκειμένου να πειστεί ο Άκης να υποχωρήσει σ' αυτό το ζήτημα. Δεν τον έπεισε. Και όταν, τα μεσάνυχτα του Σαββάτου προς Κυριακή, το Συνέδριο κινδύνευσε να τιναχτεί στον αέρα γι' αυτό ακριβώς το θέμα και του τηλεφώνησαν από την Καλογρέζα για να του περιγράψουν τη χαώδη κατάσταση που επικρατούσε και να του ζητήσουν την παρέμβασή του, ήμουν δίπλα του όταν κούνησε το κεφάλι του μελαγχολικά και απάντησε: «Το είχα προβλέψει. Τώρα, έτσι που ήρθαν τα πράγματα, καμιά παρέμβαση. Να προχωρήσετε σε ψηφοφορία και ό,τι αποφασίσει το Συνέδριο».

Ο ίδιος δεν είχε δεχτεί να «πάρει πάνω του» το θέμα του «α-συμβίβαστου», αν και του υποβλήθηκαν σχετικές προτάσεις, για-τί θεωρούσε ότι ήταν ένα ζήτημα που δεν μπορούσε και δεν έ-πρεπε να γίνει κεντρικό του Συνεδρίου.

Τον απογοήτευε ότι οι προσωπικές φιλοδοξίες κυρίως των Τσο-χατζόπουλου, Αρσένη δεν επέτρεπαν συγκροτημένη πολιτική α-πάντηση στους λεγόμενους «εκσυγχρονιστές», που δρούσαν με-θοδικά και με πλούσια στήριξη απ' τα ΜΜΕ.

Θεωρούσε μεγάλο πλήγμα την απώλεια του Γιώργου Γεννηματά, πλήγ-μα όχι μόνο για το ΠΑΣΟΚ, αλλά και για τη χώρα. Πίστευε πάντα πως ο Γ. Γεννηματάς αποτελούσε ένα σημείο ισορροπίας στις ε-ξελίξεις. Εκτιμούσε ότι η παρουσία του ήταν απαραίτητη στην πορεία για τη διαδοχή, γιατί η εμβέλεια που διέθετε και η απο-δοχή της οποίας ετύγχανε θα απέτρεπαν οξείες αντιπαραθέσεις και κινδύνους διάσπασης.

Δεν είχε πάντα πολιτική ταύτιση με τον Γιώργο Γεννηματά. Τον θεωρούσε πολύ «οικουμενικό», εκτιμούσε πως ορισμένες φο-ρές απέφευγε τις ρήξεις. Όσες φορές όμως τις επιχείρησε, έλεγε, το έκανε με επιτυχία.

Αλλά, όπως τόνιζε, ποτέ ο Γεννηματάς δεν κινήθηκε εκτός των ορίων της πολιτικής και ιδεολογικής ταυτότητας του ΠΑΣΟΚ. Κα-τά βάθος πίστευε πως ήταν αυτός που συγκέντρωνε τις περισσό-τερες πιθανότητες για να τον διαδεχτεί. Πίστευε πως ήταν ο πλέ-ον αποδεκτός απ' τους λεγόμενους «δελφίνους».

Κάποια φορά τον ρώτησα ποιον θα επιθυμούσε για διάδοχό του, όταν θα ετίθετο το ζήτημα. Μου απάντησε διπλωματικά:

«Πέραν της επιθυμίας μου, εκτιμώ ότι ο Γ. Γεννηματάς είναι αυτός που συγκεντρώνει τις περισσότερες πιθανότητες, αρκεί να το χειριστεί σωστά».

Επέμεινα αν αυτή η εκτίμησή του αντανακλά και την επιθυμία του. Πάλι διπλωματικά απέφυγε να απαντήσει...

Αυτός ο διάλογος, αν θυμάμαι καλά, έγινε στη διάρκεια της διαδικασίας στο Ειδικό Δικαστήριο, τότε που περνούσαμε ατέ-λειωτες ώρες με συζητήσεις για πάρα πολλά θέματα.

*Είναι αλήθεια πως με την ιστορική «τρόικα» Τσοχατζόπουλου - Γεννη-
ματά - Λαλιώτη ένιωθε πάντα ιδιαίτερα δεμένος, είχε μια σχέση αλλη-
λεγγύης που οικοδομήθηκε σε μια κοινή, δύσκολη πορεία, παρά
τις διακυμάνσεις που κατά καιρούς πέρασαν οι σχέσεις τους. Και
ήταν ακριβώς αυτό που πικρόχολα επικαλέστηκε, όταν ο Κ. Ση-
μίτης στην Πανελλαδική Συνδιάσκεψη υπενθύμισε πως ήταν «συ-
νιδρυτής του ΠΑΣΟΚ». Όταν αργότερα την ίδια μέρα τον ρώτη-
σε στενός συνεργάτης αν θα πάει στη Συνδιάσκεψη την τελευταία
μέρα για να απαντήσει, του είπε:*
*«Να απαντήσω σε τι; Αν θεωρώ τους υπουργούς υπαλλήλους
μου; Το βρίσκω κατώτερο των περιστάσεων να μπω σε τέτοιο διά-
λογο. Να απαντήσω στο "συνιδρυτής"; Αυτό δεν το επικαλέστηκε
ποτέ ούτε ο Άκης ούτε ο Λαλιώτης ούτε ο μακαρίτης ο Γεννημα-
τάς».*

*Θυμάμαι πόση εντύπωση του έκανε όταν στέλεχος της «Ομά-
δας Γεννηματά» τον ενημέρωσε, μετά το θάνατό του, ότι ο Γιώρ-
γος Γεννηματάς είχε συστήσει στους πολιτικούς του φίλους να
στηρίξουν Σημίτη, όποτε τεθεί θέμα διαδοχής. Το σχόλιό του ή-
ταν:*
«Μου προκαλεί εντύπωση...»

Με όσα ανέφερα παραπάνω δίνεται, νομίζω, μια απάντηση σ' έ-
να ερώτημα που για χρόνια πλανιόταν και αποτέλεσε αντικείμε-
νο αναλύσεων, σχολίων, ακόμα και ιστορικών προσεγγίσεων: *για-
τί ο Ανδρέας Παπανδρέου δεν πρόσφερε ποτέ «δαχτυλίδι» σε κάποιον απ' τους
επίδοξους διαδόχους;*
Η ιστορία τον κατέταξε σ' ένα βάθρο, απ' όπου εκών άκων α-
ντίκριζε από απόσταση ακόμα και τα επώνυμα, προβεβλημένα
στελέχη του.
Γι' αυτόν πρώτο ρόλο έπαιζε η πολιτική και έπονταν τα πρό-
σωπα που θα την υλοποιήσουν, χωρίς βέβαια να αποσυνδέει τα
πρόσωπα από πολιτικές επιλογές. Δεν ήταν του χαρακτήρα του
να εμπλακεί σε μια τέτοια αντιπαράθεση, ιδιαίτερα αφού διαπί-
στωνε, όπως έλεγε, ότι για τους ενδιαφερόμενους προείχαν τα

παιχνίδια προσωπικών φιλοδοξιών από την προβολή πολιτικών. Θυμάμαι χαρακτηριστικά ότι το χειμώνα του '94-'95 έγινε συζήτηση αν στο πλαίσιο αλλαγών στην κυβέρνηση θα έπρεπε να τοποθετηθεί και αντιπρόεδρος ή αντιπρόεδροι. Σχετικές προτάσεις είχαν γίνει, υπήρχαν μάλιστα και έγγραφες εισηγήσεις. Την πρόταση για ορισμό ενός μόνο αντιπροέδρου την απέρριψε απ' την αρχή. Θεώρησε ότι θα ερμηνευόταν σαν επιθυμία του να υποδείξει διάδοχο. Η άλλη πρόταση, για τοποθέτηση αντιπροέδρων, συζητήθηκε περισσότερο. Είχαν μάλιστα, σε διάφορες συζητήσεις, αναφερθεί τα ονόματα των Τσοχατζόπουλου, Λαλιώτη, Αρσένη, Παπούλια, Λιβάνη ακόμα και του Βαγγέλη Βενιζέλου. Η άποψή του, που τελικά επικράτησε, ήταν πως, αν τοποθετήσει αντιπροέδρους, θα πρέπει να πάει σε πολιτικές και όχι διαχειριστικές επιλογές. Κάτι τέτοιο όμως, στη συγκεκριμένη συγκυρία, θα ενεπλέκετο αναπόφευκτα στα περί διαδοχής σενάρια και θα δημιουργούσε προβλήματα, αντί να λύσει.

Πράγματι, απέφευγε συστηματικά να προσφέρει «δαχτυλίδι». Πολλοί, ακόμα και σήμερα, πολιτικοί και δημοσιογράφοι συνεχίζουν να έχουν την απορία και ρωτούν: η *επιλογή του Θόδωρου Πάγκαλου* για τη θέση του υποψήφιου δήμαρχου της Αθήνας στις δημοτικές εκλογές του 1994 δεν ήταν ένα πρόκριμα, δεν έδειχνε μια προτίμηση;

Απ' όσο γνωρίζω, δεν ήταν στις προθέσεις του κάτι τέτοιο. Πίστευε πως ο Θ. Πάγκαλος διέθετε ικανότητες που δεν είχαν πολλοί, εκτιμούσε τα προσόντα του. Αλλά απ' την άλλη μεριά πίστευε πως ήταν απρόβλεπτος, δεν είχε σταθερές θέσεις και συνήθιζε να χύνει την «καρδάρα με το γάλα».

Η συμμετοχή του Θ. Πάγκαλου, αργότερα, στην «Ομάδα των 4» ήταν μια έκπληξη για τον Ανδρέα, ενώ για τους τρεις άλλους και ιδιαίτερα για τους Σημίτη - Β. Παπανδρέου το θεωρούσε περίπου αναμενόμενο.

Η επιλογή του Θ. Πάγκαλου για τη συγκεκριμένη θέση ήταν, όπως ο Ανδρέας πίστευε και έλεγε, «επιλογή νίκης». Διαψεύστηκε σ' αυτή του την εκτίμηση. Μια σειρά λαθών, για πολλά απ' τα οποία δεν ήταν άμοιρος ευθυνών ούτε ο Θ. Πάγκαλος, οδήγησαν

τελικά στην ήττα. Όμως ο Ανδρέας ήταν απόλυτα ειλικρινής α-
πέναντί του και τον στήριξε με όλες του τις δυνάμεις. Αυτό, προς
τιμήν του, το αναγνώρισε και ο ίδιος ο Θ. Πάγκαλος.

Πίστευε και κάτι άλλο ο Ανδρέας και το είχε εκμυστηρευτεί και
σε μένα και σε συνεργάτες του: *Αν ο Θ. Πάγκαλος κέρδιζε το δήμο της Αθήνας, τότε θα αποκτούσε ένα
de facto προβάδισμα έναντι των άλλων δελφίνων στην αφετηρία της
κούρσας της διαδοχής.* Με την προϋπόθεση φυσικά, όπως χαρα-
κτηριστικά σημείωνε, να αξιοποιήσει τις μεγάλες του ικανότητες
και να μη χύσει την «καρδάρα με το γάλα» για άλλη μια φορά.

Περισσότερο απ' την ήττα στις δημοτικές τον ενόχλησε και
τον πίκρανε η μετέπειτα συμπεριφορά του Θ. Πάγκαλου, για τον
οποίο έκτοτε χρησιμοποιούσε την έκφραση *«ας κάνει ό,τι τον φωτί-
σει ο Θεός...».*

Μέσα σ' αυτό το τοπίο που περιέγραψα, ο Ανδρέας, ναι, είχε κά-
νει τις επιλογές του για το ΠΑΣΟΚ και για τη δική του διαδρομή.
Επιλογές που ήταν προϊόν εξαντλητικού προβληματισμού, ατέ-
λειωτων ωρών περίσκεψης, πολλών συζητήσεων με έμπιστους και
φίλους του. Δεν τις είχε εκμυστηρευτεί σε πολλούς. Είχε μια τάση
αυτά τα θέματα να τα συζητά με ανθρώπους έμπιστους και όχι ά-
μεσα ενδιαφερόμενους. *Φυσικά είχε αποφασίσει πως, όταν ερχόταν η ώ-
ρα, θα έφερνε το θέμα προς συζήτηση στα αρμόδια όργανα. Αλλά δεν πρό-
λαβε. Η υγεία του οδήγησε αλλού τα πράγματα και τις εξελίξεις...*

Είμαι σε θέση να γνωρίζω πως κοινωνοί αυτών των σκέψεων
και κατ' αρχάς αποφάσεών του ήταν οι Αντώνης Λιβάνης, Χρήστος
Παπουτσής, Κάρολος Παπούλιας, Γ. Παναγιωτακόπουλος, ίσως
και δυο τρεις ακόμα, όχι παραπάνω.

Συγκεκριμένα, είχε κατ' αρχάς αποφασίσει πως η τετραετία
1993-'97 θα ήταν μάλλον η τελευταία του στη θέση του πρωθυ-
πουργού. Πίστευε ότι στο τέλος της τετραετίας θα είχε να εμφα-
νίσει στον ελληνικό λαό ένα πετυχημένο κυβερνητικό έργο. Θεω-
ρούσε ότι στο δεύτερο μισό της τετραετίας θα γίνονταν ορατά τα
θετικά αποτελέσματα της οικονομικής πολιτικής της κυβέρνησής

του, ιδιαίτερα στον τομέα της ανάπτυξης. Θα είχε επίσης προχωρήσει η συνταγματική αναθεώρηση και άλλες θεσμικές μεταρρυθμίσεις που τις θεωρούσε σημαντικές. Αισιοδοξούσε ακόμα για θετικές εξελίξεις και στα εθνικά θέματα.

Λίγους μήνες πριν εξαντληθεί η τετραετία θα συγκαλούσε ένα «μαζικό, ανοιχτό, δημοκρατικό Συνέδριο», όπως χαρακτηριστικά υπογράμμιζε, στο οποίο θα έλυνε δύο θέματα:

— Τη σαφή οριοθέτηση της φυσιογνωμίας του ΠΑΣΟΚ, μέσα απ' την ψήφιση συγκεκριμένων πολιτικών θέσεων που θα διασφάλιζαν την πολιτική ενότητα του Κινήματος.

— Το θέμα της διαδοχής του.

Ο ίδιος, όπως είχε αποφασίσει, θα παρενέβαινε μόνο για να εγγυηθεί τις διαδικασίες, το θεωρούσε αυτό ύψιστη υποχρέωσή του στο κόμμα που ίδρυσε. Και ως προς την εγγύηση τήρησης των διαδικασιών είχε δεσμευτεί και στα κομματικά όργανα. Ο διάδοχός του θα ήταν υποψήφιος πρωθυπουργός στις εκλογές του 1997.

Υπήρχε και μια δεύτερη σκέψη, να γίνει δηλαδή, υπό την εγγύησή του, η διαδικασία διαδοχής μετά τις εκλογές. Να οδηγούσε ο ίδιος το κόμμα στις εκλογές και μετά να συγκαλέσει το Συνέδριο. Μάλλον όμως την απέρριπτε, γιατί πίστευε πως ο λαός έπρεπε να γνωρίζει ποιον ψηφίζει για πρωθυπουργό. Ο ίδιος θα παρέμενε στη θέση του επίτιμου προέδρου, σ' ένα ρόλο συμβουλευτικό και εγγυητή της ομαλής πορείας μετάβασης, που τη θεωρούσε καθοριστική, δύσκολη και με κινδύνους κραδασμών.

«Αυτές οι μεταβατικές περίοδοι είναι ιδιαίτερα δύσκολες», έλεγε πάντα και παρέπεμπε σε αντίστοιχα ιστορικά προηγούμενα.

Πίστευε πως έτσι, μέσα απ' αυτές τις διαδικασίες, με την παρουσία του, θα διασφαλιζόταν η πολιτική ενότητα και η συνέχεια του ΠΑΣΟΚ.

Στη συνέχεια, το 2000, αν οι συνθήκες το επέτρεπαν και αν «ήταν τα πράγματα ομαλά και εντάξει», όπως έλεγε (τη φράση «αν φύγω» ή «αν πεθάνω» ελάχιστες φορές τη χρησιμοποίησε), τότε ίσως διεκδικούσε τη θέση του Προέδρου της Δημοκρατίας.

Αυτές ήταν οι προθέσεις, οι σκέψεις και οι κατ' αρχάς αποφάσεις του. Νιώθω την υποχρέωση απέναντί του να τις αποκαλύψω για πρώτη φορά, γιατί οφείλω στη μνήμη του, στα δέκα ευτυχισμένα χρόνια που μου χάρισε, να συμβάλω, με όσες δυνάμεις διαθέτω, στο να φωτιστεί η κάθε γωνιά τής ούτως ή άλλως λαμπερής του φυσιογνωμίας.

Είναι πολλές φορές που έχουν είτε παρεξηγηθεί είτε διαστρεβλωθεί είτε ακόμα και μυθοποιηθεί θέσεις και προθέσεις του Ανδρέα. Ένας απ' τους μύθους, που είχε έντεχνα αν και όχι πάντοτε σκόπιμα καλλιεργηθεί, ήταν πως δεν τον ενδιέφερε το μέλλον, πως αδιαφορούσε για το τι θα συμβεί μετά απ' αυτόν. Δεν ήταν έτσι.

Ο Ανδρέας βεβαίως λειτουργούσε και σκεφτόταν κυρίως στρατηγικά. Ιδιαίτερα τα τελευταία χρόνια έδειχνε αποστασιοποιημένος απ' την καθημερινή διαχείριση, από τις εσωκομματικές αντιπαραθέσεις, απ' αυτό που λέμε μικρόκοσμο της καθημερινότητας. Εξέπεμπε με σοφία μια στρατηγική σκέψη σε βάθος χρόνου. Σε καμιά περίπτωση όμως δεν τον άφηνε αδιάφορο το μέλλον του ΠΑΣΟΚ, το μέλλον της χώρας του. Και οφείλω αυτή την ιστορική κατάθεση για τις αποφάσεις που είχε λάβει και για να διαλυθούν μύθοι και για να γίνει γνωστό πώς ο ίδιος έβλεπε τη διαδικασία της διαδοχής καθώς και το χρόνο που θεωρούσε ώριμο για αφετηρία αυτής της διαδικασίας.

Τι πίστευε για τα στελέχη του ΠΑΣΟΚ

Ο ΑΝΔΡΕΑΣ ΕΙΧΕ ΕΝΑ ΜΟΝΑΔΙΚΟ ΤΡΟΠΟ να εκφράζεται για άλλα πρόσωπα, όταν βρισκόταν με άλλους και η συζήτηση ερχόταν σε προσωπικού περιεχομένου επίπεδο. Η ευγένεια και η ανωτερότητα, που πάντοτε τον διέκριναν, τον απέτρεπαν απ' το να χρησιμοποιεί σκληρές εκφράσεις, με δύο εξαιρέσεις: τον Κ. Μητσοτάκη και τον Θ. Κατσανέβα, για διαφορετικούς για τον καθένα λόγους.

Είχε το μοναδικό του τρόπο να περνάει τα «μηνύματα» που ήθελε για τον καθένα, πολλές φορές και με τη μορφή εύστοχων αποφθεγμάτων.

Είχε όμως και τις πιο προσωπικές και «ανοιχτές» στιγμές. Είχε και τις στιγμές που επιθυμούσε μια εκ βαθέων εξομολόγηση και ορισμένες φορές οδηγούσε ο ίδιος την κουβέντα σε μια τέτοια κατεύθυνση.

Τέτοιες συζητήσεις έκανε με τον Αντώνη Λιβάνη και τολμώ να πω και με μένα τα τελευταία χρόνια. Σε μικρότερο βαθμό και με τον Χρήστο Παπουτσή και με τους καλούς του φίλους Κάρολο Παπούλια και Γιώργο Κατσιφάρα. Ήταν οι χαλαρές του στιγμές, που ως ένα βαθμό απελευθερωνόταν απ' το ένδυμα του πολιτικού ηγέτη, του αρχηγού κόμματος, του πρωθυπουργού και επέτρεπε στον εαυτό του την πολυτέλεια να εκφραστεί πιο συναισθηματικά και ελεύθερα.

Τέτοιες συζητήσεις γίνονταν κυρίως στην Ελούντα αλλά και στην Εκάλη, στη διάρκεια δύσκολων στιγμών, γκρίζων εποχών, όπως την περίοδο του Ειδικού Δικαστηρίου και την περίοδο μετά το Ωνάσειο.

Τα όσα σήμερα μεταφέρω και καταθέτω σ' αυτό το βιβλίο αποτελούν καταγραφή των συζητήσεων όλης αυτής της περιόδου των δέκα χρόνων που έζησα δίπλα του. Χωρίς καμιά άλλη σκοπιμότητα, παρά μόνο την αίσθηση της μικρής χρονικής απόστασης από ορισμένα γεγονότα, παραλείπω κάποιες κρίσεις και σχόλια που έγιναν σε πολύ προσωπικές μας συζητήσεις. Ίσως σε ένα άλλο βιβλίο να έχω την ευκαιρία να επανέλθω. Σε καμιά περίπτωση πάντως δεν ανήκει στις προθέσεις μου να αποσιωπήσω κάτι που θα αλλοίωνε την εικόνα που είχε ο Ανδρέας για κάποιο πρόσωπο, κάτι τέτοιο άλλωστε δεν το δικαιούμαι. Θεωρώ επίσης αυτονόητο να πω ότι δε διεκδικώ το αλάθητο, αλλά και να διευκρινίσω πως καμιά άλλη σκοπιμότητα δεν καθοδηγεί ούτε τη μνήμη μου ούτε τις σημειώσεις μου.

Αντώνης Λιβάνης
Δε θα μπορούσα να ξεκινήσω αυτή την κατάθεση παρά μόνο απ' τον «αγαπητό Αντώνη», το διαχρονικό του φίλο, τον έμπιστο, τον πολύτιμο συνεργάτη, το alter ego του.

Στις δύσκολες ώρες του Ωνασείου έχει μείνει χαραγμένο στη μνήμη μου ένα περιστατικό απ' τα πιο χαρακτηριστικά της ποιότητας της σχέσης τους, μιας σχέσης που όχι μόνο άντεξε στο χρόνο, αλλά διαρκώς δυνάμωνε.

Ο Αντώνης Λιβάνης θέλησε κάτι να του πει για κάποιο πολύ σοβαρό θέμα που είχαν και προηγουμένως συζητήσει. Ξεκινάει λοιπόν και λέει: «Ανδρέα μου...» Και ο Ανδρέας με χαμηλή φωνή απαντάει:

«Μη συνεχίζεις, Αντώνη, έχω σκεφτεί, γνωρίζω τι θα πεις».

Γνώριζε ο ένας τη σκέψη του άλλου. Δεν υπήρχαν μεταξύ τους άγνωστα μονοπάτια, είχαν αποκτήσει τον τέλειο κώδικα επικοινωνίας. Περιστατικά σαν αυτό που ανέφερα ήταν συχνά ανάμεσά τους.

Ήταν ίσως ο μόνος απ' τους συνεργάτες και φίλους του που,

όταν βρίσκονταν μόνοι, τον αποκαλούσε «Ανδρέα μου». Και αυτό το «Ανδρέα μου» του Αντώνη Λιβάνη περιέκλειε τόση αγάπη, εμπιστοσύνη, φιλία, που είναι δύσκολο να βρει κανείς λέξεις για να τα αποτυπώσει στο χαρτί. «Ο Ανδρέας μου» είναι και παραμένει πάντα η αγαπημένη έκφραση του Αντώνη Λιβάνη, όταν αναφέρεται στο φίλο του. Και συγκινείται και σήμερα όταν τη χρησιμοποιεί.

Ήταν απ' τους συνεργάτες του αυτός που τον επηρέαζε πιο πολύ. Πολλές φορές ζητούσε τη γνώμη του για διάφορα θέματα χρησιμοποιώντας την κλασική γι' αυτόν έκφραση: «Για να δούμε τι λέει ο Αντωνάκης...»

Υπήρχε μεταξύ τους μια σιωπηρή συμφωνία ότι ο «Αντωνάκης» δε θα χρησιμοποιηθεί σε κυβερνητική θέση, ακριβώς για να μπορεί να παραμένει ο καλός του σύμβουλος ή ο άνθρωπος των «ειδικών αποστολών», δίχως το βάρος των κυβερνητικών ευθυνών. Η συμφωνία αυτή τηρήθηκε ως το '93. Τότε, με επιμονή του Ανδρέα, τοποθετήθηκε στο ψηφοδέλτιο Επικρατείας και στη συνέχεια στην κυβέρνηση. Ίσως ένιωθε, κάπου στο βάθος της ψυχής του, πως ήταν η τελευταία ευκαιρία που είχε για να τιμήσει το φίλο του και με κυβερνητικό αξίωμα...

Ο ίδιος ο Ανδρέας έλεγε πως ο Αντώνης Λιβάνης δεν έγινε κατά βάθος ποτέ αποδεκτός απ' τη Χαριλάου Τρικούπη, ακριβώς επειδή πλήρωνε τις παρενέργειες που είχε στο κόμμα η ιδιαίτερη αυτή σχέση τους. Για πρώτη φορά και με δική του επιμονή η κατάσταση αυτή άλλαξε μετά το Συνέδριο του 1994, οπότε έγινε μέλος και του ΕΓ.

Αυτή η σχέση τους, μ' αυτή την ποιότητα, δεν άλλαξε ποτέ και, απ' όσο μπορώ να γνωρίζω, ήταν η σχέση με τις μικρότερες και λιγότερες διακυμάνσεις.

Ο «Αντωνάκης» παρέμεινε, απ' τους λίγους, κοντά του και τη δύσκολη περίοδο του '88-'92 και την περίοδο της μοναξιάς των εννιά μηνών της δίκης στο Ειδικό Δικαστήριο. Ειδικά εκείνη την περίοδο η συμβολή του και η συμπαράστασή του είναι ανεκτίμητες. Αυτός οργάνωσε και τη νομική τεκμηρίωση που πρότεινε πολιτικές παρεμβάσεις, με το γραφείο του Αντώνη Βγότζα, και

την επεξεργασία-αξιοποίηση στοιχείων για την απόδειξη της α-
θωότητας του Ανδρέα, με το γραφείο του Γ. Μίρκου.

Ο Αντώνης Λιβάνης ακολουθούσε ορισμένους κώδικες συμπε-
ριφοράς στη σχέση του με τον Ανδρέα. Προτιμούσε την κατ' ι-
δίαν επαφή και συζήτηση μαζί του και απέφευγε «παρέες», συ-
νάξεις και γεύματα όπου μετείχαν άλλοι φίλοι και συνεργάτες. Ε-
πίσης ήθελε να έχει απευθείας επικοινωνία με τον «Ανδρέα του»
και παρέκαμπτε πρωτόκολλα, ιδιαίτερα γραφεία και γραμματείς.

Ομολογώ πως κάποια περίοδο, μετά το '93, αυτό με είχε ενο-
χλήσει. Θεώρησα ότι άδικα παρακάμπτει το Ιδιαίτερο Γραφείο
του πρωθυπουργού και δημιουργήθηκε μεταξύ μας για ένα μικρό
διάστημα μια ψυχρότητα. Μίλησα και στον Ανδρέα γι' αυτό, ά-
φησε το χρόνο να λύσει το πρόβλημα, δεν έκανε την παραμικρή
παρέμβαση. Και πράγματι ο χρόνος ήταν που έλυσε το πρόβλη-
μα και οι σχέσεις μας αποκαταστάθηκαν.

Πρέπει πάντως να τονίσω πως, παρά την ψυχρότητα που είχε
μεταξύ μας δημιουργηθεί για ένα διάστημα, ουδέποτε μαλώσα-
με ή, πολύ περισσότερο, ανταλλάξαμε «βαριές εκφράσεις», όπως
επέμεναν τότε ορισμένα ευφάνταστα δημοσιεύματα. Αυτό που εί-
ναι αλήθεια είναι πως εγώ κάνοντας χιούμορ στον Ανδρέα και
στον Αντώνη έλεγα πως με τον πιο στενό του συνεργάτη και τη σύ-
ζυγό του αισθάνεται «από δω η γυναίκα μου και από δω το αί-
σθημά μου...».

Γνωρίζοντας πολύ καλύτερα απ' τον καθένα όλα τα «κουμπιά»
και τις ευαισθησίες του Ανδρέα, ο Αντώνης Λιβάνης κράτησε μια
αξιοπρεπή στάση απέναντι στη σχέση μας. Στην αρχή δεν την εί-
δε με καλό μάτι, δεν την ήθελε. Απ' τη στιγμή όμως που κατάλα-
βε τι σήμαινε για τον Ανδρέα αυτή η σχέση –και το κατάλαβε απ'
τους πρώτους–, *την ανέχτηκε, την αντιμετώπισε με σεβασμό*. Ούτε μια
στιγμή δεν αναλώθηκε σε μικρότητες, που διέκριναν τη συμπερι-
φορά άλλων στενών συνεργατών του ή της οικογένειάς του απέ-
ναντί μου. Ήταν γι' αυτόν μια επιλογή του «Ανδρέα του» και τη
σεβάστηκε.

Εμένα προσωπικά δε με συμπαθούσε. Όπως ο ίδιος ομολό-
γησε πρόσφατα, «εγώ τη Δήμητρα την αγάπησα στο Ωνάσειο, ό-

ταν είδα πώς συμπαραστάθηκε στον Ανδρέα, όταν είδα εκεί πόσο τον αγαπούσε».

Παρ' όλα αυτά μου συμπαραστάθηκε με τον πιο ανθρώπινο τρόπο σε όλες τις περιπέτειες που αντιμετώπιζε ο Ανδρέας με την υγεία του. Δε θα λησμονήσω ποτέ τη συμπεριφορά του στο Γενικό Κρατικό, το καλοκαίρι του '89, όταν οι άλλοι «κοντινοί» του Ανδρέα πίστεψαν κάποια στιγμή ότι θα πεθάνει και ετοιμάζονταν να «εισβάλουν» στο σπίτι μας για να πάρουν τα προσωπικά του είδη, αφού εγώ ήμουν τότε ακόμα μόνο η «ερωμένη»...

Στο Ωνάσειο, σ' εκείνες τις εκατόν είκοσι τρεις τραγικές μέρες και νύχτες, η συμπαράσταση του Αντώνη Λιβάνη ήταν για άλλη μια φορά ένα πολύτιμο στήριγμα, μια ανάσα ανθρωπιάς. Η επικοινωνία του με τον Ανδρέα, με το δικό τους τρόπο και κώδικα, δε σταμάτησε ποτέ. Ήταν πολλές οι φορές και συγκινητικές οι στιγμές που τον αναζητούσε με τα μάτια ή που με φωνή που μόλις ακουγόταν έλεγε «τον Αντώνη»...

Έχουν γραφτεί και ειπωθεί πολλοί μύθοι για το ρόλο του καθενός στο Ωνάσειο και στο θέμα αυτό θα επανέλθω. Τώρα μπορώ να πω μόνο το εξής: *η απόφαση του Ανδρέα για παραίτηση ήταν δική του. Δεν του την επέβαλε κανείς, ούτε άμεσα ούτε έμμεσα. Αλλά αυτός στον οποίο «ακούμπησε» πολιτικά για να διαμορφώσει άποψη και εικόνα ώστε να αποφασίσει ήταν ο Αντώνης Λιβάνης. Από μένα είχε την ψυχολογική και συναισθηματική στήριξη που χρειαζόταν.* Αλλά ο Αντώνης Λιβάνης ήταν, στη συνέχεια, απ' τους ελάχιστους που συνέχισαν με αγάπη να είναι κοντά μας, όταν τα φώτα χαμήλωσαν, οι επισκέψεις αραίωσαν και οι περισσότεροι εκ των «επωνύμων» δεν έβρισκαν πια λόγο να περνάνε απ' το Ωνάσειο, μετά τις 15 Ιανουαρίου του '96...

Ο Αντώνης Λιβάνης τον επισκεπτόταν, τον έβλεπε, του συμπαραστεκόταν καθημερινά, ως τη βραδιά που έφυγε. Δεν έλειψε ούτε μια μέρα. Ήταν ο σύντροφος και φίλος του.

Ο Ανδρέας χάρηκε που με μια ευγενική επιστολή ο Λιβάνης αρνήθηκε την πρόταση του Κ. Σημίτη να γίνει μέλος της νέας κυβέρνησής του. Αισθάνθηκε όμορφα: ο πιστός του φίλος δήλωνε πως τελειώνει την κυβερνητική του θητεία με την παραίτηση του Ανδρέα.

Η συνεργασία τους συνεχίστηκε ως την τελευταία μέρα. Μπορώ σήμερα να αποκαλύψω ότι στον Λιβάνη ήταν που τηλεφώνησε ο Ανδρέας το πρωί του Σαββάτου για να συζητήσουν το κείμενο του Συνεδρίου. Συνεργάστηκαν για το θέμα αυτό το απόγευμα και με βάση τα όσα συζήτησαν και συμφώνησαν ανέλαβαν οι Τηλ. Χυτήρης και Ν. Αθανασάκης στη συνέχεια να συντάξουν το τελικό κείμενο. Όταν άρχισαν, το βράδυ του Σαββάτου, να έρχονται στο σπίτι διάφοροι επισκέπτες, ο Αντώνης, κατά την προσφιλή του τακτική, ετοιμάστηκε να αναχωρήσει. Είχε, λίγα λεπτά πριν, κάνει μια άκρως *εμπιστευτική συζήτηση* με τον Ανδρέα. Χαιρετήθηκαν. Υπήρχε σ' εκείνο το χαιρετισμό μια ευδιάκριτη συγκίνηση, λες και συναισθάνονταν και οι δύο πως ήταν αποχαιρετισμός... Δεν τον ξαναείδε ζωντανό. Ήταν απ' τους πρώτους που ειδοποιήθηκε και έφτασε στο σπίτι, όταν ο Ανδρέας έφυγε. Έπεσα στην αγκαλιά του και κλάψαμε.

Γιώργος Γεννηματάς
Κάποια περίοδο, προσπαθώντας να απαντήσω στο ερώτημα «ποιον προτιμάει ο Ανδρέας για διάδοχο», προσπαθώντας να βγάλω συμπεράσματα απ' τα συμφραζόμενα των όσων έλεγε, γιατί ο ίδιος δεν απαντούσε ποτέ ευθέως σ' αυτό το ερώτημα, είχα καταλήξει στην εξής εκτίμηση: *το συναίσθημά του λέει Άκης, η λογική του λέει Γεννηματάς.* Νομίζω πως πρέπει να ήταν πριν ο Γ. Γεννηματάς ασθενήσει και ξεκινήσει τη γενναία μάχη για τη ζωή του. Δεν έχω βεβαιωθεί ποτέ αν είχα δίκιο σ' εκείνη την εκτίμηση που έκανα τότε, άλλωστε ειδικά σ' αυτό το ζήτημα ο Ανδρέας παρέμενε πάντα αινιγματική σφίγγα.

Αυτό για το οποίο είμαι σίγουρη (τον έχω ακούσει να το λέει) είναι πως πίστευε ότι σ' ένα ανοιχτό, μαζικό Συνέδριο, που θα είχε να λύσει το θέμα της διαδοχής, ο Γ. Γεννηματάς (πριν από την ασθένειά του βέβαια) θα είχε τις περισσότερες πιθανότητες απ' όλους να κερδίσει. Παρόντος του Γεννηματά δεν έδινε πολλές ελπίδες ούτε στον Άκη ούτε στον Αρσένη, ενώ για τον Σημίτη πίστευε πως δε θα ήταν καν υποψήφιος σε μια τέτοια περίπτωση. Άλλος ένας μύθος που έχω υποχρέωση να διαλύσω είναι ότι ο

Ανδρέας δε συμπαθούσε τον Γ. Γεννηματά, ότι τον αντιμετώπιζε με καχυποψία, ότι περίπου... ζήλευε τη δημοτικότητά του. Η αλήθεια είναι πως τον αγαπούσε πολύ. Βεβαίως πολιτικά η σχέση τους πέρασε διακυμάνσεις, υπήρξαν και εποχές ψυχρότητας. Όμως τα συναισθήματα που ευφάνταστοι σεναριογράφοι απέδιδαν είτε στον έναν είτε στον άλλο, συναισθήματα μικρά, δεν είχαν καμιά θέση στη μεταξύ τους σχέση. Η σχέση τους είχε διαμορφωθεί, είχε ζυμωθεί και είχε κριθεί μέσα από αγώνες και μια κοινή πορεία. Ήταν σχέση αμοιβαίας εκτίμησης και αλληλεγγύης. Ακόμα και όταν διαφωνούσαν, και δεν ήταν λίγες οι φορές που αυτό συνέβη, ο Ανδρέας γνώριζε πως ο Γιώργος, όπως χαρακτηριστικά έλεγε, «*θα υπερασπιστεί τη διαφωνία του, αλλά δε θα με υπονομεύσει ούτε θα με αμφισβητήσει*».

Εκτιμούσε πολύ τις ικανότητες του Γ. Γεννηματά και πίστευε ότι είχε πετύχει στα υπουργεία που πέρασε. Θεωρούσε ότι, πέραν της εμβέλειας που αναμφισβήτητα διέθετε εντός του ΠΑΣΟΚ, είχε και μια αξιοθαύμαστη «διείσδυση» και στους άλλους κομματικούς χώρους αλλά και στο σύνολο της ελληνικής κοινωνίας.

Αν κάτι του καταλόγιζε πολιτικά, ήταν ότι τον θεωρούσε πολύ «οικουμενικό», ότι τον χαρακτήριζε μια τάση να «στρογγυλεύει» τα πράγματα και να αναζητεί ισορροπίες, μέσους όρους και υπερβολικές «συναινέσεις», ακόμα και σε περιπτώσεις που απαιτούνταν ρήξεις. Έλεγε πολλές φορές πως τον ήθελε πιο τολμηρό, ότι θα έπρεπε να μην αποφεύγει τα ρίσκα.

Δεν ξέχασε ποτέ *τη στήριξη που του παρέσχε στο «Πεντελικό»*, όταν ο Ανδρέας είχε αποφασίσει να φτάσει ως τη ρήξη. Πίστευε πως η στήριξη του Γ. Γεννηματά τότε ήταν καθοριστική στο να κερδίσει εκείνη την εσωκομματική μάχη.

Μετά τις επαναληπτικές εκλογές στη Β΄ Αθήνας (εκείνη την περίοδο είχαν διαφωνήσει, ο Γ. Γεννηματάς ήταν κατά της διεξαγωγής των εκλογών) έγινε ένα γεύμα, όπου ήμουν και εγώ παρούσα. Στη διάρκεια εκείνου του γεύματος ο Γ. Γεννηματάς προέβη σε μια εξομολόγηση, σε μια ειλικρινή και εκ βαθέων κατάθεση ψυχής, που συγκίνησε τον Ανδρέα. Ανάμεσα σε άλλα, που δεν είναι του παρόντος, του είπε:

«Πρόεδρε, δικαιώθηκες, η πολιτική δίωξη σε βάρος σου κατέρρευσε. Πολύ σύντομα θα έρθει και η άλλη δικαίωση, θα ξαναγίνεις πρωθυπουργός. Προσωπικά θα σε στηρίξω με όλες μου τις δυνάμεις και θα σταθώ πάντα στο πλευρό σου. Οφείλω σήμερα να σου ξεκαθαρίσω κάτι, με κάθε ειλικρίνεια. Δε σου κρύβω ότι έχω προσωπικές φιλοδοξίες, ότι θέλω να έχω την τιμή να βρεθώ μια μέρα στη θέση σου. Όταν έρθει η στιγμή, θα το προσπαθήσω, θα διεκδικήσω να είμαι ο διάδοχός σου.

»Θέλω όμως να σου δηλώσω κατηγορηματικά, θέλω να σε διαβεβαιώσω ότι όσο βρίσκεσαι στη θέση του ηγέτη του ΠΑΣΟΚ δεν πρόκειται ποτέ να σε αμφισβητήσω, δεν πρόκειται ποτέ να σε υπονομεύσω. Αλλά, όταν επιλέξεις να αποχωρήσεις, ομολογώ ότι θέλω εγώ να βρεθώ στη θέση σου και θα είμαι υποψήφιος».

Ο Ανδρέας συγκινήθηκε απ' την ευθεία και ειλικρινή τοποθέτησή του. Του απάντησε:

«Γιώργο, είναι βεβαίως θεμιτό και λογικό αυτό που επιδιώκεις. Και χαίρω ιδιαίτερα ότι με διαβεβαιώνεις πως δε θα με υπονομεύσεις, πως θα βοηθήσεις στο δύσκολο έργο που έχουμε μπροστά μας. Έχεις πολλά να προσφέρεις».

Τον εντυπωσίασε πράγματι αυτή η θέση του. Και τη θυμήθηκε και την επικαλέστηκε πολλές φορές, όταν εκτιμούσε πως η «Ομάδα των 4» τον υπονόμευε με κάθε τρόπο. Έλεγε συχνά τότε πως είναι αισθητή η απουσία του Γ. Γεννηματά, που με τη νηφαλιότητά του θα εμπόδιζε τέτοιου είδους προσπάθειες δολιοφθοράς.

Η είδηση για την ασθένειά του τον συγκλόνισε. Το έμαθε απ' τον Δημήτρη Μαρούδα. Μέναμε τότε στο σπίτι της οδού Έλλης. Δούλευε στο γραφείο του. Εγώ ήμουνα στο πάνω δωμάτιο. Με παίρνει στο εσωτερικό τηλέφωνο και μου λέει: «Κατέβα, σε παρακαλώ, έμαθα κάτι μόλις τώρα και είμαι σκασμένος».

Κατέβηκα ανήσυχη και τον βρήκα να βηματίζει νευρικά πάνω κάτω, φανερά στενοχωρημένος. Τον ρώτησα τι συμβαίνει.

«Άσ' τα, ο Γιώργος Γεννηματάς δεν είναι καθόλου καλά. Έχει καρκίνο και δυστυχώς φαίνεται πως δεν έχει πολλές ελπίδες. Κρίμα, μετά τη μάχη που έδωσε η Κάκια, την ίδια μοίρα και ο Γιώργος...»

Ήταν συντετριμμένος. Και θυμάμαι ότι μου έκανε και το εξής σχόλιο: «Κρίμα, για τον άνθρωπο, το φίλο μου. Αλλά δυστυχώς είναι σοβαρό πλήγμα και για το ΠΑΣΟΚ, τον χρειαζόμαστε, μας είναι πολύτιμος ο Γιώργος».

Παρακολούθησε από πολύ κοντά την εξέλιξη της πορείας της υγείας του, τη γενναία μάχη που έδωσε. Πριν αναχωρήσει για την Αμερική, την πρώτη φορά, συναντήθηκαν στο σπίτι, του έδωσε κουράγιο, του ευχήθηκε καλή τύχη. Χάρηκε πολύ που γύρισε απ' την Αμερική αισιόδοξος. Τον πληροφόρησαν όμως πως η μάχη που έδινε ο Γιώργος ήταν άνιση, ότι κέρδισε κάποιο χρόνο μόνο και ότι δεν έχει ελπίδες.

Δεν έπαψε ποτέ και εκείνη την περίοδο να τον αξιοποιεί ως στενό του συνεργάτη, να του δίνει τη δυνατότητα να προσφέρει τις εμπειρίες του. Γνώριζε ότι και ο Γιώργος ζει απ' την πολιτική και αν τον έβαζε στο περιθώριο θα τον σκότωνε. Άλλωστε ήξερε πολύ καλά, απ' τη συνεργασία που είχαν τόσα χρόνια, πως θα δούλευε σκληρά, θα κατέβαλε άοκνες προσπάθειες γι' αυτά που πίστευε, όσο οι δυνάμεις του θα του το επέτρεπαν.

Ακριβώς μ' αυτή τη λογική όταν, πριν από τις εκλογές του '93, ο Γ. Γεννηματάς ζήτησε το υπουργείο Εθνικής Οικονομίας, του απάντησε θετικά χωρίς δεύτερη σκέψη. Εξάλλου είχε την εκτίμηση πως ήταν αυτός που θα εξασφάλιζε τη συναίνεση των κοινωνικών εταίρων, την οποία θεωρούσε απαραίτητη εκείνη την περίοδο στη μεγάλη μάχη για την ανόρθωση της οικονομίας. Έλεγε πάντα πως «ο Γιώργος τον κοινωνικό διάλογο τον πιστεύει και τον εννοεί ως μια έντιμη διαδικασία, έχει την ικανότητα να πείθει για την ειλικρίνεια των προθέσεών του, δεν τον χρησιμοποιεί για να επιβάλλει προαποφασισμένα».

Αυτή την ανθρώπινη συμπεριφορά, που πάντα τον διέκρινε, ο Ανδρέας την είχε απέναντι σε όλους. Έχοντας ο ίδιος αγγίξει το θάνατο και έχοντας διαρκώς προβλήματα υγείας, γνώριζε πολύ καλά την αξία της συμπαράστασης, της ανθρωπιάς. Και δε ζύγιζε ποτέ το γεγονός πως ακόμα και στελέχη του κόμματός του επένδυσαν ακριβώς πάνω σ' αυτά τα προβλήματα υγείας που αντιμετώ-

268

πιζε για να τον αμφισβητήσουν, για να του φερθούν μικρόψυχα... Έτσι αντιμετώπισε και τη Μελίνα, αν και κάποιες στιγμές τον είχε πικράνει. Έτσι αντιμετώπισε και τις «υποδείξεις» κάποιων ότι έπρεπε διακριτικά να συστήσει στον Γ. Γεννηματά να αποσυρθεί, όταν η κατάσταση της υγείας του επιδεινώθηκε και ήταν πλέον σαφές πως είχε μπει σ' ένα δρόμο χωρίς γυρισμό. «Μα τι λένε, θέλουν να τον σκοτώσω;» ήταν η απάντησή του.

Η δήλωση που έκανε ο Γ. Γεννηματάς τη μέρα του θανάτου της Μελίνας τον συγκλόνισε. Το ίδιο και το μήνυμά του προς το 3ο Συνέδριο του ΠΑΣΟΚ.

Βρισκόμασταν στη Νέα Υόρκη, ήταν η επίσημη επίσκεψη στις ΗΠΑ, όταν ο Γιώργος έφυγε. Όπως γινόταν πάντα, ήμουν εγώ που έπρεπε να του μεταφέρω την άσχημη είδηση. Τον ξύπνησα, τον άφησα να πάρει πρωινό και μετά δειλά δειλά του το ανακοίνωσα. Αν και το περίμενε –όλες εκείνες τις μέρες ενημερωνόταν διαρκώς για την ύστατη μάχη του–, αντέδρασε σαν κεραυνόπληκτος. Έμεινε βουβός για λίγα λεπτά. Στη συνέχεια μου ζήτησε να μείνει μόνος. Βγήκε απ' το δωμάτιο σε μισή ώρα περίπου και ζήτησε απ' τον Τηλ. Χυτήρη να καλέσει τους δημοσιογράφους για να κάνει δήλωση.

Τον επέκριναν πολλοί ότι δε διέκοψε την επίσκεψη για να επιστρέψει για την κηδεία. Εγώ ξέρω καλά ότι το ήθελε. Οι γιατροί όμως του συνέστησαν να αποφύγει την εσπευσμένη αναχώρηση.

Μελίνα

Ήταν περίεργη η σχέση του Ανδρέα με τη Μελίνα. Τουλάχιστον στα δέκα χρόνια που ήμουν δίπλα του λίγες φορές θυμάμαι να συμφώνησαν πολιτικά. Πιο πολλές ήταν οι διαφωνίες και οι κόντρες τους, με κορυφαία αυτή στο «Πεντελικό». Τότε η Μελίνα πήρε το μέρος του Κ. Λαλιώτη, με τον οποίο άλλωστε είχε πάντα άριστη σχέση, και ο Ανδρέας πικράθηκε και θύμωσε μαζί της.

Αλλά ο Ανδρέας ποτέ, είτε στις συζητήσεις που έκανε είτε στις επιλογές του, δεν αντιμετώπισε τη Μελίνα πρωτίστως ως πολιτικό. *Την έβλεπε, την αντιμετώπιζε και την αγαπούσε ακριβώς γι' αυτό που ήταν: η μεγάλη Μελίνα της ζωής, του έρωτα, του πολιτισμού, η πρέσβειρα της Ελλάδας στα πέρατα της οικουμένης.* Πίστευε και το έλεγε πάντα πως η προσωπικότητά της δε χώραγε στα πλαίσια ενός κόμματος, μιας πολιτικής. Τα ξεπερνούσε και έφτανε παντού μεταφέροντας μηνύματα Ελλάδας και ουμανισμού.

Γι' αυτό και οι πολιτικές αντιθέσεις, που πολύ συχνά είχαν, δεν τον επηρέαζαν στην αντιμετώπισή της. Συγχωρούσε εύκολα τις «απιστίες» της Μελίνας και πίστευε πως το υπουργείο Πολιτισμού τής ανήκει. Είχε συγκινηθεί απ' τον αγώνα της για την επιστροφή των μαρμάρων του Παρθενώνα. Γνώριζε πολύ καλά πως η Μελίνα ήταν γνωστή σ' όλο τον κόσμο όσο ελάχιστοι Έλληνες. Γνώριζε πολύ καλά πως με το δικό της, μοναδικό τρόπο είχε τη δύναμη να επηρεάσει πολιτικούς της εμβέλειας ενός Μιτεράν. Πίστευε πως λίγοι είχαν τις δυνατότητές της ακόμα και για «διπλωματικές» μάχες, εκεί όπου δεν απαιτούνται μόνο τα προσόντα ενός έμπειρου πολιτικού, αλλά χρειάζονται και τα χαρίσματα ενός γοητευτικού και πειστικού θεατράνθρωπου. Ο ερωτισμός της, η εκρηκτικότητά της, το χάρισμά της να συναγείρει τα πλήθη τον γοήτευαν. Ήταν αυτή η οπτική με την οποία την αντιμετώπιζε.

Πικράθηκε αρκετές φορές απ' τη συμπεριφορά της. Πίστευε πως την περίοδο της δίωξής του δεν του συμπαραστάθηκε όσο μπορούσε, ίσως επηρεασμένη από άλλους.

Τον ενόχλησε ο τρόπος που συμπεριφέρθηκε απέναντι στη σχέση μας, τον βρήκε αταίριαστο με τα πιστεύω της, το εκρηκτικό της ταπεραμέντο. Πικράθηκε πολύ απ' τη συμπεριφορά της στο Γενικό Κρατικό.

Δέχτηκε, παρά τις πικρίες που είχε και παρά την αντίδραση που υπήρχε σε μέρος της Νομαρχιακής, την πρόταση Λαλιώτη για την υποψηφιότητά της για το δήμο της Αθήνας. Τη στήριξε αυτή την υποψηφιότητα και τη βοήθησε όσο μπορούσε.

Ενδεικτικό του πώς ο Ανδρέας αντιμετώπιζε τη Μελίνα είναι και το εξής περιστατικό. Λίγες μέρες πριν από τη δραματική Σύνοδο της ΚΕ στο «Πεντελικό», ο Στ. Τζουμάκας τού έστειλε επιστολή και του υπέβαλε διάφορες προτάσεις, μεταξύ αυτών και πρόταση για τη σύνθεση του νέου ΕΓ. Του έγραφε *να μην προτείνει*

270

«σ' αυτή τη φάση» τη Μελίνα για το Εκτελεστικό, ως *«μη μάχιμη»*. Θύμωσε από την υπόδειξη και έκανε το εξής σχόλιο: «Μπορεί η Μελίνα να με έχει πικράνει και να μην έχει συμπεριφερθεί σωστά. Αλλά να χαρακτηρίζει τη Μελίνα μη μάχιμη κάτω από οποιεσδήποτε συνθήκες δείχνει αχαριστία και έλλειψη γνώσης της πραγματικότητας». Και το είπε αυτό, αν και γνώριζε πως η Μελίνα θα ήταν α-πέναντί του στο «Πεντελικό» έχοντας ταυτιστεί με τον Κ. Λαλιώτη. Αλλά πάντα πίστευε πως άλλο οι πολιτικές διαφωνίες και άλλο η προσφορά του καθενός.

Τη Μελίνα τη θεωρούσε ικανή να προσφέρει, παρά τα προβλήματα υγείας που αντιμετώπιζε. Λίγο πριν από τις εκλογές του '93, κάποιοι του πρότειναν να μην την τοποθετήσει αυτή τη φορά στο υπουργείο Πολιτισμού, ακριβώς λόγω της κατάστασης της υγείας της. Το αρνήθηκε. Θεωρούσε απαραίτητη την παρουσία της εκεί και ανεκτίμητη την προσφορά της. «Η Μελίνα προσφέρει και με την παρουσία της μόνο», ήταν η απάντησή του.

Παρ' όλα αυτά οι σχέσεις τους πέρασαν πάλι κρίση. Η Μελίνα δεν ήθελε κοντά της στο υπουργείο τον *Θ. Μικρούτσικο* και εξέφρασε παράπονα ότι της βάζουν έναν «τοποτηρητή». Αντέδρασε επίσης έντονα, όταν ο Ανδρέας επέμενε ότι δεν πρέπει να έχει αυτή τη φορά μαζί της στο υπουργείο τον αδελφό της. Το θεώρησε μειωτικό και προσβλητικό. Χρειάστηκε η μεσολάβηση του Λαλιώτη και του Λιβάνη για να πειστεί, αλλά και πάλι το έκανε με βαριά καρδιά. Της έμεινε η πικρία. Και απ' όσα γνωρίζω, τον Θ. Μικρούτσικο πάντα τον αντιμετώπιζε ανταγωνιστικά στο υπουργείο Πολιτισμού, που το θεωρούσε δικό της χώρο. Και με το θέμα των αρμοδιοτήτων υπήρξαν προβλήματα και με μια σειρά α-πό άλλα ζητήματα. Ήταν άλλη μια δύσκολη περίοδος στη σχέση τους, που όμως δεν έσβησε το θαυμασμό και την εκτίμηση του ε-νός προς τον άλλο. Ένταση και θαυμασμός εναλλάσσονταν μόνι-μα στη μεταξύ τους σχέση.

Γιάννης Αλευράς
Ο Ανδρέας πάντα έλεγε με περηφάνια πως ο Γ. Αλευράς συνήθι-

ζε να τον αποκαλεί «καπετάνιο». Αυτό του άρεσε ιδιαίτερα, γιατί πάντα ισχυριζόταν πως *«αν δε γινόμουν πολιτικός, θα ήθελα να γίνω καπετάνιος»*.

Ο Γ. Αλευράς ήταν μαζί του, φίλος και σύντροφος, απ' την περίοδο που ο Ανδρέας έκανε τα πρώτα του πολιτικά βήματα στην Ελλάδα. Την αναπολούσε με συγκίνηση εκείνη την εποχή, τους δημοκρατικούς αγώνες, τα πρώτα σκιρτήματα για «Αριστερά» και «σοσιαλισμό».

Ο «μπαρμπα-Γιάννης», όπως θυμόταν ο Ανδρέας, ήταν στο στενό πυρήνα βουλευτών και στελεχών που βρέθηκαν μαζί του και έκαναν «αριστερή αντιπολίτευση» στην τότε Ένωση Κέντρου και τον Γ. Παπανδρέου.

Μετά τη μεταπολίτευση, όπως ο Ανδρέας έλεγε, οι σχέσεις τους πέρασαν διακυμάνσεις, αλλά πάντα παρέμεναν καλοί φίλοι.

Θυμόταν πως ο Γ. Αλευράς δεν ήθελε, θεωρούσε πολύ τολμηρή για την εποχή του '74 την ίδρυση ενός νέου κόμματος που θα επαγγελλόταν μάλιστα το σοσιαλισμό. Πίστευε πως αυτό θα έδιωχνε τον κόσμο και τους ψηφοφόρους, ήταν πιο κοντά στο μετασχηματισμό της προδικτατορικής Ένωσης Κέντρου. Έβλεπε με δυσπιστία τα ιστορικά στελέχη του ΠΑΚ, τη νέα γενιά των στελεχών, τις καινούριες ιδέες που έρχονταν, το νέο αέρα που έπνεε.

Παρά τις διαφωνίες του, που κάποια στιγμή ήταν ιδιαίτερα έντονες, τον ακολούθησε. Ο Ανδρέας το εκτιμούσε πάντα αυτό και για μια μεγάλη περίοδο είχαν πολύ στενή συνεργασία.

Το '81 θεώρησε αυτονόητη την τοποθέτησή του στη θέση του προέδρου της Βουλής. Συνέχισε για χρόνια να παραμένει στενός του συνεργάτης και φίλος, να είναι κοντά του και να τον επηρεάζει σε ανασχηματισμούς, να κάνουν μαζί διακοπές.

Η σχέση μας επηρέασε αρνητικά τη φιλία τους, που πέρασε μεγάλο διάστημα κρίσης. Για κάποια περίοδο είχε παγώσει εντελώς. Ο Γ. Αλευράς τάχθηκε απ' την αρχή εναντίον της σχέσης του Ανδρέα μαζί μου, δεν ήθελε να ακούσει. Μαλάκωσε κάπως αργότερα, αλλά πάντα επέμενε ότι ο ίδιος δε θα νομιμοποιούσε έναν παράνομο δεσμό, ούτε καν με επίσκεψη στο σπίτι που μέναμε τότε. Το περίεργο είναι πως αρνήθηκε να έρθει στο γάμο μας.

Όταν η Φρύνη τού τηλεφώνησε για να τον καλέσει, της έκλεισε το τηλέφωνο.

Μετά το γάμο οι σχέσεις τους αποκαταστάθηκαν και ο Ανδρέας ήταν ιδιαίτερα χαρούμενος και συγκινημένος γι' αυτό. Ανταλλάξαμε και επισκέψεις, για ένα διάστημα ήρθαν ξανά πολύ κοντά. Αλλά την παλιά της ποιότητα η σχέση τους δεν την έφτασε ποτέ. Ο Ανδρέας ενόψει και των εκλογών του '93 ήθελε να δώσει την εικόνα, την αίσθηση της ανανέωσης. Αυτό αναπόφευκτα προσδιόριζε ένα νέο ρόλο για ιστορικά στελέχη, όπως ο Γ. Αλευράς, ο Γ. Χαραλαμπόπουλος.

Ο Γ. Αλευράς δεν το αποδέχτηκε ποτέ αυτό, αν και ο Ανδρέας τον είχε τιμήσει προτείνοντάς τον το 1990 για Πρόεδρο της Δημοκρατίας, ενώ είχε δεχτεί και το αίτημά του να καταλάβει τη θέση του στο ψηφοδέλτιο της Α' Αθήνας ο ανιψιός του Νάσος.

Πικράθηκε και την πικρία του την εξέφρασε με πολλούς τρόπους. Το βράδυ των εκλογών, στην Εκάλη, την ώρα που γιορταζόταν η νίκη, του μίλησε πικρόχολα. Είχε βεβαιωθεί πως τη θέση του προέδρου της Βουλής, που την ήθελε, ο Ανδρέας είχε αποφασίσει να την προσφέρει στον Απ. Κακλαμάνη.

Τον στενοχώρησαν πάρα πολύ τα λόγια του Γ. Αλευρά. Αργότερα, στο Συνέδριο, τον Απρίλιο, δέχτηκε πάλι σκληρή κριτική απ' τον παλιό του συνεργάτη και φίλο, με υπαινιγμούς για την προσωπική του ζωή καθώς και για το ότι, κατά την άποψή του, η πολιτική της κυβέρνησης δεν ήταν σοσιαλιστική. Τότε έκανε το σχόλιο: «Το '74 δεν ήθελε ν' ακούσει τη λέξη σοσιαλισμός, τώρα με κατηγορεί ότι δεν κάνω σοσιαλιστική πολιτική...»

Τελευταία εναντίωση η αντίδραση του Γ. Αλευρά στην απόφαση του Ανδρέα να ανασταλεί η δίωξη κατά του Κ. Μητσοτάκη, αντίδραση έντονη, αφού είχε συσπειρώσει και αρκετούς βουλευτές.

Ωστόσο πάντα ο Ανδρέας, πέρα από προσωπικές πικρίες και τις όποιες διακυμάνσεις στη σχέση τους, είχε να λέει για την εντιμότητα και ευθύτητα του «μπαρμπα-Γιάννη». Ήταν γι' αυτόν ο «αδιάφθορος».

Δημήτρης Μαρούδας

Θα αδικούσα τη μνήμη του, την ίδια τη σχέση και φιλία του με τον Ανδρέα, αν παρέλειπα να αναφέρω την αγάπη που είχε γι' αυτόν ο πρόεδρος, την εκτίμηση με την οποία τον περιέβαλε. Του στάθηκε ως το τέλος πιστός και αγαπημένος φίλος, αξιοπρεπής και γενναίος. Με αξιοπρέπεια, γενναιότητα και διακριτικότητα έδωσε και την άνιση μάχη για τη ζωή του, μια μάχη που συγκίνησε τον Ανδρέα.

Απ' τους πιο στενούς φίλους και συνεργάτες μέχρι και το '89, στάθηκε πάντα δίπλα του «με ένα χαμόγελο, με ένα ανέκδοτο», όπως του άρεσε να λέει. Ήταν απ' τους πιο ευχάριστους στις παλιές παρέες και ο Ανδρέας θυμόταν πάντα το πνεύμα του, την ανοιχτή του καρδιά. Έζησε ορισμένες απ' τις προσωπικές του στιγμές, ήταν απ' τους ανθρώπους στους οποίους εμπιστεύτηκε προσωπικά του μυστικά και αυτός ποτέ δεν τον πρόδωσε. Η λέξη «εμπιστοσύνη» χαρακτήριζε τη σχέση τους.

Στάθηκε πολύ κοντά μας, στην πρώτη περίοδο της σχέσης μας, όταν ήταν μετρημένοι στα δάχτυλα του ενός χεριού αυτοί που τη στήριζαν. Στο Χέρφιλντ ήταν δίπλα του, για να του δίνει κουράγιο, να τον εμψυχώνει με ένα χαμόγελο.

Ο Ανδρέας στη συνέχεια θεώρησε αυτονόητη υποχρέωσή του να πάει προεκλογικά, στις εκλογές του '89, στη Ζάκυνθο για να βοηθήσει το φίλο του.

Απ' το '89 και μετά η συνεργασία τους δεν ήταν τόσο στενή, αλλά αυτό σε καμιά περίπτωση δεν οφείλεται σε πάγωμα της σχέσης τους, που, αντίθετα, συνέχισε να είναι πάντα ζεστή, φιλική, ανθρώπινη. Του συμπαραστάθηκε άλλωστε με τον καλύτερο τρόπο στην περίοδο της πολιτικής δίωξης.

Αργότερα ο Δημήτρης Μαρούδας υπέστη και αυτός τη συνέπεια της ανάγκης για ανανέωση σε πρόσωπα, που έβλεπε ο Ανδρέας. Ποτέ όμως δε διαμαρτυρήθηκε, δεν πίεσε. Το αντιμετώπισε με κατανόηση και διακριτικότητα. Παρέμεινε πάντα πιστός φίλος. Και χάρηκε σαν μικρό παιδί όταν ο Ανδρέας τον διόρισε ειδικό σύμβουλο για θέματα Τύπου. Γνώριζε ότι η θέση ήταν περισσότερο τιμητική, αλλά το χάρηκε.

Ο Ανδρέας πάντα διηγούνταν, και γέλαγε από καρδιάς, ένα περιστατικό με τον Δημ. Μαρούδα, το '81. Λίγες μέρες αφού έχει γίνει η πρώτη κυβέρνηση του ΠΑΣΟΚ, ο Δημήτρης, κυβερνητικός εκπρόσωπος τότε, σε μια άτυπη συνομιλία με ξένους ανταποκριτές «έλυσε τη γλώσσα του», είπε τόσα για τις ελληνοαμερικανικές σχέσεις, που... παραλίγο να δημιουργηθεί διπλωματικό επεισόδιο!

Ήταν ο πρώτος, και αυτό το αναγνωρίζουν όλοι, που άνοιξε το πρες ρουμ στους πολιτικούς συντάκτες και έκανε την επίσημη κυβερνητική ενημέρωση κτήμα όλων των πολιτικών συντακτών.

Κώστας Λαλιώτης

Δε νομίζω ότι βγήκε ποτέ από την καρδιά του Ανδρέα, αν και οι σχέσεις τους δεν ήταν σε ήρεμα νερά. Τώρα που το ξανασκέφτομαι από κάποια απόσταση, λέω πως ίσως αυτή η ταραχώδης σχέση να ταίριαζε και στους δύο. Ίσως μια άλλης ποιότητας σχέση, πιο ήρεμη και επίπεδη, χωρίς διακυμάνσεις, να μην τους πήγαινε, να μην ταίριαζε στο χαρακτήρα τους. Ίσως αυτή η δοκιμασία, μέσα από φουρτούνες και αέρηδες, να ήταν και για τους δύο μια πρόκληση που την επιζητούσαν.

Ένα δικό τους, καταδικό τους νήμα, ακατανόητο ή αόρατο για πολλούς, τους κρατούσε δεμένους ακόμα και σε εποχές που σχεδόν όλοι θεωρούσαν δεδομένο πως η σχέση τους έχει οριστικά τελειώσει. Αυτοί όμως έβρισκαν τον τρόπο να ξαναπιάσουν το νήμα, να ξανάρθουν κοντά.

Ίσως η έκφραση «πνευματικό παιδί του Ανδρέα» να ταιριάζει για τον Κ. Λαλιώτη περισσότερο από κάθε άλλο στέλεχος του ΠΑΣΟΚ. Αυτή η εναλλαγή ζεστού κρύου στη σχέση τους του προκαλούσε συναισθήματα πίκρας, οργής ακόμα και πόνου. Αλλά το τέλος δεν ερχόταν.

Αυτή η, για τους περισσότερους, πατρικότητα για τους ίδιους ήταν ένα περίτεχνο, προκλητικό παιχνίδι ανάμεσα στην αγάπη και το μίσος. Ήξεραν όμως κατά βάθος και οι δύο πως η αγάπη ήταν που θα επικρατούσε.

Η φράση του Κ. Λαλιώτη «εγώ δε θα γίνω πατροκτόνος» έχει

τη δική της, ιδιαίτερη σημασία για τη σχέση τους. Δεν ξέρω πόσοι έχουν πετύχει να την αποκωδικοποιήσουν, αφού είχαν μεταξύ τους έναν ειδικό κώδικα επικοινωνίας. Απ' το '74 ο Ανδρέας ξεχώρισε, όπως έλεγε πάντα με στοργή, τον Κ. Λαλιώτη απ' τη «γενιά του Πολυτεχνείου». Στο πρόσωπό του έβλεπε τα συν και τα πλην, τις αρετές και τις αδυναμίες, τα όνειρα και τα αδιέξοδα αυτής της γενιάς. Δεν είναι λοιπόν περίεργο ότι ο Λαλιώτης καθιερώθηκε στη λεγόμενη «ιστορική τρόικα». Ούτε είναι περίεργο ότι σε σημαντικό βαθμό συμβόλισε για ένα μεγάλο μέρος στελεχών την «ιστορική συνείδηση» του Κινήματος, παρά την ηλικία του.

Τέσσερις, νομίζω, ήταν οι «κάβοι» αυτής της σχέσης, που είχαν κόστος και για τους δύο:

– Η αποχώρηση του Κ. Λαλιώτη απ' την κυβέρνηση και από κάθε πολιτική και κομματική δραστηριότητα το 1985 και για ένα διάστημα δύο ετών περίπου, που συνοδεύτηκε από μακροσκελέστατη επιστολή, με την οποία εξηγούσε τους λόγους του «αναχωρητισμού» του, όπως περιέγραφε ο Ανδρέας τη στάση του τότε. Η βασική του διαφωνία αφορούσε την πολιτική της κυβέρνησης στα ΜΜΕ.

Ο Ανδρέας, όπως μου έλεγε αργότερα, στενοχωρήθηκε και ενοχλήθηκε. Είχε την εκτίμηση πως ο Κώστας περνούσε σ' εκείνη τη φάση μια κρίσιμη ιδεολογική καμπή και πίστευε πως ο «αναχωρητισμός» δεν ήταν το καλύτερο φάρμακο για να την ξεπεράσει.

Είναι ωστόσο χαρακτηριστικό πως η θέση του στην ΚΕ ουδέποτε καλύφθηκε. Και όταν μετά από περίπου δύο χρόνια επέστρεψε, μετά από μια μακρά συζήτηση που είχαν, έγινε δεκτός με αγάπη. Μάλιστα ο Ανδρέας θυμόταν πως επέστρεψε σε μια σύνοδο της ΚΕ, όπου ήταν και ο βασικός εμπνευστής της κεντρικής εισήγησης. Τότε μετέφερε στα πολιτικά δρώμενα τον όρο για το «τρίτο κύμα πολιτισμού».

– Νέα παραίτησή του απ' την κυβέρνηση το 1989. Τότε ο Ανδρέας προσδοκούσε στήριξη από στελέχη της εμβέλειας του Κ. Λαλιώτη. Ήταν μια κρίσιμη περίοδος, όπου πολλά κρίνονταν. Η προσωπική και πολιτική του δίωξη βρισκόταν ήδη σε εξέλιξη.

Ο Κ. Λαλιώτης παραιτήθηκε την επομένη της ορκωμοσίας του. Συνόδευσε την παραίτηση με μια επιστολή προς τον Ανδρέα. Λίγες φορές τον είδα τόσο στενοχωρημένο, όσο όταν διάβασε αυτή την επιστολή. Θυμάμαι το σχόλιο που έκανε: «Ουσιαστικά μου ζητάει να παραιτηθώ, να αποχωρήσω. Είναι δυνατό τώρα, που όλοι έχουν στραφεί εναντίον μου, να στρέφεται και ο Κώστας;»

Ήταν η εποχή που είχε ξεκινήσει η ιδιόμορφη «απομόνωση» του Ανδρέα. Κατά σύμπτωση εκείνη τη μέρα μάς είχαν επισκεφθεί ο Δημήτρης Τσοβόλας με τῇ σύζυγό του. Ο Ανδρέας γεμάτος πίκρα διάβασε την επιστολή του Κ. Λαλιώτη στον Τσοβόλα και του μίλησε για εγκατάλειψή του...

— Απότοκο αυτής της στάσης του θεωρούσε ο Ανδρέας και τη συνολικότερη συμπεριφορά του εκείνη την περίοδο. Παραπονιόταν ότι δεν τον στήριξε όσο θα μπορούσε, ότι τον άφηνε ορισμένες φορές ακάλυπτο και το απέδιδε αυτό σε μια άποψη που, κατά τη γνώμη του, είχε ο Λαλιώτης, ότι δηλαδή θα έπρεπε να τα βρει το ΠΑΣΟΚ με το Συνασπισμό, ακόμα κι αν το αντίτιμο θα ήταν ο πρόσκαιρος παραμερισμός του Ανδρέα.

Σεβόταν την άποψή του, αλλά ανθρώπινα αισθανόταν πίκρα. Δεν πίστευε άλλωστε ότι ο Συνασπισμός είχε διάθεση συνεργασίας με το ΠΑΣΟΚ, αν και δε φανταζόταν πως θα έφτανε να συνεργαστεί με τη ΝΔ.

Την κρίσιμη ώρα βέβαια δέχτηκε να μην είναι ο ίδιος πρωθυπουργός και πρότεινε στον Χαρ. Φλωράκη τον Κ. Στεφανόπουλο. Όμως τον είχε ενοχλήσει η στάση του. Εκτιμούσε πως ανεχόταν τις επιθέσεις των «λοχαγών» εναντίον του, αφού είχε μαζί τους προνομιακές σχέσεις. Τον ενόχλησε και η συμμαχία που έκανε στη Σύνοδο της ΚΕ στην Ανάβυσσο με τους «λοχαγούς» και τον Κ. Σημίτη σε βάρος των Γεννηματά - Κακλαμάνη και άλλων ιστορικών στελεχών, τη στιγμή μάλιστα που έδιναν στη Βουλή τη μάχη κατά της παραπομπής του.

— Όμως η σοβαρότερη σύγκρουσή τους, που έφτασε τη σχέση τους σε οριακό σημείο, ήταν αυτή στο «Πεντελικό».

Χρειάστηκε να περάσουν μήνες, να πιστεί από φίλους και συνεργάτες του (κυρίως απ' τους Γ. Παναγιωτακόπουλο και Π. Λάμπρου) για να δεχτεί να τον ξανασυναντήσει. Ήμουν και εγώ που έπαιξα τότε ρόλο στο να πειστεί να ξαναφτιάξει τη σχέση του με τον Κ. Λαλιώτη.

Όμως, επαναλαμβάνω, και σ' αυτές τις γκρίζες μεταξύ τους περιόδους το νήμα που τους συνέδεε υπήρχε πάντα. Ποτέ δεν κόπηκε. Ο Ανδρέας εκτιμούσε αφάνταστα τη θεωρητική κατάρτιση του Κώστα και την ικανότητά του να αποτυπώνει σε γραπτό λόγο θαυμάσιες σκέψεις και ιδέες. Πίστευε όμως ότι ορισμένες φορές πλατειάζει. Θυμάμαι ότι μου έλεγε πως θα ολοκληρωθεί ως πολιτικός μόλις πετύχει να συνδυάσει καλύτερα τη θεωρία με την πράξη. Τον ήθελε πιο πολύ της δράσης.

Επίσης πίστευε πως έπρεπε να βγει και εκτός κομματικού ακροατηρίου, να γίνει πιο «μπαλκονάτος». Στα κομματικά τον θεωρούσε απ' τους ικανότερους και εκτιμούσε πως είχε ακροατήριο, μπορούσε να πείθει, διέθετε εμβέλεια.

Θυμάμαι ότι τον είχε εντυπωσιάσει η ομιλία του στο 3ο Συνέδριο, ιδιαίτερα ένα σημείο της που αναφερόταν στην τρομακτική εξουσία που έχει αποκτήσει στην εποχή μας το «δίδυμο ΜΜΕ - χρήμα». Είχε σημειώσει την υπογράμμισή του ότι «με την πυρηνική σύντηξη του χρήματος και των ΜΜΕ έχουν δημιουργηθεί πολύπλοκα οικονομικά συμφέροντα με ζωτικούς χώρους, με επεκτατικές διαθέσεις, με μονοπωλιακές ή ολιγοπωλιακές βλέψεις». *Ήταν ένα θέμα που τον απασχολούσε πολύ τα τελευταία χρόνια.*

Σ' εκείνο το Συνέδριο ο Κώστας έφτασε σε σύγκρουση με τους λεγόμενους «προεδρικούς», γιατί δε στήριξε την επιλογή του Άκη κατά του «ασυμβίβαστου». Είχε μάλιστα και ένα επεισόδιο με τους παραδοσιακούς του φίλους, τον Π. Λάμπρου και τον Γ. Παναγιωτακόπουλο.

Απ' το '93 και μετά, όταν ήταν υπουργός ΠΕΧΩΔΕ, ο Ανδρέας είχε μαζί του ένα... μόνιμο άγχος: *τι θα γίνει με την «Εγνατία».* Ήταν αμέτρητες οι συζητήσεις που είχαν γι' αυτό το θέμα και τα τηλεφωνήματα που του έκανε. Θυμάμαι ότι ακόμα και απ' το εξωτερικό τού τηλεφωνούσε. Εκτιμούσε πως το έργο αυτό δεν προχωρούσε όσο έπρεπε και ήθελε διαρκώς να ενημερώνεται.

Παρά τις πιέσεις που δεχόταν, του είχε εμπιστοσύνη και δεν έκανε καμιά παρέμβαση στο χειρισμό του των μεγάλων έργων.

Όταν άρχισε εκ νέου η εσωκομματική του αμφισβήτηση, ο Κ. Λαλιώτης, όπως πίστευε ο Ανδρέας, «πατούσε σε δύο βάρκες». Δεν εντάχθηκε μεν στους «4», αν και είχε πάρει... πρόσκληση σε δείπνο και είχε κατ' αρχάς συμφωνήσει να πάει, αλλά ούτε στάθηκε και απέναντί τους, όπως ο Ανδρέας ήθελε. Βέβαια σε κάποια περίοδο ήταν της άποψης να αντιμετωπιστούν σκληρά, αλλά η στάση του δεν είχε συνέχεια.

Ο Ανδρέας δε δέχτηκε το αίτημά του για διαγραφή του Θ. Πάγκαλου, όταν του είχε επιτεθεί με απρεπή τρόπο. Του συμπαραστάθηκε όμως ανθρώπινα, γιατί, όπως ήταν επόμενο, είχε φορτιστεί συναισθηματικά και ψυχολογικά.

Η τελευταία τους πολιτική συνάντηση είχε ένα μεγαλείο, παρά την τραγικότητα των στιγμών, ένα μεγαλείο που καθοριζόταν από αυτή τους τη σχέση, απ' το δικό τους κώδικα επικοινωνίας, ίσως και απ' τους εφαπτόμενους κύκλους σύγκρουσης και αγάπης.

Ήταν στο Ωνάσειο, την επομένη της παραίτησης του Ανδρέα. Αυτός είχε παραιτηθεί. Έφευγε. Απ' τη στιγμή που παραιτήθηκε, το γνώριζε πως έφευγε, ο κύκλος έκλεινε. Ο Κ. Λαλιώτης βρισκόταν στη μέση ενός δρόμου. Και πλησίαζε ένα σταυροδρόμι. Μπροστά του είχε μια οριακή επιλογή. Ο Ανδρέας τον κοίταξε. Ήταν αδύναμος και ψυχολογικά πεσμένος. Με φωνή που μόλις ακουγόταν, του είπε:

«Κώστα, δε θέλω να παρέμβω, είναι βεβαίως δικαίωμά σου να κάνεις αυτό που πιστεύεις. Θα επιθυμούσα πάντως, αν βεβαίως δεν έχεις αντίρρηση, να βοηθήσεις να μην εκλεγεί ο Σημίτης».

Τον κοίταξε αμήχανα. Απάντησε:

«Εντάξει, πρόεδρε, θα το δω».

Ο Ανδρέας ζήτησε, μάλλον είχε ζητήσει λίγο πριν το ίδιο και από έναν άλλο πιστό του φίλο και συνεργάτη. *Το ζήτησε απ' αυτούς τους δύο, μόνο.* Ο άλλος, στην ψηφοφορία και τη διαδικασία εκλογής πρωθυπουργού έπραξε ό,τι του είχε ζητήσει ο Ανδρέας. Ο Κ. Λαλιώτης ψήφισε τον Κ. Σημίτη, γιατί έτσι έκρινε πως έπρεπε να

279

πράξει. Μα δε θα πιστέψω ποτέ πως αδίκησε τον Ανδρέα και τη σχέση τους κρύβοντάς του την αλήθεια.

Είτε επέλεξε άλλη μια «κόντρα», αλλά αυτή τη φορά με διαφορετικούς όρους, αφού ο χρόνος έφευγε, δεν επέτρεπε το «παιχνίδι» του ζεστού και του κρύου.

Είτε είχε κάνει την επιλογή του και δε θα διανοούνταν σε καμιά περίπτωση να τον κακοκαρδίσει, να τον πληγώσει...

Κώστας Σημίτης

Πολλοί ισχυρίζονται πως ο Κ. Σημίτης οφείλει την εκλογή του από την ΚΟ στη θέση του πρωθυπουργού, που του άνοιξε το δρόμο για να κερδίσει και το κόμμα, στο ότι τελικά ο Κ. Λαλιώτης έριξε το βάρος του υπέρ αυτού.

Παράξενα τα παιχνίδια της ιστορίας, αν είναι έτσι. Γιατί αυτό θα σήμαινε πως ο εκ των αγαπημένων του Ανδρέα ήταν αυτός που καθόρισε την επιλογή, την οποία δεν ήθελε ο Ανδρέας.

Όταν αναφερόταν στον Κ. Σημίτη, τον έκρινε με τα καλύτερα λόγια ως τεχνοκράτη-πανεπιστημιακό. Ως πολιτικό όμως δεν τον αποδεχόταν.

Θυμάμαι ότι σε μια απ' τις συζητήσεις κάποιο καλοκαιρινό βράδυ στην Ελούντα, ένας πολύ καλός μου φίλος επέμενε να ακούσει: «Γιατί δεν τον πας τον Σημίτη;»

«Οι διαφωνίες μας είναι πολιτικές. Ως άνθρωπο τον εκτιμώ, αν και είμαστε διαφορετικής ψυχοσύνθεσης».

Στη συνέχεια της κουβέντας έκανε μια αναδρομή απ' τον «Όμιλο Παπαναστασίου» ως τα γεγονότα της περιόδου του '89, απ' τα οποία τον χαρακτήριζε «σκοπίμως απόντα». Για να καταλήξει:

«Είναι πιο πολύ της θεωρίας. Δεν τον διέκρινε η τόλμη. Αν και τις περισσότερες φορές διαφωνούσε μαζί μου, δε μου έκανε ευθεία αντιπαράθεση, όσο ήμουν ισχυρός».

Για να τεκμηριώσει την εκτίμησή του, θυμήθηκε ότι στις εσωκομματικές κρίσεις της δεκαετίας του '70 προτιμούσε τη σιωπή απ' την κόντρα, αν και, όπως είπε, «συμφωνούσε με τις απόψεις των διαγραφέντων».

Θυμήθηκε ακόμα πως εκείνη την περίοδο «η Βάσω δεν ήθελε ούτε να τον ακούσει».

Ο ίδιος συνομιλητής-φίλος τού αντέτεινε: «Εντάξει, πρόεδρε, αλλά, μόλις έκανες κυβέρνηση, τον έκανες υπουργό». «Κοίταξε, είχε προηγηθεί η ιστορία με την αφίσα για την ΕΟΚ. Το θεώρησα αλλαγή γραμμής και μάλιστα εν κρυπτώ. Ήταν φανερές οι διαφωνίες μας. Δεν τον συμπεριέλαβα στο ψηφοδέλτιο στις εκλογές του '81. Δεν ήταν στις προθέσεις μου να τον κάνω υπουργό. Πίεσαν πολύ η Αγγέλα, ο Ζιάγκας και άλλοι. Για το υπουργείο Γεωργίας προόριζα τότε τον Σκουλαρίκη».

Και συνέχισε: «Όμως, να σου πω. Εκπροσωπεί ένα ρεύμα, δικαιούται συμμετοχής σε κυβερνητικά και κομματικά όργανα».

Στα δέκα χρόνια που έζησα δίπλα του αυτή την αίσθηση είχα: ότι τον αποδεχόταν ως εκπρόσωπο ρεύματος, αλλά δε θα μπορούσε να τον αποδεχτεί ως διάδοχό του.

Δεν μπορώ να θυμηθώ κάποια απ' τις εσωκομματικές συγκρούσεις που να βρέθηκαν μαζί.

Αλλά οι *πολιτικές τους διαφωνίες* δεν περιορίζονταν στα εσωκομματικά. Κυρίως εκφράζονταν σε σημαντικά πολιτικά ζητήματα, όπως τα εθνικά θέματα, η θέση της Ελλάδας στην Ευρώπη, η προσέγγιση της οικονομίας.

Τον θεωρούσε «αμιγώς ευρωπαϊστή», χωρίς θεώρηση του βαλκανικού και μεσογειακού ρόλου της Ελλάδας.

Εκτιμούσε πως οι απόψεις του για την οικονομία υποτιμούν το ρόλο της ανάπτυξης και είναι περισσότερο «διαχειριστικές». Όταν του θύμιζαν πως τον είχε κάνει υπουργό Εθνικής Οικονομίας, περιοριζόταν στην απάντηση ότι «το επέβαλε η συγκυρία».

Τον έβλεπε πιο πολύ ως τεχνοκράτη παρά ως πολιτικό. Είχε περάσει ίσως απαρατήρητη μια σκληρή κριτική που είχε κάνει στους «τεχνοκράτες, που δεν πρέπει να κυβερνήσουν», σε συνεδρίαση της ΚΟΕΣ, πριν από το Συνέδριο του '90.

Εκείνη την περίοδο αντιπαρατέθηκε και σε θέσεις που είχε εκφράσει ο Κ. Σημίτης για τα εθνικά θέματα. Τις θεωρούσε «αφελείς και επικίνδυνες». Θυμάμαι μάλιστα ότι σε γεύμα με πολιτικούς συντάκτες το καλοκαίρι του 1990, στο εστιατόριο «Ιθάκη», είχε προξενήσει στους δημοσιογράφους εντύπωση ακριβώς το «άδειασμα» που έκανε ο Ανδρέας σε απόψεις του Κ. Σημίτη για τα εθνικά.

Δεν αισθάνθηκα ποτέ ότι ο Ανδρέας έστω μια φορά είχε ψυχική επαφή μαζί του, πέραν των πολιτικών διαφωνιών. Είναι αυτό που λένε «δεν ταίριαζαν τα χνότα τους», βρίσκονταν και σαν χαρακτήρες ο ένας μακριά απ' τον άλλο. Ακόμα και η ανθρώπινη επαφή τους είχε έντονο το στοιχείο της τυπικότητας.

Του αναγνώριζε πάντως μια μεθοδικότητα στη σκέψη. Τα τελευταία χρόνια τού αναγνώριζε μεθοδικότητα και στον τρόπο που ασκούσε εσωκομματική αντιπολίτευση, μεθοδικότητα που δε διέθεταν οι άλλοι «δελφίνοι», μετά το θάνατο του Γ. Γεννηματά.

Δεν τον εντυπωσίασε η σημαντική στήριξη που είχε απ' τα περισσότερα ΜΜΕ. Εκτιμούσε πως είναι φυσιολογικό να προετοιμάζουν και να στηρίζουν «μια διάδοχη κατάσταση αρεστή, αφού πλέον θέλουν τεχνοκράτες».

Δεν του συγχωρούσε ότι επέλεξε να τον αμφισβητήσει σε περιόδους που αντιμετώπιζε σημαντικά προβλήματα, είτε πολιτικά είτε υγείας.

Ιδιαίτερα επικριτικός ήταν για τη στάση που κράτησε ο Κ. Σημίτης απ' το '88 ως το '92. Πίστευε πάντα ότι εκείνη την εποχή που χρειαζόταν στήριξη, εκείνη ακριβώς την εποχή τον είχε απέναντί του. Δεν ξεχνούσε τη συνέντευξή του στο *Βήμα*, με την οποία ζητούσε να προχωρήσει η κάθαρση αφήνοντας αιχμές εναντίον του. Δεν ξεχνούσε την παντελή απουσία του απ' τη μάχη του Ειδικού Δικαστηρίου και πίστευε ότι περίμενε ευκαιρία για να θέσει και άμεσα θέμα διαδοχής. Δεν ξεχνούσε ότι, όπως τον είχαν πληροφορήσει, το βράδυ των επαναληπτικών εκλογών στη Β΄ Αθήνας είχε έτοιμη συνέντευξη στο «MEGA» για να τον αμφισβητήσει ευθέως, επειδή πίστευε πως δε θα πήγαινε καλά το ΠΑΣΟΚ και ο Ανδρέας, που επέμενε για τις εκλογές, θα χρεωνόταν την ήττα. Δεν ξεχνούσε ότι δεν είχε βγει ούτε μια φορά τότε να τον στηρίξει δημόσια, αντίθετα είχε αρνηθεί βολιδοσκόπηση που του έγινε να παίξει έναν περισσότερο ενεργό ρόλο στη Βουλή, απέναντι στη ΝΔ. Δεν ξεχνούσε ότι δεν εμφανίστηκε ως μάρτυρας σε καμιά απ' τις δίκες εκείνης της περιόδου, αν και θα είχε σημαντικά να προσφέρει εκ της θέσης που κατείχε πριν, στο υπουργείο Εθνικής Οικονομίας.

Ο Ανδρέας είχε ερωτηθεί επανειλημμένα από φίλους και συνεργάτες του πώς ερμήνευε την τότε συμπεριφορά του Κ. Σημίτη, της Βάσως Παπανδρέου και της πλειοψηφίας των μετέπειτα «εκσυγχρονιστών». Η απάντηση που είχε ήταν:

«Πολλοί τότε, ανάμεσά τους και αυτοί, πίστεψαν πως ούτε βιολογικά ούτε ψυχολογικά θα άντεχα τη δοκιμασία. Θυμάστε πόσα "έγκυρα" ρεπορτάζ με θεωρούσαν τελειωμένο και διαφωνούσαν μόνο στο χρόνο που αυτό θα γίνει. Είχαν πειστεί πολλοί πως έρχεται το τέλος μου. Στο παρασκήνιο προετοιμαζόταν η διάδοχη κατάσταση. Είχε κόστος τότε όποιος με στήριζε. Πάνω στο δικό μου τέλος είχαν επενδυθεί πολλά».

Έχω γράψει και σε άλλο σημείο του βιβλίου πως ο Ανδρέας ως μεγάλος ηγέτης παραμέριζε, ακόμα και καταπίεζε, τα προσωπικά του συναισθήματα μπροστά στην ενότητα και την προοπτική του ΠΑΣΟΚ. Όταν δικαιώθηκε, δεν τον καθοδήγησε στην πολιτική του δράση η προσωπική του πικρία. Το «γυρίζω σελίδα» το εννοούσε για όλους. Χωρίς ούτε μια στιγμή να πάψει να αισθάνεται ευγνωμοσύνη για τους λίγους που στάθηκαν δίπλα του, κάλεσε τους πάντες στο νέο ξεκίνημα. Τους ήθελε πάντα όλους μαζί. Και στο κόμμα και στην κυβέρνηση.

Όταν μετά τις εκλογές του '93 ο Κ. Σημίτης ζήτησε να πάρει «πακέτο» μαζί με το υπουργείο Βιομηχανίας και το υπουργείο Εμπορίου, δεν του το αρνήθηκε.

Όταν πρωτοεμφανίστηκε η «Ομάδα των 4», παρότι πικράθηκε και οργίστηκε, δε δέχτηκε εισηγήσεις που του έγιναν τότε για σκληρή αντιμετώπιση και μετωπική σύγκρουση. Ήθελε να αντιμετωπιστούν πολιτικά. Όσο περνούσε όμως ο χρόνος, διαπίστωνε πως το πρόβλημα πλέον δεν ήταν η προσωπική του αμφισβήτηση, αλλά η υπονόμευση του έργου και της εικόνας της κυβέρνησης.

Με την εκλογή του Κ. Στεφανόπουλου για τη θέση του Προέδρου της Δημοκρατίας έστειλε ένα σαφές μήνυμα ότι δε σκοπεύ-ει να αποσυρθεί. Αλλά η κατάσταση δε βελτιώθηκε. Η συνεργα-σία του με τον Κ. Σημίτη, σε κυβερνητικό επίπεδο, ήταν ουσια-στικά ανύπαρκτη. Οι γέφυρες είχαν κοπεί.

Το καλοκαίρι του '95 προέκυψε ξαφνικά η γνωστή ένταση στις σχέσεις *Σημίτη - Παπουτσή*. Αιτία η επιστολή του επιτρόπου Χρ. Παπουτσή, με την οποία επισήμαινε τον κίνδυνο καθυστέρησης του έργου του φυσικού αερίου, καθώς το υπουργείο Βιομηχανίας δεν είχε προωθήσει στη Βουλή το απαραίτητο νομοθετικό πλαί-σιο που απαιτούσε η Ευρωπαϊκή Κοινότητα.

Ο Σημίτης εξοργίστηκε. Δεν αρκέστηκε στην κάλυψη που του παρέσχε, με οδηγίες του Ανδρέα, ο κυβερνητικός εκπρόσωπος. Οφείλω μάλιστα να σημειώσω πως *ο Ανδρέας έδωσε αμέσως εντολή για κάλυψη του υπουργού του*, παρά το γεγονός ότι πίστευε πως το υ-πουργείο Βιομηχανίας βρισκόταν πολύ πίσω στο έργο του.

Ο σημερινός πρωθυπουργός έστειλε και οργισμένη επιστολή στον Αν-δρέα, με την οποία ζητούσε την αποπομπή του Χρ. Παπουτσή απ' το ΕΓ.

Ήμασταν στην Ελούντα, όταν πήρε την επιστολή. Μόλις τη διάβασε, εξερράγη:

«Κοιτάξτε τι ζητάει. Δε φτάνει που τον κάλυψα, θέλει από πά-νω και την απομάκρυνση του Χρήστου. Έχει ξεπεράσει κάθε όριο».

Φυσικά και απέρριψε την απαίτηση. Μίλησε μόνο τηλεφωνι-κώς με τον Χρ. Παπουτσή και του ζήτησε να μη δώσει συνέχεια στο θέμα. Μάλιστα τότε κάποιος απ' όσους ήταν μαζί μας στην Ε-λούντα (γνωρίζω ποιος είναι) τηλεφωνούσε σε δημοσιογράφους στην Αθήνα και άφηνε να διαρρεύσει πως ο πρόεδρος ήταν ορ-γισμένος με τη στάση του Χρ. Παπουτσή. Ξέρω πως μόνο έτσι δεν ήταν τα πράγματα.

Ο χειρισμός του θέματος των ναυπηγείων, η γνωστή κρίση που ξέσπασε το Δεκαπενταύγουστο του '95 ήταν η σταγόνα που ξε-χείλισε το ποτήρι. Ο Ανδρέας καταλόγιζε στον υπουργό Βιομη-χανίας *ατυχείς χειρισμούς και ευθυνοφοβία*. Λάθη στο χειρισμό της υπόθεσης και ευθυνοφοβία, γιατί, όπως έλεγε, «αποφεύγει, ως συ-νήθως, να αναλάβει τις ευθύνες του και τα χρεώνει στον Χρ. Ρο-κόφυλλο».

Στη συνέντευξη της Θεσσαλονίκης άφησε αιχμές εναντίον του. Την επομένη ο Κ. Σημίτης παραιτήθηκε και απ' την κυβέρνηση και απ' το ΕΓ στέλνοντάς του τη γνωστή επιστολή. Ο Ανδρέας σχολίασε: «Τώρα οι "4" θα αρχίσουν την τελική τους επίθεση εναντίον μου». Οι εξελίξεις που ακολούθησαν δικαίωσαν την πρόβλεψή του. Αν και προσπάθησε να τους έχει και στη νέα κυβέρνηση και στο νέο ΕΓ, αρνήθηκαν. Είχε πειστεί πως είχαν διαλέξει πλέον το δρόμο της ρήξης και της ανοιχτής σύγκρουσης. Αποφάσισε ότι έπρεπε να ξεκαθαρίσει μαζί τους. Ήταν αποφασισμένος. Η σκληρή κριτική που άσκησε εναντίον τους στην επόμενη Σύνοδο της ΚΕ ήταν ενδεικτική των προθέσεών του.

Αλλά δεν πρόλαβε. Είχε αρχίσει η αντίστροφη μέτρηση, η κατάσταση της υγείας του είχε επιδεινωθεί δραματικά. Θυμάμαι μάλιστα ότι και σ' εκείνη την ΚΕ ήταν πολύ άσχημα και αναγκάστηκε μετά την ομιλία του να αποχωρήσει, εν μέσω φωνών και διαμαρτυριών του Κ. Σημίτη, της Β. Παπανδρέου και άλλων στελεχών του εκσυγχρονιστικού μπλοκ...

Εκείνη την περίοδο ο νέος γραμματέας Κ. Σκανδαλίδης με πίεζε επίμονα να πείσω τον Ανδρέα να πραγματοποιήσει μια συνάντηση με τον Κ. Σημίτη για να λυθούν οι μεταξύ τους παρεξηγήσεις. Όταν του μίλησα γι' αυτό, δε θέλησε ν' ακούσει κουβέντα. Στις 20 Νοεμβρίου, όταν μπήκαμε στο αυτοκίνητο που θα μετέφερε τον Ανδρέα στο Ωνάσειο, το πρώτο κινητό τηλέφωνο που χτύπησε ήταν κάποιου απ' αυτούς που ήταν μαζί μας και το τηλεφώνημα ήταν απ' τον Κ. Σημίτη.

Όταν μείναμε μόνοι, τις πρώτες ώρες στο Ωνάσειο, ο Ανδρέας μού είπε:

«Είδες, Δήμητρα, που σου έλεγα ότι...»

(Δε νομίζω πως σήμερα έχει νόημα ν' αναφέρω κάτι παραπάνω...)

Όταν ο Ανδρέας βγήκε απ' το Ωνάσειο, ο Κ. Σημίτης ήταν ο πρωθυπουργός-διάδοχός του.

Τέσσερις μέρες πριν από το Συνέδριο του ΠΑΣΟΚ ο Ανδρέας έφυγε, τη μέρα των γενεθλίων του Κ. Σημίτη...

285

Άκης Τσοχατζόπουλος

Ο Ανδρέας πίστευε πως ήταν το πιο αδικημένο στέλεχος του ΠΑΣΟΚ, από την εικόνα που του είχαν φιλοτεχνήσει τα ΜΜΕ. Πίστευε πως ο Άκης είναι από τα πιο ικανά και έμπειρα στελέχη του Κινήματος με πετυχημένη θητεία και θεσμικό έργο απ' όποιο υπουργείο κι αν πέρασε.

Μα πάνω από όλα ο Άκης ήταν ο πιστός φίλος και συνεργάτης και αυτό είναι που βασικά χαρακτήριζε τη σχέση τους.

Πιστεύω πως σ' ένα μέρος της καρδιάς του είχε πάντα τον Άκη. Αν τον ρωτούσες: «Ποιος πιστεύεις ότι δε θα σε προδώσει ποτέ;» στα δυο τρία πρώτα ονόματα που θα έλεγε θα ήταν ο Ά. Τσοχατζόπουλος.

Εκτιμούσε απεριόριστα την αφοσίωση και την εργατικότητά του. Έλεγε πάντα με καμάρι πως η σχέση τους, που ξεκίνησε απ' την περίοδο του ΠΑΚ, δεν είχε ποτέ τραυματιστεί, ακόμα και στις περιπτώσεις που είχαν διαφωνήσει.

Ναι, πέρασαν και περιόδους διαφωνιών, αν και έντεχνα για τον Άκη είχε καλλιεργηθεί ο μύθος του «γιέσμαν» απέναντι στον Ανδρέα, ο οποίος πίστευε πως αυτό οφειλόταν στο γεγονός ότι «ο Άκης δεν έπαιξε ποτέ παιχνίδια με τα ΜΜΕ για να δημοσιοποιήσει και να πουλήσει τις διαφορετικές απόψεις του· τον διακρίνει πάντα μια κομματικότητα, που λίγα στελέχη διαθέτουν».

Ακριβώς γι' αυτό τον εμπιστευόταν απόλυτα και δεν ήταν λίγες οι φορές που του είχε αναθέσει «ειδικές αποστολές», όπως το '85, την περίοδο '88-'92 και αργότερα, μετά το '93.

Για τον Ανδρέα ήταν περίπου αυτονόητο να τον προτείνει για γραμματέα το 1990. Είδε τότε με πίκρα και οργή πώς αντιμετωπίστηκε η υποψηφιότητά του, αλλά επέμεινε σ' αυτή ως το τέλος.

Ο Άκης ήταν κατά κάποιο τρόπο, και ας μη φανεί περίεργο αυτό που καταθέτω, το «μαράζι» του. Τον αγαπούσε, τον εμπιστευόταν, ήθελε να τον βοηθήσει, αλλά έβλεπε ότι κάπου «κόλλαγε» η προσδοκία του να τον διαδεχτεί. Όσο ζούσε ο Γ. Γεννηματάς, ο Ανδρέας εκτιμούσε πως ο Άκης δεν είχε μεγάλες πιθανότητες. Όταν ο Γιώργος έφυγε, έβλεπε πως ο Άκης κάπου «χανόταν», ενώ ορισμένοι απ' το περιβάλλον του τον έβλαπταν με τη συμπεριφορά και τη νοοτροπία τους, τον οδηγούσαν σε λαθεμένες κινήσεις. Ήμουν μπροστά σε δύο τουλάχιστον γεύματα, όπου ο Ανδρέας τού ζήτησε: «Να αποδεσμευτείς από κάποιους, έχεις να κερδίσεις απ' αυτό και όχι να χάσεις». Του υπέδειξε: «Κάνε ανοίγματα, μην ε- πηρεάζεσαι». Του ανέφερε μάλιστα και συγκεκριμένα ονόματα συ- νεργατών του που, κατά την άποψή του, δεν τον βοηθούσαν. Δε νομίζω πως έχει νόημα να τα επαναλάβω.

Μπορώ όμως να αποκαλύψω το εξής: τη φράση «βαρίδια», που χρησιμοποίησε ο Αντ. Κοτσακάς σε κάποια συνέντευξή του, μετά το 4ο Συνέδριο, για να χαρακτηρίσει ορισμένους εκ των συνεργατών του Ά. Τσοχατζόπουλου, την ίδια ακριβώς φράση εί- χε χρησιμοποιήσει πριν ο Ανδρέας, σε συζήτηση που είχε μαζί του.

Θυμάμαι πως μια απ' τις πιο σημαντικές τους διαφωνίες ήταν σχετικά με το «ασυμβίβαστο», στο 3ο Συνέδριο, τον Απρίλιο του '94. Ο Ανδρέας πίστευε πως ήταν λάθος να επικεντρωθεί η μάχη ενός συνεδρίου σ' αυτό το θέμα. Έπιανε κλίμα και του το μετέφερε, πως είχε δημιουργηθεί πόλωση, ότι η εσωκομματική αντιπολί- τευση θα το αξιοποιούσε για να τον χτυπήσει. Του μετέφερε τις απόψεις του σε συνεργασίες που είχαν πριν από το Συνέδριο. Τον παρακάλεσε να μην επιμείνει σ' αυτό. Του ξεκαθάρισε πως ο ί- διος δεν ήταν διατεθειμένος να πάρει πάνω του και να «σηκώσει» ένα θέμα στο οποίο δεν πίστευε και το οποίο έβλεπε ότι προκα- λεί αντιδράσεις.

Ο Άκης επέμενε. Εξέφρασε την εκτίμηση ότι οι συσχετισμοί ή- ταν ευνοϊκοί υπέρ αυτού και έτσι θα κέρδιζε την ψηφοφορία. «Άλ- λο οι αριθμητικοί συσχετισμοί και άλλο οι πολιτικοί», του αντέ- τεινε ο Ανδρέας.

Επειδή έβλεπε το άγχος του και ήθελε να τον βοηθήσει, του πρότεινε να μην επιμείνει στο να γίνει κεντρικό ζήτημα του Συ- νεδρίου το «ασυμβίβαστο» και να δεχτεί να είναι γραμματέας και ταυτόχρονα υπουργός Επικρατείας ή κάτι παρεμφερές. Ούτε αυ- τό το δέχτηκε.

Τα αποτελέσματα είναι γνωστά. Ο Άκης σ' εκείνο το Συνέδριο, ενώ κέρδισε πλειοψηφία στην ΚΕ, έχασε σε επίπεδο εντυπώσεων,

αφού έχασε την ψηφοφορία για το «ασυμβίβαστο», που είχε α-
ναχθεί σε μείζον θέμα του Συνεδρίου.

Τα μεσάνυχτα του Σαββάτου και ενώ το Συνέδριο, λόγω της ο-
ξύτητας που δημιουργήθηκε γι' αυτό το θέμα, κινδύνευε να δια-
λυθεί, ο Ανδρέας δέχτηκε τηλεφωνήματα που του περιέγραφαν
την κατάσταση και του ζητούσαν να παρέμβει. Αρνήθηκε να πα-
ρέμβει και έδωσε εντολή:

«Να προχωρήσετε σε ψηφοφορία, όποιο και αν είναι το απο-
τέλεσμα. Το θέμα δεν αντιμετωπίζεται διαφορετικά».

Στενοχωρήθηκε πάντως για την κατάληξη αυτή. Εκτιμούσε ό-
τι αυτό θα είχε κόστος για τον Άκη, αλλά του το καταλόγιζε ως λαν-
θασμένο χειρισμό. Όταν μετά την επιστροφή απ' τις ΗΠΑ συνα-
ντήθηκαν, ο Άκης τού εξέφρασε παράπονα για τη στάση του Λα-
λιώτη και του Σημίτη, ενώ είχε την άποψη πως ο Χρ. Παπουτσής,
που προήδρευε του Συνεδρίου, δεν το χειρίστηκε καλά διαδικα-
στικά. Ο Ανδρέας τού απάντησε κοφτά:

«Έπρεπε να τα δεις, σε είχα προειδοποιήσει».

Του ήταν όμως πάντα δύσκολο να τον κακοκαρδίσει. Όταν,
προκειμένου να επανέλθει στην κυβέρνηση, ζήτησε να συγκρο-
τηθεί «υπερυπουργείο» απ' τη συγχώνευση των υπουργείων Προ-
εδρίας και Εσωτερικών, το έκανε.

Τον τελευταίο χρόνο οι συναντήσεις τους δεν ήταν τόσο συ-
χνές όσο παλιότερα. Αλλά αυτό δε σήμαινε πως άλλαξε τίποτα
στη σχέση τους, που παρέμενε πάντα βαθιά και δυνατή, σφυρη-
λατημένη μέσα από κοινούς αγώνες και κοινή διαδρομή.

Ο Ανδρέας τού έλεγε συχνά πως στην κομματική του κυρίως
δραστηριότητα χανόταν μέσα στη διαχείριση της μικροκαθημε-
ρινότητας, αντί να ασχολείται με τα κεντρικά πολιτικά ζητήματα.

Προσωπικά οφείλω να διαλύσω και έναν άλλο μύθο, δεν έχω
άλλωστε πρόθεση να κρύψω κάτι για να ωφεληθώ. Απ' το '93 και
μετά ο Άκης και το περιβάλλον του έγιναν στόχος μιας κριτικής
απ' τα περισσότερα ΜΜΕ και από πάρα πολλά στελέχη του
ΠΑΣΟΚ ότι ήταν ταυτισμένοι με το «περιβάλλον της Εκάλης». Ή-
ταν εύκολο άλλωστε να διαμορφωθεί στην κοινή γνώμη μια τέτοια
εικόνα, αφού ο Ά. Τσοχατζόπουλος δεν ήταν ο άνθρωπος που θα

έμπαινε στη λογική των διαψεύσεων και πολύ περισσότερο της ε-
νασχόλησης μ' αυτού του επιπέδου τις αθλιότητες. *Προτιμούσε να
σιωπά και ας το πλήρωνε.*

Σε ό,τι με αφορά, αφού για τους κατασκευαστές αυτών των σε-
ναρίων εγώ ήμουν ο επιφανέστερος εκφραστής του «περιβάλλο-
ντος της Εκάλης», *ουδέν ψευδέστερον.* Με τον Άκη, που ήταν απ'
τους ελάχιστους που είχαν αποδεχτεί από την αρχή τη σχέση μου
με τον Ανδρέα, είχα πολύ καλές σχέσεις. Διατηρήθηκαν και έγι-
ναν πιο ζεστές και ανθρώπινες την περίοδο της πολιτικής δίωξης
του Ανδρέα. Εκείνη την εποχή ο Άκης ήταν απ' τους ελάχιστους,
τους μετρημένους που τον στήριξαν, του συμπαραστάθηκαν. Δεν
τον εγκατέλειψε ποτέ, ούτε στην περίοδο της μεγάλης του μονα-
ξιάς.

Στους εννιά μήνες της δίκης στο Ειδικό Δικαστήριο ο Άκης ερ-
χόταν στο σπίτι μέρα παρά μέρα και καθόταν μαζί μας για αρ-
κετές ώρες. Στάθηκε με κάθε τρόπο στον αγαπημένο του πρόεδρο.

Μετά το '93 όμως, και χωρίς ούτε μια φορά να μαλώσουμε, η
σχέση μας έχασε την παλιά της ποιότητα. Απομακρυνθήκαμε ως
ένα βαθμό. Οφείλω μάλιστα να ομολογήσω πως ορισμένες φο-
ρές, σε διάφορες συζητήσεις που γίνονταν στο σπίτι, μίλησα επι-
κριτικά για τον Άκη, γιατί είχα επηρεαστεί από κομματικά και
κυβερνητικά στελέχη, με τα οποία είχα τότε πολύ καλές σχέσεις.

Η σοβαρότερη κριτική λοιπόν που δεχόταν στηριζόταν σ' ένα
μύθο, απ' τους πολλούς που κατά καιρούς κατασκευάστηκαν. Και
όμως, είχε την αξιοπρέπεια να μη διαμαρτυρηθεί ποτέ, να μην
μπει ποτέ στο μικρόκοσμο των διαψεύσεων. Και ας το πλήρωσε
ακριβά αυτό. Όλοι γνωρίζουν πως το σημαντικότερο όπλο που
χρησιμοποίησαν εναντίον του οι εσωκομματικοί του αντίπαλοι
και κυρίως ο Κ. Σημίτης ήταν πως η εκλογή του Ά. Τσοχατζό-
πουλου στη θέση του πρωθυπουργού θα οδηγούσε στη «διαιώνι-
ση της αμαρτωλής "Αυλής" της Εκάλης».

Δεν ξέρω τι λένε σήμερα όλοι αυτοί που χρησιμοποίησαν αυ-
τό το επιχείρημα για να τον πλήξουν. *Ξέρω όμως πώς τον αντιμετώ-
πισαν στελέχη για τα οποία ο Άκης έδωσε μάχες στον Ανδρέα,* είτε για να
μπουν σε ψηφοδέλτια είτε για να μην απομακρυνθούν από κά-

που είτε για να τοποθετηθούν κάπου άλλού, όπως ο Χρ. Σμυρλής, ο Β. Μαλέσιος, ο Δημ. Σωτηρλής, ο Βασ. Τόγιας και άλλοι... Αυτό που σε εντυπωσίαζε με τον Ά. Τσοχατζόπουλο ήταν ότι έφερνε με επιτυχία σε πέρας το ρόλο του «πυροσβέστη», που πολύ συχνά αναλάμβανε. Είχε ένα δικό του τρόπο, με ηρεμία και υπομονή, να κατευνάζει ορισμένες φορές τον Ανδρέα, όταν ήταν οργισμένος με κάποιον. Νομίζω πως μόνο ο Αντ. Λιβάνης τα κατάφερνε καλύτερα σ' αυτό το ρόλο απέναντι στον Ανδρέα.

Όταν μπήκε στο Ωνάσειο, ήταν ήσυχος γιατί θα τον αναπλήρωνε ο Άκης, ως πρώτος τη τάξει υπουργός. Μετά την παραίτησή του ο Ανδρέας προσπάθησε, όπως έχω αναφέρει και σε άλλο σημείο, με όσες δυνάμεις τού είχαν απομείνει, να μην είναι ο Κ. Σημίτης αυτός που θα τον διαδεχτεί. Αυτό αντικειμενικά ευνοούσε τους Τσοχατζόπουλο - Αρσένη.

Αλλά πίστευε ότι απαραίτητη προϋπόθεση ήταν να τα βρουν μεταξύ τους. Μάλιστα πριν παραιτηθεί είχε ζητήσει από στενό του συνεργάτη να μεσολαβήσει, ώστε να υπάρξει προσέγγιση Τσοχατζόπουλου - Αρσένη.

Κάποτε, μετά το 1993, ένας απ' τους παλιούς φίλους του Ανδρέα τού εκμυστηρεύτηκε ότι κατά βάθος ο Άκης έχει ένα παράπονο, που όμως, λόγω του χαρακτήρα του, δε θα το εκφράσει ποτέ, ότι δηλαδή δεν του έδωσε, διακριτικά βέβαια, το «δαχτυλίδι». Η απάντησή του ήταν:

«Τον Άκη τον αγαπώ, τον εμπιστεύομαι και τον θεωρώ πιστό. Νομίζω πως τον έχω βοηθήσει. Αλλά δε δύναμαι να ξεπεράσω ένα όριο, δεν είναι αυτός ο ρόλος μου. Ούτε είναι του χαρακτήρα μου να προσφέρω "δαχτυλίδια"...»

Γεράσιμος Αρσένης

Ο Ανδρέας φαίνεται πως είχε γενικά περίεργη σχέση με τους κουμπάρους του. Τον Γεράσιμο Αρσένη τον πάντρεψε με τη Λούκα Κατσέλη και στη συνέχεια τον διέγραψε. Τον Κ. Σκανδαλίδη επίσης τον πάντρεψε, τον τίμησε βοηθώντας τον να ανέβει όλα τα σκαλοπάτια της κομματικής ιεραρχίας, σε νεαρή μάλιστα ηλικία, τον έκανε υπουργό, αλλά δεν ήταν ιδιαίτερα ευτυχής μαζί του και πίστευε ότι, παρά τη βοήθεια που του είχε προσφέρει, δεν έδειξε τις ικανότητες που περίμενε. Το δημοσιογράφο Κ. Γερονικολό, φίλο του απ' τη δεκαετία του '70, επίσης τον έκανε κουμπάρο, του βάφτισε το γιο, αλλά και αυτόν τον διέγραψε, με την υπόθεση της εφημερίδας *Ρωμιοσύνη*.

Τον Γεράσιμο Αρσένη τον εκτιμούσε ιδιαίτερα. Πίστευε πως έχει ικανότητες και δυνατότητες που λίγοι διαθέτουν. Ως οικονομολόγος είχε άποψη για τις οικονομικές του γνώσεις, τις οποίες θεωρούσε σημαντικές. Εκτιμούσε ιδιαίτερα, όπως έλεγε, την α- ναλυτική και συνθετική του ικανότητα. Θεωρούσε επίσης ότι είχε πολύπλευρες γνώσεις και αυτό είναι πολύ καλό για ένα πολιτικό στέλεχος.

Απ' την άλλη, του καταλόγιζε, σε ορισμένες περιπτώσεις, αργοπορία στη λήψη αποφάσεων, που κάποιες φορές άγγιζε τα ό- ρια της ατολμίας.

Του αναγνώριζε ωστόσο πως, έστω και με καθυστέρηση, δε δίσταζε να φτάνει σε αποφάσεις και επιλογές σημαντικές, χωρίς να υπολογίζει το πολιτικό κόστος και χωρίς να φοβάται τη σύ- γκρουση με μεγάλα συμφέροντα. Ανέφερε τέτοιες περιπτώσεις απ' την περίοδο που ο Γερ. Αρσένης ήταν ο «τσάρος της οικονο- μίας» και έλεγε χαρακτηριστικά πως είχε την τόλμη να προχωράει σε ρηξικέλευθες για τα ελληνικά δεδομένα αποφάσεις. Άλλωστε την πρώτη τετραετία της διακυβέρνησης απ' το ΠΑΣΟΚ τη θεω- ρούσε ιδιαίτερα πετυχημένη σε θεσμικό έργο και σε απόδοση στον τομέα της κοινωνικής πολιτικής.

Ένα σοβαρό πρόβλημα στη μεταξύ τους σχέση ήταν η κρίση εμπιστοσύνης. Ο Ανδρέας έλεγε πως ακόμα και την περίοδο που ο Γερ. Αρσένης ήταν παντοδύναμος υπερυπουργός, ακόμα και ε- κείνη την περίοδο αυτή η κρίση εμπιστοσύνης διαπερνούσε τις σχέσεις τους. Τόνιζε πάντως πως αυτό τελείωσε το 1989, οπότε οι σχέσεις τους αποκαταστάθηκαν πλήρως και έκτοτε είχαν άψογη συνεργασία.

Ίσως πάντως η έλλειψη εμπιστοσύνης να οφειλόταν σε μεγά- λο βαθμό στο γεγονός ότι κανένα άλλο στέλεχος του ΠΑΣΟΚ, όπως επισήμαινε ο Ανδρέας, δεν είχε εκείνη την εποχή τόσους πολλούς εχθρούς μεταξύ των πρωτοκλασάτων, όσους είχε ο Αρσένης. Και όλοι φρόντιζαν να πουν το «λόγο» τους στον Ανδρέα για τον «τσάρο», του οποίου τις μετοχές έβλεπαν ανερχόμενες και αυτό τους ανησυχούσε. Κάπως έτσι διαμορφώθηκε ένα αρνητικό κλίμα, που το 1985 οδήγησε στη διαγραφή του.

Για τέσσερα χρόνια οι σχέσεις τους είχαν παγώσει. Ο Ανδρέας ήταν σφόδρα ενοχλημένος απ' το γεγονός ότι ο Γερ. Αρσένης προχώρησε στην ίδρυση κόμματος και ασκούσε οξύτατη κριτική στο ΠΑΣΟΚ και την πολιτική του.

Συχνά, σε ό,τι αφορά τον Αρσένη, θυμόταν τη «θεωρία του τζακιού» του Γ. Κατσιφάρα: ο Ανδρέας είναι σαν το τζάκι, άμα καθίσεις μακριά παγώνεις, άμα πας πολύ κοντά καίγεσαι... Αν το '85, έλεγε, έμενε ένα διάστημα στο περιθώριο, τότε που το κλίμα ήταν αρνητικό γι' αυτόν, θα ξαναγύριζε φυσιολογικά στην κυβέρνηση δυνατός. Όταν άρχισε να γυρνάει την Ελλάδα και να α-σκεί κριτική, έγινε μεγάλος ο κατάλογος αυτών που ζήτησαν τη διαγραφή του. Ανέφερε μάλιστα και συγκεκριμένα ονόματα...

Ο Ανδρέας πάντως δεν ξεχνούσε ποτέ, ίσα ίσα, του το ανα-γνώριζε πάντα, ότι το 1989, τότε που είχε μεγάλη ανάγκη από μια φωνή στήριξης εκτός ΠΑΣΟΚ, ο Αρσένης τού την πρόσφερε. Η συ-γκρότηση της Δημοκρατικής Συμπαράταξης στις εκλογές του φθι-νόπωρου του '89, για την οποία είχε πρωταγωνιστήσει, ήταν η πρώτη κίνηση, μετά από πάρα πολύ μεγάλο διάστημα, που έ-σπαγε το φράγμα της πολιτικής απομόνωσης του ΠΑΣΟΚ και του Ανδρέα.

Δεν μπορούσε ποτέ να ξεχάσει τους λίγους που τον στήριξαν τότε, μια πολύ δύσκολη περίοδο, κατά την οποία αναλάμβανε με-γάλο πολιτικό ρίσκο όποιος εκφραζόταν υπέρ του Ανδρέα.

Ακριβώς σ' εκείνη την περίοδο της «πολιτικής τρομοκρατίας», όπως τη χαρακτήριζε, ο Αρσένης όχι μόνο επέστρεψε, αλλά στή-ριξε και τον ίδιο και τα άλλα διωκόμενα στελέχη του ΠΑΣΟΚ, τη στιγμή μάλιστα που κάποιοι άλλοι ή «κρύφτηκαν» ή απ' το πα-ρασκήνιο τον υπονόμευαν μαζί με τους πολιτικούς του αντιπά-λους.

Απ' το '89 και μετά δε βρέθηκαν αντιμέτωποι σε καμιά εσωκομματική αντιπαράθεση. Ο Γερ. Αρσένης τον στήριξε και στο «Πεντελικό» και στην επιλογή για τις επαναληπτικές εκλογές στη Β' Αθήνας και αργότερα, στις επιθέσεις και την αμφισβήτηση που δέχτηκε απ' τους «4».

Ο Ανδρέας πίστευε πως κάτω από άλλες συνθήκες ο Γερ. Αρσένης είχε όλες τις δυνατότητες και τις ικανότητες ώστε να είναι ο διάδοχός του. Το θεωρούσε όμως πολύ δύσκολο με το status που είχε δημιουργηθεί, γιατί, κατά την άποψή του, είχε δύο σοβαρά μειονεκτήματα:

— Ισχυρή αμφισβήτηση στο κόμμα, λόγω και της τετράχρονης αποχώρησής του.

— Έλλειψη ερεισμάτων στα ΜΜΕ, λόγω του ότι δεν είχε διστάσει να έρθει σε σύγκρουση με μεγάλα συμφέροντα.

Τα τελευταία χρόνια είχαν άριστη συνεργασία. Όταν μετά τις εκλογές του '93 ο Ανδρέας επιχείρησε και τη λεγόμενη «στρατιωτική διπλωματία», βρήκε τον κατάλληλο υπουργό Εθνικής Άμυνας στο πρόσωπό του. Το *Ενιαίο Αμυντικό Δόγμα*, το οποίο θεωρούσε ως τη σημαντικότερη σύλληψη για τις σχέσεις Ελλάδας - Κύπρου, ήταν δικό τους δημιούργημα.

Γενικά πίστευε ότι στα εθνικά θέματα, όπου πάντα έδινε πρώτιστη σημασία, είχαν ταυτόσημες απόψεις. Χαιρόταν επίσης για την άριστη συνεργασία Αρσένη - Παπούλια, που απέδωσε αρκετές φορές, με πλέον χαρακτηριστική την κοινή αποστολή σε Βοσνία - Γιουγκοσλαβία την περίοδο που μαινόταν ο πόλεμος στη Βοσνία και την οποία θεωρούσε μια σημαντική διπλωματική πρωτοβουλία της Ελλάδας στα Βαλκάνια.

Ήταν κυρίως και πρωτίστως για τις εξελίξεις στα εθνικά θέματα που ανησυχούσε ο Ανδρέας, ιδιαίτερα μετά την κρίση των Ιμίων. Είχε την εκτίμηση πως οι χειρισμοί Σημίτη - Πάγκαλου οδηγούν σε αναθεώρηση πάγιων θέσεων του ΠΑΣΟΚ στα εθνικά θέματα και κυρίως στις ελληνοτουρκικές σχέσεις. *Οι φόβοι του έγιναν βεβαιότητα όταν,* μέσω ενός non paper προερχόμενου απ' το Λευκό Οίκο, ενημερώθηκε για το περιεχόμενο της συνάντησης Κλίντον - Σημίτη.

Λίγες μέρες μετά ζήτησε να δει τον Γερ. Αρσένη και του εκ-

μυστηρεύτηκε τις ανησυχίες του για αλλαγή στρατηγικής στα ε-
θνικά θέματα...

Απόστολος Κακλαμάνης
«Άμα θέλεις να σκάσεις γάιδαρο, βάζεις τον Απόστολο», ήταν η έκ-
φραση που με χιούμορ και αγάπη χρησιμοποιούσε ο Ανδρέας για
τον Απ. Κακλαμάνη, θέλοντας να πει πως υποστηρίζει πάντα τις
απόψεις του με τόση επιμονή και υπομονή, όσο κανείς άλλος.
Ήταν φανατικός θαυμαστής του Απ. Κακλαμάνη στις τηλεο-
πτικές και κοινοβουλευτικές «μονομαχίες» του κυρίως με στελέχη
της ΝΔ. Ακριβώς μ' αυτή την επιμονή και υπομονή που τον διέ-
κρινε έβγαινε κατά κανόνα κερδισμένος και, όπως έλεγε ο Αν-
δρέας, «δεν αφήνει τίποτα να πέσει κάτω».
Στον Απόστολο αναγνώριζε επίσης σαν βασικά προσόντα την
εντιμότητα, την καθαρότητα, την αποφυγή κάθε παρεξηγήσιμης
σχέσης με εκδοτικά και οικονομικά συμφέροντα. Παρακολου-
θούσε με προσοχή τις θέσεις που με επιμονή διατύπωνε τα τε-
λευταία χρόνια για το ρόλο των ΜΜΕ, καθώς συμφωνούσε ότι ο
ρόλος αυτός συνιστούσε ένα απ' τα σημαντικότερα ζητήματα της
δημοκρατίας.
Εκτός απ' την ακεραιότητά του, εκτιμούσε ιδιαίτερα ότι ήταν
ένα στέλεχος που μπορούσε να εμπιστευτεί και προσωπικά και
πολιτικά. Ήξερε ότι ο Απόστολος τον αγαπούσε όσο λίγοι και, ό-
ταν έλεγε «πρόεδρέ μου» και τον κοίταζε με αγάπη, ήταν γνή-
σιος. Ήξερε ότι ο Απόστολος θα ήταν πολύ δύσκολο να τον στε-
νοχωρήσει. Ακόμα κι όταν ένιωθε πίκρα, κατάφερνε με μοναδι-
κή αξιοπρέπεια να μην την κοινοποιεί και να μη δημιουργεί προ-
βλήματα. Ο Ανδρέας έλεγε πως «ο Απόστολος έχει μια κομματι-
κή συνείδηση πολύ υψηλότερη αυτών που δεν τον θεωρούν κομ-
ματικό».
Θυμόταν χαρακτηριστικά τον ανασχηματισμό που έκανε πε-
ρί τα τέλη του 1988. Τότε μετακίνησε τον Απ. Κακλαμάνη από
πρώτο τη τάξει υπουργό Προεδρίας στο υπουργείο Υγείας. Ο Α-
πόστολος πικράθηκε γι' αυτό, αλλά ποτέ δεν το έβγαλε προς τα έ-

ξω. Αντίθετα έκανε μια δήλωση, στην οποία έλεγε πως θ' αγωνιστεί από όποια έπαλξη τον τοποθετήσει ο πρόεδρος.

Θεωρούσε πολύ σημαντικό το ρόλο που διαδραμάτισε την περίοδο που το σκάνδαλο της Τράπεζας Κρήτης βρισκόταν στο κέντρο της επικαιρότητας. Με την εντιμότητα και την ακεραιότητά του έδωσε μια σπουδαία πολιτική μάχη για την πλήρη διαλεύκανση της υπόθεσης. Ήταν, για παράδειγμα, απ' αυτούς που επέμεναν ως το τέλος για την τοποθέτηση επιτρόπου στην Τράπεζα Κρήτης. Αλλά και σ' όλη εκείνη την περίοδο ήταν απ' αυτούς που στάθηκαν δίπλα του, που τον στήριξαν, που έδιναν καθημερινές μάχες για την απόδειξη της αθωότητάς του, στη Βουλή, στα ΜΜΕ, με ομιλίες, με την παρουσία του στο Ειδικό Δικαστήριο.

Συχνά ο Ανδρέας μού έλεγε για τις σκληρές αψιμαχίες του Απ. Κακλαμάνη, τα πρώτα χρόνια του ΠΑΣΟΚ, με τη νέα γενιά των στελεχών, που ήθελε ένα Κίνημα ανατρεπτικό, επαναστατικό. Πιο «κοινοβουλευτικός», ο Απόστολος δε δέχτηκε ποτέ, ας πούμε, την... καθαίρεση του Ελ. Βενιζέλου απ' τα γραφεία του ΠΑΣΟΚ προκειμένου να τοποθετηθεί στη θέση του ο Άρης Βελουχιώτης. Γι' αυτό για ένα μεγάλο διάστημα το κομματικό κατεστημένο δεν τον αποδεχόταν. Μάλιστα σημερινός υπουργός είχε ζητήσει τότε τη... διαγραφή του ή τουλάχιστον την καθαίρεσή του απ' τη θέση του κοινοβουλευτικού εκπροσώπου.

Η κομματική αποδοχή του έγινε πολύ αργότερα, ύστερα από επιμονή του Ανδρέα, που τον πρότεινε για το ΕΓ και η πρότασή του εκείνη, θυμάμαι, είχε προκαλέσει εντύπωση και αντιδράσεις.

Αλλά η συμμετοχή του, όπως τόνιζε ο Ανδρέας, σ' αυτό το κομματικό όργανο ήταν μια έκπληξη για όσους δεν τον γνώριζαν καλά. Έδειξε μια σπάνια κομματική συνείδηση, που δε διέθεταν πολλοί απ' τους λεγόμενους «κομματικούς».

Η πλούσια κοινοβουλευτική πείρα του, η κοινοβουλευτική παρουσία του, το κύρος που διαθέτει σ' όλους τους κομματικούς χώρους οδήγησαν τον Ανδρέα να τον επιλέξει για τη θέση του προέδρου της Βουλής μετά το '93 και θεωρούσε τη θητεία του απόλυτα πετυχημένη, με σημαντικές θεσμικές καινοτομίες που αναβάθμιζαν το ρόλο του Κοινοβουλίου. Μεταξύ σοβαρού και αστείου έλεγε πως ο Απόστολος είναι πολύ «Ανατολίτης» στις αντιλήψεις του, κάπως «κλειστός» σε κοινωνικές εμφανίσεις, «ασκητικός» στην προς τα έξω εικόνα του.

Ένα άλλο σημείο που τους έδενε πολύ ήταν η μεγάλη αγάπη και η ανυπόκριτη πολιτική εκτίμηση που έτρεφαν και οι δύο για το «Γέρο της Δημοκρατίας», τον Γεώργιο Παπανδρέου. Ο Ανδρέας μάλιστα έλεγε πως «δεν ξέρω αν τον έχει αγαπήσει κανείς άλλος τον Γεώργιο Παπανδρέου όσο ο Απόστολος»...

Ευάγγελος Γιαννόπουλος
Ίσως μαζί με τον Κ. Λαλιώτη να ήταν το στέλεχος που η σχέση του με τον Ανδρέα χαρακτηριζόταν απ' τη συχνή εναλλαγή ζεστού κρύου.

«Είναι δύσκολος χαρακτήρας ο Ευάγγελος, αλλά είναι μαχητής, αγωνιστής, έντιμος, φανατικός της ενότητας της δημοκρατικής παράταξης», συνήθιζε να λέει γι' αυτόν ο Ανδρέας.

Η μαχητικότητά του και η διαρκής υποστήριξη της ενότητας της παράταξης, ακόμα κι όταν γινόταν με την ιδιόμορφη έκφραση του Ευάγγελου Γιαννόπουλου, ήταν που εκτιμούσε ιδιαίτερα ο πρόεδρος. Υπήρξαν εποχές που μόνο αυτός είχε απομείνει να τον υποστηρίζει, αφού τα περισσότερα κομματικά στελέχη τον επέκριναν με σφοδρότητα για «λαϊκισμό» και του ζητούσαν να αποδεσμευτεί «απ' τον Γιαννόπουλο και τον αυριανισμό». Ο Ανδρέας ποτέ δε δέχτηκε αυτές τις εισηγήσεις.

Σήμερα τα περισσότερα απ' αυτά τα στελέχη, που δεν ήθελαν να τον δουν στα μάτια τους, είναι επιφανείς της κυβέρνησης και του ΠΑΣΟΚ και ο Ευάγ. Γιαννόπουλος τους στήριξε και τους στηρίζει, ίσως γιατί πάντα τον διέκρινε η μεγαλοθυμία.

Η συμπαράσταση προς τον Ανδρέα κατά τη διάρκεια της πολιτικής του δίωξης υπήρξε ανεκτίμητη και έχει αναφερθεί αρκετές φορές σ' αυτό το βιβλίο. Λίγοι ήταν που του στάθηκαν όσο ο Ευάγγελος. Θυμάμαι ακόμα ότι εκείνη την περίοδο ο Ευάγ. Γιαννόπουλος ήταν ένας απ' τους λίγους που υποστήριξαν μέχρι τέλους την άποψη ότι δεν έπρεπε ούτε καν συνήγοροι του προέδρου να παραστούν στο Ειδικό Δικαστήριο.

Αυτό δεν το ξεχνούσε ποτέ και ήταν το αντίδοτο που τον έκανε να παραμερίζει το θυμό ή την πίκρα του, όταν οι σχέσεις τους περνούσαν κρίση.

Θυμάμαι ότι σε μια απ' τις πρώτες συνεδριάσεις του Υπουργικού Συμβουλίου μετά τις εκλογές του '93 είχαν μια λογομαχία και ο Ευάγ. Γιαννόπουλος υπέβαλε επιτόπου την παραίτησή του και σηκώθηκε να φύγει, παρά τις εκκλήσεις να δώσει τόπο στην οργή. Μόνο με την παρέμβαση του αείμνηστου Γ. Γεννηματά ηρέμησε, ανακάλεσε την παραίτηση και επέστρεψε στη θέση του.

Ο Ανδρέας στενοχωρήθηκε πολύ γι' αυτό το επεισόδιο. Όπως στενοχωρήθηκε και αρκετές άλλες φορές, που λάβαινε επιστολές του με επικριτικό περιεχόμενο για χειρισμούς της κυβέρνησης και του ίδιου προσωπικά. Αλλά δεν ήθελε να μαλώσει μαζί του, γιατί εκτιμούσε την αγωνιστικότητά του και δε λησμονούσε τη στάση του την περίοδο '88-'92.

Πολλοί σημερινοί φίλοι του Ευάγγελου έλεγαν στον πρόεδρο πως «εκβιάζει μ' αυτές τις επιστολές, για να παραμείνει στην κυβέρνηση».

Ο λόγος που τελικά τον έφερε εκτός κυβέρνησης ήταν η διαμάχη του με άλλα κυβερνητικά στελέχη για διάφορα θέματα και κυρίως η αντιπαράθεσή του με τον Στ. Παπαθεμελή για το θέμα του ωραρίου των νυχτερινών κέντρων. Ο Ανδρέας είχε οργιστεί, επειδή αυτές οι αντιπαραθέσεις δημιουργούσαν σοβαρό πρόβλημα στην εικόνα και τη συνοχή της κυβέρνησης. Τότε του έστειλε μια επιστολή, την οποία και δημοσιοποίησε, που ο Ανδρέας τη θεώρησε προσβλητική. Τον πίκρανε πάρα πολύ.

Η εκρηκτικότητα του χαρακτήρα του και ο ιδιόμορφος τρόπος έκφρασής του, το γεγονός ότι δε δίσταζε ποτέ να «καταχεριάζει» πολλούς για πολλά είχαν αποτέλεσμα να έχει φανατικούς φίλους αλλά και φανατικούς εχθρούς. Πολλοί σύντροφοί του τον κατηγορούσαν για «λαϊκισμό» και «γραφικότητα». Όμως ο Ανδρέας απαντούσε πως, αν και δε συμφωνεί πάντα με τον τρόπο έκφρασής του, ωστόσο του αναγνωρίζει ότι διαθέτει ένα χάρισμα επικοινωνίας με το λαό και μια διεισδυτικότητα ιδιαίτερα στα λαϊκά στρώματα και στη γενιά της Εθνικής Αντίστασης, ώστε η προσφορά του είναι μεγάλη.

Ο τρόπος που μας υπερασπίστηκε απ' τις σφοδρές επιθέσεις για το σπίτι ήταν μοναδικός όσο και ενδεικτικός της ιδιόμορφης επικοινωνιακής του αντίληψης. Στο επιχείρημα «δε θα διαλύσουμε το ΠΑΣΟΚ για ένα κωλόσπιτο» ήταν δύσκολο να αντιταχθεί κανείς. Ο Ανδρέας ευχαριστήθηκε ιδιαίτερα απ' τη στάση του Ευάγ. Γιαννόπουλου εκείνη την εποχή.

Θυμάμαι πάντα την πρώτη του επίσκεψη στο σπίτι. Περπατήσαμε μαζί σε διάφορους χώρους, που τους εξέταζε με βλέμμα... ανακριτικό. Χωρίς να το χαρακτηρίσει... κωλόσπιτο, είπε πάντως πως άλλα σπίτια τον είχαν εντυπωσιάσει περισσότερο και θεώρησε υπερβολικές τις επικρίσεις. «Άσ' το σε μένα, Δήμητρα», είπε, «θα το διευθετήσω εγώ το θέμα». Και στη συνέχεια έκανε τη γνωστή δήλωση.

Ο Ανδρέας θεωρούσε την κυβερνητική του παρουσία, ιδιαίτερα στο υπουργείο Εργασίας, επιτυχή. Πίστευε επίσης στις κοινωνικές του ευαισθησίες και έλεγε ότι στελέχη σαν τον Ευάγγελο είναι που διαμορφώνουν θετική εικόνα για το κοινωνικό πρόσωπο του ΠΑΣΟΚ.

Γιάννης Χαραλαμπόπουλος

Ο Ανδρέας διαφωνούσε πάντα με τον «ελιτίστικο διαχωρισμό των στελεχών του ΠΑΣΟΚ σε παλαιοκομματικούς και ανανεωτές, σε λαϊκιστές και εκσυγχρονιστές».

Πίστευε πως αυτός ο διαχωρισμός εξυπηρετούσε άλλου είδους σκοπιμότητες, ότι ο καθένας κρίνεται απ' την πράξη του και όχι απ' τις ετικέτες που βάζει στον εαυτό του ή στους άλλους. Και χρησιμοποιούσε σαν ένα απ' τα βασικά κριτήρια την προσφορά του καθενός στους δημοκρατικούς αγώνες.

Έτσι ακριβώς αντιμετώπιζε στελέχη σαν τον Γ. Χαραλαμπόπουλο, που σπάνια είχαν κομματικό ακροατήριο, ενώ αντίθετα πολλοί τους εγκαλούσαν για «παλαιοκομματισμό», αν και οι ίδιοι με τη συμπεριφορά και τη νοοτροπία τους διαιώνιζαν όλα τα αρνητικά στοιχεία της πολιτικής λειτουργίας.

Με τον Γ. Χαραλαμπόπουλο, όπως και με τον Γ. Αλευρά, συνδέθηκε απ' τις αρχές της δεκαετίας του '60, όταν πρωτοεμφανίστηκε στην πολιτική ζωή του τόπου. Ήταν τότε ο Γ. Χαραλαμπόπουλος ένας από τους πρώτους βουλευτές της Ένωσης Κέντρου που τάχθηκε στο πλευρό του Ανδρέα, συνδέθηκε με τις νέες ιδέες που έφερε στην Ελλάδα και τις υποστήριξε θερμά. Από την περίοδο εκείνη προσχώρησε στο μικρό πρώτο πυρήνα βουλευτών και στελεχών της Ένωσης Κέντρου που ήταν κοντά στον Ανδρέα σε όλες τις εσωκομματικές αντιπαραθέσεις, ακόμα και στις περιπτώσεις κατά τις οποίες ο νέος τότε στην πολιτική Ανδρέας Παπανδρέου διαφωνούσε με τον πατέρα του και αρχηγό της Ένωσης Κέντρου. Συνεχίστηκε η σχέση τους και την περίοδο της δικτατορίας, όταν ο Γ. Χαραλαμπόπουλος ήταν απ' τα ηγετικά στελέχη του ΠΑΚ εσωτερικού, με φυλακίσεις και εξορίες. Ο Ανδρέας εκτιμούσε πάντα το γεγονός πως ουδέποτε επιχείρησε να εξαργυρώσει την αγωνιστική αντιδικτατορική του δράση, γιατί, όπως υπογράμμιζε, είναι «σεμνός, τίμιος και χαμηλών τόνων».

Μ' αυτή τη γενιά των στελεχών είχε μια άλλης ποιότητας σχέση, δεμένη με εμπειρίες κοινών αγώνων για τη δημοκρατία. Ήταν αυτός ο λόγος που τους υπερασπίστηκε πάντα απ' την «επαναστατική ορμή» ορισμένων στελεχών της νεότερης γενιάς, που τους ήθελαν στο περιθώριο. Γι' αυτό δεν ήταν για τον Ανδρέα παράξενο ότι τον Γ. Χαραλαμπόπουλο τον τοποθέτησε αντιπρόεδρο της κυβέρνησης το 1987. Θεωρούσε πετυχημένη τη θητεία του και στο υπουργείο Εθνικής Άμυνας και στο υπουργείο Εξωτερικών. Ούτε ασφαλώς ήταν εύκολη γι' αυτόν η απόφαση για ένα νέο ρόλο, εκτός κυβερνητικής δράσης, των στελεχών εκείνων που είχαν ολοκληρώσει έναν ιστορικό κύκλο πετυχημένης και έντιμης παρουσίας. Ανάμεσά τους, το 1993, και ο Γ. Χαραλαμπόπουλος, που πικράθηκε, αλλά αντιμετώπισε με αξιοπρεπή σιωπή τη μη τοποθέτησή του σε κυβερνητικό αξίωμα.

Βάσω Παπανδρέου

Δεν της συγχώρησε ποτέ τη μεταφορά και επίδοση της περίφημης «επιστολής Ντελόρ» στον τότε πρωθυπουργό Ξεν. Ζολώτα, τις παραμονές των εκλογών του 1990. Πίστευε πάντα πως η δημοσιοποίηση αυτής της επιστολής συνετέλεσε τα μέγιστα στην ε- κλογική επιτυχία του Κ. Μητσοτάκη.

Πίστευε, και ήταν οργισμένος γι' αυτό, πως αυτή η επιστολή συνιστούσε άμεση παρέμβαση στις πολιτικές εξελίξεις στην Ελλάδα και αντικειμενικά, πέραν προθέσεων, πρόσφερε σημαντική βοήθεια στον Κ. Μητσοτάκη στην προσπάθειά του να γίνει πρωθυπουργός, αφού ουσιαστικά το βάρος των όσων αρνητικών περιείχε θα το επωμιζόταν ο ίδιος, ως πρωθυπουργός επί οχτώ χρόνια. Πίστευε επίσης πως η άκριτη κινδυνολογία της επιστολής ε- νίσχυε τα επιχειρήματα της ΝΔ στην προεκλογική περίοδο για την κατάσταση της οικονομίας. Ήταν ένα γεγονός που δεν μπόρεσε ποτέ να ξεπεράσει και χρέωνε μεγάλες ευθύνες γι' αυτό στη Β. Παπανδρέου.

Όταν συναντήθηκαν, σε ένα γραφείο του Ολυμπιακού Σταδίου, στο περιθώριο συνόδου της ΚΕ, και τον ενημέρωσε, έπεσε α- πό τα σύννεφα. Κατάλαβε αμέσως πολύ καλά ποια ήταν η σημασία της επιστολής αυτής για τις επερχόμενες εκλογές. Η επιστολή είχε ήδη παραδοθεί στον κ. Ζολώτα απ' την επίτροπο μια μέρα πριν και ο Ανδρέας δεν είχε την παραμικρή αμφιβολία ότι, αν και ήταν εμπιστευτική, θα έβλεπε το φως της δημοσιότητας, αφού ο πρωθυπουργός της οικουμενικής κυβέρνησης είχε πει πως θα τη δώσει στους πολιτικούς αρχηγούς.

Για την επιστολή αυτή ο Ανδρέας έκανε από τότε δεκάδες συζητήσεις με συνεργάτες και φίλους του. Όχι μόνο δεν είχε πεισθεί απ' τα επιχειρήματα της Β. Παπανδρέου, αλλά τη θεωρούσε συνυπεύθυνη. Έλεγε:

«Είναι δυνατό, με τόσο καλή σχέση που είχε με τον Ντελόρ, να μην μπορέσει να αποτρέψει την έκδοση ενός τέτοιου κειμένου; Εί- ναι δυνατό να μην μπόρεσε να τον πείσει για το αυτονόητο, ότι δη- λαδή η επιστολή αποτελούσε ευθεία παρέμβαση στην εκλογική διαδικασία;»

300

Η Β. Παπανδρέου ισχυριζόταν ότι είχε προσπαθήσει, αλλά μάταια, να πείσει τον Ντελόρ να μην αποστείλει την επιστολή.

Στον Ανδρέα έκανε εντύπωση και το ανέφερε ότι ο πρόεδρος της ΕΕ επέλεξε την επίτροπο ως κομίστρια της επιστολής, την ο- ποία επιστολή θεωρούσε ως ένα απ' τα ατού στην εναντίον του εκστρατεία. Κάποιοι του επισήμαναν πως η Β. Παπανδρέου ήταν επίτροπος της Ελλάδας και όχι του ΠΑΣΟΚ. Απάντησε με θυμό: «Γιατί, μήπως δεν ήταν προσβλητική και για τη χώρα μας η ε- πιστολή;»

Πέραν αυτού, υπήρχαν άλλα τρία, σημαντικά κατά τον Αν- δρέα, γεγονότα που επηρέασαν αρνητικά τη σχέση τους, τουλά- χιστον απ' την περίοδο που εγώ τον γνώρισα μέχρι που έφυγε. Προέκυψαν βέβαια και άλλα, ωστόσο τα σημαντικά ήταν τέσσε- ρα, αυτό που προανέφερα και:

– *Η απουσία της,* όταν ο ίδιος υφίστατο τη γνωστή επιχείρηση σπίλωσης και εξόντωσής του. Έχω γράψει και σε άλλα σημεία πως αυτό το θέμα, ότι δηλαδή εκείνη την κρίσιμη περίοδο υ- πήρξαν στελέχη του που δεν τον στήριξαν πολιτικά και ηθικά, τον έκαιγε, τον πλήγωνε πάντα, ως το θάνατό του. Θεωρούσε τη Β. Παπανδρέου έναν απ' τους «μεγάλους απόντες» εκείνης της μά- χης.

Δε στήριξε ούτε τον ίδιο αλλά ούτε και τα άλλα στελέχη του ΠΑΣΟΚ που σύρθηκαν σε δίκες και ορισμένοι σε φυλακές.

Ακόμα και το βράδυ της αθώωσής του η Β. Παπανδρέου, όπως και οι άλλοι μετέπειτα «εκσυγχρονιστές», ήταν απούσα, καθώς ε- πίσης και απ' τις μάχες που δόθηκαν στη συνέχεια, όπως οι ε- κλογές στη Β' Αθήνας.

– *Η κίνησή της να τον αμφισβητήσει* λίγες μόλις μέρες μετά το διορισμό της στη θέση της επιτρόπου. Σε συνέντευξή της στο *Βή- μα* (6-1-'89) είχε επικρίνει την πολιτική του ΠΑΣΟΚ και είχε χα- ρακτηρίσει τον ίδιο «τροχοπέδη» στις πολιτικές εξελίξεις. Αυτή την «αχαριστία» της –έτσι την έλεγε– δεν μπορούσε να την ξεχά- σει και υπενθύμιζε πότε πότε αυτό το περιστατικό στα στελέχη ε- κείνα που του είχαν προτείνει να την τοποθετήσει επίτροπο.

– *Η κίνηση που έκανε στην τελευταία Σύνοδο της ΚΕ,* όπου παρευ-

301

ρέθη ο Ανδρέας. Όλοι θυμούνται πως λίγο πριν τελειώσει την ο-μιλία του, με την οποία είχε ασκήσει οξύτατη κριτική στους «4», η Β. Παπανδρέου σηκώθηκε απ' τη θέση της και πήγε στο προεδρείο, όπου άφησε επιδεικτικά μπροστά του ένα σημείωμα, με το οποίο ζητούσε να πάρει το λόγο για να απαντήσει.

Εκείνο το «μάλιστα» που είπε ο Ανδρέας μόλις είδε την κίνησή της έκρυβε πολλή πίκρα και αγανάκτηση. Σ' αυτό το περιστατικό έκανε συχνές αναφορές στη συνέχεια, μέχρι που μπήκε στο Ωνάσειο, και χαρακτήριζε τη χειρονομία της «θεατρική».

Σήμερα μπορώ να αποκαλύψω ότι ένας βασικός λόγος που τον ώθησε σ' εκείνη την οξύτατη ομιλία ήταν μια συνέντευξη που είχε δώσει η Β. Παπανδρέου λίγες μέρες πριν από τη Σύνοδο της ΚΕ. Είχε ζητήσει τότε να συγκροτηθεί απ' τα ηγετικά στελέχη του ΠΑΣΟΚ ένα ηγετικό-καθοδηγητικό όργανο, το οποίο θα συζητούσε με τον Ανδρέα ποιες αρμοδιότητες θα είχε ο ίδιος ως πρόεδρος και ποιες θα εκχωρούσε στο όργανο αυτό. Μόλις ενημερώθηκε (από δημοσιογράφο) για το περιεχόμενο της συνέντευξης, αντέδρασε έντονα. Οργίστηκε και έκανε το σχόλιο: «Βρήκε εμένα για να ζητήσει αυτά τα πρωτάκουστα πράγματα;» Σχολίασε επίσης ότι η πρόταση δεν έχει καμιά δημοκρατική λογική («ποιος είναι αυτός που θα ορίσει τα ηγετικά στελέχη και θα διαχωρίσει τα στελέχη σε κατηγορίες», έλεγε) και είναι «ελιτίστικη».

Κατάλαβε πως η επίθεση των «εκσυγχρονιστών» εναντίον του περνούσε πλέον σε πολύ σκληρή φάση και ειδικά σε μια περίοδο που η κατάσταση της υγείας του δεν ήταν καλή. Και αποφάσισε να συγκρουστεί μαζί τους. Δεν πρόλαβε παρά μόνο την οξύτατη κριτική σ' εκείνη τη Σύνοδο της ΚΕ. Προετοίμασε μάλιστα μόνος του ειδικά εκείνη την ομιλία, χωρίς να συνεργαστεί με κανέναν. Ιδιαίτερα το σημείο που έλεγε πως *όσοι αναζητούν έναν Α. Παπανδρέου υπό ομηρία και κηδεμονία ας τον αναζητήσουν αλλού»* το χαρακτήρισε ως το πιο ενδεικτικό της ομιλίας του. Τους πέταξε επίσης το γάντι καλώντας τους, αν νομίζουν ότι μπορούν, «ας δοκιμάσουν άλλο κόμμα και ας έρθουν να μετρηθούμε».

Παρά την ένταση που είχε δημιουργηθεί πάντως εκείνη την περίοδο στις σχέσεις με τους «εκσυγχρονιστές», ο Ανδρέας, σε μια χειρονομία καλής θέλησης και θέλοντας να δείξει ότι ως ηγέτης επιθυμεί την ενότητα, στον τελευταίο ανασχηματισμό τής πρότεινε θέση στην κυβέρνηση. Μάλιστα, όταν της έγινε σχετική βολιδοσκόπηση και απάντησε ότι θεωρεί απαραίτητη προϋπόθεση να συζητήσει μαζί του, πριν απαντήσει αν δέχεται, δέχτηκε το αίτημά της. *Είναι αλήθεια πως ήταν μια απόφαση που την πήρε μετά από σκέψη και προβληματισμό. Είναι αλήθεια ότι και εγώ επέμενα να αποφασίσει να της μιλήσει.* Αλλά η τηλεφωνική συζήτηση κατέληξε σε αδιέξοδο. Η Β. Παπανδρέου αρνήθηκε το υπουργείο Εμπορίου χαρακτηρίζοντάς το «γελοίο». Αρνήθηκε επίσης το υπουργείο Γεωργίας. Δέχτηκε κατ' αρχάς το υπουργείο (το νέο υπερυπουργείο) Υγείας, Πρόνοιας και Κοινωνικών Ασφαλίσεων, αλλά έθετε τον όρο να επιλέξει η ίδια την υπόλοιπη πολιτική ηγεσία του υπουργείου, κάτι που δεν ήταν δυνατό να δεχτεί ο Ανδρέας. Στο τέλος δε της συζήτησης, τον «συμβούλευσε» να μην τοποθετήσει σ' αυτή τη θέση τον Στ. Τζουμάκα, τον οποίο χαρακτήρισε «αστείο».

Όταν τελείωσε άδοξα η τηλεφωνική επικοινωνία τους, γύρισε σε μένα και τον Τηλ. Χυτήρη και κουνώντας το κεφάλι μάς είπε: «Είδατε, είχα δίκιο στις αμφιβολίες μου. Δεν επιθυμούσε να μπει στην κυβέρνηση και απλά αναζητούσε άλλοθι...»

Ακόμα και κείνη τη στιγμή όμως έδειξε πώς ο ίδιος λειτουργούσε απέναντι στα στελέχη του, ακόμα και απέναντι σε όσους τον αμφισβητούσαν. Συγκεκριμένα έγινε η πρόταση να γίνει σκληρή κριτική στη Β. Παπανδρέου για την άρνησή της να μπει στην κυβέρνηση, όταν θα ανακοινωνόταν η σύνθεση της νέας κυβέρνησης απ' τον κυβερνητικό εκπρόσωπο. Ο Ανδρέας αρνήθηκε και έδωσε οδηγίες να αναφερθούν μόνο τα περιστατικά που προηγήθηκαν. Και όταν μείναμε μόνοι, μονολόγησε:

«Στέλεχος της παράταξης είναι. Δεν πρέπει να την "αδειάσουμε"...»

Έχει γίνει πολλή συζήτηση και έχω προσωπικά δεχτεί άδικες επιθέσεις για τη μετακίνησή της απ' την Α' περιφέρεια της Αθήνας στη Β', στις εκλογές του '93. Η εικόνα που επιχειρήθηκε να περάσει ήταν πως εγώ επέβαλα αυτή τη μετακίνηση για ευνόητους λόγους.

Η αλήθεια είναι πως εγώ δεν είχα την παραμικρή σχέση και

ούτε ασχολήθηκα καθόλου μ' αυτό το θέμα. Η απόφαση ήταν του Ανδρέα και την έλαβε γιατί είχε ενοχληθεί σφόδρα απ' τη συμπεριφορά της, που την έβρισκε, όπως τόνιζε, έξω από κάθε δεοντολογία. Τη χαρακτήριζε επίσης υποτιμητική προς τα άλλα στελέχη και υποψήφιους βουλευτές.

Τον είχε ενοχλήσει συγκεκριμένα ότι ούτε τυπικά ούτε ουσιαστικά συζήτησε μαζί του σε ποια περιφέρεια θα είναι υποψήφια, αλλά, όπως έλεγε, «μόνη της το αποφάσισε και μόνη της άρχισε να δουλεύει, να ανοίγει εκλογικά κέντρα και να μη δίνει λογαριασμό σε κανένα όργανο». Είχε ενοχληθεί καιρό πριν από δημοσιεύματα (απέδιδε τις διαρροές στην ίδια) ότι «η Β. Παπανδρέου θα είναι υποψήφια στην Α' Αθήνας» και αναρωτιόταν: «Μα καλά, ποιος το αποφάσισε, δεν πρέπει να το συζητήσουμε;» Θυμάμαι μάλιστα ότι εκδότης εφημερίδας σε συζήτηση που είχε με τον πρόεδρο του επιβεβαίωσε ότι οι διαρροές γίνονταν απ' την ίδια και του είπε: «Φοβάμαι ότι άσχημα ξεκινάτε, αφού πριν από τις εκλογές εμφανίζονται τέτοια φαινόμενα».

Το βράδυ που πήρε την απόφαση για την τοποθέτησή της στη Β' Αθήνας, ο Ανδρέας δέχτηκε ισχυρές πιέσεις απ' τους Γεννηματά - Τσοχατζόπουλο - Λαλιώτη για να μην επιμείνει. Ήταν ανένδοτος:

«Εδώ ήρθαν όλα τα πρωτοκλασάτα στελέχη και συζητήσαμε για τις υποψηφιότητές τους και η κυρία Βάσω Παπανδρέου επέλεξε μόνη της και δεν είχε καν την ευαισθησία να μας ενημερώσει. Τι νοοτροπία είναι αυτή, να δημιουργεί τετελεσμένα;»

Δεν άλλαξε απόφαση. Τελικά μετά από πολλές προσπάθειες και με τη μεσολάβηση των τριών δέχτηκε η Β. Παπανδρέου την τοποθέτησή της στη Β' Αθήνας.

Άλλος μύθος που δημιουργήθηκε είναι ότι μετά τις εκλογές εγώ έπεισα τον Ανδρέα να μην τη βάλει στην κυβέρνηση. Εγώ προσπάθησα το ακριβώς αντίθετο. Είχα πάντα ένα μόνιμο άγχος ότι θα χρεωνόμουν, για ευνόητους λόγους, όποιο πρόβλημα ανεφύετο με τη Β. Παπανδρέου. Μάθαινα άλλωστε ότι η ίδια η Βάσω καλλιεργούσε ένα τέτοιο κλίμα στους δημοσιογράφους.

Μ' αυτή τη σκέψη τού ζήτησα να την τοποθετήσει στη νέα κυβέρνηση. Μου είπε πως είχε αποφασίσει να μην την κάνει μέλος αυτής της κυβέρνησης και η απόφαση αυτή δεν άλλαζε. «Σε μια άλλη φάση αυτό θα γίνει», πρόσθεσε. Εκτός αυτού, ήταν πολλά τα στελέχη που του είχαν προτείνει «να μην μπει η Βάσω τώρα στην κυβέρνηση». Δε νομίζω πως έχει νόημα να τα αναφέρω, αλλά θα προκαλούσαν μεγάλη έκπληξη τα ονόματα ορισμένων εξ αυτών.

Για την παλιά προσωπική τους σχέση ο Ανδρέας απέφευγε να μιλάει. Είχε την αρχή ότι δεν πρέπει να κάνει αναφορές στις όποιες σχέσεις του, τις οποίες τιμούσε, άσχετα με το τέλος τους. Η φυσική του ευγένεια και ο σεβασμός με τον οποίο αντιμετώπιζε και τις γυναίκες τον τοποθετούσαν υπεράνω κουτσομπολίστικων μικροτήτων. Εμένα μου είχε πει ορισμένα πράγματα. Δεν είναι στις προθέσεις μου να μπω σ' έναν τέτοιο κύκλο αναπαραγωγής τους, που ούτε εμένα μου ταιριάζει ούτε ο ίδιος θα το επιθυμούσε ποτέ.

Αναστάσιος Πεπονής

«Είναι ένας ευπατρίδης της πολιτικής, απ' τους τελευταίους που έχουν απομείνει. Έντιμος, ακέραιος, δε σηκώνει μύγα στο σπαθί του σε θέματα που θίγουν την αξιοπρέπειά του. Ευαίσθητος σε θέματα πολιτικής τάξης, ικανός πολιτικός και ασυμβίβαστος μαχητής. Είναι βέβαια λίγο sui generis, θέλει ειδική μεταχείριση, αλλά αυτά είσαι υποχρεωμένος να τα παραβλέψεις μπροστά στα πολιτικά και ανθρώπινα προσόντα του».

Προσπαθώντας να σταχυολογήσω απόψεις του Ανδρέα για τον Αν. Πεπονή, μόνο θετικά λόγια θυμάμαι, σαν τα παραπάνω. Η αγάπη και η εκτίμηση που του είχε δε σκιάστηκαν ποτέ από ορισμένες μικροκόντρες που κατά καιρούς προέκυψαν.

Είχε να λέει πάντα ο πρόεδρος για τη μαχητική και ασυμβίβαστη στάση του στα Ιουλιανά, όταν ως πρόεδρος του τότε ΕΪΡ αντιστάθηκε στις πιέσεις που δέχτηκε, επέμεινε ως το τέλος και πέτυχε να μεταδοθεί το μήνυμα του Γεωργίου Παπανδρέου για το «βασιλικό πραξικόπημα» καθώς και οι επιστολές του, παράλληλα με τις επιστολές του Κωνσταντίνου Γλίξμπουργκ. Και μετά παραιτήθηκε. Ήταν ένα περιστατικό που μνημόνευε πολλές φορές, με αγάπη και θαυμασμό για τον «Σάκη».

Πίστευε πως ο Αν. Πεπονής έχει ένα δικό του, μοναδικό τρόπο να εκφράζεται, που τον χαρακτηρίζει η «αξιοπρέπεια αλλά και το δύσκολο, ορισμένες φορές και το απρόβλεπτο». Έλεγε πως αυτή του η υπερβολική ευαισθησία και ευθιξία σε κάποιες περιπτώσεις δημιουργούν προβλήματα και απορίες σε όσους δεν τον γνωρίζουν, γι' αυτό «ο Σάκης είναι στέλεχος ειδικού χειρισμού».

Θυμάμαι πόσες προσπάθειες κατέβαλε για να τον μεταπείσει να μην επιμείνει στην παραίτησή του απ' τη θέση του υπουργού Προεδρίας. Την υπέβαλε, επειδή κάποια εφημερίδα «αποκάλυψε» πως καταστρατηγείται ο νόμος για τις προσλήψεις. Ο Ανδρέας τού παρέσχε πλήρη πολιτική κάλυψη, τον διαβεβαίωσε κατηγορηματικά πως του έχει απόλυτη εμπιστοσύνη και ότι γνωρίζει πολύ καλά πως ως αρμόδιος υπουργός στηρίζει με κάθε τρόπο την εφαρμογή του νόμου. Παρ' όλα αυτά δεν πέτυχε να τον πείσει να αλλάξει γνώμη, όμως με την πρώτη ευκαιρία τον τοποθέτησε ξανά στην κυβέρνηση, γιατί πίστευε πως η παρουσία του ήταν πάντα στα συν των κυβερνήσεών του.

Ο Ανδρέας θεωρούσε ως το σημαντικότερο θεσμικό επίτευγμα των κυβερνήσεών του μετά το '93 ακριβώς αυτό το νόμο για τις προσλήψεις, τον οποίο χαρακτήριζε «τομή στην ελληνική κοινωνία». Τον στήριζε με όλες του τις δυνάμεις. Και το τονίζω αυτό, γιατί κάποια στιγμή ήταν έντονες οι αντιδράσεις που προκάλεσε στην ΚΟ, αντιδράσεις που έβρισκαν στήριξη και στο Μαξίμου και στο ΠΑΣΟΚ. Το βασικό επιχείρημα των αντιδρώντων ήταν πως η αυστηρή εφαρμογή του νόμου σημαίνει πολιτικό κόστος, ότι δεν ήταν ώριμη η ελληνική κοινωνία να δεχτεί απ' τη μια μέρα στην άλλη την πλήρη κατάργηση των πελατειακών σχέσεων, που είχαν ρίζες πολλών δεκαετιών.

Η απάντησή του, μονότονη και κατηγορηματική, ήταν πάντα: *«Θα στηρίξω το νόμο, όποιο κόστος και αν έχει. Έχουμε δεσμευτεί απέναντι στο λαό».*

Ένα άλλο περιστατικό, απ' τα πιο έντονα που έζησα κοντά στον Ανδρέα και είχε πάλι στο επίκεντρό του τον Αν. Πεπονή, ήταν το εξής. Όταν ήταν πρόεδρος της Βουλής ο Αθ. Τσαλδάρης, σε κάποια συνεδρίαση είχε μια έντονη φραστική αντιπαράθεση μαζί του. Ο Αν. Πεπονής ένιωσε να θίγεται βαθύτατα, πολύ περισσότερο που ο κ. Τσαλδάρης καταφέρθηκε εναντίον του τη στιγμή που οι τηλεοπτικές κάμερες έπαιρναν πλάνα απ' τη συνεδρίαση.

Αμέσως υπέβαλε την παραίτησή του! Έπεσε πανικός, τα τηλέφωνα στην Εκάλη πήραν φωτιά. Βλέπω ξαφνικά τον Ανδρέα να σηκώνεται απ' το γραφείο του ανήσυχος και να μου λέει: «Ετοιμάσου, φεύγουμε αμέσως τώρα για τη Βουλή».

«Τι συμβαίνει;» τον ρωτάω.

«Παραιτήθηκε ο Σάκης Πεπονής και από κοινοβουλευτικός εκπρόσωπος και από βουλευτής. Πρέπει να τον αποτρέψω».

«Και γιατί δεν τον παίρνεις τηλέφωνο;»

«Δεν τον ξέρεις καλά τον Σάκη. Σε θέματα ευθιξίας είναι περίεργος. Μόνο αν τον συναντήσω υπάρχει πιθανότητα να τον μεταπείσω».

Φύγαμε άρον άρον και σε είκοσι λεπτά φτάσαμε στη Βουλή. Στο δρόμο μού ανέφερε το περιστατικό, όπως του το είχαν περιγράψει, και σχολίαζε πως «μόνο ο Σάκης θα μπορούσε να παραιτηθεί για ένα τέτοιο θέμα».

Μόλις τον συνάντησε, του λέει: «Αποκλείεται να δεχτώ την παραίτησή σου, δεν το συζητώ, σε καλύπτω απολύτως». Έτσι τον έπεισε, όταν όλοι οι άλλοι είχαν σηκώσει ψηλά τα χέρια...

Σε δύο στελέχη ο Ανδρέας αναγνώριζε ένα σημαντικό προσόν, ότι ήταν μονίμως εκτός λογικών συσχετισμών και ομάδων: στον Απόστολο Κακλαμάνη και στον Αναστάσιο Πεπονή.

Για ορισμένους η κοινοβουλευτική του παρουσία στην περίοδο των διώξεων κατά του ΠΑΣΟΚ και του Ανδρέα ήταν μια ευχάριστη έκπληξη. Όχι για τον ίδιο τον Ανδρέα, που ανάμεσα στις άλλες ικανότητές του αναγνώριζε τη ρητορική του δεινότητα και την κοινοβουλευτική του εμπειρία. Και ασφαλώς εξετίμησε τη στήριξη που του παρέσχε τότε, μια στήριξη που του ήταν πολύτιμη και δεν την ξέχασε ποτέ.

Έχει μείνει ιστορική μια κοινοβουλευτική «μονομαχία» του

Αν. Πεπονή με τον Κ. Μητσοτάκη για τα εθνικά θέματα, τότε που είχε προκύψει το ζήτημα με το non paper. Ο Ανδρέας είχε ενθουσιαστεί απ' τον Αν. Πεπονή και γεμάτος χαρά έλεγε πως «ο Σάκης νίκησε κατά κράτος τον Μητσοτάκη». Λίγο πριν από εκείνη τη μονομαχία, του είχε στείλει μια θερμή επιστολή που, νομίζω, διατηρεί και σήμερα την επικαιρότητά της. Μεταξύ άλλων του έγραφε:

Αγαπητέ Σάκη, χαίρω ιδιαίτερα που θα έχεις την ευκαιρία να παρουσιάσεις σε όλο της το μεγαλείο την ασυναρτησία, ανευθυνότητα, ενδοτικότητα και το δορυφορικό χαρακτήρα της εξωτερικής πολιτικής του κ. Μητσοτάκη και της κυβέρνησής του.

Είναι σαφές για μένα πως δεν υπάρχει πια ελληνική εξωτερική πολιτική. Η πολιτική χαράσσεται από τις ΗΠΑ και εκτελείται, είτε συμφέρει είτε δε συμφέρει τη χώρα, από τον κ. Μητσοτάκη...

Ο μέγας κίνδυνος για την Ελλάδα παραμένει η Τουρκία, που, παρά τις επιφανειακές μικροδιαφωνίες για την πρόοδο του Κυπριακού, στηρίζεται πλήρως από τις ΗΠΑ. Γνωρίζεις καλά τις απειλές που εκτοξεύονται (Δωδεκάνησα, Αιγαίο, υφαλοκρηπίδα, επιχειρησιακός έλεγχος στο ανατολικό Αιγαίο, Στρατηγείο Λάρισας, παρουσία Κόλιν Πάουελ).

Την αναπτυσσόμενη τουρκική απειλή προσπαθεί να αποκρύψει από τον ελληνικό λαό ο κ. Μητσοτάκης πάντοτε, βρίσκοντας κάποια δικαιολογία που καλύπτει τη σύμμαχο και που της αποδίδει καλές προθέσεις...

Ο κ. Μητσοτάκης έχει εξευτελίσει την Ελλάδα. Την οδηγεί σε ακρωτηριασμό και πρέπει να φύγει...

Τέλος, σε ό,τι αφορά τον Αν. Πεπονή, οφείλω και μια προσωπική κατάθεση.

Πολλοί λίγοι ασφαλώς γνωρίζουν ότι ήταν απ' τους ελάχιστους που *στήριξαν τη σχέση μου με τον Ανδρέα* όταν πρωτοέγινε γνωστή και οι περισσότεροι την επέκριναν και έκαναν καθετί για να σταματήσει.

Όμως σίγουρα όλοι θα θεωρούν δεδομένο, γνωρίζοντας το χαρακτήρα του –και είναι έτσι ακριβώς–, πως *ποτέ δε με κολάκεψε* ούτε επιχείρησε καν να έχει μαζί μου καμιά σχέση, πέραν της τυπικής, όταν είχα γίνει πια η σύζυγος του πρωθυπουργού Α. Παπανδρέου...

Χρήστος Παπουτσής
Ήταν, μαζί με τον Κ. Λαλιώτη, οι αγαπημένοι του απ' τη νέα γενιά των στελεχών. Άλλου επιπέδου όμως οι σχέσεις του με τον Χρ. Παπουτσή. Αν και δεν ήταν επίπεδες, δεν πέρασαν ωστόσο τις διακυμάνσεις των σχέσεών του με τον Λαλιώτη.

Ο Ανδρέας έλεγε πως ίσως άργησε λίγο να εμπιστευτεί τον Χρ. Παπουτσή, να εκτιμήσει τις ικανότητές του, να επενδύσει στο πολιτικό του μέλλον. Όταν όμως αυτό έγινε, από τότε οι σχέσεις τους δεν άλλαξαν καθόλου. Του είχε απεριόριστη εμπιστοσύνη, τον θεωρούσε πετυχημένο και ως ευρωβουλευτή και ως επίτροπο και όσο ο χρόνος περνούσε, η σχέση τους αυτή δυνάμωνε, έδενε, γινόταν στέρεη.

Γνωρίζω μάλιστα πως τα τελευταία χρόνια τού εμπιστευόταν προσωπικές του σκέψεις και προθέσεις, τον έκανε κοινωνό αισθημάτων του, συνεργαζόταν πάρα πολύ συχνά μαζί του για θέματα εξωτερικής πολιτικής και ιδιαίτερα Ευρωπαϊκής Ένωσης. Διαπίστωνα πως οικοδομούσε μαζί του μια σχέση που με λίγα στελέχη του Εκτελεστικού Γραφείου είχε.

Έκανε, όπως έχω αναφέρει και σε άλλο σημείο, σύγκριση της συνεργασίας που είχε με τον Χρ. Παπουτσή και της αντίστοιχης που είχε με τη Β. Παπανδρέου ως επιτρόπου. Τον έκρινε «*πιο συνεργάσιμο, πιο ικανό, πιο δραστήριο και κυρίως πιο ελληνοκεντρικό*». Ιδιαίτερα το τελευταίο για τον Ανδρέα μετρούσε πολύ στις κρίσεις του για τα στελέχη.

Θεωρούσε πάντα τον Χρήστο ως το στέλεχος εκείνο που δούλεψε και πρόσφερε τα περισσότερα για τις σχέσεις του ΠΑΣΟΚ με τα ευρωπαϊκά σοσιαλιστικά κόμματα και τη Σοσιαλιστική Διεθνή και του αναγνώριζε καθοριστική συμβολή στο ότι οι σχέσεις αυτές τα τελευταία χρόνια είχαν φτάσει στο καλύτερο δυνατό σημείο. Τόνιζε μάλιστα πως ο Χρήστος είχε συμβάλει τα μέγιστα σ' αυτό, πριν τοποθετηθεί επίτροπος, ως γραμματέας του Τομέα Διεθνών Σχέσεων.

Χαιρόταν ιδιαίτερα και καμάρωνε, όταν ξένοι ηγέτες και επιφανείς προσωπικότητες του διεθνούς σοσιαλιστικού χώρου τού έλεγαν τα καλύτερα λόγια για τον Παπουτσή. Όπως χαιρόταν πάντα όταν έβλεπε τα «πολιτικά του παιδιά» να αποκτούν ειδικό πολιτικό βάρος, να κάνουν βήματα μπροστά, να αποκτούν αυτόνομη πολιτική οντότητα.

Την πορεία του Χρήστου, όπως και άλλων στελεχών της γενιάς του Πολυτεχνείου και της μεταπολίτευσης, την είχε παρακολουθήσει από πολύ κοντά· άλλωστε αυτή η γενιά και γενικότερα οι νέοι άνθρωποι ήταν πάντα η μεγάλη του αδυναμία. Ένιωθε ευτυχής όταν έβλεπε να αναπτύσσει ένα νέο πολιτικό ήθος απαλλαγμένο από αμαρτίες του παρελθόντος και θλιβόταν ιδιαίτερα κάθε φορά που διαπίστωνε σε ορισμένους εκπροσώπους αυτών των γενιών ότι φέρουν και διαιωνίζουν κουσούρια και αδυναμίες στην πολιτική τους πρακτική.

Στην ταραγμένη δεκαετία της μεταπολίτευσης ο Χρ. Παπουτσής, στέλεχος της Νεολαίας, που έφτασε μέχρι τη θέση του προέδρου της ΕΦΕΕ, πέρασε, όπως τόνιζε ο Ανδρέας, όλες τις μεταπτώσεις και τις δυσκολίες προσαρμογής που διέκριναν τη γενιά του. Ήταν, θυμόταν ο πρόεδρος, τοποθετημένος στον άλλο πόλο της Νεολαίας ΠΑΣΟΚ απ' αυτόν του Κ. Λαλιώτη. Εποχή με αντιπαραθέσεις αλλά και οράματα. Εποχή αναζήτησης φυσιογνωμίας και ταυτότητας μέσα σ' έναν κόσμο που είχε αρχίσει να μεταβάλλεται.

Οι διακυμάνσεις αυτές επηρέασαν και τη σχέση τους, που πέρασε και θερμές φάσεις, ποτέ όμως δεν έφτασε στη ρήξη. Άλλωστε ο Ανδρέας είχε την τάση να αντιμετωπίζει με πατρική στοργή τις «αταξίες» των πολιτικών του παιδιών, ιδιαίτερα των στελεχών της νεότερης γενιάς, που τους αναγνώριζε την τάση για αμφισβήτηση και το όνειρο για ανατροπές.

Μάλιστα είχε μια μοναδική ικανότητα, παρά τη διαφορά ηλικίας που τον χώριζε απ' τις γενιές αυτές, να προσαρμόζεται στις

310

αντιλήψεις και τα πιστεύω τους, να παρακολουθεί τις ανησυχίες τους, να εκφράζει τα οράματά τους. Και αυτό το έχουν αναγνωρίσει στελέχη όπως ο Κ. Λαλιώτης και ο Χρ. Παπουτσής.

Ο Χρήστος μάλιστα, σε συζητήσεις που συχνά κάναμε, θύμιζε στον Ανδρέα ένα χαρακτηριστικό περιστατικό απ' το κίνημα των καταλήψεων στα πανεπιστήμια στο τέλος του 1979. Οι καταλήψεις εκείνες είχαν ξεκινήσει με πρωτοβουλία των παρατάξεων της ε-ξωκοινοβουλευτικής Αριστεράς και άλλων αυτόνομων ομάδων, ό-μως εξαπλώθηκαν γρήγορα, πήραν διαστάσεις κινήματος και ή-ταν εκτός ελέγχου, αφού οι μεγάλες σπουδαστικές παρατάξεις, ΠΑΣΠ, Πανσπουδαστική, Δημοκρατικός Αγώνας, δε συμμετείχαν.

Ο Χρ. Παπουτσής, ως πρόεδρος της ΕΦΕΕ, έπρεπε να πάρει πρωτοβουλίες. Η τότε κυβέρνηση απειλούσε με κατάργηση του πανεπιστημιακού ασύλου. Η ΚΝΕ ήταν διατεθειμένη να λύσει «δυ-ναμικά» τις καταλήψεις, είχαν μάλιστα γίνει και επεισόδια στο Χημείο.

Ο Χρ. Παπουτσής και η ΠΑΣΠ πήραν πρωτοβουλία να προ-τείνουν συμμετοχή και των μεγάλων παρατάξεων στο κίνημα των καταλήψεων, ώστε να μη βγει πλήρως εκτός ελέγχου, γεγονός που θα αξιοποιούσε η κυβέρνηση. Έπρεπε όμως να εξασφαλίσουν την έγκριση του προέδρου και είχαν ζωηρές αμφιβολίες κατά πόσο αυ-τό ήταν εφικτό.

Μαζί με στελέχη της Νεολαίας και τον Απ. Κακλαμάνη τον ε-πισκέφθηκε στο Καστρί. Του εξέθεσαν την κατάσταση και την πρότασή τους. Περίμεναν με αγωνία την αντίδρασή του. Δε δί-στασε καθόλου, τους απάντησε αμέσως:

«Να μπείτε στις καταλήψεις και μάλιστα όσο πιο σύντομα γί-νεται. Αρκεί μόνο να εξασφαλίσετε τη συμμετοχή και της ΚΝΕ».

Αργότερα ο Χρ. Παπουτσής με τη φωνή του ξεσήκωνε τα πλή-θη στις συγκεντρώσεις του Ανδρέα.

Όταν πάντως προτάθηκε για ανώτερα κομματικά αξιώματα και για ευρωβουλευτής, ήταν αρκετοί απ' το τότε περιβάλλον του Ανδρέα, αλλά και άλλα στελέχη, που προσπάθησαν να τον επη-ρεάσουν αρνητικά για τον Χρήστο. Το βασικό επιχείρημα ήταν: «Πρόεδρε, χρειάζεται προσοχή, είναι άνθρωπος του Μένιου...»

Η αλήθεια είναι πως επηρεάστηκε για λίγο. Για ένα διάστημα τον αντιμετώπισε όχι αρνητικά, αλλά με επιφύλαξη. Σύντομα όμως ο Χρ. Παπουτσής με τη στάση του, με τη δράση του στο Ευρωκοινοβούλιο κέρδισε την εμπιστοσύνη του Ανδρέα. Θυμάμαι μάλιστα χαρακτηριστικά όταν πριν από αρκετά χρόνια ήμασταν στο Βερολίνο, όταν ο πρόεδρος εξουσιοδότησε τον Χρ. Παπουτσή να υπογράψει την αίτηση ένταξης του ΠΑΣΟΚ στη Σοσιαλιστική Διεθνή και να την παραδώσει στον Βίλι Μπραντ.

Η σχέση τους έγινε στενή και όσο περνούσαν τα χρόνια βελτιωνόταν, έλειπαν οι σκιές. Κι αυτό φάνηκε αργότερα, όταν του ανέθεσε τα καθήκοντα του επικεφαλής της Κοινοβουλευτικής Ομάδας του ΠΑΣΟΚ στο Ευρωπαϊκό Κοινοβούλιο.

Πάντα στα ταξίδια μας στην Ευρώπη τον συναντούσαμε, τρώγαμε μαζί, συζητούσαν για τις ευρωπαϊκές εξελίξεις, για τις εξελίξεις στο διεθνές σοσιαλιστικό κίνημα, έβρισκε ενδιαφέρουσες τις απόψεις του.

Στις εσωκομματικές αντιπαραθέσεις, όπως στο «Πεντελικό», ήταν στο πλευρό του. Άρχισαν να συνεργάζονται πιο στενά, να οικοδομείται και μια σχέση εμπιστοσύνης μεταξύ τους. Προσέβλεπε στον Χρ. Παπουτσή, είχε τη γνώμη πως «ωριμάζει, αποκτάει πολιτική οντότητα σημαντική». Σε στενούς του συνεργάτες έλεγε μάλιστα χαρακτηριστικά: «Ο Χρήστος τιμάει τα παντελόνια που φοράει».

Εκτιμούσε ιδιαίτερα το γεγονός ότι, παρά τη θητεία του στην Ευρώπη, δεν επηρεάστηκε σε μια μονόπλευρη φιλοευρωπαϊκή κατεύθυνση. Αντίθετα παρέμενε «ελληνοκεντρικός» και σε ό,τι αφορά τα εθνικά θέματα συμφωνούσε με τις απόψεις του Ανδρέα.

Όλα τα παραπάνω μέτρησαν πολύ όταν, το 1994, έπρεπε να ορίσει το νέο επίτροπο της Ελλάδας στην ΕΕ και βάρυναν στην τελική του επιλογή να τοποθετήσει σ' αυτή τη θέση τον Χρ. Παπουτσή. Εκείνη την περίοδο ο Ανδρέας είχε να αντιμετωπίσει ένα μεγάλο δίλημμα, που τον απασχόλησε έντονα και τον ταλάνισε αρκετά. Ο Χρ. Παπουτσής είχε εκφράσει την επιθυμία να τοποθετηθεί στη θέση του επιτρόπου και ο Ανδρέας όχι μόνο το έβλεπε θετικά, αλλά θεωρούσε ότι ήταν μια εξαιρετική επιλογή. Όσο όμως πλησίαζε ο καιρός για να αποφασίσει, παρόμοια επιθυμία εξέφρασε και ο γιος του, ο Γ. Παπανδρέου. Πιέστηκε. Πάλεψε μέσα του το πολιτικό κριτήριο με το πατρικό συναίσθημα. Τον Γιώργο δεν ήθελε να τον τοποθετήσει ε- πίτροπο για λόγους δικής του προστασίας. Έλεγε πως «δε θα κάνει καλό ούτε σε μένα ούτε στον ίδιο τον Γιώργο, θα περάσει η εικόνα ότι ο πατέρας διορίζει το γιο του σε τέτοια θέση, θα υπάρξουν αντιδράσεις, θα πληρώσουμε κόστος».

Επιπλέον είχε διαφωνίες με ορισμένες θέσεις και απόψεις του Γιώργου σε θέματα εξωτερικής πολιτικής και αυτός ήταν ένας ε- πιπλέον λόγος που δεν ήθελε να τον τοποθετήσει σ' αυτή τη θέ- ση.

Απ' την άλλη μεριά και ο Αντρίκος, στον οποίο είχε αδυναμία, τηλεφωνούσε απ' την Αγγλία και τον πίεζε και ο Νίκος επέμενε. Του έλεγαν πως ο Γιώργος δεν είναι πλέον ικανοποιημένος ως βουλευτής Αχαΐας, πρέπει να κάνει ένα βήμα παραπάνω, είναι μια ευκαιρία. Του έθεταν το θέμα σε μια βάση ψυχολογικοσυναισθηματική. Ζήτησαν και από μένα να του μιλήσω. Του μετέφερα όσα μου είπαν. Μου απάντησε: «Σε παρακαλώ, Δήμητρα, είναι μια απόφαση που θα πάρω μόνος μου».

Τελικά, αν και η πάλη μέσα του ήταν έντονη, αν και πιέστηκε πολύ ψυχολογικά, δεν άλλαξε την αρχική του επιλογή, τοποθέτησε επίτροπο τον Χρ. Παπουτσή. Γνωρίζω καλά πως δε μετάνιωσε ποτέ γι' αυτή του την επιλογή.

Ήταν απόλυτα ικανοποιημένος απ' την παρουσία του Χρήστου και οι έπαινοι που συχνά εισέπραττε για τον «Έλληνα επίτροπο» τον γέμιζαν χαρά.

Στο Ωνάσειο τον ζήτησε κάμποσες φορές. Ένιωσε την ανάγκη να τον δει, άλλωστε τα τελευταία χρόνια ο Χρήστος ήταν ένας απ' τους λίγους στον οποίο εμπιστεύτηκε προσωπικές του απόψεις για πρόσωπα και πράγματα...

Θόδωρος Πάγκαλος
Απ' όσο γνώρισα τον Ανδρέα και απ' όση ικανότητα απέκτησα να

313

ερμηνεύω τις θέσεις του, μπορώ να πω ότι πίστευε πως ο Θ. Πά-γκαλος διέθετε αντικειμενικά τις δυνατότητες να τον διαδεχτεί, αν, αν...

Είναι όμως τόσα τα «αν», που κατά την εκτίμησή του διέψευ-δε ο Θόδωρος, ώστε τελικά να αναιρούν τη βασική του άποψη.

«Αντιφατικός», «αυτοαναιρούμενος», «στέλεχος που έχει μια μοναδική ικανότητα να χύνει την καρδάρα με το γάλα» είναι ο-ρισμένοι απ' τους χαρακτηρισμούς που κατά καιρούς έχω ακού-σει απ' τον Ανδρέα για τον Πάγκαλο.

Εγώ, που ήμουν πάντα ψηφοφόρος του στην Ελευσίνα και τον θαύμαζα, απορούσα που τον θεωρούσε αντιφατικό και απρόβλε-πτο, αν και του αναγνώριζε τεράστιες δυνατότητες, που κατά την άποψή του λίγοι είχαν. Μου απαντούσε: «Είναι ευφυέστατος αλ-λά όχι σταθερός, μπορεί να πετύχει τη σημαντικότερη επιτυχία και την άλλη στιγμή να τινάξει τα πάντα στον αέρα». Πρόσθετε πως «ο Θόδωρος έχει έναν τσαμπουκά αξιοζήλευτο, το θέμα όμως εί-ναι αν κάνει σωστή εκτίμηση πότε και πώς να τον χρησιμοποιή-σει».

Νομίζω πως η απάντηση που έδωσε για τον Θ. Πάγκαλο στις 24 Ιουλίου 1995, στη συνάντηση που είχε με πολιτικούς συντάκτες στην Εκάλη, μέσα σε λίγες λέξεις αποτύπωσε τα όσα ακριβώς πί-στευε γι' αυτόν. Αφού *εξεθείασε τα προσόντα του* (και αυτό ήταν μια έκπληξη για τους δημοσιογράφους και θεωρήθηκε ως «άνοιγμα» προς τον Πάγκαλο, αφού ήταν γνωστό πως εκείνη την περίοδο οι σχέσεις τους ήταν παγωμένες), έκανε αναφορά στο απρόβλεπτο και αντιφατικό του. Και κατέληξε:

«Από κει και πέρα, ας κάνει ό,τι τον φωτίσει ο Θεός...»

Κατά τραγική ειρωνεία ο Θεός τον «φώτισε» να εξαπολύσει, λί-γες εβδομάδες αργότερα, τη γνωστή αήθη επίθεση κατά Λαλιώ-τη και να δημιουργήσει μια αναταραχή και μια κρίση άνευ προη-γουμένου. Ο Κ. Λαλιώτης ζήτησε τότε τη διαγραφή του. Ο Αν-δρέας δε συμφώνησε, αλλά τον κάλυψε πλήρως για την επίθεση Πάγκαλου και έκανε με θλίψη το σχόλιο «απέδειξε για άλλη μια φορά πως δε διαθέτει αίσθηση μέτρου...».

Λίγους μήνες νωρίτερα ήταν ο Ανδρέας που ήθελε με επιμονή να τον

314

διαγράψει, όταν τον είχε αποκαλέσει «δωρολήπτη». Λίγες φορές, στα δέκα χρόνια που έζησα μαζί του, είδα τον Ανδρέα τόσο πικραμένο, τόσο θλιμμένο μα και τόσο οργισμένο, όσο όταν ο Πάγκαλος έκανε αυτό το χαρακτηρισμό. Νομίζω ότι του κόστισε αφάντα-στα, δεν το ξέχασε ποτέ.

Είχε πράγματι αποφασίσει τη διαγραφή του τότε. Ήταν πολλοί που τον πίεσαν να αλλάξει γνώμη. Νομίζω πως τον είχε ενοχλήσει ο τρόπος με τον οποίο ο Ν. Αθανασάκης χειρίστηκε στην Επιτροπή Δεοντολογίας το θέμα Πάγκαλου, όπως και αυτό της Β. Παπανδρέου.

Αν τον θεώρησε και τον χαρακτήρισε τότε και «αχάριστο», είναι γιατί ο Θ. Πάγκαλος γνώριζε καλά και την απεριόριστη εκτίμηση που είχε στις ικανότητές του ο Ανδρέας και ότι του έδωσε την ευχέρεια να κάνει βήματα μπροστά και ότι του συμπαραστά-θηκε, όταν έζησε την τραυματική εμπειρία να αναγκαστεί να ζη-τήσει συγνώμη απ' το Γερμανό υπουργό Εξωτερικών, γεγονός που του κόστισε πολύ ψυχολογικά...

Έλεγε πάντα με ικανοποίηση πως δεν είχε κανένα πρόβλημα να αφήσει τον Θ. Πάγκαλο να χειριστεί εν λευκώ θέματα της Ευ-ρωπαϊκής Ένωσης, ακόμα και σε επίπεδο ηγετών. «Είμαι ήσυχος ότι θα τα καταφέρει, τα γνωρίζει και τα χειρίζεται άριστα», υπο-γράμμιζε.

Αναγνώριζε την καθοριστική συμβολή του στο να κερδίσει η Ελλάδα τα Μεσογειακά Ολοκληρωμένα Προγράμματα (ΜΟΠ) καθώς και στην επιτυχία των δύο Ευρωπαϊκών Συμβουλίων, στη Ρόδο το '88 και στην Κέρκυρα το '94. Επιτυχία που αναγνωρί-στηκε από κορυφαίες ευρωπαϊκές προσωπικότητες, όπως ο Μι-τεράν, ο Κολ, η Θάτσερ, ο Γκονσάλες.

Ιδιαίτερα στη διάρκεια της ελληνικής προεδρίας του πρώτου εξαμήνου του '94, η παρουσία και η συμβολή του ήταν καταλυτι-κές και ο Ανδρέας άκουσε στην Κέρκυρα με ιδιαίτερη ικανοποί-ηση τους επαίνους Ντελόρ για τον υπουργό του. Ακόμα και στην Κέρκυρα όμως έλαμψε το απρόβλεπτο του Θόδωρου, όταν... αρ-νήθηκε, κατά την τελετή της υποδοχής των ξένων ηγετών, να χαι-ρετήσει τον Ιταλό πρωθυπουργό Μπερλουσκόνι. Εδώ που τα λέμε πάντως, τον Ανδρέα αυτό δεν τον ενόχλησε και ιδιαίτερα...

Οφείλω απ' την άλλη μεριά να καταθέσω πως την ίδια εμπιστοσύνη που του είχε για τα ευρωπαϊκά δεν την είχε σε καμία περίπτωση για τα εθνικά θέματα. Εκεί «έβλεπε» ένα διαφορετικό Πάγκαλο. Ιδιαίτερα τις α-πόψεις που κατά καιρούς διατύπωνε για τα ελληνοτουρκικά και το Σκοπιανό τις χαρακτήριζε από αφελείς έως επικίνδυνες. Εκεί διαφωνούσε μαζί του και δεν ήθελε να είναι ο Θ. Πάγκαλος εκεί-νος που θα χειρίζεται αυτά τα θέματα.

Άλλο περίεργο στη σχέση τους: ο Πάγκαλος ήταν ο μόνος απ' τη μετέπειτα «Ομάδα των 4» που στήριζε τον Ανδρέα την περίο-δο του '89. Το έκανε μάλιστα με πάθος, που τον έφερε σε ευθεία ρήξη τόσο με τη ΝΔ όσο και με τον ΣΥΝ, λόγω και της ιδιόμορ-φης φρασεολογίας που συχνά χρησιμοποιούσε. Ποιος δε θυμάται το «εδώ θα γίνει Πεκίνο»...

Ιδιαίτερα με τον ΣΥΝ είχε ανοίξει μέτωπο, την ίδια περίοδο που ο Κ. Σημίτης έστελνε στο Συνέδριο του ΣΥΝ, που λίγο καιρό πριν εί-χε παραπέμψει τον Α. Παπανδρέου, μήνυμα με ευχές για επιτυχία!

Θυμάμαι μάλιστα (βρισκόμασταν τότε, Ιούνιο του '90, στην Ε-λούντα) ότι ο Ανδρέας είχε την πρόθεση να διαγράψει τον Κ. Σημίτη. Άλ-λαξε γνώμη και σ' αυτό έπαιξαν ρόλο οι Τηλ. Χυτήρης και Ν. Α-θανασάκης καθώς και ο Κ. Λαλιώτης, που έκανε τότε διακοπές στο Ρέθυμνο και ήρθε στην Ελούντα, όπου προσπάθησε να τον μετα-πείσει. Τελικά δόθηκαν οδηγίες στον Ν. Αθανασάκη να εκδώσει μια ανακοίνωση καταδίκης των «κεντροδεξιών σεναρίων», στην ο-ποία «φωτογραφιζόταν» ο Κ. Σημίτης...

Στο «Πεντελικό» βέβαια ο Θ. Πάγκαλος βρέθηκε απέναντι απ' τον Ανδρέα. Αλλά αυτό δε μείωσε διόλου την εκτίμηση για τις ι-κανότητές του.

Η απόφαση ως προς την υποψηφιότητά του για το δήμο της Αθήνα ή-ταν ενδεικτική των προθέσεων του Ανδρέα απέναντί του. Ήταν μια πολι-τική επιλογή. Ο Ανδρέας ήθελε μια προσωπικότητα που θα έδινε στους Αθηναίους όραμα, που θα έδινε τον αέρα της νίκης. Θεω-ρούσε εξόχως πολιτική την εκλογή του δήμαρχου της Αθήνας και έτσι αντιμετώπιζε την υποψηφιότητα.

Το θέμα τον απασχολούσε έντονα. Ήμασταν στο Λαγονήσι

και συζητούσαμε. Στην κουβέντα έπεφταν διάφορα ονόματα. Άλλο τον ικανοποιούσε αρκετά, άλλο λιγότερο, κανένα όμως πλήρως. Ξαφνικά σηκώθηκε και είπε: «Θόδωρος Πάγκαλος! Πώς σου φαίνεται; Νομίζω, είναι ο ιδανικός». Του είπα πως συμφωνώ απόλυτα.

Ο πρώτος που φώναξε για να του αναγγείλει την πρόθεσή του για τον Πάγκαλο ήταν ο Γ. Κατσιφάρας. Ενθουσιάστηκε. Ο Θόδωρος έκανε διακοπές σε διπλανή μας καμπάνα. Τον φώναξε. Συζήτησαν, ο Ανδρέας τού έκανε την πρόταση. Συμφώνησε. Μάλιστα εκείνες τις μέρες τηλεφωνούσε και ζητούσε συνάντηση με τον Ανδρέα η Μ. Δαμανάκη. Θεώρησε πως ίσως να τον ήθελε για το θέμα των δημοτικών εκλογών στην Αθήνα. Μου είπε να μην κλείσω συνάντηση μαζί της, μέχρι να συνεδριάσει το ΕΓ και να αναγγελθεί η υποψηφιότητα Πάγκαλου. Το Εκτελεστικό δέχτηκε ασμένως την πρόταση για τον Πάγκαλο.

Ωστόσο ο αέρας της νίκης, που αναμφισβήτητα φύσηξε με την ανακοίνωση της υποψηφιότητας, έπαψε να φυσάει λίγο πριν από τις εκλογές, που τελικά χάθηκαν. Άλλοι επιρρίπτουν ευθύνες στους χειρισμούς του ίδιου του Πάγκαλου για την εκλογική αποτυχία. Ο Θόδωρος επιρρίπτει ευθύνες σε ηγετικά στελέχη του ΠΑΣΟΚ που κατά την άποψή του τον πολέμησαν. Ένα είναι σίγουρο: ότι ο Ανδρέας τον στήριξε με όλες του τις δυνάμεις ως το τέλος και πιστεύω πως αυτό δεν το αμφισβητεί ο Πάγκαλος.

Πολλοί και σήμερα αναρωτιούνται αν η υποψηφιότητα Πάγκαλου εκείνη την εποχή έδειχνε κάποια πρόθεση του Ανδρέα να του δώσει «δαχτυλίδι». Απ' όσα γνωρίζω, απαντώ: όχι, δεν υπήρχε τέτοια πρόθεση. Εκτιμούσε όμως πως, αν ο Πάγκαλος κέρδιζε τότε, αντικειμενικά θα αποκτούσε ένα προβάδισμα.

Ίσως, για να δανειστώ έκφραση του Κ. Λαλιώτη, να τον έβαλε να χτυπήσει πέναλτι σε άδειο τέρμα και αυτός έστειλε την μπάλα άουτ...

Λίγο αργότερα πάντως ο Θ. Πάγκαλος έγινε μέλος της «Ομάδας των 4» για να αντιπολιτευτεί και να αμφισβητήσει τον Α. Παπανδρέου, τον οποίο αποκάλεσε στη συνέχεια και «δωρολήπτη». Όταν ο Ανδρέας έφυγε και ο Πάγκαλος, στη Μητρόπολη, ήρθε να με συλλυπηθεί, τον ρώτησα:

«Γιατί του το έκανες αυτό ειδικά εσύ, Θόδωρε; Τον πλήγωσες, δεν το άντεξε».

Δε μου απάντησε. Απομακρύνθηκε δακρυσμένος...

Κώστας Σκανδαλίδης

Λίγοι απ' τη νεότερη γενιά στελεχών ευνοήθηκαν τόσο στην κυβερνητική και κομματική τους ενέλιξη όσο ο Κ. Σκανδαλίδης. Στα σαράντα του περίπου είχε περάσει από θέσεις όπως γραμματέας της Νεολαίας, μέλος του ΕΓ, βουλευτής, υπουργός, γραμματέας του κόμματος.

Ο Ανδρέας εκτιμούσε την εργατικότητά του, τον θεωρούσε πολυγραφότατο και «εργάτη της Χαριλάου Τρικούπη», αλλά δεν τον τοποθετούσε στο ίδιο ύψος με τον Κ. Λαλιώτη και τον Χρ. Παπουτσή, σε ό,τι αφορά τις ικανότητές του. Ούτε είχε με τον Κ. Σκανδαλίδη την ίδια σχέση εμπιστοσύνης που είχε με κάποιους άλλους απ' τους συνεργάτες του. Αυτό δε σημαίνει πως δεν τον εμπιστευόταν. Απλά δεν είχε αποκτήσει μαζί του το ψυχικό δέσιμο που διέκρινε τη σχέση του με λίγα άλλα στελέχη.

Ορισμένες φορές εκτιμούσε τα γραπτά του και χρησιμοποιούσε αποσπάσματα σε ομιλίες του. Άλλες φορές θεωρούσε πως διακρίνονταν από έναν ξύλινο λόγο και τους έλειπε το όραμα.

Πάντως τον συμπαθούσε και ήθελε να τον βοηθήσει, όπως και τα άλλα στελέχη της νεότερης γενιάς.

Δεν ξεχνούσε ποτέ τις επισκέψεις στην Κω και την Κάλυμνο το '89, που είχαν γίνει με προτροπή του Κ. Σκανδαλίδη, ο οποίος για πρώτη φορά τότε ήταν υποψήφιος βουλετής. Ήταν απ' τις ωραιότερες εμπειρίες αγάπης και λατρείας του λαού προς το πρόσωπό του που έζησε, όπως έλεγε. Αυτή η εκρηκτικότητα του κόσμου, το αιγαιοπελαγίτικο πάθος, το κάλεσμα στον ηγέτη για εκδηλώσεις εμπιστοσύνης και αγάπης, οι κροτίδες που έσκαγαν στα βράχια και τις αντικρίζαμε μέσα απ' το πλοίο, απ' το υπέροχο γαλάζιο του Αιγαίου, συνέθεταν μια εικόνα πανέμορφη, μαγική. Ήταν πράγματι αξέχαστη εκείνη η υποδοχή.

Όταν τον τοποθέτησε υπουργό Εσωτερικών, προκλήθηκαν αντιδράσεις. Δεν ήταν λίγοι αυτοί που έλεγαν πως είναι λάθος σ' αυτό το υπουργείο να μπαίνει ένα νέο στέλεχος. Στην πραγματικότητα αυτό που ενοχλούσε ήταν η διαπίστωση πως για άλλη μια φορά ο Κ. Σκανδαλίδης ευνοούνταν απ' τον πρόεδρο.

Την περίοδο που αποφασίστηκε να επανέλθει ο Άκης στην κυβέρνηση, ο Ανδρέας αναζητούσε για τη θέση του γραμματέα ένα στέλεχος με ενωτική εικόνα, που να μην είναι συνδεδεμένο, στενά τουλάχιστον, με ομάδες. Ήθελε ακριβώς εκείνη την ταραγμένη εποχή να σηματοδοτήσει τη διάθεσή του, την ύστατη ίσως προσπάθειά του για ενότητα. Έβλεπε βέβαια πως η εσωκομματική αντιπολίτευση είχε κάνει την επιλογή της ρήξης, έβλεπε τη σύγκρουση να έρχεται και δεν ήταν διατεθειμένος να την αποφύγει. Αλλά επιθυμούσε, ως ηγέτης και ιδρυτής του ΠΑΣΟΚ, να καταστήσει σαφές πως η σύγκρουση δεν ήταν δική του επιλογή.

Η λύση Σκανδαλίδη εξέφραζε αυτή την επιλογή. Ήταν στη σκέψη του. Σε συζητήσεις με συνεργάτες του η ιδέα συναντούσε αποδοχή. Ο Κ. Λαλιώτης ήταν θερμός υποστηρικτής της πρότασης για τον Κ. Σκανδαλίδη. Ο Άκης, με κάποια δυσφορία στην αρχή, γιατί ήθελε για τη θέση ένα στέλεχος που να του έχει περισσότερη εμπιστοσύνη, τελικά τον αποδέχτηκε.

Μια απ' τις σκέψεις που μέτρησαν ήταν ότι ο Σκανδαλίδης δεν ήταν μια λύση που θα προκαλούσε αντιδράσεις, πολώσεις, που θα έδινε την εικόνα πως ο Ανδρέας ήθελε πλήρη έλεγχο των πάντων. Ο Κώστας δεν ήταν αντιπαθής στο στρατόπεδο των «εκσυγχρονιστών». Χωρίς να έχει ταυτιστεί μαζί τους, ποτέ ωστόσο δεν τους είχε κάνει και αντιπαράθεση. Μάλιστα αυτό ήταν ένα απ' τα παράπονα που είχε ο Ανδρέας απέναντί του.

Παρ' όλα αυτά ο Σκανδαλίδης είχε εκείνες τις μέρες ένα μόνιμο φόβο για την εκλογή του. Φοβόταν πως είτε δε θα εκλεγόταν είτε θα εκλεγόταν με χαμηλό αριθμό ψήφων. Ερχόταν στον Ανδρέα και του ζητούσε να μεσολαβήσει στον Άκη και στους λεγόμενους προεδρικούς, για να μην υπάρξουν διαρροές. Και αυτός το έκανε και του εξασφάλισε την επιτυχία του.

Ο Ανδρέας στη συνέχεια, την περίοδο του Ωνασείου, απογοητεύτηκε απ' τον Κώστα, είχε πάρα πολλά παράπονα απ' τη συμπεριφορά του.

Τον χαρακτήρισε «αχάριστο», όταν πληροφορήθηκε πως πρωταγωνιστούσε στο παρασκήνιο για την παραίτηση και αντικατάστασή του. Αυτό που τον ενόχλησε δεν ήταν η άποψή του ότι έπρεπε να παραιτηθεί, αλλά ο τρόπος που το μεθόδευε.

Εκείνη την περίοδο έκανε και σε μένα πρόταση να πείσω τον Ανδρέα να παραιτηθεί και σε αντάλλαγμα μου πρόσφερε την υποστήριξή του για πολιτική καριέρα. Μου είπε: «Εσύ θα εμφανίσεις στον ελληνικό λαό, μπροστά στις κάμερες, την παραίτηση και θα έχεις καθιερωθεί έτσι ως πολιτικό πρόσωπο, θα εξασφαλίσεις τη συναίνεση όλων».

Του απάντησα ότι ο Ανδρέας πρέπει μόνος του να αποφασίσει και είναι σε θέση να πάρει την απόφαση που θεωρεί σωστή. Του είπα επίσης ότι εγώ δεν μπορώ να τον σκοτώσω πιέζοντάς τον.

Για ένα μεγάλο διάστημα δεν επιθυμούσε να τον συναντήσει, πικραμένος απ' τη συμπεριφορά του. Ζητούσε συνάντηση και μέσω εμού και μέσω άλλων, όπως του Γ. Κατσιφάρα, του Αντ. Λιβάνη. Ο Ανδρέας αρνιόταν τη συνάντηση. Τελικά πριν από το Συνέδριο είπε πως «τώρα πρέπει να συναντηθώ με το γραμματέα της ΚΕ».

Παρά τα όσα είχαν προηγηθεί, τον δέχτηκε ζεστά και πατρικά σε μια απ' τις λίγες συναντήσεις που έκανε μετά το Ωνάσειο. Του είπε πως ο δικός του ρόλος τώρα ήταν η διασφάλιση και εγγύηση της ενότητας, της συνοχής και της φυσιογνωμίας του ΠΑΣΟΚ.

Ήταν και οι δύο συγκινημένοι ιδιαίτερα σ' εκείνη τη συνάντηση, που έμελλε να είναι και η τελευταία τους...

Μιχάλης Χαραλαμπίδης

Λίγοι γνωρίζουν πόσο τον αγαπούσε και τον εκτιμούσε ο Ανδρέας. Θαύμαζε τη συνέπεια, τη μαχητικότητα και την εντιμότητά του. Εκτιμούσε ιδιαίτερα το γεγονός ότι πάλευε για αρχές χωρίς να διεκδικεί κομματικά ή κυβερνητικά αξιώματα. «Είναι αγνός, καθαρός, συνεπής», έλεγε γι' αυτόν.

Η σχέση τους χρονολογούνταν απ' την εποχή του ΠΑΚ, του ο-

Από την επίσκεψη του Ανδρέα Παπανδρέου στην Τήνο.

Έξοδος από το Γενικό Κρατικό.

Στο γεύμα με τον Ντ. Ορτέγκα. Κως, 1-5-'89.

Πρόποση με τον Ντ. Ορτέγκα. 1-5-'89.

Μελίνα Μερκούρη - Κώστας Λαλιώτης - Δήμητρα Παπανδρέου.
Μια βραδιά του Αγίου Ανδρέα.

Έξοδος από το Γενικό Κρατικό.

24 Ιουλίου 1994. Προσέλευση στο προεδρικό μέγαρο για τη δεξίωση του Προέδρου της Δημοκρατίας (Γιορτή της Δημοκρατίας).

Συνάντηση Α. Παπανδρέου - Κ. Στεφανόπουλου.

Δεξίωση στο προεδρικό μέγαρο.

Τρυφερός χορός στην επέτειο γενεθλίων του προέδρου.

Συνέντευξη Τύπου Γ. Αραφάτ - Α. Παπανδρέου στο Μέγαρο Μαξίμου.

Α. Παπανδρέου - Μπ. Γέλτσιν. Ελληνική προεδρία στην Κέρκυρα.

Επίσκεψη του Προέδρου της ιταλικής Δημοκρατίας Σκάλφαρο.
Γεύμα στο Μαξίμου.

Γεύμα με τον Φρ. Μιτεράν στα Ηλύσια.

Ζάππειο. Ανάληψη της προεδρίας της Ευρωπαϊκής Ένωσης
από τον Ανδρέα Παπανδρέου.

Αλεξανδρούπολη - Χάσκοβο, 1989.
Συνάντηση Παπανδρέου - Ζίβκοφ.

Ελληνική προεδρία. Ιούνιος '94. Κέρκυρα.

Υποδοχή στην Τήνο.

Σύσκεψη στην Εκάλη για τους θησαυρούς του Αγίου Όρους.

Σύσκεψη υπό την προεδρία του Ανδρέα Παπανδρέου στην Εκάλη για τους θησαυρούς του Αγίου Όρους. Διακρίνονται τριμελής επιτροπή του Αγίου Όρους, οι υπουργοί Θ. Μικρούτσικος, Ν. Σηφουνάκης, Μ. Μπετενιώτης, Γ. Νιώτης, οι γενικοί γραμματείς Θωμάς - Βούλγαρης και ο διοικητής του Αγίου Όρους.

*Η κυρία Παπανδρέου, ο τότε πρόεδρος της Βουλής Α. Τσαλδάρης
και η κυρία Έστελ Σωτήρχου.*

*Τρυφερό τετ α τετ στο διάλειμμα σύσκεψης της Σοσιαλιστικής
Διεθνούς στο Βερολίνο.*

Βρυξέλλες. Συνέντευξη Τύπου από τους Ανδρέα Παπανδρέου
- Ζακ Ντελόρ - Μπιλ Κλίντον.

Συνάντηση του Α. Παπανδρέου με τον Πρόεδρο Άσαντ.

Πρωτοχρονιά. Συνάντηση με τον Κ. Καραμανλή.

*Χειραψία του ζεύγους Παπανδρέου με τον Πρόεδρο Κλίντον
στη δεξίωση προς τιμήν του Α. Παπανδρέου στο «Μπλερ Χάουζ».*

*Στο πλαίσιο της επίσημης επίσκεψης του Α. Παπανδρέου
στην Ουάσιγκτον πραγματοποιήθηκε συνάντηση της Δήμητρας
Παπανδρέου με τη Χίλαρι Κλίντον.*

ποίου ο Χαραλαμπίδης ήταν απ' τα πιο δραστήρια στελέχη στην Ιταλία. Αργότερα καταχωρήθηκε στην κομματική διάλεκτο ως ο «Ιταλός», επικεφαλής τάσης που συνήθως έκανε εσωκομματική α-ντιπολίτευση απ' τα αριστερά και ιδιαίτερα επέκρινε χειρισμούς σε εθνικά θέματα και θέματα εξωτερικής πολιτικής. Αλλά ο Αν-δρέας αναγνώριζε πάντα πως ήταν αντιπολίτευση με αρχές και συ-νέπεια, με πολιτικούς όρους, χωρίς παιχνίδια συσχετισμών, και αυ-τό το εκτιμούσε.

Τον αγαπούσε πολύ τον Μιχάλη, ήταν απ' τις συμπάθειές του, αν και τον χαρακτήριζε ορισμένες φορές sui generis. Είχε μεσολα-βήσει προσωπικά για να μη διαγραφεί όταν παλιότερα κάποιοι με-θόδευαν τη διαγραφή του.

Ήταν ένας απ' τους λίγους που διαφώνησαν δημόσια με το Νταβός. Αυτή του τη διαφωνία, που αφορούσε μια κορυφαία ε-πιλογή, ο Ανδρέας την έβλεπε ως μια αναμενόμενη αντίδραση αυ-τού του ρεύματος και την αντιμετώπισε με σεβασμό.

Ήξερε απ' την άλλη μεριά ότι θα τον είχε δίπλα του τον Μιχ. Χαραλαμπίδη, όταν θα αμφισβητούνταν χωρίς αρχές, όπως συ-νέβη στο «Πεντελικό». Τότε τον πρότεινε και για το ΕΓ και στε-νοχωρήθηκε που τα «παιχνίδια συσχετισμών» τον άφησαν εκτός Εκτελεστικού.

Συναντιόταν μαζί του ορισμένες φορές και άκουγε με ενδια-φέρον τις απόψεις του, ενώ εκτιμούσε τα κείμενά του. Τον θεω-ρούσε ένα ιστορικό στέλεχος, εκπρόσωπο πολιτικού ρεύματος συ-νέπειας και αρχών.

Κάρολος Παπούλιας

Μια απ' τις πιο όμορφες, χαρούμενες, χαλαρές και ανθρώπινες στιγμές που έζησε ο Ανδρέας στα δέκα χρόνια που ήμουν δίπλα του, μια στιγμή που κυριολεκτικά τη ρούφηξε και την απόλαυσε, ήταν στην Ελούντα, τον Αύγουστο του '95, το τελευταίο βράδυ πριν από την αναχώρηση του Κάρ. Παπούλια.

Έγινε ένα τρικούβερτο γλέντι, υπήρχε ένα κέφι διαβολεμένο, τα ανέκδοτα έπεφταν βροχή, ζούσαμε όλοι στιγμές ευφορίας. Στο τέλος πολλοί έπεσαν στην πισίνα. Αλλά, προς το τέλος της βραδιάς, ο Ανδρέας είχε μια περίεργη αίσθηση. Χωρίς να πάψει να απολαμβάνει το γλέντι, να χαίρεται το κέφι που υπήρχε και να συμμετέχει, γύρισε κάποια στιγμή, μας αγκάλιασε όλους με το βλέμμα του, που έβγαζε απέραντη αγάπη, και μ' έναν περίεργο τρόπο μάς είπε:

«Και του χρόνου να είμαστε όλοι καλά...»

Αλλά το είπε περίεργα, σαν κάποια σκιά να σκίαζε τη χαρά των στιγμών. Ίσως κάποια διαίσθηση να του έλεγε πως τέτοιες όμορφες στιγμές δε θα ξανάρχονταν, πως την αγαπημένη του Κρήτη, την αγαπημένη του Ελούντα θα τις αποχαιρετούσε για πάντα, σε λίγες μέρες...

Με τον Κάρολο ήταν πάνω απ' όλα και πριν απ' όλα φίλοι, με όλη τη σημασία της λέξης. Η προσωπική τους σχέση υπερέβαινε και κούραση και θλίψη και ανθρώπινες μικροκακίες και καθημερινότητα και στενοχώριες.

Ήταν πάντα καθαρή αυτή η σχέση και ασυννέφιαστη. Δεν υπήρχε πιθανότητα να επηρεαστεί από οτιδήποτε και οποιονδήποτε, να «χωρέσει» άλλος στην προσωπική τους φιλική σχέση και να την επηρεάσει. Απολάμβανε την παρέα του και ήταν απ' τους ελάχιστους που μπορούσαν να του προσφέρουν ανθρώπινες στιγμές χαλάρωσης και ξενοιασιάς, έξω απ' τις σκοτούρες και τα προβλήματα της καθημερινότητας.

Ήταν ο δικός του άνθρωπος, ο φίλος, ο έμπιστος. Μόλις τον έβλεπε, λες και «ανανεωνόταν», αποφορτιζόταν. Τα ανέκδοτα, τα καλαμπούρια τους, τα γέλια τους έμειναν παροιμιώδη. Είχαν δε και ένα μοναδικό τρόπο να διηγούνται ιστορίες απ' το παρελθόν, να λένε ανέκδοτα. Είχαν μια επικοινωνία δική τους, ξεχωριστή.

Οι κοινές τους ιστορίες ήταν αμέτρητες. Και όταν άρχιζαν να τις λένε, ο ένας συμπλήρωνε την ατάκα του άλλου με τέτοιο τρόπο, που λες και παρακολουθούσες θεατρικό διάλογο.

Η εικόνα που έχει περάσει προς τα έξω είναι πως η «έξω καρδιά» σχέση τους είναι που καθόριζε την πολιτική αντιμετώπιση του Κάρολου απ' τον Ανδρέα. Δεν είναι έτσι. Μπορεί ο Παπούλιας να είχε προφίλ χαμηλών τόνων, να μίλαγε ελάχιστα, αλλά ο Ανδρέας, που τον γνώριζε όσο κανείς άλλος, είχε εμπιστοσύνη στις ικανότητές του.

Ιδιαίτερα τον ενδιέφερε ότι στα εθνικά θέματα, που ήταν ο μεγάλος του πολιτικός έρωτας, η μεγάλη του ευαισθησία και η μεγάλη του αγωνία μέχρι που έφυγε, ο Κάρολος είχε ταυτόσημες απόψεις και στήριζε και προωθούσε τις θέσεις του με επιδέξιους χειρισμούς. Εκτιμούσε επίσης την πλούσια εμπειρία που είχε αποκτήσει στο υπουργείο Εξωτερικών. Το λιγομίλητο, το χαμηλότονο του Παπούλια «είναι αρκετές φορές προσόν σ' αυτό τον ευαίσθητο χώρο, που απαιτεί ευαίσθητους χειρισμούς», έλεγε.

Εκτιμούσε τη *σταθερότητα* των απόψεών του, σε αντίθεση με τον Θ. Πάγκαλο, που, κατά τον Ανδρέα, διακρινόταν απ' το ευμετάβλητο θέσεων και απόψεων. Αν στον Πάγκαλο εμπιστευόταν χειρισμούς σε θέματα ΕΕ, στον Παπούλια εμπιστευόταν να χειρίζεται τα άλλα θέματα εξωτερικής πολιτικής. Του ανέθετε μάλιστα ειδικές, λεπτές «αποστολές» και είχε τη σιγουριά πως θα τις έφερνε με επιτυχία σε πέρας. Ο Ανδρέας έκανε συχνές αναφορές στο ταξίδι-αστραπή του Κάρολου στη Σόφια, τη συνάντησή του με τον Ζίβκοφ, το Μάρτιο του '87, κατά την κορύφωση της ελληνοτουρκικής κρίσης, που στέφθηκε με απόλυτη επιτυχία.

Τον θεωρούσε απ' τους αρχιτέκτονες τόσο της βαλκανικής όσο και της αραβικής πολιτικής, στις οποίες απέδιδε εξαιρετική σημασία σε ό,τι αφορά το ρόλο της Ελλάδας διεθνώς. Γνώριζε πως ιδιαίτερα στον αραβικό κόσμο ο Κάρολος ετύγχανε αναγνώρισης, που διευκόλυνε τα μέγιστα την πολιτική της Ελλάδας σ' αυτό το χώρο.

Ήξερε πως δεν ήταν εύκολη η συμβίωση Πάγκαλου - Παπούλια στο υπουργείο Εξωτερικών, αφού ήταν διαφορετικοί χαρακτήρες και οι σχέσεις τους πέρασαν από θερμές φάσεις. Εκρηκτικός, απρόβλεπτος, ευμετάβλητος αλλά και ικανός ο Πάγκαλος, σταθερός, ήρεμος, χαμηλών τόνων και απόλυτης εμπιστοσύνης ο Παπούλιας. Την ήθελε όμως αυτή τη συμβίωση και, κατά κάποιο τρόπο, την επέβαλε, γιατί πίστευε πως αποτελούσαν ένα δίδυμο επιτυχίας, ο καθένας στον τομέα του.

Αλλά είπαμε, πάνω απ' όλα ο Κάρολος ήταν για τον Ανδρέα ο

καλός και πιστός φίλος. Σπάνια θυμάμαι να του χάλασε χατίρι. Είχε την αρχή ότι πρέπει να σέβεται τις επιλογές του, γιατί η αγάπη τους ήταν αμοιβαία. Και αυτό το σεβασμό τον έδειχνε πάντα, άλλωστε ήταν μαζί για χρόνια και έζησε κοντά στο φίλο του καλές και κακές, όμορφες και πικρές στιγμές.

Ο Ανδρέας τον ήθελε κοντά του στις διακοπές. Δε σκεφτόταν να κάνει διακοπές χωρίς τους Παπούλια - Κατσιφάρα. Τον ήθελε επίσης σε γιορτές, επετείους, τον καλούσε πολύ συχνά για να φάνε μαζί.

Στα Γιάννενα, το 1989, συνέβη ένα απ' τα πολλά σπαρταριστά γεγονότα, που τα θυμόνταν πάντα οι δυο τους ευχάριστα. Επρόκειτο να μιλήσει εκεί ο Ανδρέας σε προεκλογική συγκέντρωση και υπήρχαν πληροφορίες πως μια τοπική εφημερίδα θα κυκλοφορούσε με φωτογραφία μου, απ' αυτές που έβγαιναν τότε, και πως οπαδοί της ΝΔ θα αποδοκίμαζαν τον πρόεδρο κραδαίνοντας την εφημερίδα. Ο Κάρολος μας καθησύχαζε:

«Μη φοβάστε, τίποτα δε θα συμβεί».

Πράγματι η υποδοχή στο αεροδρόμιο ήταν θερμή και η συγκέντρωση που ακολούθησε απ' τις καλύτερες. Αλλά το συγκλονιστικό ήταν οι εκδηλώσεις του κόσμου στη διαδρομή απ' το αεροδρόμιο ως το ξενοδοχείο. Ο Κάρολος, που ήταν μαζί μας στο αυτοκίνητο, καμάρωνε. Εγώ παρέμενα επιφυλακτική έως φοβισμένη. Κάποια στιγμή το αυτοκίνητο εγκλωβίστηκε κυριολεκτικά από κόσμο. Ένας πανύψηλος Ηπειρώτης, τραχύς, με πελώριο μουστάκι, χτυπούσε το παράθυρο και κόντευε να το σπάσει. Εγώ είχα φοβηθεί. Ο Παπούλιας γελώντας μου λέει: «Άνοιξε το παράθυρο, να σας χαιρετήσει θέλει, δεν κρατάει... φωτογραφία». Το άνοιξα με βαριά καρδιά. Ο Ηπειρώτης απευθύνεται τότε στον Ανδρέα και με βροντερή φωνή λέει:

«Γεια σου... γίγαντα!»

Γιώργος Κατσιφάρας
Μόνο μια υπόσχεσή του προς τον πρόεδρο δεν κράτησε. Ότι... θα παντρευτεί και ο Ανδρέας θα γίνει κουμπάρος. Του την έδωσε στο

Ωνάσειο, εκείνες τις τραγικές ώρες που ο Ανδρέας κωπηλατούσε σε μια βάρκα σ' ένα ποτάμι που στη μια όχθη του ήταν η ζωή και στην άλλη ο θάνατος. Πήγαινε κι ερχόταν απ' τη μια όχθη στην άλλη και σε κάποια αναλαμπή ζωής, τότε που ζητούσε να πιαστεί από κάπου, ο αγαπημένος του Γιώργος με το αμίμητο χιούμορ, που δεν τον εγκατέλειπε ποτέ, ούτε εκείνες τις στιγμές, του λέει με αγάπη:

«Ποιος είπε, πρόεδρε, πως θα πεθάνεις; Θα ζήσεις, θα γίνεις καλά και θα βγεις από δω, γιατί, ξέρεις, αποφάσισα να παντρευτώ και θα είσαι οπωσδήποτε ο κουμπάρος!»

Η συμφωνία κλείστηκε στο άψε σβήσε. Αλλά πιστεύω πως τελικά ο Γιώργος δεν κράτησε, για πρώτη φορά, την υπόσχεσή του, γιατί ήθελε να παρατείνει, όσο γινόταν περισσότερο, τη ζωή του αγαπημένου του φίλου...

Άλλωστε ήταν ο μόνος που είχε το ελεύθερο απ' τον πρόεδρο να κάνει αναφορές σε περιπέτειές του με γυναίκες. Για τους άλλους ήταν απαγορευμένο, αλλά για τον Γιώργο ίσχυε η εξαίρεση. Απ' την εποχή της Αμερικής, τότε που στο πανεπιστημιακό εστιατόριο ο Γ. Κατσιφάρας λίγο έλειψε να δημιουργήσει... επεισόδιο με το φλερτ που έκανε στη σερβιτόρα, η σχέση του με τις γυναίκες παρέμεινε ιστορική.

Έτσι ήταν και η σχέση του με τον Ανδρέα, που χρονολογείται απ' τα νεανικά χρόνια και δεν άλλαξε ποτέ. Ιστορική. Ήταν ο φίλος, ο συνεργάτης, η αγαπημένη παρέα, ο άνθρωπος που χρωμάτιζε τη συντροφιά, της έδινε ζωή, ένταση, γέλιο, χαλάρωση.

Η τρίτη σχέση του, μετά απ' αυτή με τον Ανδρέα και τις γυναίκες, ήταν με το χιούμορ. Είχε το δικό του, αμίμητο, μοναδικό χιούμορ, που σε ορισμένες περιπτώσεις όμως ήταν καταλυτικό, έσπαγε κόκαλα, ενώ δεν του έλειπε και ο αυτοσαρκασμός.

Η φράση για τους «θυρωρούς» έγραψε ιστορία. Δική του είναι και η σύγκριση του Ανδρέα με το... τζάκι: πρέπει να υπολογίζεις τη σωστή απόσταση, πολύ κοντά καίγεσαι, μακριά παγώνεις.

Όταν ο ίδιος κάποια περίοδο βρισκόταν σε απόσταση απ' τον Ανδρέα, εξέφρασε τη στωική θεωρία του «ασανσέρ». Το όμορφο είναι πως, όταν ανέβηκε ξανά στο ρετιρέ της καρδιάς του Ανδρέα, δεν ξανακατέβηκε. Έμεινε εκεί ως το τέλος, πιστός σύντροφος και αγαπημένος φίλος...

Ήταν, μαζί με τον Κάρ. Παπούλια, η μόνιμη συντροφιά των διακοπών και όλων των ανθρώπινων στιγμών. Η παρουσία του στην Ελούντα ήταν δεδομένη. Και ήταν αυτή που έδινε τον ξεχωριστό τόνο.

Το τελευταίο καλοκαίρι κάτι τον «έτρωγε» τον Γιώργο, τον ανησυχούσε, τον βασάνιζε, δεν τον άφηνε να ησυχάσει και να απολαμβάνει πάντα την παρέα. Για πρώτη φορά τον έβλεπα να συγκινείται, φαινομενικά χωρίς λόγο, να κομπιάζει. Κάνα δυο φορές «συνελήφθη» να είναι δακρυσμένος, αυτός, ο πάντα χαμογελαστός, η ψυχή της παρέας.

Το πιο πιθανό είναι πως διαισθανόταν την καταιγίδα που ερχόταν. Ίσως έβλεπε πως αυτές οι διακοπές δε θα ξανάρθουν, πως ο Ανδρέας το άλλο καλοκαίρι δε θα είναι μαζί μας. Η αγάπη που τους συνέδεε ήταν τόση που δεν μπορεί, σίγουρα θα έπαιρνε μηνύματα, μαντάτα άσχημα...

Αυτό που ξέρουν όλοι είναι πως ο Γιώργος ήταν για τον Ανδρέα ο άνθρωπος που του άνοιγε την καρδιά. Αλλά γι᾽ αυτό ήταν και ο άνθρωπος που απ᾽ τους πρώτους γινόταν κοινωνός σκέψεων και πολιτικών του αποφάσεων. Είχε εμπιστοσύνη στην εχεμύθειά του, αλλά άκουγε και τα πολιτικά του μηνύματα, που τα εξέπεμπε με τη δική του θυμοσοφία.

Στα όμορφα βράδια της Ελούντας, τότε στις ατέλειωτες συζητήσεις και τις εκ βαθέων εξομολογήσεις, ο Γ. Κατσιφάρας είχε το δικό του τρόπο να «κεντρίζει» τον Ανδρέα και να τον κάνει να μιλάει για θέματα που φαινόταν πως απέφευγε.

Ο ίδιος δεν ξεχνάει ποτέ μια φράση που του είχε πει ο Ανδρέας σε μια συζήτηση που είχαν και αφορούσε πρόσωπα και καταστάσεις εντός του ΠΑΣΟΚ. Του είχε πει τότε:

«Ως πότε, Γιώργο, θα κουβαλάω το κάρο για όλους σας;»

Αλλά θυμόταν και τις άγριες μέρες της πείνας, στον Καναδά, τότε που ο Ανδρέας γύριζε στο σπίτι και τάιζε πρώτα τα σκυλιά και ύστερα ασχολούνταν με τους πεινασμένους φίλους...

Με μένα υπήρχε μια περίεργη σχέση, πάρα πολύ φιλική αλλά

και με ορισμένες εντάσεις. Είχε το θάρρος να λέει τη γνώμη του, να μου κάνει κριτική, να αναφέρει πράγματα που ήξερε πως θα με δυσαρεστήσουν. Όταν είχαμε κόντρες, ο Ανδρέας παρακολουθούσε χωρίς να μιλάει. Ύστερα, όταν ο Γιώργος έφευγε και πήγαινε στο σπίτι του, του τηλεφωνούσε και του έλεγε:

«Γιώργο, ξέρεις πώς είναι η Δήμητρα. Θυμώνει, αλλά, άμα την αφήσεις, σε δέκα λεπτά τής περνάει, το έχει ξεχάσει...»

Όταν γυρίσαμε απ' το Χέρφιλντ, πέρασε ένα διάστημα και ο Ανδρέας διαμήνυσε παντού την πρόθεσή του να με παντρευτεί, ο Κατσιφάρας τού είπε: «Εντάξει, πρόεδρε, καλή είναι για φιλενάδα, αλλά να μπλέξεις τώρα σε περιπέτειες, διαζύγιο, νέο γάμο...»

Του εξήγησε πως ήταν αποφασισμένος να με παντρευτεί και ότι θα ήταν άνανδρο αν δεν το έκανε. Ο Γιώργος εξεπλάγη, γνώριζε τις προηγούμενες «περιπέτειες» του Ανδρέα και για πρώτη φορά έβλεπε τέτοια αντιμετώπιση. Για καιρό έλεγε:

«Έχει και καρδιά ο "μεγάλος"...»

Δε θα σβήσει ποτέ απ' το μυαλό μου η βραδιά που ο Ανδρέας οριστικοποίησε την απόφασή του να μη βάλει ούτε δικηγόρους στο Ειδικό Δικαστήριο. Όπως έχω αναφέρει και σε άλλο σημείο, ενώ η απόφαση να μην παραστεί ήταν εύκολη, το θέμα των συνηγόρων τον απασχόλησε αρκετά, αφού ήταν πολλοί αυτοί που πρότειναν την παράσταση δικηγόρων, ανάμεσά τους οι Β. Βενιζέλος, Χρ. Ροκόφυλος, Γ. Σταμούλης. Ο ίδιος δεν ήθελε ούτε δικηγόρους στο Ειδικό Δικαστήριο και το είχε συζητήσει αυτό και με τον Αντ. Λιβάνη, αλλά οι πολλές αντίθετες απόψεις τον απασχολούσαν έντονα.

Εκείνο το βράδυ είχε στη σκέψη του μόνο αυτό το θέμα. Κάποια στιγμή ήρθε ο Γ. Κατσιφάρας και καθίσαμε και οι τρεις γύρω απ' το αναμμένο τζάκι. Ο Γιώργος τού είπε πως πριν έρθει είχε συναντηθεί τυχαία με τον Αθ. Τσαλδάρη. Ο τότε πρόεδρος της Βουλής τού είχε πει πως θα ήταν καλό να βάλει ο Ανδρέας συνηγόρους, θα έδειχνε σεβασμό στη Δικαιοσύνη και θα δημιουργούσε ένα πιο ήπιο κλίμα.

«Το θέμα όμως είναι πρωτίστως πολιτικό», είπε ο Ανδρέας και ρώτησε τον Γιώργο και εμένα να του πούμε τη γνώμη μας.

Του είπαμε και οι δύο πως άποψή μας ήταν να μην μπουν συνήγοροι.

Σηκώθηκε χωρίς να απαντήσει. Άρχισε να περπατάει σκεφτικός γύρω απ' το τζάκι και πάνω κάτω μέσα στο δωμάτιο, με τη χαρακτηριστική του κίνηση με τα χέρια πίσω. Για αρκετή ώρα έκανε αυτή την κίνηση, χωρίς να λέει απολύτως τίποτα. Στριφογύριζε, κόντευε να ανοίξει... πηγάδι.

Ξαφνικά, πολλή ώρα αργότερα, γυρίζει και με φωνή γεμάτη ανακούφιση μας λέει:

«Το θέμα έληξε. Δε θα διοριστούν συνήγοροι. Η μάχη θα δοθεί αποκλειστικά σε πολιτικό επίπεδο».

Ήταν παρών σε αρκετές τέτοιες αποφάσεις του Ανδρέα για σημαντικά ζητήματα ο Γιώργος, ο οποίος και όλο εκείνο το διάστημα της δίωξης ήταν σχεδόν καθημερινά κοντά μας και με τον «αέρα» του προσπαθούσε να αποφορτίσει το φίλο του, να τον κάνει να ξεχάσει, έστω για λίγο, να τον ελαφρύνει.

Τη μέρα που ο Ανδρέας μπήκε στο Ωνάσειο, στις 20 Νοεμβρίου, ο Γ. Κατσιφάρας ήταν που διαδραμάτισε ειδικό ρόλο για να τον πείσει. Πεισματικά αρνιόταν να φύγει για το νοσοκομείο. Ο Δημ. Κρεμαστινός είχε σηκώσει τα χέρια ψηλά. Αλλά υπογράμμιζε πως, αν δε γίνει άμεση εισαγωγή στο νοσοκομείο, δεν εγγυάται για τη ζωή του. Ήμουν εγώ και ο Γ. Κατσιφάρας που τον πιέσαμε, ο καθένας με τον τρόπο του, και τελικά τον πείσαμε ότι έπρεπε να εισαχθεί στο Ωνάσειο. Αλλά και αφού πείστηκε, λίγο πριν φύγουμε απ' το σπίτι, ζήτησε να μείνουμε μόνοι. Και με ρώτησε:

«Λες, Δήμητρα, να παίζεται κανένα πολιτικό παιχνίδι σε βάρος μου;»
Στις εκατόν είκοσι τρεις μέρες και νύχτες του Ωνασείου η παρουσία του Γιώργου ήταν καθημερινή, διακριτική, ανθρώπινη. Παρακολουθούσε συγκλονισμένος την πορεία του αγαπημένου φίλου, υπέφερε και έκλαιγε όταν όλα φαίνονταν χαμένα, γελούσε σαν μικρό παιδί κάθε φορά που η ελπίδα χτύπαγε την πόρτα μας. Αρνήθηκε να πάρει μέρος σε οποιοδήποτε παρασκήνιο προκειμένου να πιεστεί ο Ανδρέας να παραιτηθεί. Ήξερε, όσο λίγοι, πως η πίεση θα τον σκότωνε, ήξερε πως έπρεπε να τον αφήσουν

να αποφασίσει μόνος του, ήξερε πως θα πάρει, ως ηγέτης, τη σωστή απόφαση. Όταν ο Ανδρέας έφυγε, ο Γιώργος στάθηκε δίπλα μου. Ήξερε τι θα ήθελε ο φίλος του. Ήταν μαζί μου στη Μητρόπολη, μου κρατούσε το χέρι στην κηδεία, μου κράτησε συντροφιά όταν όλα είχαν γκρεμιστεί...

Παντελής Οικονόμου

Κάποια περίοδο είχε θυμώσει πολύ μαζί του, δεν ήθελε ούτε να τον ακούσει ούτε να τον δει. Μια μέρα λαβαίνει ένα καλάθι με λουλούδια. Ανοίγει την κάρτα και διαβάζει: «Το άτακτο παιδί σας, Παντελής».
Αυτό ήταν. Γέλασε, ο πάγος είχε λιώσει.
Τον αγαπούσε τον Παντελή και πίστευε ότι είχε μεγάλες δυνατότητες. Εκτιμούσε τις ικανότητές του, το χειρισμό του λόγου του, την ευστροφία του, την επιγραμματική του έκφραση. Θεωρούσε ότι ήταν απ' τα ικανότερα στελέχη στο να αντιμετωπίζει πολιτικούς αντιπάλους στις τηλεοπτικές εμφανίσεις. Είχε μια άνεση και μια ετοιμότητα, που του άρεσε πολύ.
Είχε επίσης την άποψη ο Ανδρέας πως ο Παντελής Οικονόμου είναι απ' τα λίγα πολιτικά στελέχη που δεν υπολογίζει το πολιτικό κόστος προκειμένου να εκφράσει μια θέση που πιστεύει, ακόμα κι αν είναι «αιρετική». Αυτή η ιδιόμορφη «αυτονομία» στην πολιτική του δράση, έξω από ομάδες και διαμάχες συσχετισμών, που πίστευε ότι τον διακρίνει, κατά βάθος τού άρεσε. Γι' αυτό και του συγχωρούσε τις «αταξίες», που κατά καιρούς θεωρούσε ότι έκανε.
Όταν όμως έβλεπε πως ξεπερνούσε κάποια όρια και η διατύπωση της «αιρετικής» άποψης γινόταν κατά τη γνώμη του επικίνδυνη, τότε... παρενέβαινε. Χαρακτηριστικό το «επεισόδιο» που συνέβη λίγες μέρες πριν από τις εκλογές του '93. Πληροφορείται πως ο Παντ. Οικονόμου τάχθηκε με δηλώσεις του υπέρ της φορολόγησης των ρέπος και των ομολόγων. Οργίστηκε. Ένα απ' τα κεντρικά σημεία της προεκλογικής εκστρατείας του ΠΑΣΟΚ ήταν πως δε θα επιβληθεί κανένας νέος φόρος. Άρχισαν συνεργάτες

του και άλλα στελέχη του ΠΑΣΟΚ να του τηλεφωνούν και να του λένε ότι «με τη δήλωσή του ο Παντελής μάς τινάζει την προεκλογική καμπάνια στον αέρα, η ΝΔ το έχει κάνει σημαία». Ακόμα και ότι κινδυνεύει το ΠΑΣΟΚ να χάσει τις εκλογές απ' αυτή τη δήλωση του είπαν.

Για τον ίδιο ήταν θέμα αξιοπιστίας του ΠΑΣΟΚ αλλά και λειτουργίας ενός στελέχους που βγαίνει αυτή την ώρα και κάνει τέτοια δήλωση. Δεν άντεξε να περιμένει μέχρι την προγραμματισμένη τηλεοπτική του συνέντευξη προκειμένου να απαντήσει. Ούτε αρκέστηκε στη σκληρή δήλωση του Γραφείου Τύπου του ΠΑΣΟΚ. Τηλεφώνησε ο ίδιος στο ραδιόφωνο του «ΣΚΑΪ» και έκανε μια α- κόμα πιο σκληρή δήλωση, με την οποία τον «άδειασε».

Το πιο πιθανό είναι ότι ο Παντ. Οικονόμου δεν εξελέγη βουλευτής στις εκλογές του 1993, γιατί «πλήρωσε» τη δήλωση αυτή και τα όσα ακολούθησαν. Αλλά ο Ανδρέας εξεπλάγη, όταν λίγο καιρό μετά τις εκλογές έμαθε ότι σε άλλη συνέντευξή του ο Παντελής επέμενε πως η προεκλογική του δήλωση ήταν σωστή και θα δικαιωθεί.

«Είναι φοβερός», είπε χαμογελώντας...

Και σε λίγες μέρες, όταν πήραμε πρόσκληση απ' τον Παντ. Οικονόμου για να φάμε μαζί, τη δέχτηκε.

Δεν έπαψε στιγμή να εκτιμάει τις ικανότητές του, παρά τα λίγα επεισόδια που τον στενοχωρούσαν και έκαναν τη σχέση τους να περνάει διακυμάνσεις. Θεωρούσε την πολιτική του ανάλυση «δυνατή» και εκτός αυτού πίστευε πως η οποιαδήποτε «αιρετική» του άποψη δεν εντασσόταν σε κάποιο πολιτικό παιχνίδι υπονόμευσής του. «Έχει την αυτονομία του ο Παντελής», συνήθιζε να λέει. Θυμόταν χαρακτηριστικά πως μετά την εκλογική αποτυχία του 1990 ο Παντ. Οικονόμου, μόνο αυτός, παραιτήθηκε απ' το ΕΓ αναλαμβάνοντας το μέρος της ευθύνης που του αναλογούσε. «Στενοχωρήθηκα και θύμωσα με την ενέργειά του», έλεγε. Αλλά συνέχιζε: «Μετά σκέφτηκα και την πολιτική ευθιξία που έδειξε, έστω υπερβολική και άκαιρη».

Δεν μπορώ να πω πως είχε πολλούς φίλους μέσα στο ΠΑΣΟΚ μεταξύ των ηγετικών στελεχών. Αντίθετα, ήταν αρκετοί εκείνοι που «έβαζαν λόγια» στον Ανδρέα εναντίον του. Αυτό άλλωστε ήταν ένα «ευγενές σπορ» μεταξύ κάποιων στελεχών, να καταφέρονται δηλαδή όχι ιδιαίτερα κολακευτικά εναντίον συντρόφων τους, όταν μιλούσαν με τον Ανδρέα. Ορισμένες φορές δε του έστελναν και επιστολές ανάλογου περιεχομένου.

Οφείλω να διευκρινίσω πως αυτή η τάση δε διέκρινε ποτέ τον Παντ. Οικονόμου και ήταν ένα επιπλέον που του αναγνώριζε ο πρόεδρος. Αναγνώριζε επίσης ο Ανδρέας την ευθύτητά του, το θάρρος που είχε να λέει ανοιχτά τη γνώμη του χωρίς να κολακεύει, να επιδιώκει να «χαϊδεύει αφτιά» και αδιαφορώντας αν θα είναι αρεστός ή όχι.

Θεωρούσε χρήσιμη την παρουσία του στο ΕΓ. Πίστευε πως έχει να προσφέρει σ' αυτό το όργανο, ότι έχει απόψεις να καταθέσει. Και χάρηκε για την εκλογή του στο Εκτελεστικό το Νοέμβριο του '95.

Το τελευταίο διάστημα συνήθιζε να λέει πως «ο Παντελής έχει τις ικανότητες να διαδραματίσει σημαντικό, κεντρικό ρόλο στο μέλλον».

Βαγγέλης Βενιζέλος
Ήταν αρκετοί οι σύντροφοί του που ποτέ δεν του συγχώρησαν ότι «αυτός που το '88 και το '89 στριμωχνόταν έξω απ' το ξενοδοχείο όπου έμενε ο πρόεδρος στη Θεσσαλονίκη, για να τον δει, σήμερα είναι στο περιβάλλον του και θέλει να κυβερνήσει και τη χώρα, αυτός που μέχρι το '89 δεν υπήρξε ποτέ ΠΑΣΟΚ».

Δανείστηκα τα λόγια ενός εκ των επωνύμων για να αποτυπώσω το κλίμα που επικρατούσε σε βάρος του Β. Βενιζέλου από όσους (και ήταν πολλοί...) δυσφορούσαν με την ταχύτατη ανέλιξή του και τον κατηγορούσαν πως «βιάζεται πολύ», πολύ περισσότερο μάλιστα που δε διέθετε κομματικά «ένσημα».

Ο ίδιος βέβαια ο Βενιζέλος απαντούσε στους επικριτές του πως «ναι, εγώ το '89 ήρθα στο ΠΑΣΟΚ», θέλοντας ακριβώς να δείξει πως ήρθε σε μια εποχή δύσκολη, που το ΠΑΣΟΚ ήταν στα κάτω του και η προσχώρηση ενός επωνύμου θεωρούνταν σημαντική επιτυχία.

Είναι αλήθεια πως η αξιοποίηση των αναμφισβήτητα μεγάλων προσόντων και ικανοτήτων του απ' τον Ανδρέα, το γρήγορο ανέβασμά του στην κυβερνητική και κομματική ιεραρχία, το πολιτικό εκτόπισμα που διαθέτει, όλα αυτά συνετέλεσαν ώστε να αποκτήσει σύντομα αντιπάλους και επικριτές, που έβλεπαν στο πρόσωπό του έναν επικίνδυνο ανταγωνιστή.

Ενδεικτικό του κλίματος που ορισμένοι προσπαθούσαν να διαμορφώσουν στον Ανδρέα σε βάρος του Β. Βενιζέλου είναι το απόσπασμα επιστολής που του απέστειλε γνωστό στέλεχος του ΠΑΣΟΚ στις 22-1-1995:

> Δεκάξι μήνες τώρα ως κυβέρνηση καταφέραμε όχι απλώς να μη βρούμε ένα modus vivendi με τα ΜΜΕ, αλλά αντιθέτως να δημιουργήσουμε ένα θηριώδη εκπρόσωπο με ιδιοκατακτημένες (μη παραχωρηθείσες από εσάς) υπερεξουσίες, με υπέρμετρη προβολή και εξώφθαλμες φιλοδοξίες...
>
> Για πρώτη φορά στα μεταπολιτευτικά χρονικά ο εκπρόσωπος μετεβλήθη σε υπερυπουργό, που τολμά μάλιστα να προφητεύει (όχι να ερμηνεύει) τα σχέδια του πρωθυπουργού...
>
> Πάντα πίστευα ότι στη θέση του εκπροσώπου της κυβέρνησης ή του πρωθυπουργού ή και στις δύο πρέπει να τοποθετείται άνθρωπος που δεν τρέφει ίδιες πολιτικές φιλοδοξίες. Πόσο μάλλον που στην περίπτωση του Β. Βενιζέλου συναντούμε κάποιον που θεωρεί αυτονόητο ότι θα κυβερνήσει τη χώρα. Ίσως μάλιστα να μην μπορεί να εξηγήσει γιατί αυτό δεν έχει ήδη συμβεί...

Πέρα απ' τις «ανησυχίες» και τις «υποδείξεις» ορισμένων συντρόφων του, ο Β. Βενιζέλος δεν έκρυψε πράγματι ποτέ τις πολιτικές του φιλοδοξίες. Ο Ανδρέας, σε συζητήσεις που έκανε, έλεγε πως «άγχεται και βιάζεται» και θεωρούσε πως ήταν «άκαιρη» η εκδήλωση αυτών των φιλοδοξιών, τις οποίες πάντως χαρακτήριζε «θεμιτές», αφού του αναγνώριζε εξαιρετικές ικανότητες, ευφυΐα και άριστο χειρισμό του λόγου. Ιδιαίτερα το τελευταίο έλεγε ότι «ελάχιστοι το διαθέτουν» σαν τον Βενιζέλο.

Τον θεωρούσε πολύ πετυχημένο κυβερνητικό εκπρόσωπο, απ'

τους καλύτερους που πέρασαν απ' τη Ζαλοκώστα, αν και δεν ήταν η πρώτη του επιλογή γι' αυτή τη θέση (είχαν προηγηθεί προτάσεις του στους Λ. Καραπαναγιώτη και Γ. Ρωμαίο).

Ωστόσο στη σύνταξη του νομοσχεδίου για τα ΜΜΕ είχαν ορισμένες διαφωνίες, είχαν ανταλλάξει μάλιστα εκείνη την περίοδο και επιστολές με «διάλογο» για το περιεχόμενο του νομοσχεδίου. Ο Ανδρέας, εκτός απ' την εξαιρετική εκτίμηση προς τις ικανότητές του, δεν ξεχνούσε ποτέ ότι πράγματι ο Β. Βενιζέλος ήρθε κοντά στον ίδιο και το ΠΑΣΟΚ στην πιο δύσκολη περίοδο, τότε που είχαν ανάγκη στήριξης και ο Ανδρέας «μέτραγε τους φίλους του».

Τον στήριξε με τον καλύτερο δυνατό τρόπο και πολιτικά και προσφέροντας τις νομικές γνώσεις του, αν και είχαν διαφωνήσει στο θέμα του ορισμού συνηγόρων στο Ειδικό Δικαστήριο (ο Βενιζέλος είχε την άποψη ότι ήταν απαραίτητη η παρουσία συνηγόρων).

Εκείνη την περίοδο ο ελληνικός λαός έβλεπε –και γνώριζε– για πρώτη φορά στις τηλεοπτικές «μονομαχίες» ένα πολυβόλο-υποστηρικτή του Ανδρέα, ένα στέλεχος που ήταν αποκάλυψη για την ετοιμότητα, την άριστη χρήση του λόγου, την καταλυτική παράθεση επιχειρημάτων.

Έγινε σύντομα ένας απ' τους στενούς συνεργάτες του. Την τοποθέτησή του στην κυβέρνηση την είχε αποφασίσει πριν από τις εκλογές. Ορισμένες φορές τού έκανε κριτική για «οίηση» και «πολυπραγμοσύνη». Πίστευε πως επειδή διέθετε αναμφισβήτητες ικανότητες και γνώσεις που δεν περιορίζονταν σε ορισμένα μόνο αντικείμενα, μιλούσε επί παντός επιστητού. Είχε καθιερώσει ένα νέο στιλ κυβερνητικού εκπροσώπου, που διεύρυνε το επίπεδο της ενημέρωσης των πολιτικών συντακτών. Αλλά αρκετοί υπουργοί παραπονιόνταν ότι τους «καπέλωνε», ότι «έμπαινε στα χωράφια τους».

Περισσότερα ήταν τα παράπονα απ' το υπουργείο Εξωτερικών. Μάλιστα κάποια περίοδο δημιουργήθηκε η αίσθηση πως ο Β. Βενιζέλος είχε βλέψεις ή επιθυμίες για το υπουργείο αυτό. Ο Ανδρέας όμως του αναγνώριζε το θετικό τρόπο με τον οποίο εμφάνιζε την εικόνα της κυβέρνησης και αντιμετώπιζε τους δημοσιογράφους.

Παρά την κριτική που του ασκούσε για «βιασύνη», τον είχα ακούσει ωστόσο να λέει πως «είναι ικανότατος, θα έπρεπε να τον είχα γνωρίσει νωρίτερα».

Στέφανος Τζουμάκας

Αν για τον Θ. Πάγκαλο ο Ανδρέας έλεγε πως μπορεί να αλλάξει γνώμη απ' τη μια μέρα στην άλλη, για τον Στ. Τζουμάκα πίστευε ότι «η γνώμη του για κάποιο θέμα εξαρτάται απ' το πρόσωπο που συναντάει».

Συχνά μιλώντας με συνεργάτες του έλεγε πως «τον Στέφανο τον έχω βοηθήσει αρκετά, όπως και πολλούς αυτής της γενιάς, αλλά δεν έχει πετύχει να κερδίσει την εμπιστοσύνη μου».

Πράγματι υπήρχε μια κρίση εμπιστοσύνης στη σχέση τους. Πολλές φορές ο Ανδρέας μάθαινε πως ο Στ. Τζουμάκας εκφράζεται εναντίον του με τα χειρότερα λόγια. Μόλις τον συναντούσε και μιλούσαν, προέκυπτε φανατικός υποστηρικτής του. «Δεν είναι δυνατό», μονολογούσε...

Αν και η συνεργασία τους χρονολογούνταν απ' την εποχή της ίδρυσης του ΠΑΣΟΚ, δεν ένιωθε μαζί του τόσο δεμένος όσο με τον Κ. Λαλιώτη και τον Χρ. Παπουτσή. Αυτή η έλλειψη σταθερότητας στις θέσεις του, που του καταλόγιζε, τον ενοχλούσε και τον επηρέαζε απέναντί του.

Θυμάμαι πάντως μια φορά που είχαν συναντηθεί και συζήτησαν για αρκετή ώρα, ο Ανδρέας ήταν πολύ ευχαριστημένος από εκείνη ειδικά τη συνάντηση. Ήταν εφ' όλης της ύλης η συζήτηση που έκαναν και ο πρόεδρος μου είπε μετά: «Έτσι τον θέλω πάντα τον Στέφανο, αλλά...»

Τον ενοχλούσε επίσης ο τρόπος που εκφραζόταν για στελέχη με ιστορία και αγωνιστική προσφορά. Έλεγε πως «έχει την τάση να διαχωρίζει τα στελέχη ανάλογα με την ηλικία τους, αλλά η νοοτροπία δε συνδέεται με την ηλικία»...

Τον είχε πειράξει πολύ μια επιστολή που του έστειλε λίγο πριν από το «Πεντελικό». Εκεί του υποδείκνυε *να μην προτείνει για το νέο ΕΓ τη Μελίνα και τον Γ. Χαραλαμπόπουλο ως «μη μάχιμους».* Αυτός ο χαρακτηρισμός τον ενόχλησε, αν και με τη Μελίνα ήταν ιδιαίτερα πικραμένος εκείνη την εποχή.

Δεν κατανόησε επίσης ποτέ το μένος που εξέφραζε ο Στ. Τζουμάκας κατά του Δημ. Τσοβόλα, του οποίου την παρουσία και αγωνιστική προσφορά ο Ανδρέας πάντα σεβόταν. Στην ίδια επιστολή τού έγραφε *να αγνοήσει και τον Τσοβόλα, γιατί «με τα μικροαρχηγικά καμώματά του παράγει γέλιο μεταξύ των στελεχών».* Ο Ανδρέας σχολίασε:

«Πώς εκφράζεται έτσι για ένα στέλεχος που διώκεται πολιτικά και σε λίγο πρόκειται να υποστεί τη δοκιμασία του Ειδικού Δικαστηρίου...»

Του πρότεινε ακόμα να μην περιλάβει στην πρότασή του για το Εκτελεστικό τους *Πάγκαλο* και *Αυγερινό,* τους οποίους χαρακτήριζε ότι «εξέφραζαν τον εκφυλισμό της πολιτικής γραφειοκρατίας που δε ζητά ιδεολογία, πολιτικές θέσεις, αλλά αξιώματα».

Παρά τις πικρίες πάντως που του είχε προκαλέσει, ο Ανδρέας τού συγχωρούσε πολλά, γιατί πάντα σεβόταν και εκτιμούσε την αγωνιστική του παρουσία στο αντιδικτατορικό φοιτητικό κίνημα. Τους αγωνιστές εκείνης της εποχής τούς εκτιμούσε και τους τιμούσε. Προσέβλεπε σ' αυτούς με αγάπη, ως τη γενιά των στελεχών που θα πάρει τη σκυτάλη απ' τους παλιότερους.

Γι' αυτό είχε και ιδιαίτερες απαιτήσεις απ' αυτή τη γενιά, γι' αυτό και πικραινόταν όσες φορές διαπίστωνε πως κινδύνευε, απ' τις αδυναμίες της, να γίνει φορέας «αμαρτημάτων» των παλιότερων. Τότε την έκρινε αυστηρά. Αλλά αυτό που πάντοτε κυριαρχούσε και έμενε και καθόριζε τελικά τη σχέση ήταν η αγάπη, η πατρική αγάπη...

Γιώργος Παπανδρέου
Ο Ανδρέας αγαπούσε βαθιά τα παιδιά του και θλιβόταν πολύ κάθε φορά που άκουγε, μάθαινε ή διάβαζε σενάρια που τον έδειχναν άστοργο. Πίστευε ότι ως πατέρας τούς είχε προσφέρει πολλά, αλλά αυτό το θεωρούσε αυτονόητο καθήκον του.

Το θέμα για μένα είναι λεπτό και εύκολα προσφέρεται για εκμετάλλευση ή προς άγραν εντυπώσεων. Μπορεί άνετα να παρεξηγηθεί και να θεωρηθεί υποκειμενικό ό,τι καταθέσω, γιατί ήταν φυσικό και ανθρώπινο τα παιδιά του Ανδρέα να μην αισθάνονται απέναντί μου ό,τι καλύτερο. Αυτό το κατανοώ απόλυτα και το θεωρώ μια ανθρώπινη αντίδραση, εν πολλοίς δικαιολογημένη. Θα περιοριστώ λοιπόν –και ζητάω την κατανόηση του αναγνώστη γι' αυτή την ελλειπτική αναφορά– στην πολιτική σχέση του Γ. Παπανδρέου με τον πατέρα του. Βεβαίως ούτε αυτή η σχέση μπορούσε να είναι αποφορτισμένη και ανεπηρέαστη απ' τη σχέση πατέρα - γιου. Ο Ανδρέας αγαπούσε φυσικά τον Γιώργο και επιθυμούσε να τον δει να προοδεύει, να ανεβαίνει διαρκώς ψηλότερα. Τον βοήθησε στην πολιτική του ανέλιξη, είχε πάντα ευαισθησία στα αιτήματά του, αλλά είχε και μια άλλη ευαισθησία: δεν ήθελε να ξεπεράσει ένα ορισμένο όριο, να προκαλέσει, να κατηγορηθεί για ευνοιοκρατική συμπεριφορά απέναντι στο γιο του. Πίστευε άλλωστε ότι κάτι τέτοιο θα έκανε κακό και στον ίδιο τον Γιώργο και στην πολιτική του πορεία.

Αυτό δε σημαίνει πως δεν έκανε ό,τι μπορούσε γι' αυτόν. Αλλά είχε πάντα αίσθηση του ορίου. Και σ' αυτό είναι χαρακτηριστικός ο τρόπος που αντιμετώπισε το επίμονο αίτημα να τοποθετήσει τον Γιώργο στη θέση του επιτρόπου στην ΕΕ, το 1994. Επιθυμούσε να τον βλέπει να ανεβαίνει έχοντας αποκτήσει δικά του φτερά, απαλλαγμένο, όσο αυτό ήταν δυνατό, απ' την εξάρτηση στον πατέρα.

Αλλά στενοχωριόταν και πικραινόταν όταν ο Γιώργος ήταν αυτός που του ζητούσε να αποσυρθεί απ' την πολιτική, όπως συνέβη το 1989. Ήταν γι' αυτόν μεγαλύτερο το χτύπημα όταν του το ζητούσε ο γιος του.

Νομίζω πως ακριβώς για να προστατέψει τη σχέση τους αρνήθηκε κάθε συζήτηση μαζί του στο Ωνάσειο για την παραίτησή του.

Για τον ίδιο λόγο πιστεύω πως απέφυγε και μετά την έξοδό του απ' το Ωνάσειο να συζητήσει μαζί του πολιτικά. Δεν ήταν ευχαριστημένος απ' τη στάση του μετά την εκλογή του νέου πρωθυπουργού. Επιπλέον είχε πληροφορηθεί πως ο Γιώργος ήθελε να

τον αποτρέψει απ' το να πάει στο Συνέδριο και επιθυμούσε να α-
ποφύγει τη συζήτηση μαζί του γι' αυτό το ζήτημα. Είχε μαζί του
και πολιτικές διαφωνίες, ιδιαίτερα σε ό,τι αφορά χειρισμούς στα
εθνικά θέματα.

Απ' την άλλη μεριά εκτιμούσε το γεγονός ότι ο Γιώργος είχε ο-
ράματα και πάλευε για να τα υλοποιήσει σε τομείς όπως η παι-
δεία και η νέα γενιά. Έλεγε μάλιστα συγκινημένος ότι συνεχίζει
την παράδοση των Παπανδρέου στον έρωτά τους για την παιδεία
και ότι ιδιαίτερα σ' αυτό έχει μοιάσει του παππού του.

Του άρεσε που ο Γιώργος είναι ήρεμος, διαλλακτικός, χαμηλών
τόνων και έλεγε πως μ' αυτό το προφίλ εγκαινιάζει μια νέα εικόνα
της οικογένειας Παπανδρέου, αφού τόσο ο Ανδρέας όσο και ο πα-
τέρας του ήταν πιο «εκρηκτικοί». Αλλά τον ήθελε περισσότερο ρι-
ζοσπαστικό και «μπαλκονάτο» και λιγότερο «συναινετικό». Θεω-
ρούσε πως σε ορισμένες περιπτώσεις πρέπει να τολμά ρήξεις.

Το «άκουσες τα νέα, πατέρα» στην κηδεία του Ανδρέα, ένας
σπαρακτικός αποχαιρετισμός του γιου στον πατέρα, συγκλόνισε.

Λίγες μέρες αργότερα, στο Συνέδριο, έκανε την επιλογή του,
τη δική του επιλογή. Δεν ξέρω αν ο πατέρας του θα χαιρόταν. Το λέω
αυτό γιατί, απ' όσο ξέρω, δεν ήθελε το πέταγμα να είναι «σε άλ-
λους κόσμους». Αλλά είπαμε, ήταν η δική του επιλογή και τη σέ-
βομαι.

Σε ό,τι με αφορά, οφείλω να αναγνωρίσω στον Γιώργο μια συ-
μπεριφορά απέναντί μου που δείχνει ότι σέβεται την επιλογή του
πατέρα του, τουλάχιστον περισσότερο συγκριτικά με άλλους. Έ-
χει μια ανθρωπιά και μια κατανόηση, στο βαθμό που μπορεί, που
άλλοι δεν έχουν επιδείξει, και μια λεπτότητα, την οποία οφείλω
να καταθέσω.

Νίκος Αθανασάκης
Σε ελάχιστους αναγνώριζε την εχεμύθεια που διέκρινε στον Ν. Α-
θανασάκη. Στέλεχος που λόγω των καθηκόντων που είχε ήταν συ-
χνά μαζί του, είχε ζήσει καταστάσεις και γεγονότα, αλλά ποτέ δεν
ήταν πηγή διαρροής για τα ΜΜΕ.

Μάλιστα ήταν τέτοιος ο «επαγγελματισμός» που τον διέκρινε σ' αυτά τα θέματα, ώστε, το βράδυ που ο Ανδρέας έφυγε, μια απ' τις πρώτες κινήσεις που έκανε ήταν να πει στην Ιωάννα να σβήσει απ' το κομπιούτερ το μήνυμα προς το Συνέδριο. Ακόμα και κείνες τις στιγμές σκέφτηκε να κλείσει κάθε οδό διαρροής...

Τα τελευταία χρόνια ήταν αρκετά κοντά στον πρόεδρο, ήταν αυτός που έκανε το «σκελετό» των ανακοινώσεων του Γραφείου Τύπου αλλά και προσωπικών ανακοινώσεων του Ανδρέα, πριν πάρουν την τελική τους μορφή.

Τον χαρακτήριζε «πολύ μεθοδικό και εργατικό», συνήθως ψύχραιμο και στέλεχος που «έχει πάντα μια λογική ισορροπιών».

Και όμως οι σχέσεις τους είχαν περάσει διακυμάνσεις. Μετά το «Πεντελικό» ήθελε να τον απομακρύνει απ' το Γραφείο Τύπου, γιατί τότε είχε στηρίξει τις επιλογές του Κ. Λαλιώτη, στου οποίου την επιρροή πίστευε πάντα ότι ανήκε. Χρειάστηκε να τον συναντήσει ο Ν. Αθανασάκης, να του δώσει εξηγήσεις για τη στάση του και να τον πείσει τελικά να παραμείνει στη θέση του.

Είχε δυσαρεστηθεί επίσης με τον τρόπο που χειρίστηκε, ως γραμματέας της Επιτροπής Δεοντολογίας, την υπόθεση των παραπομπών της Β. Παπανδρέου και του Θ. Πάγκαλου.

Αλλά τον αγαπούσε ο Ανδρέας τον «αρκούδο», όπως τον αποκαλούν χαϊδευτικά στο ΠΑΣΟΚ. Εκτός της εχεμύθειας και της εργατικότητάς του, εκτιμούσε και την «ικανότητα πειθούς» που διαθέτει ο Νίκος και μάλιστα με μια επιχειρηματολογία που περιλαμβάνει και ένα ιδιόμορφο χιούμορ.

Το καλοκαίρι του '90 ήταν αυτός που, μαζί με τον Τηλ. Χυτήρη και στη συνέχεια τον Κ. Λαλιώτη, συνετέλεσε τα μέγιστα στο να μη διαγραφεί ο σημερινός πρωθυπουργός.

Ο Ανδρέας πίστευε πως μαζί με τον Τηλ. Χυτήρη συνθέτουν ένα ικανό δίδυμο στο χώρο της ενημέρωσης, ότι είχαν «δέσει» και λειτουργούσαν θαυμάσια, συμπληρωματικά ο ένας προς τον άλλο.

Κατά μια ιστορική σύμπτωση ο Ν. Αθανασάκης συνδέθηκε άμεσα με δύο κείμενα του Ανδρέα απ' τα πιο σημαντικά, κορυφαία όσον αφορά την ιστορία.

Εκτός απ' το μήνυμα προς το Συνέδριο, το οποίο δεν είχε πάρει την τελική του μορφή όταν ο Ανδρέας έφυγε, ο Νίκος ήταν αυτός που συνέταξε το «σκελετό» για τη δήλωση παραίτησης τον Ιανουάριο του 1996. Ένα κείμενο παραίτησης που τη λέξη «παραίτηση» δεν την περιείχε.

Αυτή η ωραία σχέση, που είχε διαμορφωθεί για χρόνια μεταξύ τους, διατηρήθηκε ως το τέλος, αν και ο Ανδρέας δεν ήταν ευτυχής που ο Ν. Αθανασάκης δέχτηκε να είναι γενικός γραμματέας Τύπου στην κυβέρνηση του Κ. Σημίτη...

Τηλέμαχος Χυτήρης
Βρέθηκε με τον Ανδρέα σε μια απ' τις κρίσιμες στιγμές της ζωής του, στο Χέρφιλντ. Η μοίρα έγραψε πως ο Τηλ. Χυτήρης ήταν αυτός που του έκλεισε τα μάτια, όταν έφυγε.

Απ' το Χέρφιλντ μέχρι το χάραμα της 23ης Ιουνίου του 1996 ήταν μαζί. Είχε το «προνόμιο» ο Τηλέμαχος να είναι τα τελευταία χρόνια ένας απ' τους λίγους με τους οποίους ο Ανδρέας μοιραζόταν τις σκέψεις του. Να είναι κοντά του σε καλές και άσχημες ώρες, να ζει τις χαρές και τις πίκρες του. Αλλά και να γνωρίσει ένα μεγάλο ηγέτη και άνθρωπο.

Η ηρεμία και η γλυκύτητά του άρεσαν στον Ανδρέα. Ο ίδιος ο Τηλέμαχος έλεγε πως «εγώ έγινα πολιτικός απ' τον πρόεδρο». Αλλά ο πρόεδρος δεν είχε τύψεις που τον «έκλεψε» απ' την ποίηση, γιατί στο πρόσωπό του βρήκε έναν καλό συνεργάτη.

Όχι πως ήταν πάντα ανέφελη η σχέση τους. Δύο τουλάχιστον φορές, η μία ήταν μετά το «Πεντελικό», χρειάστηκε να παρέμβει ο Αντ. Λιβάνης για να τον κρατήσει κοντά του ο Ανδρέας.

Αλλά δε νομίζω πως το μετάνιωσε. Παρά τις στιγμές «έκρηξης» που υπήρχαν, εκτιμούσε τις ικανότητές του. Πίστευε πως με την ηρεμία του, το νηφάλιο χαρακτήρα του, είχε διαμορφώσει ένα καλό κλίμα και σχέσεις εμπιστοσύνης με τους δημοσιογράφους, αν και δεν ήταν επαγγελματίας πολιτικός. Οι «διπλωματικοί» χειρισμοί του σε λεπτά θέματα απέτρεπαν παρεξηγήσεις και παρενέργειες και αυτό του το αναγνώριζε.

Ο Τηλέμαχος είχε ένα μόνιμο άγχος, απ' το οποίο καθορίζονταν σε μεγάλο βαθμό οι θέσεις που έπαιρνε: να μην περάσει προς τα έξω αρνητική εικόνα, να μην υπάρξουν αντιδράσεις, να μην προκληθούν κλυδωνισμοί. Αυτό δεν άρεσε πάντα στον Ανδρέα, έναν πολιτικό των ρήξεων και των ανατροπών, και ορισμένες φορές δημιουργούνταν μια πρόσκαιρη ψυχρότητα ανάμεσά τους. Αλλά μόνο πρόσκαιρη, γιατί σύντομα οι καλές σχέσεις και η καλή συνεργασία επανέρχονταν. Τότε γινόταν ξανά ο στενός συνεργάτης. Θυμάμαι χαρακτηριστικά ότι στον τελευταίο ανασχηματισμό που έκανε ο Ανδρέας ο Τηλέμαχος είχε σχεδόν «κλειστεί» για δυο μέρες στην Εκάλη και ήταν μαζί του συνέχεια, μέχρι που ανακοινώθηκε η νέα κυβέρνηση.

Στις πρώτες μέρες του Ωνασείου ο Τηλ. Χυτήρης υπέφερε τα πάνδεινα από ορισμένα ΜΜΕ, γιατί ως κυβερνητικός εκπρόσωπος «τόλμησε» να πει το αυτονόητο: ότι δηλαδή είναι συνταγματική ε-κτροπή η αντικατάσταση του πρωθυπουργού, αν δεν παραιτηθεί οικειοθελώς.

Παρακολουθούσε με θλίψη την πορεία του προέδρου, τη μεγάλη μάχη που έδινε, το παρασκήνιο για την αντικατάστασή του, που δε διακρινόταν πάντα από ανθρωπιά.

Έμεινε κοντά του σε όλες τις δύσκολες ώρες, στη συγκλονιστική στιγμή της παραίτησης. Ήταν κοντά και μετά, όταν άρχισε η εγκατάλειψη, όταν οι επισκέψεις αραίωσαν. Ήταν κοντά και μετά το Ωνάσειο, στη βασανιστική πορεία που τέρμα της είχε το θάνατο. Ήταν και τότε, εκείνη τη στιγμή, δίπλα του, είχε το θλιβερό «προνόμιο» να του κλείσει τα μάτια.

Αλλά είχε και το προνόμιο να πιστεύει γι' αυτόν ο πρόεδρός του:

«Ο Τηλέμαχος, το ξέρω, δε θα εγκαταλείψει ούτε θα προδώσει ποτέ τις ιδέες μου...»

Δημήτρης Κρεμαστινός
Αν στον Μ. Γιακούμπ ο Ανδρέας «ακουμπούσε» βλέποντας σ' αυτόν το σωτήρα του στη μεγάλη οριακή μάχη για τη ζωή του, στον Δημήτρη Κρεμαστινό έβλεπε τον καθημερινό του φύλακα-άγγελο.

Ο Δημήτρης Κρεμαστινός, απαντώντας στα άθλια σενάρια που κατά καιρούς έχουν δει το φως της δημοσιότητας και προσπαθούν να πείσουν πως ο Ανδρέας ήρθε πιο κοντά στο θάνατο από τούτο ή το άλλο λάθος, έχει πει μια μεγάλη αλήθεια:

«Αντί να λένε όλες αυτές τις ανευθυνότητες, γιατί και πώς ο πρόεδρος πέθανε, θα έπρεπε να αναγνωρίζουν το θαύμα πώς αυτός ο άνθρωπος με τα τόσα προβλήματα έζησε για οχτώ χρόνια μετά το Χέρφιλντ».

Εγώ βέβαια, όχι ως γιατρός αλλά ως σύντροφος που έζησε το μεγαλείο του και λάτρεψε τον άνθρωπο και ηγέτη, πιστεύω πως ο Ανδρέας έζησε γιατί τον κρατούσε ο έρωτας για τη ζωή και την πολιτική. Είχε *κίνητρα*, που του έδιναν δύναμη να παλεύει καθημερινά και να εκπλήσσει έτσι ειδήμονες και μη, φίλους και ε- χθρούς που ανέμεναν το θάνατό του, γιατί πάνω σ' αυτό το θάνα- το είχαν κάνει πολιτικές επενδύσεις.

Οφείλω όμως να αναγνωρίσω και να πω ότι νιώθω αιώνια ευ- γνωμοσύνη γι' αυτό, ότι ο *Δημ.* Κρεμαστινός και η ιατρική του ο- μάδα έδιναν πολλές μάχες για την υγεία του Ανδρέα που, εύ- θραυστη όπως ήταν, απαιτούσε συνεχή παρακολούθηση, προ- σπάθεια, φροντίδα. Και ήταν σ' όλες αυτές τις μάχες ακοίμητοι φρουροί στο πλάι του προέδρου, γιατροί, φίλοι, άνθρωποι. Πράγ- ματι πέτυχαν από ιατρικής πλευράς αυτό που σε όλους προκα- λούσε έκπληξη και φαινόταν ακατόρθωτο.

Ποιος δε θυμάται τις «προβλέψεις» ότι ο Ανδρέας μετά το Χέρ- φιλντ είχε δύο ή τρία χρόνια ζωή, ότι αποκλείεται να ζήσει πα- ραπάνω απ' το '93; Ποιος δε θυμάται τα «έγκυρα» ρεπορτάζ και σενάρια, που κάθε τόσο τον «πέθαιναν» ή τον έβγαζαν άχρηστο, τελειωμένο; Ποιος μπορεί να ξεχάσει ότι πολιτικοί αντίπαλοι αλ- λά, δυστυχώς, και λίγοι «φίλοι» και πολιτικά του παιδιά έκαναν σχεδόν καθημερινά ιατρικό ρεπορτάζ για την υγεία του, προκει- μένου να σχεδιάσουν τις πολιτικές τους κινήσεις;

Εγώ, που έζησα από πολύ κοντά την καθημερινή φροντίδα αυ- τών των ανθρώπων και κόντεψα να... ειδικευτώ στην ιατρική, έ- βλεπα την αγάπη πρώτα με την οποία αντιμετώπιζαν τον Ανδρέα και ύστερα την ευσυνειδησία τους.

Ιδιαίτερα με τον Δημήτρη αλλά και με τον Αίαντα Αντωνιάδη είχα το... καθημερινό φροντιστήριο: τόσες θερμίδες πρέπει να πάρει, αυτό το φάρμακο να του δώσω αν ανέβει πυρετός, εκείνες τις αντιδράσεις του να παρακολουθήσω. Δεν ξέρω αν όλοι αυτοί που με τόση ευκολία με κατηγορούν γνωρίζουν πόσες νύχτες πέρασα ξάγρυπνη μετρώντας κάθε τόσο τον πυρετό του, γιατί έτσι μου είχε πει ο Κρεμαστινός. Ασφαλώς και έκανα αυτό που μου υπαγόρευε η αγάπη μου και δε ζητάω κανένα μπράβο, αλλά ως άνθρωπος πικραίνομαι με την αχαριστία και την έλλειψη μνήμης ορισμένων ή την επιλεκτική μνήμη κάποιων άλλων...

Ο Δημ. Κρεμαστινός ήταν αυτός που έσωσε τον Ανδρέα, με τη σωστή διάγνωση στο Γενικό Κρατικό, τον Αύγουστο του 1988. Έκτοτε ήταν μαζί του σε όλες τις μάχες που έδινε, απ' το Χέρφιλντ μέχρι το Ωνάσειο, ως την τελευταία νύχτα. Στην αρχή ήταν ο έμπιστος γιατρός, μετά έγινε φίλος. Και αυτή η φιλία διατηρήθηκε για πάντα.

Είχε μια εκπληκτική πίστη στις δυνατότητες του Ανδρέα να δίνει και να κερδίζει μάχες, μια πίστη που δεν τον εγκατέλειψε ποτέ. Ίσως η στενή σχέση που είχαν τον έκανε να δει, να γνωρίσει από κοντά τις αστείρευτες δυνάμεις που είχε ο πρόεδρος, τη διάθεσή του για ζωή. Ακόμα και στις κρίσιμες ώρες του Ωνασείου ο Δημήτρης, όταν άλλοι είχαν απελπιστεί, πάντα άφηνε χαραμάδα ελπίδας και πίστευε ότι δεν έχουν εξαντληθεί όλα τα περιθώρια. Έδινε στους άλλους την αίσθηση πως έχει μείνει απ' τους λίγους να αντιμάχεται ακόμα και τη λογική.

Γνώριζε τον Ανδρέα και πίστευε πως δεν έχει πει την τελευταία του λέξη. Ήξερε πως σαν καλός τιμονιέρης ο πρόεδρος θα οδηγήσει τελικά τη βάρκα ξανά στην όχθη της ζωής.

Ήξερε και κάτι άλλο ο Δημήτρης: ότι ο Ανδρέας ζούσε για την πολιτική, ότι θα πέθαινε πολιτικός και πρωταγωνιστής. Γι' αυτό σε πολλές περιπτώσεις άφηνε την τελευταία λέξη σ' αυτόν, γιατί γνώριζε ότι, αν ιατρικά τού στερούσε την πολιτική παρουσία και δράση, τότε ήταν πιθανό να «εγκατέλειπε» και να έφευγε κόντρα σε κάθε ιατρική διάγνωση.

Στο Ωνάσειο πάλεψε ανάμεσα στο γιατρό που γνώριζε όσο λίγοι τον Ανδρέα και στον πολιτικό που δεχόταν καθημερινά αφόρητες, απίστευτες πιέσεις για να γνωματεύσει πως ο πρόεδρος είχε τελειώσει πολιτικά. Αλλά ήξερε πως, αν έκανε τέτοια γνωμάτευση, την ίδια στιγμή θα τον τελείωνε βιολογικά. Μόνο εγώ γνωρίζω τις μυλόπετρες που καθημερινά άλεθαν, τις Συμπληγάδες που καθημερινά προσπαθούσε να περάσει.

Άφησε στον Ανδρέα την τελευταία λέξη, άλλωστε ήταν σίγουρος πως θα ήταν λέξη ιστορικής ευθύνης και μόνο.

Έτσι λειτούργησε και μετά το Ωνάσειο, όταν το θέμα ήταν η παρουσία του Ανδρέα στο Συνέδριο. Ιατρικά επισήμαινε τους κινδύνους που θα είχε αυτή η παρουσία του στο χώρο του Συνεδρίου. Αλλά έβλεπε καθημερινά τη μεγάλη του θέληση, τη μεγάλη του επιθυμία να είναι παρών στο Συνέδριο του κόμματός του, έβλεπε τη μάχη που έδινε για να είναι έτοιμος, έβλεπε πως για τον Ανδρέα το Συνέδριο ήταν ένα *κίνητρο ζωής. Δεν μπορούσε σε καμιά περίπτωση να του στερήσει αυτή την προοπτική.* Γι' αυτό και έλεγε πως «η τελευταία λέξη, η τελική απόφαση ανήκει στον πρόεδρο».

Μόνο που αυτή τη φορά η τελευταία λέξη του Ανδρέα ήταν ο αποχαιρετισμός...

Όταν ο Δημ. Κρεμαστινός βολιδοσκόπησε, μέσω του Θ. Λιβάνη, τις προθέσεις του Ανδρέα να τον κάνει υπουργό, δεν του είπε όχι. Είχε βέβαια τις επιφυλάξεις του αν ο προσωπικός του γιατρός πρέπει να είναι και υπουργός Υγείας, το σκέφτηκε, προβληματίστηκε, αλλά στο τέλος αποφάσισε να τον τοποθετήσει σ' αυτή τη θέση.

Ο Θ. Λιβάνης μαζί με τον Αίαντα Αντωνιάδη και τον Στ. Ηλιοδρομίτη ήταν οι συνεργάτες του Δημ. Κρεμαστινού, που παρακολουθούσαν μαζί του την πορεία της υγείας του Ανδρέα. Τους αγαπούσε όλους, είχε δεθεί μαζί τους, χαιρόταν τη συντροφιά αυτών των νέων παιδιών και επιστημόνων. Τους είχε κάνει φίλους. Πολλές φορές στα ταξίδια που τον συνόδευαν τους καλούσε να τρώμε μαζί, συζητούσε μαζί τους διάφορα θέματα, έλεγαν αστεία, χαλάρωνε, απολάμβανε ανθρώπινες στιγμές.

Τους αγαπούσε όλους, όπως κι αυτοί τον αγαπούσαν, τον θαύμαζαν, κάπου τον έβλεπαν σαν πατέρα τους. Δεν τους ξεχώριζε. Αλλά ξέρω πως κάπου, στο βάθος της καρδιάς του, έτρεφε μια ιδιαίτερη συμπάθεια στον *Αίαντα Αντωνιάδη*, του έδειχνε μια ιδιαίτερη στοργή και *του εμπιστευόταν πιο πολλά «μικρά του μυστικά», που ποτέ δεν πρόδωσε*...

Οι ακοίμητοι «φρουροί» του

Ομολογώ πως δεν μπορώ να βρω λέξεις που να εκφράζουν την αγάπη, τη λατρεία, την πίστη και την αυτοθυσία κάποιων «παιδιών» του προς τον Ανδρέα, ούτε μπορώ να τους αναφέρω ξεχωριστά, αφού ήταν πάντα μια αγαπημένη ομάδα με έναν και μοναδικό σκοπό: την προστασία του προέδρου, του αρχηγού, του φίλου, του «πατέρα», του σύντροφου.

Ήταν αυτοί που τον λάτρεψαν με ανιδιοτέλεια, χωρίς να είναι στην πρώτη γραμμή της επικαιρότητας, δίχως να επιζητήσουν ανταλλάγματα, προβολή, αναγνώριση άλλη εκτός απ' την αγάπη του Ανδρέα.

Ήταν τα άγρυπνα μάτια γύρω του, που δεν επέτρεπαν ποτέ σε κανέναν όχι μόνο να τον αγγίξει, αλλά ούτε καν... να διανοηθεί κάτι τέτοιο. Ήταν αυτά τα παιδιά που πήγαιναν σ' όλες τις συγκεντρώσεις, μέρες πριν απ' τον Ανδρέα, για να στήσουν εξέδρα, να κολλήσουν αφίσες, να μοιράσουν υλικό, να «φτιάξουν κλίμα». Ήθελαν να τον βλέπουν ευτυχή να επικοινωνεί με το λαό. Η ανταμοιβή τους ήταν το χαμόγελο και το «ευχαριστώ» του προέδρου, όταν τον καμάρωναν να αποθεώνεται απ' τον κόσμο.

Ήταν τα παιδιά που τον ακολούθησαν παντού, απ' την Αλεξανδρούπολη ως την Κρήτη, απ' την Καβάλα ως την Καλαμάτα, απ' τη Θεσσαλονίκη μέχρι την Πάτρα, τη Λάρισα, τα Γιάννενα, το Βόλο, το Αγρίνιο, τη Χαλκίδα, τη Ρόδο, την Κοζάνη, σε κάθε άκρη της Ελλάδας.

Ήταν οι «φρουροί» του, στο Γενικό Κρατικό και στο Ωνάσειο, στις ώρες που πάλευε για τη ζωή του. Δε θυμάμαι κανέναν άλλο που να έμεινε κοντά του όλες τις ώρες, χωρίς να λείψει ούτε στιγμή στις εκατόν είκοσι τρεις μέρες και νύχτες του Ωνασείου, *εκτός* απ' τα παιδιά των κινητοποιήσεων, γιατί σ' αυτούς τους αγαπημένους του φίλους αναφέρομαι.

Ψυχή τους παλιότερα ο *Κίμων Κουλούρης*, τα τελευταία χρόνια ο *Γιώργος Παναγιωτακόπουλος*. Μαζί με τον Γιώργο, μακριά από τυπικές θέσεις που κατείχε και κοντά από αγάπη και αφοσίωση στον πρόεδρο, ο *Πέτρος Λάμπρου*, ένας άλλος αγαπημένος φίλος και εξ απορρήτων του Ανδρέα.

Ο Γιώργος κι ο Πέτρος, αχώριστο δίδυμο, με την αγάπη τους για τον Ανδρέα να τους ενώνει πάνω απ' όλα. Πιο συναισθηματικός ο Γιώργος, κι ας το κρύβει επιμελώς, πιο ανέκφραστος ο Πέτρος. Έκλαψαν όμως και οι δύο μαζί, όταν ο Ανδρέας μετά την πρώτη σοβαρή υποτροπή του στο Ωνάσειο συνήλθε και μου είπε να φωνάξω ακριβώς αυτούς, για να τους δει. Λίγες φορές στη ζωή μου έχω δει τόσο ευτυχισμένους ανθρώπους, όσο τον Γιώργο και τον Πέτρο τότε.

Ήταν, μου έλεγαν δημοσιογράφοι, το «βαρόμετρο» γι' αυτούς στο Ωνάσειο. Απ' τη ματιά που έριχναν στην έκφραση του προσώπου τους καταλάβαιναν αν ο πρόεδρος πάει καλύτερα ή αν έχει χειροτερέψει. Αυτοί ειδικά δεν μπορούσαν να υποκριθούν για κάτι που αφορούσε τον Ανδρέα.

Δεν έφυγαν ούτε στιγμή και κανόνιζαν τις βάρδιες για τα άλλα παιδιά των κινητοποιήσεων, ώστε να υπάρχει πάντα «περιφρούρηση» στον πρόεδρο. Ήταν αυτοί που έζησαν από πολύ κοντά όλες τις στιγμές της τιτάνιας μάχης του αγαπημένου τους φίλου, που έκλαψαν από λύπη όταν παραιτήθηκε, που έκλαψαν από χαρά όταν έμαθαν, πρώτοι, ότι δε θα πέθαινε.

Δε θα λησμονήσω ποτέ την αντίδραση του Γ. Παναγιωτακόπουλου όταν, ξημερώματα παραμονής Χριστουγέννων, έμαθε ότι ο Ανδρέας είχε κυριολεκτικά επιστρέψει απ' τον Αχέροντα (εκείνη η βραδιά και οι δύο προηγούμενες ήταν οι κρισιμότερες, οι γιατροί είχαν απελπιστεί και πίστεψαν πως το τέλος είναι πλέον αναπόφευκτο). Δεν μπορώ να βρω λέξεις να την περιγράψω, θυμάμαι όμως ότι μπήκε στο δωμάτιο και του είπε τα κάλαντα!

Ο Γιώργος, ο αγνός και ευαίσθητος, που με το γνωστό, τραχύ του τρόπο έλεγε: «Εγώ είμαι πρώτα με τον Ανδρέα και μετά με το

ΠΑΣΟΚ». Ο Γιώργος Παναγιωτακόπουλος, που έκανε αυτομάτως εχθρό του όποιον «τολμούσε» να στενοχωρήσει έστω τον πρόεδρο, που την Πρωτοχρονιά του '96 πήγε την οικογένειά του εκτός Αθηνών και επέστρεψε, για να υποδεχτεί το νέο χρόνο με τον Ανδρέα...

Αυτά τα συναισθήματα αγάπης και αφοσίωσης τα είχε μεταδώσει και στους στενούς συνεργάτες του, στον τομέα κινητοποιήσεων. Όλων η έκφραση αγάπης προς τον πρόεδρο ήταν ταυτόσημη. Δεν ένιωθαν κούραση, δεν είχαν δουλειά και οικογένεια, φίλους και προσωπική ζωή, όταν έπρεπε να είναι κοντά του. Αυτή την όμορφη παρέα δε θα την ξεχάσω ποτέ, τους ευγνωμονώ και θα τους αγαπώ πάντα και νιώθω σίγουρη πως ο «δικός τους Ανδρέας» από κάπου τους βλέπει με αγάπη.

Ειδικά ο Γιώργος Παναγιωτακόπουλος ήταν, κατά κάποιο τρόπο, για τον Ανδρέα ο δικός του «Μίδης». Του μετέφερε τον παλμό του λαού, τη φωνή του κόσμου, δίχως να τα περνάει μέσα από «φίλτρα» σπουδαιοφανών πολιτικών αναλύσεων ή άλλου είδους σκοπιμοτήτων. Και αυτός τον εμπιστευόταν απόλυτα, ακριβώς γι' αυτό.

Κάποτε είχε πει:

«Στη συγκέντρωση της Κοζάνης το '89, τότε που έριχνε χιονόνερο και είχε τσουχτερό κρύο και αναγκαστήκαμε και βάλαμε το προστατευτικό τζάμι γύρω απ' τον πρόεδρο, τότε που ο κόσμος παρά τις καιρικές συνθήκες έμενε εκεί ακίνητος και τον αποθέωνε και φώναζε "μαζί και στη βροχή", εκείνη τη στιγμή είχα σκεφτεί: "Αν είναι να πεθάνει ο Ανδρέας, ας πεθάνει τώρα, ένας τέτοιος θάνατος του ταιριάζει"».

Γιατί ο Γιώργος τον γνώριζε τον Ανδρέα και τον καταλάβαινε όσο λίγοι, ελάχιστοι...

Οι φίλοι και συνεργάτες του, τα παιδιά των κινητοποιήσεων, έμειναν ως το τέλος κοντά του, ήταν δίπλα του όλες τις ώρες του Ωνασείου. Ψυχή της κινητοποίησής τους ήταν βέβαια πάντα ο Γιώργος, ο Πέτρος, καθώς επίσης και ο στενός συνεργάτης του Γιώργου, ο Ανδρέας Ανδρουλιδάκης, που επίσης αγάπησε τον Ανδρέα όσο λίγοι. Ο Ανδρέας Ανδρουλιδάκης συνέχισε να είναι κοντά στον πρόεδρο και σε μένα και μετά το Ωνάσειο, τότε που πολλοί εύκολα ξέχασαν και λιθοβολούσαν...

346

Ανδρέας, ο εθνικός ηγέτης

ΛΑΤΡΕΥΤΗΚΕ ΑΠ' ΤΟΥΣ ΠΟΛΛΟΥΣ και μισήθηκε απ' τους λίγους και μικρούς ο Ανδρέας και αυτό είναι, νομίζω, το μεγαλείο των ηγετών που σμίγουν με την ιστορία, ότι έχουν φανατικούς φίλους και φανατικούς εχθρούς. Ακόμα όμως κι απ' τους εχθρούς του ένα, πιστεύω, δεν του αμφισβητήθηκε: *η διάσταση του εθνικού ηγέτη, του οποίου η εμβέλεια εκτείνεται πολύ πέραν των συνόρων, σ' όλες τις γειτονιές του κόσμου, και ταυτόχρονα ο μαχητικός και ανυποχώρητος τρόπος με τον οποίο υπερασπίστηκε παντού και πάντα τα εθνικά μας θέματα.*

Ήταν η πρώτη του ευαισθησία και η τελευταία του αγωνία πριν φύγει, μ' αυτή έφυγε.

Ήταν το θέμα στο οποίο δεν έκανε ποτέ *εκπτώσεις* και ο ρεαλισμός του δεν ξεπερνούσε ποτέ τα όρια της υπεράσπισης πάγιων θέσεων του ΠΑΣΟΚ, δε γινόταν και δε θα γινόταν ποτέ *ενδοτισμός*. Όλοι οι ξένοι ηγέτες γνώριζαν πως στο πρόσωπο του Ανδρέα είχαν ένα σκληρό και ανυποχώρητο διαπραγματευτή για τα εθνικά δίκαια της χώρας του. Και όσο και αν αυτό τους ενοχλούσε, τον σέβονταν.

Άλλωστε μια απ' τις αρχές του, την οποία πολλές φορές επαναλάμβανε, ήταν:

«Σεβασμό επιβάλλεις μόνο αν δε σε θεωρήσουν δεδομένο. Απ' τη στιγμή που θα σε θεωρήσουν δεδομένο, έχασες, αναπόφευκτα θα υποχωρήσεις».

Θα μου μείνει αλησμόνητη η συνάντηση με τους Αμερικανούς γερουσιαστές και συμβούλους πριν από τις εκλογές του '93, την οποία έχω περιγράψει σε άλλο σημείο του βιβλίου.

Αλλά τέτοιες στιγμές επιδέξιων και συνάμα ανυποχώρητων χειρισμών στα εθνικά θέματα είχε πάρα πολλές, που τον καταγράφουν ιστορικά ως ηγέτη που δε διαπραγματεύτηκε εθνικές θέσεις και ταυτόχρονα τοποθέτησε την Ελλάδα στο κέντρο των διεθνών εξελίξεων. Και αποτελούν, νομίζω, τη χείριστη ύβρι στη μνήμη του και στο πολιτικό του μέγεθος, στην προσφορά του και το έργο του, οι άθλιες θεωρίες περί «απομόνωσης» της Ελλάδας όταν κυβερνούσε ο Παπανδρέου, θεωρίες που δυστυχώς εκπορεύονται και από κάποιους εκ των επιγόνων του...

Ο ηγέτης που διαθέτει διεθνές κύρος και εμπνέει σεβασμό μόνο στην απομόνωση δεν οδηγεί τη χώρα του. Και ο Ανδρέας τα είχε και τα δύο. Και μάλιστα του αναγνωρίζονταν, *χωρίς να γίνεται αρεστός*...

Οι δύο συναντήσεις του με τον «πλανητάρχη» Μπιλ Κλίντον, στις Βρυξέλλες και την Ουάσιγκτον, έδειξαν αυτό ακριβώς. Όσοι τις έζησαν από κοντά θυμούνται πολύ καλά με πόση προσοχή και σεβασμό τον αντιμετώπισε ο Αμερικανός Πρόεδρος. Τον άκουσε να κάνει ανάλυση της διεθνούς σκηνής και εκεί να τοποθετεί τις ελληνικές θέσεις για το Αιγαίο, το Κυπριακό, τις ελληνοτουρκικές σχέσεις, τα Βαλκάνια και τη Μέση Ανατολή. Και να τις υπερασπίζεται με επιχειρήματα που δεν έβρισκαν απάντηση, αν και η αμερικανική πλευρά είχε καταστήσει σαφές πως επιθυμούσε την ελληνοτουρκική προσέγγιση.

Θα πουν πολλοί –και το λένε– πως όλα αυτά ήταν χωρίς αντίκρισμα, αφού δεν υπήρξε μεταβολή της αμερικανικής θέσης έναντι της Ελλάδας. Ο Ανδρέας είχε την απάντηση και σ' αυτό το επιχείρημα. Έλεγε:

«Χρειάζεται επίπονη και επίμονη προσπάθεια για να πετύχεις κατανόηση των θέσεών σου. Οι ξένοι, και ιδιαίτερα μια υπερδύναμη, δε μεταβάλλουν θέση απέναντί σου απ' τη μια μέρα στην άλλη. Αυτό μπορεί να γίνει μόνο αν φανείς πρόθυμος για συζήτηση επί των δικαιωμάτων σου, αν φανείς ενδοτικός».

Ο ίδιος δεν ήταν διατεθειμένος ούτε να διαπραγματευτεί εθνικά κυριαρχικά δικαιώματα ούτε να φανεί ενδοτικός προκειμένου να γίνει αρεστός.

Πίστευε στην ανάγκη βελτίωσης των ελληνοαμερικανικών σχέσεων, ιδιαίτερα με τους νέους διεθνείς συσχετισμούς που είχαν διαμορφωθεί μετά την κατάρρευση του σοβιετικού μπλοκ. Και αυτό το έδειξε ως πρωθυπουργός μετά το '93. Αλλά υπογράμμιζε πάντα πως δε θα διαβεί το Ρουβίκωνα του ενδοτισμού... Αυτό το είχε καταστήσει σαφές προς κάθε κατεύθυνση. Δε δίσταζε να υψώνει τη φωνή, να αποκαλύπτει και να καταγγέλλει. Στο Ευρωπαϊκό Συμβούλιο της Μαγιόρκα δέχτηκε ισχυρότατες πιέσεις για να δεχτεί τη βελτίωση των σχέσεων ΕΕ - Τουρκίας. Όταν, πέραν των προβλημάτων της χώρας μας με την Τουρκία, αντιπαράθεσε και το επιχείρημα της καταπάτησης των ανθρώπινων δικαιωμάτων στη γειτονική μας χώρα, πήρε την κυνική απάντηση από Γάλλους και Βρετανούς πως δεν τους απασχολούν τα ανθρώπινα δικαιώματα αλλά οι business... Αισθάνθηκε πολύ μόνος. Αλλά, σε μια απ' τις πιο ωραίες στιγμές του σε διεθνή τόπο, απάντησε:

«Αν η δημοκρατία δεν είναι στις προτεραιότητές μας, λυπούμαι για το ευρωπαϊκό όραμα και με φοβίζει το μέλλον της Ευρώπης...»

(Και όμως, επιφανές στέλεχος της σημερινής κυβέρνησης, και μάλιστα σε ιδιαίτερα ευαίσθητη θέση, άφησε να διαρρεύσει προς τα ΜΜΕ πως ο Ανδρέας έμεινε τότε άφωνος στην επίθεση που δέχτηκε απ' τον Σιράκ...)

Τα ίδια είπε και στη συνέντευξη που έδωσε στη συνέχεια. Δε δίσταζε, όταν το έκρινε αναγκαίο και παρά την κατάσταση της υγείας του, να γίνεται ξανά ο Ανδρέας της δεκαετίας του '80, τότε που ήταν το «κακό παιδί» και ο αποδιοπομπαίος της Δύσης, γιατί ενοχλούσε με κινήσεις και επιλογές όπως η «Πρωτοβουλία των 6», η φιλοαραβική πολιτική του, τα ανοίγματα προς τις χώρες του υπαρκτού σοσιαλισμού, οι φιλικές σχέσεις με τις χώρες του Τρίτου Κόσμου.

Μετά το '93 οι χειρισμοί του στα ελληνοτουρκικά, το Κυπριακό και το Σκοπιανό διακρίθηκαν πάντα από αναγνώριση της νέας διεθνούς πραγματικότητας, αλλά χωρίς απεμπόληση σε καμιά περίπτωση πάγιων ελληνικών θέσεων. Ο λεγόμενος *πατριωτικός χαρακτήρας του ΠΑΣΟΚ»*, όρος που διαμορφώθηκε και καθιερώθηκε ακριβώς απ' τις θέσεις του Ανδρέα και του Κινήματος για τα εθνικά θέματα και τα θέματα εξωτερικής πολιτικής, ήταν πάντα πυξίδα των διπλωματικών του χειρισμών. Δεν ήθελε (ήταν απ' τις αγαπημένες του εκφράσεις) να θεωρείται «δεδομένος» και δε σκόπευε, σε καμιά περίπτωση, να προβεί σε «εκπτώσεις» θέσεων. Έδινε και κέρδιζε μάχες με το κύρος, την εμπειρία και την επιχειρηματολογία του.

Σε κάποια φάση των συζητήσεων για το Σκοπιανό ο Ολλανδός επίτροπος, αρμόδιος για τις εξωτερικές σχέσεις της ΕΕ, Βαν Ντερ Μπρουκ (ο Ανδρέας δεν τον λάτρευε ιδιαίτερα...) είπε στον Κάρ. Παπούλια:

«Στην κυβέρνησή σας υπάρχουν και ρεαλιστές, αλλά σεις και ο πρωθυπουργός σας είσαστε εθνικιστές».

«Είμαστε απλώς πατριώτες», απάντησε ο Κάρ. Παπούλιας.

Μέσα σε μια στιχομυθία λίγων δευτερολέπτων επιστρατεύτηκαν όροι που χρησιμοποιούνται με λιγότερη ή περισσότερη φόρτιση σε αντιπαραθέσεις για τα θέματα εξωτερικής πολιτικής, «ρεαλιστής», «εθνικιστής», «πατριώτης». Ο Ανδρέας είχε οριοθετήσει με θαυμαστή σαφήνεια το ρεαλισμό απ' τον ενδοτισμό, τον πατριωτισμό απ' τον εθνικισμό. Όταν ο Κάρ. Παπούλιας τού μετέφερε το διάλογο, η αντίδρασή του ήταν:

«Του απάντησες θαυμάσια. Μας αποκαλούν εθνικιστές για να αποδυναμώσουν τα επιχειρήματά μας».

Ήξερε να ελίσσεται, αλλά και να κάνει σαφές ότι δεν μπλοφάρει, όταν έπρεπε.

Στην υπογραφή της ενδιάμεσης συμφωνίας για τα Σκόπια οι Αμερικανοί επέμεναν να γίνει την ίδια ώρα σε Αθήνα και Σκόπια η ανακοίνωση. Ο Ανδρέας ήθελε να γίνει πρώτα στα Σκόπια, γιατί θεωρούσε ουσιαστικό να προηγηθεί η δέσμευση της κυβέρνησης Γκλιγκόροφ για τη σημαία και το Σύνταγμα, και να ακολουθήσει η ελληνική ανακοίνωση για την άρση του εμπάργκο. Ο Αμερικανός επιτετραμμένος Μίλερ ήρθε στην Εκάλη και μετέφερε το μήνυμα ότι ο Γκλιγκόροφ το αρνείται κατηγορηματικά και επιμένει στην κοινή ανακοίνωση.

«Λυπούμαι, αλλά αυτό δεν είναι δυνατό να το αποδεχτούμε, η συμφωνία δε θα ανακοινωθεί», απάντησε ο Ανδρέας και αποχώρησε απ' το γραφείο του προσθέτοντας: «Το έχω αποφασίσει. Παρακαλώ, διαμηνύστε το στην κυβέρνησή σας». Τελικά πέρασε η ελληνική θέση.

Πολλοί είπαν, ανάμεσά τους ο Θ. Πάγκαλος και ορισμένα άλλα στελέχη του ΠΑΣΟΚ, πως η απόφαση της ελληνικής κυβέρνησης στις 16 Ιανουαρίου 1994 για το εμπάργκο στα Σκόπια ήταν μια άστοχη κίνηση, χωρίς ουσιαστικό αποτέλεσμα. Ο Ανδρέας πίστευε πως είχε πετύχει κάτι σημαντικό: *να φέρει το πρόβλημα στο κέντρο του διεθνούς ενδιαφέροντος.*

Εκτιμούσε ότι λόγω των εσφαλμένων χειρισμών της κυβέρνησης Μητσοτάκη το θέμα βρισκόταν «εν υπνώσει» στη διεθνή κοινότητα και έπρεπε να γίνει μια κίνηση που θα το επανέφερε στην επικαιρότητα και επιπλέον θα έδειχνε ότι η Ελλάδα δεν ήταν διατεθειμένη να υποχωρήσει.

Πίστευε ότι η επιλογή αυτή πέτυχε τους στόχους της. Ήταν σημαντικές οι πιέσεις που είχε δεχτεί τότε και από οικονομικούς παράγοντες προκειμένου να μην προχωρήσει στο εμπάργκο, δεδομένου ότι παίζονταν και σημαντικά οικονομικά συμφέροντα. Δεν υποχώρησε.

Διαφωνούσε με όσους δήλωναν πως η Ελλάδα δεν πρέπει πλέον να επιμείνει στο θέμα του ονόματος, γιατί είναι μια χαμένη υπόθεση. *Διαφωνούσε* και επί της ουσίας αλλά και γιατί, όπως υπογράμμιζε, «ακόμα και αν το πιστεύεις αυτό, είναι λάθος τακτική να ανοίγεις και να καις τα χαρτιά σου».

Ο ίδιος δεν ήταν διατεθειμένος να υποχωρήσει, αν και έβλεπε πως η μάχη θα ήταν πολύ δύσκολη, λόγω των χειρισμών της προηγούμενης κυβέρνησης. Έβλεπε πως η διεθνής κοινότητα δυσπιστούσε απέναντι στα ελληνικά επιχειρήματα. Ακόμα και ο φίλος του ο Μιτεράν δεν έδειχνε κατανόηση για τις ελληνικές θέσεις. Αλλά θα το πάλευε, όπως έλεγε, και πάντως δε θα προχωρούσε σε αλλαγή των θέσεων που υποστήριζε πάντα.

Αλλά ο Ανδρέας δεν ήταν μόνο ο ηγέτης με τις πατριωτικές θέσεις για τα εθνικά θέματα. Ήταν και ο ηγέτης με το διεθνές κύρος, την παραδοχή, που ενέπνεε σεβασμό και οι απόψεις του ακούγονταν με μεγάλη προσοχή ακόμα και από συνομιλητές οι οποίοι δεν τις αποδέχονταν απολύτως.

Αυτό το έζησα σε όλες τις επαφές με τους ξένους ηγέτες. Ήταν συγκινητικό να βλέπει κανείς, για παράδειγμα, με πόσο σεβασμό τον αντιμετώπισαν οι Ευρωπαίοι ηγέτες στο Ευρωπαϊκό Συμβούλιο της Κέρκυρας τον Ιούνιο του 1994. Είχε προηγηθεί βέβαια το εξάμηνο μιας πετυχημένης, κατά κοινή ομολογία, ελληνικής προεδρίας, στη διάρκεια της οποίας είχε υπογραφεί η διεύρυνση της ΕΕ και η συμφωνία για ειδική σχέση της ΕΕ με τη Ρωσία. Και ήταν καθοριστική η συμβολή του Θ. Πάγκαλου σ' αυτή την επιτυχία. Εκεί έζησα πράγματι σ' όλο της το μεγαλείο αυτή την αποδοχή του Ανδρέα, απ' τον Μιτεράν μέχρι τον Μέιτζορ και απ' τον Κολ μέχρι τον Γέλτσιν. Ο Ντελόρ στο τέλος του Συμβουλίου είχε μόνο επαινετικά λόγια να πει για την ελληνική προεδρία και τον Ανδρέα.

Δε δίσταζε, όταν το έκρινε αναγκαίο, να θυμάται τον παλιό Παπανδρέου της δεκαετίας του '80, τότε που ήταν ο «αιρετικός», ο αμφισβητίας της τότε τάξης πραγμάτων, τότε που η παρουσία του και μόνο προκαλούσε στη Δύση «αλλεργία».

Αυτό που έκανε στο Λευκό Οίκο στην κοινή συνέντευξη Τύπου, αμέσως μετά τη συνάντησή του με τον Κλίντον, δεν ήταν απ' αυτά που συνηθίζουν να κάνουν ξένοι ηγέτες σε παρόμοια θέση. Θυμάμαι πως μόλις ολοκληρώθηκε η επίσημη συνάντηση και περιμέναμε να ξεκινήσει η συνέντευξη και τον ρώτησα πώς τα πήγε, μου απάντησε:

«Είμαι πολύ ευχαριστημένος, πήγαν πολύ καλά οι συνομιλίες. Υπάρχει όμως ένα θέμα. Πληροφορηθήκαμε ότι πήραν απόφαση για το βομβαρδισμό θέσεων των Σέρβων της Βοσνίας. Είναι εγκληματικό, είναι τραγικό αυτό που πρόκειται να συμβεί και ασφαλώς θα περιπλέξει τα πράγματα, αποτελεί κίνδυνο για την ειρήνη στα Βαλκάνια. Εγώ βέβαια δεν μπορώ να συμφωνήσω και πρέπει να βρω τρόπο να εκφράσω τη διαφωνία μου στη συνέ-

ντευξη, αλλά με διπλωματικό τρόπο και μέσα στα πλαίσια της α-
βρότητας».

Το συζήτησε και με τον Κάρ. Παπούλια, τον απασχολούσε έ-
ντονα. Και πράγματι, στη διάρκεια της συνέντευξης, όταν τέθη-
κε σχετικό ερώτημα, κατέθεσε τη διαφωνία του με τρόπο διπλω-
ματικό αλλά σαφή, προξενώντας έκπληξη. Ένιωθα, καθώς τον
παρακολουθούσα, ότι τους έσφαζε με το γάντι εκείνη τη στιγμή.
Διαφοροποιήθηκε μ' έναν πάρα πολύ ωραίο τρόπο. Αλλά διαφο-
ροποιήθηκε σε ένα θέμα που τον έκαιγε πολύ, τον απασχολούσε
έντονα, δεν μπορούσε να το αφήσει να περάσει απαρατήρητο για
να μη δυσαρεστήσει τον «πλανητάρχη».

Εκείνη τη στιγμή τον θαύμασα. Ήταν ο ηγέτης που με την ε-
μπειρία του, την ανάλυσή του ενέπνεε σεβασμό. Παρακολουθού-
σα το βλέμμα του Κλίντον, όταν ο Ανδρέας τοποθετούνταν για το
Βοσνιακό. Νομίζω, έβγαζε έκπληξη αλλά και σεβασμό.

Αργότερα, όταν το συζητούσαμε, άκουσα τον Κάρ. Παπούλια
να μου λέει: «Πού να άκουγες, Δήμητρα, μέσα στη συνάντηση,
πόσο καταπληκτικός ήταν στην ανάλυση που έκανε στον Κλίντον
για τα Βαλκάνια και για το τι σημαίνει ο διαμελισμός της Γιου-
γκοσλαβίας».

Πράγματι, το θέμα αυτό τον ανησυχούσε βαθύτατα. Θεωρούσε
τραγικό το διαμελισμό της Γιουγκοσλαβίας, τον οποίο, κατά κά-
ποιο τρόπο, είχε προβλέψει όταν είχε μελετήσει την ανάλυση Αμε-
ρικανού δημοσιογράφου, που είχε στενές διασυνδέσεις με το Στέιτ
Ντιπάρτμεντ. Έλεγε πάντα πως *οι επιπτώσεις αυτού του γεγονότος θα
ήταν μόνο αρνητικές* και εκτιμούσε ότι ένα απ' τα σημαντικότερα
σφάλματα της ΕΕ και της κυβέρνησης του Κ. Μητσοτάκη (εδώ
θεωρούσε συνυπεύθυνο και τον Αντ. Σαμαρά) ήταν πως υπέκυ-
ψαν στον εκβιασμό της Γερμανίας. Πίστευε πως η βασική ευθύ-
νη για το διαμελισμό της πρώην Γιουγκοσλαβίας βάρυνε τη Γερ-
μανία και το Βατικανό.

Οι θέσεις που έπαιρνε η κυβέρνησή του υπέρ του Μιλόσεβιτς
και του Κάρατζιτς ενοχλούσαν φίλους και συμμάχους. Αλλά θεω-

ρούσε πάντα βασικό στοιχείο της ελληνικής εξωτερικής πολιτικής τη διατήρηση στενών φιλικών σχέσεων με τη Σερβία. Παλιότερα ο άξονας Αθήνα - Σόφια - Βελιγράδι ήταν επίσης μια απ' τις βασικές του επιλογές. Έλεγε μάλιστα πως σ' αυτό συνέχιζε και εξειδίκευε μια απ' τις σημαντικές επιλογές του Κ. Καραμανλή.

Έβλεπε τη διατήρηση αυτών των σχέσεων αναγκαία και επιβαλλόμενη και σαν αντίβαρο στον τουρκικό επεκτατισμό, που θεωρούσε το υπ' αριθμόν ένα πρόβλημα για την Ελλάδα. Έτσι, και υπό τις οδηγίες του, η κυβέρνησή του δεν ακολουθούσε την αντισερβική πολιτική της ΕΕ αλλά και κομμάτων της Σοσιαλιστικής Διεθνούς.

Θυμάμαι ότι κάποτε ο Χρ. Παπουτσής τον ενημέρωσε για τις αντιδράσεις που προκάλεσε κάποια ομιλία του στο προεδρείο του Ευρωπαϊκού Σοσιαλιστικού Κόμματος, σε συζήτηση για το Γιουγκοσλαβικό. Του λέει: «Πρόεδρε, την ώρα της ομιλίας μου ο Γάλλος ομόλογός μου, που τον είχα απέναντι, σχολίασε: "Τώρα μιλάει ο Μιλόσεβιτς;"».

Ο Ανδρέας γέλασε και του απάντησε:

«Ποτέ να μη διστάζεις να πηγαίνεις κόντρα στο ρεύμα, όταν υπερασπίζεσαι θέσεις που πιστεύεις και εξυπηρετούν τα εθνικά σου συμφέροντα. Αυτό είναι το κριτήριο. Εγώ, Χρήστο, για μια ολόκληρη περίοδο ήμουνα το "μαύρο πρόβατο", αλλά η πολιτική μου άποψη καταγραφόταν. Όχι, να μη φοβάσαι να πηγαίνεις κόντρα στο ρεύμα. Δεν κερδίζεις επειδή είσαι αρεστός και δεδομένος».

Όταν ο εμφύλιος στη Βοσνία ήταν εκτός ελέγχου, ο Ανδρέας προσπάθησε ώστε οι επιπτώσεις να είναι κατά το δυνατό λιγότερο τραγικές. Στο πλαίσιο αυτά εντάσσεται και η διπλωματική αποστολή στην περιοχή των Γερ. Αρσένη - Κάρ. Παπούλια. Είχε επίσης ο ίδιος επικοινωνία με τον Μιλόσεβιτς και τον Κάρατζιτς, με τους οποίους διατηρούσε πολύ καλές σχέσεις.

Ιδιαίτερα οι σχέσεις του με τον Ρ. Κάρατζιτς, το «γιατρό», όπως με σεβασμό και αγάπη τον αποκαλούσε, ήταν πολύ φιλικές. Θυμάμαι δε ότι, όσες φορές συναντήθηκαν, οι συναντήσεις τους ήταν θερμές, εγκάρδιες.

Η «επιστροφή» στις ΗΠΑ – άλλη μια δικαίωση του Ανδρέα

Στη δεκαετία του '80 ο Ανδρέας δεν πήρε πρόσκληση για το Λευκό Οίκο. Παρέμενε πάντα persona non grata για όλους τους Αμερικανούς Προέδρους, που έβλεπαν στο πρόσωπό του έναν ανυπότακτο πρωθυπουργό μιας μικρής χώρας, ο οποίος είχε το «θράσος» να ορθώνει το ανάστημά του και να μην είναι ο «γιέσμαν». Όταν το '93 ξαναέγινε πρωθυπουργός, μια απ' τις πρώτες προσκλήσεις που πήρε ήταν να επισκεφθεί το Λευκό Οίκο. *Ο ίδιος το θεωρούσε δικαίωση,* και δική του προσωπικά και της πολιτικής του.

Αναγνωρισμένος ως μια φυσιογνωμία διεθνούς κύρους, έχοντας στο ενεργητικό του ένα απίστευτο «come back», μια θριαμβευτική επιστροφή μετά από μια μεγάλη περιπέτεια, η οποία κατά τους περισσότερους σήμαινε το πολιτικό του τέλος, γινόταν αποδεκτός πλέον απ' τον ηγέτη της μιας και μόνης υπερδύναμης.

Δεν ενέδωσε σε εκπτώσεις στην πολιτική του προκειμένου να εξασφαλίσει την πρόσκληση. Ο ρεαλισμός του συνίστατο στην αναγνώριση των νέων διεθνών συσχετισμών και όχι σε αλλαγή πολιτικής.

Άλλωστε τις θέσεις και προθέσεις του σε καίρια θέματα, που ενδιέφεραν τα μέγιστα τις ΗΠΑ, τις είχε καταστήσει σαφείς σ' εκείνο το περίφημο γεύμα στην αμερικανική πρεσβεία, λίγο καιρό πριν από τις εκλογές. Αλλά πίστευε ότι η εκλογή Κλίντον έφερνε ένα νέο αέρα στην αμερικανική τακτική. Δεν έτρεφε φυσικά αυταπάτες για αλλαγή πολιτικής και στρατηγικής, αφού γνώριζε τα πραγματικά κέντρα αποφάσεων. Αλλά, όπως έλεγε, «είναι ένας νέος άνεμος στη νοοτροπία».

Με το νέο Αμερικανό Πρόεδρο είχε μια πρώτη, πολύ καλή συνάντηση στις Βρυξέλλες, τον Ιανουάριο του 1994, στην οποία έχω αναφερθεί σε άλλο σημείο. Είχε μείνει ευχαριστημένος απ' τη συνάντηση αυτή. Αλλά και ο Μπιλ Κλίντον είχε εντυπωσιαστεί απ' την παρουσία του Ανδρέα, τη διεθνή του ανάλυση, αυτή την ικανότητα συνδυασμού του πολιτικού και του ακαδημαϊκού δασκάλου, που τον διέκρινε στις προσεγγίσεις του επί της διεθνούς πολιτικής.

Θυμάμαι μάλιστα ότι σ' εκείνο το ταξίδι στις ΗΠΑ, σε μια τελετή που έγινε στην ελληνική πρεσβεία στην Ουάσιγκτον, τον περίμενε μια έκπληξη απ' τον παλιό του φίλο Τζ. Κένεθ Γκαλμπρέιθ. Σε μήνυμα που του έστειλε (δεν μπόρεσε να παρευρεθεί) του έλεγε: «Πολλοί λένε, Ανδρέα, ότι πρέπει ν' αποχωρήσεις απ' την πολιτική. Εγώ βέβαια δεν το πιστεύω, αλλά, όποτε το αποφασίσεις, η ακαδημαϊκή έδρα σε περιμένει». Είχε συγκινηθεί πολύ απ' αυτό το μήνυμα.

Αισθανόταν λοιπόν ότι επέστρεφε δικαιωμένος στις ΗΠΑ απ' όπου είχε ξεκινήσει την ακαδημαϊκή του πορεία, είχε ζήσει πολλά χρόνια και είχε αμφισβητηθεί τόσο πολιτικά.

Ένιωθε συγκίνηση. Είχε προετοιμαστεί πολύ καλά. Εκτός απ' το πολιτικό σκέλος της επίσκεψης, υπήρχε και πολύ σημαντικό οικονομικό σκέλος, το οποίο επίσης στέφθηκε από επιτυχία. Τότε τέθηκαν οι βάσεις για ελληνοαμερικανική οικονομική συνεργασία για δραστηριότητες στα Βαλκάνια και στις παρευξείνιες χώρες. Υπεγράφη μάλιστα και μια σημαντική συμφωνία μ' έναν απ' τους μεγαλύτερους ασφαλιστικούς οργανισμούς για την ασφαλιστική κάλυψη αυτών των οικονομικών δραστηριοτήτων, γιατί οι παραπάνω χώρες θεωρούνταν υψηλού κινδύνου, λόγω της ρευστής πολιτικής κατάστασης που επικρατούσε εκεί.

Είχαν δουλέψει αρκετά γι' αυτό το σκέλος της επίσκεψης η Λ. Κατσέλη και ο Γ. Γιαννίτσης, με τους οποίους είχε συνεργαστεί αρκετά, καθώς και με τον Γ. Παπαντωνίου.

Αναχωρήσαμε, θυμάμαι, την επομένη της λήξης του 3ου Συνεδρίου. Τη μέρα που φύγαμε μπήκε στο νοσοκομείο ο αείμνηστος Γ. Γεννηματάς, για να δώσει την ύστατη μάχη για τη ζωή, που δυστυχώς την έχασε. Πληροφορηθήκαμε το γεγονός αυτό μόλις φτάσαμε στο Σάνον της Ιρλανδίας, όπου διανυκτερεύσαμε πριν αναχωρήσουμε την επομένη για την Ουάσιγκτον.

Έμεινε ευχαριστημένος απ' τη συνάντηση με τον Κλίντον, όχι γιατί είχε κάποια άμεσα, πρακτικά αποτελέσματα, δεν περίμενε άλλωστε κάτι τέτοιο, αλλά γιατί, όπως έλεγε μετά, διαπίστωσε «θετικό κλίμα και μια κατανόηση των ελληνικών θέσεων». Τα θέματα που ιδιαίτερα τον ενδιέφεραν, ελληνοτουρκικά, Κυπριακό, Σκοπιανό, τα συζήτησαν στην κατ' ιδίαν συνάντηση. Όπως έλεγε, είδε μια εμμονή του Αμερικανού Προέδρου σε θέματα «ασφάλειας και σταθερότητας στην περιοχή» και στους κινδύνους που διατρέχει το τουρκικό καθεστώς απ' τον ισλαμικό κίνδυνο. Αυτό το ερμήνευσε σαν μια σαφή προειδοποίηση απ' τις ΗΠΑ ότι θα στηρίξουν την κυβέρνηση της Τουρκίας. Άλλωστε και αργότερα έλαβε επιστολή απ' τον Πρόεδρο Κλίντον με ανάλογο περιεχόμενο.

Ο Ανδρέας ανέφερε τις γνωστές του θέσεις για το συνολικότερο πλέγμα των ελληνοτουρκικών σχέσεων, που συνοψίζονταν στο: ελληνοτουρκικός διάλογος μπορεί να υπάρξει μόνο με αποδοχή της ελληνικής θέσης ότι δεν υπάρχουν προβλήματα προς επίλυση, πλην της νομικής διευθέτησης του θέματος της υφαλοκρηπίδας. Από κει και πέρα μπορεί να συζητηθούν ζητήματα οικονομικών και εμπορικών σχέσεων.

Ανέλυσε επίσης την ελληνική θέση για τις επεκτατικές διαθέσεις της Άγκυρας σε βάρος της Ελλάδας που στόχο έχουν: *«Συγκυριαρχία στο Αιγαίο»*. *«Αυτό»*, υπογράμμισε, *«δεν το αποδεχόμαστε σε καμιά περίπτωση»*.

Εξέφρασε την εκτίμηση πως ο Αμερικανός Πρόεδρος άκουσε με προσοχή και κατανόηση τις θέσεις του και ότι: η εικόνα που είχε πριν από τη συνάντηση για τα θέματα αυτά ήταν μονομερής και όχι ευνοϊκή για τις ελληνικές απόψεις.

Το υπόλοιπο τμήμα της συνάντησης ήταν, κατά την άποψη των Παπούλια - Καραϊτίδη - Κατσιφάρα, «ένας περίπατος του Α. Παπανδρέου», που ανέλυε με τη γνωστή του άνεση τη διεθνή πολιτική κατάσταση, ενώ ο Κλίντον, ο Γκορ και οι άλλοι της αμερικανικής αντιπροσωπίας τον άκουγαν με προσοχή. Ιδιαίτερη αναφορά έκανε για την κατάσταση στα Βαλκάνια και τα προβλήματα που έχει δημιουργήσει ο διαμελισμός της πρώην Γιουγκοσλαβίας.

Τα σχόλια ήταν απολύτως θετικά και αυτό τον ικανοποίησε ιδιαίτερα. Όπως θερμά ήταν και τα λόγια που είπε ο Πρόεδρος Κλίντον στην έναρξη της κοινής συνέντευξης.

Στη δεξίωση στο «Μπλερ Χάουζ» το προηγούμενο βράδυ, στην αντιφώνησή του, θυμάμαι, ο Ανδρέας είχε μιλήσει για την Αμερική, τη δεύτερη πατρίδα του, τη χώρα που τον ανέδειξε, που τον αγάπησε και τον μίσησε. Αγάπησε την ακαδημαϊκή του ιδιότητα και μίσησε την πολιτική του.

Όταν αποχωρούσαμε απ' το Λευκό Οίκο, ήταν οι δυο τους και κάποια στιγμή ο Κλίντον με καλεί κοντά τους. Μου λέει: «Κυρία Παπανδρέου, έμαθα ότι πήγατε πολύ καλά με τη σύζυγό μου. Και εγώ με το σύζυγό σας πήγαμε πολύ καλά».

Καθ' οδόν προς το ξενοδοχείο ο Ανδρέας ευχαριστημένος μου έλεγε πως είχε βρει τον Αμερικανό Πρόεδρο έξυπνο και με διάθεση να ακούσει τις θέσεις του. «Νομίζω», πρόσθεσε, «πως οικοδομούμε μια καλή προσωπική σχέση και αυτό είναι θετικό».

Στην τελετή που έγινε στην ελληνική πρεσβεία συναντήθηκε και με τους Π. Σαρμπάνη, Τζ. Μπραδήμα και Τζ. Στεφανόπουλο, τον οποίο θεωρούσε «έξυπνο, σοβαρό, με μέλλον, πολύ καλό χειριστή των media».

Εκεί, επηρεασμένος και απ' το μήνυμα Γκαλμπρέιθ και θέλοντας να κάνει και χιούμορ, μου λέει κάποια στιγμή: «Τι λες, Δήμητρα, τα αφήνουμε όλα να πάμε στην Καλιφόρνια;» Η Καλιφόρνια είναι μια περιοχή που λάτρευε και πάντα μου υποσχόταν ότι θα με πήγαινε μια μέρα εκεί. Ιδιαίτερα μιλούσε για το Μπέρκλεϊ, το θεωρούσε έναν τόπο με διαφορετικό κόσμο, πολύ ωραία στέκια με μουσική τζαζ, που τη λάτρευε.

Στη Νέα Υόρκη συγκινήθηκε απ' την επαφή με την ομογένεια, κατά τη δεξίωση στο «Αστόρια». Ήταν πάντα ευαίσθητος με την ελληνική ομογένεια, θυμόταν και το δικό του παρελθόν. Ήθελε πάντα να προσφέρει περισσότερα σ' αυτό το πολύτιμο κομμάτι του ελληνισμού και ήταν ιδιαίτερα ευτυχής με τη σύσταση του υφυπουργείου Απόδημου Ελληνισμού και αργότερα του Συμβουλίου Απόδημου Ελληνισμού, της «Βουλής των Αποδήμων».

Εκεί συναντήθηκε και με τον αρχιεπίσκοπο Ιάκωβο, μια συνάντηση που επίσης τον συγκίνησε. Πρέπει να πω ότι τα τελευταία χρόνια οι σχέσεις του με τον Ιάκωβο είχαν αλλάξει, ήταν θερμές. Τον θεωρούσε σημαντικό παράγοντα προώθησης των ελληνικών θέσεων σε κέντρα εξουσίας στις ΗΠΑ και εκτιμούσε ιδιαίτερα την πατριωτική του στάση στο θέμα των Σκοπίων αλλά και σε ό,τι α-φορά τις ελληνοτουρκικές σχέσεις. Τον θεωρούσε χαρισματικό και χρήσιμο, στήριγμα της ελληνικής εξωτερικής πολιτικής.

Αλλά και ο αρχιεπίσκοπος πίστευε πολύ στον Ανδρέα. Θυμά-μαι μια θερμή επιστολή που του είχε στείλει με τον Παν. Αγγε-λόπουλο, όταν το ΠΑΣΟΚ ήταν αντιπολίτευση, με την οποία τον καλούσε να αναλάβει πρωτοβουλίες για τα εθνικά θέματα, γιατί είναι απ' τους ελάχιστους που μπορούν να αρθρώσουν φωνή α-ντίστασης.

Αργότερα ο Ανδρέας μεσολάβησε στον οικουμενικό πατριάρ-χη προκειμένου να αναβληθεί η αντικατάσταση του Ιακώβου. Σε επιστολή που του είχε στείλει (είχε συνταχθεί σε συνεργασία με τους Παπούλια και Καραϊτίδη) υποστήριζε ότι θα ήταν καλό να μην αλλάξει εκείνη την περίοδο, που έρχονταν εκλογές, ο θρη-σκευτικός ηγέτης της ομογένειας, που διαδραματίζει και σπου-δαίο ρόλο για τα εθνικά θέματα της Ελλάδας, επηρεάζει αποφά-σεις, έχει ειδικό βάρος ακόμα και στο Λευκό Οίκο.

Η απάντηση του οικουμενικού πατριάρχη ήταν έμμεσα αρνη-τική. Έλεγε πως για το θέμα αυτό «θα αποφασίσει ο Θεός»...

Στη Νέα Υόρκη συναντήθηκε επίσης με το γενικό γραμματέα του ΟΗΕ Μπούτρος Μπούτρος Γκάλι καθώς και με εκπροσώπους εβραϊκών λόμπι. Για το ενδιαφέρον περιεχόμενο αυτής της τε-λευταίας συνάντησης έχω αναφερθεί σε άλλο σημείο.

Συνολικά αποτίμησε σαν ιδιαίτερα θετικό και αποδοτικό ε-κείνο το ταξίδι και επέστρεψε ικανοποιημένος απ' τις ΗΠΑ.

Η συνάντησή μου με τη Χίλαρι Κλίντον

Οφείλω να πω ότι ήταν πολύ θετικός ο ρόλος του Έλληνα πρέσβη στην Ουάσιγκτον Λ. Τσίλα στην προετοιμασία και επιτυχία της ε-πίσημης επίσκεψης που πραγματοποίησε στις ΗΠΑ ο Ανδρέας. Με τον Λ. Τσίλα είχαν πολλές συνεργασίες τότε, αλλά και γενικά η συνεργασία τους στο διάστημα που ήταν πρωθυπουργός ήταν πολύ καλή και αρμονική.

Εγώ πάντως στην Ουάσιγκτον παραλίγο... να τον μισήσω. Όταν μου είπε πως τη μέρα της συνάντησης Ανδρέα - Κλίντον είχε κλείσει για το πρωί και συνάντηση δική μου με τη Χίλαρι Κλίντον... τρομοκρατήθηκα.

Είχα πάντα μια «αλλεργία» και μια απόσταση απ' τις επισημότητες και τα πρωτόκολλα. Ήθελα να αισθάνομαι ελεύθερη, να βγω μια βόλτα, να πάω σε δυο μαγαζιά με την Τέτη, να βγούμε έξω για έναν καφέ (τελικά αυτό δεν έγινε ποτέ, μια φορά που το επιχείρησα ήταν τόσο ασφυκτικά τα μέτρα ασφάλειας απ' το FBI, που το πράγμα καταντούσε απάνθρωπο).

Του είπα: «Είναι ανάγκη να γίνει αυτό το ραντεβού;» Μου απάντησε ευγενέστατα πως είναι θέμα πρωτοκόλλου.

Με έπιασε πανικός. Ο Ανδρέας ήρεμα και γλυκά μου εξηγούσε πως δεν υπάρχει λόγος να φοβάμαι, γιατί «οι Αμερικανοί είναι σαν παιδιά, θα δεις, μόλις ανοιχτείς, σου ανοίγονται και αυτοί».

Αλλά εγώ συνέχιζα να νιώθω ανασφάλεια. Η ώρα του ραντεβού άλλαξε τρεις φορές και απ' τις 11 πήγε τελικά στις 9 το πρωί, γιατί η Χίλαρι άλλαζε διαρκώς το πρόγραμμά της, επειδή εκείνες τις μέρες κατέθετε για την υπόθεση White Water.

Η αλλαγή της ώρας με... καθησύχασε κάπως, γιατί οι δημοσιογράφοι ήξεραν για τις 11. Σκέφτηκα ότι τουλάχιστον θα γλίτωνα αυτή τη δοκιμασία και είπα στον Τηλέμαχο να μην τους ενημερώσει για την αλλαγή της ώρας.

Το πρωί ξύπνησε μαζί μου και προσπαθούσε να με καθησυχάσει. Τέλος πάντων, φτάνω στο Λευκό Οίκο, με υποδέχεται η Χίλαρι Κλίντον, τη σκηνή απαθανατίζει ο φωτογράφος Βαγγέλης Βαρδουλάκης, ο μόνος που γνώριζε την ώρα. Ο Β. Βαρδουλάκης ήταν κατά κάποιο τρόπο ο προσωπικός φωτογράφος του Ανδρέα, ο οποίος τον εκτιμούσε πολύ ως πολύ καλό παιδί και άριστο επαγγελματία (άλλωστε για τη φωτογραφία είχε άποψη, αφού ήταν το αγαπημένο του χόμπι).

Ξεκινάει η συνάντηση, εγώ είμαι ακόμα πολύ ταραγμένη και

τρακαρισμένη και ξαφνικά... αποδεικνύομαι λαλίστατη. Είχαμε διαλέξει δύο δώρα για τον Πρόεδρο και τη σύζυγό του. Μια εικόνα της Παναγίας του 17ου αιώνα για τον Μπιλ Κλίντον και ένα κολιέ και σκουλαρίκια, αντίγραφα του ήλιου της Βεργίνας, για τη Χίλαρι Κλίντον. Επίσης δύο τόμους με την ιστορία της Μακεδονίας στα αγγλικά, τους οποίους είχα στείλει μέσω της πρεσβείας. Ήθελα κάτι συμβολικό εκείνη την εποχή, που ο Ανδρέας έδινε τη μάχη για το θέμα της ονομασίας των Σκοπίων. Τους είχε τοποθετήσει σ' ένα τραπέζι, έξω απ' το δωμάτιο που συναντηθήκαμε.

Μου μίλησε για την Ελλάδα, για τον Τζ. Στεφανόπουλο, ότι έχει φίλους Έλληνες και ότι θα ήθελε κάποτε να έρθει στη χώρα μας. Της μίλησα για την Ελλάδα και την ιστορία της, για τους αγώνες που δίνει σήμερα.

Με ρώτησε για τη ζωή μου. Της είπα για τον Ανδρέα, τη σχέση μας, την αρρώστια που πέρασε, τις αγωνίες μας. Εκεί που φοβόμουν πως δε θ' ανοίξω το στόμα μου, ήμουν τελικά υπερομιλητική. Μιλούσα στα αγγλικά και μου έκανε κομπλιμέντο ότι μιλάω πολύ καλά.

Της είπα για τα Σκόπια, το πρόβλημα που αντιμετωπίζει η χώρα μου και ότι, αν διαβάσει τους τόμους που της έφερα για την ιστορία της Μακεδονίας, θα πειστεί ότι η Ελλάδα έχει δίκιο.

Με τη σειρά της μου μίλησε για το σύστημα πρόνοιας και ασφάλισης, για το οποίο παλεύει και την απασχολεί ιδιαίτερα. Μου είπε ότι έχει αφιερωθεί σ' αυτό το σκοπό, αλλά έχει απογοητευτεί, γιατί αντιδρούν μεγάλα συμφέροντα γιατρών και ιατρικών εταιρειών.

Η συνάντησή μας κράτησε γύρω στα σαράντα λεπτά και ήταν πολύ όμορφη, φιλική, θερμή. Συμφωνήσαμε να τα ξαναπούμε στην Ελλάδα την επόμενη φορά.

Ο Ανδρέας με περίμενε στο ξενοδοχείο και με ρώτησε πώς τα πήγα. Του είπα ότι ήμουν πολύ ευχαριστημένη. «Είδες που σ' τα έλεγα πως θα τα καταφέρεις; Άμα ξεπερνάς αυτές τις ανασφάλειες που έχεις, τα πας μια χαρά. Σ' το είπα πως οι Αμερικανοί είναι απλοί και, άμα τους ανοιχτείς, σου ανοίγονται», μου σχολίασε ικανοποιημένος.

Οι μεγάλες στιγμές της κρίσης του '87

Ένας άνθρωπος που έζησε από πολύ κοντά όλες τις στιγμές του Ανδρέα σε θέματα εξωτερικής πολιτικής είναι ο *Κάρ. Παπούλιας.* Η ταύτισή του με τις επιλογές του προέδρου, οι ικανοί χειρισμοί του, η συνέπειά του και η εμπιστοσύνη που του είχε ο Ανδρέας τον έκαναν... μόνιμο κάτοικο του υπουργείου Εξωτερικών. Συνεργάζονταν άψογα και έζησαν μαζί γνωστές και άγνωστες πλευρές της ελληνικής ιστορίας της περιόδου 1981-1996.

Όταν τον ρώτησα σε κάποια συζήτηση το καλοκαίρι του '90 να μου πει ποιες κατά τη γνώμη του ήταν οι σημαντικότερες στιγμές του Ανδρέα σε θέματα εξωτερικής πολιτικής και σε χειρισμούς εθνικών θεμάτων, μου απάντησε αβίαστα:

«Το γεγονός που ανέδειξε τον πρόεδρο σε ηγέτη διεθνούς εμβέλειας, σε ηγέτη που ασφυκτιά στα ελληνικά σύνορα, είναι η πρωτοβουλία του για τη συνάντηση Μιτεράν - Καντάφι στην Ελούντα. Εκεί, με την πρωτοβουλία που πήρε και τους χειρισμούς που έκανε για να πετύχει η συνάντηση και να υπάρξει συμφωνία, έδειξε ότι διαθέτει τεράστιο κύρος και ότι φέρνει τη μικρή Ελλάδα σε πρωταγωνιστικό ρόλο διεθνώς. Μην ξεχνάς πως έπρεπε να φέρει κοντά δύο προσωπικότητες τόσο μεγάλες και τόσο διαφορετικές, όπως ο Μιτεράν και ο Καντάφι, των οποίων η αντιπαράθεση για το Τσαντ έκρυβε από πίσω τεράστια συμφέροντα».

Και συνέχισε:

«Αλλά το γεγονός που εμένα θα μου μείνει ανεξίτηλο, που με συγκλόνισε και έδειξε όσο λίγα το μεγαλείο του ηγέτη Ανδρέα Παπανδρέου ήταν οι χειρισμοί που έκανε στην ελληνοτουρκική κρίση του 1987. *Εκεί κυριολεκτικά παρέδωσε μαθήματα πατριωτισμού, αποφασιστικότητας και διπλωματικών χειρισμών».*

Τους έχω ακούσει πολλές φορές να συζητάνε αυτό το θέμα. Ήταν απ' τα αγαπημένα τους, όταν η κουβέντα ξέφευγε απ' τα χαλαρά, τα αστεία μεταξύ τους και πήγαινε στα πολιτικά. Απ' αυτές τις συζητήσεις σταχυολογώ ορισμένα σημεία, γιατί πιστεύω κι εγώ ότι ο χειρισμός της κρίσης του '87 ήταν απ' τις μεγαλύτερες στιγμές του Ανδρέα.

Όταν η κρίση βρισκόταν στην κορύφωσή της και όλα κρέμονταν από μια κλωστή, τη στιγμή που τα όρια ανάμεσα στον πόλεμο και την ειρήνη ήταν από δυσδιάκριτα έως ανύπαρκτα, ο Ανδρέας αποφάσισε να κάνει την κίνηση «ματ», που θα έδειχνε ότι η Ελλάδα δεν ήταν διατεθειμένη να υποχωρήσει και θα έστελνε εκεί που έπρεπε το μήνυμα πως, αν η Τουρκία δεν πιεστεί να κάνει πίσω, τότε άλλοι θα είχαν την ευθύνη για ό,τι θα ακολουθούσε.

Ώρα 11 το βράδυ κάλεσε στο Καστρί τον Κάρ. Παπούλια και συζήτησαν. Γνώριζαν πως η πολεμική μηχανή ήταν έτοιμη, είχαν πλήρη αναφορά των κινήσεων και θέσεων των Ενόπλων Δυνάμεων που είχαν διαταχθεί για κάθε ενδεχόμενο, υπήρχε πολεμική ετοιμότητα.

Η εκτενής συζήτηση κατέληξε στην ανάγκη μιας κίνησης, ενός ελιγμού που θα ανέτρεπε τα δεδομένα υπέρ της Ελλάδας. Συμφώνησαν να ενεργοποιηθεί το άρθρο εκείνο του πρωτοκόλλου συνεργασίας της χώρας μας με τη Βουλγαρία που προέβλεπε αλληλεγγύη και στήριξη της μιας πλευράς προς την άλλη, σε περίπτωση που απειλούνταν η ασφάλεια και ακεραιότητά της.

Και οι δύο θυμούνταν πόσο μεγάλες αντιδράσεις είχε προκαλέσει αυτό το πρωτόκολλο στο ΝΑΤΟ και την Ευρωπαϊκή Κοινότητα, αφού ήταν το πρώτο, με τέτοιο περιεχόμενο, που συμφωνούνταν ανάμεσα σε μια χώρα-μέλος του ΝΑΤΟ και μια άλλη μέλος του Συμφώνου της Βαρσοβίας. Αλλά, παρά τις ισχυρότατες πιέσεις που δέχτηκε ο Ανδρέας, δεν έκανε πίσω.

Εκείνη τη στιγμή συνέταξε μια επιστολή προς τον Πρόεδρο Ζίβκοφ, με την οποία του ζητούσε την αρωγή και αλληλεγγύη της Βουλγαρίας, αφού του εξέθετε την κατάσταση και τους κινδύνους για την ειρήνη απ' την επιθετική πολιτική της Τουρκίας, που αμφισβητεί ελληνικά κυριαρχικά δικαιώματα.

Ο Κάρ. Παπούλιας ανέλαβε να ταξιδέψει την επομένη στη Σόφια και να παραδώσει την επιστολή στον Ζίβκοφ. Η ανταπόκριση που βρήκε στη Σόφια ήταν θερμή.

Ο Κάρολος θυμάται πάντα τα λόγια που ο Ζίβκοφ τού είπε να μεταφέρει στον Παπανδρέου:

«Να πεις στο φίλο μου ότι είμαι στο πλευρό του. Να μην ανησυχεί και να μην έχει κανένα φόβο στα σύνορα με τη Βουλγαρία. Να μην το σκεφτεί καθόλου και να αποσύρει όσο στρατό θέλει από εκεί για να τον χρησιμοποιήσει όπου νομίζει. Παράλληλα εγώ θα στείλω στα βουλγαροτουρκικά σύνορα, επιπλέον του στρατού που βρίσκεται εκεί, και μια μηχανοκίνητη μεραρχία».

Η κίνηση είχε στεφθεί από απόλυτη επιτυχία. Ο Παπούλιας επέστρεψε απ' τη Σόφια με θεαματικά αποτελέσματα, που ανέτρεπαν τους συσχετισμούς και επέτρεπαν στον Ανδρέα να προχωρήσει σε άλλες κινήσεις, αξιοποιώντας τους καρπούς του ταξιδιού. Ταυτόχρονα είχε σταλεί το μήνυμα πως η Ελλάδα είναι αποφασισμένη για όλα, δεν πρόκειται να κάνει βήμα πίσω και δεν μπλοφάρει.

Παράλληλα γίνονταν και άλλες κινήσεις σε διπλωματικό επίπεδο. Στους πρέσβεις των ΗΠΑ, του ΝΑΤΟ και της Ευρωπαϊκής Κοινότητας που κλήθηκαν για ενημέρωση δόθηκε το μήνυμα:

«Η Ελλάδα είναι αποφασισμένη. Δε διαπραγματεύεται δικαιώματά της. Σκεφτείτε πόσο πρόβλημα θα είναι για σας ένας πόλεμος μεταξύ Ελλάδας και Τουρκίας».

Αντιλήφθηκαν όλοι πως η χώρα μας εννοούσε αυτά που έλεγε. Για πρώτη ίσως φορά «συνεστήθη» στην Τουρκία να υποχωρήσει, όπερ και εγένετο. Είχε κερδηθεί μια νίκη πολιτική, διπλωματική, ψυχολογική. Ο Ανδρέας και ο Παπούλιας πίστευαν πως τα κέρδη ήταν:

– Η υποχώρηση της Τουρκίας.

– Η αναγνώριση του ρόλου της Ελλάδας.

– Το σαφές μήνυμα που περάσαμε διεθνώς ότι σε καμιά περίπτωση δεν πρόκειται να υποχωρήσουμε από πάγιες ελληνικές θέσεις και να διαπραγματευτούμε κυριαρχικά μας δικαιώματα.

Η μελλοντική διαμόρφωση των σχέσεων Ελλάδας - Τουρκίας ήταν πάντα για τον Ανδρέα, μαζί με το Κυπριακό, οι προτεραιότητες. Γνώριζε πολύ καλά και την τουρκική στρατηγική και τις επιδιώξεις των ΗΠΑ και των άλλων συμμάχων. Οι θέσεις του ήταν πάγιες και δεδομένες και, όπως έλεγε, σε καμιά περίπτωση δε θα τις άλλαζε.

«Ποτέ δεν υποστέλλεις σημαία»...

Είχε όμως ένα μόνιμο άγχος: *τι θα γινόταν μετά απ' αυτόν.* Μια απ' τις βασικές αντιθέσεις που είχε με τους «εκσυγχρονιστές» ήταν οι απόψεις τους για τα εθνικά θέματα, τις οποίες θεωρούσε «εκτός κλίματος ΠΑΣΟΚ».

Διαφώνησε απόλυτα με τους χειρισμούς της κυβέρνησης στο θέμα των Ιμίων. Είπε πως:

«Θα το πληρώσουμε ακριβά αυτό που έγινε, που είναι ένας συμβιβασμός».

«Ανησυχώ πολύ γι' αυτά που έρχονται, μετά τους χειρισμούς εκείνης της νύχτας».

«Ποτέ δεν υποστέλλεις σημαία».

Γνωρίζω καλά πως αυτά τα σχόλια τα έκανε και σε τρεις τουλάχιστον άλλους: τον Αντ. Λιβάνη, τον Κάρ. Παπούλια και τον Γερ. Αρσένη.

Έλεγε επίσης πως δυστυχώς επιβεβαιώθηκαν οι φόβοι που είχε εκφράσει με την τελευταία συνέντευξή του στη Θεσσαλονίκη, στις αρχές Σεπτεμβρίου.

Αλλά η διορατικότητα του Ανδρέα, η ανάλυσή του για το μέλλον των ελληνοτουρκικών σχέσεων και τη στρατηγική τόσο της Τουρκίας όσο και των «συμμάχων» φαίνονται σ' όλο τους το μεγαλείο με την *επιστολή που είχε στείλει στον Πρόεδρο της Δημοκρατίας Κ. Καραμανλή, ως αρχηγός τότε της αξιωματικής αντιπολίτευσης, στις 18 Ιουνίου 1991,* επικρίνοντας τους χειρισμούς της κυβέρνησης Μητσοτάκη. Μια επιστολή με συγκλονιστικά προφητικό περιεχόμενο, επίκαιρη νομίζω και σήμερα.

Έγραφε τότε, μεταξύ άλλων, στον Πρόεδρο της Δημοκρατίας:

Κύριε Πρόεδρε,

Τον τελευταίο καιρό μια σειρά από γεγονότα επιβεβαιώνουν την εκτίμηση ότι βρισκόμαστε μπροστά σε μια επικίνδυνη κλιμάκωση του επεκτατισμού της Άγκυρας. (...)

Έτσι, είναι σχεδόν βέβαιο ότι οι ΗΠΑ θα επιχειρήσουν να επιλύσουν, ασφαλώς με γνώμονα τα δικά τους συμφέροντα, μια σειρά από περιφερειακά προβλήματα, ανάμεσα στα οποία το Κυπριακό, και να θέσουν τέρμα στη λεγόμενη ελληνοτουρκική διένεξη.

Οι τραυματικές για το έθνος μας ιστορικές εμπειρίες, ακόμα και του πρόσφατου παρελθόντος, δεν αφήνουν περιθώρια αισιοδοξίας σχετικά με τη μορφή των «λύσεων» που προωθούνται.

Ιδιαίτερη ανησυχία όμως προκαλούν οι πρόσφατες αναφορές στον Τύπο σε επικείμενο ταξίδι του Έλληνα πρωθυπουργού στην Άγκυρα, στην πιθανότητα να γίνει αποδεκτή από την ελληνική πλευρά πρόταση για *συνεκμετάλλευση* της υφαλοκρηπίδας του Αιγαίου και στην υπογραφή *Συμφώνου Φιλίας* ανάμεσα στις δύο χώρες – σε σχέση με το οποίο θα συμφωνηθεί και *η καταγραφή* των «προβλημάτων», δηλαδή των τουρκικών *διεκδικήσεων* σε βάρος των εθνικών κυριαρχικών δικαιωμάτων της χώρας μας.

Πολλά επίσης λέγονται και ιδίως γράφονται στον ελληνικό και διεθνή Τύπο για τη «λύση» που ετοιμάζεται στο παρασκήνιο για το Κυπριακό – «λύση» που παρακάμπτει το χαρακτηρισμό του ως θέματος που αφορά τη διεθνή νομιμότητα, δηλαδή ως θέματος εισβολής και κατοχής. (...)

Οι ανησυχίες του Ανδρέα για τις εξελίξεις μετά τους κυβερνητικούς χειρισμούς στα Ίμια επιβεβαιώθηκαν, όπως έλεγε, μετά την ενημέρωση που είχε για τη συνάντηση Κλίντον - Σημίτη.

Ο πρωθυπουργός δε ζήτησε ποτέ να τον ενημερώσει και αυτό ήταν ένα παράπονό του. Την ενημέρωση την είχε από ένα non paper που του εστάλη μετά τη συνάντηση. Γι' αυτό το non paper που έχει δει το φως της δημοσιότητας έχουν γραφτεί πολλά και έχει διαψευστεί η ύπαρξή του.

Αυτό που εγώ μπορώ να βεβαιώσω είναι πως το non paper έφτασε στα χέρια του Ανδρέα. Και έφτασε από πηγή στην οποία είχε εμπιστοσύνη. Α-σφαλώς όμως –και αυτό νομίζω είναι απόλυτα κατανοητό– δεν είμαι σε θέση να αποκαλύψω την πηγή.

Σύμφωνα με το κείμενο του non paper, όπως ο ίδιος έλεγε, με-ταξύ των κ.κ. Κλίντον και Σημίτη *συμφωνήθηκε ουσιαστικά αναθεώ-*

ρηση και αλλαγή της πολιτικής των κυβερνήσεων του Α. Παπανδρέου στις ελληνοτουρκικές σχέσεις και το Αιγαίο.

Ανησύχησε πολύ. Μετέφερε τις ανησυχίες του σε συνολιμητές του της περιόδου εκείνης.

Μεταξύ άλλων στο non paper επισημαίνονταν και τα εξής:

(...) Ο Κ. Σημίτης εξέφρασε τις *ευχαριστίες* και την εκτίμησή του στον Πρόεδρο Κλίντον προσωπικά καθώς και *την υποχρέωσή του* για τη θέση που πήραν οι ΗΠΑ υπέρ της Ελλάδας κατά την κρίση των Ιμίων και ζήτησε από τον Πρόεδρο Κλίντον να συνεχίσει την υποστήριξή του στην Ελλάδα και ειδικά στους *χειρισμούς* του για την επίλυση του προβλήματος. (...)

Ο πρωθυπουργός έδωσε έμφαση στην ένταση στο Αιγαίο και εξήγησε ότι η κατάσταση είναι πολύ κρίσιμη και θα μπορούσε ανά πάσα στιγμή να ξεσπάσει πόλεμος μεταξύ της Τουρκίας και της Ελλάδας. Αυτό το απέδωσε στις πολιτικές που εφαρμόστηκαν από τις προηγούμενες ελληνικές κυβερνήσεις.

Επισήμανε ότι δε θα έπρεπε να εγερθούν εδαφικές διεκδικήσεις μέσα από βία ή επιθετικότητα. (...)

Ο πρωθυπουργός Κ. Σημίτης διαβεβαίωσε τον Πρόεδρο Κλίντον ότι θα συνεργαστεί με τις ΗΠΑ προκειμένου να προωθήσουν την πολιτική τους στην περιοχή και θα στηρίξει τις αμερικανικές επιχειρήσεις έναντι της Λιβύης, του Ιράκ και άλλων χωρών.

Ο Κ. Σημίτης τόνισε στον Πρόεδρο Κλίντον ότι, αντίθετα με την αραβική πολιτική του Α. Παπανδρέου, ο ίδιος υποστήριζε την αμερικανική πολιτική στην περιοχή.

Ο Πρόεδρος Κλίντον ευχαρίστησε τον πρωθυπουργό Κ. Σημίτη για την ενημέρωσή του και εξήγησε τις δυσκολίες και τις επιπλοκές της κρίσης στην περιοχή και ότι βασικός στόχος των ΗΠΑ καθώς και πιο ουσιαστικό είναι να δοθεί έμφαση στην ανάγκη ενός διαλόγου μεταξύ Τουρκίας και Ελλάδας, σε μια προσπάθεια οι δύο χώρες να επιλύσουν τα προβλήματά τους. Ο Πρόεδρος Κλίντον ζήτησε από τον Κ. Σημίτη να σταματήσει να περιθάλπει και να βοηθά το ΡΚΚ.

Ο Πρόεδρος Κλίντον στη συνέχεια έδωσε έμφαση στη σημασία να επιλυθεί το θέμα του ονόματος με την ΠΓΔΜ και κάλεσε τον πρωθυπουργό να εργαστεί προς αυτή την κατεύθυνση.

Ο πρωθυπουργός Κ. Σημίτης επέκρινε και πάλι τις θέσεις των προηγούμενων ελληνικών κυβερνήσεων –κυρίως τους συναδέλφους του του ΠΑΣΟΚ, για το αδιέξοδο–, που παραμένουν αντικείμενο ενός συμβιβασμού για τη Μακεδονία ή τα νησιά. Οι σκληροπυρηνικοί όλων των κομμάτων, είπε, τον απειλούν ν' αποσύρουν την εμπιστοσύνη τους από την κυβέρνηση στη Βουλή, εάν συμβιβαστεί στο θέμα του ονόματος ή στα νησιά.

Ο Πρόεδρος Κλίντον πρότεινε μια συνάντηση μεταξύ Σημίτη - Γιλμάζ στην Ουάσιγκτον ή σε οποιοδήποτε άλλο μέρος κοινά αποδεκτό, προκειμένου να συζητήσουν αυτά τα θέματα και να συμφωνήσουν σ' έναν τόπο διαπραγματεύσεων.

Ο Κ. Σημίτης έδωσε την έντονη συμφωνία του σ' αυτή την πρόταση, αλλά ζήτησε να καθυστερήσει η υλοποίησή της μέχρι το τέλος του Συνεδρίου του ΠΑΣΟΚ, στο τέλος του Ιουνίου, ώστε να μπορεί να ενεργήσει πιο άνετα για τη διευθέτηση του θέματος, αφού θα έχει ενισχύσει τις αρμοδιότητές του στο Κίνημα.

Ο Κ. Σημίτης ευχαρίστησε τον Πρόεδρο Κλίντον για την καλοσύνη του να προτείνει ότι εφ' εξής ο Γ. Παπανδρέου θα ενεργεί ως ιδιαίτερος αξιωματούχος και ως εμπιστευτικός δίαυλος προς τον Πρόεδρο.

Μετά απ' όλα αυτά, είμαι σε θέση να γνωρίζω πως στο μήνυμά του προς το Συνέδριο θα έκανε ειδική αναφορά στις εξελίξεις στα εθνικά θέματα και στην ανάγκη διατήρησης της πατριωτικής φυσιογνωμίας του ΠΑΣΟΚ.

Κύπρος, η αγάπη του

Το *Κυπριακό* ήταν η μεγάλη του ευαισθησία και ο μεγάλος του πόνος.

Ξεκίνησε την πολιτική του καριέρα όσον αφορά τα εθνικά θέματα με το Κυπριακό, το 1964, όταν μαζί με τον πατέρα του, στο

Λευκό Οίκο, αντιστάθηκαν στις πιέσεις του Προέδρου Τζόνσον για αποδοχή του σχεδίου Άτσεσον και για συνάντηση κορυφής Ελλάδας - Τουρκίας.

Τότε ήταν και οι δύο βέβαιοι πως θα την πληρώσουν αυτή την αντίσταση, όπως και έγινε. Αλλά δε μετάνιωσε ποτέ γι' αυτές του τις επιλογές.

Το Κυπριακό, όπως ο ίδιος έλεγε, ήταν γι' αυτόν πάντοτε η σημαία. Θα μπορούσε να είναι ελαστικός σε άλλα θέματα, αλλά για την Κύπρο ήταν πλήρως ανελαστικός.

Όταν έγινε για πρώτη φορά πρωθυπουργός, το 1981, το πρώτο του ταξίδι ήταν στην Κύπρο, για λόγους ουσιαστικούς και συμβολικούς.

Το έφερνε πάντα το Κυπριακό για συζήτηση σ' όλους τους διεθνείς οργανισμούς και το είχε τοποθετήσει ως *«θέμα εισβολής και κατοχής»*. Το θεωρούσε ένα ουσιαστικό στοιχείο του συνολικού πλέγματος των ελληνοτουρκικών σχέσεων.

Κατά τη μακρά ενασχόλησή του με το Κυπριακό είχε δεθεί ιδιαίτερα με τον *αρχιεπίσκοπο Μακάριο.* Τον λάτρευε, τον θαύμαζε και μιλούσε πάντα με αγάπη και απέραντη εκτίμηση για το πρόσωπό του. Μεταξύ άλλων έλεγε πως ήταν απ' τα πρότυπα ηγετών, που εφάρμοζαν «ανεξάρτητη, αδέσμευτη εξωτερική πολιτική, που δεν υποκύπτουν σε πιέσεις και εκβιασμούς, που δεν υπολογίζουν κόστος».

Νομίζω πως ο Μακάριος και ο Τίτο υπήρξαν τα πρότυπά του στην άσκηση ανεξάρτητης εξωτερικής πολιτικής μέσα απ' τις Συμπληγάδες των διεθνών συσχετισμών και ισορροπιών.

Επίσης ο *Βάσος Λυσσαρίδης,* ο «γιατρός», όπως με αγάπη τον αποκαλούσε, ήταν πάντα και παρέμεινε φίλος του αγαπημένος ως το τέλος. Ήταν μια φιλία που, εκτός απ' το προσωπικό, είχε έντονο και το πολιτικό στοιχείο.

Οι θέσεις τους για το Κυπριακό ήταν κοινές, ταυτόσημες. Ο Ανδρέας θαύμαζε πάντοτε τη μαχητικότητα και το ασυμβίβαστο του Β. Λυσσαρίδη, τον πατριωτισμό του και την ανάλυσή του για τις εξελίξεις. Κάποια περίοδο τον χαρακτήριζε «μοναχικό καβαλάρη στην Κύπρο, σε μια εποχή που όλοι, άλλος λιγότερο και άλλος περισσότερο, έχουν αποδεχτεί κάποιο συμβιβασμό». Αλλά αυτός ήταν ένας λόγος για να τον εκτιμά και να τον θαυμάζει ακόμα περισσότερο, αφού ο Ανδρέας ήταν της λογικής να μη φοβάται κανείς να πηγαίνει κόντρα στο ρεύμα, όταν πρόκειται για την υπεράσπιση αρχών.

Ο πρόεδρος θεωρούσε ένα απ' τα σημαντικότερα επιτεύγματα της πολιτικής του στα εθνικά θέματα το *Ενιαίο Αμυντικό Δόγμα Ελλάδας - Κύπρου*. Ήταν υπερήφανος και ικανοποιημένος για το Ενιαίο Αμυντικό Δόγμα. Γνωρίζω πως είχε δεχτεί αρκετές πιέσεις για την εγκατάλειψη ή τη μη υλοποίησή του. Όχι μόνο τις αγνοούσε, αλλά μια απ' τις προθέσεις του, που δεν πρόλαβε να υλοποιήσει, ήταν να προβεί σε κινήσεις για την εδραίωση και επέκτασή του. Προς τούτο είχε συχνές συνεργασίες με τους Κάρ. Παπούλια και Γερ. Αρσένη.

Μια απ' τις λίγες στιγμές έντασης που έζησα μεταξύ του Ανδρέα και του *Χρ. Παπουτσή* είχε αφορμή το Κυπριακό και τους επ' αυτού χειρισμούς.

Ήταν στο Ευρωπαϊκό Συμβούλιο του Έσεν, το Δεκέμβριο του '94. Ένα απ' τα θέματα που θα συζητιόταν ήταν η άρση ή μη του ελληνικού βέτο για την τελωνειακή ένωση και για τη χρηματοδότηση της Τουρκίας απ' την ΕΕ. Ο Ανδρέας ήταν κατά της άρσης του βέτο, η γερμανική προεδρία πίεζε ασφυκτικά και οι περισσότεροι απ' τους άλλους εταίρους σιγοντάριζαν.

Τότε ο Γ. Κρανιδιώτης πρότεινε να άρουμε το βέτο και σε αν   τάλλαγμα να ζητήσουμε δέσμευση της Κοινότητας για συγκεκριμένο χρόνο έναρξης των διαπραγματεύσεων για την ένταξη της Κύπρου στην ΕΕ.

Άγγιξε μια απ' τις ευαίσθητες χορδές του Ανδρέα μ' αυτή την πρόταση, που άρχισε να τη μελετά και να την καλοβλέπει.

Στη διάρκεια της συνάντησης των σοσιαλιστών, πριν από το Ευρωπαϊκό Συμβούλιο, συναντήθηκε με τον Χρ. Παπουτσή και συζήτησαν το θέμα. Ο Χρήστος διαφώνησε με την πρόταση του Γ. Κρανιδιώτη. Πρότεινε να συνδεθεί το Κυπριακό με τη διεύρυνση της Κοινότητας προς την Κεντρική και Ανατολική Ευρώπη και η τελωνειακή ένωση να προχωρήσει μόνο με την προϋπόθεση δέσμευσης της Τουρκίας προς την Κοινότητα, και όχι προς την Ελλάδα, ότι θα σεβαστεί το διεθνές δίκαιο και θα σταματήσει τη διεκδίκηση των κυριαρχικών δικαιωμάτων της χώρας μας.

Την έβρισκε λογική την πρόταση, αλλά δεν του εξασφάλιζε άμεση δέσμευση της ΕΕ για χρόνο έναρξης των ενταξιακών διαδικασιών της Κύπρου.

Έμειναν και οι δύο στις θέσεις τους, ο Ανδρέας χολώθηκε λίγο και ο Χρήστος έφυγε για τις Βρυξέλλες. Όταν επρόκειτο να συζητηθεί το θέμα, του τηλεφωνεί:

«Χρήστο, πες μου την τελική σου θέση. Αλλά σε παρακαλώ να υπολογίσεις ότι η Κύπρος είναι το θέμα μας, για την Κύπρο τι μου προτείνεις».

Πράγματι «η Κύπρος ήταν το θέμα του», ήταν στην ψυχή του, ήταν ο ακρογωνιαίος λίθος της πολιτικής του αντίληψης για την εξωτερική πολιτική της χώρας μας. Ίσως ήταν ο τελευταίος Έλληνας πολιτικός απ' τους πρωταγωνιστές της πολιτικής σκηνής που χρησιμοποιούσε τον όρο «στρατεύματα κατοχής» και υπογράμμιζε πως τυχόν προέλασή τους θα αποτελούσε για την Ελλάδα casus belli...

Οι Άραβες φίλοι...

Ένα άλλο απ' τα βασικά στοιχεία της φιλοσοφίας του Ανδρέα για την εξωτερική πολιτική της Ελλάδας ήταν οι φιλικές σχέσεις με τον *αραβικό κόσμο*. Αυτή την αντίληψη δεν την εγκατέλειψε ποτέ, όσο κόστος και αν εισέπραττε. Ήταν πάντοτε της άποψης πως έπρεπε να τιμά τη φιλία με τους Άραβες και ότι η χώρα μας μέσα απ' αυτή τη σχέση διευρύνει τη διεθνή της θέση και το ρόλο της.

Στη δεκαετία του '80 η πολιτική του αυτή, η προσωπική του φιλία με τον Αραφάτ, τον Καντάφι, τον Άσαντ, το Σαντάμ Χουσεΐν του κόστισαν αρκετή απομόνωση διεθνώς, οξύτατη αντιπολίτευση στο εσωτερικό και διαρκή πόλεμο απ' τα πανίσχυρα εβραϊκά λόμπι. Έχω, σε άλλο σημείο, αναφερθεί σε «μηνύματα» που του είχαν σταλεί προ των εκλογών του '89 και που αρνήθηκε να αποδεχτεί, γιατί δεν ήθελε να απογοητεύσει και να πουλήσει τους Άραβες φίλους του. Έλεγε, θυμάμαι, πως δεν έχει αυτό το δικαίωμα· άλλωστε όλοι αυτοί του στάθηκαν όποτε ζήτησε τη βοήθειά τους.

Θεωρούσε μια απ' τις πιο συγκινητικές στιγμές της ζωής του τον εναγκαλισμό με τον Γιάσερ Αραφάτ, όταν ο Παλαιστίνιος ηγέτης τού είπε «ευχαριστώ» για την πρωτοβουλία του να στείλει ελληνικά πλοία για τη μεταφορά των Παλαιστίνιων μαχητών κατά την απελπισμένη έξοδό τους απ' τη Βηρυτό, μετά το βομβαρδισμό απ' το Ισραήλ, για τη φιλοξενία που παρέσχε η Ελλάδα σε πολλούς απ' αυτούς.

Με ιδιαίτερη συγκίνηση είδα πως ο Γιάσερ Αραφάτ, σε γραπτό μήνυμά του στην εφημερίδα *Τα Νέα*, στο πλαίσιο αφιερώματος για τον ένα χρόνο απ' το θάνατο του Ανδρέα, έκανε αναφορά σ' αυτό ακριβώς το γεγονός:

Ο Ανδρέας Παπανδρέου είναι αδελφός μου και φίλος μου. Είναι ο αείμνηστος ηγέτης της Ελλάδας, τον οποίο έχασα σε αυτή τη σκληρή και μακροχρόνια μάχη για την ελευθερία της Παλαιστίνης και του λαού της. Ο Παπανδρέου είναι ο άνδρας των αρχών, ο άνδρας της Δημοκρατίας, ο άνδρας της ελευθερίας. Τον γνώρισα στη μάχη που δίναμε μαζί για την ελευθερία και τη δημοκρατία στις δύο αδελφές χώρες μας, την Παλαιστίνη και την Ελλάδα. Όταν νίκησε η δημοκρατία στην Ελλάδα υπό την ηγεσία του Ανδρέα Παπανδρέου, εμείς το είδαμε σαν νίκη της Παλαιστίνης.

Η σχέση μου με τον Ανδρέα Παπανδρέου ήταν μια σχέση κοινών αρχών, κοινών ιδανικών και κοινού αγώνα. Τον συνάντησα για πρώτη φορά στα τέλη της δεκαετίας του '60 σε μια βάση Παλαιστίνιων ανταρτών κοντά στα σύνορα της κατεχόμενης Παλαιστίνης. Σε εκείνη τη συνάντηση αποφασίσαμε να εργαστούμε μαζί για τη νίκη της δημοκρατίας στην Ελλάδα και για την απελευθέρωση της Παλαιστίνης από την ισραηλινή κατοχή.

Οι συναντήσεις μας και οι επαφές μας συνεχίστηκαν σε όλη τη διάρκεια των επόμενων χρόνων και σφυρηλατήθηκε ανάμεσά μας μια στενή και βαθιά φιλία. Η προσωπική μας σχέση οδήγησε και σε μια περαιτέρω εδραίωση της αγωνιστικής σχέσης μεταξύ της υπόλοιπης ηγεσίας των δύο Κινημάτων μας και των δύο λαών μας. Στη δεκαετία του '70 εδραιώθηκαν οι σχέσεις μεταξύ των εργατικών συνδικάτων, των φοιτητικών οργανώσεων, των δημοσιογραφικών ενώσεων και των συλλόγων των συγγραφέων της Παλαιστίνης και της Ελλάδας.

Την ίδια νύχτα που ανακοινώθηκε η νίκη του ΠΑΣΟΚ στις βουλευτικές εκλογές, το 1981, ο Ανδρέας Παπανδρέου μού απηύθυνε επίσημη πρόσκληση να επισκεφθώ την Ελλάδα. Εγώ ανταποκρίθηκα στην πρόσκληση του αδελφού μου, του φίλου μου και συναγωνιστή μου, το Δεκέμβριο του 1981. Και έτσι ήμουν ο πρώτος ξένος ηγέτης που είχα την τιμή να επισκεφθώ την Ελλάδα μετά τη νίκη του ΠΑΣΟΚ το 1981.

Λίγους μήνες αργότερα, στις πιο δύσκολες συνθήκες πολέμου και πολιορκίας που γνώρισε η επανάστασή μας και ο λαός μας, όταν αντιμετωπίζαμε την ισραηλινή εισβολή και την πιο σύγχρονη πολεμική μηχανή του Ισραήλ, το 1982, ο ηγέτης Παπανδρέου απηύθυνε και πάλι πρόσκληση σε μένα, την PLO και τους Παλαιστίνιους αντάρτες να έρθουμε στην Ελλάδα και ανακοίνωσε ότι η Ελλάδα ήταν έτοιμη να φιλοξενήσει τους Παλαιστίνιους αγωνιστές σε ένα ελληνικό νησί.

Η πρόσκληση αυτή του Ανδρέα Παπανδρέου, τη στιγμή που βρισκόμασταν στην πολιορκημένη και συνεχώς βομβαρδιζόμενη Βηρυτό, αναπτέρωσε το ηθικό μας και αγαλλίασε την ψυχή μας. Και πράγματι αποχωρήσαμε από τη Βηρυτό με προορισμό την Ελλάδα, αποδεικνύοντας έτσι για άλλη μια φορά την αληθινή φιλία και το βάθος της σχέσης που συνδέει την Παλαιστίνη και την Ελλάδα.

Στο λιμάνι του Πειραιά μάς υποδέχτηκε ο ηγέτης Παπανδρέου με τους υπουργούς της κυβέρνησής του και ένα τεράστιο πλήθος Ελλήνων. Σε εκείνη την υποδοχή ο Ανδρέας Παπανδρέου με τύλιξε με τη ζεστασιά, την αγάπη και τη φιλία του. Με έκανε να νιώθω ότι η Ελλάδα είναι πατρίδα μου και οι Έλληνες είναι η οικογένειά μου και συμπατριώτες μου. Εκείνη τη μέρα με ρώτησαν οι δημοσιογράφοι γιατί διάλεξα την Αθήνα. Τους απάντησα: «Διαλέξαμε την πιο κοντινή αραβική πρωτεύουσα».

Η γενναία στάση του Ανδρέα Παπανδρέου στη διάρκεια της ισραηλινής εισβολής στο Λίβανο, το 1982, θα μείνει αξέχαστη στον παλαιστινιακό λαό και στο αραβικό έθνος. Ο Παπανδρέου είχε δηλώσει τότε ότι η Ελλάδα στέκεται στο πλευρό μας. Οργάνωσε αμέσως μια εκστρατεία για την αποστολή ιατροφαρμακευτικής βοήθειας στους πολιορκημένους μαχητές μας. Στην εκστρατεία εκείνη βοήθησαν όλα τα ελληνικά πολιτικά κόμματα και ολόκληρος ο ελληνικός λαός. Τα ελληνικά νοσοκομεία υποδέχτηκαν πολλούς αντάρτες μας που τραυματίστηκαν στη μάχη για την υπεράσπιση της Βηρυτού.

Ήμουν ο μόνος ξένος ηγέτης που επισκέφθηκε τον Ανδρέα Παπανδρέου όταν αρρώστησε, στις 20-5-1996, μόλις τριάντα δύο μέρες πριν από το θάνατό του. Τον βρήκα σε πλήρη πνευματική διαύγεια. Με ρώτησε για την ειρηνευτική διαδικασία και για την ανοικοδόμηση του παλαιστινιακού κράτους. Θυμάμαι ότι μου εξέφρασε την ανησυχία του για την καθυστέρηση της ειρηνευτικής διαδικασίας. Μου δήλωσε ότι ήταν βέβαιος για τη νίκη του παλαιστινιακού λαού στο δίκαιο αγώνα του για την απελευθέρωση της πατρίδας του και για την ίδρυση του ανεξάρτητου παλαιστινιακού κράτους με πρωτεύουσα την Ιερουσαλήμ.

Του ευχήθηκα ταχεία ανάρρωση και του είπα ότι επιθυμούσα πολύ να μας επισκεφθεί στην Ιερουσαλήμ και στη Βηθλεέμ. Ο Παπανδρέου γέλασε και μου είπε: «Η καρδιά μου είναι μαζί σας. Μην ανησυχείτε. Οι Έλληνες είναι πιστοί φίλοι των Παλαιστινίων». Και τον αποχαιρέτησα για τελευταία φορά.

Με το θάνατό του έχασα έναν πιστό φίλο, ένα γενναίο συναγωνιστή και οι Έλληνες έχασαν έναν άνδρα που ήταν η προσωποποίηση της πολιτισμένης και θαρραλέας Ελλάδας.

Αιωνία η μνήμη σου, αγαπητέ μου φίλε Ανδρέα.

Γιάσερ Αραφάτ

Η συνάντησή του με τον Αραφάτ, λίγες μέρες πριν φύγει, ήταν μια απ' τις πιο συγκινητικές στιγμές τής μετά το Ωνάσειο περιόδου.

Αλλά η αραβική πολιτική του δεν καθοριζόταν μόνο απ' το προσωπικό ή το συναισθηματικό στοιχείο. Όπως πολύ συχνά έλεγε, τη θεωρούσε αναπόσπαστο τμήμα της αντίληψής του για αδέσμευτη εξωτερική πολιτική.

Εκτιμούσε επίσης πως αναβαθμιζόταν έτσι και ο διεθνής ρόλος της χώρας μας. *«Ο αραβικός κόσμος»*, έλεγε, *«διαθέτει τεράστια ισχύ, γι' αυτό οι μεγάλοι φροντίζουν να τον κρατούν διαιρεμένο»*.

Θυμάμαι πόσο ικανοποιήθηκε, όταν του ζητήθηκε απ' το Ισραήλ να μεσολαβήσει για τη βελτίωση των σχέσεων Ισραήλ - Συρίας.

Έβλεπε ότι έστω και αργά η πολιτική του δικαιωνόταν και μάλιστα απ' τις χώρες εκείνες που την πολέμησαν σφοδρά παλιότερα για τη φιλία του με τους Άραβες.

Έβλεπε, τέλος, στο βάθος αυτής της πολιτικής και την τεράστια στρατηγική σημασία των «ανοιχτών καναλιών τροφοδοσίας με πετρέλαιο».

Γνώριζε πως η αποδοχή του στον αραβικό κόσμο, το κύρος του ήταν τεράστια. Θυμάμαι την υποδοχή που του είχαν επιφυλάξει τα ΜΜΕ, όταν είχαμε πάει στο Κάιρο, μετά τις εκλογές του '90, για το Συνέδριο της Σοσιαλιστικής Διεθνούς. Παρά την παρουσία πολλών σοσιαλιστών ηγετών, παρά το γεγονός ότι ο ίδιος ήταν αντιπολίτευση τότε, μονοπωλούσε το ενδιαφέρον των ΜΜΕ. Έτυχε μεγάλης δημοσιότητας και καμάρωνε ιδιαίτερα γι' αυτό. «Είδες, Δήμητρα, αναγνωρίζουν τη φιλία μας, αναγνωρίζουν το ρόλο μου», έλεγε με καμάρι.

Οφείλω να καταθέσω πως ένας απ' αυτούς που στήριξαν την πολιτική του έναντι των Αράβων και που με τις διασυνδέσεις του στον αραβικό κόσμο του ήταν αφανής αλλά πολύτιμος συμπαραστάτης είναι ο καλός του φίλος *Τζορτζ Χάλακ*.

Δεν αποδεχόμαστε συμβιβασμό...

Το Σκοπιανό ήταν το θέμα που τον απασχόλησε ιδιαίτερα τα τελευταία χρόνια. *Πίστευε πως είχε κληρονομήσει ένα αδιέξοδο, που ήταν* αποτέλεσμα των χειρισμών της τελευταίας περιόδου της κυβέρνησης του Κ. Μητσοτάκη. *Δεν ήταν ωστόσο διατεθειμένος να υποχωρήσει και να συμβιβαστεί.* Οι ευαισθησίες του, το αίσθημα ευθύνης που τον διέκρινε δεν του επέτρεπαν απ' τη διαπίστωση του αδιεξόδου να οδηγηθεί στο συμβιβασμό.

Νομίζω ότι ενδεικτικός της φιλοσοφίας του στην προσέγγιση του θέματος είναι ένας διάλογος που είχε, μετά τις εκλογές του '93, με στενό συνεργάτη του. Προσπαθούσε να τον πείσει ότι το κλίμα στη διεθνή κοινότητα είναι αρνητικό έναντι της Ελλάδας, ότι τα περιθώρια ελιγμών είναι στενά και ότι ίσως θα έπρεπε να τον προβληματίσει κάποια αναπροσαρμογή πολιτικής. Του απάντησε:

«Τα προβλήματα που μου περιγράφεις τα αναγνωρίζω. Πρέπει όμως να σου πω ότι εκτός απ' την οικονομική διείσδυση υπάρχει και η ιστορία. Αν οι Σκοπιανοί χρησιμοποιήσουν το όνομα για να θέσουν *θέμα μειονότητας στην Ελλάδα,* τι θα απαντήσουμε; Ξέρω ότι αυτό μπορεί να μη γίνει άμεσα, ίσως γίνει σε δέκα, είκοσι ή περισσότερα χρόνια. *Αλλά και τότε ακόμα οι νεότερες γενιές θα ρωτήσουν να μάθουν το όνομα αυτού ο οποίος συμφώνησε σ' ένα συμβιβασμό για την ονομασία.* Εκτός αυτού, *η δημοκρατία μας δεν αντέχει εθνικιστικό κόμμα.* Ίσως οι αντιδράσεις που θα προκύψουν σ' ένα συμβιβασμό οδηγήσουν στην ίδρυση ενός εθνικιστικού κόμματος».

Θυμάμαι ότι τα παραπάνω επιχειρήματα είχαν κλονίσει το συνομιλητή του, που είχε έρθει να του μιλήσει με άλλες διαθέσεις.

Στις 26 Ιανουαρίου 1993 είχε στείλει στον Πρόεδρο της Δημοκρατίας Κ. Καραμανλή επιστολή, με την οποία απαντούσε στην πρόσκληση του κ. Π. Μολυβιάτη για τη νέα σύγκληση συμβουλίου πολιτικών αρχηγών. Και μεταξύ άλλων επισήμαινε:

Το πλαίσιο που προσδιορίστηκε στις συσκέψεις των αρχηγών είναι ήδη διάτρητο...

Απ' τη διπλή γλώσσα και τη «διπλή ονομασία», στα οποία και άλλοτε έχω αναφερθεί, έχουμε τώρα οδηγηθεί στην αποδοχή και την επιδίωξη κάποιας μορφής διαιτησίας ή διαμεσολάβησης. Ο δρόμος που ακολουθεί η κυβέρνηση είναι μονόδρομος. Βασικό χαρακτηριστικό του είναι η εγκατάλειψη των θέσεων που είχαν χαραχτεί και βεβαίως της δέσμευσης ότι η Ελλάδα δεν είναι δυνατό να αναγνωρίσει στα βόρεια σύνορά της χώρα με το όνομα Μακεδονία, Μακεδονικό κ.λπ....

Στην παρούσα φάση, με τις δεσμεύσεις που έχει αναλάβει η κυβέρνηση, με τον όλο χειρισμό του θέματος, έχει αφεθεί εκ των πραγμάτων περιθώριο συζήτησης μόνο για τις εναλλακτικές μορφές ενός συμβιβασμού...

Ήταν ακριβώς το τελευταίο αυτό που τον έκαιγε. Αλλά σε τέτοια συζήτηση για τις «εναλλακτικές μορφές ενός συμβιβασμού» αρνούνταν να φτάσει.

Θυμάμαι πως επέστρεφε απ' τις συσκέψεις των πολιτικών αρχηγών με χαρτιά γεμάτα σημειώσεις. Εκεί κατέγραφε, στην εξέλιξη και την πρόοδο της συζήτησης, τα σχόλιά του επί των τοποθετήσεων του πρωθυπουργού και των αρχηγών των κομμάτων. Σχόλια που επαληθεύτηκαν σχεδόν αμέσως ή λίγο καιρό αργότερα.

Θυμάμαι ακόμα πως μια απ' τις στιγμές έντασης που είχε με τον Γ. Παπανδρέου αφορούσε κάποιους χειρισμούς του για το Σκοπιανό, οι οποίοι ενόχλησαν τον Ανδρέα.

Σε κάποιο γεύμα στο Μαξίμου ο πρόεδρος αποσύρθηκε κάποια στιγμή με τον Κάρ. Παπούλια και διπλωματικούς παράγοντες που χειρίζονταν το θέμα, για να συζητήσουν για τις τελευταίες εξελίξεις. Ένας απ' αυτούς του παραπονέθηκε πως άλλες οδηγίες έχει απ' τον πρωθυπουργό και τον υπουργό Εξωτερικών για το χειρισμό του θέματος και άλλες απ' τον αναπληρωτή υπουργό. Του ανέφερε μάλιστα και συγκεκριμένα παραδείγματα.

Ο Ανδρέας φώναξε αμέσως τον Γιώργο, που ήταν στο Μαξίμου και είχε παραμείνει στο γεύμα, και του έκανε παρατηρήσεις. Του είπε επίσης ότι εξουσιοδότηση για το χειρισμό του θέματος έχει μόνο ο Κάρ. Παπούλιας και ο πρέσβης Ζαχαράκης.

Η «μάχη της δραχμής»

ΕΝΑ ΑΠΟ ΤΑ ΣΗΜΑΝΤΙΚΟΤΕΡΑ ΓΕΓΟΝΟΤΑ, που σημάδεψαν πραγματικά το διάστημα 1993-Ιανουάριος 1996, όταν ο Ανδρέας ήταν πρωθυπουργός· και ο χειρισμός του ανέδειξε στον ύψιστο βαθμό το πολιτικό του μέγεθος, ήταν η περίφημη «μάχη της δραχμής», την άνοιξη του 1994.

Ο Ανδρέας *καθοδήγησε προσωπικά* αυτή τη μάχη και ειδικά ήταν αυτός που επέλεξε και επέβαλε τη μη υποτίμηση της δραχμής. Έδωσε και κέρδισε μια μάχη που δεν είχαν τολμήσει να δώσουν, υπό ανάλογες συνθήκες, ούτε η Μεγάλη Βρετανία ούτε η Ισπανία ούτε άλλη χώρα της Ευρωπαϊκής Ένωσης, που αντιμετώπισε παρόμοιο πρόβλημα. Έδωσε έτσι την πιο κατάλληλη απάντηση σ' αυτούς που αμφισβητούσαν την ικανότητά του να κυβερνά, τόσο έξω όσο και μέσα απ' το ΠΑΣΟΚ.

Η υποχρέωση της Ελλάδας προς την ΕΕ να απελευθερώσει από την 1η Ιουλίου 1994 τη βραχυχρόνια κίνηση κεφαλαίων δημιούργησε ισχυρές πιέσεις προς τη δραχμή και ήδη από τις αρχές Μαΐου άρχισε να εκδηλώνεται μια μεγάλη επίθεση κερδοσκόπων προς το εθνικό μας νόμισμα. Η κατάσταση ήταν κρίσιμη έως και οριακή για την εθνική μας οικονομία.

Υπήρξαν τότε σκέψεις και προτάσεις για *υποτίμηση της δραχμής*, προκειμένου να αντιμετωπιστεί η κατάσταση που είχε δημιουργηθεί. *Υπέρ της υποτίμησης* ή υπέρ της άποψης ότι η κυβέρνηση εκ των πραγμάτων θα υποχρεωνόταν να προχωρήσει σε υποτίμηση ήταν ο υπουργός Εθνικής Οικονομίας Γ. Παπαντωνίου, ο οποίος μάλιστα πρότεινε να φτάσει η υποτίμηση στο 15%, ο διοικητής της Τράπεζας της Ελλάδος Γ. Μπούτος, ο Γ. Κατηφόρης αλλά και στελέχη τραπεζών.

Ο Ανδρέας άκουσε τις απόψεις όλων. Συζήτησε το θέμα και με στελέχη της αγοράς. Προβληματίστηκε έντονα. Όμως απ' την αρχή, πηγαίνοντας για άλλη μια φορά κόντρα στο ρεύμα, είχε την άποψη ότι δε θα πρέπει να γίνει υποτίμηση και αντίθετα θα πρέπει να επιλεγεί μια «επιθετική» πολιτική *επίσπευσης της απελευθέρωσης* της κίνησης κεφαλαίων με παράλληλη στήριξη της δραχμής απ' τις κρατικές τράπεζες. Αυτό βέβαια θα είχε κόστος για τις τράπεζες. Ωστόσο εκτιμούσε ότι *το κόστος απ' την υποτίμηση θα ήταν πολλαπλάσια αρνητικό για την εθνική οικονομία*, καθώς θα δημιουργούσε μακροχρόνιες αναταράξεις.

Επρόκειτο για μια δύσκολη, σκληρή μάχη. Αποφάσισε να τη δώσει και να την καθοδηγήσει.

Είναι χαρακτηριστικό πως, όταν κάλεσε το διοικητή της Εθνικής Τράπεζας *Γ. Μίρκο*, τον ρώτησε:

«*Αν δεν προχωρήσουμε σε υποτίμηση*, είναι διατεθειμένη η Τράπεζα να στηρίξει αυτή την επιλογή;»

«Βεβαίως, πρόεδρε».

«Έχετε επίγνωση ότι, αν γίνει αυτό, η Τράπεζα θα χάσει χρήματα;»

«Ασφαλώς. Όμως συμφωνώ. Θα ήθελα μόνο την κάλυψη της Τράπεζας, όταν ολοκληρωθεί η προσπάθεια».

Η απόφαση πλέον είχε ληφθεί.

Η απελευθέρωση έγινε στις 13 Μαΐου. Ήταν μια αιφνιδιαστική κίνηση, πρώτα για τους κερδοσκόπους.

Ο Ανδρέας καθοδήγησε προσωπικά τη σκληρή μάχη, λεπτό προς λεπτό.

Καθοριστική στην επιτυχή έκβαση της μάχης ήταν η συμβολή κυρίως της Εθνικής Τράπεζας αλλά και της Εμπορικής (Π. Πουλής) και της Ιονικής (Π. Κορλίρας - Γερ. Σαπουντζόγλου).

Βεβαίως βοήθησαν και συμμετείχαν ενεργά και όσοι είχαν κατ' αρχάς ταχθεί υπέρ της υποτίμησης.

Η ζημιά των κερδοσκόπων ήταν μεγάλη.

Βεβαίως και το κόστος για τις τράπεζες που στήριξαν τη δραχμή ήταν σημαντικό.

Όμως, θυμάμαι ότι ο Ανδρέας εκείνες τις δύσκολες ώρες, που κρίνονταν πολλά για την εθνική μας οικονομία, έλεγε:

«Έχει πολύ μεγαλύτερη σημασία η εμπιστοσύνη στο νόμισμα, μακροχρόνια τα οφέλη για την οικονομία θα είναι πολύ σημαντικά».

Η σημαντική αυτή μάχη διήρκεσε δύο μήνες περίπου. Στο τέλος της, *η Ελλάδα είχε πετύχει αυτό που δεν πέτυχαν χωρίς υποτίμηση άλλες χώρες.*

Ο Ανδρέας αισθανόταν ευτυχής και για άλλη μια φορά είχε δικαιωθεί.

Οι κρατικές τράπεζες καλύφθηκαν για τη βραχυχρόνια ζημιά που είχαν υποστεί, ενώ το κέρδος για την εθνική οικονομία ήταν μακροχρόνιο και πολλαπλάσιο.

Επειδή ακόμα κάποιοι επιμένουν να ξεχνούν επιμελώς τις μάχες που έδωσε και τις νίκες που κέρδισε ο Ανδρέας, αξίζει σ' αυτό το σημείο να παρατεθεί ένα απόσπασμα απ' το βιβλίο τού εκ των πρωταγωνιστών εκείνης της μάχης *Γ. Μίρκου, Η πολιτική της αναδιάταξης 1993-1996. Επιτεύξεις και προοπτικές.*

Η επιτυχία της αντιμετώπισης της συναλλαγματικής κρίσης οφείλεται, βασικά, στον εμπνευστή της τηρηθείσης πολιτικής, που ήταν κατά της υποτίμησης, πρόεδρο Α. Παπανδρέου και στις κρατικές τράπεζες και *κυρίως την Εθνική,* που κινήθηκαν αυστηρά στα πλαίσια της χαραχθείσης –μετά τις εντολές του πρωθυπουργού– τακτικής από την Τράπεζα Ελλάδος.

Θα έχει γίνει αντιληπτό ότι σήμερα μία τόσο μεγάλη επιτυχία δεν προβάλλεται ανάλογα και τούτο γιατί ορισμένοι από τους σημερινούς ιθύνοντες ήταν υπέρ της... υποτίμησης! Όταν θα γραφεί το χρονικό της συναλλαγματικής κρίσης, πιστεύουμε ότι θα αποκαλυφθούν όλοι οι μάγοι της οικονομίας, που όλως τυχαίως επιβίωσαν στις θέσεις που κατέχουν!

Κ. Στεφανόπουλος: μια επιλογή
που τον έκανε περήφανο

ΔΥΟ ΗΤΑΝ ΤΑ ΚΑΘΟΡΙΣΤΙΚΑ ΣΤΟΙΧΕΙΑ που μέτρησαν στην τελική ε-
πιλογή του Ανδρέα για την εκλογή νέου Προέδρου της Δημοκρα-
τίας.

Το θέμα είχε αρχίσει να τον απασχολεί απ' το φθινόπωρο του
1994 και μάλιστα η αφετηρία του είχε να κάνει με τις εσωκομ-
ματικές ζυμώσεις, διεργασίες και αντιπαραθέσεις. Τότε ήταν που
ο Ανδρέας άρχισε να δέχεται από στελέχη του ΠΑΣΟΚ βολιδο-
σκοπήσεις και διερευνητικές υπαινικτικές ερωτήσεις περί των
προθέσεών του, αν δηλαδή θα ήταν διατεθειμένος να συζητήσει
το ενδεχόμενο να είναι ο ίδιος υποψήφιος Πρόεδρος της Δημο-
κρατίας.

Μάλιστα ορισμένοι απ' τους τότε συνεργάτες του, όπως ο Β. Βε-
νιζέλος, του το έθεσαν ευθέως και με θετική εισήγηση. Του πρό-
τειναν δηλαδή να διεκδικήσει αυτό το αξίωμα. Του έλεγαν πως θα
ήταν ο πλέον τιμητικός τρόπος να ολοκληρώσει μια λαμπρή πο-
λιτική διαδρομή.

Διαπίστωσε πως έτεινε να διαμορφωθεί στο ΠΑΣΟΚ μια τάση,
ένα ρεύμα υπέρ αυτής της πρότασης. Μάλιστα είχε ανταπόκριση
και μεταξύ των κορυφαίων στελεχών. Είναι χαρακτηριστικό ότι,
και αφού είχε δημοσιοποιήσει την απόφασή του να μην είναι υ-
ποψήφιος Πρόεδρος, ακόμα και μέλη του ΕΓ εξέφραζαν την προ-
τίμησή τους στη δική του υποψηφιότητα. Όταν ζήτησε απ' τα μέ-
λη του ΕΓ, της ΚΕ και της ΚΟ γραπτές τις προτάσεις τους, υπήρ-
ξαν προτάσεις υπέρ της υποψηφιότητάς του.

Ο ίδιος έβλεπε δύο ειδών προθέσεις σ' αυτές τις προτάσεις. Α-ναγνώριζε σε μια σειρά στελεχών τίμιες και αγνές προθέσεις, ει-λικρίνεια στο επιχείρημά τους ότι τον θέλουν Πρόεδρο της Δη-μοκρατίας από αγάπη, διάθεση τιμής και αναγνώριση στο πρό-σωπό του ρόλου εθνικού υπερκομματικού ηγέτη, «Νέστορα» της πολιτικής ζωής και ρυθμιστή του πολιτεύματος.

Αλλά στην πρόταση κάποιων άλλων, όπως έλεγε, έβλεπε την πρόθεση να απαλλαγούν απ' την παρουσία του, ώστε να γίνει το συντομότερο δυνατό η είσοδος στο νέο, ελεγχόμενο πολιτικό σκη-νικό. Είναι άλλωστε χαρακτηριστικό ότι ακόμα και εξωθεσμικοί, εξωπολιτικοί παράγοντες του είχαν «υποδείξει» να είναι ο νέος Πρόεδρος της Δημοκρατίας.

Προβληματίστηκε, αλλά όχι πολύ, μέχρι να καταλήξει στην α-πόφαση να μη διεκδικήσει τη θέση του Προέδρου. *Και αυτό ήταν το πρώτο καθοριστικό στοιχείο που βάρυνε στην επιλογή του.*

Αποφάσισε να παραμείνει για ένα διάστημα ακόμα στην πρώτη γραμμή της πολιτικής δράσης και να αφήσει ανοιχτό το ενδεχόμενο για το 2000.

Μέσα του είχε αρχίσει να διαμορφώνει τις μελλοντικές πολι-τικές κινήσεις του, που αφορούσαν την προσωπική του προοπτι-κή και την πορεία του ΠΑΣΟΚ. *Αργότερα κατέληξε σε κατ' αρχάς α-ποφάσεις,* τις οποίες ήταν διατεθειμένος να υλοποιήσει εκτός α-προόπτου και στις οποίες έχω αναφερθεί σε άλλο σημείο του βι-βλίου.

Αλλά για τότε επέλεξε να παραμείνει στη μάχιμη πολιτική. Δε διαπίστωνε ώριμες συνθήκες τότε για να ξεκινήσει η διαδικασία διαδοχής, την οποία ήθελε να εγγυηθεί και δημοκρατικά να κα-θοδηγήσει. Έβλεπε, αντίθετα, πως συγκεκριμένα κέντρα είχαν λόγους να τον «αποστρατεύσουν» και επέλεξε να μείνει για να πα-λέψει. Δεν ήταν ποτέ ο Ανδρέας ο πολιτικός που θα εγκατέλειπε τη μάχη για να «βολευτεί», αυτό δεν το έκανε σε πολύ πιο δύσκο-λες συνθήκες.

Η εκλογή του υπαγορεύτηκε απ' την ευθύνη που αισθανόταν για να προσφέρει ακόμα. Πίστευε πως, παρά την κατάσταση της υγείας του, διέθετε δυνάμεις.

Πίστευε ακόμα πως δεν είχε το δικαίωμα να κάνει κάτι τέτοιο απέναντι στο λαό που τον ψήφισε για πρωθυπουργό και επιθυμούσε να ολοκληρώσει το έργο για το οποίο είχε δεσμευτεί.

Απ' τις συζητήσεις εκείνης της εποχής, που παρακολουθούσα, θυμάμαι ότι ποτέ δεν τον απασχόλησε αν υπήρχε δυνατότητα εκλογής του σε περίπτωση που θα ήταν υποψήφιος. Άλλα κριτήρια πρυτάνευσαν.

Το δεύτερο καθοριστικό στοιχείο που βάρυνε ήταν η απόφασή του ότι η χώρα δεν πρέπει να πάει σε εκλογές. Δεν τις φοβόταν τις εκλογές. Πίστευε όμως πως μια νέα εκλογική αναμέτρηση, μόλις ενάμιση χρόνο μετά την προηγούμενη, θα ήταν ανασχετική της καλής πορείας της οικονομίας και θα δημιουργούσε και άλλες παρενέργειες. Ήταν ικανοποιημένος απ' τα αποτελέσματα της οικονομικής πολιτικής, αλλά θεωρούσε αναγκαία την εξάντληση της τετραετίας, γιατί πίστευε πως στα δύο τελευταία χρόνια θα υπήρχαν ορατές θετικές εξελίξεις στους τομείς της ανάπτυξης και της κοινωνικής πολιτικής.

Έπρεπε επομένως να προτείνει ένα πρόσωπο που θα συγκέντρωνε ευρύτερη αποδοχή και θα ήταν δυνατή η εκλογή του. *Η ιδέα να προταθεί ο Κ. Στεφανόπουλος δεν ήταν τυχαία.*

Ο Ανδρέας τον εκτιμούσε πάντα ως έναν έντιμο, ευγενή, σοβαρό και αξιοπρεπή πολιτικό. Είχε πάντα θετική άποψη και εικόνα για τον Κ. Στεφανόπουλο. *Άλλωστε το 1989 τον είχε προτείνει στο Συνασπισμό ως πρωθυπουργό κυβέρνησης συνεργασίας.*

Είχε εκτιμήσει επίσης τη θαρραλέα και έντιμη στάση του το 1989 κατά της παραπομπής του. Ήταν μια φωτεινή εξαίρεση εκείνη την άγρια εποχή η στάση του Κ. Στεφανόπουλου.

Δεν τον σκέφτηκε λοιπόν τυχαία. Πίστευε πως ήταν μια επιλογή θετική, υπερκομματική, για έναν πολιτικό που ήταν αγαπητός στο λαό.

Είναι χαρακτηριστικό δε ότι στην ιδιόμορφη «ψηφοφορία» που έγινε μεταξύ των μελών του ΕΓ, της ΚΕ και της ΚΟ και αφού ο Ανδρέας είχε ανακοινώσει την απόφασή του να μην είναι υποψήφιος, ο Κ. Στεφανόπουλος συγκέντρωσε τη μεγάλη πλειοψηφία των προτιμήσεων.

Σήμερα μάλιστα μπορώ να αποκαλύψω ότι πριν από τις ε-
κλογές του 1993 είχε γίνει μια προσπάθεια, με τη μεσολάβηση
του Γ. Μπούτου, εκλογικής συνεργασίας με τον Κ. Στεφανόπου-
λο, που τελικά δεν καρποφόρησε. Εκείνη την εποχή φάγαμε και
μαζί, σε ένα γεύμα στο σπίτι του Γ. Μπούτου.

Βολιδοσκοπήθηκε και δέχτηκε την πρόταση. Ο Ανδρέας ήταν
χαρούμενος. Πίστευε ότι είχε πάει σε μια πολύ καλή λύση.

Την παραμονή της συνεδρίασης του ΕΓ, όπου θα λαμβανόταν
η οριστική απόφαση, ζήτησε να του τηλεφωνήσει για να τον ενη-
μερώσει επίσημα ο ίδιος. Θυμάμαι μάλιστα ότι τον ζήτησε στα πα-
λιά του νούμερα τηλεφώνων, που είχαν αλλάξει. Αναζήτησε τον
Αντ. Λιβάνη για να του βρει το νούμερο του τηλεφώνου του, δεν
τον έβρισκε, η ώρα περνούσε και είχε εκνευριστεί. Τελικά το νού-
μερο βρέθηκε, μίλησαν και είχαν μια θερμή και συγκινητική συ-
νομιλία. Τον ευχαρίστησε και του είπε πως με τιμή και χαρά α-
ποδέχεται την πρόταση.

Δεδομένου ότι και η Πολιτική Άνοιξη είχε ανακοινώσει ότι θα
στηρίξει υποψηφιότητα του Κ. Στεφανόπουλου, ο Ανδρέας ήταν
ικανοποιημένος και σίγουρος.

Ξανατηλεφωνήθηκαν μέχρι τη μέρα της ψηφοφορίας. Είχε
αρχίσει να διαμορφώνεται ένα πολύ καλό κλίμα μεταξύ τους.

Οφείλω να καταθέσω σ' αυτό το σημείο πως ο Ανδρέας όχι μό-
νο δε μετάνιωσε για την επιλογή του, αλλά ήταν πάντα περήφα-
νος γι' αυτή. Όσο καιρό συνεργάστηκαν με το νέο Πρόεδρο, εί-
χαν μια άψογη συνεργασία και ήταν πάντα απόλυτα ικανοποιη-
μένος απ' τις συναντήσεις και τις συνομιλίες τους. Διαψεύστηκαν
έτσι πολλές Κασσάνδρες, που προέβλεπαν ότι πολύ σύντομα θα
τελείωνε ο μήνας του μέλιτος μεταξύ Προέδρου και πρωθυπουρ-
γού.

Ο Ανδρέας δεν έπαψε ποτέ να εκφράζεται παντού με τα θερ-
μότερα λόγια για τον Πρόεδρο. Εκτιμούσε τις απόψεις του, την
αναλυτική του σκέψη, το ήθος και την ευπρέπειά του. Πίστευε
πως στο πρόσωπο του Κ. Στεφανόπουλου είχε βρεθεί και εγκαι-
νιαζόταν και ένα νέο προφίλ Προέδρου, προσιτού, «λαϊκού», α-
πλού, που ιδιαίτερα του άρεσε.

Η συνάντησή τους στο Ωνάσειο ήταν απ' τις πιο συγκινητικές στιγμές που έζησε εκεί και δε θα την ξεχάσω ποτέ.

Οφείλω επίσης να καταθέσω και τη βαθιά προσωπική μου ευγνωμοσύνη προς τον άνθρωπο Κ. Στεφανόπουλο, για τη συμπαράστασή του μετά το θάνατο του Ανδρέα. Ειλικρινά με έχει συγκινήσει βαθύτατα η ανθρωπιά του και η ευγένειά του. Μετά το χαμό του Ανδρέα μού τηλεφώνησε και μου εξέφρασε τη συμπαράστασή του. Κάθε φορά η επικοινωνία μας δεν έχει σχέση με πρωτόκολλα και τυπικότητες, η συμπεριφορά του είναι πάνω απ' όλα ανθρώπινη.

Όμως την επιλογή εκείνη, να παραμείνει πρωθυπουργός αγνοώντας «φιλικές συστάσεις» και πιέσεις, την πλήρωσε ο Ανδρέας. Την πλήρωσα και εγώ, καθώς πολλοί με θεώρησαν υπεύθυνη για την απόφασή του.

Θυμάμαι ότι σε ένα γεύμα στο Μαξίμου εκείνες τις μέρες με διευθυντή μεγάλης εφημερίδας, ξαφνικά με προειδοποίησε:

«Πρέπει να ξέρεις, Δήμητρα, ότι αυτή την απόφαση θα την πληρώσεις, τη χρεώνουν καθαρά σε σένα».

Ομολογώ πως εκείνη την ώρα δεν κατανόησα πλήρως το νόημα αυτής της φιλικής προειδοποίησης. Το κατάλαβα αργότερα, όταν άρχισαν νέες επιθέσεις εναντίον μου και χτυπήματα κάτω απ' τη ζώνη και επιδέξια αξιοποίηση ορισμένων λαθεμένων χειρισμών μου.

Ο Ανδρέας, με την εμπειρία του, είχε επίγνωση απ' την πρώτη στιγμή τού τι θα ακολουθούσε. Γνώριζε πολύ καλά και το ανέφερε συχνά σε συζητήσεις εκείνης της περιόδου πως κάποιοι δε θα του συγχωρούσαν ποτέ ότι θα αναγκάζονταν να τον έχουν για κάμποσο καιρό ακόμα στα πόδια τους. *Δεν τον ήθελαν.* Επιθυμούσαν, και του το είχαν «υποδείξει», την απόσυρσή του. Το ήξερε, αλλά ποτέ δε συνήθιζε να καθορίζει τις επιλογές του απ' τις επιθυμίες των άλλων και μάλιστα εξωπολιτικών κέντρων.

Γνώριζε άριστα πως στεκόταν για άλλη μια φορά εμπόδιο στη βιασύνη συγκεκριμένων κέντρων και συμφερόντων να «ανοίξουν» όσο πιο σύντομα γίνεται το νέο πολιτικό σκηνικό, όχι γιατί επιθυμούσαν την «ανανέωση», καθώς διαλαλούσαν, αλλά γιατί επιδίωκαν τον έλεγχό του. Με τον Ανδρέα παρόντα στις εξελίξεις, αυτό δεν ήταν εύκολο.

Θυμάμαι μια κουβέντα που του είχε πει στη διάρκεια ενός γεύματος γνωστός οικονομικός παράγοντας:

«Εσύ, πρόεδρε, δεν είσαι προβλέψιμος, δεν είναι δυνατό να σε εντάξει κανείς στους σχεδιασμούς του».

Ήταν αυτό ακριβώς που ενοχλούσε. Δεν ήταν προβλέψιμος, χάλαγε το ελεγχόμενο σκηνικό, άρα ήταν ανεπιθύμητος. Και πολλοί έλεγαν: «Εντάξει, δικαιώθηκες, κέρδισες τις εκλογές, τι άλλο ζητάς;» Γι' αυτό «υπέδειξαν» πως ήταν μια καλή εποχή εκείνη για την «τιμητική αποστρατεία» του.

Έτσι άρχισε μια νέα αντίστροφη μέτρηση. Αυτή τη φορά όμως οι αντίπαλοί του, μέσα κι έξω απ' το ΠΑΣΟΚ, πολιτικοί και εξωπολιτικοί, είχαν σοβαρό πλέον σύμμαχο την κακή κατάσταση της υγείας του, που επιδεινωνόταν κάθε φορά που δεχόταν μια νέα επίθεση, ανέντιμη, προσωπική. Τώρα που κοιτάζω από απόσταση τα γεγονότα, σκέφτομαι πως ίσως το Ωνάσειο ήταν η αναπόφευκτη κατάληξη μιας ανελέητης, καθημερινής του φθοράς, αμφισβήτησης, απόπειρας ευτελισμού της μεγάλης του ακτινοβολίας. Θυμάμαι καλά πως δύο πράγματα τον ενοχλούσαν, τον έκαναν να εξαγριώνεται:

– *Οι απόπειρες να εμφανιστεί ανίκανος να κυβερνήσει,* μέσω διοχέτευσης φημών για την κατάσταση της υγείας του.

– *Η κριτική ότι είναι εξαρτώμενος,* ότι άγεται κα φέρεται από «περιβάλλον», «συμβούλους», απ' τη σύζυγό του και συνεργάτες του.

Ήταν αυτά που χαρακτήριζε ανέντιμα και άθλια και που γνώριζε πολύ καλά από πού, πώς και γιατί εκπορεύονται.

Κατά σύμπτωση, την ίδια μέρα που ο Κ. Στεφανόπουλος ορκιζόταν νέος Πρόεδρος της Δημοκρατίας, εγκατασταθήκαμε στο νέο σπίτι, το στόχο επιθέσεων και κριτικής για ένα μεγάλο διάστημα. Ένα σπίτι που, παρά τα περί του αντιθέτου δημοσιεύματα, του άρεσε, το χάρηκε, μόνο που το χάρηκε για λίγους μόνο μήνες...

Αναμνήσεις πριν από το τέλος...

Νιωθω ΑΔΥΝΑΜΙΑ ΝΑ ΠΩ ΜΕ ΣΙΓΟΥΡΙΑ αν αισθανόταν το τέλος που ερχόταν. Έχουν γράψει κι έχουν πει πολλοί πως ο Ανδρέας δεν μπορούσε ποτέ να σκεφτεί το θάνατό του.

Αν κρίνει κανείς απ' όσα έλεγε, ίσως είναι έτσι. Ποιος όμως ήταν σε θέση να διαβάσει τις σκέψεις του, αυτές που ελάχιστες μόνο φορές και σε ελάχιστους ανθρώπους εμπιστευόταν; Και αφού ελάχιστοι έγιναν κοινωνοί αυτών των σκέψεων, πόσο ασφαλές είναι το συμπέρασμα ότι η ιδέα του θανάτου δεν τον άγγιζε;

Θυμάμαι, για παράδειγμα, ότι μου είχε πει πως γνώριζε ότι στο Χέρφιλντ «οι πιθανότητες να βγω ζωντανός απ' το χειρουργείο ήταν ελάχιστες». Αλλά ποτέ αλλού δεν είχε εκμυστηρευτεί αυτή τη σκέψη του.

Πάντως εκείνη την περίοδο και μέχρι το Ωνάσειο, χωρίς ποτέ να μιλήσει για τέλος, *είχε μια έντονη ανάγκη «επικοινωνίας» με ανθρώπους που έφυγαν και πολύ αγαπούσε, με γεγονότα που σημάδεψαν τη ζωή του.* Αυτή η «επικοινωνία» γινόταν μέσω αναμνήσεων, τις οποίες ένιωθε την ανάγκη να μοιράζεται μαζί μου κυρίως αλλά και με τους λίγους καλούς του φίλους.

Και το καλοκαίρι του '95 στην Ελούντα, με δική του πρωτοβουλία πολλές απ' τις κουβέντες μας πήγαιναν στο παρελθόν. Θυμόταν έντονα τον πατέρα του, παλιούς του συνεργάτες, ανθρώπους απ' το ΠΑΚ. Συζητούσε, για παράδειγμα, αρκετά για τον Μαυρογένη, στέλεχος του ΠΑΚ που είχε δολοφονηθεί στη Δανία και η δολοφονία του παρουσιάστηκε σαν αυτοκτονία. Θυμόταν σκηνές απ' τη ζωή του στην Αμερική, απ' τη θητεία του στο Ναυτικό των ΗΠΑ.

Αξίζει ν' αναφέρω πως κάποιες απ' αυτές τις συζητήσεις τού άρεσε να τις κάνει με νέους ανθρώπους, που ήταν κοντά του. Εκτός απ' τον Γ. Φλούδα, στον οποίο εμπιστευόταν πολλές κρυφές του σκέψεις, αρκετές φορές ευχαριστιόταν ν' ανοίγει τέτοιες συζητήσεις με τον *Άκη Κοσώνα*, έναν καλό μας φίλο τα τελευταία χρόνια. Τον συμπαθούσε ιδιαίτερα, όπως και τη σύζυγό του, τη *Δάφνη*. Ήταν και οι δύο όχι μόνο στην παρέα των διακοπών μας στην Ελούντα αλλά και στο Λαγονήσι. Του άρεσε επίσης να τους καλεί στο σπίτι για φαγητό και συντροφιά.

Σ' εκείνη την έντονη επιστροφή στο παρελθόν οι αναμνήσεις απ' τον πατέρα του, τον αείμνηστο Γέρο της Δημοκρατίας, κυριαρχούσαν. Ένιωθε και εξέφραζε απέραντη αγάπη και ανυπόκριτο θαυμασμό για τον πατέρα του και οι σχέσεις τους καθορίζονταν πάντα απ' αυτά τα αισθήματα, που ποτέ δεν έπαψαν να υπάρχουν, παρά τις πολιτικές αντιπαραθέσεις που κατά καιρούς είχαν πριν από τη δικτατορία.

Ο Ανδρέας έβλεπε στον πατέρα του το δεινό πολιτικό ρήτορα, τον πολιτικό ηγέτη που είχε το σπάνιο χάρισμα να ξεσηκώνει και να κινητοποιεί το λαό, τον έντιμο πολιτικό άνδρα που αντιμετώπιζε τους αντιπάλους του με τις απαράμιλλες ατάκες του, με οξύτητα όταν χρειαζόταν, αλλά πάντα με ευγένεια και ανθρωπιά.

Έλεγε με καμάρι πως ο Γεώργιος Παπανδρέου και η Κυβέλη ήταν οι πρώτοι που έσπασαν το ταμπού του συντηρητικού και καθωσπρέπει προσώπου του πολιτικού, που με υποκρισία και για τις ανάγκες της πολιτικής του ανέλιξης προσποιείται στην προσωπική του ζωή. Μου έδειχνε, για παράδειγμα, μια άγνωστη φωτογραφία του Γ. Παπανδρέου και της Κυβέλης στο κρεβάτι με τις πιτζάμες τους και μου έλεγε: «Αυτοί προηγήθηκαν του Τζον Λένον και της Γιόκο Όνο». Και είχε μεγάλη σημασία ότι τα έλεγε αυτά αν και λάτρευε τη μητέρα του, τη *Σοφία Μινέικο. Την αγάπησε όσο λίγα πρόσωπα αγάπησε στη ζωή του.*

Αλλά έδειχνε, όπως έλεγε, κατανόηση στον πατέρα του και υπογράμμιζε πως σ' αυτό είχε παίξει καθοριστικό ρόλο η ίδια του η μητέρα. *«Ποτέ», έλεγε, «δε με μπόλιασε με αρνητικό κλίμα για τον πατέρα μου».*

Έλεγε πάντα με συγκίνηση πώς ο Γεώργιος Παπανδρέου έγραφε τους λόγους του, εκείνους τους λόγους που ξεσήκωναν τα πλήθη, που έκαναν το λαό να τον λατρέψει. «Τους έγραφε μόνος του και πάντα τη νύχτα. Του άρεσε πολύ να δημιουργεί τη νύχτα και πολλές φορές επικοινωνούσε με εφημερίδες, με φίλους του δημοσιογράφους και έδινε το στίγμα της ομιλίας του ή ακόμα υπαγόρευε κάποια δήλωση που εμπνεύστηκε εκείνη τη στιγμή».

Ήταν πολλές οι αναμνήσεις του απ' τα παιδικά του χρόνια στο Καστρί, όπου περνούσε τα Σαββατοκύριακα, αφού οι γονείς του είχαν χωρίσει. Η Κυβέλη προσπαθούσε να δημιουργήσει καλό κλίμα μεταξύ τους, τον πρόσεχε, τον έπαιζε, του αγόραζε ρούχα και του μαγείρευε δυο τρία φαγητά που ήξερε καλά και του άρεσαν πολύ, όπως το παστίτσιο, το κοτόπουλο με άσπρη σάλτσα και ρύζι.

Ο πατέρας του τον διάβαζε και του μιλούσε πολύ, του μάθαινε τη ζωή, είχαν οικοδομήσει από εκείνη την εποχή μια ζεστή, φιλική σχέση. Με πολλή τρυφερότητα και στοργή θυμόταν πόσο επιθυμούσε ο Γ. Παπανδρέου να αγαπήσει ο γιος του τα γράμματα και την παιδεία και πόσο επέμενε σ' αυτό.

Του είχε μείνει αξέχαστος ο τρόπος που τον αντιμετώπισε όταν στην πέμπτη δημοτικού ο Ανδρέας πήρε πολύ άσχημο βαθμό και κινδύνευε ν' αποβληθεί απ' το σχολείο. Τον φωνάζει στο γραφείο του έχοντας τον κατάλογο με τη βαθμολογία στα χέρια του. «Φαντάσου», διηγείται ο Ανδρέας, «τον πατέρα στο γραφείο του και εμένα, μικρό παιδί με κοντά παντελόνια, να τον κοιτάζω για ώρα στα μάτια και να εισπράττω εκείνο το μεγαλοπρεπές βλέμμα του, που ήταν και επιτιμητικό τότε. Μου λέει: "Ανδρέα, με λύπησες πάρα πολύ σήμερα, μπορείς να φύγεις τώρα". Αυτό στοίχισε πάρα πολύ στην παιδική μου ψυχή, έβαλα τα δυνατά μου και απ' την επόμενη χρονιά έγινα ο καλύτερος μαθητής, βγήκα και απ' το γυμνάσιο με άριστα και παρέμεινα ο καλύτερος μαθητής, με τις καλύτερες επιδόσεις. Μου έκανε εντύπωση πώς μου μίλησε, ούτε με μάλωσε ούτε με χτύπησε, και υποσχέθηκα να μην του ξαναδώσω τέτοια λύπη, αλλά μόνο χαρές».

Δεν ξεχνούσε ποτέ ότι ο Γ. Παπανδρέου, βαθιά αντικομουνιστής, επέμενε να διαβάσει Μαρξ ο μικρός Ανδρέας, μόλις στα δεκατέσσερα, και στη συνέχεια έκανε συζητήσεις μαζί του πάνω στη μαρξιστική θεωρία. Αυτό, έλεγε, έδειχνε την *ευρύτητα του πνεύματός του*.

Αλλά αν τότε, με τον κακό βαθμό, γλίτωσε το ξύλο, δεν το είχε γλιτώσει άλλες φορές, όταν έκανε τις αταξίες του. Θυμόταν δύο χαρακτηριστικές περιπτώσεις που είχε εισπράξει... φάπες. Του Γ. Παπανδρέου τού άρεσαν πολύ τα τριαντάφυλλα και ο κήπος του Καστριού ήταν γεμάτος από τριανταφυλλιές. Μάλιστα πολλές φορές έπαιρνε ένα τριαντάφυλλο απ' τον κήπο και το έβαζε στο πέτο του, «πάντοτε κομψός και καλοντυμένος, αντίθετα με μένα», όπως του άρεσε να λέει... αυτοκριτικά. Κάποιο απόγευμα Σαββάτου, που ο Ανδρέας ήταν στο Καστρί, κατέβηκε στον κήπο και πήγε και έλυσε ένα κατσικάκι που είχαν εκεί. Το άφησε ελεύθερο και αυτό... έφαγε τα τριαντάφυλλα, τσαλαπάτησε τις τριανταφυλλιές και τα άλλα λουλούδια. Το αποτέλεσμα; Πλήρης καταστροφή του κήπου! Σαν να μην έφταναν αυτά, χάλασε και το γραμμόφωνο του σπιτιού, που ήταν η αδυναμία του πατέρα του, εκεί απολάμβανε τους αγαπημένους του δίσκους. Γυρίζει ο Γ. Παπανδρέου το βράδυ, βρίσκει εικόνα καταστροφής στον κήπο και το σπίτι και... πέφτει η πρώτη σφαλιάρα.

Η δεύτερη είχε αιτία το... θαυμασμό για το ωραίο φύλο, τον οποίο από μικρός διέθετε ο Ανδρέας, έχοντας ίσως κληρονομήσει και σ' αυτό τον πατέρα του. Ένα βράδυ στο Καστρί είχε χορό και ο Ανδρέας, τεσσάρων πέντε χρονών τότε, πήγαινε και σήκωνε τα φορέματα των κυριών που χόρευαν και... κούρνιαζε από κάτω, με αποτέλεσμα τις διαμαρτυρίες τους και την... έμπρακτη παρέμβαση του πατέρα.

Έλεγε πάντα πως ο Γ. Παπανδρέου ήθελε να τον βάλει στην πολιτική και χρησιμοποίησε κάθε μέσο για να τον πείσει, όταν ο Ανδρέας φαινόταν να προτιμά την ακαδημαϊκή καριέρα. Βέβαια για την επιστροφή του στην Ελλάδα, που είχε σαν αποτέλεσμα την ενασχόλησή του με την πολιτική, έπαιξε ρόλο και ο Κ. Καραμανλής, ο τότε πρωθυπουργός.

Μάλιστα μια απ' τις αγαπημένες του αφηγήσεις ήταν η πρώτη του γνωριμία με τον Κ. Καραμανλή. Αυτή την πρώτη γνωριμία με τον πολιτικό με τον οποίο είχε πάντα μια έντονη και φορτισμένη σχέση τη διηγούνταν πολλές φορές. Σε μια απ' τις κασέτες της Ελούντας υπάρχει μια γλαφυρή περιγραφή και το σχετικό α-πόσπασμα αξίζει, για ιστορικούς λόγους, να παρατεθεί.

Πολλές φορές τον ρωτούσαν φίλοι να συγκρίνει τον εαυτό του ως πολιτικό με τον πατέρα του. Απέφευγε να το κάνει, άλλες φο-ρές όμως διατύπωνε ορισμένα σχόλια:

«Τον Γεώργιο Παπανδρέου δεν μπορεί να τον φτάσει κανείς στη ρητορική δεινότητα και την ικανότητα να απαντά άμεσα με ατάκες, που έμειναν στην ιστορία. Είχε μια βαθύτατη κλασική παιδεία, την οποία εξέφραζε με την τεχνική και το περιεχόμενο των λόγων του. Εγώ, νομίζω, δε διαθέτω αυτή την παιδεία, αλλά λειτουργώ περισσότερο πολιτικά. Η σπουδή στον Μαρξ, στην ο-ποία από μικρό με ώθησε ο πατέρας μου, με βοήθησε πάρα πο-λύ σ' αυτό. Άλλες εποχές, άλλα μοντέλα πολιτικών. Ίσως ο Γ. Πα-πανδρέου να έπρεπε να είναι σε ορισμένες περιπτώσεις πιο τολ-μηρός. Αλλά πάλι δεν ήταν διόλου εύκολο να τα βάλει κανείς με τα Ανάκτορα τότε, που αντιπροσώπευαν όλο το κατεστημένο της εποχής. Όμως το έπραξε».

Μια απ' τις απορίες του μάλιστα ήταν πώς ο πατέρας του, βα-θύτατα δημοκρατικός, δέθηκε με την Κυβέλη, που την περιέγρα-φε βαθιά συντηρητική στις πολιτικές της απόψεις και φιλοβασι-λική.

Μιλούσε πάντα με σεβασμό ακόμα και για την περίοδο που με τον πατέρα του είχαν έντονη αντιπαράθεση στους κόλπους της Ένωσης Κέντρου, με τον Ανδρέα να εκφράζει την αριστερή τάση και να διαφωνεί με χειρισμούς του Γ. Παπανδρέου μετά τα Ιου-λιανά και την Αποστασία. Το απέδιδε στη διαφορά εμπειριών, που οδηγούσε σε διαφορά πολιτικής νοοτροπίας.

Θυμόταν ένα περιστατικό πριν από την Αποστασία. Τον είχε φωνάξει ένα βράδυ ο *Αριστοτέλης Ωνάσης*, κρυφά, για να φάνε μαζί. Του λέει: «Ειδοποίησε τον πατέρα σου ότι εντός των ημερών ο Γαρουφαλιάς θα τον ρίξει. Πες του ότι του το λέει ο Ωνάσης, είναι σίγουρο και να λάβει τα μέτρα του».

Πήγε κατευθείαν στον Γ. Παπανδρέου και του μετέφερε το μήνυμα του Ωνάση· είχε και αντίστοιχες πληροφορίες από αμερικανικούς κύκλους ότι κάτι ετοιμάζεται.

Ο Γ. Παπανδρέου δεν τον πίστεψε στην αρχή. Είχε εμπιστοσύνη στον Γαρουφαλιά, αν και γνώριζε τις διασυνδέσεις του με τα Ανάκτορα. «Κουράστηκα, αλλά στο τέλος τον έπεισα», θυμόταν ο Ανδρέας. Αλλά μετά που το συζήτησε με άλλους συνεργάτες του ο «Γέρος», άλλαξε πάλι γνώμη.

Πάντα έλεγε με παράπονο πόσο του κόστισε που δεν μπόρεσε να έρθει στην κηδεία του πατέρα του. Αλλά θυμόταν με συγκίνηση ότι τόσο η κηδεία όσο και το μνημόσυνο, το Νοέμβριο του '73, ήταν απ' τις κορυφαίες στιγμές της αντιδικτατορικής αντίστασης του λαού μας.

«Και απ' τον τάφο του ο "Γέρος" είχε τον τρόπο να καλεί το λαό σε αντίσταση», έλεγε με περηφάνια και συγκίνηση για τον πατέρα του...

Ο «πονηρούλης»

Μια απ' τις τρυφερές εκφράσεις του Αντ. Λιβάνη για τον «Ανδρέα του» είναι *ο πονηρούλης μου*. Θυμόταν πολλές σκηνές, κυρίως απ' τον πρώτο καιρό της πολιτικής δράσης του Ανδρέα, τότε που αντιμετώπιζε και πρόβλημα προσαρμογής στην ελληνική πραγματικότητα και επινοούσε διάφορα προκειμένου να ξεφεύγει απ' αυτά που θεωρούσε «δουλείες».

Ένα απ' τα πιο χαριτωμένα περιστατικά εκείνης της εποχής (υπάρχουν και άλλα καταγραμμένα στις κασέτες της Ελούντας) θυμόταν και περιέγραφε πολλές φορές ο *Γ. Κατσιφάρας*.

Ήταν υπουργός Προεδρίας ο Ανδρέας, υπουργός δηλαδή σε ένα υπουργείο που στη συνείδηση του κόσμου είχε να κάνει με ρουσφέτια. Τα βαριόταν αφόρητα αυτά τα ραντεβού και προσπαθούσε με κάθε τρόπο να τα αποφεύγει, δεν ήθελε αυτή τη μορφή της επικοινωνίας με τον κόσμο. Αλλά δεν μπορούσε και να αλλάξει τα πράγματα απ' τη μια μέρα στην άλλη.

Κάποιο μεσημέρι, είχε πάει η ώρα 3, λέει του Κατσιφάρα (ήταν συνεργάτης του στο υπουργείο): «Άντε να τελειώνουμε και να φεύγουμε».

«Τι να τελειώνουμε», του λέει ο Γιώργος, «είναι ουρά ο κόσμος απέξω, ψηφοφόροι, δημόσιοι υπάλληλοι, μέχρι στρατηγοί».

«Πρέπει να φύγουμε», επέμενε ο Ανδρέας.

«Αποκλείεται», απαντούσε ο Κατσιφάρας.

«Πήγαινε», του λέει, «και πες τους πως ο υπουργός είχε επείγον ραντεβού και έφυγε, δεν είναι στο υπουργείο».

«Μα πώς θα τους το πω, αφού δε σε είδαν να φεύγεις».

«Πες τους το και θα δεις...»

Ανοίγει το παράθυρο, το γραφείο του ήταν στο δεύτερο όροφο της Βουλής, ακουμπάει στο περβάζι και περπατώντας σιγά σιγά φτάνει στο πρώτο γραφείο, όπου βρίσκει ανοιχτό παράθυρο, πηδάει μέσα και εξαφανίζεται! Έτσι ο Γ. Κατσιφάρας δε χρειάστηκε να προβληματιστεί πώς θα πείσει τον κόσμο για του λόγου το αληθές πως... ο υπουργός έφυγε.

Κάτι που τον πίκραινε πολύ, τον στενοχωρούσε αφάνταστα, ήταν ο ισχυρισμός του Κ. Καστοριάδη, τον οποίο εκτιμούσε πολύ, ότι ο Ανδρέας την περίοδο της δικτατορίας του Μεταξά τον πρόδωσε προκειμένου να αποφυλακιστεί. Αρνιόταν φυσικά κατηγορηματικά τον ισχυρισμό αυτό, τον οποίο οι πολιτικοί του αντίπαλοι έφτασαν να επικαλούνται την εποχή της πολιτικής του δίωξης, για να προσθέσουν ένα ακόμα χτύπημα εναντίον του. Ήταν κατηγορηματικός ότι η αποφυλάκισή του οφειλόταν στις παρακλήσεις της μητέρας του και στη μεσολάβηση φίλων του πατέρα του. «Με αδικεί κατάφωρα ο Κορνήλιος», τόνιζε.

Με τον Κ. Καστοριάδη ήταν στην ίδια τροτσκιστική οργάνωση εκείνα τα χρόνια. Μάλιστα, όπως θυμόταν, ο Τρότσκι έμαθε για την οργάνωση αυτή που δρούσε στην Ελλάδα και εξέφρασε την επιθυμία να έρθει σε επαφή με τους επικεφαλής της. Υπήρξαν κάποιες επαφές για να κανονιστεί το ραντεβού, που δεν έγινε όμως ποτέ, γιατί μεσολάβησε η δολοφονία του Τρότσκι. Ήταν και προσωπικοί φίλοι με τον Κ. Καστοριάδη. Θυμόταν μάλιστα πως, όταν πήγαινε στο σπίτι του, αυτό που του έκανε εντύπωση ήταν μια σπάνια ασθένεια της μητέρας του, που είχε αποτέλεσμα να μιλά μια δική της, περίεργη, ακαταλαβίστικη γλώσσα. Έφτιαχνε συλλαβές και προτάσεις δικές της και κανείς, εκτός απ' τον Κορνήλιο, δεν καταλάβαινε τι έλεγε.

Το «λιμανίσιο» ζεϊμπέκικο

Ακούγεται ίσως περίεργο, αλλά η συμμετοχή του στην τροτσκιστική οργάνωση, στα φοιτητικά του χρόνια, τον οδήγησε να μάθει και να λατρέψει το χορό, για τον οποίο πάντα διακρινόταν, το ζεϊμπέκικο. Τα πρώτα βήματα τα έμαθε από λιμενεργάτες, τους οποίους καθοδηγούσε, στον Πειραιά. Έτσι έμαθε, όπως έλεγε, το «βαρύ, λιμανίσιο» ζεϊμπέκικο. Αλλά τέλειος χορευτής σ' αυτό το χορό έγινε στην Αμερική, στα δύσκολα χρόνια των σπουδών και της πείνας, τότε που έπλενε τζάμια στο πανεπιστήμιο για να μπορέσει να ζήσει και να σπουδάσει. Εκείνη την εποχή είχε έρθει σε επαφή και έκανε παρέα με Έλληνες μετανάστες, που του έμαθαν να χορεύει τελικά το ζεϊμπέκικο. Έλεγε με συγκίνηση, όταν θυμόταν γεγονότα από εκείνη τη δύσκολη εποχή, ότι *«το ζεϊμπέκικο ήταν ο συνδετικός μου κρίκος με την πατρίδα,* με έδενε μαζί της, με βοηθούσε να κρατηθώ όρθιος».

Τον λάτρευε αυτό το χορό, αγαπούσε να μιλάει πολύ για τις επιδόσεις του. Είχε άποψη για το ζεϊμπέκικο. Του άρεσε να λέει πως είναι ο πιο εκφραστικός χορός, ότι σε απογειώνει, ότι σου δίνει μια μοναδική δυνατότητα να εκφράζεις με τη γλώσσα του σώματος συναισθήματα όπως αγάπη, πάθος, πόνο, μοναξιά, ότι είναι μια εξαιρετική μορφή επικοινωνίας. Έχοντας τις αναμνήσεις του μετανάστη, έλεγε πως το ζεϊμπέκικο κράτησε τους Έλληνες της διασποράς σε επαφή με την πατρίδα. *«Σε απελευθερώνει»,* έλεγε με πάθος. Και λάτρευε τον Τσιτσάνη, τον Βαμβακάρη, τη Σωτηρία Μπέλλου, τη Μαρίκα Νίνου και άλλους ρεμπέτες, συνθέτες και ερμηνευτές, που έγραψαν, όπως έλεγε, την ιστορία του καλού λαϊκού ελληνικού τραγουδιού.

Όπως πάντως έχω αναφέρει και σε άλλο σημείο, λίγοι γνωρίζουν πως ο Ανδρέας ήταν επίσης λάτρης και της *τζαζ* και της *ροκ μουσικής*. Ήταν μάλιστα και δεινός χορευτής της ροκ μουσικής, για την οποία είχε επίσης άποψη.

Στην Αμερική έφτασε με δεκατέσσερα δολάρια και τα πρώτα χρόνια σπουδών και δουλειάς ήταν πολύ δύσκολα. Μιλούσε πολλές φορές γι' αυτά τα χρόνια, πόσο τον επηρέασαν, πόσο σημάδεψαν τη ζωή του. Έλεγε για τα τρύπια πάνινα παπούτσια που φορούσε μέσα στο κρύο, για τα φαγητά που στερούνταν. Γελούσε όταν θυμόταν πώς αντέδρασε την πρώτη φορά που πήγε να φάει μπανάνα, ένα άγνωστο γι' αυτόν φρούτο. Προσπαθούσε να κόψει την μπανάνα με το μαχαίρι και το πιρούνι, μάσαγε και δεν τρωγόταν γιατί... την έτρωγε με τη φλούδα.

Μετά, όταν πήγε στο πανεπιστήμιο, ο καθηγητής που κοίταζε τα χαρτιά του και είδε ότι ήταν Έλληνας του λέει: «Γνωρίζω απ' την Ελλάδα τον καθηγητή Ανδρεάδη». Είδε ότι και τα αγγλικά του ήταν πολύ καλά και ενέκρινε την είσοδό του στο πανεπιστήμιο, για να συνεχίσει στα Οικονομικά, που τον ενδιέφεραν.

Όταν τέλειωσε και τα μεταπτυχιακά του, οι καθηγητές, εντυπωσιασμένοι απ' τις επιδόσεις του, έβλεπαν στο πρόσωπό του ένα ανερχόμενο αστέρι.

Αλλά η δουλειά που έκανε για να ζει και να σπουδάζει ήταν να πλένει τα τζάμια της Θεολογικής Σχολής. Μόλις πήρε το πολυπόθητο χαρτί ότι τον προσέλαβαν λέκτορα, πήγε και παρέδωσε τα... σύνεργα. Εκεί πήρε την εκπληκτική απάντηση: «Κρίμα, γιατί ήσασταν ο καλύτερος τζαμάς»!

Η θητεία στο Ναυτικό των ΗΠΑ

Ένα από τα πράγματα για τα οποία υπερηφανευόταν ο Ανδρέας ήταν ένα είδος ομελέτας με αμερικανική συνταγή που έφτιαχνε. Την είχε μάθει στο Ναυτικό και ορισμένες φορές την έφτιαχνε για φίλους, την είχε κάνει και στην Ελούντα. Ήταν πράγματι πολύ νόστιμη, αλλά... άφηνε μια κουζίνα απελπισία.

Για τη θητεία του στο αμερικανικό Ναυτικό ήταν υπερήφανος και αντιμετώπιζε με πίκρα την κριτική ότι είχε υπηρετήσει στο στρατό μιας άλλης χώρας και μάλιστα νοσοκόμος. Έλεγε πως μετά τη φυγή του απ' την Ελλάδα, αφού είχε προηγηθεί η σύλληψή του απ' την ασφάλεια του Μανιαδάκη, η επιστροφή κάθε άλλο παρά εύκολη ήταν. Μετά κηρύχτηκε ο πόλεμος και πήγε εθελοντής στο Ναυτικό. Αυτό ήταν το πρώτο... σφάλμα του, γιατί οι ναύτες θεωρούνταν ό,τι καλύτερο. Το δεύτερο σφάλμα ήταν να πει πως διδάσκει στο Χάρβαρντ. Τον έστειλαν κατευθείαν να... καθαρίσει τουαλέτες. Έκτοτε, όπου πήγαινε, έλεγε πως είναι... λογιστής απ' τη Βοστώνη.

Από εκείνη την περίοδο θυμόταν το θαυμασμό που ένιωθε ο ίδιος για τον Πρόεδρο Φραγκλίνο Ρούζβελτ και την απέχθεια που αισθανόταν αντίθετα γι' αυτόν μια μερίδα του κόσμου.

Ο Ανδρέας τον θαύμαζε, γιατί, όπως έλεγε, έβλεπε στο πρόσωπό του έναν άνθρωπο που μαχόταν κόντρα στο ρεύμα, κόντρα στο κατεστημένο. Θαύμαζε τη θέληση ενός παράλυτου ανθρώπου. Αλλά ο Τύπος έγραφε λιβέλους εναντίον του και πολλοί τον μισούσαν. Του είχε μείνει αξέχαστη μια σκηνή που έζησε τη βραδιά του θανάτου του Ρούζβελτ. Κυρίες και κύριοι γλεντούσαν και αυτός, ναύτης, περπατούσε στενοχωρημένος με τα χέρια στις τσέπες. Ξαφνικά τον σταματάει μια κυρία που φορούσε γούνα και με φωνή όλο χαρά και κακία του λέει:

«That man is dead!»

«Φαντάσου», έλεγε, «δεν ήθελε ούτε το όνομά του να αναφέρει».

Λίγοι ξέρουν πως ο Ανδρέας είχε ξεκινήσει εκπαίδευση για να πάει στην Οκινάουα. Τον κατέταξαν να εκπαιδευτεί στην παρασιτολογία, σε ένα συγκεκριμένο παράσιτο, το «σου τζου γκαμούσι», που βρίσκεται στις θάλασσες του Ειρηνικού, μπορούσε να εισχωρήσει απ' τις μπότες των στρατιωτών, που θα έκαναν απόβαση, στο πέλμα και προκαλεί ένα είδος ελεφαντίασης και άλλες παρενέργειες.

Έκανε λοιπόν δώδεκα ώρες τη μέρα παρασιτολογία στο μεγάλο νοσοκομείο του Ναυτικού, το «Μπεθέσδα», και ακολουθούσε και την υπόλοιπη σκληρή εκπαίδευση για την Οκινάουα.

Λίγες μέρες πριν το τμήμα του αναχωρήσει για τον Ειρηνικό, έχει βγει με ένα φίλο του έξοδο και κάνουν οτοστόπ. Σταματάει ένα αυτοκίνητο και τους παίρνει ένας αξιωματικός του Ναυτικού. Τους πιάνει κουβέντα, τους ρωτάει τι δουλειά κάνουν στην πολιτική τους ζωή. Όταν ακούει απ' τον Ανδρέα «διδάσκω στατιστική στο Χάρβαρντ», σταματάει απότομα το αυτοκίνητο και του λέει:

«Δε θα το πιστέψετε, είναι η ειδικότητα που ψάχνουμε σαν τρελοί, μας χρειάζεται αφάνταστα και μας λείπει».

Ζήτησε και πήρε τα στοιχεία του.

Την άλλη μέρα ειδοποιήθηκε πως δε θα πάει τελικά στην Οκινάουα και ότι τοποθετούνταν τελικά σε μια μονάδα που βρισκόταν σε ένα μικρό νησί στον κόλπο της Καλιφόρνια και ασχολούνταν με στατιστικές έρευνες.

Έτσι, έλεγε, «από εκείνη την τυχαία συνάντηση με τον αξιωματικό δεν πήγα τελικά στον Ειρηνικό. Στάθηκα τυχερός, γιατί ελάχιστοι απ' όσους πήγαν γύρισαν ζωντανοί».

Ύστερα γελούσε και έλεγε:

«Πολλοί, αν το ήξεραν αυτό, θα τον βλαστημάγανε τον αξιωματικό. Αν πήγαινα στον Ειρηνικό, μάλλον θα... γλίτωναν από μένα. Από μια σύμπτωση δε γλίτωσαν...»

Από μια σύμπτωση ίσως γράφτηκε αλλιώτικα η ιστορία της χώρας, με την παρουσία και για χρόνια κυριαρχία του Α. Παπανδρέου στην πολιτική ζωή του τόπου.

Πάντως στη διάρκεια της θητείας του στο Ναυτικό πέρασε το πρώτο πρόβλημα με την καρδιά του. Αρρώστησε από οξεία αμυγδαλίτιδα με οξύ ρευματικό πυρετό, που τον πείραξε και στην καρδιά και του άφησε, όπως είπαν οι γιατροί, κάποιο πρόβλημα.

Τα βράδια της Ελούντας

Ήταν απόλαυση να παρακολουθείς τον Ανδρέα να μιλάει, σε στιγμές χαλαρές και όμορφες, για πρόσωπα και γεγονότα του παρελθόντος. Είχε ένα μοναδικό τρόπο να σε καθηλώνει με τις ώρες, να συνδυάζει το χιούμορ με την ανάλυση προσώπων και χαρακτήρων, την πίκρα από κάποιες μνήμες με τη θυμοσοφία.

Όλη η παρέα απολάμβανε τις αφηγήσεις του. Έπρεπε μόνο κάποιος να τον «κεντρίζει» για να περπατήσει στους δρόμους του παρελθόντος. Αυτό το ρόλο τον είχαμε αναλάβει εγώ και ο Γ. Κατσιφάρας, που είχε ζήσει πολλά γεγονότα μαζί του και γνώριζε πότε να παρεμβαίνει για να «σπρώξει» τη συζήτηση.

Εκείνο το τελευταίο καλοκαίρι, του '95, υπήρχε κάτι περίεργο στην ατμόσφαιρα, λες και από κάπου μακριά ερχόταν η μυρωδιά του τέλους.

Έχω αναφερθεί σε άλλο σημείο στην περίεργη, ευσυγκίνητη συμπεριφορά του Γ. Κατσιφάρα, στο μυστηριώδη τρόπο με τον οποίο ο Ανδρέας είπε το «και του χρόνου να είμαστε καλά» εκείνο το βράδυ που έφευγε ο Κάρ. Παπούλιας απ' την Ελούντα και έγινε ένα μεγάλο γλέντι.

Πριν όμως πάμε σε ορισμένα απομαγνητοφωνημένα αποσπάσματα απ' τις συζητήσεις τις όμορφες νύχτες της Ελούντας, νιώθω την ανάγκη να μεταφέρω κάποια σκόρπια κομμάτια αναμνήσεων απ' τη ζωή μου μαζί του, έτσι, χωρίς σύνδεση. Σκόρπια αλλά πολύτιμα πετράδια από μια ζωή που είχα την τύχη να περάσω μαζί του. Σκόρπια κομμάτια μνήμης...

Ορισμένες φορές, όταν στενοχωριόταν από δημοσιεύματα, γύριζε και μου έλεγε:

«Μα, βρε Δήμητρα, μόνο λίβελοι; Θα αξιωθώ άραγε να δω ένα βιβλίο για μένα αντικειμενικό;»

Λίγες φορές τον είχε απασχολήσει η βιογραφία του. Είχαν γίνει κατά καιρούς ορισμένες προτάσεις, αλλά δεν έδινε συνέχεια. *Και ποτέ δεν τον είχε απασχολήσει η υστεροφημία του.*

Δεν του ταίριαζε, δεν του πήγαινε ένας ρόλος ωραιοποίησης της πορείας του, της διαδρομής του. Θυμάμαι ότι αρκετές φορές δεχόταν υποδείξεις να απαντήσει σε σενάρια ή δημοσιεύματα. Απαξιούσε. Τα προσπερνούσε μ' ένα στωικό: «Ο κόσμος καταλαβαίνει, έχει κρίση, δεν επηρεάζεται».

Αλλά τον ενοχλούσαν η ανέντιμη αντιμετώπιση και τα χτυπήματα κάτω απ' τη ζώνη. Δεν άντεχε την αντικατάσταση της σκληρής έστω πολιτικής αντιπαράθεσης απ' τη χυδαιογραφία, το κουτσομπολιό. Και δεν επέτρεψε ποτέ στον εαυτό του τη χρήση αυτών των «όπλων».

«Αν δε γινόμουν πολιτικός, θα ήθελα να γίνω καπετάνιος». Το έλεγε πολλές φορές. Αγαπούσε, λάτρευε τη θάλασσα, ήταν γι' αυτόν ένας έρωτας.

Θυμάμαι πως, όταν πηγαίναμε στην Τήνο, εγώ υπέφερα απ' τα μποφόρ και αυτός, καμαρωτός, με πείραζε: «Μη φοβάσai, Δήμητρα, δεν είναι τίποτα...»

Αλλά είχε την τάση να με πειράζει και... στα χωράφια μου. Μόλις μπαίναμε σε αεροπλάνο και καθόμασταν στη θέση μας, έπαιρνε ένα καθοδηγητικό ύφος και μου έλεγε:

«Δήμητρα, πρέπει να δέσεις τη ζώνη σου».

«Έλα, παππούλη, να σου δείξω τ' αμπελοχώραφά σου», τον πείραζα με τη σειρά μου...

Είχε... και τις προλήψεις του. Μου έλεγε, ας πούμε: «Ποτέ μη δίνεις σαπούνι από χέρι σε χέρι, γιατί είναι καβγάς».

Επίσης έλεγε: «Ποτέ μαντίλι απ' το χέρι, είναι καβγάς και χωρισμός». Επειδή έβαζε πάντα ένα μαντίλι στην τσέπη του, μου έλεγε να το αφήνω στο κρεβάτι και το έπαιρνε από κει. Μια έκφραση που συχνά χρησιμοποιούσε ήταν: «Αράχνη του πρωινού, λύπη. Αράχνη του μεσημεριού, ενόχληση. Αράχνη του βραδιού, ελπίδα».

Εκεί που δεν... αστειευόταν ποτέ ήταν η ακρίβεια στα ραντεβού του. Δεν έχω ξαναδεί ποτέ άνθρωπο να νιώθει τόση ανάγκη να μην έχει ούτε ενός λεπτού καθυστέρηση.

Εγώ δε... φημίζομαι γι' αυτή την ακρίβεια και αυτό τον έκανε να υποφέρει. Όταν επρόκειτο να πάμε κάπου μαζί, ήταν έτοιμος μια ώρα νωρίτερα. Εγώ... ετοιμαζόμουν ακόμα και λίγα λεπτά πριν από τη στιγμή που θα έπρεπε να φύγουμε. Ερχόταν τότε, μου έδειχνε το ρολόι και μου έλεγε: «Δήμητρα, είναι παρά πέντε». Σε λίγο ξανά: «Δήμητρα, παρά δύο». Μετά έστελνε την Τέτη ή τη Φρύνη ή κάποια άλλη απ' τα κορίτσια και το... μαρτύριο συνεχιζόταν, μέχρι να «πειστώ».

Μια τέτοια καθυστέρησή μου να ετοιμαστώ και η επιμονή του να είμαστε ακριβώς στην ώρα μας ήταν η αιτία για ένα μικρό καβγαδάκι ανήμερα το Δεκαπενταύγουστο του '95, στην Ελούντα. Αποτέλεσμα, να μην πάμε να κοινωνήσουμε στην εκκλησία του ξενοδοχείου και να οργιάσουν έτσι ξανά οι φήμες για την υγεία του...

Αλλά μόνιμη αιτία... «καβγάδων» μεταξύ μας ήταν η άρνησή του, τα δύο τελευταία χρόνια, να τρώει. Ένα πρόβλημα που ποτέ δεν ξεπέρασε, με αποτέλεσμα όταν μπήκε στο Ωνάσειο να είναι σε απελπιστική κατάσταση από πλευράς βάρους. Είχε κάνει πολλές εξετάσεις γι' αυτή την ανορεξία, αλλά η αιτία ποτέ δε βρέθηκε.

Μάλιστα, όταν πήγαμε επίσκεψη στο Αμάν, είχε πράγματι μια πρόταση από το βασιλιά Χουσεΐν να κάνει κάποιες εξετάσεις γι' αυτό το θέμα σ' ένα φημισμένο ιατρικό κέντρο που υπάρχει εκεί. Αλλά η διαρροή της είδησης τον απέτρεψε, φοβόταν ότι θα συνδεόταν τελικά με άλλα προβλήματα υγείας και αυτό δεν το ήθελε. Τον είχαν εξετάσει και γιατροί απ' την Αμερική και από άλλες χώρες, αλλά το πρόβλημα παρέμενε, λύση δε βρισκόταν.

Έτσι εγώ έγινα «ειδική» επί των θερμίδων που έπρεπε καθημερινά να παίρνει, σύμφωνα με το πρόγραμμα του Κρεμαστινού και διαιτολόγων. Ήταν μια καθημερινή επίμονη κι επίπονη μάχη, καθώς σταθερά αρνιόταν να τρώει και εγώ έπρεπε να του συμπληρώσω οπωσδήποτε τον αριθμό των θερμίδων που χρειαζόταν.

Θυμάμαι τον Δημ. Κρεμαστινό να μου λέει ότι οι εξετάσεις δείχνουν πως ο οργανισμός του αδυνατίζει, ότι το αμυντικό του σύστημα εξασθενεί. Εγώ ανησυχούσα, προσπαθούσα, ο Ανδρέας έβρισκε δικαιολογίες για να μην τρώει.

Στην Ελούντα, που καθημερινά υπήρχε φρέσκο ψάρι, έλεγε πως το έφερναν μακριά απ' το εστιατόριο και αρκούνταν να τσιμπάει ένα μπαρμπούνι ή δύο αθερίνες. Έτσι βρήκαμε τη λύση να παίρνω ένα γκαζάκι και τηγάνι και να τα τηγανίζω στο μπάνιο, για να είναι τραγανά, όπως μου έλεγε.

Χρησιμοποιούσα διάφορα άλλα τρικ και ήμουν με μια διαρκή αγωνία αν θα φάει δύο μπουκιές παραπάνω. Θυμάμαι ότι σε καθημερινή βάση τού έδινα δύο με τρία ασπράδια αβγού, που οι γιατροί τα έκριναν απαραίτητα ως πρωτεϊνούχα.

Κάποια περίοδο για την αντιμετώπιση των πόνων που αισθανόταν στο στομάχι και έφερναν την ανορεξία άρχισε να παίρνει τα περίφημα ομοιοπαθητικά χάπια. Ένας φίλος μάς σύστησε τον κ. Γκέκα, ομοιοπαθητικό, έναν ευγενέστατο άνθρωπο, που θεωρείται αυθεντία στην ομοιοπαθητική. Σκεφτήκαμε μήπως έπρεπε να προσφύγουμε και σ' αυτή τη μέθοδο, αφού το πρόβλημα με το στομάχι (πόνοι, διαρροϊκά φαινόμενα, ανορεξία) δεν ξεπερνιόταν.

Ρώτησα τον Δημ. Κρεμαστινό αν έπρεπε. Μου απάντησε πως «εμένα δε με πειράζει, εφόσον στην ουσία δεν είναι φάρμακα τα σκευάσματα που χρησιμοποιούν στην ομοιοπαθητική».

Αυτά τα χάπια τα χρησιμοποιούσε για ένα διάστημα δύο περίπου χρόνων, αλλά μόνο περιστασιακά, και οι γιατροί το γνώριζαν και δεν είχαν αντίρρηση. Άλλοτε του έκαναν καλό, άλλοτε ό-χι, αλλά ποτέ δεν του έκαναν κακό, όπως οι ίδιοι οι γιατροί έλεγαν. Πάντως κάποια αισθητή, ορατή βελτίωση στο πρόβλημα με το στομάχι δεν είδαμε ποτέ. Συνέχιζε να χάνει βάρος, εγώ αγχω-μένη προσπαθούσα να τον πείσω να φάει κάτι παραπάνω, ο ίδιος αντιστεκόταν και όλη αυτή η κατάσταση δημιουργούσε τους... ο-μηρικούς καβγάδες των ευφάνταστων σεναριογράφων.

Ο πλέον «ομηρικός» απ' αυτούς έγινε στην Ελούντα, όταν κά-ποιο μεσημέρι έφαγε μόνο μία αθερίνα. Τον παρακάλεσα να φά-ει, αρνιόταν και εγώ αγχωμένη σηκώθηκα απ' το τραπέζι και πή-γα και κάθισα στην παραλία.

Ήρθε σε λίγο ο Γ. Λιάνης και μου είπε: «Έλα, σε παρακαλώ, γύρισε στο τραπέζι». Του λέω: «Δε χρειάζεται να επεμβαίνεις σ' αυτά τα θέματα».

Σε λίγα λεπτά έστειλε ο ίδιος την Τέτη. Μου λέει: «Έχει στε-νοχωρηθεί πολύ, αλλά έχει φάει όλα τα ψάρια στο πιάτο του για να γυρίσεις»...

Εκεί, στην Ελούντα, το τελευταίο καλοκαίρι, λίγο μετά το Δεκα-πενταύγουστο, συνέβη και ένα περιστατικό με τον Κ. Σημίτη, υ-πουργό Βιομηχανίας τότε, που είχε κάνει μεγάλη εντύπωση στον Ανδρέα, ήταν έξω απ' τη νοοτροπία του.

Είχε ξεσπάσει η υπόθεση με τα ναυπηγεία, με τον Περατικό, και ο πρωθυπουργός αναζητούσε τον υπουργό του για να συζη-τήσουν το θέμα, που ήταν στην πρώτη γραμμή της επικαιρότητας. Ο Κ. Σημίτης δεν απαντούσε. Ανευρέθη τελικά στη Σίφνο και, ό-ταν τον ρώτησε ο Ανδρέας για τις εξελίξεις και ζήτησε ενημέρω-ση, πήρε την εξής εκπληκτική απάντηση:

«*Νομίζω*, πρόεδρε, ότι το θέμα το χειρίζεται ο Χρήστος Ροκό-φυλλος...»

Γύρισε έκπληκτος απ' το γραφείο του και όλη τη μέρα σχο-λίαζε το γεγονός. Περισσότερο απ' το ότι ο αρμόδιος υπουργός δεν ασχολούνταν με το θέμα τού είχε κάνει εντύπωση εκείνο το «*νομί-ζω*» που του είχε πει ο Κ. Σημίτης...

Του άρεσε να χαλαρώνει τα βράδια βλέποντας αστυνομικές και πολιτικές ταινίες, ήταν η αδυναμία του.

Είχε ένα χαρακτηριστικό τρόπο να βαδίζει, όταν ήθελε να σκεφτεί κάτι σοβαρό και σημαντικό. Έβαζε τα χέρια πίσω, στην πλάτη, έδενε τις παλάμες και περπατούσε, με το βλέμμα κάτω, γύρω γύρω απ' το γραφείο ή πάνω κάτω στο δωμάτιο. Καμιά φορά τον πείραζα: «Θα ανοίξεις πηγάδι», του έλεγα.

Άλλο χαρακτηριστικό του ήταν πως σπάνια μιλούσε στο τηλέφωνο καθιστός. Προτιμούσε να κόβει βόλτες κρατώντας το ακουστικό, που ως εκ τούτου χρειαζόταν... πολλά μέτρα καλώδιο.

Είχε μεγάλη αδυναμία στα σκυλιά μας. Ιδιαίτερα η Τζίλντα ήταν η μεγάλη του αγάπη. Την είχαμε από κουταβάκι, στο Μαξίμου, έπαιζε μαζί της, την έβλεπε που μεγάλωνε, τη φωτογράφιζε συχνά, είχε δεθεί μαζί της. Πολλές φορές κοιμόταν δίπλα του.

Όταν επέστρεψε στο σπίτι απ' το Ωνάσειο, ένα απ' τα πρώτα πράγματα που ζήτησε ήταν να δει τα σκυλιά. Και τη μέρα που έφυγε, η αγαπημένη του Τζίλντα ήταν απ' το πρωί ανήσυχη. Έκλαιγε διαρκώς, όλο εκείνο το Σάββατο...

Στις 30 Νοεμβρίου του '94, τελευταία φορά που γιορτάσαμε τη γιορτή του, έγινε ένα καταπληκτικό γλέντι στο Μαξίμου, που το είχε χαρεί, το απόλαυσε κυριολεκτικά όλη τη βραδιά.

Ήταν μαζί μας εκείνο το βράδυ πολλοί υπουργοί, στελέχη του ΠΑΣΟΚ, φίλοι και αρκετοί καλλιτέχνες. Θυμάμαι την Ειρ. Παππά, τον Στ. Ξαρχάκο, τη Λ. Νικολακοπούλου, τη Μ. Φαραντούρη, τον Θ. Μικρούτσικο, την Ά. Πρωτοψάλτη, τον Α. Βουτσινά, τον Στ. Κραουνάκη, τον Κ. Μακεδόνα. Ήταν επίσης η κόρη του Σοφία και ο Λέων Καραπαναγιώτης, με τον οποίο του άρεσε να συζητά και συχνά έτρωγαν μαζί.

Θυμάμαι ότι ο Θ. Μικρούτσικος έπαιξε στο πιάνο, αρκετοί απ' τους καλλιτέχνες τραγούδησαν. Αλλά την παράσταση έκλεψε ο Ευάγ. Γιαννόπουλος, που τραγούδησε «Στ' άρματα, στ' άρματα»...

Κάποια στιγμή μού ζήτησε να χορέψω γι' αυτόν. Χόρεψα έναν καλαματιανό και το ευχαριστήθηκε πολύ.

Τον άλλο χρόνο, την ίδια μέρα ήταν στο Ωνάσειο και πάλευε για τη ζωή του...

«Δε με έχει φλερτάρει άντρας από τότε που σε γνώρισα», του έλεγα πολλές φορές γελώντας.

Του άρεσε πολύ αυτό, ήθελε να το ακούει. Ζήλευε μ' ένα γλυκό, τρυφερό τρόπο και ήθελε να βρίσκομαι κοντά του, όσο γίνεται περισσότερο. Αλλά έδινε τόση αγάπη, τρυφερότητα, που αναζητούσα κι εγώ να είμαι μαζί του. Είχε ένα μοναδικό τρόπο να δίνεται και, όπως έχω πει και σε άλλο σημείο, όταν αγαπούσε και δινόταν ήταν μονογαμικός.

Θυμάμαι μια εκδήλωση στο Μέγαρο Μουσικής, όπου ήταν παρόντες και άλλοι ξένοι ηγέτες. Ένας απ' αυτούς είχε προκύψει... θαυμαστής μου. Στο διάλειμμα μου πρόσφερε ευγενικά ένα ποτό.

Ο Ανδρέας βρισκόταν σε κάποια απόσταση, με κάποιους μιλούσε, κάποιους χαιρετούσε. Μόλις μας είδε, ήρθε αμέσως κοντά μας και μου κράτησε το χέρι τρυφερά...

Του άρεσε επίσης πολύ να με φωτογραφίζει. Μου έχει βγάλει *δεκάδες φωτογραφίες, απ' την εποχή που ξεκίνησε η σχέση μας. Αλλά η φωτογραφία ήταν το μεγάλο του πάθος.* Δεν ήταν απλά ένα χόμπι γι' αυτόν, ήταν πάθος. Φωτογραφικές μηχανές και κομπιούτερ ήταν η ειδικότητά του. Λάτρευε τις νέες φωτογραφικές μηχανές, αλλά η αγαπημένη του ήταν μια «Λάικα», που δυστυχώς χάθηκε κατά την τελευταία μετακόμιση.

Είχε συλλογή ολόκληρη από φωτογραφικές μηχανές και τις χειριζόταν όλες άριστα. Μπορούσε να μιλάει με τις ώρες για τη φωτογραφία, ενώ πολλές φορές ως ειδικός παρέδιδε... μαθήματα σε φίλους και συνεργάτες.

Τραβούσε φωτογραφίες παντού, με την πρώτη ευκαιρία που έβρισκε. Θυμάμαι πως είχε βγάλει θαυμάσιες φωτογραφίες όταν ήταν στο Νταβός, απ' τη βεράντα του δωματίου που έμενε.

Επίσης στην Κέρκυρα, μετά το Ευρωπαϊκό Συμβούλιο, που είχαμε κάνει λίγες μέρες διακοπές, αλλά και σε όλα τα νησιά, όπου κατά καιρούς είχαμε πάει, όπως και στις Πρέσπες. Αλλά εκτός από τοπία και θαυμάσιες συνθέσεις, φωτογράφιζε και πρόσωπα και του άρεσε πολύ αυτό.

Απ' τη μεγάλη συλλογή των φωτογραφιών που είχε τραβήξει ο Ανδρέας, παραθέτω κάποιες σ' αυτό το βιβλίο, αν και νομίζω πως τον αδικώ, γιατί είναι πολύ δύσκολο να ξεχωρίσει κανείς ορισμένες και να τις χαρακτηρίσει «αντιπροσωπευτικές». Ξέρω όμως πως θα του αρέσει ιδιαίτερα που βρίσκονται στο βιβλίο δικές του φωτογραφίες...

Νομίζω ότι σ' αυτό το σημείο οφείλω και πρέπει να δώσω το λόγο στον ίδιο τον Ανδρέα. Παραθέτω ορισμένα μόνο αποσπάσματα απ' τις απομαγνητοφωνημένες κασέτες της Ελούντας, κατά προτίμηση από σημεία όπου περιέχονται προσωπικές του μαρτυρίες για γεγονότα και πρόσωπα του παρελθόντος και περιγραφές που φωτίζουν πλευρές του Ανδρέα Παπανδρέου, αυτής της φωτεινής φυσιογνωμίας που έλαμψε και μάγεψε. Ίσως σ' ένα άλλο βιβλίο να παρατεθούν και άλλα αποσπάσματα. Για την ώρα ας αρκεστεί ο φίλος αναγνώστης σε τούτα.

Αναφερόμενος στη σχέση του με τον Ρ. Κένεντι, ο Ανδρέας, σε κάποια συζήτηση, αναφέρει:

Α. Π.: «Ο Ρόμπερτ Κένεντι με ρώτησε: "Τι μπορώ να κάνω για τη χούντα;", γι' αυτό είχα πάει. Του λέω: "Ακούστε, εμείς από εσάς ζητάμε να σταματήσετε τη στρατιωτική βοήθεια και να πείτε τέρμα, ωσότου φύγει αυτή η δικτατορία. Τέρμα. Τα υπόλοιπα θα τα αναλάβει ο ελληνικός λαός". Μου λέει: "It's a deal, σου δίνω το λόγο μου", τον οποίο και κράτησε. Και στις ομιλίες του, αρκετές ομιλίες, αναφέρθηκε στη χούντα.

»Αυτός ήταν ο καλύτερος, ήταν πιο πολιτικοποιημένος και πιο...

»Σ' αυτόν οφείλεται και το θέμα των πυραύλων των ρωσικών

405

στην Κούβα. Η λύση απ' αυτόν είναι, απ' τον Ρόμπερτ Κένεντι. Ή-
ταν στρατιώτης. Με μεγάλη πίστη και κουράγιο τα 'βαλε με τα
συνδικάτα, τα 'βαλε με τη CIA».

Συγκλονιστική είναι η αφήγηση του Ανδρέα για κάποια άγνωστα
σημεία απ' την περίοδο του ΠΑΚ. Παραθέτω εδώ την αφήγησή
του για τη δολοφονία του αγωνιστή του ΠΑΚ Μαυρογένη, καθώς
και για ένα άγνωστο γεγονός στη Στοκχόλμη, που λίγο έλειψε να
του κοστίσει τη ζωή.

Α. Π.: «Ήταν μια μέρα για μένα αξέχαστη. Η μέρα της δολο-
φονίας του Κένεντι. Μέρα δηλαδή που μας πληροφόρησαν. Ή-
μουν στην Κοπεγχάγη. Ετοιμαζόμουν να εγκατασταθώ στη Στοκ-
χόλμη και είχα μαζί μου τον Ζαχαράτο, αν τον θυμάστε, έναν Ζα-
χαράτο καθηγητή οικονομικών. Ήταν λεβεντάνθρωπος και είχα-
με πάει μαζί μέχρι Κοπεγχάγη. Αυτός με ξύπνησε και μου 'πε για
τον Κένεντι. Συγκλονιστήκαμε κυριολεκτικά απ' την είδηση. Απο-
φασίσαμε να πάμε έξω να φάμε, να φύγει ο νους μας απ' την ι-
στορία αυτή. Εγώ, αισθανόμενος ανασφαλής, είχα κάποιες ιστο-
ρίες, είχαν σκοτώσει τον Μαυρογένη, έβαλα το αυτοκίνητό μου α-
κριβώς έξω απ' το Αστυνομικό Τμήμα, το κλείδωσα και είχα χαρ-
τιά μέσα. Το 'κλεισα και το άφησα μπροστά στο Τμήμα. Το βρά-
δυ, γυρίζοντας με τον Ζαχαράτο, λέω: "Θέλω να περάσω από το
αυτοκίνητο, έχω κακό προαίσθημα". Περνάω έξω απ' το αυτοκί-
νητο, σπασμένο το παράθυρο και τα χαρτιά που είχα μέσα εξα-
φανισμένα. Μου 'ρθε ταμπλάς. Και την επόμενη μέρα μού είπαν
να περάσω να το πάρω, αλλά από πού; Μέσα στην περιοχή του
ΝΑΤΟ. Εκεί το είχαν το αυτοκίνητο. Κι όταν έφτασα, ήταν ένας
αξιωματικός. Μου είπε: "Πας στην πόλη; Πάρε με και εμένα μα-
ζί". Και στο δρόμο μού λέει: "Ξέχασε αυτό που λες, ότι δολοφο-
νήθηκε ο Μαυρογένης. Σου συνιστώ να το ξεχάσεις". Απειλή. Το
ωραίο ήταν ότι αυτοκτόνησε απ' τη δεξιά πλευρά, αλλά ήταν α-
ριστερόχειρ. Δεν μπορούσε να χρησιμοποιήσει το δεξί του, το ή-
ξερα. Θυμάμαι ότι τα μάζεψα και έφυγα τρέχοντας στη Στοκ-
χόλμη. Ο Βασίλης Βασιλικός ήξερε καλά την ιστορία τότε και έ-

χει γράψει γι' αυτή. Αλλά όταν έφτασα στη Στοκχόλμη, μέσα σε τρεις εβδομάδες μού τηλεφώνησε η Ασφάλεια, αν μπορούσα να περάσω. Και πέρασα. Και μου είπαν ότι "επιμένατε δημοσία ότι εδολοφονήθη ο Μαυρογένης, δεν είναι αληθές. Και εφέραμε και αποδεικτικά στοιχεία". "Να τα δω", λέω. "Ευχαρίστως". Είχαν φέρει ένα πάκο έγχρωμων φωτογραφιών, όλες από το χειρουργείο. Έβλεπες τη μία, κάναν τη νεκροψία, έβλεπες τη δεύτερη... Τους λέω: "Για μια στιγμή, τι σχέση έχει αυτό με το αντικείμενο; Τι σας είπα εγώ ότι ξέρω; Ξέρω πως ήταν αριστερόχειρας". "Προχωρήστε", λέει, "προχωρήστε". Σε κάποιο σημείο λοιπόν ήταν τόσο φριχτά αυτά που έβλεπα, το διαμελισμό κυριολεκτικά του ανθρώπου, ώστε μου 'ρθε εμετός. Οπότε κατάλαβα ότι ήταν απειλή και σηκώθηκα και τους τα πέταξα στα μούτρα. Ο Μαυρογένης ήταν ο άνθρωπος που έδωσε την ιδέα για το ΠΑΚ. Ήταν συνδεδεμένος αρκετά με οργανώσεις απελευθερωτικών κινημάτων. Άνθρωπος που πίστευε και δούλευε. Τους είχε μπει στο μάτι. Δεν μπορώ να ξεχάσω εύκολα τις απειλές, τον αποπροσανατολισμό, την παρακολούθηση που μου κάνανε, τη φωτιά που βάλαν για να με κάψουν και γλίτωσα ως εκ θαύματος. Το Δεκέμβριο του 1968, Χριστούγεννα. Τώρα είμαι Σουηδία, πήγα και αγόρασα ένα χάι φάι για να 'χουμε μουσική. Ήταν ένα παλιό κτίριο με πέντε ορόφους, ξύλινη σκάλα και είχε στη βάση του, όπως έμπαινα μέσα, είχαν μαζέψει ροκανίδια, το οποίο το είδα, δε μου έκανε καμία εντύπωση, και πήγα πάνω. Και πάνω ήμασταν στον πέμπτο όροφο εγώ, ο γιος μου ο Γιώργος, η Αγγέλα, ο Πονηρίδης, ήταν στέλεχος του ΠΑΚ τότε εκεί, μετά πρέσβης, και ένας Αντώνης της ασφάλειάς μου. Για μια στιγμή έρχεται ο Γιώργος στο δικό μου γραφείο και λέει "φωτιά". Έντρομοι βγαίνουμε έξω, είδαμε πως είχε αρχίσει η φωτιά. Ελπίζαμε να την περάσουμε βάζοντας πετσέτες υγρές στο πρόσωπο, αλλά δε γινόταν. Και ο καπνός και η φωτιά ήταν πολύ μεγάλη. Ο Πονηρίδης, μαθημένος στη σουηδική ζωή, είχε κρατήσει τελείως την ψυχραιμία του. Λέει: "Νομίζω ότι πρέπει να τηλεφωνήσουμε στην Πυροσβεστική", σαν να ήταν ένα θέμα υπό συζήτηση, ενώ πλησίαζαν και η φωτιά και ο καπνός. Είμαστε δε πέμπτος όροφος. Πήρε τηλέφωνο, τους βρήκε, είπαν θα έρθουν. Μας είχε περιζώσει ο καπνός, ανοίξαμε παράθυρα και αναπνέαμε απ' τα παράθυρα. Ο Αντώνης προσπάθησε να καβαλήσει τη στέγη που ήταν γλιστερή. Περιμέναμε την πυροσβεστική αντλία. Οπότε κατά μεγάλη μας τύχη ήρθε μία επιτροπή από τη Δανία να μας επισκεφθεί και τους είδαμε κάτω. Ίσα ίσα που βλεπόντουσαν και τους φωνάζαμε "φωτιά", οπότε άρχισαν και αυτοί να σπάζουν την πόρτα και να μπαίνουν μέσα στην πηγή της φωτιάς. Να μην τα παραπώ, έφτασε και η Πυροσβεστική Υπηρεσία και η περίφημη σκάλα για να κατέβεις και όλα τα συναφή. Αλλά ήταν βέβαιος εμπρησμός, το καταγγείλαμε, μας απάντησαν ότι ήταν τυχαίο».

Σε άλλη συζήτηση για το παρασκήνιο της διαδοχής, που υπήρξε κατά την περίοδο του Χέρφιλντ, ο Ανδρέας αναφέρει μεταξύ άλλων:

Α. Π.: «Μας έγινε γνωστή μόνο μια συνάντηση του Μένιου με το ΕΓ, η οποία προηγείται ή έπεται του Χέρφιλντ. Έχει γίνει άλλη μία συνάντηση την οποία δεν την έχουμε μάθει. Μου την έχει εμπιστευτεί ένας δημοσιογράφος, ότι στη δεύτερη συνάντηση ήταν πολύ πιο στενή, ήταν τέσσερα άτομα μόνο, ο Μένιος με άλλους τρεις. Εγώ ξέρω τα τρία πρόσωπα που ήταν στην πρώτη συνάντηση».

ΕΡ.: «Ήταν ο Λαλιώτης και ο Τσοχατζόπουλος;»

Α. Π.: «Δεν ξέρω τι σημαίνει αυτό, μπορεί να μη σημαίνει τίποτα. Αλλά στην πρώτη συνάντηση ήταν και οι δύο σίγουρα. Μην πάμε απαραίτητα στο ότι έγινε η συνάντηση και αυτοί είχαν εισηγήσεις για τη διαδοχή. Μπορεί να πήγε να τους ανακοινώσει κάτι. Για τον Λαλιώτη ξέρω ότι ήταν και στη δεύτερη συνάντηση, που ήταν πιο στενή...»

Νομίζω πως έχει ιστορική αξία η σπαρταριστή περιγραφή απ' τον Ανδρέα της πρώτης συνάντησής του με τον Κ. Καραμανλή.

Α. Π.: «Είχα έρθει εδώ με υποτροφία αμερικανική για να κάνω μελέτη της ελληνικής οικονομίας, ένας χρόνος άδειας από το πανεπιστήμιο, και προς το τέλος του ακαδημαϊκού έτους με κάλεσαν στο Βελιγράδι να μιλήσω για οικονομικό προγραμματισμό, αυτό περιέργως, χωρίς τη δική μου προσπάθεια, μπήκε στον ελληνικό Τύπο, ότι μίλησα εκεί, και τα λοιπά, κάπου φαίνεται το είδε ο Καραμανλής αυτό. Και μου τηλεφώνησε ο τότε γραμματέας του, ο Κόντες, και μου λέει: "Θέλει να σε δει ο πρόεδρος". Εγώ πολιτικά βεβαίως ήμουν σε άλλη παράταξη, μη ενεργός, ζούσα στο εξωτερικό, αλλά πάντως σε άλλη παράταξη. Ρώτησα τον πατέρα μου πρώτα αν ήταν εντάξει και μου είπε "ναι" και πήγα. Εκεί ανοίχτηκε ο Καραμανλής αρκετά για την Ελλάδα, για τους βουλευτές, πως κατηγορίες πέφτουνε άδικα, μου 'δειξε τη γραβάτα του και λέει: "Κάποτε θα πουν πως την έκλεψα". Μου λέει: "Δουλεύω σκληρά, εγώ κάνω τη δουλειά των υπουργών μου, εγώ πηγαίνω από υπουργείο σε υπουργείο και τελειώνω τις δουλειές". Τέλος πάντων, του είπα ότι θα μελετήσω το θέμα του ΚΕΠΕ, του κέντρου αυτού, και θα του υποβάλω έκθεση, για τον εαυτό μου κάθε επιφύλαξη αν θα μπορέσω ή όχι να κάνω το μεγάλο άλμα και να γυρίσω στην Ελλάδα. Μετά από μέρες παίρνω τηλέφωνο: "Έτοιμος ο πρόεδρος να σας δεχτεί, είστε κι εσείς;" Πάω εκεί και τι βλέπω στο μικρό δωματιάκι στη Βουλή; Στο Γραφείο του πρωθυπουργού υπάρχει ένα μικρό δωματιάκι, που είναι τώρα γραμματείς, προθάλαμος. Εκεί μέσα ήταν ο Βογιατζής, υπουργός Παιδείας τότε, από την Εύβοια, ήταν και Βιομηχανίας παλιότερα, ήτανε ο Ζολώτας και ήταν κι ένας άγνωστος για μένα δημόσιος υπάλληλος, ήτανε γενικός διευθυντής ανωτάτης παιδείας στο υπουργείο Παιδείας – Παπαπάνου. Σε κάποια στιγμή, αφού κάτσαμε δέκα, είκοσι λεπτά, λέει: "Έτοιμος ο πρόεδρος να σας δεχτεί". Πηγαίνουμε λοιπόν, ήτανε στο γραφείο του, όπως είναι και σήμερα στη Βουλή, δε σηκώθηκε να χαιρετήσει κανέναν, αλλά μόλις μπήκε ο διευθυντής μέσα, λέει: "Στάσου, ποιος είσαι εσύ που 'ρχεσαι στα γραφεία μου;" Λέει ο Βογιατζής: "Εγώ τον έφερα, είναι ειδικός, είναι τεχνικός". "Κι εσένα τι σ' έχω, τι σ' έχω, αν δεν μπορείς να μιλήσεις χωρίς κάποιον άλλονε;"

»Γυρίζει ο Ζολώτας, αλλά είχε μια τάση ο Ζολώτας εκεί που μιλάει να φτιάχνει τη γραβάτα του, κάνοντας αυτή την κίνηση, λέει: "Κύριε πρόεδρε, μου επιτρέπετε ως τεχνικός..."

»"Στάσου, τι άκουσα, τι είπες; Εσύ είσαι τεχνικός; Σε ποιον μιλάς, ποιος είμαι εγώ, δε με ξέρεις; Εγώ είμαι φιλόσοφος, εγώ είμαι στρατηγός, εγώ είμαι τεχνικός, γιατί είμαι όλα αυτά; Γιατί είμαι ο πρωθυπουργός της χώρας. Και συ τι είσαι και πού ανήκεις;"

»"Μάλιστα, κύριε πρόεδρε".

»Όταν σηκωθήκαμε να φύγουμε και δεν είχε πει κουβέντα για το ΚΕΠΕ, μπροστά τους, μου λέει: "Είδες πώς τους φέρομαι, αυτοί είναι υπάλληλοί μου, εσένα πώς σου φέρομαι; Δεν είσαι υπάλληλός μου". Και μόλις βγαίνουμε από την πόρτα γυρίζει ο Ζολώτας και μου λέει: "Κύριε Παπανδρέου, μία από αυτές τις μέρες θα παραιτηθώ". Πάω στον πατέρα μου και τα λέω και μου λέει: "Δε σε πιστεύω, δε σε πιστεύω, δεν μπορεί να έχουν γίνει αυτά"».

Έχει ενδιαφέρον πώς απάντησε ο Ανδρέας σε ερωτήσεις για τον τρόπο λειτουργίας υπουργών στα πλαίσια μιας κυβέρνησης.

Α. Π.: «Οι υπουργοί, υπάρχει μια τάση σε όλους τους υπουργούς, και όταν λέω σε όλους, εννοώ σε όλους, αυτονόμησης και μιας στάσης απέναντι στο ρόλο της κυβέρνησης που είναι κάπως διαλυτική για την ενότητα, αυτό που λέμε κυβερνητικής πολιτικής και κυβερνητικού έργου, και γι' αυτό το λόγο πράγματι ίσως αυτό που έκανε μπορεί να μην είναι εύκολο να γίνει, την επίσκεψη κατά υπουργείο, αν δεν υπάρξει παρακολούθηση των υπουργών συστηματική, και δέχομαι ότι, παρά τον υβριστικό χαρακτήρα που είχε ο Καραμανλής, ότι σωστά είχε πιάσει το πρόβλημα».

ΕΡ.: «Πού αποδίδετε την αλλαγή συμπεριφοράς ορισμένων ανθρώπων, όχι ορισμένων, των περισσότερων, όταν αποκτούν μια τέτοια εξουσία ελέω του πρωθυπουργού; Γιατί ο ίδιος άνθρωπος συμπεριφέρεται διαφορετικά όταν έχει κάποια καρέκλα ή κάποια εξουσία, γιατί γίνονται διαλυτικοί;»

Α. Π.: «Όχι μόνο αυτό, αλλά θέλουν να δείξουν πως και έχουν και ασκούν εξουσία. Υπάρχει κι ένα περίεργο πράγμα, όλοι θεωρούν τους εαυτούς τους μονίμους, από την ώρα που γίνεις υπουργός Παιδείας, υπουργός κάτι, θεωρείς τον εαυτό σου μόνιμο. Δηλαδή, είτε το θέλεις είτε όχι, βλέπεις τον εαυτό σου μόνιμο υ-πουργό κι αν σ' το πάρουν σε κάποιο ανασχηματισμό, εξαγριώ-νεσαι. Υπάρχει η άσκηση της εξουσίας, βγάζει από τον άνθρωπο, νομίζω, τις χειρότερες όψεις του. Η άσκηση εξουσίας, άσχετο με τις ικανότητές του».

ΕΡ.: «Το έχετε δει αυτό στον εαυτό σας;»

Α. Π.: «Κοίταξε, χρειάζεται ένας αγώνας και μία πάλη με τον εαυτό σου να μη μεταβληθείς κι εσύ στο ίδιο πράγμα και ίσως να το 'χω παρακάνει από την άλλη μεριά. Δηλαδή θα μπορούσα να είμαι πολύ διαφορετικός, είμαι ανεκτικός περισσότερο απ' όσο πρέπει, αλλά τουλάχιστον έχω αποφύγει την ψευδαίσθηση της αιωνιότητας».

Να και κάποια ενθυμήματα του Ανδρέα από συναντήσεις του με ξένους ηγέτες.

Α. Π.: «Ήταν στη Μόσχα, που είχαμε πάει στην κηδεία του Μπρέζνιεφ. Κανόνισε συνάντηση με τον Κάστρο, ο οποίος με α-γκάλιασε όταν με είδε, ήταν ένας τεράστιος άνθρωπος, χάθηκε σε κείνους τους στρατιωτικούς χιτώνες τους οποίους είχε, και πή-γαμε να μιλήσουμε. Μου λέει: "Πριν αρχίσουμε, θέλω να ξέρω πόσα χρόνια ο καθένας από τους συνεργάτες σου είναι μαζί σου, αλλιώτικα δε μιλώ". Είπα: "Δέκα χρόνια". Μου λέει: "Εντάξει, μπορώ να μιλήσω". Αυτό μου είχε κάνει εντύπωση. Ασφάλεια. Ε-ντυπωσιακός άνθρωπος».

Χυτήρης: «Ναι, τον έχω ακούσει τέσσερις ώρες στα χωράφια στον ήλιο της Κούβας, έχω παραστεί. Μιλάει πάρα πολύ και κά-θονται και τον ακούνε, μιλάει πολύ απλά, σαν να ήταν συνάδελ-φός τους, έχει μια αμεσότητα πολύ μεγάλη, λέει και ιστορίες, λέ-ει και ανέκδοτα, λέει για το παρελθόν, το παρόν, τι κάνουμε, α-πλά για τους αγρότες, για τους εργάτες, όλα, όλα. Δεν κάνει μια ομιλία πολιτική με την έννοια τη στενή».

Α. Π.: «Όπως κι ο Καντάφι».

Δήμητρα: «Συνάντηση του προέδρου με Άσαντ εφτά ώρες».

411

Α. Π.: «Α, ναι, θέλω να σου πω τι γίνεται. Πήγα 10 το πρωί, νομίζω, σε μια συνάντηση με τον Άσαντ, και όλα αυτά με διερμηνέα, μπορεί να ξέρει, αλλά δε μιλάει αγγλικά, και μου είχε το Υπουργικό Συμβούλιο τραπέζι στις 2 η ώρα, επίσημο τραπέζι. Λοιπόν μιλήσαμε, 11, 12, 1, 2. Όταν έφτασε 3 η ώρα, λέω: "Πρόεδρε, υπάρχει ένα θέμα, έχω ένα γεύμα, και ο πρωθυπουργός προσφέρει γεύμα προς τιμήν μου, θα πρέπει να είμαι εκεί". "Άσ' τους αυτούς", μου λέει, "έχουμε να πούμε ακόμα", και κατέφτασα στις 4 η ώρα το απόγευμα στο γεύμα».

Χυτήρης: «Ένας άλλος που μιλούσε πολύ, πρόεδρε, στη Ρουμανία, ήμουν παρών, ο Τσαουσέσκο».

Για τις πρώτες μέρες της κράτησής του απ' τη χούντα ο Ανδρέας θυμάται.

Α. Π.: «Εμένα δε με ακούμπησαν, αλλά με είχαν σε απομόνωση και αυτό είναι πολύ σκληρό. Για δεκαπέντε μέρες. Με Αλευρά μαζί ήμασταν. Είχα και διάλογο με τον Αλευρά. Τι ωραία, εκείνη τη στιγμή απ' το τίποτα. Αφού, όταν έφυγε ο πατέρας μου απ' το "Πικέρμι", με βάλανε εμένα στο δωμάτιό του.

»Το δωμάτιο με εμένα και τον Αλευρά ήταν στενό, δηλαδή ίσα ίσα τα κρεβάτια και το διάδρομο για να μπορείς να πας στο κρεβάτι σου. Δεν υπήρχε τίποτα. Κι όταν έφυγε ο πατέρας μου, τον πήγαν σπίτι του, ή μάλλον σε νοσοκομείο, στον Ευαγγελισμό νομίζω ή στο ΝΙΜΙΤΣ, πήγα εγώ στο δωμάτιό του και μου 'ρθε ταμπλάς. Πέρασαν δύο ώρες και λέω: "Πώς θα περάσω εδώ πέρα τόσες ώρες; Έτσι θα περάσω;" Χτυπώ λοιπόν και λέω: "Κοιτάξτε, κρατήστε το αυτό για άλλον, εγώ θέλω να γυρίσω εκεί που ήμουν". Και πήγα και ανέπνευσα εκεί. Το χρωστάω στον Αλευρά, κι εκείνος σε μένα κάτι, ότι είχαμε κάποια παρέα. Κάναμε παρέα. Ήταν βουλευτής της ομάδας του Ανδρέα Παπανδρέου».

ΕΡ.: «Πώς φύγατε τελικά έξω;»

Α. Π.: «Είχα οργανώσει να φύγω, δύο Αλγερινοί επρόκειτο να με αναλάβουν, θα ερχόταν μία Ολλανδέζα, θα βγάζαμε μια φωτογραφία ανδρόγυνου, εγώ θα πέρναγα μια εβδομάδα για αλλα-

γές στο πρόσωπο και θα φεύγαμε. Είχα δώσει το πράσινο φως, ο-
πότε εκλήθην από τον Παττακό. Με ρώτησε αν είχα κανένα αί-
τημα. "Ναι", λέω, "να φύγω". "Θα μας βρίζεις έξω, ε;" Λέω: "Δε
φεύγω μ' αυτή την πρόθεση", είπα ψέμα, "αλλά βεβαίως με ξέρετε,
ποιες είναι οι θέσεις μου". "Καλά", λέει, "θα το σκεφτώ", και με
ειδοποιεί να πάρω το διαβατήριό μου».

ΕΡ.: «Γιατί το κάνανε αυτό, κύριε πρόεδρε;»

Α. Π.: «Γιατί το έκανε ο Παττακός να λες.

»Είχαν μαζέψει υπογραφές σε όλο τον κόσμο. Ο Γκαλμπρέιθ
είχε μαζέψει πάρα πολλές υπογραφές.

»Εφτά χιλιάδες οικονομολόγοι. Ήταν μία κίνηση, υπήρξε τρο-
μερή πίεση. Κοίταξε, και ο Τζόνσον είχε αναφέρει. Οι ακαδη-
μαϊκοί Αμερικανοί, προσωπικότητες, μου λέει, δεν έχει γίνει πο-
τέ αυτό, εφτά χιλιάδες υπογραφές οικονομολόγων για κάποιο θέ-
μα, δεν έχει γίνει».

Και μια ανάμνηση απ' τη Φρειδερίκη.

Δήμητρα: «Η αγαπητή Φρειδερίκη συμπαθούσε πάρα πολύ
τον πρόεδρο, τον αγαπούσε πάρα πολύ, του είχε μια ιδιαίτερη α-
δυναμία».

Α. Π.: «Θες να πεις με μισούσε. Ήρθε να πάρει ένα ντοκτορά
για τις φυσικές επιστήμες στο Μπέρκλεϊ. Την είχαν καλέσει».

Δήμητρα: «Μα τώρα αυτή είχε κάνει τέτοιες δουλειές;»

Α. Π.: «Πού να ξέρω. Ο πρόεδρος του πανεπιστημίου μού λέ-
ει: "Κοίταξε, εγώ δεν ξέρω Ελλάδα, θα είσαι φοβερά χρήσιμος
να αναλάβεις την περιήγηση εδώ της βασίλισσας και δεν ξέρω τι
άλλα, γεύματα και..." Δεν μπορούσα να πω όχι, αλλά γυρίζω σπί-
τι και έχω έναν πυρετό σαράντα με σαράντα ένα, αμυγδαλίτης.
Και ύστερα λοιπόν τηλεφωνώ στον πρόεδρο ότι είμαι κατάκοι-
τος, έχω σαράντα πυρετό, "λυπούμαι, δεν μπορώ να έρθω". Βέ-
βαια δεν το πίστεψε κανένας. Όταν ήρθα στην Ελλάδα, έγινε μια
δεξίωση προς τιμήν του Παύλου και της Φρειδερίκης στη "Με-
γάλη Βρετανία" και μας βάλαν σε έναν κύκλο τέτοιο και περνού-
σε η Φρειδερίκη και ο Παύλος και μας χαιρετούσαν. Όταν έ-

φτασε σε εμένα η βασίλισσα τότε, η Φρειδερίκη, μου λέει: "Κύριε Παπανδρέου, πώς είναι οι αμυγδαλές σας;" Της απαντώ: "Α, θυμάστε;" "Ναι", μου λέει, "θυμούμαι. Θα σας δώσω μια συμβουλή. Τώρα που είστε στην Ελλάδα, βγάλτε τις αμυγδαλές σας"».

Για τους δημοσιογράφους

Ο Ανδρέας αγαπούσε και εκτιμούσε πολύ το δημοσιογραφικό λειτούργημα, έτσι το χαρακτήριζε. Ήθελε να έχει φιλικές σχέσεις με τους εργάτες της ενημέρωσης, των οποίων τη δουλειά τιμούσε. Γνώριζε καλά πόσο δύσκολη και υπεύθυνη είναι.

Πίστευε όμως πως, όσο ο καιρός περνούσε και τα εκδοτικά συμφέροντα άρχισαν να διαπλέκονται με άλλου είδους δραστηριότητες, η δουλειά του δημοσιογράφου υποβαθμιζόταν, έχανε σε ελευθερία έκφρασης και σε κύρος, κατά κάποιο τρόπο «βιομηχανοποιούνταν». Πίστευε επίσης πως αυτό οφειλόταν και στο «άνοιγμα» των ΜΜΕ, που καθημερινά αυξάνονταν, ιδιαίτερα τα ραδιόφωνα και οι τηλεοράσεις. Θεωρούσε πιο «δημοσιογραφική» τη δουλειά σε εφημερίδες και περιοδικά, που, όπως χαρακτηριστικά έλεγε, «παρέχει τη δυνατότητα της προέκτασης στο γεγονός, της αναλυτικής προσέγγισης».

Ξεχώριζε τις ελεύθερες, αδέσμευτες δημοσιογραφικές φωνές, τις τολμηρές αναλύσεις, τις θαρραλέες προσεγγίσεις.

Ο Ανδρέας δεν ήταν ποτέ ο πολιτικός που ζήτησε τον έπαινο και την κολακεία, ούτε προσπάθησε να ελέγξει τα ΜΜΕ. Αλλά τον ενοχλούσαν πολύ η υβριστική αντιμετώπιση, οι προσωπικές επιθέσεις, η παραπληροφόρηση. Όλα αυτά τα είχε υποστεί και μάλιστα σε πολύ μεγάλο βαθμό. Αλλά είχε μια αρχή: ποτέ δεν έκανε μήνυση σε ελληνικό ΜΜΕ, ακόμα και όταν ξεπερνιόταν κάθε όριο κιτρινισμού, ακόμα και όταν το ψεύδος ή η παραπληροφόρηση κορυφωνόταν. Την είχε πάντα αυτή την αρχή και την κράτησε ακόμα και την περίοδο που θιγόταν η προσωπική του τιμή και αυτό τον πίκραινε όσο τίποτα άλλο. Η μοναδική μήνυση που κατέθεσε τότε ήταν κατά του *Time*.

Κάποια στιγμή αποστασιοποιήθηκε. Προτιμούσε απλά να μη διαβάζει τα λιβελογραφήματα, τα προσπερνούσε, αδιαφορούσε, σε αντίθεση με μένα, που ξεκίναγα τη μέρα μου ακριβώς απ' αυτά. Δεν μπορούσε ποτέ να το καταλάβει αυτό και μου έλεγε: «Πώς το κάνεις, ξεπέρασέ τα».

Ήταν φυσικά πιο δεμένος με την παλιά γενιά των δημοσιογράφων, τους οποίους εκτιμούσε ιδιαίτερα, γιατί, όπως έλεγε, «δούλευαν κάτω από πολύ πιο δύσκολες και σκληρές συνθήκες» και είχαν μια άλλη νοοτροπία, που του πήγαινε περισσότερο.

Εκτός απ' τον Λ. Καραπαναγιώτη, προς τον οποίο έτρεφε βαθύτατη εκτίμηση και για τις σχέσεις τους έχω κάνει αναφορές, απεριόριστη συμπάθεια και εκτίμηση στη δουλειά του, το ήθος του και την προσφορά του στους δημοκρατικούς αγώνες είχε και για τον Γιάννη Φάτση. Τον αγαπούσε πολύ, τον θεωρούσε φίλο του και χαιρόταν να συζητά μαζί του. Χαιρόταν να δίνει συνέντευξη στον Γ. Φάτση, του αναγνώριζε ποιότητα και διεισδυτικότητα στις ερωτήσεις. Είναι δε χαρακτηριστικό ότι στις συνεντεύξεις Τύπου σχεδόν πάντα την πρώτη ερώτηση την είχε ο Γ. Φάτσης.

Εκτιμούσε ιδιαίτερα και διάβαζε με προσοχή τις οικονομικές αναλύσεις του Ν. Νικολάου, αν και δε συμφωνούσε πάντα με τις απόψεις του.

Απ' τους παλιούς πολιτικούς συντάκτες εκτιμούσε επίσης τον Θ. Παπαγεωργίου, τον Αχ. Χατζόπουλο, τον Κ. Γερονικολό, τον Κ. Παπαϊωάννου, τον Α. Δεληγιάννη, τον Λ. Δάνο.

Εκφραζόταν επίσης θετικά για τους πιο νέους Αρ. Μανωλάκο, Ν. Κιάο, αν και έλεγε και για τους δύο πως του είχαν ασκήσει κατά καιρούς σκληρή κριτική, Αγ. Στάγκο, Κ. Αγγελόπουλο.

Εκφραζόταν με τα καλύτερα λόγια για τον αείμνηστο Γ. Κάτρη, καθώς και για τον Αστ. Στάγκο, παρόλο που, όπως έλεγε, είχαν στο παρελθόν έντονες διαφωνίες.

Υπήρξε θαυμαστής της δουλειάς των «Ρεπόρτερς», των Γ. Δημαρά, Κ. Χαρδαβέλα και Γ. Λιάνη. Έλεγε πως η δουλειά που έκαναν τότε άνοιξε δρόμους στην ελληνική τηλεόραση.

Είχε εκφραστεί θετικά για τη δουλειά ερευνητή-ρεπόρτερ των Σπ. Καρατζαφέρη και Γ. Μαύρου, καθώς και για το χρονογράφημα του *Λευτ. Παπαδόπουλου*, τον οποίο επίσης εκτιμούσε και κάποιες φορές τα έλεγαν.

Διάβαζε τις αναλύσεις της *Κύρας Αδάμ,* στο διπλωματικό ρεπορτάζ, την οποία θεωρούσε αξιόλογη και σοβαρή.

Έδινε πάντα επίσης ιδιαίτερη προσοχή στις αναλύσεις του *Στ. Λυγερού* για τα εθνικά θέματα.

Εκφραζόταν με τα καλύτερα λόγια για τη στήριξη που είχε απ' τον *Μάκη Κουρή* στις δύσκολες εποχές της πολιτικής του δίωξης, τόσο με τα γραπτά του όσο, και κυρίως, με την εκπομπή «Επί του Πιεστηρίου». Την παρακολουθούσαμε, θυμάμαι, σχεδόν κάθε βράδυ, μέχρι αργά, που τελείωνε.

Χαρακτήριζε «έξυπνη, χειμαρρώδη, ενδιαφέρουσα και με ευαισθησίες» τη *Λιάνα Κανέλλη,* με την οποία το τελευταίο διάστημα συζητούσε και του άρεσε η κουβέντα μαζί της.

Κάποια περίοδο εκφραζόταν θετικά για τον *Π. Ευθυμίου,* ενώ εκτιμούσε επίσης την τηλεοπτική δουλειά του *Θ. Ρουσόπουλου.*

Τον *Ν. Χατζηνικολάου* τον θεωρούσε «έξυπνο, ανερχόμενο και ενημερωμένο», ενώ εκτιμούσε και τις ικανότητες του *Π. Παναγιωτόπουλου.*

Με τον *Ν. Κακαουνάκη* είχε συναντηθεί μια δυο φορές και τον χαρακτήριζε δραστήριο και έξυπνο.

Απ' τη νέα γενιά των δημοσιογράφων έτρεφε συμπάθεια προς τον *Γ. Τριάντη,* αν και του ασκούσε ορισμένες φορές κριτική, τη θεωρούσε όμως καλόπιστη. Του άρεσε ο τρόπος γραφής του.

Θεωρούσε καλή τη δουλειά και έντιμη την παρουσία του *Λ. Δημάκα,* της *Μ. Παπαδοπούλου,* της *Αθ. Ραπίτου,* του *Γ. Διακογιάννη,* του *Γ. Προβή,* του *Αντ. Σκυλάκου,* του *Γ. Ευσταθίου,* του *Γ. Πολίτη* και του *Μ. Μουζάκη.* Ιδιαίτερα με τους δύο τελευταίους μιλούσε τα τελευταία χρόνια, ενώ αυτοί είχαν και το «προνόμιο» να μιλήσουν με τον Ανδρέα και μετά το Ωνάσειο, λίγο πριν φύγει...

«*Απελθέτω απ' εμού...*»

Αυτή τη φράση τη χρησιμοποίησε δεκάδες φορές ο Ανδρέας μετά το 1993. Μαζί του έμαθα να τη χρησιμοποιώ και εγώ, που έκπληκτη, καθώς είχα μπει σ' ένα «νέο κόσμο εξουσίας», έβλεπα καθημερινά τα χοντρά, τα τεράστια παιχνίδια που παίζονταν και έναν τρελό χορό δισεκατομμυρίων γύρω απ' την κυβέρνηση, γοητευτικό και επικίνδυνο. Αναφέρομαι βέβαια στις τεράστιες πιέσεις, οχλήσεις, «υποδείξεις» που ασκούνταν μέσα κι έξω απ' την Ελλάδα με στόχο ένα: τα μεγάλα έργα και τις προμήθειες του Δημοσίου.

Για τον Ανδρέα αυτό δεν ήταν κάτι το εντυπωσιακό. Έλεγε όμως πως: *σε τέτοια έκταση δεν είχε ξαναζήσει αυτό το φαινόμενο.* Δεν το είχε ξαναζήσει επίσης, όπως έλεγε, και σε τέτοια ποιότητα. Παρακολουθούσε αρχηγούς κρατών, πρωθυπουργούς, υπουργούς να παρεμβαίνουν, άλλοτε διακριτικά και άλλοτε ανοιχτά, για να διασφαλίσουν συμφέροντα εταιρειών των χωρών τους. Ένα χοντρό, σχεδόν καθημερινό παιχνίδι πολιτικοοικονομικό.

Ο ίδιος, πλήρως αποστασιοποιημένος, λειτούργησε με μια αρχή, την οποία τήρησε απαρέγκλιτα, με θρησκευτική ευλάβεια και χωρίς καμιά εξαίρεση: *καμία ανάμειξη, καμία παρέμβαση, άμεση ή έμμεση, του πρωθυπουργού στα μεγάλα έργα ή στις αναθέσεις προμηθειών.* Αυτά τα θέματα τα χειρίζονται οι αρμόδιοι υπουργοί και όταν είναι αναγκαίο οι αποφάσεις λαμβάνονται στα κυβερνητικά όργανα, μετά από εισήγηση των αρμόδιων υπουργών.

Και στους υπουργούς είχε δώσει σαφείς οδηγίες και εντολές: «Μοναδικό κριτήριο για τα έργα και τις προμήθειες το συμφέρον του Δημοσίου. Απαιτείται πλήρης διαφάνεια και δεν επιτρέπεται σκιά έστω υποψίας ή αμφιβολίας».

Συχνά μου έλεγε:

«Το '89, Δήμητρα, χωρίς να έχω καμιά ανάμειξη, πέρασα από ένα Ειδικό Δικαστήριο. Δεν τολμώ να διανοηθώ όχι ότι θα ξανασυμβεί κάτι τέτοιο, αλλά ούτε ότι θα ξαναδημιουργηθεί παρόμοιο κλίμα».

Και επαναλάμβανε την προσφιλή του έκφραση:

«Απελθέτω απ' εμού το ποτήριον τούτο...»

Ήταν πάντως και ο ίδιος, παρά τις εμπειρίες που είχε, εντυπωσιασμένος απ' τον τρόπο με τον οποίο ξένοι πολιτικοί προσπαθούσαν να κλείσουν δουλειές για εταιρείες των χωρών τους. Όσο για μένα, ήταν μια καινούρια και φοβερή εμπειρία να βλέπω, για παράδειγμα:

Τον καγκελάριο Κολ να στέλνει επιστολή στον Έλληνα πρωθυπουργό, με την οποία να ζητάει να κλείσει σύντομα υπέρ του γερμανικού ομίλου, και σύμφωνα με την κατ' αρχάς απόφαση της ελληνικής κυβέρνησης, το θέμα του αεροδρομίου των Σπάτων.

Τον Πρόεδρο Μιτεράν, σαφώς διακριτικότερα, να ζητάει επανεξέταση της αρχικής συμφωνίας, ώστε το έργο να το πάρει ο γαλλικός όμιλος ή τουλάχιστον να μπει σ' αυτό.

Τον Αλ. Ζιπέ και τον Ζακ Λαγκ να «πιέζουν» προς την ίδια ακριβώς κατεύθυνση.

Αμερικανούς γερουσιαστές, βουλευτές, διπλωματικούς να επιδεικνύουν ενδιαφέρον για προμήθειες τηλεπικοινωνιακού υλικού με επιστολές και με τοποθέτηση του θέματος στη διάρκεια συναντήσεων.

Εκπροσώπους ή φίλους ξένων ηγετών να τηλεφωνούν και να ζητούν συνάντηση με τον Ανδρέα προκειμένου «να θέσουν υπόψη του αιτήματα» για έργα ή προμήθειες.

Και βέβαια μέσα σ' όλα αυτά «καρφώματα» και «καταγγελίες» ήταν στην ημερήσια διάταξη καθώς και «αποκαλύψεις» και φοβερές συγκρούσεις συμφερόντων.

Ο Ανδρέας σταθερά αρνιόταν τέτοιου περιεχομένου συναντήσεις και μου είχε δώσει παρόμοιες σαφείς εντολές. Αλλά κάποιες επαφές δεν μπορούσε να τις αποφύγει, δεδομένου ότι το αίτημα για συνάντηση δεν περιλάμβανε πρόθεση για συζήτηση τέτοιων θεμάτων. Η πρόθεση εκδηλωνόταν μόλις άρχιζε η συνάντηση...

Θυμάμαι χαρακτηριστικά δύο τέτοιες συναντήσεις με τον Ζακ Λαγκ, ο οποίος σταθερά και μόνιμα μεσολαβούσε και πίεζε να αλλάξει η απόφαση της κυβέρνησης και το έργο του αεροδρομίου των Σπάτων να ανατεθεί τελικά στο γαλλικό όμιλο. Εκμεταλλευόταν δε προς τούτο και τις γνωριμίες που είχε στην Ελλάδα αλλά και την... αγάπη του για τη χώρα μας, την οποία «υπενθύμιζε» στον Ανδρέα.

Η πρώτη συνάντηση ήταν παραμονή Χριστουγέννων του 1994.

418

Επέμενε πιεστικά να συναντήσει τον πρωθυπουργό. Όταν το πέτυχε, του έθεσε το θέμα. Ο Ανδρέας ενοχλήθηκε, αλλά ευγενικά τον παρέπεμψε στον *Αντ. Βγότζα*, στον οποίο τηλεφώνησε αμέσως για να του πει: «Δε θα δεσμευτείς σε τίποτα, θα του πεις ότι η απόφαση θα ληφθεί με κριτήριο το συμφέρον της χώρας μας». Αλλά ο Γάλλος πρώην υπουργός επέμενε. Λίγους μήνες αργότερα ζητούσε φορτικά να συναντήσει πάλι τον Ανδρέα. Ήταν καλοκαίρι και βρισκόμασταν στην Ελούντα. Τον απέφυγε ορισμένες φορές, αλλά ο Ζακ Λαγκ δε σταματούσε να τηλεφωνεί. Στο τέλος τού διαβίβασε πως «μόνο σήμερα μπορώ να σας δω και για λίγο». «Έστω για δέκα λεπτά», απάντησε ανακουφισμένος ο Λαγκ.

Και τι έκανε; Πήρε ιδιωτικό αεροπλάνο και ήρθε απ᾽ τη Γαλλία στην Ελούντα! Επέμεινε στο αίτημά του, αλλά έφυγε πάλι άπρακτος...

«Μα αυτός λειτουργεί σαν πλασιέ», σχολίασε ο Ανδρέας, εντυπωσιασμένος απ᾽ την επιμονή του.

Είχε εμπιστοσύνη στους υπουργούς του. Αλλά, όπως έλεγε, τέτοιο πράγμα δεν είχε ξανασυμβεί στα οχτώ προηγούμενα χρόνια, που ήταν πρωθυπουργός.

«Εδώ», έλεγε, «το πράγμα έχει αγριέψει, έχει γίνει απειλητικό».

Οι επιστολές έρχονταν βροχή, από ΗΠΑ, Γερμανία, Ιταλία, Γαλλία, Αυστραλία, από παντού. Πέραν της επιστολής του Κολ για τα Σπάτα, είχε και ο Κάρ. Παπούλιας οχλήσεις απ᾽ τον Κίνκελ. Υπουργοί, πρέσβεις, όλοι μιλούσαν, έγραφαν, πίεζαν. Είχε ζαλιστεί. Μου έλεγε: «Δήμητρα, είναι μια εποχή την οποία αδυνατώ να παρακολουθήσω, πρέπει να περπατάς σ᾽ ένα τεντωμένο σκοινί». Και το έλεγε αυτό, γιατί έβλεπε τις πολιτικές παρενέργειες όλου αυτού του χορού των δις. Σχολίαζε πως «όλοι αυτοί κοιτάνε τα συμφέροντα της χώρας τους, τι σημαίνει λοιπόν ότι τους αρνείσαι κάτι;».

Ακριβώς γι᾽ αυτό διαπίστωνε πόσο εύθραυστες ήταν οι ισορροπίες. *Αλλά γραμμή πλεύσης δεν άλλαξε.* Είχε τη σταθερή άποψη ότι η χώρα δεν αντέχει ένα νέο κύκλο σκανδαλολογίας και ότι δε θα έπρεπε να δοθεί πουθενά η παραμικρή αφορμή προς τούτο. Και διαρκώς επαναλάμβανε:

«Απελθέτω απ᾽ εμού...»

Η αντίστροφη μέτρηση

ΑΛΛΑ ΤΟ ΠΟΤΗΡΙ που δεν μπόρεσε να αποφύγει ο Ανδρέας ήταν αυτό της νοσηρής σε βάρος του επίθεσης, αμφισβήτησης, μετά την άνοιξη του '95.

Γνώριζε πολύ καλά και το έλεγε πως η όποια ανοχή είχε πλέον τελειώσει, μετά την απόφασή του να παραμείνει πρωθυπουργός και να μην εγκαταλείψει τη μαχόμενη πολιτική. Δεν υπήρχε πλέον ούτε περίοδος χάριτος ούτε εσωκομματική ανακωχή. Είχε αρχίσει η αντίστροφη μέτρηση, που είχε σαν κατάληξη την εισαγωγή στο Ωνάσειο, στις 20 Νοεμβρίου του '95.

Τα γεγονότα ακολουθούσαν το ένα το άλλο, με ένα νήμα να τα συνδέει:

Πρέπει να τελειώνουμε με τον Παπανδρέου και τον παπανδρεϊσμό.

Αυτό που πάνω απ' όλα τον πλήγωνε ήταν η αμφισβήτηση απ' τα πολιτικά του παιδιά. Το έχω ξαναπεί αρκετές φορές, αλλά το έχω ζήσει σε τέτοια ένταση, που είναι πολύ δύσκολο να αποφύγω την επανάληψη. Αυτή η καθημερινή φθορά απ' τη χωρίς αρχές αντιπαράθεση και αμφισβήτηση τον κούραζε πολύ, τον πίκραινε αφάνταστα. Ήθελε αλλιώτικη τροπή να έχουν οι εξελίξεις, η διαδρομή του ΠΑΣΟΚ και έχω αναφέρει σε άλλο σημείο τις σκέψεις και τις κατ' αρχάς επιλογές του.

Έβλεπε επίσης ότι αυτή η κατάσταση βάραινε και στην εικόνα της κυβέρνησης, δημιουργούσε συνολικά ένα ομιχλώδες τοπίο. Νομίζω πως τα γεγονότα εκείνης της περιόδου συνετέλεσαν σε μεγάλο βαθμό στο να κλονιστεί ακόμα περισσότερο η ήδη επιβαρημένη υγεία του και να ακολουθήσουν οι γνωστές εξελίξεις.

420

Η πρώτη μεγάλη επίθεση, αμέσως μετά την εκλογή του Κ. Στεφανόπουλου στη θέση του Προέδρου της Δημοκρατίας, ήταν για τη «ροζ βίλα». Βέβαια οι επιθέσεις και η οξύτατη κριτική για το θέμα αυτό είχαν ξεκινήσει νωρίτερα, ενορχηστρωμένες σε μια συγχορδία μέρους του Τύπου της αντιπολίτευσης και στελεχών του ΠΑΣΟΚ προσκείμενων στην εσωκομματική αντιπολίτευση. Αλλά απ' την περίοδο εκείνη και μετά εντάθηκαν. Και σε συνδυασμό και με μια σειρά από άλλα γεγονότα δημιούργησαν ένα συνολικότερο νοσηρό κλίμα.

Δεν έχω κανένα πρόβλημα, ίσα ίσα θεωρώ απαραίτητο να κάνω την αυτοκριτική μου ως προς το μέρος ευθύνης που μου αναλογεί για γεγονότα εκείνης της περιόδου, και όχι μόνο. Και αυτή την αυτοκριτική την έχω καταθέσει σε άλλο σημείο του βιβλίου.

Θα αδικούσε όμως τα μέγιστα την προσωπικότητα του Ανδρέα, την εικόνα, την πορεία και τη μνήμη του η άποψη πως για όλα έφταιγε το «διεφθαρμένο περιβάλλον του».

Έχει μιλήσει ο ίδιος γι' αυτό. Σ' όσα είπε δεν έχω να προσθέσω τίποτα.

Και σε ό,τι αφορά το σπίτι, έχω κάνει την αυτοκριτική μου. Αλλά νομίζω πως η υπερβολή –και η σκοπιμότητα– στην κριτική και στις επιθέσεις για το θέμα αυτό ξεπέρασαν κάθε όριο.

Ομολογώ πως αυτή τη θύελλα των αντιδράσεων δεν την περιμέναμε, όταν ξεκινήσαμε τη διαδικασία της αγοράς και στη συνέχεια της οικοδόμησης του σπιτιού. Ίσως αν την υπολογίζαμε να χτιζόταν ένα σπίτι πιο λιτό, σε ό,τι αφορά την εικόνα, γιατί σε ό,τι αφορά τους χώρους νομίζω ότι έγιναν οι αναγκαίοι για να λειτουργεί ο πρωθυπουργός της χώρας, για να εξυπηρετούνται ορισμένες ανάγκες της επιβαρημένης υγείας του, για να μπορεί να δέχεται ξένους ηγέτες, για να μπορεί, σε τελευταία ανάλυση, να περάσει ο Ανδρέας ευχάριστα και ήρεμα το υπόλοιπο της ζωής του, που δυστυχώς αποδείχτηκε λίγο. Πιστεύω ότι το δικαιούνταν αυτό ένας ηγέτης που τόσα πρόσφερε στη χώρα, στο λαό, στο κόμμα του.

Ο ίδιος, τους λίγους μήνες που έζησε εκεί, το χάρηκε το σπίτι, *που του άρεσε πάρα πολύ.* Είχε έρθει και το είχε δει τρεις τέσσερις φορές όταν χτιζόταν. Δεν είχε αντίρρηση, όπως έχει γραφτεί. Για κάποιους από τους χώρους εξέφρασε την άποψή του, όπως για τα γραφεία του, για το αίθριο, που ήταν ένα κομμάτι του σπιτιού που λάτρευε.

Του είχα πει ότι θα χτιστεί και ένα εκκλησάκι αφιερωμένο στους Αγίους Ανδρέα και Δημήτριο. Του άρεσε η ιδέα και αργότερα πήγαινε εκεί και προσευχόταν.

Όταν εγκατασταθήκαμε, δεν ήθελε πλέον να πηγαίνει στο Μαξίμου, προτιμούσε να λειτουργεί και να δουλεύει στους χώρους του σπιτιού, το απολάμβανε. Ευχαρίστησε πολλές φορές τον Αντωνίου, το σύζυγο της Τέτης, που επέβλεψε την κατασκευή.

Πρέπει να πω και κάτι άλλο. Ο Ανδρέας είχε στο μυαλό του, και το είχε εκφράσει σε πολλούς φίλους και συνεργάτες καθώς και στα παιδιά του, ότι *«με το σπίτι αυτό εξασφαλίζω τη Δήμητρα»*.

Ήταν ένα θέμα που τον απασχολούσε ιδιαίτερα. Ήξερε πως χρήματα, λογαριασμοί, καταθέσεις και τόσα άλλα φανταστικά σενάρια που έχουν γραφτεί υπήρχαν μόνο στη φαντασία των σεναριογράφων-κατασκευαστών. Η σχέση του με το χρήμα ήταν... μυθική. Θυμάμαι χαρακτηριστικά πως, όταν η Κατερίνα Θεοδωράκη, μέλος του ΠΑΣΟΚ που έχει κατάστημα οπτικών, μας έφερε, κατόπιν παραγγελίας μας, τρία τέσσερα ακριβά ζευγάρια γυαλιά, έβγαλε απ' την τσέπη του... δυο τρία πεντοχίλιαρα για να την πληρώσει.

Δεν ασχολούνταν ποτέ με χρήματα. Και βέβαια δεν είχε κρυφούς λογαριασμούς, παρά μόνο τα λίγα που δήλωνε στο «πόθεν έσχες». Μάλιστα ιδιαίτερα μετά την περιπέτεια του '89 δεν ήξερε ούτε... το χρώμα του χρήματος.

Γνώριζε από την άλλη μεριά ποια αντιμετώπιση θα είχα εγώ, όταν θα έφευγε. *Γι' αυτό και έκανε τη συγκεκριμένη ειδική αναφορά στη διαθήκη του.* Γι' αυτό είχε και το άγχος της εξασφάλισής μου. Συχνά μου έλεγε:

«Δήμητρα, εσύ θα έχεις αυτό το σπίτι και τη σύνταξη. Υπάρχει και μια ασφάλεια στην Αμερική, απ' όπου θα πάρεις κάποια εκατομμύρια».

Απ' την ασφάλεια βέβαια το ποσό που πήρα ήταν γύρω στο ένα εκατομμύριο οχτακόσιες χιλιάδες δραχμές.

Ήταν αυτός ακριβώς ο λόγος που με δική του αποκλειστικά πρωτοβουλία μού έκανε την εν ζωή δωρεά. Δεν ήθελε να αφήσει καμία απολύτως εκκρεμότητα, γνώριζε πολύ καλά τι θα ακολουθούσε το θάνατό του.

Στο χτίσιμο και στον εξοπλισμό του σπιτιού συνεισέφεραν πάρα πολύ μέλη και στελέχη του ΠΑΣΟΚ, σε εργασία κυρίως αλλά και σε υλικά (π.χ. υδραυλικά, ηλεκτρολογικά) σε τιμές σχεδόν κόστους. Ήταν μια προσφορά στον πρόεδρό τους και αυτό μας βοήθησε πολύ, μείωσε αρκετά το κόστος.

Αλλά βέβαια τα έξοδα παρέμεναν αρκετά για τις δυνατότητες του Ανδρέα. Έτσι για να ολοκληρωθεί το σπίτι επελέγη η λύση του δανεισμού, που επίσης τόσες θύελλες ξεσήκωσε.

Έγιναν πολλές συζητήσεις για το πώς θα εξευρεθούν χρήματα. Κάποια στιγμή έπεσε από συνεργάτη του και ιδέα της σύστασης εταιρείας. Δεν ήθελε ούτε να το ακούσει. Είπε πως «δεν επιθυμώ να κρύβομαι πίσω από εταιρεία, θέλω ανοιχτά χαρτιά».

Επελέγη έτσι ο δανεισμός από φίλους, που επικρίθηκε σφόδρα.

Ειλικρινά δεν μπορώ να απαντήσω αν ήταν η πιο σωστή λύση. Μπορώ όμως να πω με κάθε ειλικρίνεια πως δύο ήταν τα κριτήρια που χρησιμοποίησε:

— Η θέλησή του να υπάρχει διαφάνεια και να μη δημιουργηθούν υποψίες για αφανείς χρηματοδότες.

— Η προσφυγή σε φίλους, με τους οποίους η σχέση ήταν γνωστή, άρα δεν ήταν παρεξηγήσιμη.

Συζήτησε μαζί τους, ρώτησε αν έχουν τη δυνατότητα να τον βοηθήσουν. Ο καθένας τους είπε τι μπορεί να διαθέσει. Συμφώνησαν, έτσι έγινε η διευθέτηση.

Έτσι τελικά ολοκληρώθηκε η κατασκευή αυτού του σπιτιού, που για ένα μεγάλο διάστημα ήταν η αιχμή του δόρατος της κριτικής και της πολεμικής κατά του Ανδρέα και του περιβόητου «περιβάλλοντος».

Και αισθάνομαι για άλλη μια φορά την ανάγκη να ευχαριστήσω όσους μας βοήθησαν τότε και όσους με τον τρόπο τους μας στήριξαν μετά, όταν δεχόμασταν επιθέσεις, όταν ο Ανδρέας έφτασε να χαρακτηριστεί μέχρι και «δωρολήπτης». Ιδιαίτερα αισθάνομαι την ανάγκη να ευχαριστήσω τα μέλη του ΠΑΣΟΚ, που ανιδιοτελώς πρόσφεραν και την ψυχή τους, δούλεψαν ατέλειωτες ώρες, «για τον πρόεδρο» όπως έλεγαν, χωρίς να ζητήσουν ούτε μια μετάθεση στρατιώτη...

Το σπίτι είχαν επισκεφθεί, όταν γίνονταν οι προετοιμασίες για τις εκδηλώσεις της Πάτμου, ο Β. Παπαθανασίου με τον Γ. Μετζικώφ. Όταν έφυγαν, ο Β. Παπαθανασίου είπε στον Μετζικώφ: «Τι το ήθελε αυτό το σκάνδαλο με το σπίτι, της έχει κοστίσει πολύ».

«Έχεις δίκιο. Το είδες;» του απάντησε ο Γ. Μετζικώφ.

«Δεν εννοώ αυτό που πήγαμε, αλλά το άλλο που χτίζει».

«Ποιο άλλο, αυτό που πήγαμε είναι».

«Γι' αυτό το σπίτι τα λένε αυτά; Εντάξει, δε λέω, ωραίο είναι, αλλά όχι για να προκαλέσει τόσο θόρυβο...»

Αλλά δεν ήταν μόνο το σπίτι. Τα μηνύματα, ευδιάκριτα, έρχονταν από παντού. Η «περιπέτεια» στις σχέσεις με τον *Γ. Κουρή*, εκδότη που μέχρι τότε στήριζε τον Ανδρέα, ήταν χαρακτηριστική, αλλά ήταν η κορυφή μόνο του παγόβουνου. Έδειχνε ότι *τα διάφορα κέντρα εξουσιών ήθελαν έλεγχο, πλήρη έλεγχο των τεκταινομένων. Και αν ο Ανδρέας δεν τον δεχόταν, θα το πλήρωνε. Αντιστάθηκε, δεν τον δέχτηκε. Και το πλήρωσε.* Ήταν ακριβώς αυτό που τα διάφορα συμφέροντα και κέντρα δεν του συγχώρησαν σε όλη τη διαδρομή του: *ότι ήταν μη ελεγχόμενος και απρόβλεπτος.*

Οφείλω, για να είμαι δίκαιη, να διευκρινίσω σ' αυτό το σημείο πως εντελώς διαφορετική υπήρξε η στάση του Μάκη Κουρή, του αδελφού του Γιώργου, ο οποίος ουδέποτε διεκδίκησε ή ζήτησε το παραμικρό. Και η τοποθέτησή του στα ψηφοδέλτια του ΠΑΣΟΚ ήταν επιλογή του Ανδρέα, σε αναγνώριση της βοήθειας που είχε προσφέρει. Μάλιστα την επιλογή αυτή την επέβαλε ο Ανδρέας κόντρα σε διαμετρικά αντίθετες εισηγήσεις στελεχών, που κατά τα άλλα ήταν ακόμα και οικογενειακοί φίλοι του Μάκη Κουρή...

Ο Γιώργος Κουρής, τον οποίο οι σημερινοί του φίλοι τότε δεν ήθελαν ούτε να τον δουν ούτε να τον ακούσουν, μας επισκέφθηκε ένα μεσημέρι στο σπίτι της οδού Έλλης. Μίλησε πολύ άσχημα στον Ανδρέα. Τον παρακάλεσα να μην ανησυχεί τον πρόεδρο και να μιλήσει μαζί μου.

Πήγαμε στο γραφείο μου. Ξεκινάει τη συζήτηση λέγοντάς μου ακριβώς:

«Πάρε αυτό το νόμισμα», και μου δίνει ένα αρχαίο νόμισμα, «είναι η τελευταία φορά που σας βλέπω, σήμερα θα τσακωθούμε». Τον ρώτησα γιατί, προσπάθησα να τον καλμάρω.

Άρχισε ένα λίβελο, ένα υβρεολόγιο κατά του Γ. Αλαφούζου, του Ν. Κακαουνάκη, κατά του Γ. Μίρκου, του Αντ. Λιβάνη και όποιου άλλου θυμόταν εκείνη τη στιγμή. Κυρίως όμως έβριζε τους Αλαφούζο - Κακαουνάκη, ότι είναι απατεώνες, ότι κατάφεραν και πήραν ένα δάνειο δύο δις και ότι ο ίδιος απαιτεί το ίδιο ακριβώς δάνειο απ' την Εθνική Τράπεζα και ότι «ο Μίρκος μού κάνει νερά και δε μου το δίνει».

Ύστερα άρχισε τις απειλές: «Έχω δύο εφημερίδες, κανάλι, ραδιόφωνο, αν δε μου δώσετε το δάνειο, δε θα σας αφήσω σε χλωρό κλαρί, θα έχετε πόλεμο, θα σας...»

Συνέχισε λέγοντας ότι επί Μητσοτάκη ήταν γι' αυτόν καλύτερα τα πράγματα, ότι έχει μετανιώσει που τόσα χρόνια στήριζε τον Ανδρέα και το ΠΑΣΟΚ, ότι του χρωστάνε εκατοντάδες εκατομμύρια απ' τις προεκλογικές καμπάνιες και απαιτεί να τα πάρει πίσω, ότι τώρα τον αγνοούν όλοι.

Προσπάθησα να χαμηλώσω τους τόνους, του είπα πως δεν είναι απλό πράγμα να πάρει ο Ανδρέας ένα διοικητή τράπεζας και να του δώσει εντολή να δίνει δάνεια και ότι δε συνηθίζει να το κάνει. Εν πάση περιπτώσει, «να το συζητήσουμε και να δούμε, κατέβασε λίγο τους τόνους σου».

Σε κάποια στιγμή γυρίζει και μου λέει:

«Κοίταξε να δεις, έχω σχέδιο. Θα γίνει ο Λαμπράκης Πρόεδρος της Δημοκρατίας», η συνάντηση ήταν πριν από την εκλογή νέου Προέδρου, «εσύ θα γίνεις πρωθυπουργός και οι εκδότες θα κάνουμε κονσόρτσιουμ και θα μοιραζόμαστε τα έργα».

Τάχα. Του λέω: «Ο Παπανδρέου πού είναι μέσα σ' όλα αυτά, τον ξέχασες, Γιώργο;»

«Ο Παπανδρέου τελείωσε», μου λέει. «Γι' αυτό να αποφασίσετε να πάει στην άκρη και εγώ θα κάνω εσένα πρωθυπουργό».

«Ο Παπανδρέου δεν τελείωσε», του απαντάω, «έχει πολλά να κάνει ακόμα. Όσο για μένα, σε ευχαριστώ που μου προτείνεις να με κάνεις πρωθυπουργό, αλλά, αν εσύ δε φοβάσαι ότι θα σου πετάξουν ντομάτες, εγώ έχω το γνώθι σ' αυτόν. Και εν πάση περιπτώσει, βρίσκεσαι στο σπίτι του Παπανδρέου και σου απαγορεύω να μιλάς μ' αυτό τον τρόπο γι' αυτόν».

Συνέχισε κάνοντας και άλλα παράπονα και απαιτώντας περισσότερες κρατικές διαφημίσεις. Αλλά εκεί που ήταν ανένδοτος ήταν στην απαίτηση «να πάρω το ίδιο δάνειο που πήραν ο Αλαφούζος και ο Κακαουνάκης».

Όταν έφυγε, ενημέρωσα τον Ανδρέα. Το ίδιο βράδυ κάλεσε προς συνάντηση τον Γ. Μίρκο. Του μίλησε για τα παράπονα του Γ. Κουρή. Ο διοικητής της Εθνικής ευγενικά εξήγησε ότι ο εκδότης έχει πάρει δάνειο απ' την Τράπεζα με τις νόμιμες προϋποθέσεις και εγγυήσεις, αλλά τα επιπλέον που ζητάει δεν καλύπτονται από εγγυήσεις. Ο Ανδρέας του απάντησε να μην κάνει τίποτα χωρίς τυπική και ουσιαστική κάλυψη. Για το θέμα αυτό είχαν άλλες δύο συναντήσεις, κατά τις οποίες ο Γ. Μίρκος εξήγησε με στοιχεία ότι δεν παρέχονται από τη μεριά του εκδότη οι στοιχειώδεις προϋποθέσεις και εγγυήσεις χορήγησης δανείου και ότι αυτό που ουσιαστικά ζητάει ο Γ. Κουρής είναι δωρεά και όχι δάνειο.

Στο μεταξύ ο Γ. Κουρής συνέχιζε να τηλεφωνεί και να πιέζει για το δάνειο. Στη συνέχεια και εκδότης εβδομαδιαίας εφημερίδας μάς «συμβούλευσε» να κάνουμε κάτι για να «πάρει κάποια χρήματα ο Κουρής, γιατί τον έχετε ανάγκη, οι "4" αμφισβητούν τον πρόεδρο, χρειάζεστε στηρίγματα».

Μεσολάβησαν αρκετά, τα οποία δεν έχει νόημα να αναφέρω εδώ. Ο Ανδρέας ζήτησε απ' τους Χυτήρη και Τσοχατζόπουλο να κοιτάξουν αν γίνεται να σταματήσει ο Κουρής να διαμαρτύρεται, αλλά με τη σαφή εντολή να είναι απόλυτα νόμιμη οποιαδήποτε διευθέτηση γίνει.

Ο Γ. Κουρής είχε στο μεταξύ αρχίσει να κάνει σκληρή αντιπολίτευση στην κυβέρνηση και να χτυπάει και εμένα προσωπικά.

Έστειλε στο μεταξύ και επιστολή στον Ανδρέα, με την οποία ζητούσε αντί δανείου από την Εθνική να πάρει από το ΠΑΣΟΚ όσα χρήματα, κατά τη γνώμη του, είχε «χαρίσει», βοηθώντας το Κίνημα στις προεκλογικές περιόδους. Δικαίωνε έτσι, με τον τρόπο του, τα επιχειρήματα του Γ. Μίρκου. Στην τελευταία τηλεφωνική μας επικοινωνία μου είπε: «Σας έχω γραμμένους, από δω και πέρα δε σας έχω ανάγκη, έχουμε πόλεμο, θα σας λιώσω», και έκλεισε το τηλέφωνο.

Πράγματι από τότε άρχισε ανελέητες προσωπικές επιθέσεις κατά του Ανδρέα και εμού. Μέσω κοινών γνωστών μάς διεμήνυε ότι «θα σας ρίξω», «θα στηρίζω τους "4"», «θα τον τελειώσω τον Ανδρέα, έχω είκοσι πέντε βουλευτές και θα τον ρίξουν».

Μαθαίναμε επίσης ότι σε άλλους έλεγε πως «θα τον χτυπήσω εκεί που πονάει, στη Δήμητρα, θα την ξεφτιλίσω».

Στο μεταξύ συμμάχησε με τον Αλαφούζο, τον οποίο προηγουμένως χτυπούσε σκληρά και αποκαλούσε απατεώνα, ενώ μέσω της εφημερίδας του άρχισε να στηρίζει τους «4» και τον Κ. Μητσοτάκη! Διέδιδε μάλιστα πως «με τον Μητσοτάκη τα έχουμε βρει, για να δώσουμε το τελικό χτύπημα στον Παπανδρέου».

Θυμάμαι μάλιστα ότι και ο Γ. Αλαφούζος, σε κάποια συνάντηση που είχαμε, μας είπε πως γνωρίζει ότι υπάρχει συμφωνία ορισμένων εκδοτών και πολιτικών, ανάμεσά τους και στελεχών του ΠΑΣΟΚ, *για να ρίξουν τον Παπανδρέου*. Μάλιστα όταν τον ρώτησα πώς έγινε και συνεργάζεται με τον Κουρή, ο οποίος τον αποκαλούσε απατεώνα και λωποδύτη, μου απάντησε ότι είναι της άποψης πως «χέρι που δεν μπορείς να το δαγκώσεις το φιλάς». Διαβεβαίωνε ωστόσο ότι ο ίδιος δεν έχει αλλάξει αισθήματα απέναντί μας και ότι δε θα μπει στη λογική να βρίζει την κυβέρνηση και τον πρωθυπουργό.

Η κορύφωση της απίστευτης, απάνθρωπης επίθεσης του Γ. Κουρή ήταν η δημοσίευση της περίφημης φωτογραφίας στις 27 Οκτωβρίου του '95.

Θυμάμαι ότι την προηγούμενη είχα πάει στην κηδεία του Δημ.

Μαρούδα. Ο Ανδρέας είχε μια ελαφρά αδιαθεσία και δεν μπόρεσε να αποχαιρετήσει τον αγαπημένο του φίλο.

Όλο αυτό το διάστημα αντιμετώπιζε με στωικότητα τις προσωπικές επιθέσεις που δεχόταν και ο ίδιος και εγώ. Μου έλεγε: «Μην ασχολείσαι, εμένα θέλουν να πλήξουν και χτυπούν εσένα. Με απασχολεί και με ενοχλεί περισσότερο η στήριξη και η προβολή που δίνουν στους "4" παρά αυτού του είδους οι αθλιότητες. Πιο πολύ με ενδιαφέρει το πολιτικό παιχνίδι που κάνουν ορισμένοι εκδότες, αυτό είναι το σημαντικό».

Η φωτογραφία, εμφανέστατα προϊόν μοντάζ, δημοσιεύτηκε μετά από προειδοποιήσεις του Γ. Κουρή να... παραιτηθεί ο Ανδρέας για να μη ρίξει τη «βόμβα».

Ταράχτηκα, στενοχωρήθηκα πάρα πολύ, μόλις πήρα την εφημερίδα στα χέρια μου. Υποτίθεται πως τόσα χρόνια, με τόσες επιθέσεις, με τέτοιες αθλιότητες, θα έπρεπε να είχα «προσαρμοστεί» ή να είχα πάθει ανοσία. Αλλά δεν μπόρεσα να προσαρμοστώ ποτέ, το ομολογώ, σ' αυτού του είδους την «αντιπαράθεση», σ' αυτό το σχεδόν καθημερινό βιασμό ψυχής. Επιπλέον αυτό το κατασκεύασμα, αυτό το ψέμα, μου προξενούσε και αγανάκτηση εκτός από οδύνη. Ακόμα κι αν είχα αισθανθεί την ανάγκη να απολογηθώ για κάποιες άλλες φωτογραφίες των νεανικών μου χρόνων, τότε που δε φανταζόμουνα ότι κάποια μέρα θα γίνω σύζυγος πρωθυπουργού, ώστε να παίρνω τα μέτρα μου, αυτό το κακότεχνο μοντάζ ένιωθα ανήμπορη να το αντιμετωπίσω. Έβλεπα το ίδιο έργο σε πιο άγρια μορφή, έβλεπα άλλο ένα καρφί στο καθημερινό κρέμασμα, *έβλεπα, διαπίστωνα πως πλέον δεν υπάρχουν όρια.*

Μα το χειρότερο για μένα ήταν η σκέψη πως όλα τούτα θα κάνουν κακό στην ήδη κλονισμένη υγεία του Ανδρέα, ότι αυτό το γεγονός ήταν άλλη μια πέτρα και μάλιστα πολύ βαριά στο καθημερινό πετροβόλημα.

Ήταν πολύ βαρύ για να το αντιμετωπίσω ψύχραιμα. Αντέδρασα κλαίγοντας. Αλλά η αντίδραση του Ανδρέα έβγαζε ένα μεγαλείο ψυχής που με συγκλόνισε, μου έδειξε ότι είχα ακόμα πάρα πολλά να μάθω κοντά του. Αφού πήραμε πρωινό χωρίς να μου πει τίποτα, σαν να μη συνέβαινε κάτι, στη συνέχεια σηκώθηκε, μου χάιδεψε τα μαλλιά, με φίλησε, μου κράτησε τους ώμους όπως καθόμουν και μου είπε τρυφερά:

«Θα σου πω κάτι, αγάπη μου. Ό,τι συμβαίνει σου φαίνεται πολύ κακό και το κατανοώ. Θέλω όμως να καταλάβεις ότι κάποια στιγμή όλα αυτά θα γυρίσουν μπούμεραγκ εναντίον τους. Θα σου φανεί περίεργο αυτό που θα σου πω, το ξέρω, αλλά μια μέρα εσύ θα δικαιωθείς. Θέλεις δρόμο ακόμα, αλλά εγώ θα είμαι μαζί σου, σε όλα. Ηρέμησε τώρα».

Τον άκουγα έκπληκτη, συγκινημένη. Δεν μπορούσα να φανταστώ ότι θα μου μιλούσε μ' αυτό τον τρόπο, τη στιγμή που αντιμετώπιζε ο ίδιος τόσα προβλήματα. Έβλεπα στα λόγια του, στη στάση του, σοφία, στωικότητα και αγάπη, ενώ μέσα μου κυριαρχούσαν η αγανάκτηση, η αίσθηση μιας αργής δολοφονίας.

Γνώριζε πολύ καλά ότι στόχος ήταν ο ίδιος. Λίγες εβδομάδες πριν, στη Θεσσαλονίκη, είχε πει: «Χτυπάτε εμένα και όχι τη Δήμητρα».

Αφού μου είπε αυτά τα λόγια, έφυγε ήρεμος και πήγε στο γραφείο του. Είχε δώσει άλλο ένα μάθημα μεγαλείου, περισσεύματος καρδιάς...

Με το πιστόλι στον κρόταφο...

Μέσα σ' όλο αυτό το νοσηρό κλίμα προβληματιστήκαμε αν έπρεπε να μιλήσω, να δώσω μία συνέντευξη, να πω κάποια πράγματα. Ο Ανδρέας το σκέφτηκε πολύ. Οι εισηγήσεις που δεχόταν ήταν διαφορετικές. Κατέληξε πως δε θα ήταν άσχημο να βγει τελικά στον αέρα μια συνέντευξή μου.

Άρχισαν να συζητούνται ονόματα για τη συνέντευξη. Ο Γ. Λιάνης επέμενε να δοθεί στον Ν. Χατζηνικολάου ή στον Π. Παναγιωτόπουλο. Τελικά ο Ανδρέας είπε πως δεν είναι σωστό να μπούμε στον ανταγωνισμό των ιδιωτικών καναλιών. Έτσι επελέγη η ΕΡΤ και μετά απ' αυτό αποφασίστηκε να δοθεί η συνέντευξη στη Λιάνα Κανέλλη, την οποία ο πρόεδρος συμπαθούσε και εκτιμούσε.

Άρχισαν οι προετοιμασίες, συζητήσαμε με τον Παν. Παναγιώτου, με τη Μέννα Παπαδοπούλου, με τη Λιάνα. Συμφώνησαν σ' έναν όρο που έβαλα, το θεώρησαν μάλιστα απολύτως φυσιολογικό, ότι η κασέτα με τη συνέντευξη δε θα έφευγε, αν δεν είχε την έγκριση του Ανδρέα.

Στις 6 Νοεμβρίου, μέρα που η συνέντευξη θα γραφόταν, ξύπνησα μ' ένα φοβερό άγχος, ένιωθα ότι δεν μπορούσα να πω ούτε μια κουβέντα, αισθανόμουν κλειστό βιβλίο, με κολλημένες σελίδες.

Τρέχω στον Ανδρέα, του λέω: «Δε μου βγαίνει ούτε μια κουβέντα, αποκλείεται να δώσω συνέντευξη».

«Σου έχω εμπιστοσύνη», μου απαντάει, «θα τα καταφέρεις. Άφησε τον εαυτό σου ελεύθερο, στο κάτω κάτω σκέψου πως, αν κάτι δεν πάει καλά, το ξαναγράφεις αύριο μεθαύριο».

Μου έδωσε κουράγιο, ηρέμησα κάπως. Ήρθε στο μεταξύ και η Λιάνα με το συνεργείο, με τον αέρα που τη διακρίνει με επηρέασε, ένιωθα περισσότερο λυμένη.

Η συνέντευξη βγήκε με την πρώτη, η μόνη διακοπή ήταν στην αλλαγή της κασέτας. Όση ώρα διαρκούσε η εγγραφή, ο Ανδρέας υπομονετικά έκοβε βόλτες απέξω, δεν μπήκε ούτε μια στιγμή στο γραφείο, ούτε έκανε καμιά παρέμβαση.

Μόλις τελειώσαμε, την είδε, έμεινε ικανοποιημένος, μου είπε: «Είδες που σου έλεγα να μη φοβάσαι και θα τα καταφέρεις;»

Το βράδυ που προβλήθηκε η συνέντευξη ήταν εδώ ο Κάρ. Παπούλιας, ο Γ. Κατσιφάρας και ο Γ. Λιάνης. Εκφράστηκαν θετικά, μόνο ο Γ. Λιάνης έκανε ένα σχόλιο, ότι δεν του άρεσε η αναφορά μου στον «οίκο Παπανδρέου».

Πήρα εκείνο το βράδυ πολλά τηλεφωνήματα. Ο σεβασμιότατος Ελβετίας Δαμασκηνός έκανε επαινετικά σχόλια για τις αναφορές μου στην Ορθοδοξία.

Ο Δημ. Αβραμόπουλος τηλεφώνησε επίσης, μου είπε: «Σε φοβήθηκα στα πρώτα πέντε λεπτά, αλλά μετά ήσουν πολύ καλή».

Στο σημείο αυτό οφείλω να καταθέσω την εκτίμηση που έτρεφε ο Ανδρέας στο πρόσωπο του Δημ. Αβραμόπουλου. Εκτίμηση που ξεκίνησε απ' την πρώτη τους συνάντηση, όταν ο Δημ. Αβρα-

430

μόπουλος εξελέγη δήμαρχος της Αθήνας και παγιώθηκε μέσα απ' όλες τις συναντήσεις που είχαν έκτοτε.

Οφείλω επίσης να καταθέσω την ανθρώπινη συμπεριφορά που έδειξε απέναντί μου ο Δημ. Αβραμόπουλος μετά το θάνατο του Ανδρέα.

Ο Κ. Σκανδαλίδης σχολίασε ότι «ήταν καλή συνέντευξη, δε νομίζω ότι θα μας δημιουργήσει κανένα πρόβλημα».

Θετικά σχόλια έκανε και ο Γερ. Αρσένης και άλλα μέλη της κυβέρνησης, που τηλεφώνησαν.

Ένα τηλεφώνημα που εντυπωσίασε ήταν του Νίκου Παπανδρέου. Τηλεφώνησε στη μέση της συνέντευξης και είπε ότι του άρεσε πολύ.

Όμως απ' την άλλη κιόλας μέρα άρχισαν οι αντιδράσεις. Ήταν έτσι διαμορφωμένο αρνητικά το κλίμα, που νομίζω πως ό,τι και αν έλεγα θα προκαλούσε αντιδράσεις. Ίσως αυτό θα έπρεπε να με είχε προβληματίσει σχετικά με το χρόνο της συνέντευξης.

Όμως και πάλι, πιστεύω, ξεπεράστηκαν κάποια όρια καλόπιστης, έστω και οξύτατης κριτικής. Ήταν πρωτοφανές να στήνονται ολόκληρες συζητήσεις σε τηλεοράσεις και ραδιόφωνα για να αναλύεται λέξη προς λέξη η συνέντευξη, για να βρεθεί κάποιο επίμαχο σημείο και να εξαπολυθούν στη συνέχεια κεραυνοί.

Αισθανόμουν ξανά ότι βρισκόμουν στη μέση ενός κυκλώνα. Έβλεπα δημοσιογράφους που ζητούσαν μια συνέντευξη και έφταναν να μου προτείνουν να γράψω εγώ τις ερωτήσεις να κάνουν τώρα κριτική ότι δεν έγινε η τάδε ή η δείνα ερώτηση.

Έβλεπα στελέχη του ΠΑΣΟΚ να με κατηγορούν για πράγματα που δεν είπα. Και είχα ξανά τον Ανδρέα να με στηρίζει με τη γνωστή στωικότητα και να λέει: «Ήταν καλή η συνέντευξη, οι αντιδράσεις ξεκινούν από σκοπιμότητες, μη χάνεις το κουράγιο σου».

Αυτό που κυρίως συζητήθηκε, αναλύθηκε και επικρίθηκε ήταν το «δεν μπορώ να απαντήσω με ένα πιστόλι στον κρόταφο», στην ερώτηση αν έχω πρόθεση να ασχοληθώ με την πολιτική. Είπαν πως έτσι άνοιγα το θέμα, ότι αποκάλυπτα τις προθέσεις μου χωρίς να μιλάω καθαρά, ότι περίπου επιχειρούσα να εισβάλω στην πολιτική απ' την πίσω πόρτα.

Δεν είν' έτσι και με αδίκησαν. Είπα ακριβώς αυτό που πίστευα και ένιωθα, αβίαστα, χωρίς προσυνεννόηση ή επιτήδευση, τίποτα παραπάνω και τίποτα παρακάτω.

Ούτε άνοιξα ούτε έκλεισα κανένα θέμα. Σ' εκείνο ακριβώς το σημείο βρισκόμουν και αυτό ακριβώς περιέγραψα.

Βεβαίως η εσωκομματική αντιπολίτευση αξιοποίησε τα μέγιστα αυτό το σημείο της συνέντευξης, με τη βοήθεια πολλών ΜΜΕ, προκειμένου να συνεχίσει τον πόλεμο φθοράς και αμφισβήτησης του Ανδρέα.

Αλλά επαναλαμβάνω, η ερμηνεία που δόθηκε με αδικούσε. Δεν προσπάθησα να υποκλέψω τίποτα ή να δημιουργήσω κλίμα. *Απόφαση πράγματι δεν υπήρχε.* Τις απόψεις του Ανδρέα για το θέμα αυτό τις έχω αναφέρει σε άλλο σημείο του βιβλίου. Θα προσθέσω μόνο μια συζήτηση που είχαμε γι' αυτό το ζήτημα λίγες μέρες πριν μπει στο Ωνάσειο.

Τον ρώτησα ένα βράδυ, που ήμασταν μόνοι, να μου πει τη γνώμη του, μετά και από τις αντιδράσεις που είχαν προκληθεί. Σηκώθηκε και άρχισε να βαδίζει πέρα δώθε με το γνωστό του βάδισμα, αυτό που χρησιμοποιούσε όταν ήθελε να σκεφτεί, δηλαδή με τα χέρια πίσω, στη μέση, και το βλέμμα προς τα κάτω. Σταμάτησε και μου θύμισε τι είχε πει στη Θεσσαλονίκη όταν ρωτήθηκε... αν συγκυβερνώ.

Θυμήθηκα μάλιστα, και το σχολιάσαμε, πως όταν είπε «η Δήμητρα έχει κρίση», ο Κ. Λαλιώτης, που καθόταν ακριβώς πίσω μου, δεν άκουσε καλά και γύρισε στο διπλανό του και ρώτησε: «Τι είπε, έχει κλίση;»

Συνέχισε:

«Αν με ρωτούσες πριν από τέσσερα πέντε χρόνια, θα σου έλεγα "όχι, άσ' το καλύτερα, μην ασχολείσαι". Όμως τα τελευταία χρόνια μού έχει κάνει εντύπωση η κρίση σου, το ένστικτό σου, η μεγάλη σου θέληση. Έχεις ικανότητες. Απ' αυτή την άποψη μπορείς κάλλιστα, εφόσον το επιθυμείς, να ασχοληθείς με την πολιτική και ουδείς μπορεί να σε εμποδίσει, είναι δικαίωμά σου.

»Αλλά», συνέχισε, «έχει μεγάλη σημασία το τάιμινγκ, η επιλογή του σωστού χρόνου, της κατάλληλης στιγμής. Αυτή τη στιγμή έχεις το αρνητικό ότι είσαι σύζυγος του πρωθυπουργού και θα θεωρηθεί ότι ευνοείσαι.

»Μην αγνοείς και κάτι άλλο. Πολλοί και μέσα και έξω απ᾽ το ΠΑΣΟΚ σε θεωρούν αντίπαλο και εχθρό τους. Δε σου συγχωρούν και δε θα σου συγχωρήσουν ότι με στήριξες, ότι εσύ είσαι η αιτία που ζω, ότι με τον τρόπο σου εμπόδισες εξελίξεις που επιθυμούσαν. Επιπλέον σε θεωρούν επικίνδυνη, γιατί τόσα χρόνια μαζί μου έμαθες πολλά.

»Σήμερα, επομένως, θα είχες πολλούς εχθρούς και αντιπάλους που θα σε πολεμούσαν. Αλλά είναι και κάτι άλλο που με απασχολεί, το πολιτικό σκηνικό. Είσαι σίγουρη ότι σε λίγα χρόνια εσύ θα είσαι στο ίδιο κόμμα με...», μου ανέφερε εδώ τρία τέσσερα ονόματα στελεχών του ΠΑΣΟΚ, «ή ότι μπορείς εσύ και άλλοι να συνυπάρχετε στο ίδιο κόμμα; Μπορείς να προβλέψεις πώς θα είναι το σκηνικό σε τέσσερα πέντε χρόνια, ποιοι πολιτικοί σχηματισμοί θα υπάρχουν, πώς θα είναι τα κόμματα τότε; Μην αγνοείς πως οι εξελίξεις στα δύο μεγάλα κόμματα είναι συγκοινωνούντα δοχεία.

»Επομένως», κατέληξε, «θα σου έλεγα ναι, μπορείς να ασχοληθείς με την πολιτική. Όμως δεν υπάρχει λόγος να βιάζεσαι, άλλωστε είσαι νέα και έχεις χρόνο μπροστά σου. Θα έλεγα πως σ᾽ αυτές τις εξελίξεις που έρχονται, σ᾽ αυτό το νέο σκηνικό που θα διαμορφωθεί σχετικά σύντομα, εκεί, ναι, βλέπω το δικό σου ρόλο».

Ήταν η τελευταία φορά που μιλήσαμε για το θέμα αυτό. Τα λόγια του ήταν ακριβώς τα παραπάνω.

Η «περιπέτεια» της Πάτμου

Μέσα στο νοσηρό κλίμα που είχε δημιουργηθεί εκείνη την περίοδο, οι εκδηλώσεις στην Πάτμο για τη συμπλήρωση 1.900 χρόνων απ᾽ τη συγγραφή της *Αποκάλυψης* του Ιωάννη ήρθαν να προσθέσουν άλλη μια πέτρα, μάλλον έναν ολόκληρο βράχο, στο καθημερινό κατά του Ανδρέα και του «περιβάλλοντος» οικοδόμημα.

Η κριτική ήταν ότι επρόκειτο για μια φιέστα για τη δική μου προβολή, ότι χρησιμοποίησα τις εκδηλώσεις για να προβάλω τις φιλοδοξίες μου, ότι εκεί έγιναν σπατάλες και προκλητικές εικόνες χλιδής εμφανίστηκαν.

Ουδείς βέβαια ασχολήθηκε με το τι σήμαιναν για τη χώρα μας, για την προβολή της ως παγκόσμιου κέντρου Ορθοδοξίας οι εκδηλώσεις αυτές. Ή μάλλον, για να μην αδικήσω κάποιους, ελάχιστοι ασχολήθηκαν μ' αυτά.

Η ιδέα και η πρόταση δεν ανήκαν σ' εμένα. Ένα χρόνο περίπου πριν από την πραγματοποίηση των εκδηλώσεων η αρμόδια για θέματα περιβάλλοντος υφυπουργός ΠΕΧΩΔΕ Ελ. Παπαζώη ήρθε στο γραφείο μου και μου έκανε την πρόταση για ένα συμπόσιο στην Πάτμο αφιερωμένο στο περιβάλλον και σε συνδυασμό με επετειακές εκδηλώσεις για την *Αποκάλυψη*. Μου ζήτησε επίσης να αγκαλιάσω και να προσφέρω κάλυψη σ' όλες αυτές τις εκδηλώσεις. Τη βρήκα πολύ ενδιαφέρουσα την πρόταση. Τη συζήτησα με τον Ανδρέα, ο οποίος συμφώνησε. Δημιουργήθηκε μια Επιτροπή για την οργάνωση των εκδηλώσεων, στην οποία συμμετείχαν, εκτός απ' τον πρωθυπουργό, που ήταν επικεφαλής, οι Κ. Λαλιώτης, Αντ. Λιβάνης, Κάρ. Παπούλιας, Κ. Σκανδαλίδης, Αντ. Κοτσακάς, Σ. Βαλυράκης, Θ. Μικρούτσικος, Ελ. Παπαζώη, Ν. Σηφουνάκης. Επίσης σύμβουλοι του πρωθυπουργού και εγώ, ως διευθύντρια του Ιδιαίτερου Γραφείου του.

Έγιναν αρκετές συνεδριάσεις της Επιτροπής καθώς και άλλες συσκέψεις για την καλύτερη προετοιμασία των εκδηλώσεων, στις οποίες έπαιρναν μέρος και άλλοι εμπλεκόμενοι. Σε καμία απ' αυτές τις συνεδριάσεις και συσκέψεις δεν προήδρευσα, όπως είχε γραφτεί τότε, και αυτός ήταν ο πρώτος μύθος που χαλκεύτηκε γύρω απ' τις εκδηλώσεις και την ανάμειξή μου.

Οφείλω να καταθέσω πως τόσο ο Ανδρέας όσο και όλοι οι αρμόδιοι υπουργοί έδωσαν απ' την αρχή ιδιαίτερη σημασία και μεγάλο βάρος σ' αυτές τις εκδηλώσεις για ευνόητους φυσικά λόγους. Η παρουσία του οικουμενικού πατριάρχη, άλλων πατριαρχών και επικεφαλής Εκκλησιών, προσωπικοτήτων παγκόσμιας εμβέλειας έδινε αίγλη στις εκδηλώσεις, συνέβαλε τα μέγιστα στην προβολή της χώρας μας, καθιστούσε την Πάτμο και την Ελλάδα κέντρο της Ορθοδοξίας.

Όλοι όσοι συμμετείχαν ή είχαν λόγο για τις εκδηλώσεις εργάστηκαν με κέφι, με ενθουσιασμό, τις αγκάλιασαν, έκαναν ό,τι καλύτερο για την επιτυχία ενός γεγονότος απ' τα πιο σημαντικά που έχουν γίνει στη χώρα μας.

Προς στιγμήν πήγε να δημιουργηθεί ένα σοβαρό πρόβλημα. Ασκήθηκαν συγκεκριμένα πιέσεις προκειμένου να έρθει και ο πάπας στην Πάτμο, γεγονός που προκάλεσε αντιδράσεις και έθεσε σε δοκιμασία την επιτυχία των εκδηλώσεων. Τη συμμετοχή του επικεφαλής της καθολικής Εκκλησίας την ήθελε πολύ και τη ζήτησε ο οικουμενικός πατριάρχης. Αλλά την επιθυμούσαν επίσης και συμφώνησαν μαζί του και μέλη της κυβέρνησης, όπως ο Γ. Παπανδρέου, αλλά και οικονομικοί παράγοντες, που βοήθησαν για την οργάνωση των εκδηλώσεων.

Ο Ανδρέας δυσφόρησε, δεν την ήθελε. Πίστευε, όπως έλεγε, ότι θα διατάρασσε τα ήσυχα νερά στις σχέσεις Εκκλησίας - πολιτείας και ότι θα προκαλούσε αντιδράσεις σε αρκετές άλλες Εκκλησίες. Επιπλέον είχε και συγκεκριμένη άποψη για τον πολιτικό ρόλο του Βατικανού, με τον οποίο διαφωνούσε, ειδικότερα δε για το ρόλο Βατικανού - Γερμανίας στο διαμελισμό της πρώην Γιουγκοσλαβίας και στην εκρηκτική κατάσταση που δημιουργήθηκε στα Βαλκάνια.

Άρχισαν όμως να έρχονται αντιδράσεις έντονες και από άλλες Εκκλησίες, επιβεβαιώνοντας έτσι τις προβλέψεις και ανησυχίες του Ανδρέα. Αντιδρούσαν οι πατριάρχες της Σερβίας, της Ρωσίας, των Ιεροσολύμων, της Ρουμανίας, της Τσεχίας. Ορισμένοι έθεταν σαν προϋπόθεση της έλευσής τους τη μη παρουσία του πάπα. Έντονη ήταν η αντίδραση και της ελληνικής Εκκλησίας. Εστάλη επιστολή προς τον πρωθυπουργό, στην οποία η επίσημη Εκκλησία έλεγε πως ελπίζει να σταθεί η κυβέρνηση στο ύψος της και να μην υποκύψει στις Σειρήνες, που θέλουν τον πάπα εδώ.

Εγώ, απ' την άλλη μεριά, δεχόμουν πιέσεις από επιφανείς παράγοντες υπέρ της παρουσίας του πάπα. Τους αντέτεινα τις αντιδράσεις της ελληνικής Εκκλησίας και των άλλων Εκκλησιών, τους ανέφερα τις επιστολές διαμαρτυρίας πατριαρχών.

Τελικά και μετά από μάχη που δόθηκε αποφασίστηκε να μην παραστεί ο επικεφαλής της καθολικής Εκκλησίας και έστω και με κόπο ο σκόπελος ξεπεράστηκε.

Στη συνέχεια άρχισαν οι επαφές και οι προετοιμασίες για τις καλλιτεχνικές εκδηλώσεις. Έγιναν επαφές με τον Β. Παπαθανασίου, την Ειρ. Παππά, τον Α. Βουτσινά, τον Γ. Μετζικώφ.

Ο Β. Παπαθανασίου οραματιζόταν μια τελετή για την οποία, μετά από πολλές συζητήσεις, κρίθηκε ότι δεν επαρκούσε ούτε ο χώρος ούτε ο χρόνος για την προετοιμασία της.

Η Ειρ. Παππά θα συμμετείχε απαγγέλλοντας κείμενα της *Αποκάλυψης* σε μετάφραση του Γ. Χειμωνά. Κλείστηκαν και ορχήστρες και χορωδίες απ' τη Βουλγαρία, τη Ρωσία, φυσικά την Ελλάδα, για βυζαντινούς και ορθόδοξους ύμνους.

Τη σκηνοθεσία ανέλαβε ο Α. Βουτσινάς, τα κοστούμια ο Γ. Μετζικώφ.

Έγινε πολύς λόγος για τα πολλά κότερα που βρέθηκαν στην Πάτμο τις μέρες των εκδηλώσεων. Κανείς απ' όσους αντέδρασαν δεν μπήκε στον κόπο να διερευνήσει πού θα έμεναν οι προσκεκλημένοι, οι πατριάρχες, οι επικεφαλής των Εκκλησιών, οι άλλοι επίσημοι. Η υποδομή του νησιού είναι ανεπαρκής, σχεδόν ανύπαρκτη, άλλη λύση απ' τα σκάφη δεν υπήρχε.

Επικρίθηκε η παρουσία και η ομιλία μου στην τελετή για την παρουσίαση της σειράς γραμματοσήμων των ΕΛΤΑ, προς τιμήν των εκδηλώσεων. Ειλικρινά ακόμα και σήμερα αδυνατώ να κατανοήσω τις αντιδράσεις για το θέμα αυτό. Ήταν τόσο φοβερό ότι προσκλήθηκα και πήγα σε μια τελετή αφιερωμένη σε ένα γεγονός για το οποίο είχα εργαστεί πάρα πολύ;

Σ' αυτό το σημείο αισθάνομαι την ανάγκη να ευχαριστήσω θερμά τον *πατέρα Ελισσαίο* για την πολύτιμη βοήθεια που μου πρόσφερε όλη εκείνη την περίοδο.

Πρόκειται για μια φωτεινή μορφή, όχι μόνο του Αγίου Όρους, αλλά της χριστιανοσύνης. Εκτελεί χρέη ηγουμένου στη μονή Σίμωνος Πέτρα και εντυπωσιάζει με τις βαθιές γνώσεις του σε θέματα Ορθοδοξίας, πίστης, αλλά και με την κοσμική του θεώρηση, ενώ έχει αναπτύξει πολύπλευρες δραστηριότητες. Γνωριστήκαμε όταν μου έστειλε επιστολή και ζητούσε συμπαράσταση στην αποκατάσταση ενός πρωτοποριακού φωτοβολταϊκού υβριδικού συστήματος που έχει εγκαταστήσει στη μονή και είχε πάθει ζημιές από χιονοθύελλες. Είχε απευθυνθεί στο υπουργείο Βιομηχανίας, απ' όπου δεν είχε πάρει απάντηση. Τελικά δόθηκαν τα αναγκαία ποσά απ' τους Θ. Μικρούτσικο και Κ. Σκανδαλίδη. Ήρθε και με επισκέφθηκε τότε, έτσι γνωριστήκαμε. Ο Ανδρέας είχε εντυπωσιαστεί απ' τις γνώσεις του, τις θέσεις του, τις απόψεις του και όσες φορές συζητούσε μαζί του απολάμβανε τη συζήτηση.

Ο πατέρας Ελισσαίος, αυτή η φωτεινή και πρωτοποριακή μορφή, με στήριξε τότε πολύ και συνεχίζει και σήμερα και μου συμπαραστέκεται. Μπορώ μάλιστα να αποκαλύψω σήμερα πως ήταν αυτός που με βοήθησε στη συγγραφή της ομιλίας που εκφώνησα τότε, στην τελετή των ΕΛΤΑ. Αυτός και όχι τα δεκάδες ονόματα που παρήλασαν στα διάφορα σενάρια εκείνων των ημερών...

Πήγαμε στην Πάτμο κατευθείαν απ' τη Μαγιόρκα, όπου είχε προηγηθεί το Ευρωπαϊκό Συμβούλιο. Δεν μπορούσε να γίνει διαφορετικά, απλώς είχαν συμπέσει οι ημερομηνίες. Σίγουρα αυτό το μεγάλο ταξίδι, Αθήνα - Μαγιόρκα - Πάτμος, τον κούρασε. Όμως δεν ήθελε σε καμιά περίπτωση να συζητήσει τη μη παρουσία του στην Πάτμο.

Τα γεγονότα που ακολούθησαν, η ασθένειά του στο νησί, η εσπευσμένη επιστροφή στην Αθήνα, επέτειναν το ήδη αρνητικό και επιβαρημένο κλίμα. Το χειρότερο, ο Ανδρέας χτυπήθηκε εκεί που δεν ήθελε, στο θέμα της υγείας του. Η πολιτική εκμετάλλευση αυτού του θέματος τον πείραζε αφάνταστα, τον ενοχλούσε, σκεφτόταν πάντα τις πολιτικές παρενέργειες και επιπτώσεις.

Όμως, με λίγες φωτεινές και θετικές εξαιρέσεις, η μεγάλη πλειοψηφία των ΜΜΕ υποβάθμισε, έως και εξαφάνισε τις υψίστης σπουδαιότητας εκδηλώσεις και επικέντρωσε την προσοχή, εστίασε το ενδιαφέρον στη δική μου παρουσία στην Πάτμο και στη συνέχεια στην ασθένεια του Ανδρέα.

Ελάχιστοι ασχολήθηκαν με τη σημασία που είχαν για την Ελλάδα και την Ορθοδοξία οι εκδηλώσεις. Όλοι όμως, σχεδόν, ασχολήθηκαν με μια μικρή βόλτα που έκανα μαζί με τον Γ. Κατσιφάρα στο λιμάνι. Με πλησίασε ακόμα δημοσιογράφος και μου αποκάλυψε πως είχε επιφορτιστεί απ' το διευθυντή του με το αποκλειστικό καθήκον να παρακολουθεί τις δικές μου κινήσεις. Τίποτ' άλλο! Τέτοιος κλοιός και τέτοια πρεμούρα, προκειμένου η παραμικρή «αποκάλυψη» να αξιοποιηθεί σε βάρος μου και κυρίως σε βάρος του Ανδρέα...

Όμως τότε δε με απασχολούσε τίποτ' άλλο πέρα από την κατάσταση της υγείας του.

Το πρωί της επίσημης έναρξης των εκδηλώσεων ένιωθε φοβερά αδύναμος, μετά από μια άσχημη νύχτα που είχε περάσει. Ο Δημ. Κρεμαστινός τον συμβούλευσε να μην παραστεί, εγώ επέμενα να μην πάει. Δεν άκουγε τίποτα και κανέναν. Θεωρούσε αδιανόητο, ύστερα από τόσες προετοιμασίες, να μην είναι παρών στην έναρξη των εκδηλώσεων. Επιπλέον έλεγε πως αυτό θα θεωρούνταν προσβολή προς τον οικουμενικό πατριάρχη και τις άλλες κεφαλές της Ορθοδοξίας.

Στη διάρκεια της τελετής, βλέποντας την αδυναμία του, πήρα μόνη μου την πρωτοβουλία και είπα στους Απ. Κακλαμάνη και Ά. Τσοχατζόπουλο: «Δε γίνεται να έρθουμε στο γεύμα, βρείτε μια δικαιολογία». Επιστρέψαμε στο κότερο, αλλά η κατάστασή του δε βελτιωνόταν. Σκεφτόμουνα με φόβο ότι έρχεται βράδυ, ότι, αν χρειαστεί κάτι, δε θα ήταν δυνατό να του προσφερθεί, έτσι απομονωμένοι που ήμαστον στο νησί. Αρχίσαμε μια τιτάνια προσπάθεια για να τον πείσουμε· στην αρχή δεν ήθελε να το ακούσει. Τον πιέσαμε πολύ, αντιδρούσε. Κάποια στιγμή με ρωτάει πονηρά: «Φοβάσαι για μένα; Φοβάσαι ότι κάτι θα μου συμβεί;» Γνώριζε πολύ καλά πως δεν μπορούσα ποτέ να του πω κάτι τέτοιο και σκέφτηκε ότι έτσι θα απέτρεπε την πρόωρη επιστροφή.

Του λέω: «Δε φοβάμαι, αλλά θα νιώθω εντελώς ασφαλής όταν

θα είμαστε στην Αθήνα. Σκέψου, αν συμβεί κάτι απλό, μια γαστρορραγία, και χρειαστείς αίμα, πού θα το βρούμε;»

Με τα πολλά πείστηκε, υπό τον όρο ότι «δε θα γίνει θόρυβος».

Ο Τηλέμαχος ανέλαβε να ενημερώσει τον οικουμενικό πατριάρχη ότι αναβάλλεται το ραντεβού που ήταν προγραμματισμένο και ετοιμάστηκαν τα της αναχώρησης.

Φυσικά ο θόρυβος ήταν το μόνο που δε γινόταν να αποφευχθεί, αλλά το μόνο που με ενδιέφερε ήταν να φτάσουμε καλά στην Αθήνα. Είχε βάλει επίσης όρο ότι δε θα έμπαινε σε νοσοκομείο, αν και οι γιατροί δεν το έκριναν απαραίτητο.

Από εκείνη την περιπέτεια συνήλθε. Αλλά δεν επανήλθε πλήρως στην προηγούμενη κατάσταση. Είχε αρχίσει μια φθίνουσα πορεία, που δύο μήνες περίπου αργότερα οδήγησε στο Ωνάσειο. Το πρόβλημα με την ανορεξία ήταν μόνιμο, καθημερινά έμοιαζε να χάνει δυνάμεις.

Περισσότερο τον έφθειραν τα γεγονότα που ακολούθησαν, η εντεινόμενη αμφισβήτηση, οι καθημερινές επιθέσεις, το συνεχές λιθοβόλημα. Φαίνονταν δύο μήνες μοιραίοι, ο Οκτώβριος και ο Νοέμβριος του '95. Περήφανος και γενναίος, εισέπραττε την καθημερινή δόση πίκρας δίχως να διαμαρτύρεται. Ίσα ίσα, έδινε τη μάχη του. Αλλά εγώ, που τον ήξερα καλά, έβλεπα πόσο του κόστιζαν όλα τούτα. Ήξερα τι σήμαινε γι' αυτόν το *τόση αχαριστία*, που κάθε τόσο έλεγε, τι κόστος είχε.

Μια δύσκολη συνεδρίαση της ΚΕ, με τα γνωστά γεγονότα, άλλη δύσκολη συνεδρίαση της ΚΟ, στις αρχές Νοεμβρίου, και η συνέχειά της, που είχε προγραμματιστεί για τη Δευτέρα 20 Νοεμβρίου και δεν έγινε ποτέ...

Το σκηνικό που είχε στηθεί, το κλίμα που είχε διαμορφωθεί, τα όσα του πρόσθεταν καθημερινά πίκρα τον έφεραν και σε μια κατάσταση *μελαγχολίας*. Το μεγάλο του άγχος, όπως έλεγε, ήταν η *«αχαριστία»* που διαπίστωνε. Αλλά μέσα σ' αυτή την καθοδική για την υγεία του πορεία, κατέβαλε τεράστιες προσπάθειες για να δώσει τη μάχη του. Ήταν αποφασισμένος να ξεκαθαρίσει το τοπίο και να πάει στη *σύγκρουση*, αν αυτή ήταν η επιλογή κάποιων.

Τα παιχνίδια που καθημερινά παίζονταν ήταν φοβερά, τα εβλεπε και πρόσθεταν περισσότερη μελαγχολία στο τοπίο. Για παράδειγμα, ενώ πιεζόταν από τον Κ. Σκανδαλίδη αλλά και απ' τον Λαλιώτη και τον Τζουμάκα για να κάνει μια συνάντηση με τον Κ. Σημίτη, ώστε να διερευνηθούν οι δυνατότητες να επανέλθει μια κάποια ηρεμία, την ίδια ώρα ο Κ. Σημίτης συνέχιζε τις καθημερινές επιθέσεις κάι τις αρχηγικές εμφανίσεις και η Β. Παπανδρέου έδινε συνέντευξη και πρότεινε ουσιαστικά να μπει υπό κηδεμονία ο Ανδρέας. Είχε φτάσει στο σημείο να αναρωτιέται πολλές φορές *«ποιος κοροϊδεύει ποιον»*.

Έβλεπε, και το σχολίαζε, πως οι «4» έχουν πλέον επιλέξει το δρόμο της σύγκρουσης. *Είχε επίσης την εκτίμηση και το έλεγε συχνά πως σ' αυτή την επιλογή τούς σπρώχνουν και τα συμφέροντα, που πίστευε ότι τους στηρίζουν,* επενδύοντας στη δική του φυσική αδυναμία για αντιπαράθεση. Η επιλογή τους να μείνουν εκτός του νέου ΕΓ τού έδειχνε πολλά πράγματα. Ήταν όμως αποφασισμένος, ακόμα και υπερβάλλοντας τις δυνάμεις του, να ξεκαθαρίσει το τοπίο. Έλεγε πως ο κόμπος είχε φτάσει στο χτένι.

Η παρουσία και η ομιλία του στη συνεδρίαση της ΚΕ ήταν ενδεικτική των προθέσεών του. *Εκείνη την ομιλία την ετοίμασε εντελώς μόνος του, ήταν αποκλειστικά δική του επιλογή.* Αγνόησε πλήρως όλα τα σημειώματα και τις προτάσεις, που συνήθιζαν να του στέλνουν συνεργάτες του πριν από συνόδους ΚΕ ή άλλων οργάνων. Πίστευε απόλυτα αυτό που είπε, ότι δηλαδή όσοι αναζητούν έναν Α. Παπανδρέου υπό ομηρία ή κηδεμονία ας τον αναζητήσουν αλλού, «δε θα τον βρουν σε μένα».

Ήταν μάλιστα μια μέρα που πραγματικά υπερέβαλε τις δυνάμεις του, γιατί είχε ορισμένα προβλήματα στην αναπνοή του και αυτό φάνηκε στα πρώτα λεπτά της συνεδρίασης. Μετά βέβαια συνήλθε, αλλά ήταν καταβεβλημένος, γι' αυτό μετά την ομιλία του αισθάνθηκε την ανάγκη να αποχωρήσει, γεγονός που προκάλεσε την έντονη αντίδραση του Κ. Σημίτη και άλλων μελών της ΚΕ. Παρακολουθούσα το γεμάτο θλίψη βλέμμα του στις αντιδράσεις και υπέφερα. Γνώριζα καλά πως αισθανόταν πληγωμένος μπροστά στην τόση αμφισβήτηση και αχαριστία, όπως ο ίδιος έλεγε. Είχε προηγηθεί φυσικά η γνωστή κίνηση της *Β. Παπανδρέου* μέσα στην αίθουσα της ΚΕ. Όταν ανεβήκαμε στο δωμάτιο, που του είχε παραχωρηθεί στο «Κάραβελ», τη χαρακτήρισε *«θεατρική»*. Αλλά η πίκρα του είχε ξεχειλίσει. Τον ενοχλούσε αφόρητα και η πορεία σύγκρουσης που είχαν επιλέξει οι «4» και η επένδυση που έκαναν στη φυσική του αδυναμία. Τη χαρακτήρισε «ανανδρία και ασέβεια».

Άλλη δοκιμασία πίκρας, απογοήτευσης, μελαγχολίας ήταν η συνεδρίαση της ΚΟ. Αλλά εκεί έδωσε απαντήσεις, εμφανίστηκε αποφασιστικός, δεν επέτρεψε σοβαρή αμφισβήτηση. Ήταν σαφής στην εισήγησή του για το τι σημαίνει «περιβάλλον» και στην αντιμετώπιση της κριτικής ότι δήθεν ήταν έρμαιο του θρυλικού «περιβάλλοντός του». Και υπογράμμισε πως δε θα επιτρέψει αμφισβήτηση της παρουσίας του και της ικανότητάς του να κυβερνά και να είναι επικεφαλής του κόμματος και της κυβέρνησης.

Πέτυχε έτσι να ανατρέψει ένα δυσμενές, βαρύ κλίμα, που είχε δημιουργηθεί όλες τις προηγούμενες μέρες από ιδιαίτερα σκληρές δηλώσεις ορισμένων βουλευτών, που αναπαράγονταν απ᾽ τα ΜΜΕ και είχαν διαμορφώσει μια εκρηκτική ατμόσφαιρα. Υπήρξαν ακόμα και βουλευτές, όπως ο Αντ. Δροσογιάννης και ο Γ. Παπασπύρου, που προειδοποιούσαν να μην τολμήσω να εμφανιστώ εγώ στην ΚΟ ή απειλούσαν ότι αν εμφανιστώ θα δεχτώ οξύτατη κριτική.

Αλλά αυτό που είχε πικράνει πολύ τον Ανδρέα ήταν η σκληρή σε βάρος του και σε βάρος μου κριτική του Ευάγ. Γιαννόπουλου. Οπαδός του «κλίματος», ο Ανδρέας γνώριζε πως ο Ευάγ. Γιαννόπουλος ήταν σε θέση να διαμορφώσει κλίμα, πράγμα που, όπως έλεγε, δεν ήταν σε θέση να κάνει ούτε ο Δροσογιάννης ούτε ο Παπασπύρου. Είχε στενοχωρηθεί πάρα πολύ απ᾽ τη στάση του παλιού του συνεργάτη εκείνη τη περίοδο, του είχε κοστίσει. «Γιατί ο Βαγγέλης; Δεν το περίμενα», έλεγε και ξανάλεγε.

Εγώ, επηρεασμένη απ᾽ το σε βάρος μου κλίμα, σκέφτηκα να μην πάω τελικά στη συνεδρίαση της ΚΟ. Είπα μέσα μου πως η δική μου απουσία θα συντελούσε στο να μειωθεί και η κριτική σε βάρος του Ανδρέα. Όμως, όταν του είπα τις σκέψεις μου, ήρεμα μεν αλλά αποφασιστικά με απέτρεψε:

«Όχι, Δήμητρα, δεν μπορεί να τους περάσει να επιβάλουν ε-κβιαστικά τη μη παρουσία σου. Είσαι διευθύντρια του Γραφείου μου και με συνοδεύεις μ' αυτή σου την ιδιότητα. Η Αγγέλα δεν έ-λειψε ποτέ από καμία συνεδρίαση, η παρουσία της ήταν αυτο-νόητη. Αν δεν έρθεις, θα δείξω ηττοπάθεια και αυτό δεν το επι-τρέπω».

Ωστόσο η πίκρα που πέρασε πριν απ' αυτή τη συνεδρίαση της ΚΟ ήταν απερίγραπτη. Έβλεπε ότι είχε δημιουργηθεί μια ορια-κή κατάσταση, ότι για πρώτη φορά τού αμφισβητούνταν το δι-καίωμα να έχει μαζί του τη διευθύντρια του Γραφείου του, επει-δή ως σύζυγός του δεν ήταν αρεστή σε ορισμένους.

Αλλά δε θα το άφηνε να περάσει. Πικραμένος αλλά και απο-φασισμένος εμφανίστηκε στην ΚΟ. Με την ομιλία του αντέστρε-ψε το κλίμα και τελικά οι αντιδράσεις υπήρξαν περιορισμένες.

Όταν τελείωσε η συνεδρίαση ήταν ευχαριστημένος που δεν ε-πέτρεψε να περάσει ένα κλίμα εκβιασμού σε βάρος του. Όμως ό-σα είχαν προηγηθεί του είχαν κοστίσει. Ο Ανδρέας ήταν άνθρω-πος που δεν εξωτερίκευε συχνά τα παράπονά του και την πίκρα του, προτιμούσε να τα κρατάει μέσα του. Και ίσως αυτό να του κό-στιζε περισσότερο. Γεγονός είναι πως αυτή η σώρευση πίκρας, στενοχώριας, άγχους είχε τα αποτελέσματά της στην ήδη επιβα-ρημένη υγεία του.

Εκείνη η συνεδρίαση ήταν η τελευταία που ο Ανδρέας Παπανδρέου, ο ι-δρυτής και ηγέτης της ΠΑΣΟΚ, εμφανίστηκε μπροστά στους βουλευτές του. Η συνέχιση της συνεδρίασης, που είχε προγραμματιστεί για τις 20 Νοεμβρίου, δεν πραγματοποιήθηκε ποτέ...

Ωνάσειο – μια τραγωδία – μια επική μάχη

ΑΡΧΕΣ ΝΟΕΜΒΡΙΟΥ διαπιστώνεται ανησυχητική αύξηση της κρεατινίνης, ένδειξη ότι υπάρχει πρόβλημα με τα νεφρά. Ο Δημ. Κρεμαστινός έφερε έναν πολύ γνωστό νεφρολόγο, για να τον εξετάσει. Μου επέστησε την προσοχή ότι πρέπει να παίρνει τις απαραίτητες θερμίδες, ότι το ανοσοποιητικό του σύστημα είναι σε άσχημη κατάσταση, ότι χρειάζεται ξεκούραση, όχι στρες, όχι άγχος.

Ο ίδιος δεν μπορούσε να ανεχτεί τέτοιους περιορισμούς. Πέραν όλων των άλλων, πέραν του νοσηρού κλίματος που τον πίεζε, είχε να ασχοληθεί και με θέματα κυβερνητικής λειτουργίας. Πλησίαζαν οι μέρες κατάθεσης του προϋπολογισμού, μια διαδικασία στην οποία έδινε πάντα ιδιαίτερο βάρος. Είχε μια συνάντηση με το Αλέκο Παπαδόπουλο, προετοίμαζε και άλλη. Προέκυψαν επίσης η εξέγερση στις φυλακές, μετά η κατάληψη του Πολυτεχνείου, έπρεπε να συνεργάζεται με τον Σήφη Βαλυράκη, τον Γ. Ποττάκη και άλλους υπουργούς. Ζήτησα απ' τον Αντ. Λιβάνη να περιοριστούν τα ραντεβού του για λίγες μέρες, γιατί ήταν πολύ αδύναμος και χρειαζόταν ξεκούραση.

Ο ίδιος δυσφόρησε μ' αυτή μου την πρωτοβουλία. Δεν ήθελε ποτέ να περνάει προς τα έξω η εικόνα ότι δεν είναι σε θέση να ασκήσει τα καθήκοντά του, αυτό ήταν πάντα το μεγάλο του πρόβλημα και η μεγάλη του αγωνία.

Αλλά η πορεία είχε αρχίσει ήδη να γίνεται ανεπίστρεπτη. Όλα όσα είχαν προηγηθεί και είχαν σωρευτεί τον οδηγούσαν σε μια δραματική έξοδο. Αυτός ο γενναίος, ο περήφανος άνθρωπος, αυτός ο μεγάλος ηγέτης έφτανε πλέον στη μεγάλη, την επική μάχη, στην κορυφαία στιγμή μιας τραγωδίας που δεν την είχε σκηνοθετήσει.

Το Σάββατο 18 Νοεμβρίου ήμασταν παρέα το βράδυ με τον Γ. Κατσιφάρα. Ο Ανδρέας αισθανόταν περίεργα, είχε κάποιες ενοχλήσεις στο στομάχι. Περίπου στη 1 το πρωί οι ενοχλήσεις είχαν γίνει έντονες, ο πόνος δυνάμωνε και εντοπιζόταν στην άνω περιοχή του στομαχιού. Ανησύχησα, τηλεφώνησα στον Κρεμαστινό, ο οποίος έστειλε στο σπίτι τον Θύμιο Λιβάνη. Τον εξέτασε και διαπίστωσε πνευμονία. Τηλεφώνησε στον Κρεμαστινό, ο οποίος ήρθε γύρω στις 3 το πρωί. Διέγνωσαν ή πνευμονία ή κάποια εμβολή και ανάγκη εισαγωγής στο νοσοκομείο, αν δεν περάσει. Υπήρχε επίσης πρόβλημα και στη λειτουργία των νεφρών και αυξήθηκε η δόση σε «Λασίξ».

Την Κυριακή οι πόνοι συνεχίζονται, αισθάνεται μεγάλη αδυναμία, δεν μπορεί να σηκωθεί απ' το κρεβάτι, τον επισκέπτονται και οι κ.κ. Γολεμάτης, Σαρόγλου, Μελισσηνός, Στεφανής. Συμφωνούν όλοι ότι πρέπει να εισαχθεί στο νοσοκομείο.

Αρχίζει η γνωστή μάχη για να πειστεί. Όπως συνήθως, είναι ανένδοτος. Θέλει οπωσδήποτε να πάει στη συνεδρίαση της ΚΟ τη Δευτέρα. Φυσικά οι γιατροί ούτε γι' αστείο δεν το συζητάνε αυτό και ήδη ο Δημ. Κρεμαστινός επικοινωνεί με τους Αντ. Λιβάνη και Απ. Κακλαμάνη, τους ενημερώνει για την κατάσταση και αποφασίζεται πως η συνεδρίαση δε θα γίνει.

Η μέρα περνάει άσχημα, αλλά αρνείται πεισματικά να δεχτεί εισαγωγή στο νοσοκομείο. Ζητάει να γίνει θεραπεία στο σπίτι!

Το απόγευμα της Κυριακής ο Δημ. Κρεμαστινός μού λέει: «Δε γίνεται, πρέπει να μπει οπωσδήποτε σε νοσοκομείο, αν συνεχιστεί τη νύχτα η ανουρία, αύριο πρωί πρωί αυτό πρέπει να γίνει, διαφορετικά δεν εγγυώμαι για τίποτα».

Πέρασα τη νύχτα δίπλα του, προσευχόμουν να λειτουργήσουν τα νεφρά, να γίνει κάποια ανάκαμψη. Προσπαθούσα παράλληλα να τον πείσω ότι τη Δευτέρα πρωί πρωί πρέπει οπωσδήποτε να φύγουμε για το νοσοκομείο. Συνέχιζε να αρνείται και να μου λέει: «Ελπίζω ότι θα αισθάνομαι καλύτερα για να πάω τουλάχιστον στην ΚΟ και μετά βλέπουμε».

Τη Δευτέρα το πρωί ο Δημ. Κρεμαστινός, ο Γ. Κατσιφάρας, ο οποίος είχε μείνει όλη τη νύχτα μαζί μας, και εγώ του μιλάμε για ώρα, του εξηγούμε την κατάσταση και του λέμε ότι πρέπει να γίνει οπωσδήποτε εισαγωγή του στο νοσοκομείο, διαφορετικά κινδυνεύει η ζωή του. Είχε στο μεταξύ ειδοποιηθεί και ο γραμματέας της ΚΟ Δημ. Μπέης κι ο Απ. Κακλαμάνης για την αναβολή της συνεδρίασης.

Προβάλλει ακόμα αντιρρήσεις. Προτείνει να πάει τουλάχιστον πρώτα στην ΚΟ και μετά από εκεί στο νοσοκομείο!

Ο Γ. Κατσιφάρας με αγάπη και χιούμορ, αν και μέσα του έκλαιγε, είναι αυτός που τελικά τον πείθει ότι πρέπει άμεσα να φύγουμε για το νοσοκομείο. Λέει λοιπόν το *«καλώς, εσείς ξέρετε, πάμε, αν κι αυτό το φοβάμαι αφάνταστα»*, και ετοιμαζόμαστε να φύγουμε.

Αλλά ακόμα κι εκείνη τη στιγμή, με τις δυνάμεις του να τον έχουν εγκαταλείψει, ξυπνάει μέσα του ο... αληθινός Παπανδρέου. Συγκεκριμένα, ενώ ετοίμαζα ένα βαλιτσάκι με τα ρούχα του, έρχεται ο Ανδρέας Αλεξόπουλος και μου λέει: «Σας θέλει ο πρόεδρος επειγόντως».

Πάω μέσα, μου λέει: «Είμαστε μόνοι; Κάθισε». Τότε εξαπολύει, με χαμηλή φωνή, τη φράση μαχαίρι γι' αυτόν: «Δήμητρα, μήπως παίζεται πολιτικό παιχνίδι σε βάρος μου; Μήπως είναι ένα κόλπο για να μπω στο νοσοκομείο και να μου κοστίσει πολιτικά, ίσως να χάσω και την πρωθυπουργία;»

Συγκλονίστηκα από το γεγονός ότι ακόμα και εκείνες τις οριακές στιγμές σκεφτόταν μόνο τις πολιτικές επιπτώσεις και παρενέργειες της ασθένειάς του, ότι ακόμα και τότε δεν μπορούσε παρά να λειτουργεί μόνο πολιτικά.

Τον καθησύχασα λέγοντάς του πως δεν είναι έτσι, ότι πράγματι υπάρχει ανάγκη να μπει στο νοσοκομείο, ότι, όσο συντομότερα γίνει αυτό, τόσο καλύτερα για την υγεία του.

«Τουλάχιστον, Δήμητρα, θα ζήσω;»

«Σε παρακαλώ, αυτό να μην το ξαναπείς ποτέ. Δεν το άκουσα».

Στο μεταξύ έχει έρθει και ο Γ. Λιάνης. Τον σηκώσαμε όπως ήταν, με τις πιτζάμες, με χίλια ζόρια μπορούσε να κάνει λίγα βήματα. Και εκείνη τη στιγμή λειτούργησε πάλι ο περήφανος Παπανδρέου, ο πολιτικός ηγέτης που ήθελε να έχει ο λαός του γι' αυτόν την εικόνα του όρθιου αρχηγού και όχι του ανήμπορου ανθρώπου. Έθεσε σαν όρο να μη δώσουμε μέτρα ασφάλειας καθ' οδόν προς το νοσοκομείο, ώστε να προλάβει να μπει πριν φτάσουν δημοσιογράφοι και κάμερες και τον δουν με τις πιτζάμες, αδύναμο, να περπατάει με δυσκολία. Γιατί βέβαια η είδηση είχε στο μεταξύ διαρρεύσει και γινόταν χαμός, χτυπούσαν τηλέφωνα, ραδιόφωνα και τηλεοράσεις έβγαζαν έκτακτα δελτία, είχε πέσει ένας πανικός.

Πάμε από την εθνική και μάλιστα έχει μια κίνηση απίστευτη. Μου φάνηκαν ατέλειωτες οι ώρες μέχρι να φτάσουμε στο Ωνάσειο. Οι στιγμές δραματικές, ο Ανδρέας αναπνέει με οξυγόνο. Προσεύχομαι, σκέφτομαι αν κι αυτή τη φορά ο αγαπημένος μου σύντροφος θα κερδίσει και την καινούρια μάχη.

Έρχονταν και άλλες σκέψεις και μου τρυπούσαν το μυαλό, αλλά τις έδιωχνα, εκείνες τις στιγμές έλεγα μόνο «να ζήσει, να ζήσει», δεν ήθελα τίποτ' άλλο, δε ζητούσα τίποτ' άλλο.

Το Ωνάσειο επελέγη με επιθυμία του Δημ. Κρεμαστινού, γιατί εκεί βρίσκονταν ο ίδιος και η ομάδα του, γιατί ήταν πλήρες από άποψη εξοπλισμού και γιατί ο Κρεμαστινός επέμενε πάντα να δίνει βάρος στην καρδιά και τη στήριξή της.

Μπήκαμε κατευθείαν στην εντατική, που θα γινόταν για εκατόν είκοσι τρεις μέρες το σπίτι μας, σ' ένα γωνιακό δωμάτιο που έβλεπε στο δρόμο. Η αναπνοή ολοένα και λιγόστευε. Στο μεταξύ είχαν φτάσει δημοσιογράφοι και κάμερες, ενώ είχαν αρχίσει να έρχονται κυβερνητικά και κομματικά στελέχη.

Για άλλη μια φορά επαναλήφθηκε η γνωστή σκηνή με τον Θ. Κατσανέβα, τον οποίο δεν ήθελε να βλέπει. Όταν ένας αστυνομικός ειδοποίησε πως έξω είναι η Σοφία και ο Θόδωρος και θέλουν να τον δουν, εξανέστη. Έδωσε εντολή να μπει μέσα μόνο η Σοφία, στην οποία είπε βαριά λόγια. Δε νομίζω πως εξυπηρετεί σε κάτι να τα καταθέσω εδώ. Περιορίζομαι στην εντολή που της έδωσε: «Μην τον αφήσεις να πατήσει εδώ, δε θέλω να τον δω».

Του κρατούσα το χέρι, του έλεγα: «Σε παρακαλώ, μη φορτίζεσαι, μην επιβαρύνεις την κατάστασή σου, ηρέμησε»...

446

Από κει και πέρα, απ' το μεσημέρι της 20ής Νοεμβρίου 1995, αρχίζει ένα δραματικό παρασκήνιο, πολιτικό, ιατρικό, οικογενειακό, κατάληξη του οποίου ήταν η παραίτηση του Ανδρέα στις 15 Ιανουαρίου, *ο πρώτος του θάνατος*, που τον επέλεξε όμως με ύψιστο αίσθημα ευθύνης, και ο μεγάλος επίλογος στις 23 Ιουνίου.

Μέρες, εβδομάδες, μήνες που συγκλόνισαν την Ελλάδα, που οδήγησαν στο τέλος ένα μεγάλο ηγέτη.

Όμως εκείνες τις πρώτες ώρες, τουλάχιστον για τους ανθρώπους που ήταν κοντά του, που τον αγαπούσαν, που πονούσαν μαζί του, δεν υπήρχε τίποτ' άλλο έξω απ' τη μάχη που έδινε για τη ζωή του, τη μεγάλη, την κορυφαία. Δεν υπήρχαν ούτε πολιτικές παράμετροι ούτε ζυγαριές για χειροκροτήματα και αποδοκιμασίες στελεχών απ' τον κόσμο που είχε αρχίσει να συγκεντρώνεται έξω απ' το Ωνάσειο και του πρόσφερε ζεστασιά, ανθρωπιά, αγάπη για εκατόν είκοσι τρεις μέρες.

Αυτή ήταν για όλο εκείνο το διάστημα η *διαχωριστική γραμμή* ανάμεσα σ' όσους τον αγαπούσαν αληθινά και του συμπαραστέκονταν και σ' όσους επένδυσαν στην τραγική του κατάσταση για να κάνουν προσωπικά και πολιτικά παιχνίδια. Και αυτή ακριβώς η *διαχωριστική γραμμή* καθόρισε τη συμπεριφορά όλων. *Έκρινε τους πάντες. Έδειξε αξίες και βαρβαρότητες.*

Εκείνος, μεγάλος πάντα μέσα στην τραγικότητα των στιγμών που ζούσε, εισέπραττε τα πάντα και καταλάβαινε τα πάντα.

Είναι αφελείς όσοι πιστεύουν πως έφυγε δίχως να έχει αναγνωρίσει ανθρωπιά και καταλογίσει αχαριστία στα αντίστοιχα πρόσωπα. Και όταν χρειάστηκε, πληγωμένος αλλά πάντα μεγάλος και υπεύθυνος, είπε το δικό του «ναι» σ' αυτό που η ευθύνη τον πρόσταζε, αν και γνώριζε καλά πως γι' αυτόν κάτι τέτοιο ήταν το εισιτήριο για να διαβεί τον Αχέροντα.

Άφησε για τους άλλους τα μικρά, τα ταπεινά, τα φθαρτά, τα ευτελή. Σήκωσε περήφανος το σταυρό του και πορεύτηκε με τους λίγους, τους αγαπημένους, που άγγιζαν το δράμα του με σεβασμό, λατρεία και πόνο, που δεν αξίωναν τίποτ' άλλο εκτός από ανθρωπιά και σεβασμό στον ηγέτη που τόσα πρόσφερε. Το χαμόγελό του, αχνό μα βαθύ και από καρδιάς, όταν του μεταφέραμε

447

την αγάπη του λαού· απ' αυτή είχε ανάγκη και του δόθηκε απλόχερα και άδολα, μ' αυτή έφυγε.

Αυτή η *διαχωριστική γραμμή*, λέω, κυριάρχησε. Ο καθένας πορεύτηκε με τις δικές του αξίες...

Απ' τις πρώτες κιόλας ώρες φάνηκε η σοβαρότητα της κατάστασής του. Δεν ήταν μόνο η πνευμονία, είχαν επιβαρυνθεί και άλλα όργανα και συστήματα, όπως τα νεφρά, που σχεδόν δε λειτουργούσαν πλέον, το αιματολογικό. Ελπίδα ότι η καρδιά του κρατούσε. Αργότερα βέβαια και η κατάσταση της καρδιάς του έγινε αντικείμενο μιας ιατρικής αντιπαράθεσης, μια απ' τις τόσες που προέκυψαν εκείνη την περίοδο, που εγώ τις παρακολουθούσα άσχετη, ανήμπορη και με μοναδικό κριτήριο να ζήσει ο άνθρωπός μου.

Γι' αυτό και από κάποια στιγμή και έπειτα έπαψα να πηγαίνω στα καθημερινά ιατρικά συμβούλια. Προτιμούσα να ενημερώνομαι κατ' ιδίαν, κυρίως απ' τον Δημ. Κρεμαστινό αλλά και απ' τους άλλους γιατρούς. Είχα έτσι την ευχέρεια μιας πιο ήρεμης και ανθρώπινης ενημέρωσης, μακριά από τεχνικούς ιατρικούς όρους και συζητήσεις στις οποίες δεν μπορούσα να συμμετέχω.

Οφείλω πάντως να αναγνωρίσω μέσα απ' την καρδιά μου πως οι γιατροί, όλοι οι γιατροί, δίχως καμιά εξαίρεση, έδωσαν με αυτοθυσία, με πάθος αλλά και με ανθρωπιά τον καλύτερο εαυτό τους για να μπορέσει ο Ανδρέας να βγει ζωντανός απ' αυτή την περιπέτεια. Υπερέβαλαν εαυτούς και πέτυχαν ένα θαύμα. Τους χρωστώ ευγνωμοσύνη γι' αυτό και δεν θα το ξεχάσω ποτέ.

Ήταν καθημερινά ήρωες, γιατί πέραν των ιατρικών τους καθηκόντων έπρεπε να διαβαίνουν και τις Συμπληγάδες των πολιτικών σκοπιμοτήτων, να υφίστανται τις φοβερές πιέσεις, που σαν μυλόπετρες άλεθαν τις αντοχές τους και έθεταν σε δοκιμασία τη συνείδησή τους. Άντεξαν. Βγήκαν νικητές και απ' αυτή τη μάχη.

Υπήρχαν στιγμές που οι πιέσεις ήταν αφόρητες. Έπρεπε πάση θυσία ο Ανδρέας να θεωρηθεί τελειωμένος. Έπρεπε να πουν κάτι που δεν πίστευαν. Όρθωσαν το ανάστημά τους και δεν πρόδωσαν τη συνείδησή τους. *Έδωσαν μαθήματα ήθους και ανθρωπιάς σε ορισμένους απ' αυτούς που είχαν διδαχτεί την ανθρωπιά απ' τον Ανδρέα και κείνες τις μέρες την είχαν ξεχάσει, γιατί άλλες σκοπιμότητες καθοδηγούσαν τις ενέργειές τους, δυστυχώς.*

Υπήρχαν στιγμές που ειδικά τον *Δημ. Κρεμαστινό* ήταν να τον λυπάται κανείς, καθώς ακροβατούσε ανάμεσα στη συνείδησή του και την αγάπη του για έναν άνθρωπο με τον οποίο είχε δεθεί και στις τρομακτικές πιέσεις που δεχόταν για να γνωματεύσει ότι είναι πολιτικά νεκρός. Και λειτούργησε με κριτήριο μόνο την ανθρωπιά. Άλλωστε γνώριζε καλά τον Ανδρέα και ήξερε πως οι μεγάλες αποφάσεις ανήκουν σ' αυτόν και όταν θα τις πάρει θα είναι μόνο οι σωστές, αυτές που επιβάλλει η θέση του στην ιστορία.

Και δε θα ξεχάσω ποτέ τη μέρα που ο *Γρηγόρης Σκαλκέας*, αυτός ο εξαίρετος επιστήμονας μα πάνω απ' όλα άνθρωπος, παραιτήθηκε απ' την καθημερινή ενημέρωση των δημοσιογράφων, αηδιασμένος απ' το βρόμικο πόλεμο του παρασκηνίου, τις αήθεις επιθέσεις που δεχόταν και επειδή σε καμιά περίπτωση δεν ήθελε να γίνει μέρος μιας κρίσης αξιών και μιας άθλιας αντιπαράθεσης ευδιάκριτων σκοπιμοτήτων.

Έχω πάρει μαζί μου και έχω κρατήσει απ' όλους αυτούς τους εξαίρετους ΑΝΘΡΩΠΟΥΣ μαθήματα ήθους και λεβεντιάς.

Εκείνη την περίοδο έγινε γνωστό ότι στον Ανδρέα είχε τοποθετηθεί βηματοδότης.

Ήταν δική του επιθυμία να κρατηθεί αυτό μυστικό, λόγω της μόνιμης άποψης που είχε για τις πολιτικές παρενέργειες των θεμάτων που αφορούσαν την υγεία του.

Στα τέλη του 1992, το Χόλντερ, το μηχάνημα που καταγράφει τους χτύπους της καρδιάς, έδειξε βραδυκαρδία. Ανήσυχος ο *Δημ.* Κρεμαστινός πρότεινε την τοποθέτηση βηματοδότη. Στις συνήθεις αντιρρήσεις του Ανδρέα αντέτεινε πως πρόκειται για μια απλή επέμβαση και ότι η τοποθέτηση βηματοδότη δεν αλλάζει σε τίποτα τη ζωή και τις δραστηριότητές του.

Έθεσε σαν όρο, για να το δεχτεί, να γίνει αυτή η επέμβαση στο εξωτερικό για να συνδυαστεί με απόλυτη μυστικότητα. Ήθελε πάση θυσία διασφάλιση του απορρήτου.

Άλλος τρόπος δεν υπήρχε απ' το να γίνει η επέμβαση στη διάρκεια κάποιου ταξιδιού στο εξωτερικό. Επελέγη η Σύνοδος του Ευρωπαϊκού Σοσιαλιστικού Κόμματος στο Εδιμβούργο και εγώ κανόνισα με τον Στ. Θεοδωρόπουλο, το συνεργάτη του Γιακούμπ, να τον επισκεφθούμε στο Χέρφιλντ κατά τη διάρκεια της παραμονής μας στο Λονδίνο. Δεν ενημερώσαμε κανένα για την επέμβαση, ούτε τον Τηλ. Χυτήρη, που μας συνόδευε. Είπαμε μόνο ότι θα πάμε στο Χέρφιλντ για κάποιες εξετάσεις ρουτίνας, μιας και βρισκόμαστε στο Λονδίνο.

Στο Χέρφιλντ μάς περίμενε, ειδοποιημένος σχετικά απ' τον Στ. Θεοδωρόπουλο, ο συνεργάτης τού Γιακούμπ κ. Μίτσελ. Συζήτησε με τους Δημ. Κρεμαστινό και Στ. Ηλιοδρομίτη, αργότερα ήρθε και ο ίδιος ο Γιακούμπ· συμφώνησαν όλοι ότι η καλύτερη λύση είναι η τοποθέτηση βηματοδότη.

Η επέμβαση έγινε το βράδυ, με τοπική αναισθησία. Έμεινε στο δωμάτιο μέχρι τις 7 το πρωί και γυρίσαμε στο ξενοδοχείο. Κανείς δεν πήρε είδηση και οι γιατροί συμφώνησαν να μη γίνει επίσημη ανακοίνωση.

Στο Ωνάσειο έχει αρχίσει η μεγάλη μάχη με το χρόνο. Στο παρασκήνιο εξελίσσεται ήδη μια άλλη μάχη. Αυτή, όμως, αρνούμαι να την παρακολουθήσω.

Ζω σ' ένα μικρό χώρο, δίπλα απ' την εντατική, είμαι απ' την πρώτη μέρα με μια φόρμα νοσοκόμας, πλένομαι καθημερινά με αντισηπτικό. Έχω χάσει την αίσθηση του χρόνου, δεν υπάρχει εκεί η εναλλαγή του φωτός με το σκοτάδι, οι ώρες δε λένε τίποτα. Κοιμάμαι ελάχιστα, τις πρώτες μέρες δεν μπορούσα να κοιμηθώ καθόλου.

Κάποια στιγμή μού λένε ότι κινδυνεύω να πάθω «ιδρυματισμό», ότι πρέπει για λίγες ώρες έστω να βγω, να πάω ίσως στο σπίτι, για ένα μπάνιο. Αρνούμαι. Δε δέχομαι να λείψω ούτε ένα λεπτό, δεν έλειψα ούτε ένα λεπτό από δίπλα του, δεν έφυγα ως τις 21 Μαρτίου ούτε για μια στιγμή απ' το Ωνάσειο. Ήθελα να είμαι πλάι του και να βρεθώ κοντά του όποια στιγμή με ζητούσε.

Πολλοί βέβαια «ανακάλυψαν» πως έφυγα κάποια βράδια και μάλιστα «μεταμφιεσμένη». Ας είναι...

Ο Ανδρέας έδινε τη μάχη του εναντίον σ' όλες τις προβλέψεις. Η θέλησή του να κρατηθεί στη ζωή για άλλη μια φορά εξέπληξε. Ήταν αυτή, νομίζω, που τον κράτησε ζωντανό μαζί με τις προσπάθειες των γιατρών.

Εγώ έδινα τη δική μου μάχη για να μπορέσω να κρατηθώ στα πόδια μου ώστε να είμαι σε θέση να τον βοηθήσω. Την ήθελε τη συμπαράστασή μου.

Η πρώτη μάχη ήταν να πείσω τον εαυτό μου ότι δε θα έφευγε.

Το πέτυχα. Μπήκα σε μια διαδικασία υποβολής, ήθελα να κρατηθώ από κάπου, υποβλήθηκα σε ένα περίεργο ντοπάρισμα, ορισμένες φορές έξω και πάνω από όρια λογικής. Αλλά είχα την αίσθηση ότι κατά κάποιο τρόπο τού μετέδιδα αυτή την πίστη ότι θα ζήσει, σαν να του μετέφερα κάποιου είδους ενέργεια.

Κάποια στιγμή είχα απομείνει μόνη να πιστεύω ότι θα ζήσει. Εκεί γύρω στα Χριστούγεννα, όταν όλοι πίστευαν πως ο Ανδρέας βάδιζε προς το τέλος, που φαινόταν πλέον αναπόφευκτο, ήμουνα μόνο εγώ που αρνιόμουν πεισματικά να το δεχτώ, δεν το δέχτηκα ούτε μια στιγμή. Ένιωθα εκείνες τις μέρες πως με αντιμετώπιζαν όλοι σαν μια τρελή, που βρίσκεται εκτός τόπου και χρόνου, που έχει κλειστεί σ' ένα δικό της κόσμο, παράλογο.

Όμως εγώ είχα γαντζωθεί στην πίστη μου, έλεγα: «Όχι, ο Ανδρέας δεν πρόκειται να πεθάνει». Πολλές φορές τις νύχτες τον άγγιζα, του κρατούσα το χέρι και του ψιθύριζα: «Όχι, δε θα πεθάνεις, μη φοβάσαι, θα βγεις από δω μέσα, θα γυρίσουμε στο σπίτι, θα τους εκπλήξουμε όλους». Πίστευα πως έτσι του μετέδιδα ζωή, πως του πρόσθετα στη δική του θέληση να κρατηθεί ζωντανός. Και όταν ακόμα βρισκόταν σε καταστολή, πάλι του χάιδευα το κεφάλι, τα χέρια και του έλεγα τα ίδια λόγια. Βαθιά μέσα μου πίστευα πως τα άκουγε και τον βοηθούσαν.

Στην προσπάθειά μου να κρατηθώ, να πιαστώ από κάπου, προσευχόμουν πολύ και είμαι περήφανη γι' αυτό. Αν στο Χέρφιλντ ο Θεός μού χτύπησε την πόρτα, στο Ωνάσειο βρέθηκα τόσο κοντά στο Θείον όσο ποτέ. Και ήταν πολλοί οι άνθρωποι της Εκκλησίας που μας βοήθησαν και τους ευγνωμονώ γι' αυτό, για το κουράγιο που μας έδωσαν. Απ' τους σεβασμιότατους Αμερικής Ιάκωβο και Τιράνων Αναστάσιο, τον ηγούμενο της μονής Σουμελά, που έφερε ένα θαυματουργό σταυρό του αυτοκράτορα Αλεξίου Κομνηνού, τους Αγιορείτες μοναχούς, τους μοναχούς των μονών Μετεώρων, μέχρι απλούς ιερείς που έρχονταν και προσεύχονταν. Επίσης ο πατέρας Νεκτάριος και ο πατέρας Τιμόθεος, που ήταν ο πνευματικός του τα τελευταία χρόνια, ήταν πολύ συχνά κοντά μας.

Γράφτηκαν τότε διάφορες ανοησίες και αθλιότητες για μαντζούνια και ξόρκια, ανάξια αναφοράς. Όλα αυτά δεν ήταν τίποτ' άλλο παρά ένας μικρός σταυρός κάτω απ' το προσκέφαλό του... Ο ίδιος κοινωνούσε όσες φορές ήταν αυτό δυνατό και το έκανε με τη θέλησή του.

Έχουν γίνει πολλές υποθέσεις, εικασίες, σενάρια, έχει ασκηθεί και κριτική για τον τρόπο με τον οποίο οι γιατροί χειρίστηκαν την κατάσταση της υγείας του Ανδρέα στο Ωνάσειο. Ορισμένοι έφτασαν στο ακραίο σημείο να πουν ότι κάποιες πράξεις, παραλείψεις ή καθυστερήσεις τον έφεραν πιο κοντά στο θάνατο. Έχουν γίνει εκτιμήσεις ότι καθυστέρησε η τραχειοστομία, καθυστέρησε να ξεκινήσει η αιμοκάθαρση, καθυστέρησε η παρεντερική σίτιση. Διάφοροι «ειδικοί» ή ειδικοί έχουν μιλήσει επί παντός επιστητού.

Εγώ δηλώνω και καταθέτω την άγνοια και αδυναμία μου να κρίνω ιατρικές πράξεις. Αυτό που εγώ έβλεπα και ζούσα καθημερινά ήταν μια διαρκής, συγκινητική μάχη των γιατρών να τον σώσουν και μάλιστα κάτω απ' τις αντίξοες και ορισμένες φορές απάνθρωπες συνθήκες που διαμόρφωναν η συνεχής πίεση και το πολιτικό παρασκήνιο.

Ασφαλώς σε όλο αυτό το διάστημα αντιπαραθέσεις μεταξύ των γιατρών υπήρξαν και αυτές οι διαφορετικές εκτιμήσεις προκαλούσαν κάποια καθυστέρηση στη λήψη ορισμένων αποφάσεων, αλλά δεν είμαι σε θέση να κρίνω αν και πόσο αυτό επηρέασε την κατάσταση της υγείας του Ανδρέα. *Δεν μπορώ, δε μου επιτρέπεται να γίνω κριτής επιστημόνων.*

Σχετικά με την τραχειοστομία, ασκήθηκε και σε μένα κριτική ότι αντιδρούσα και έτσι καθυστέρησε να γίνει. Δεν είναι έτσι και δεν είναι ο μοναδικός μύθος που κατασκευάστηκε στο Ωνάσειο, τότε που δοκιμάστηκε σκληρά η εντιμότητα, η ανθρωπιά και η δεοντολογία. Η αλήθεια είναι πως, γνωρίζοντας την ψυχοσύνθεση του Ανδρέα, ήξερα πως η τραχειοστομία θα του προκαλούσε ψυχολογική επιβάρυνση, θα τον πλήγωνε, θα του δημιουργούσε την αίσθηση της πλήρους αδυναμίας. Γνώριζα ότι συναισθηματικά ε-πιθυμούσε να το αποφύγει και αυτό ακριβώς μετέφερα στους για-τρούς, με την παράκληση αν είναι δυνατό να εξαντληθούν όλα τα περιθώρια, πριν φτάσουμε σ' αυτό το σημείο. Όταν μου εξήγη-σαν πως είναι αναγκαίο, δεν προέβαλα την παραμικρή αντίρρη-ση και πολύ περισσότερο δεν προέβαλα κανένα βέτο.

Είναι άλλωστε δυνατό να πιστέψει κανείς στα σοβαρά ότι μια μεγάλη ομάδα διακεκριμένων και διεθνούς φήμης επιστημόνων, που είχαν την ευθύνη για τη ζωή του πρωθυπουργού της χώρας, θα επηρεαζόταν από μένα στις αποφάσεις της για κάθε της κίνη-ση; Ήταν δυνατό ξένοι γιατροί που ήρθαν, όπως ο Μαρίνι, ο Ρο-λαντέλι, να υπολόγιζαν τυχόν δικές μου αντιδράσεις στις επιλογές τους;

Βεβαίως η παρουσία πολλών γιατρών, που ορισμένες φορές είχαν διαφορετικές απόψεις, δημιουργούσε κάποια προβλήματα. Αλλά δε γνωρίζω αν μπορούσε να γίνει κάτι διαφορετικό. Δεν ε-πρόκειτο για ένα συνηθισμένο ασθενή, αλλά για τον πρωθυπουρ-γό. Έξω απ' την εντατική βρισκόταν σε εξέλιξη ένα ασύλληπτης έκτασης πολιτικό παιχνίδι. Ο Δημ. Κρεμαστινός, στη μέγκενη των διαρκών πιέσεων και των ποικίλων σκοπιμοτήτων, αρνήθηκε να πάρει μόνος του την ευθύνη για ό,τι συνέβαινε, όπως έκανε πα-λιότερα, και αυτό το κατανοώ. Το παιχνίδι δεν ήταν δυστυχώς μό-νο ιατρικό. Συνετέλεσε και αυτή η βεβαιότητά μου στο να στα-ματήσω κάποια στιγμή να πηγαίνω στα ιατρικά συμβούλια.

Ζήτησα απλά και μόνο, και όφειλα να το κάνω αυτό απέναντι στον Ανδρέα, τα κριτήρια της αντιμετώπισής του να παραμείνουν αποκλειστικά ιατρικά. Και οφείλω να καταθέσω πως αυτό απ' τη μεριά των γιατρών δεν άλλαξε.

Αυτές ήταν οι περιβόητες «παρεμβάσεις» μου, για τις οποίες ε-πικρίθηκα και σταυρώθηκα από κάποιους, που σε μια εκπληκτι-κή ένδειξη λεβεντιάς επέλεξαν αυτή την περίοδο για να ξεκαθα-ρίσουν τους λογαριασμούς τους μαζί μου.

Είχαν φτάσει στο σημείο κάποιοι να πιέζουν τους γιατρούς να βγάλουν γνωμάτευση ότι ο Ανδρέας έχει πάψει να λειτουργεί πνευ-ματικά, προκειμένου να κάνουν το πολιτικό τους παιχνίδι. Έχο-ντας φτάσει στο σημείο αυτό του βιβλίου, που αναφέρεται στην οδύσσεια του Ωνασείου, προσπαθώ να μην επιτρέψω στην προ-σωπική μου φόρτιση να καθοδηγήσει το μολύβι για πρόσωπα και πράγματα. Δηλώνω όμως και αδυναμία για πλήρη αποστασιο-ποίηση. Γνωρίζω πολλά για το ρόλο πολλών, θα αναφερθώ μόνο σ' αυτά που επηρέασαν τις εξελίξεις, τα άλλα, τα ευτελή, τα χα-ρίζω σ' όσους αντάλλαξαν την ανθρωπιά τους μ' ένα κομμάτι ε-ξουσίας ή επένδυσαν στα όσα συνέβαιναν για να καθιερωθούν σαν αστέρες του κιτρινισμού.

Γνωρίζω καλά τις συναντήσεις που γίνονταν σε παραλιακή βί-λα της περιοχής του Σουνίου, για καθημερινή πολιτική - ιατρική ψηλάφηση των δεδομένων, ποιοι συμμετείχαν και σχεδίαζαν κι-νήσεις.

Γνωρίζω πολλά απ' το παρασκήνιο, που είχε στόχο το πολιτι-κό τέλος του Α. Παπανδρέου δίχως ίχνος ανθρωπιάς και σεβα-σμού. Και ξέρω πως ορισμένοι (λίγοι ευτυχώς) που επισκέπτονταν το Ωνάσειο λειτουργούσαν το λιγότερο υποκριτικά. Ο Αντ. Λιβά-νης και ο Γ. Παναγιωτακόπουλος γνωρίζουν πολλά, περισσότερα από μένα.

Εδώ έφτασε στο σημείο επιφανέστατο στέλεχος, σε συνάντη-ση που είχε με άλλο κυβερνητικό στέλεχος, να προτείνει να γίνει η κηδεία του Ανδρέα (περίμεναν ότι θα πεθάνει την παραμονή των Χριστουγέννων) μετά την εκλογή του νέου πρωθυπουργού! Φο-βόταν ότι θα αποδοκιμαζόταν στην κηδεία και αυτό θα επηρέα-ζε τους βουλευτές, αν ψήφιζαν μετά...

Ένα άλλο πρόβλημα ήταν ο τρόπος με τον οποίο αντιμετωπίζονταν οι ξένοι γιατροί που έρχονταν. Οι Έλληνες γιατροί, που έδιναν την καθημερινή μάχη για τη ζωή του Ανδρέα, ένιωθαν, με την έλευση των γιατρών απ' το εξωτερικό, ότι παραμερίζονται, ότι υποβαθμίζεται η δουλειά τους, ότι υποτιμούνται οι ικανότητές τους.

Αυτό ανθρώπινα το κατανοώ. Απ' την άλλη μεριά όμως είναι επίσης ανθρώπινο οι συγγενείς του ασθενή, και μάλιστα σε στιγμές απελπισίας, να αναζητούν για τον άνθρωπό τους ό,τι κατά τη γνώμη τους θα μπορούσε να δώσει μια ελπίδα, μια χαραμάδα αισιοδοξίας, μια ανάσα. Αυτό και μόνο το νόημα είχε η μετάκληση ορισμένων γιατρών απ' το εξωτερικό· σε καμιά περίπτωση δεν αμφισβητήθηκαν οι ικανότητες των Ελλήνων γιατρών.

Σε κάποιες περιπτώσεις πάντως αντιμετωπίστηκαν με καχυποψία, δυσφορία και αδιαφορία. Για παράδειγμα, όταν ήρθε ο *Ρολάντο Ρολαντέλι*, επί δύο μέρες παρέμενε άπρακτος στο νοσοκομείο, δεν ασχολήθηκε κανείς μαζί του και αναγκάστηκε να φύγει. Αφού είχε πια φύγει, μου λέει ο *Δημ. Κρεμαστινός*: «Τον χρειαζόμαστε». Τον ξανακαλέσαμε και ο άνθρωπος, με καλή διάθεση και παρά τη μεταχείριση που είχε υποστεί, επέστρεψε σε μια εβδομάδα περίπου. Και τα αποτελέσματα της μεθόδου που χρησιμοποίησε, της παρεντερικής σίτισης, ήταν θεαματικά. Με το σύστημα αυτό ο Ανδρέας, που, όπως έχω αναφέρει, αντιμετώπιζε τεράστιο πρόβλημα με την ανορεξία και είχε αδυνατίσει φοβερά, πήρε δεκατέσσερα κιλά και αυτό βοήθησε πολύ να βγει απ' το Ωνάσειο ζωντανός.

Με δυσφορία αντιμετωπίστηκε και η έλευση του Μ. Γιακούμπ, τον οποίο παρακαλέσαμε να έρθει τόσο εγώ όσο και τα παιδιά του Ανδρέα. Πέραν της αναμφισβήτητης επιστημονικής του αξίας, γνωρίζαμε ότι ο Γιακούμπ θα βοηθούσε και ψυχολογικά τον Ανδρέα, ο οποίος τον έβλεπε σαν σωτήρα του και του είχε απεριόριστη εμπιστοσύνη. Και πέραν της δυσφορίας που προκάλεσε η πρόσκλησή του, τότε υπήρξε και μια διαμάχη, αν δηλαδή θα έπρεπε να φέρει ή όχι ένα πειραματικό φάρμακο για τα νεφρά. Αλλά η έλευση του Μ. Γιακούμπ είχε και άλλες παρενέργειες, θα 'λεγα μάλιστα ότι προκάλεσε και σεισμικές δονήσεις. Ο Γιακούμπ, αφού εξέτασε τον Ανδρέα, εξέφρασε σαφώς την εκτίμηση ότι *η κατάστασή του είναι αντιστρέψιμη και ότι σ' αυτό ακριβώς πρέπει να δοθεί προτεραιότητα.* Αυτό το δήλωσε και στο ιατρικό συμβούλιο και σε άλλες συζητήσεις που είχε με γιατρούς. Ήμουν παρούσα στις συζητήσεις αυτές. Είδα ότι ορισμένοι γιατροί διαφώνησαν με την εκτίμησή του. *Αλλά πάντως η άποψή του ήταν αυτή,* τη μεταφέρω υπεύθυνα, χωρίς να είμαι σε θέση φυσικά να την κρίνω. Και όμως, σε ορισμένες εφημερίδες γράφτηκε το εντελώς αντίθετο! Αλλά, πέραν της παραπληροφόρησης, η εκτίμηση αυτή του Μ. Γιακούμπ είχε και *πολιτικές παρενέργειες.*

Κάποιοι έβλεπαν ότι οι ελπίδες που έδινε ανέτρεπαν το σκηνικό που είχαν κατασκευάσει και άρχισαν αγωνιώδεις απόπειρες είτε να διαψευστεί η άποψή του είτε να περάσει η εικόνα ότι έκανε μια γνωμάτευση που δεν είχε καμιά σχέση με την πραγματικότητα! Μέσα δηλαδή στο χοντρό πολιτικό παιχνίδι εκείνης της περιόδου ενεπλάκη και ο διάσημος καρδιοχειρούργος και κινδύνεψε να βγει άχρηστος!

Οφείλω σ' αυτό το σημείο να αναγνωρίσω και να καταθέσω ότι τα παιδιά του Ανδρέα είχαν καθοριστική συμμετοχή και συμβολή στις μετακλήσεις γιατρών απ' το εξωτερικό. Κατέβαλαν κάθε προσπάθεια προκειμένου να γίνει ό,τι καλύτερο για τον πατέρα τους και έζησαν τη δική τους αγωνία για τη μεγάλη μάχη που έδινε ο Ανδρέας.

Η μάχη φαινόταν άνιση, αλλά την έδινε με τη μεγαλοσύνη που πάντα τον διέκρινε και τον έβγαζε νικητή. Κωπηλατούσε συνεχώς απ' τη μια όχθη, του θανάτου, στην άλλη, της ζωής, με ένα πάθος για τη ζωή που συγκλόνιζε. Παρακολουθούσαμε, ζούσαμε *τα νεύματα ζωής που έκανε,* την υπεράνθρωπη προσπάθεια που κατέβαλε ξεπερνώντας κάθε ανθρώπινο όριο και αισθανόμασταν μέλη του χορού μιας τραγωδίας, με το μεγάλο πρωταγωνιστή να δίνει την ύστατη μάχη, την έσχατη αναμέτρηση, στα σύνορα του μύθου και της πραγματικότητας.

Τα άλλα σύνορα, του θανάτου και της ζωής, κανείς δεν ξέρει πόσες φορές τα διάβηκε. Μόνο ο ίδιος, που συνέχιζε να αντιμετωπίζει τα πάντα με το θάρρος, τη θέληση και τη στωικότητα που αυτός είχε.

Διέψευδε συνεχώς όλες τις προβλέψεις, κέρδιζε μάχες που φαίνονταν χαμένες. Ως τα Χριστούγεννα η μια λοίμωξη διαδεχόταν την άλλη, εκτός απ' τα προβλήματα στους πνεύμονες, στα νεφρά. Η καρδιά άντεχε, αν και ραγισμένη έδινε καθημερινά μάχες και κέρδιζε νίκες.

Ακόμα και τις μέρες που δεν μπορούσε να μιλήσει, είχε το δικό του κώδικα επικοινωνίας, με τον οποίο έλεγε πολλά.

Απ' τις πιο συγκινητικές στιγμές ήταν η συνάντησή του με τον Πρόεδρο της Δημοκρατίας. Ο Κ. Στεφανόπουλος είχε επιστρέψει από ένα ταξίδι στο εξωτερικό με τον Κάρ. Παπούλια και είχαν έρθει στο Ωνάσειο. Εκείνη την ώρα ήμουν μαζί του, με ήθελε πάντοτε δίπλα του, και του λέω: «Θα λείψω για λίγο, πρέπει να δω τον Πρόεδρο με τον Κάρολο». Μου έγνεψε καταφατικά. Όταν ήμουν με τον Πρόεδρο, έρχεται μια νοσοκόμα και μου λέει: «Ο πρόεδρος θέλει να δει τον Πρόεδρο της Δημοκρατίας, μας έγραψε σημείωμα και το ζητάει».

Τα μάτια του έβγαζαν μεγάλη συγκίνηση, όταν είδε τον Κ. Στεφανόπουλο. Άλλαξε αμέσως, έβαλε τα γυαλιά του, σήκωσε λίγο το κρεβάτι του. Δεν μπορούσε να μιλήσει και μιλούσε με νοήματα, αλλά έλαμπε από ικανοποίηση γι' αυτή την επικοινωνία.

Ήθελε, ακόμα και κείνες τις στιγμές, να είναι πολιτικός. Και αυτό του έδινε ανάταση, ζωή. Και μου έδινε και μένα κουράγιο για τη δική μου μάχη. Ήταν αυτό το ντοπάρισμα που χρειαζόμουν για να πιστέψω ότι ο Ανδρέας θα βγει ζωντανός απ' το Ωνάσειο. Το πίστεψα. Έτσι βρήκα το θάρρος για να πω στο ιατρικό συμβούλιο:

«Δεν ξέρω τι λέτε εσείς, αλλά ο Παπανδρέου απ' το νοσοκομείο θα βγει ζωντανός».

Το ήξερα πως όταν έλεγα αυτά τα λόγια φαινόμουν γραφική στους γιατρούς. Αλλά το πίστευα, το ένιωθα έντονα αυτό το συναίσθημα. Και οφείλω να πω ότι οι γιατροί με αντιμετώπισαν με κατανόηση. Ανάμεσά τους ξεχωρίζω δύο, των οποίων η αγάπη, η ευγένεια με συγκίνησαν ιδιαίτερα, τους κ.κ. *Σκαλκέα* και *Γολεμάτη*.

Αυτή η όμορφη, δική μας επικοινωνία με τα *σημειώματα*, που είχε αρχίσει στο Χέρφιλντ και συνεχίστηκε σε διάφορες γιορτές και επετείους, συνεχίστηκε και στο Ωνάσειο. Και εκεί μου έγραψε σημειώματα, με λίγες λέξεις, με το τρεμάμενο και πληγωμένο απ' τους ορούς χέρι του. Έβρισκε τη δύναμη και μου εξέφραζε την αγάπη του, αλλά, το σημαντικότερο και εκεί, στις τραγικές ώρες που περνούσε, έβρισκε τη δύναμη και συνέχιζε να μου δίνει υποσχέσεις ζωής.

Το πιο ακριβό και πολύτιμο σημείωμα που μου έγραψε είχε δύο λέξεις: «ΘΑ ΖΗΣΩ».

Εμείς οι δυο, που κάποιες στιγμές μόνο δεν ήμασταν μαζί σ' αυτές τις εκατόν είκοσι τρεις μέρες και νύχτες, το ξέραμε ότι θα ζήσει, το νιώθαμε. Εγώ το έλεγα σε όλους, ακόμα και σε στιγμές που φαινόμουν γραφική ή τρελή. Και δεν ήθελα ν' ακούσω το αντίθετο, το απωθούσα, αντιδρούσα βίαια, έμοιαζα να είμαι σ' έναν άλλο κόσμο.

Αυτή ήταν η αντίδρασή μου και όταν, λίγες μέρες πριν απ' τα Χριστούγεννα, όταν για τους άλλους όλα φαίνονταν χαμένα, ο Γ. Λιάνης ήρθε στο δωματιάκι που έμενα για να μου κάνει μια εκπληκτική πρόταση, την οποία μου παρουσίασε σαν δική του ιδέα. Μου λέει:

«Δήμητρα, δυστυχώς οι γιατροί λένε πως ως την Παρασκευή (ήταν Τρίτη η μέρα της επίσκεψης) ο πρόεδρος τελειώνει, είναι αναπόφευκτο. Πάρε λοιπόν πρωτοβουλία να έχεις εσύ την υπογραφή της παραίτησής του και όλοι θα σου το αναγνωρίσουν, θα σου χρησιμεύσει στο μέλλον για να παίξεις πολιτικό ρόλο».

Τον έδιωξα, ομολογώ, κακήν κακώς απ' το δωμάτιο, λέγοντάς του με όλη τη δύναμη της φωνής μου:

«Έξω, ο Παπανδρέου θα ζήσει και θα βγει απ' το νοσοκομείο και αυτό μάθε το και συ και όσοι άλλοι λένε τα ίδια».

Δεν επέτρεπα σε κανέναν να μου κλονίσει αυτή την πίστη, να μου γκρεμίσει αυτό το οικοδόμημα που είχα κατασκευάσει.

Το παρασκήνιο των συναλλαγών

Είναι αλήθεια πως όλη εκείνη την περίοδο ήταν πολλοί αυτοί που άμεσα ή έμμεσα μου πρότειναν να καταφέρω να πείσω τον Ανδρέα να παραιτηθεί και στη συνέχεια να κάνω πολιτική επένδυση πάνω σ' αυτή την «επιτυχία» μου.

Ορισμένοι στη συνέχεια με απέρριψαν με το χειρότερο τρόπο και μετά την παραίτηση του Ανδρέα, πολύ περισσότερο μετά το θάνατό του, με αγνοούν εντελώς. Και εννοώ ότι με αγνοούν ως άνθρωπο, ως επιλογή και ως σύζυγο του Ανδρέα, παρά την επιθυμία που ο ίδιος έχει εκφράσει στη διαθήκη του.

Δε θα ήθελα ποτέ να με αντιμετωπίσουν ως τον άνθρωπο που στάθηκα στον αρχηγό τους και που, όπως ο ίδιος έγραψε στη διαθήκη του, του έσωσα τη ζωή. Όχι. Αυτή ήταν μια αποκλειστικά δική μου επιλογή και το μόνο που δε μου πέρασε απ' το μυαλό ήταν η σκέψη ότι κάποτε θα την εξαργυρώσω.

Αλλά δεν αντέχω και την τόση υποκρισία, από λίγους ευτυχώς, που, κατά τα άλλα, είναι πολιτικά παιδιά του Α. Παπανδρέου. Θεωρώ πιο έντιμη τη στάση όσων μου ασκούσαν καλόπιστη, έστω και σκληρή, κριτική όταν ο Ανδρέας ζούσε και ήταν πρόεδρος του ΠΑΣΟΚ και πρωθυπουργός.

Δε θεωρώ έντιμη τη συμπεριφορά αυτών που τότε μου αναγνώριζαν de facto πολιτικό ρόλο και σήμερα με αγνοούν ως άνθρωπο και ως τελευταία σύζυγο του Α. Παπανδρέου.

Στο μεταξύ βέβαια και ενώ εγώ δεχόμουν προτάσεις να παίξω ένα ρόλο «Εβίτας», μια σειρά από ΜΜΕ με κατηγορούσαν ότι με τη στάση μου γίνομαι *εμπόδιο και τροχοπέδη στις εξελίξεις*. Είναι ασύλληπτης έκτασης και ποιότητας τα μυθεύματα που είδαν το φως της δημοσιότητας σε κείμενα και ρεπορτάζ των ημερών εκείνων. Και συγνώμη για την έκφραση *«Εβίτα»*, αλλά δεν είναι δική μου. Είναι έκφραση που χρησιμοποίησε γνωστό στέλεχος του ΠΑΣΟΚ, που κατέχει σήμερα καίρια θέση, προκειμένου να με πείσει να είμαι εγώ που θα πάρω την υπογραφή παραίτησης του Α. Παπανδρέου. Είναι ένας απ' αυτούς που σήμερα δε βγαίνουν ούτε στο τηλέφωνο...

Αναγνωρίζω πως ορισμένοι ήρθαν καλόπιστα και μου πρότειναν να παίξω ρόλο στο να πειστεί ο Ανδρέας να παραιτηθεί και δε βλέπω σκοπιμότητες στη συμπεριφορά τους αυτή. Πείστηκαν οι ίδιοι κάποια στιγμή πως δεν υπήρχε άλλη λύση και, επειδή γνώριζαν τη μεγάλη αγάπη και εμπιστοσύνη που μου είχε ο Ανδρέας, κατανόησαν ότι αυτός που μπορούσε να τον επηρεάσει καθοριστικά χωρίς να τον πληγώσει ανεπανόρθωτα ήμουν εγώ. Και γι' αυτό διακριτικά και με αγάπη μού το πρότειναν.

Αλλά, όπως και παραπάνω ανέφερα, στους πολλούς που μου έκαναν τέτοιες προτάσεις υπήρχαν και αυτοί που είχαν σκοπιμότητες και το απέδειξε αυτό η μετέπειτα στάση ζωής τους.

Εγώ, μέχρι τις πρώτες μέρες του '96, αρνιόμουν να ενταχθώ σ' ένα τέτοιο παχνίδι, που ορισμένες φορές έπαιρνε το χαρακτήρα συναλλαγής. Έχω αναφερθεί και θα αναφερθώ και στη συνέχεια, για παράδειγμα, στην πρόταση που ήρθε και μου έκανε ο Κ. Σκανδαλίδης.

Υπήρχαν και άλλες τέτοιες προτάσεις. Αν δεχόμουν κάποια απ' αυτές, ίσως σήμερα να είχα διαφορετική μεταχείριση απ' αυτούς που προσέτρεχαν τότε σε μένα ζητώντας μου την παραίτηση του Ανδρέα.

Ως τα *Χριστούγεννα* η κατηγορηματική άρνησή μου είχε σαν βάση ότι δεν αποδεχόμουν σε καμιά περίπτωση το ενδεχόμενο να φύγει ο Ανδρέας. Εγώ πίστευα ότι θα ζήσει και δε με ενδιέφερε τι έλεγαν ή τι πίστευαν οι άλλοι. Είχα αφιερωθεί αποκλειστικά στη μεγάλη μάχη που έδινε. Ούτε μου περνούσε καν απ' το νου ν' ασχοληθώ με κάτι άλλο. Δεν ήθελα, το θεωρούσα ιεροσυλία, απάνθρωπο.

Βέβαια έξω απ' την εντατική, στη Χαριλάου Τρικούπη, στους διαδρόμους του Ωνασείου, το παρασκήνιο της διαδοχής είχε ξεκινήσει. Οι υποψήφιοι πρωθυπουργοί πραγματοποιούσαν συναντήσεις με βουλευτές, ενώ έκαναν και μεταξύ τους επαφές. Άλλα πρωταγωνιστικά στελέχη, όπως ο Κ. Λαλιώτης και ο Κ. Σκανδαλίδης, αναλάμβαναν πρωτοβουλίες για να ρυθμιστούν οι όροι του παιχνιδιού και να καθοριστούν οι διαδικασίες της διαδοχής. Το

ΕΓ συνεδρίαζε συνεχώς με ακριβώς αυτό το θέμα. Πολλές προτάσεις συζητούνταν, ενώ οι συνταγματολόγοι έκαναν τις εισηγήσεις τους. Όλο το κλίμα είχε διαμορφωθεί σ' αυτή ακριβώς την κατεύθυνση, η αντικατάσταση του Παπανδρέου ήταν δεδομένη για τους πάντες και απλά αναζητούνταν *το πώς και το πότε.*

Εγώ, όπως είπα, απείχα συνειδητά, όχι γιατί ήθελα να είμαι εμπόδιο στις εξελίξεις, αλλά γιατί δε με ενδιέφερε τίποτ' άλλο εκτός από τη μάχη του Ανδρέα.

Μετά τα Χριστούγεννα, όταν η μάχη της ζωής είχε κερδηθεί, η άποψή μου ήταν η εξής: ο Ανδρέας μπορεί και πρέπει να αποφασίσει μόνος του. Οποιαδήποτε άλλη προσπάθεια για να του επιβληθεί ή να του υποβληθεί απόφαση για παραίτηση θα τον σκοτώσει. Έχει το δικαίωμα να αποφασίσει μόνος του. Οποιαδήποτε απόφαση πάρει θα πρέπει να είναι σεβαστή. Σε καμιά περίπτωση πάντως δεν μπορούμε να του στερήσουμε το δικαίωμα της απόφασης.

Εγώ πίστευα πως έλεγα τα αυτονόητα και ότι οι μετέπειτα εξελίξεις με δικαίωσαν. Μπορεί να κάνω και λάθος, αλλά ανθρώπινα αυτό πίστευα και έτσι αντιδρούσα.

Δεν είχε κανένα άλλο κριτήριο ή σκοπιμότητα η στάση μου, όπως με κατηγόρησαν. Αυτοί που με χαρακτήρισαν τροχοπέδη στις εξελίξεις καμώνονται πως αγνοούν ότι, αν ήθελα να μπω με τον έναν ή τον άλλο τρόπο στο πολιτικό παιχνίδι, δεν είχα παρά να δεχτώ κάποια απ' τις προτάσεις που μου έκαναν τότε διάφορα στελέχη και να διαπραγματευτώ το μέλλον μου.

Το «θαύμα»

Είχα επιλέξει ότι θα βαδίσω μαζί με τον Ανδρέα, όποια απόφαση κι αν έπαιρνε. Και αυτό έκανα. *Αλλά ήθελα να είναι δική του η απόφαση.* Είχα δηλώσει τότε πως «αυτό που με ενδιαφέρει μόνο είναι να γίνει καλά ο άνθρωπός μου». Και αυτό πίστευα.

Το διάστημα απ' τις 21 ως τις 25 Δεκεμβρίου, οι πέντε αυτές μέρες

461

και νύχτες, *ήταν οι κρισιμότερες* στη μεγάλη μάχη που έδινε ο Ανδρέας.

Οι λοιμώξεις διαδέχονταν η μία την άλλη και επηρέαζαν τη λειτουργία ζωτικών οργάνων, ο οργανισμός του δεν είχε πλέον αντιστάσεις, το ανοσοποιητικό σύστημα ουσιαστικά δε λειτουργούσε, ο κίνδυνος σηψαιμίας ήταν άμεσος, ο θάνατος ήταν προ των πυλών. Και οι γιατροί, πράγματι, είχαν πιστέψει πως πλέον η μάχη ήταν άνιση και οι πιθανότητες να κερδηθεί από ελάχιστες έως μηδαμινές. Δεν προλάβαιναν να αντιμετωπίσουν το ένα μικρόβιο και κάποιο άλλο ερχόταν να προσβάλει έναν οργανισμό εξασθενημένο και δίχως αντιστάσεις. Οι ελπίδες λιγόστευαν, περιορίζονταν απελπιστικά, μέχρι που πια δεν υπήρχαν.

Ο Δημ. Κρεμαστινός και οι άλλοι γιατροί άρχισαν να προετοιμάζουν τους ανθρώπους του Ανδρέα και τα στελέχη του ΠΑΣΟΚ για τη μοιραία στιγμή. Ενημέρωσαν τα παιδιά του, τον Αντ. Λιβάνη, τον Γ. Παναγιωτακόπουλο, τον Π. Λάμπρου, τον Τηλ. Χυτήρη, τον Ν. Αθανασάκη, τον Ά. Τσοχατζόπουλο, τον Απ. Κακλαμάνη, τον Κ. Λαλιώτη και άλλα στελέχη της κυβέρνησης και του κόμματος για την πραγματική κατάσταση και για το θάνατο που έρχεται.

Η μυρωδιά του θανάτου –κάθε μέρα έτσι κι αλλιώς έντονη στην εντατική– τώρα πλησίαζε το δικό μας άνθρωπο. Ο ηγέτης έφευγε, η μάχη φαινόταν χαμένη.

Εμένα δε με ενημέρωσαν. Τους είχα πει καθαρά πως αρνιόμουν να ακούσω ένα τέτοιο ενδεχόμενο. Είχα κλειστεί στο δικό μου κόσμο. Τις νύχτες τον άγγιζα, του χάιδευα το χέρι και το κεφάλι και του ψιθύριζα: *«Θα ζήσεις, το ξέρω, θα τους διαψεύσεις άλλη μια φορά».* Ήταν διαρκώς σε καταστολή, αλλά πίστευα πως με κάποιο τρόπο με άκουγε. *Είχα χάσει την αίσθηση και του πόνου και του φόβου,* λειτουργούσα πλέον εκείνες τις στιγμές λες και με είχε καταλάβει μια περίεργη ανοσία για όσα συνέβαιναν γύρω μου. Τα όρια της αντοχής μου είχαν χαθεί. Εκ των υστέρων διαπίστωσα ότι ποτέ κανείς με βεβαιότητα δεν μπορεί να προσδιορίσει τα όρια της αντοχής του και ότι έρχονται στιγμές που ανακαλύπτει ότι έχει απόθεμα δυνάμεων που ποτέ δεν το φανταζόταν. Φαίνεται πως μ' αυτό το απόθεμα δυνάμεων λειτουργούσα τότε.

Έβλεπα τον Γ. Παναγιωτακόπουλο να κλαίει, τα άλλα παιδιά των κινητοποιήσεων με τσακισμένα πρόσωπα, το «σκληρό» Ν. Α-θανασάκη να μην μπορεί να κρατήσει τα δάκρυά του και δεν έ-μπαινα καν στη δοκιμασία να σκεφτώ «γιατί» όλα αυτά, λες και αφορούσαν ένα άλλο γεγονός, μακριά από μένα.

Ο Ανδρέας όμως δεν είχε πει ακόμα την τελευταία του λέξη. Το θαύμα έγινε. Έκανε για άλλη μια φορά τη δική του *επιστροφή* απ' το θάνατο στη ζωή, εκπλήσσοντας ξανά τους πάντες. Μια γνώριμη διαδρομή γι' αυτόν, ένα ανέλπιστο θαύμα για τους άλλους.

Προπαραμονή Χριστουγέννων και ο Δημ. Κρεμαστινός απελπισμένος ειδοποιεί τους Λιβάνη, Παναγιωτακόπουλο, Αθανασάκη, Χυτήρη ότι *«φαίνεται πως ο θάνατος είναι πλέον θέμα των επόμενων ωρών, ίσως ως το πρωί»*. Ο οργανισμός του δεν αντιδρούσε πια σε καμιά αντιβίωση και οι λοιμώξεις χωρίς καμιά αντίσταση τον ο-δηγούσαν στη μοιραία στιγμή. Άρχισαν να ειδοποιούνται και τα άλλα κομματικά και κυβερνητικά στελέχη.

Γύρω στα μεσάνυχτα ο Δημ. Κρεμαστινός κάνει την ύστατη προσπάθεια δοκιμάζοντας για άλλη μια φορά ένα νέο συνδυασμό αντιβιοτικών. Κάθε φορά που ένα νέο μικρόβιο εμφανιζόταν στον οργανισμό του Ανδρέα, μόλις ανιχνευόταν και γινόταν η «ταυτοποίηση» του, δινόταν το κατάλληλο φάρμακο για την καταπολέμησή του. Όμως τις τελευταίες μέρες δινόταν συνδυασμός φαρμάκων, αφού τα μικρόβια ήταν αρκετά και οι ανύπαρκτες αντιστάσεις έφερναν διαρκώς και άλλα. Όπως είπε αργότερα ο Δημ. Κρεμαστινός, κατέβαλε αυτή την ύστατη προσπάθεια χωρίς ουσιαστικές ελπίδες. *Όμως όσοι ήμασταν κοντά του εκεί γύρω στις 4 το πρωί διαπιστώσαμε πως ο οργανισμός άρχισε να αντιδρά!* Οι γιατροί έκπληκτοι δεν πίστευαν στα μάτια τους, έβλεπαν τον Ανδρέα, αντί να ακολουθεί την αναπόφευκτη πορεία προς το τέλος, να επιστρέφει στη ζωή. *Ήταν ξανά ο Ανδρέας...*

Ο Δημ. Κρεμαστινός, συγκινημένος, μας είπε πως «προς το παρόν ο άμεσος κίνδυνος απεφεύχθη, αλλά δεν έχει εκλείψει, η κατάσταση παραμένει πολύ δύσκολη».

Πήγα στο δωματιάκι που έμενα, έμεινα για λίγες στιγμές μόνη. Έκλαψα και προσευχήθηκα σ' αυτή την εικόνα της Παναγίας που είχα φέρει μαζί μου στο Ωνάσειο απ' την πρώτη μέρα. Δεν είχα το κουράγιο ούτε να σκεφτώ ούτε να κάνω τίποτ' άλλο, μόνο έλεγα: «Θα ζήσει, έζησε».

Πήγα ξανά κοντά του. Μετά από μέρες κοιμόταν σχετικά ήρεμος. Του είπα: «Εσύ κι εγώ ξέραμε ότι θα ζήσεις, σ' ευχαριστώ που κράτησες την υπόσχεσή σου, μου το είχες γράψει στο χαρτί και κράτησες το λόγο σου».

Κατά τις 7 το πρωί έπεσα αποκαμωμένη για ύπνο. Ξύπνησα απ' τα κάλαντα που μετέδιδαν τα μεγάφωνα του νοσοκομείου. Είχε ξημερώσει μια άλλη, όμορφη και αισιόδοξη μέρα, η πρώτη διαφορετική μετά από πάνω από ένα μήνα στην εντατική.

Πέρασαν και παρέες μικρών παιδιών και είπαν τα κάλαντα. Μέσα σ' αυτή την ατμόσφαιρα συνέβη το περιστατικό που ο αγαπημένος του *Γ. Παναγιωτακόπουλος* θυμάται πάντα με συγκίνηση. Ο Γιώργος, που είχε ξενυχτήσει μαζί μας και, όταν οι γιατροί μίλησαν για το θαύμα της επιστροφής του Ανδρέα, έκλαψε σαν μικρό παιδί από χαρά και αργότερα πήγε στο σπίτι του για να κάνει ένα μπάνιο, επιστρέφει το πρωί στο νοσοκομείο και γεμάτος συγκίνηση σπάει το «εμπάργκο», μπαίνει στο δωμάτιο του Ανδρέα και του λέει:

«Χρόνια πολλά, πρόεδρε, να σας πω τα κάλαντα;»

Ο Γιώργος συνήθιζε μαζί με τα παιδιά των κινητοποιήσεων κάθε χρόνο να του λένε τα κάλαντα· ήθελε να κρατήσει το έθιμο, μετά μάλιστα από όσα είχαν προηγηθεί. Και ακούει έκπληκτος τον Ανδρέα να του απαντά με προσπάθεια:

«Μου τα είπαν...»

Και προσθέτει με κόπο:

«Και να πεις σ' όλους τους νέους χρόνια πολλά...»

Ο Γιώργος δεν ήξερε ότι είχαν περάσει παιδιά και είχαν πει τα κάλαντα. Έτσι, όταν άκουσε τον πρόεδρο να του λέει αυτά, νόμισε πως το μυαλό του δε λειτουργεί, ότι ζει στον κόσμο του. Βγήκε στενοχωρημένος απ' το δωμάτιο της εντατικής. Μόλις του είπαμε ότι πράγματι ο Ανδρέας είχε ακούσει τα κάλαντα, δεν κρατήθηκε. Γύρισε πίσω και του τα είπε κι αυτός...

Ο Γιώργος Παναγιωτακόπουλος και όλα τα παιδιά των κινητοποιήσεων ήταν μια συγκλονιστική παρουσία στο Ωνάσειο και τα εκατόν είκοσι τρία μερόνυχτα. Στάθηκαν ακοίμητοι φρουροί και πολύτιμοι συμπαραστάτες του Ανδρέα, δεν τον εγκατέλειψαν ποτέ, ακόμα κι όταν οι άλλοι άρχισαν να αραιώνουν... Έκαναν το Ωνάσειο σπίτι τους για μήνες. Συγκινήθηκαν, έκλαψαν και γέλασαν μαζί μας. Παρακολούθησαν από κοντά την τραγική πορεία του προέδρου και μοιράστηκαν μαζί του όλα τα συναισθήματα εκείνων των ημερών.

Εγώ δε θα ξεχάσω ποτέ τον Γιώργο να κοιμάται, τις πρώτες μέρες, σε μια καρέκλα και να υποφέρει από κολικό του νεφρού. Πάνω απ' τον εαυτό του, πάνω από καθετί άλλο, έβαζε τον «πρόεδρο», ήταν γι' αυτόν ο πατέρας του. Η αγνότητα των συναισθημάτων του δεν αμφισβητείται. Με μια λέξη, τον αγαπούσε τον Ανδρέα. Και είναι απ' τους λίγους που δεν το έλεγε μόνο. Αυτός το πίστευε, το ζούσε...

Ο κίνδυνος βέβαια δεν είχε ξεπεραστεί, παρά την επιστροφή του στη ζωή. Οι ώρες παρέμεναν κρίσιμες και οι πιθανότητες μιας νέας υποτροπής ήταν ακόμα αρκετές. Όμως για πρώτη φορά υπήρχε ελπίδα. Και αυτό ήταν σημαντικό. Η παραμονή των Χριστουγέννων ήταν επίσης μια δύσκολη νύχτα. Όμως ο Ανδρέας, ο «καπετάνιος», ξεπέρασε και αυτό τον κάβο.

Τα Χριστούγεννα ήταν μια ακόμα καλύτερη μέρα, που έφερε νέες ελπίδες. Γύρω στις 8 το πρωί έρχεται στο δωμάτιο μια νοσοκόμα και μου λέει: «Σας ζητάει ο πρόεδρος».

Πήγα κοντά του, ήταν αδύναμος, καταβεβλημένος, αλλά έλαμπε. Μου είπε «χρόνια πολλά», μου χάιδεψε τα χέρια και τα μαλλιά. Μιλήσαμε, με το δικό μας τρόπο. Ήταν απ' τις πιο όμορφες δικές μας στιγμές.

Όλο αυτό το διάστημα, ο Ανδρέας αντιμετώπιζε τον πόνο και τη δοκιμασία με τόση καρτερικότητα, που είχε συγκλονίσει τους γιατρούς. Αυτός, που ήταν ένας δύσκολος ασθενής, που γενικά αντιμετώπιζε παλιότερα με δυσφορία τις διάφορες εξετάσεις που κατά καιρούς έπρεπε να γίνουν, τώρα, που είχε υποβληθεί σε μια τόσο μεγάλη ταλαιπωρία, έδειχνε μια στωικότητα πρωτόγνωρη. Πολλές φορές γιατροί και νοσηλευτικό προσωπικό, και αφού είχε προηγηθεί μια εξαντλητική σειρά εξετάσεων ή ιατρικών πράξεων, τον άκουγαν έκπληκτοι να τους λέει:

«Με συγχωρείτε που σας ταλαιπωρώ...»

Εκείνη τη μέρα, ανήμερα Χριστούγεννα, ήταν ήρεμος, ευτυχισμένος που «επικοινωνούσε» ξανά με αγαπημένα πρόσωπα ύστερα από τόσων ημερών καταστολή. Και φυσικά, τώρα που αισθανόταν λιγάκι καλύτερα, τώρα που είχε επιστρέψει στη ζωή, άρχισε πάλι να λειτουργεί... ως Ανδρέας.

Αφού μιλήσαμε για λίγο, ξαφνικά με ρωτάει:

«Πόσες μέρες βρίσκομαι εδώ μέσα;»

Του εξήγησα πόσες εβδομάδες και μέρες ήμασταν στο νοσοκομείο, οπότε γυρίζει και μου λέει:

«Εντάξει, στο σπίτι πότε θα πάμε;»

Τον κοίταξα έκπληκτη. Αυτός ο άνθρωπος, που είχε υποστεί μια απίστευτη ταλαιπωρία, που είχε αγγίξει αμέτρητες φορές τα σύνορα του θανάτου, τώρα που είχε κάπως συνέλθει, το πρώτο που ζητούσε ήταν να φύγει απ' το νοσοκομείο. Του εξήγησα ότι είναι αρκετά ακόμα που πρέπει να γίνουν και ότι δεν πρέπει να βιάζεται. Έδειξε να δυσφορεί:

«Πρέπει να πάμε στο σπίτι...»

Και αμέσως μετά άρχισε να κάνει τις πρώτες πολιτικές νύξεις! Με ρώτησε τι γίνεται έξω, πώς πάει η κυβέρνηση, το κόμμα.

Του είπα: «Όλα είναι εντάξει, μην ανησυχείς».

Αργότερα τις ίδιες ερωτήσεις επανέλαβε στον *Αντρίκο*, με τον οποίο έμεινε για αρκετή ώρα. Ήταν η πρώτη φορά μετά την είσοδό του στο Ωνάσειο που ζητούσε με τον τρόπο του πολιτική ενημέρωση. Μέχρι τότε είχε περιοριστεί σε κάποιες κουβέντες με τον Γ. Παναγιωτακόπουλο και τον Π. Λάμπρου, όταν είχε ζητήσει να τους δει τις πρώτες μέρες, καθώς και με τον Δημ. Κρεμαστινό, όταν επρόκειτο να μιλήσει στη Βουλή.

Απ' τα Χριστούγεννα και ύστερα ζητούσε συνεχώς, σε κάθε ευκαιρία, να ενημερωθεί για τις πολιτικές εξελίξεις. Και αυτό το έκανε και μέσω των γιατρών, στους οποίους πέταγε δήθεν άσχετες ερωτήσεις, με το δικό του γνωστό «παπανδρεϊκό» τρόπο.

Οι γιατροί είχαν δώσει σαφείς εντολές ότι έπρεπε σιγά σιγά, με το σταγονόμετρο κυριολεκτικά τις πρώτες μέρες μετά την α-νάνηψη, να μπαίνει στο πολιτικό κλίμα, ώστε να αποφύγει το στρες.

Το μεσημέρι ζήτησε αν του επιτρέπουν οι γιατροί να γευτεί λί-γο ουίσκι, επανερχόταν στην ανάγκη των μικρών του απολαύσε-ων. Μας επέτρεψαν λίγες σταγόνες μέσα στο νερό.

Είχε αρχίσει να συνέρχεται. Πέρασε βέβαια σκαμπανεβάσματα και μετά τα Χριστούγεννα και χρειάζονταν ακόμα τεράστιες προ-σπάθειες για να επανέλθει μετά από τόσα που είχε περάσει. Ό-μως η «μεγάλη επιστροφή» είχε γίνει. Για άλλη μια φορά είχε βγει νικητής από μια οριακή μάχη. Τις πρώτες μέρες του νέου χρόνου αφήσαμε τον πρώτο όροφο της εντατικής και μεταφερθήκαμε στον έκτο όροφο. Εκεί, σε ειδικά διαμορφωμένο χώρο, ο Ανδρέ-ας άρχισε να κάνει τα πρώτα του βήματα στη *νέα πραγματικότητα*, που τότε γνώριζε, και μάλιστα με οδυνηρό τρόπο...

Το παρασκήνιο της παραίτησης

Έξω απ' το Ωνάσειο οι ζυμώσεις, οι διεργασίες και το παρασκή-νιο συνεχίζονταν. Η απόφαση για την αντικατάσταση του Ανδρέα ουσιαστικά είχε ληφθεί απ' το ΕΓ και αυτό που απέμενε προς α-πόφαση ήταν η μεθόδευση.

Ήταν ελάχιστοι αυτοί που ακόμα αντιστέκονταν. Εγώ ξέρω, απ' όσα έζησα εκείνο το διάστημα, πως μόνο ο Αντ. Λιβάνης, ο Π. Λάμπρου και ο Γ. Παναγιωτακόπουλος είχαν απομείνει να επι-μένουν πως πρέπει να αφήσουμε να περάσει ένα διάστημα ακό-μα πριν ληφθεί οριστική απόφαση. Υπογράμμιζαν επίσης πως η απόφαση αυτή πρέπει να έχει τη σύμφωνη γνώμη, *τη συναίνεση του Ανδρέα* και σ' αυτό, νομίζω, συμφωνούσε και ο Τηλ. Χυτήρης.

Αυτή ήταν, όπως έχω ξαναπεί, και η δική μου θέση, που τόσο είχε παρεξηγηθεί και επικριθεί τότε. Άλλωστε η εύκολη, ανέξοδη κριτική σε βάρος μου και η πέραν κάθε ορίου αξιοποίηση και των δικών μου, ομολογώ, σφαλμάτων ήταν εκείνη την εποχή η καλύτερη επένδυση όσων προσέβλεπαν στη μεταπαπανδρεϊκή ε- ποχή και έδιναν καθημερινά εξετάσεις προσαρμογής. Όμως κα- νένας απ' αυτούς δεν είχε περάσει μια ώρα έστω στην εντατική και ξέρω πόσοι είχαν προσπαθήσει να έρθουν, έστω και νοερά, στη θέση μου.

Το έγραψα και σε άλλο σημείο: αν επιθυμούσα να παραμείνω γαντζωμένη στην εξουσία, τότε θα έμπαινα στο παιχνίδι συναλ- λαγής που μου προσφέρθηκε.

Θεωρούσα αδιανόητο να μη δοθεί στον Α. Παπανδρέου το δικαίωμα της απόφασης, της επιλογής. Πίστευα ότι το είχε αυτό το δικαίωμα και ότι του το χρωστούσαν πολιτικά στελέχη που αυτός είχε αναδείξει και κατά τα άλλα επικαλούνταν την πολιτική του κληρονομιά. Αυτή ήταν η αντίδρασή μου, η αντίστασή μου, ότι δεν ήθελα αποφάσεις ερήμην του Ανδρέα.

Το κλίμα που υπήρχε τότε, το παρασκήνιο που παιζόταν στο σύνολό του μου δημιουργούσε έντονα την αίσθηση του «*σκοτώνουν τα άλογα όταν γεράσουν*» και αυτό το είχα πει και στον Κ. Λαλιώτη και στον Κ. Σκανδαλίδη, σε συζητήσεις που είχαμε εκείνες τις μέ- ρες. Αρνιόμουν δηλαδή να ενταχθώ στη λογική του «μεγάλου πα- ζαριού», που βρισκόταν σε εξέλιξη.

Ο Κ. Σκανδαλίδης, ένα στέλεχος που με πρωτοβουλία του Ανδρέα είχε αναδειχτεί ως τα ψηλότερα σκαλιά της κομματικής και κυ- βερνητικής ιεραρχίας, με επισκέφθηκε μια και μοναδική φορά ε- κείνες τις μέρες. Ζητούσε επίμονα να με δει. Ενημέρωσα τον Αντ. Λιβάνη και τον Γ. Παναγιωτακόπουλο και συναντηθήκαμε.

Άρχισε να μου μεταφέρει το κλίμα της παραίτησης, την οποία έβλεπε αναπόφευκτη, και να μου ζητάει να παίξω κεντρικό, κα- θοριστικό ρόλο στη μεθόδευσή της. Μου είπε ότι θα ήταν λάθος και ότι προσωπικά αυτός δεν το ήθελε η πρωτοβουλία για την πα- ραίτηση του Ανδρέα να περάσει στα χέρια του *Γ. Παπανδρέου*, ο ο- ποίος είχε εκφράσει σχετικές προθέσεις και είχε αρχίσει να εκδηλώνει πρωτοβουλίες. Κατά την άποψη του Κ. Σκανδαλίδη, αυτό θα ήταν «τραγικό λάθος, κακό για την ιστορία του πατέρα του». Πάντα κατά την άποψή του, ο Γ. Παπανδρέου προσπαθούσε να εκμαιεύσει την παραίτηση του πατέρα του για να την εκμεταλλευτεί και να την αξιοποιήσει ως *χαρτί για πολιτική επένδυση*. «Αυτό το χαρτί πρέπει να το έχεις εσύ στα χέρια σου», μου τόνισε.

Συνέχισε λέγοντας ότι, αν αποσπάσω την παραίτηση του Ανδρέα, θα ανέβω πολύ στη συνείδηση του λαού και θα μπορέσω στο μέλλον να παίξω πολιτικό ρόλο, χωρίς να υπάρχουν πλέον αντιδράσεις. Ύστερα πήγε στο πρακτικό μέρος. «Με την παραίτηση στα χέρια», μου είπε, «θα φωνάξεις τα συλλογικά όργανα και θα την παραδώσεις, ενώπιον των ΜΜΕ. Έτσι διασφαλίζεται και η πολιτική σου παρουσία και ο πολιτικός σου ρόλος στα μάτια του ελληνικού λαού, ένας πολιτικός ρόλος για τον οποίο θα υπάρξουν εγγυήσεις». Του απάντησα ότι δε δέχομαι να μπω σ' αυτό το παχνίδι προκειμένου ο Ανδρέας να οδηγηθεί σε μια παραίτηση που δε θα είναι δική του επιλογή, γιατί κάτι τέτοιο θα τον σκοτώσει. «Αλλά κι αν δεν τον σκοτώσει», του είπα, «θα τον πληγώσει, θα τον τραυματίσει βαριά και θα συνεχίσει να ζει πληγωμένος. Όταν θα είναι έτοιμος για μια τέτοια συζήτηση», του είπα, «τότε θα το κάνω, θα συζητήσω μαζί του, αλλά η απόφαση θα είναι δική του. Επιπλέον δε δέχομαι ότι μπορώ να περάσω στη συνείδηση του λαού απ' την κολυμβήθρα του Σιλωάμ μέσω μιας παραίτησης, σήμερα δηλαδή να με θεωρούν φαύλη, άνθρωπο-τροχοπέδη στις εξελίξεις και αύριο να με αποδέχονται και να με ανεβάζουν στα ουράνια. Δεν μπορώ να δεχτώ ένα τέτοιο πέρασμα». Προσπάθησε να με μεταπείσει, δεν το πέτυχε, η συζήτηση τελείωσε έτσι. Ενημέρωσα τον Αντ. Λιβάνη και τον Γ. Παναγιωτακόπουλο και προσπάθησα να την ξεχάσω.

Εκείνες τις μέρες είχε όντως εκδηλωθεί πρόθεση και του *Γ. Παπανδρέου* να αναλάβει πρωτοβουλία για να πείσει τον πατέρα του να παραιτηθεί.

Δε συζήτησε όμως μαζί του, γιατί ο Ανδρέας, δύο φορές που ο Γιώργος προσπάθησε να ανοίξει μαζί του πολιτική συζήτηση, την απέφυγε και δεν έδωσε συνέχεια. Τη μια φορά άρχισε να του μιλάει για το υπουργείο Παιδείας και ο Ανδρέας τού είπε πως είναι κουρασμένος. Τη δεύτερη φορά πήγε να του πει για το πολιτικό κλίμα και πάλι τον απέτρεψε επικαλούμενος ξανά κούραση.

...Και η μεγάλη απόφαση

Οφείλω να πω ότι κεντρικό, καθοριστικό ρόλο στην επιλογή του Ανδρέα να παραιτηθεί, *επιλογή που ήταν μόνο δική του, διαδραμάτισαν* δύο πρόσωπα:

– Ο Αντ. Λιβάνης, ο οποίος του έκανε πολιτική ενημέρωση, του μετέφερε σιγά σιγά το κλίμα που επικρατούσε, τον έβαλε στις συνθήκες και στο σκηνικό που είχαν διαμορφωθεί. Ρόλο στην ε- νημέρωσή του έπαιξε και ο Δημ. Κρεμαστινός, που είχε καθημε- ρινή επαφή μαζί του και στον οποίο ο Ανδρέας υπέβαλε ερωτή- σεις για την πολιτική κατάσταση. Και οι δύο τού μίλησαν με α- γάπη και σεβασμό και δεν τον πίεσαν καθόλου. Γνώριζαν άλλω- στε, και ιδιαίτερα ο Αντ. Λιβάνης, πολύ καλά ότι *απ' τη στιγμή που θα είχε πλήρη και σωστή ενημέρωση, θα έπαιρνε τη σωστή απόφαση*, αυτή που του υπαγόρευε το αίσθημα ευθύνης που πάντα είχε, ακόμα και εκείνες τις *τραγικές* ώρες.

– *Εγώ*, που του πρόσφερα την ψυχολογική στήριξη και τη συ- ναισθηματική κάλυψη, στοιχεία που ήταν όσο ποτέ άλλοτε αναγκαία εκείνες τις στιγμές, που έπρεπε να λάβει ιστορικές αποφάσεις.

Αυτή είναι η αλήθεια που έζησα και καταθέτω δίχως την πα- ραμικρή διάθεση ανάδειξης και προβολής ρόλων. Είναι άλλωστε γνωστό σε όλους πως στον Αντ. Λιβάνη είχε προσωπική και πολι- τική εμπιστοσύνη, είχαν μια σχέση οικοδομημένη επί δεκαετίες, και πως ο Αντώνης ήταν αυτός που περισσότερο από κάθε άλλον γνώριζε τα «κουμπιά» του Ανδρέα, τον τρόπο για να χειριστεί μια τόσο σημαντική συζήτηση μαζί του χωρίς να τον πληγώσει.

Επίσης, κανένας, νομίζω, καλόπιστα, όποια γνώμη κι αν έχει για μένα, δεν μπορεί να αμφισβητήσει ότι σχεδόν αποκλειστικά από μένα ο Ανδρέας αντλούσε ψυχολογική στήριξη και συναι- σθηματική κάλυψη.

Μικρότερο ρόλο διαδραμάτισαν ασφαλώς και άλλα πρόσωπα. Όμως ο Αντώνης και εγώ ήμασταν που ανοίξαμε το δρόμο, που δημιουργήσαμε το κλίμα και τις προϋποθέσεις ώστε ο Ανδρέας να κάνει την ιστορική του επιλογή.

Οφείλω να παραδεχτώ πως συναισθηματικά αντιδρούσα στην ιδέα της παραίτησης. Αλλά ποτέ δεν έπαψα να λέω πως ο Ανδρέας είναι αυτός που πρέπει να αποφασίσει και κανένας δεν πρέπει να τον επηρεάσει σ' αυτή του την απόφαση, ούτε φυσικά εγώ. Αντιδρούσα συναισθηματικά, γιατί γνώριζα πολύ καλά ότι η απόφαση για παραίτηση θα τον σκότωνε. Είχε δίκιο ο Ν. Παπανδρέου που έλεγε πως «ο πατέρας μου θα πεθάνει πολιτικός». Αμφιβάλλει άλλωστε κανείς ότι ο Ανδρέας χωρίς την πολιτική, χωρίς να είναι πρωταγωνιστής, δεν μπορούσε να ζήσει; Αυτό το ξέρουν ακόμα και όσοι δεν τον γνώρισαν από κοντά. *Αλλά κάποια στιγμή η ψυχρή λογική και η πραγματικότητα με οδήγησαν στην άποψη ότι η παραίτηση δεν ήταν απλά αναπόφευκτη: ήταν η μόνη λύση.*

Αυτοί που με βοήθησαν να οδηγηθώ σ' αυτό το σημείο ήταν ο Αντ. Λιβάνης, ο Γ. Παναγιωτακόπουλος και ο Π. Λάμπρου. Μου έδειξαν επίσης πολλά και αρκετές συζητήσεις που είχα εκείνες τις μέρες με τον *Κ. Λαλιώτη*. Αυτοί ήταν που με επηρέασαν, με βοήθησαν να δω την πραγματικότητα που είχε διαμορφωθεί εκτός του Ωνασείου, την οποία ασφαλώς και δεν μπορούσα να κατανοήσω απ' την ελάχιστη τηλεόραση που έβλεπα και τις λίγες εφημερίδες που διάβαζα.

Με τον Ν. Κακαουνάκη συζητούσα τηλεφωνικώς, όπως συζητούσα επίσης και με τον Μ. Μουζάκη. Αλλά δεν ήταν αυτός που με επηρέασε. Και οι δύο πάντως μου μετέφεραν το κλίμα που είχε διαμορφωθεί και με βοήθησαν να κατανοήσω καλύτερα ορισμένα πράγματα, μέχρι εκεί.

Αλλά στους Λιβάνη, Λάμπρου και Παναγιωτακόπουλο είχα κυριολεκτικά ακουμπήσει τότε όλες τις σκέψεις μου, τους προβληματισμούς μου, ακόμα και τις ανασφάλειες και τις φοβίες μου. Ήξερα πολύ καλά πως μοναδικό και καθαρό τους κριτήριο, δίχως καμιά υστεροβουλία, ήταν η αγάπη τους για τον Ανδρέα και η προστασία της αξιοπρέπειάς του, καθώς και ο σεβασμός στην ι-

471

στορία του. Αυτοί ήταν που με έκαναν να καταλάβω, μέσα απ' τις καθημερινές, πολύωρες συζητήσεις που είχαμε, ότι το κλίμα που επικρατούσε και οι αντικειμενικές συνθήκες που είχαν διαμορφωθεί εκ των πραγμάτων οδηγούσαν στην παραίτηση του Ανδρέα. Υπογράμμιζαν φυσικά ότι την απόφαση δεν μπορούσε να την πάρει άλλος παρά μόνο ο ίδιος ο Ανδρέας. Και αυτό το σεβάστηκαν απόλυτα.

Ο Αντ. Λιβάνης, ο οποίος είχε αρχίσει και ενημέρωνε τον Ανδρέα, ήταν της άποψης ότι δεν υπήρχε πια κανένα στέλεχος του ΠΑΣΟΚ, απ' τα γνωστά, που να μην είχε αποφασίσει ή να μην είχε αποδεχτεί την αναγκαιότητα της αντικατάστασης του πρωθυπουργού. Μου έλεγε ότι στο Εκτελεστικό υπήρχε πλέον ομοφωνία πάνω σ' αυτό το θέμα και οι συζητήσεις για τον τρόπο της αντικατάστασης είχαν ήδη προχωρήσει αρκετά. Επίσης ότι το κλίμα που είχαν καλλιεργήσει τα ΜΜΕ ήταν καταφανώς υπέρ της αντικατάστασης. «Δεν υπάρχει κανένας, Δήμητρα, ούτε τα παιδιά του, που να μη συμφωνεί μ' αυτό», μου τόνιζε.

Έμαθα κι άλλα πράγματα γύρω απ' το ρόλο ορισμένων στο παρασκήνιο εκείνων των ημερών, το διπλό πρόσωπο που έδειχναν κάποιοι, την υποκρισία κάποιων άλλων και την ασέβεια ορισμένων άλλων. Αλλά δε νομίζω πως είναι του παρόντος κάποια εκτενέστερη αναφορά σε ρόλους και συμπεριφορές. Με συγκλόνισε, θυμάμαι, ο Γ. Παναγιωτακόπουλος, ο οποίος μέχρι την τελευταία στιγμή αντιστεκόταν στην ιδέα της παραίτησης του Ανδρέα, όταν μια μέρα δακρυσμένος μου λέει: «Δήμητρα, πάνε να τον εκτελέσουν, τον πάνε για σφαγή. Πρέπει να βρεθεί μια λύση για να διασωθεί η φήμη και η ιστορία του προέδρου μας».

Σε συζητήσεις που είχα με τον Αντ. Λιβάνη και τον Δημ. Κρεμαστινό, μου έλεγαν πως πρέπει με πάρα πολύ μεγάλη ευαισθησία να ενημερώνεται ο πρόεδρος και ότι όλες οι κουβέντες εκείνες τις μέρες μαζί του απαιτούσαν λεπτότητα και ειδικό χειρισμό.

Ήμασταν όλοι βέβαιοι ότι, μόλις ο Ανδρέας αποκτούσε την πλήρη εικόνα, θα κατέληγε μόνος του στη γενναία απόφαση. Μάλιστα ο Αντώνης ήταν της άποψης ότι «ο Ανδρέας έχει πάρει τις αποφάσεις του και είναι θέμα χρόνου να τις ανακοινώσει, γι' αυτό και έχει μεγάλη σημασία η συμπεριφορά απέναντί του, δεν πρέπει να του δώσουμε την εικόνα ότι τον παραμερίζουμε, *δεν πρέπει να πληγωθεί*».

Αναρωτιέμαι σήμερα: «Αλήθεια πόσοι ήταν αυτοί που είχαν σκεφτεί και υπολογίσει αυτό το "δεν πρέπει να πληγωθεί", που κρινόταν αναγκαίο όχι μόνο από πολιτική αλλά και από ιατρική άποψη; Πόσων η συμπεριφορά καθορίστηκε απ' αυτό το ανθρώπινο στοιχείο;»

Αλλά οι άνθρωποι που είχαν απομείνει να τον αγαπάνε και να τον σέβονται λειτούργησαν εκείνες τις μεγάλες και τραγικές για τον Ανδρέα στιγμές ακριβώς με πρώτο κριτήριο το πώς δε θα τον πληγώσουν.

Και εκείνος, μόνος, περήφανος, υπεύθυνος ηγέτης, απάντησε «ναι» σ' αυτό το καινούριο νεύμα της ιστορίας, αν και γνώριζε ότι το πολιτικό του τέλος σήμαινε και το βιολογικό του θάνατο. Όμως δε δείλιασε, έμεινε *γενναίος και μεγάλος* απέναντι στη μικρότητα και την αγνωμοσύνη ορισμένων.

Με πολύ πόνο, με πολλή αγάπη, ξεπερνώντας τις δυνάμεις μου και πνίγοντας το θάνατο που ένιωθα κι εγώ μέσα μου, γιατί γνώριζα καλά τον Ανδρέα, άρχισα να τον προετοιμάζω ψυχολογικά και συναισθηματικά για την αποδοχή της νέας πραγματικότητας. Ήταν η πρώτη και τελευταία φορά που δεν του έλεγα όλη την αλήθεια, που του μίλαγα κρύβοντας τα δικά μου συναισθήματα, που υποδυόμουν, με πολλή δυσκολία έστω, ένα ρόλο τον οποίο ποτέ δεν είχα φανταστεί. Οφείλω να του ζητήσω συγνώμη, γιατί για μια φορά δεν ήμουν ειλικρινής απέναντί του...

Άρχισα να του λέω πως αυτό που προέχει είναι η αποκατάσταση της υγείας του, ότι αυτό όμως θα απαιτήσει αρκετό χρόνο ακόμα, ίσως χρειαστεί να πάμε και στο εξωτερικό. Ότι σ' αυτό το διάστημα καλό θα ήταν να μην έχει κάτι άλλο να τον απασχολεί και να τον επιβαρύνει.

Τότε χρησιμοποίησα τη λέξη «αιφνιδιασμός». Κάποια στιγμή που μιλούσαμε του είπα: *«Μήπως πρέπει να τους αιφνιδιάσεις παίρνοντας εσύ μια πρωτοβουλία;»* Γνωρίζοντας καλά την ψυχοσύνθεσή του, ήξερα πως οι λέξεις «αιφνιδιασμός» και «πρωτοβουλία» θα τον βοηθήσουν, του «ταιριάζουν».

Ο Αντ. Λιβάνης είχε απ' την αρχή τη γνώμη πως η λέξη *«παραίτηση»* δεν πρέπει να υπάρχει πουθενά, ούτε στις συζητήσεις που θα κάναμε μαζί του ούτε στο κείμενο που θα υπέγραφε, όταν έφτανε η κατάλληλη στιγμή. Γνώριζε πολύ καλά και το έλεγε ότι η λέξη «παραίτηση» δεν του πήγαινε του Ανδρέα και θα ήταν δύσκολο να την αποδεχτεί, πρώτα πρώτα ψυχολογικά. Και η ψυχολογική του κατάσταση μας ενδιέφερε πάρα πολύ. Ο Ανδρέας τη λέξη «παραίτηση» δεν τη γνώριζε, τον απωθούσε. Ποτέ δεν παραιτήθηκε, ούτε απ' τη ζωή ούτε απ' τις μάχες που είχε να δώσει.

Συνέχιζα, μέρα τη μέρα, ώρα την ώρα, να σηκώνω ένα σταυρό που με πλήγωνε, με φόρτιζε. Ήξερα ότι αυτό που ερχόταν θα τον σκότωνε τον Ανδρέα και η σκέψη αυτή με λύγιζε. Όμως ο δρόμος δεν είχε επιστροφή.

Συνέχιζα να του μιλάω σ' αυτό το κλίμα, να τον προετοιμάζω και να τον στηρίζω για τη μεγάλη απόφαση. Του έλεγα πως, ό,τι κι αν γίνει, εγώ θα τον αγαπάω και θα είμαι πάντα δίπλα του. Προχωρούσα την κουβέντα και του έλεγα υπαινικτικά: «Μην ξεχνάς άλλωστε πως όταν παντρευτήκαμε δεν ήσουν πρωθυπουργός»... Προχωρούσα κάθε φορά την κουβέντα ένα βήμα παραπέρα. Δεν ήμουν πάντα καλή ηθοποιός. Όταν έσπαγα, έβγαινα έξω απ' το δωμάτιο για να μη με βλέπει να κλαίω. Επέστρεφα μετά από λίγο, φορώντας ένα νέο χαμόγελο.

Στο μεταξύ του μιλούσαν παράλληλα και τον ενημέρωναν πολιτικά, απαντώντας και στις ερωτήσεις του, ο Αντ. Λιβάνης, λιγότερο ο Δημ. Κρεμαστινός, ενώ ήρθε δύο φορές και ο Ά. Τσοχατζόπουλος. Τον έβαζαν σιγά σιγά στο κλίμα, του περιέγραφαν την κατάσταση και τα δεδομένα. Του μιλούσαν και αυτοί για «πρωτοβουλία» που έπρεπε να πάρει. Από ένα σημείο και ύστερα ζήτησε μόνος του και μίλησε με τον Γ. Παναγιωτακόπουλο και τον Π. Λάμπρου.

Είχε διαμορφώσει πλέον εικόνα. Σε όλους όσους τον βλέπαμε και του μιλούσαμε με αγάπη εκείνες τις μέρες έδινε την αίσθηση του *«σαν ώριμος από καιρό, σαν θαρραλέος»*. Δεν εκφραζόταν πάντα, αλλά φαινόταν να είχε δίκιο ο Αντ. Λιβάνης όταν έλεγε πως «έχει πάρει τις αποφάσεις του»· το έδειχναν οι ήρεμες αντιδράσεις του, η στωική συμπεριφορά του. Ορισμένες φορές βέβαια τα μάτια του έβγαζαν μια πίκρα, μια μελαγχολία. Έδειχνε σαν να έφευγε, να πετούσε μακριά, σ' ένα δικό του κόσμο, στον οποίο βυθιζόταν. Άλλες φορές κοίταζε διερευνητικά και σου έδινε την εντύπωση ότι ρωτούσε «γιατί»... Αλλά ποτέ δεν άφησε αυτά τα συναισθήματα να τον καθοδηγήσουν. Τα έπνιγε και επανερχόταν σε μια ηρεμία που μας συγκλόνιζε.

Κάπως έτσι, ίσως με περισσότερη αγωνία και φροντίδα, αντιμετώπιζε και μένα. Κάποιες φορές με ρωτούσε: «Εσύ πώς νιώθεις τώρα, πώς θα είναι τα πράγματα;» Και με διαπερνούσε με το βλέμμα του. Ήταν οι στιγμές που ήξερα ότι αναζητούσε σε μένα την αλήθεια, που μου έλεγε με τον τρόπο του: «Δε μου έκρυψες ποτέ την αλήθεια, αυτό να κάνεις και τώρα, από σένα θέλω όλη την αλήθεια»... Ήταν οι στιγμές που δεν άντεχα, που ήθελα να ξεσπάσω, αλλά ήξερα πως δεν έχω αυτό το δικαίωμα. Έπνιγα τα δάκρυά μου και του απαντούσα: «Το μόνο που με ενδιαφέρει είναι να γίνεις καλά, εγώ θα είμαι πάντα δίπλα σου, όπως κι αν είσαι».

Είχε ανάγκη να το ακούσει αυτό. Ο Ανδρέας είχε πάντα ανάγκη από μια προοπτική, αυτό του έδινε κουράγιο και δύναμη για να προχωρήσει στα επόμενα βήματα.

Ο Δημ. Κρεμαστινός και ο Αντ. Λιβάνης μού υπογράμμιζαν σε κάθε ευκαιρία πόσο καθοριστικός ήταν ο δικός μου ρόλος εκείνες τις στιγμές. Έπρεπε να του δίνω τη στήριξη, που είχε ανάγκη συνεχώς, μη γίνει κάτι και σπάσει ένας κρίκος της αλυσίδας. Έσφιγγα λοιπόν τα δόντια και προχωρούσα.

Το Σάββατο 13 Ιανουαρίου, όλα φαίνονταν έτοιμα, το κλίμα φαινόταν ώριμο. Ο ίδιος έδειχνε έτοιμος να ανακοινώσει τη μεγάλη απόφαση.

Αυτή ήταν η αίσθηση και του Λιβάνη και του Κρεμαστινού. Γύρω στο μεσημέρι ήρθε στο Ωνάσειο και ο Κ. Λαλιώτης. Καθίσαμε όλοι μαζί αρκετή ώρα. Η ώρα μηδέν πλησίαζε, το νιώθαμε όλοι.

Αποφασίσαμε να γραφεί ένα κείμενο, την ετοιμασία του οποίου ανέλαβε ο Ν. Αθανασάκης, σε συνεργασία με τον Τηλ. Χυτήρη.

Το Σαββατοκύριακο πέρασε σχετικά ήρεμα, αν και ορισμένες φορές η ένταση και η συγκινησιακή φόρτιση της επικείμενης α-πόφασης ήταν έκδηλη. Συνέχισα να του μιλάω και να του δίνω κουράγιο, ενώ ο Αντώνης Λιβάνης τον ενημέρωνε διαρκώς. Το έ-δαφος είχε προετοιμαστεί.

Την Τρίτη το πρωί ο Κρεμαστινός και ο Λιβάνης μού είπαν πως αυτή είναι η μεγάλη μέρα. Μπήκα στο δωμάτιό του, ήταν ήρεμος και γαλήνιος, αλλά το βλέμμα του και εκείνη τη στιγμή είχε την απόσταση που έβλεπα σ' αυτό όλες τις προηγούμενες μέρες.

Του είπα:

«Τι λες, μάτια μου, δεν παίρνεις σήμερα την πρωτοβουλία που λέγαμε; Νομίζω πως όλα θα πάνε καλά. Θα τους αιφνιδιάσουμε όλους».

Είδα μια σκιά στο βλέμμα του. Γύρισε ξαφνικά και κοίταξε προς το δρόμο, τη Συγγρού, αλλά φαινόταν πως ταξίδευε πολύ πολύ μακρύτερα, σε δικούς του κόσμους.

Καταλάβαινα πως ήταν γι' αυτόν μία οριακή στιγμή. Καταλάβαινα πως γνώριζε πολύ καλά ότι με την υπογραφή που θα έβα-ζε σε λίγες ώρες υπέγραφε το πολιτικό του τέλος κι αυτό θα τον σκότωνε και βιολογικά. Ήθελα να ξεσπάσω, αλλά ήταν το μόνο που δεν μπορούσα να κάνω εκείνη τη στιγμή. Του κράτησα το χέ-ρι και τον χάιδεψα. Πέρασαν κάποιες στιγμές σιωπής, στιγμές που φαινόταν να ταξίδευε πολύ μακριά.

Ξαφνικά γυρίζει και μου λέει:

«Εσύ τι λες, Δήμητρα;»

«Νομίζω πως έτσι που ήρθαν τα πράγματα αυτό είναι το κα-λύτερο».

«Φώναξέ μου τον Αντώνη».

Σε λίγο ο Αντ. Λιβάνης και ο Τηλ. Χυτήρης ήταν εκεί. Ο Αντώνης μπήκε στο δωμάτιο και μίλησε μαζί του για αρκετή ώρα. Βγήκε βουρκωμένος και μου λέει: «Δήμητρα, τελείωσε, εμείς θα πάμε να ετοιμάσουμε το κείμενο. Τώρα πρέπει να φανείς και εσύ πολύ δυνατή για να τον στηρίξεις, το χρειάζεται πιο πολύ από ποτέ».

Μου είπε πως τον ενημέρωσε για ένα κείμενο που θα υπογράψει, στο οποίο δε θα υπήρχε η λέξη «παραίτηση», ότι τον ενημέρωσε επίσης για τις υποψηφιότητες που υπήρχαν για τη θέση του πρωθυπουργού. Μου πρόσθεσε πως αντέδρασε στωικά και ψύχραιμα, αλλά «Δήμητρα, τα μάτια του μέσα κρύβαν μια πίκρα· πήγαινε τώρα κοντά του».

Τον βρήκα αμίλητο, γαλήνιο και βαθιά πικραμένο. Κάθισα κοντά του για αρκετή ώρα και προσπαθούσα να απομακρύνω τη σκέψη του απ' αυτό που θα συνέβαινε σε λίγες ώρες. Του έλεγα πως οι γιατροί είναι πολύ αισιόδοξοι και χαρούμενοι, γιατί η κατάστασή του καθημερινά βελτιώνεται, ότι τα πράγματα θα είναι καλύτερα τώρα. Δε μου απαντούσε, συνέχιζε να βρίσκεται σε έναν κόσμο που μόνο αυτός γνώριζε.

Ξαφνικά γυρίζει και μου λέει:

«Στο σπίτι πότε θα πάμε;»

Του είπα πως δε θ' αργήσει κι αυτό να γίνει και πως τότε θα έχει όλη τη δυνατότητα να ξεκουραστεί και να ανανήψει μακριά από άλλες σκοτούρες. Αναστέναξε, έβγαζε μια βαθιά πίκρα από μέσα του. Όμως ποτέ δε γύρισε πίσω, βάδισε το δρόμο που είχε επιλέξει ως τα τελευταία μέτρα της διαδρομής.

Μίλησε και με τον Τηλ. Χυτήρη και με τον Άκη Τσοχατζόπουλο, που ήρθε αργότερα, και το μεσημέρι ξεκουράστηκε.

Στο μεταξύ τα ΜΜΕ προετοίμαζαν ότι η παραίτηση του Ανδρέα Παπανδρέου επίκειται, ότι τελειώνει με την παραίτησή του μια εποχή και ότι η εκλογή νέου πρωθυπουργού είναι θέμα ημερών.

Το μεσημέρι στη Βουλή συναντήθηκαν οι: Αντώνης Λιβάνης, Άκης Τσοχατζόπουλος, Απόστολος Κακλαμάνης, Κώστας Λαλιώτης, Τηλέμαχος Χυτήρης και Νίκος Αθανασάκης. Συζήτησαν για το περιεχόμενο του κειμένου. Ο Αντώνης Λιβάνης υποστήριξε ό-

477

τι δε θα πρέπει να υπάρχει μέσα σ' αυτό η λέξη «παραίτηση». Γνώριζε καλύτερα από κάθε άλλον τι θα σήμαινε για τον Ανδρέα η λέξη «παραίτηση» στο κείμενο και δεν ήθελε εκείνες τις στιγμές, ανθρώπινα, να γεμίσει το ποτήρι του αγαπημένου του προέδρου με φαρμάκι. Αφού τελείωσε αυτή η σύσκεψη, οι Λιβάνης, Χυτή-ρης και Αθανασάκης πήγαν στο γραφείο του Ανδρέα στη Βουλή και συνέταξαν λέξη προς λέξη το κείμενο, το κείμενο του τέλους...

Οι ώρες στο Ωνάσειο περνούσαν μέσα σε κλίμα απίστευτης φόρτισης, αν και μία περίεργη ησυχία επικρατούσε στον έκτο ό-ροφο. Εγώ ένιωθα ατέλειωτο πόνο, γιατί ήξερα ότι στο διπλανό δωμάτιο ο άνθρωπός μου περνούσε τις πιο δραματικές στιγμές της ζωής του και είχε κάνει μία επιλογή που τον έφερνε πολύ κοντά στο τέλος. Ήξερα καλά αυτό που ένιωθε, αν και το έκρυβε απ' τους άλλους, γιατί η περηφάνια του δεν τον άφηνε εκείνες τις στιγμές να δείξει το δικό του πόνο.

Το απόγευμα ξύπνησε, τον βοηθήσαμε να καθίσει στην καρέ-κλα, τον ξύρισα, ήταν έτοιμος. Ήρθε κι ο Γιώργος Κατσιφάρας και του κράτησε λίγη παρέα. Ήταν κι αυτός συγκλονισμένος βλέ-ποντας τον αγαπημένο του φίλο έτοιμο να υπογράψει το πολιτι-κό του τέλος, αλλά προσπαθούσε με το γνωστό του χιούμορ να τον στηρίξει. Ο ίδιος παρέμενε ήρεμος αλλά αμίλητος.

Άρχισαν να έρχονται ο Λιβάνης, ο Κρεμαστινός, ο Λαλιώτης, ο Γιώργος Παπανδρέου, ο Άκης Τσοχατζόπουλος, ο Τηλέμαχος Χυτήρης. Γύρω στις 8 ο Αντώνης Λιβάνης συγκινημένος, με χέρια που έτρεμαν, έδωσε το κείμενο στην Ντέμη να το δακτυλογρα-φήσει. Σε λίγο το είχε έτοιμο.

Πήγα ξανά κοντά του για να τον προετοιμάσω. Του είπα πως περιμένουν απέξω όλοι έτοιμοι με το κείμενο. «Θέλω να είσαι δυ-νατός, όλα θα πάνε καλά, και πρέπει να σου πω και τώρα ότι θα είμαι πάντα κοντά σου, σ' αγαπώ...» του είπα. Ένιωθα πως δεν εί-χα πλέον αισθήματα. Ένιωθα κομμάτια εκείνη τη στιγμή, αλλά έπρεπε να χείλη μου να σχηματίζουν ένα χαμόγελο. «Ας περά-σουν», μου είπε.

Μπήκαν μέσα όσοι ήταν εκεί, μαζί με τους γιατρούς Σκαλκέα, Ρούσο και Στεφανή. Απέξω βρίσκονταν επίσης ο Νίκος με τον Α-

ντρίκο. Ήταν κι άλλοι απέξω, θυμάμαι τον Λάμπρου και τον Πα-
ναγιωτακόπουλο με βουρκωμένα μάτια, θυμάμαι κι άλλες λυπη-
μένες φιγούρες στο διάδρομο του έκτου ορόφου του Ωνασείου.

Το τέλος και η αρχή του τέλους

Καθόμουν δίπλα του και του κρατούσα το χέρι. Ένιωθα τον αέ-
ρα να τελειώνει, νόμιζα πως θα λιποθυμούσα. Ήθελα να βγω έ-
ξω και να κλάψω, αλλά συνέχιζα να του κρατώ το χέρι και να στέ-
κομαι κοντά του.

Η αντίστροφη μέτρηση για τη ληξιαρχική πράξη του πολιτι-
κού τέλους ενός μύθου, του λαϊκού ηγέτη που σημάδεψε και κα-
θόρισε για χρόνια τη μοίρα της χώρας του, του ανθρώπου που λα-
τρεύτηκε από τους πολλούς και πολεμήθηκε μικρόψυχα απ' τους
λίγους, του δικού μου ανθρώπου, είχε αρχίσει. Ήρεμα και στωι-
κά περίμενε για να απαντήσει «ναι» σ' αυτό το νέο νεύμα της ι-
στορίας.

Είχα ακουμπήσει το χέρι μου στον ώμο του, ο Τηλέμαχος Χυ-
τήρης μέσα σε σιγή τού διάβασε το κείμενο. Είπε: «Εντάξει, συμ-
φωνώ». Του το ξαναδιάβασε κι αυτός είπε: «Φέρ' το μου να το υ-
πογράψω».

Εκείνη τη στιγμή, που η ιστορία βρισκόταν μέσα στο δωμάτιο,
η ώρα ήταν περίπου 8:30· λίγα δευτερόλεπτα πριν υπογράψει,
στράφηκε προς τον Αντώνη Λιβάνη και ρώτησε:

«Είστε βέβαιοι ότι θα έχω τη δυνατότητα να είμαι πρόεδρος,
ότι θα μπορώ να ανταποκριθώ στα καθήκοντα του προέδρου;»

«Μα και βέβαια, πρόεδρε, το σκέφτεσαι;» του απάντησαν ο Λι-
βάνης και οι άλλοι.

Έβαλε την υπογραφή του με ηρεμία κάτω απ' το κείμενο. Ε-
κείνη τη στιγμή και αυτός και εγώ γνωρίζαμε πως έμπαινε στην
τελική ευθεία για το τέλος. Εκείνη τη στιγμή δε φτερούγιζε μό-
νο η ιστορία μέσα στο δωμάτιο αλλά κι ο θάνατος, γιατί ο Αν-
δρέας χωρίς την πολιτική δεν μπορούσε να ζήσει. Είχε κάνει ό-
μως δευτερόλεπτα πριν μια πράξη μέγιστης ιστορικής ευθύνης,

αυτό που του υπαγόρευε το καθήκον του και η θέση του στην ι-
στορία.

Ήταν όλοι συγκινημένοι. Εγώ απομακρύνθηκα για λίγο σε μια
γωνιά, γιατί εκείνες τις στιγμές έχασα την πάλη με τον εαυτό μου,
δεν μπορούσα πια να συγκρατώ τα δάκρυά μου. Γύρισα όμως γρή-
γορα κοντά του και του είπα: «Με συγχωρείς που κλαίω, είναι α-
πό συγκίνηση, έκανες άριστα που υπέγραψες αυτό το χαρτί». Ή-
ξερε πως δεν έλεγα αλήθεια και ήξερα πως πονούσε, όσο κι αν δεν
το έδειχνε. Εκείνη τη στιγμή ξέραμε και οι δύο πως ήμασταν μό-
νοι, αν και το δωμάτιο ήταν ακόμα γεμάτο.

Σε λίγο οι πολλοί έφυγαν, επέστρεψαν στη Χαριλάου Τρικού-
πη όπου συνεδρίαζε το ΕΓ.

Αργότερα μου είπε, και μου το επιβεβαίωσε αυτό και ο Αντώ-
νης Λιβάνης, ότι την ερώτηση αν έχει τις δυνατότητες για να πα-
ραμείνει πρόεδρος την έκανε για να δώσει θάρρος και κουράγιο
σε μένα, να αισθανθώ δηλαδή ότι και η θέση του προέδρου ήταν
σημαντική.

Οι λίγοι που είχαν απομείνει ήταν συγκινημένοι. Θυμάμαι τον
Παναγιωτακόπουλο και τον Καρχιμάκη να κλαίνε, τον Στεφανή
να είναι δακρυσμένος.

Ο ίδιος όμως ο Ανδρέας σηκώθηκε κρύβοντας βαθιά μέσα του
το κενό που ήξερα καλά ότι αισθανόταν. Παρέμενε και εκείνες τις
στιγμές άρχοντας. Περπατήσαμε μέχρι το τέλος του διαδρόμου.
Θέλοντας να δείξει ελευθερωμένος, για να δώσει κουράγιο σε μέ-
να, μου λέει με χαμόγελο: «Ξέρεις όμως, Δήμητρα, από σήμερα
θα έχω λιγότερη φρουρά και θα έχουμε λιγότερα δικαιώματα, δεν
είμαι πια πρωθυπουργός». Του απάντησα: «Και τι έγινε, δεν μπο-
ρούμε να ζήσουμε κι έτσι;»

Ο Αντ. Λιβάνης, που είχε μείνει, του είπε σε κάποια στιγμή:
«Πρόεδρέ μου, είναι μια ιστορική μέρα, θα τους εκπλήξουμε ό-
λους, κανείς δεν το περιμένει, θα δεις πόσο καλά θα βγει αυτό για
σένα στα ΜΜΕ».

«Ναι, Αντώνη μου», του απάντησε, «έχεις δίκιο, ήταν καιρός να
γίνει».

Ήμασταν όλοι εκείνη τη στιγμή ηθοποιοί ενός θεάτρου του

*Από τη συνάντηση του Ανδρέα Παπανδρέου με τους Ζακ Ντελόρ
και Μπόρις Γέλτσιν στην Κέρκυρα τον Ιούνιο του 1994.*

*Από τη συνάντηση του Ανδρέα Παπανδρέου με αντιπροσωπία
του ιρανικού Κοινοβουλίου.*

Δύο απ' τις φωτογραφίες που τράβηξε ο Ανδρέας στην Κέρκυρα,
τον Ιούνιο του '94.

Εδώ ο Ανδρέας φωτογράφισε τους δύο καλούς του φίλους,
τον Απ. Κακλαμάνη και τον Άκη Τσοχατζόπουλο, στις Πρέσπες.

Καλοκαίρι 1986.

1987.
Δύο φωτογραφίες τραβηγμένες από τον Α. Παπανδρέου.

Κέρκυρα, Ιούνιος του '94.

Φωτογραφία που τράβηξε ο Ανδρέας στο Νταβός, απ' τη βεράντα
του ξενοδοχείου όπου έμενε.

Το αγαπημένο σκυλί του Ανδρέα, η Τζίλντα, όταν ήταν κουταβάκι,
στα σκαλιά του Μαξίμου. Τη φωτογραφία τράβηξε ο Ανδρέας.

Επίσημη επίσκεψη του Έλληνα πρωθυπουργού στην Ουάσιγκτον.
Συνέντευξη Τύπου των Α. Παπανδρέου - Μπιλ Κλίντον στο Λευκό
Οίκο. Απρίλιος '94.

Δηλώσεις Α. Παπανδρέου - Μπιλ Κλίντον.

Τελευταία επίσκεψη στην Ιορδανία. Παρασημοφόρηση του ζεύγους Παπανδρέου από το βασιλιά Χουσεΐν.

Συνομιλία με τον πρίγκιπα Κάρολο κατά τη διάρκεια της κηδείας του Βίλι Μπραντ στο Βερολίνο.

Με τον Βαγγέλη Παπαθανασίου.

Βράβευση της Ελίζαμπεθ Τέιλορ στα «Ωνάσεια».

Μια Πρωτοχρονιά στο Μέγαρο Μαξίμου. Τραγουδάει η Χαρούλα Αλεξίου. Στο πιάνο ο Θ. Μικρούτσικος.

Επίσκεψη της Δήμητρας Παπανδρέου στους σεισμοπαθείς
Κοζάνης - Γρεβενών.

Με τον Αντώνη Λιβάνη.

Με τη Μελίνα Μερκούρη.

Σούχα Αραφάτ - Δήμητρα Παπανδρέου - Χρήστος Λαμπράκης.
Από επίσκεψη στο Μέγαρο Μουσικής.

Με την Ειρήνη Παππά στη γιορτή του Αγίου Ανδρέα στο Μέγαρο
Μαξίμου.

Τελευταία προεκλογική συγκέντρωση στη Θεσσαλονίκη.
«Μια νύχτα μαγική».

Η τελευταία συγκέντρωση-αποχαιρετισμός στο μεγάλο ηγέτη.

Το τελευταίο αντίο.

παραλόγου. Γνωρίζαμε πολύ καλά ο ένας τα αισθήματα του άλλου και προσπαθούσαμε να δώσουμε κουράγιο ο ένας στον άλλο. Εγώ όμως ήξερα πόσο βαθιά πληγωμένος ήταν, πόση πίκρα αισθανόταν, σε ποιο κόσμο βρισκόταν.

Και ήταν έτσι. Τρία βράδια μετά την παραίτηση συνέβη κάτι που δε θα ξεχάσω ποτέ, που το σκέφτομαι και σήμερα και με συγκλονίζει. Ήταν η πιο ανθρώπινη, η πιο συγκινητική στιγμή που έζησα κοντά στον Ανδρέα, η πιο βουβή και θλιμμένη. Νιώθω σήμερα την ανάγκη να τη μεταφέρω, αισθάνομαι ότι αυτό το χρωστάω στον Ανδρέα.

Είχα φύγει για λίγο απ' το δωμάτιο και ξαφνικά έρχεται ο Ανδρέας ο Αλεξόπουλος ταραγμένος και μου λέει:

«Ελάτε, σας παρακαλώ, στο δωμάτιο του προέδρου».

Μπαίνω μέσα!

Ξαπλωμένος στο κρεβάτι κλαίει!!!

Κλαίω κι εγώ! Σκίζεται η καρδιά μου.

«Ποιος; Ποιος σου το 'κανε αυτό; Γιατί;»

Δεν απαντά!

Του φιλάω τα δάκρυά του! Και τον γεμίζω με τα δικά μου!

«Μίλα μου, αγάπη μου, γιατί κλαις; Γιατί;»

Ποτέ δεν έμαθα το γιατί!

Ίσως επειδή το ήξερα.

Ίσως το γιατί ήταν πιο φανερό κι απ' τα δάκρυά του!

Η παραίτηση! Αυτό ήταν το γιατί!

Η αρχή του τέλους!

Ήθελα να σκοτώσω εκείνο το βράδυ!

Δεν ήθελα ποτέ να τον δω να κλαίει, όχι για μένα, αλλά για κείνον!

Πόνεσε πολύ εκείνο το βράδυ!

Εκείνη τη στιγμή το ένιωθα! Είχα γίνει δάκρυ του. Κυλούσα στο πρόσωπό του κι εγώ!

Κρεμόμουν απ' τα χείλη του!

Καμιά απάντηση όμως, σιωπή!

Μια σιωπή που τα έλεγε όλα! Κι ένας λυγμός που δε βγήκε ποτέ! Γιατί ήταν φωλιασμένος για τα καλά μέσα του!

Τον κράτησα στην αγκαλιά μου! Τον έσφιξα!

Ένας βουβός διάλογος ξεκίνησε!

«Εγώ θα 'μαι δίπλα σου πάντα! Όλα θα ξαναγίνουν όπως πριν, θα δεις! Μαζί θα προσπαθήσουμε! Έχεις πολλούς ρόλους ακόμα να διαδραματίσεις!»

Καμιά απάντηση! Είχε κλείσει τα μάτια του! Τα δάκρυά του είχαν στεγνώσει! Είχε ησυχάσει! Έμεινα δίπλα του! Για να τον προσέχω! Απ' όλους, από όλα!

Πώς γράφτηκε η ιστορία...

Απ' τη στιγμή της παραίτησης και μετά μιλούσε όλο και λιγότερο, ήταν κλεισμένος στον εαυτό του. Όπως πάντα, δεν ήθελε να βγάλει προς τα έξω την πίκρα που ζούσε.

Στο μεταξύ τα φώτα στο Ωνάσειο άρχισαν να χαμηλώνουν. Οι επισκέψεις αραίωσαν και απέμειναν μόνο αυτοί οι λίγοι, που πραγματικά αγαπούσαν τον Ανδρέα, να έρχονται και να μας κάνουν συντροφιά σε κείνες τις δύσκολες ώρες. Ήταν άλλη μια φορά, μετά την περιπέτεια του '89, που ο Ανδρέας μέτραγε ξανά τους φίλους του. Δεν ήταν πολλοί...

Έτσι κι αλλιώς το κέντρο των εξελίξεων είχε μεταφερθεί πια στη Χαριλάου Τρικούπη και στη Βουλή, στη διαδικασία εκλογής του νέου πρωθυπουργού.

Όπως έχω αναφέρει και σε άλλο σημείο του βιβλίου, ο Ανδρέας ζήτησε από δύο στελέχη του ΠΑΣΟΚ να βοηθήσουν, ώστε να μην εκλεγεί πρωθυπουργός ο Κώστας Σημίτης. Ο ένας απ' τον οποίο το ζήτησε ήταν ο Κώστας Λαλιώτης. Την παραμονή της ε-κλογής πρωθυπουργού μού ζήτησε να φωνάξω τον Λαλιώτη για-τί θέλει να τον συναντήσει. Δεν ήταν μάλιστα μια μέρα καλή, για-τί είχε ανέβει ο πυρετός και δυσκολευόταν να μιλήσει.

Τον είδε για λίγο, ξαπλωμένος, και του μίλησε με πολύ σιγα-νή φωνή. Του είπε:

«Κώστα, δε θέλω να παρέμβω, είναι βεβαίως δικαίωμά σου να κάνεις αυτό που πιστεύεις. Θα επιθυμούσα πάντως, αν βεβαίως δεν έχεις αντίρρηση, να βοηθήσεις για να μην εκλεγεί ο Σημίτης».

Ο Κώστας Λαλιώτης αμήχανος απάντησε: «Εντάξει, πρόεδρε, θα το δω, θα κάνω ό,τι μπορώ». Και έφυγε.

Ο Ανδρέας είχε ζητήσει το ίδιο λίγα λεπτά πριν και από άλλο στενό φίλο και συνεργάτη του.

Είμαι σίγουρη πως ο Κώστας Λαλιώτης έκανε την τελική του επιλογή χωρίς την παραμικρή διάθεση να πληγώσει τον Ανδρέα. Ήταν άλλωστε δικαίωμά του και ακολούθησε απλά ένα δρόμο που ο ίδιος πίστευε ότι ήταν ο καλύτερος. Ποτέ δε μου πέρασε απ' το νου η σκέψη ότι πρόδωσε τον Ανδρέα κάνοντας μια επιλογή διαφορετική απ' αυτή που του είχε ζητήσει. Άλλωστε ήταν ο Ανδρέας που είχε διδάξει στα πολιτικά του παιδιά ακόμα και την επιλογή της ρήξης, όταν αυτό κρινόταν αναγκαίο.

Πάντως ο Ανδρέας, όταν έμαθε για τη στάση του Κώστα Λαλιώτη στην ψηφοφορία για την εκλογή νέου πρωθυπουργού, στενοχωρήθηκε. Δε μίλησε όμως άσχημα εναντίον του.

Δεν ένιωσε επίσης καλά, όταν ο Νίκος Αθανασάκης δέχτηκε την πρόταση του Κώστα Σημίτη να είναι γενικός γραμματέας Τύπου. Βεβαίως δεν τον απέτρεψε, ξέρω όμως καλά ότι επιθυμούσε οι στενοί του τουλάχιστον συνεργάτες, αυτοί που είχαν δεθεί μαζί του, να παραμείνουν για ένα διάστημα αποστασιοποιημένοι απ' τα όσα συνέβαιναν. Θυμάμαι, για παράδειγμα, πόσο είχε χαρεί όταν ο Αντ. Λιβάνης τον ενημέρωσε για την επιστολή που είχε στείλει στον Κ. Σημίτη, με την οποία απαντούσε αρνητικά στην πρότασή του να πάρει μέρος στη νέα κυβέρνηση.

Στο διάστημα που μεσολάβησε μέχρι την ψηφοφορία δε μίλησε σε κανέναν άλλο γι' αυτό το θέμα. Όμως παλιότερα είχε ζητήσει από συνεργάτη του να μεσολαβήσει ώστε να τα βρουν κατά κάποιο τρόπο οι Άκης Τσοχατζόπουλος και Γεράσιμος Αρσένης.

Ο Ανδρέας δεν έκανε καμιά άλλη παρέμβαση. Τα αισθήματά του τα κράτησε για τον ίδιο. Δεν παρακολούθησε τη διαδικασία εκλογής νέου πρωθυπουργού, που έδειχναν όλα τα κανάλια απευθείας. Όταν του ανακοίνωσα το αποτέλεσμα, *δεν έκανε κανένα απολύτως σχόλιο.* Αρκέστηκε να κουνήσει μόνο το κεφάλι του.

Άρχισε η διαδικασία υποδοχής του νέου πρωθυπουργού. Ένιωθε μια πίκρα, ότι αυτός που τον είχε διαδεχτεί ήταν αυτός που τον είχε αμφισβητήσει περισσότερο από κάθε άλλον. Αλλά, περήφανος όπως πάντα και υπεύθυνος, δεν ήθελε να εκδηλώνει τα αισθήματα που ένιωθε.

Το βράδυ εκείνο δεν ήταν σε καλή κατάσταση, είχε πυρετό και ρίγη. Τον αφήσαμε μόνο να ξεκουραστεί για λίγο και εγώ με τον Αντ. Λιβάνη και τον Τηλ. Χυτήρη υποδεχτήκαμε το νεοεκλεγέντα πρωθυπουργό. Εξηγήσαμε στον Κ. Σημίτη ότι ο Ανδρέας δεν αισθανόταν καλά. Έτσι η συνάντηση ήταν ολιγόλεπτη.

Ο Ανδρέας τον συνεχάρη. Του είπε ότι τώρα πρέπει να φροντίσει πάνω απ' όλα για τη διατήρηση της ενότητας του ΠΑΣΟΚ.

Ο Κ. Σημίτης, τυπικός και ευγενικός, τον ευχαρίστησε και του δήλωσε ότι θεωρεί αυτονόητη υποχρέωσή του να τον συμβουλεύεται για σημαντικά θέματα. «Θα έχουμε στενή συνεργασία, πρόεδρε», τόνισε.

Βέβαια ο Ανδρέας σχολίασε με δυσφορία ότι ποτέ δεν τον ρώτησε, έστω τυπικά, την άποψή του για το σχηματισμό της νέας κυβέρνησης. Αργότερα έλεγε: «Μα είναι αυτός που με διαδέχτηκε, δεν έπρεπε να ζητήσει τη γνώμη μου;»

Αλλά αυτό που τον απασχολούσε περισσότερο ήταν ορισμένοι χειρισμοί της κυβέρνησης του κ. Σημίτη, ιδιαίτερα στα εθνικά θέματα. Θεωρούσε ότι η νέα κυβέρνηση προχωρούσε σε αλλαγή πλεύσης και αυτό τον στενοχωρούσε ιδιαίτερα, άλλωστε έδειχνε πάντα μεγάλη ευαισθησία στις εξελίξεις στα εθνικά θέματα. Μπορώ μάλιστα να πω ότι και μετά την έξοδό του από το Ωνάσειο ήταν το θέμα που σχεδόν αποκλειστικά τον απασχολούσε.

Αλλά τις απόψεις του τις εκμυστηρευόταν σε ελάχιστους. Δεν ήθελε ποτέ να κατηγορηθεί ότι υπονομεύει τη νέα κυβέρνηση και με τη στάση του απειλεί την ενότητα του ΠΑΣΟΚ. Η διατήρηση της ενότητας αλλά και της πολιτικοϊδεολογικής ταυτότητας του Κινήματος που ίδρυσε ήταν το βασικό του μέλημα απ' την παραίτησή του μέχρι το θάνατό του. Αυτό υπογράμμιζε πάντα στους συνομιλητές του, στους λίγους βουλευτές που συνέχιζαν να τον επισκέπτονται στο Ωνάσειο, στους στενούς συνεργάτες και φίλους του και στα στελέχη με τα οποία συναντήθηκε το διάστημα αυτό.

Ένιωθε πάντα ευθύνη απέναντι στο κόμμα που ίδρυσε και αυτό το στοιχείο καθοδηγούσε όλες τις κινήσεις του. Ο Ανδρέας, ακόμα και πικραμένος, ακόμα και ανήσυχος, ακόμα και με διαφωνίες για κυβερνητικούς χειρισμούς, δεν έπαψε ποτέ να ενδιαφέρεται για το «μεγάλο και ενιαίο ΠΑΣΟΚ».

Ανησυχίες για τα εθνικά

Τις εξελίξεις γύρω απ' το θέμα της κρίσης των Ιμίων και των κυβερνητικών χειρισμών τις παρακολούθησε από κοντά. Είχε και ενημέρωση απ' τους Κάρολο Παπούλια και Γεράσιμο Αρσένη, με τους οποίους είχε συναντηθεί.

Τη βραδιά της κρίσης έμεινε για πολλή ώρα στο δωμάτιό μου και παρακολούθησε απ' την τηλεόραση τις δραματικές εξελίξεις. Είχε καθίσει στην πολυθρόνα και κοιτούσε πολύ προσεκτικά, ενδιάμεσα έκανε και ορισμένα σχόλια. Τον είχε ενοχλήσει ότι ο πρωθυπουργός δε ζήτησε καν την άποψή του για τις εξελίξεις. Κάποια στιγμή γύρισε και μου είπε: «Μου λείπουν κομμάτια απ' το παζλ».

Ένιωθε σαν λιοντάρι στο κλουβί, γιατί βρισκόταν σε εξέλιξη μια κρίση για την οποία ήταν ιδιαίτερα ευαίσθητος και ανήσυχος, χωρίς να μπορεί να συμμετέχει ούτε άμεσα ούτε έμμεσα.

Καθώς η ώρα περνούσε, το ενδιαφέρον διαδέχονταν η λύπη και ο αρνητικός σχολιασμός. Πήγε να κοιμηθεί βαθιά ανήσυχος και το επόμενο πρωί, όταν έμαθε τι είχε συμβεί, έκανε το εξής σχόλιο:
«Ήταν τραγικό αυτό που συνέβη. Ποτέ δεν υποστέλλεις σημαία».

Τον ρωτούσα να μου πει την άποψή του, να μου εξηγήσει ορισμένα πράγματα. Του είχε προξενήσει αρνητική έκπληξη η υποστολή της σημαίας. Έλεγε και ξανάλεγε διαρκώς: «Ποτέ δεν υποστέλλεις σημαία». Τον είχε πειράξει, τον είχε ενοχλήσει ιδιαίτερα αυτό το σημείο. Και αυτή του την ενόχληση και την ανησυχία τη μετέφερε σε όλους με τους οποίους μίλησε για το θέμα αυτό, τον Αντώνη Λιβάνη, τον Κάρολο Παπούλια, τον Χρήστο Παπουτσή και άλλα στελέχη.

Επαναλάμβανε διαρκώς σε όλους:

«Είμαι πολύ ανήσυχος για τις εξελίξεις μετά τα όσα συνέβησαν. Δεν έ-πρεπε να γίνει αυτό. Δώσαμε το δικαίωμα στην Τουρκία να αμφισβητήσει δικαιώματά μας. Φοβάμαι για το τι θα ακολουθήσει».

Ένα άλλο σημείο το οποίο είχε σχολιάσει αρνητικά ήταν το «ευχαριστώ» που είχε απευθύνει ο Κ. Σημίτης προς τους Αμερικανούς. Έλεγε διαρκώς: «Αυτό δεν το έχει πει ποτέ Έλληνας πρωθυπουργός».

Οι ανησυχίες του για τις εξελίξεις στα εθνικά θέματα δεν τον εγκατέλειψαν ποτέ. Τον είχε πειράξει επίσης το γεγονός ότι ο νέος πρωθυπουργός δε ζήτησε τη γνώμη του για τις εξελίξεις αυτές. Και πίστευε πάντα ότι οι επιλογές της κυβέρνησης συνιστούν αλλαγή πλεύσης.

Οι ανησυχίες του έγιναν βεβαιότητα, όπως έχω πει και σε άλλο σημείο, μετά την ενημέρωση που είχε, με το non paper, για το περιεχόμενο της συνάντησης Σημίτη - Κλίντον. Επαναλαμβάνω πως δεν είναι στις προθέσεις μου να μπω στην αντιπαράθεση περί της γνησιότητας ή όχι του non paper. Τονίζω όμως ότι το χαρτί αυτό έφτασε στον Ανδρέα. Δεσμεύομαι όμως να μην αποκαλύψω την πηγή.

Όταν ενημερώθηκε, συνδύασε το περιεχόμενο του non paper με τα όσα έγιναν τη νύχτα της κρίσης των Ιμίων και όσα ακολούθησαν στη συνέχεια. Τα σχόλιά του ήταν:

«Ανησυχώ βαθιά. Τι είναι αυτό που έγινε; Θα το πληρώσουμε ακριβά. Έγινε ένας συμβιβασμός που δεν έπρεπε ποτέ να γίνει. Φαίνεται πως πάμε σε αλλαγή πολιτικής».

Αυτοί με τους οποίους μίλησε εκείνη την περίοδο και τους εκμυστηρεύτηκε τις σκέψεις, τις ανησυχίες και τις αντιρρήσεις που είχε με τους κυβερνητικούς χειρισμούς ήταν ο Αντ. Λιβάνης, ο Χρ. Παπουτσής, ο Κάρ. Παπούλιας καθώς και ο Γερ. Αρσένης, με τον οποίο ζήτησε να συναντηθεί μετά την ενημέρωση που είχε. Συζήτησαν κατ᾽ ιδίαν και μετά τη συνάντηση μου είπε πως του εξέφρασε τις βαθύτατες ανησυχίες του.

Ο Κ. Σημίτης δεν είχε ζητήσει να συναντηθεί με τον Ανδρέα, ούτε για να του ζητήσει τη γνώμη του ούτε για να τον ενημερώσει

για τη συνάντησή του με τον Πρόεδρο Κλίντον. Αυτό τον είχε ε-
νοχλήσει βαθιά. Είχε τηλεφωνήσει μόνο μια μέρα πριν αναχω-
ρήσει για τις ΗΠΑ και είχε πει ότι μετά την επιστροφή του θα ε-
νημέρωνε τον πρόεδρο. Αλλά αυτό δεν έγινε ποτέ. Ο Ανδρέας, πε-
ρήφανος αλλά και ενοχλημένος, δεν ανέλαβε πρωτοβουλία για να
συναντηθεί μαζί του.

Όμως ο Ανδρέας παρέμενε μεγάλος παρά την πίκρα και τις
διαφωνίες. Οφείλω στη μνήμη του να αποκαλύψω πώς είχε αντι-
δράσει όταν την επομένη της κρίσης των Ιμίων τον επισκέφθηκαν
λίγοι βουλευτές φίλοι του και του εξέφρασαν και τις δικές τους α-
νησυχίες και διαφωνίες για τα όσα είχαν γίνει.

Τους άκουσε προσεκτικά και αμίλητος για αρκετή ώρα. Στη συ-
νέχεια στράφηκε προς το μέρος τους και τους είπε:

«Όχι παιχνιδάκια»...

Έδειξε και εκείνη τη στιγμή το μεγαλείο ψυχής που ποτέ δεν
τον εγκατέλειψε, καθώς και το αποκλειστικό του ενδιαφέρον για
την ενότητα του ΠΑΣΟΚ.

Η αναφορά αυτή γίνεται και σαν απάντηση στις αθλιότητες
που γράφτηκαν εκείνη την περίοδο περί «συνωμοσίας στο Ωνά-
σειο», ότι δηλαδή εγώ και κάποιοι βουλευτές συνωμοτούσαμε κα-
τά της κυβέρνησης. Οφείλω να πω, για την αποκατάσταση της ι-
στορικής αλήθειας, πως κανένας βουλευτής δεν έδειξε την παρα-
μικρή διάθεση «συνωμοσίας». Εκφράστηκαν απλά και μόνο προ-
βληματισμοί για τους κυβερνητικούς χειρισμούς, τίποτα παρα-
πάνω. Και η απάντηση του Ανδρέα ήταν αυτή που ανέφερα.

Η έξοδος απ' το Ωνάσειο

Ακόμα και στην κατάσταση που ήταν, ο Ανδρέας παρέμενε πάντα
ένας μύθος κι ένα σύμβολο. Αυτό βέβαια είχε και την πολιτική
του διάσταση, καθώς το Συνέδριο του ΠΑΣΟΚ πλησίαζε και πολ-
λοί είχαν συμφέρον να περνάει προς τα έξω μία εικόνα του Πα-
πανδρέου ζωντανού-νεκρού.

Αυτό είχε σαν αποτέλεσμα να παιχτεί γύρω απ' την έξοδο του

Ανδρέα από το Ωνάσειο ένα περίεργο οικογενειακό-ιατρικό-πολιτικό παιχνίδι. Γνωρίζω πολύ καλά ότι και ο Δημήτρης Κρεμαστινός και οι άλλοι γιατροί του ιατρικού συμβουλίου δέχτηκαν για ένα πολύ μεγάλο διάστημα ισχυρότατες πιέσεις για να μη συναινέσουν να βγει ο πρόεδρος απ' το Ωνάσειο. Σε κάποιες περιπτώσεις οι πιέσεις μού θύμιζαν το κλίμα των πρώτων εβδομάδων στο Ωνάσειο, τότε που οι γιατροί υφίσταντο καθημερινά τρομοκρατία προκειμένου να γνωματεύσουν πως ο Ανδρέας είναι πνευματικά νεκρός.

Οφείλω για άλλη μια φορά να αναγνωρίσω τη θαρραλέα στάση του Γρ. Σκαλκέα αλλά και του Δημ. Κρεμαστινού και των άλλων γιατρών, που δε δέχτηκαν να γίνουν πιόνια σ' ένα ιδιόμορφο πολιτικό σκάκι.

Δε θέλω σ' αυτό το βιβλίο να αναφέρω ποιοι ήταν αυτοί που πίεζαν για να παραμείνει ο Ανδρέας στο Ωνάσειο για αόριστο χρονικό διάστημα, άλλωστε δεν είναι δύσκολο να τους μαντέψει κανείς. Ωστόσο οι επιθυμίες ορισμένων ενισχύθηκαν από μία περίεργη γνωμάτευση Αμερικανών γιατρών απ' τη Μέγιορ Κλίνικ, τους οποίους είχαν φέρει τα παιδιά του. Σύμφωνα με τη γνωμάτευση, η κατάσταση του Ανδρέα ήταν πάρα πολύ σοβαρή ακόμα και δεν έπρεπε να βγει απ' το νοσοκομείο. Γνωρίζω μάλιστα και μία σύναξη που πραγματοποιήθηκε για την αξιοποίηση αυτής της γνωμάτευσης. Ο Νίκος Παπανδρέου τη διακινούσε, ήρθε μάλιστα και στο δωμάτιό μου και μου έδωσε κι εμένα αντίγραφό της. Επίσης μέλος της πρώην οικογένειας του Ανδρέα είχε πει εκείνες τις μέρες το περίφημο, μόνο που δεν ξέρω πόσο ανθρώπινο, «καλύτερα διακόσια χρόνια στην εντατική παρά μια μέρα στην Εκάλη, δε θα την κάνουμε ξανά ισχυρή αυτή», δηλαδή εμένα.

Μέσα σ' αυτό το κλίμα των πιέσεων και της απόπειρας τρομοκράτησης των γιατρών, στο οποίο αναμείχθηκαν και πρόσωπα νεοεισελθέντα στην οικογένεια, ο Ανδρέας, που καταλάβαινε βέβαια τι γινόταν, αδημονούσε να γυρίσει στο σπίτι του. Ψυχολογικά ήταν έτοιμος, ενώ και η κατάσταση της υγείας του το επέτρεπε. Χαρακτηριστικά, γιατρός που συμμετείχε στο ιατρικό συμβούλιο μου είχε πει ότι, αν ο ασθενής δεν ήταν ο πρώην πρωθυ-

πουργός, θα είχε πάει ήδη στο σπίτι του. Η καθυστέρηση της ε-
ξόδου τον ενοχλούσε, πολύ περισσότερο που γνώριζε πλέον ότι
συνδεόταν με πολιτικά και προσωπικά παιχνίδια. Ενδεικτικό του
κλίματος που επικρατούσε είναι το γεγονός ότι μετά από ένα ε-
πεισόδιο που είχε προηγηθεί με μέλος της οικογένειας ο κ. Σκαλ-
κέας ήρθε και μου είπε: «Κυρία Παπανδρέου, δεν το έχω ξανα-
δεί αυτό το πράγμα». Με παρακάλεσε και ο ίδιος και ορισμένοι
άλλοι γιατροί να είμαι ψύχραιμη και να μην προκαλέσω κανένα
επεισόδιο, γιατί θα ήταν σε βάρος του προέδρου.

Εκείνη την περίοδο έγινε και μία δεύτερη συνάντηση του Αν-
δρέα με το νέο πρωθυπουργό Κ. Σημίτη. Ήταν και αυτή τυπική
και ολιγόλεπτη. Φαινόταν πως το ψυχολογικό και πολιτικό χάσμα
που υπήρχε μεταξύ τους δεν ήταν δυνατό να ξεπεραστεί, παρά
την καλή διάθεση του Ανδρέα να συνεισφέρει στο έργο της νέας
κυβέρνησης παρέχοντας απόψεις και συμβουλές. Αυτό το είχε το-
νίσει ήδη στον Κ. Σημίτη από την πρώτη τους συνάντηση.

Το αδιέξοδο που είχε διαμορφωθεί σχετικά με την έξοδο απ' το
Ωνάσειο ξεπεράστηκε τελικά μόνο με τη θέληση του ίδιου του
Ανδρέα. Κατέστησε σαφές στους γιατρούς, οι οποίοι πάντως, ε-
παναλαμβάνω, δεν είχαν δεχτεί να ενταχθούν στα παιχνίδια που
παίζονταν, αλλά ταυτόχρονα αισθάνονταν μια βαριά ευθύνη να πέ-
φτει πάνω τους, ότι είναι έτοιμος και ότι επιθυμεί να επιστρέψει
στο σπίτι του. Είχε αρχίσει να προετοιμάζεται γι' αυτό. Καθημε-
ρινά φορούσε τα ρούχα του στους μικρούς περιπάτους που έκα-
νε στο διάδρομο του έκτου ορόφου και γενικά είχε προσαρμοστεί
στην ιδέα ότι σε λίγες μέρες θα ήταν έξω απ' το νοσοκομείο. Συμ-
μετείχε επίσης με τον τρόπο του και στις πολιτικές εξελίξεις. Εί-
χε αρχίσει συναντήσεις με στελέχη του ΠΑΣΟΚ, όπως ο Γ. Χαρα-
λαμπόπουλος, ο Αναστάσης Πεπονής, ο Γεράσιμος Αρσένης, ενώ
καθημερινά συζητούσε με τον Αντ. Λιβάνη και τον Τηλ. Χυτήρη.
Φυσικά μιλούσε πολύ συχνά και με τους καλούς του φίλους Κά-
ρολο Παπούλια και Γ. Κατσιφάρα. Είχε συναντηθεί επίσης και με
τον αγαπημένο του φίλο Βάσο Λυσσαρίδη, με τον οποίο μίλησε

αρκετά για τις εξελίξεις στο Κυπριακό. Εκείνες τις μέρες είχε αρχίσει να κάνει και τις πρώτες συζητήσεις για το Συνέδριο, το οποίο τον απασχολούσε πολύ, αφού παρέμενε πρόεδρος του ΠΑΣΟΚ.

Η καλυτέρευσή του λοιπόν ήταν εμφανής, η ψυχολογική του κατάσταση πολύ καλή και η επιθυμία του για έξοδο από το νοσοκομείο πάρα πολύ μεγάλη. Επέμενε καθημερινά να ρωτάει τους γιατρούς πότε επιτέλους θα βγει από εκεί μέσα. Οφείλω να πω πως και ο Γ. Παναγιωτακόπουλος και ο Π. Λάμπρου είχαν προειδοποιήσει αυτούς που κατέβαλαν προσπάθειες για την παραμονή του Ανδρέα στο νοσοκομείο να μη συνεχίσουν. Ήταν δύσκολο πλέον να εξηγηθεί η συνέχιση της παραμονής του εκεί. Στις αρχές Μαρτίου ο Ανδρέας σε συζήτηση που είχε με τους Δημ. Κρεμαστινό και Γρ. Σκαλκέα τούς είπε: «Πρέπει πλέον να βγω, κουράστηκα».

Άρχισαν οι προετοιμασίες για την έξοδό του. Ο ίδιος αισθανόταν έτοιμος και η προσμονή της επιστροφής στο σπίτι τού έδινε φτερά. Στις 20 Μαρτίου, παραμονή της εξόδου του, ένιωθε ο πιο ευτυχισμένος άνθρωπος στον κόσμο. Ο εφιάλτης των εκατόν είκοσι τριών ημερών είχε αρχίσει να γίνεται παρελθόν. Ήταν συγκινημένος και χαρούμενος. Αισθανόταν ότι επέστρεφε ξανά στη ζωή. Αλλά εγώ που τον ήξερα καλά έβλεπα ότι τα σημάδια και οι πληγές της παραίτησης δεν είχαν επουλωθεί και ούτε θα έσβηναν ποτέ. Ήταν αυτά που καθόριζαν πλέον τη μοίρα του Ανδρέα και τον έφερναν κοντά σε μια άλλη έξοδο, απ' τη ζωή δυστυχώς αυτή τη φορά.

Είχε προετοιμαστεί και μια μικρή δήλωση που θα έκανε κατά την έξοδό του, με την οποία θα ευχαριστούσε τους γιατρούς, το προσωπικό του νοσοκομείου, εμένα και όλους τους άλλους που του συμπαραστάθηκαν και κυρίως τον ελληνικό λαό για την αγάπη που του έδειξε.

Το πρωί της 21ης Μαρτίου έκανε πάλι πυρετό, απ' αυτούς που τον ταλαιπωρούσαν και τον έφερναν ένα βήμα πίσω. Ήταν τόσο συγκινημένος όσο λίγες φορές τον είχα δει. Ήταν γι' αυτόν μια πάρα πολύ σημαντική μέρα.

Τα παιδιά των κινητοποιήσεων και το προσωπικό του νοσοκομείου οργάνωσαν μια απλή τελετή. Τους χαιρέτησε όλους διά

490

χειραψίας και τους ευχαρίστησε θερμά για την παρουσία και τη συμπαράστασή τους. Η συγκίνησή του ήταν μεγάλη και η ψυχολογική φόρτιση εντονότατη. Αυτά, σε συνδυασμό με τον πυρετό, συνετέλεσαν ώστε να μην μπορέσει να ολοκληρώσει τη δήλωση που είχε ετοιμάσει. Και αυτό το γεγονός έγινε προσπάθεια να αξιοποιηθεί πολιτικά. Πολλοί μίλησαν και έγραψαν για «φιέστα εξόδου» και για έλλειψη σεβασμού στον Ανδρέα και την κατάσταση που βρισκόταν.

Δεν είναι έτσι. Ο Ανδρέας, και αυτό το γνωρίζουν καλά όσοι τον έζησαν από κοντά, είχε πάντα την ανάγκη αγάπης, ζούσε απ' αυτή την αγάπη. Και οι γιατροί συμφώνησαν ότι ιδιαίτερα εκείνη τη μέρα τού ήταν απαραίτητη. Ήθελε να αισθανθεί ότι ακόμα υπήρχε κόσμος που τον αγαπούσε και τον πίστευε, αυτό του έδινε κουράγιο και δύναμη. Ανθρώπινα δεν μπορούσε κανείς να του στερήσει αυτό το δικαίωμα. Δεν ξέρω αν όσοι μίλησαν για έλλειψη σεβασμού έλαβαν υπόψη τους τον τρόπο που πάντα ο Ανδρέας λειτουργούσε. Εγώ πάντως ξέρω ότι τη χάρηκε αυτή την έκφραση αγάπης, αν και στενοχωρήθηκε που δεν μπόρεσε να ολοκληρώσει τη δήλωσή του.

Δεν έκλαψε όταν μπήκαμε στο ασανσέρ του Ωνασείου, όπως γράφτηκε. Ήταν μόνο πάρα πολύ συγκινημένος. Εισέπραξε με χαρά μικρού παιδιού την αγάπη που του πρόσφερε ο συγκεντρωμένος κόσμος έξω από το Ωνάσειο.

Την ίδια χαρά έδειξε όταν μετά από εκατόν είκοσι τρεις μέρες επιστρέψαμε στο σπίτι. Και την έδειξε σε όλους. Ζήτησε να δει τα σκυλιά και ξεκουράστηκε.

Χαρακτηριστικό των συναισθημάτων του είναι ότι το βράδυ, έκδηλα συγκινημένος, σε δείπνο που έγινε και στο οποίο παρευρέθηκαν όλοι οι γιατροί που ήταν όλο αυτό το διάστημα κοντά του, είπε:

«Επιτέλους αισθάνομαι ελεύθερος, είμαι στο σπίτι μου».

Την είχε ανάγκη αυτή την αίσθηση της ελευθερίας. Ήταν πάντα ο γνωστός Παπανδρέου. Και ήταν χωρίς σύνορα η χαρά του.

Αλλά κάτι του έλειπε. Δεν ήταν πια ο πρωταγωνιστής. Και αυτό για τον Ανδρέα βάραινε πολύ.

491

Το μήνυμα προς το Συνέδριο

Δεν ήταν εύκολες οι μέρες που ακολούθησαν. Του έλειπε η πολιτική δράση. Τον κούραζε η αιμοκάθαρση, που έκανε κάθε δύο μέρες. Δεχόταν όμως ευχάριστα όλες τις άλλες ασκήσεις κινησιοθεραπείας και λογοθεραπείας στις οποίες υποβαλλόταν, γιατί τις ένιωθε σαν πύλες εισόδου ξανά στον κόσμο της δράσης.

Καθημερινά τον επισκέπτονταν ο Αντ. Λιβάνης και ο Δημ. Κρεμαστινός. Επίσης σχεδόν κάθε μέρα έβλεπε τους Τηλ. Χυτήρη και Ν. Αθανασάκη και πολύ συχνά φίλους του, τον Παπούλια και τον Κατσιφάρα. Συναντήθηκε επίσης εκείνο το διάστημα με τους Γερ. Αρσένη, Κ. Σκανδαλίδη, Απ. Κακλαμάνη, με το προεδρείο της ΚΟ και με αντιπροσωπία της Νεολαίας με επικεφαλής τη γραμματέα Τόνια Αντωνίου.

Αλλά η συνάντηση που τον συγκίνησε ιδιαίτερα ήταν αυτή με τον Γιάσερ Αραφάτ. Οι δύο επαναστάτες και αγαπημένοι φίλοι, οι δύο σύντροφοι σε μια μακρά πορεία αγώνων, αμφισβητήσεών τους αλλά και δικαίωσής τους, που είχαν πάντα μια ιδιαίτερη σχέση σύνδεσης, σαν να καταλάβαιναν ότι συναντιόνταν για τελευταία φορά, ήθελαν να κρατήσουν αυτή τη συνάντηση όσο γινόταν περισσότερο. Μίλαγαν ο ένας στον άλλο πιο πολύ με τα μάτια τους, γεμάτα αγάπη και συγκίνηση. Ήταν απ' τις πιο όμορφες, ανθρώπινες και συγκινητικές στιγμές που έζησε ο Ανδρέας μετά την έξοδό του απ' το Ωνάσειο. Ο αγαπημένος του φίλος ήταν πια όχι ο κυνηγημένος «τρομοκράτης» αλλά ο δικαιωμένος ηγέτης ενός λαού που πάλεψε με πάθος για την εθνική του ανεξαρτησία.

Στην πρώτη τους συνάντηση, όταν ο Ανδρέας έγινε ξανά πρωθυπουργός το 1993, του πρόσφερε πολιτική στήριξη και οικονομική βοήθεια για την ανοικοδόμηση της πατρίδας του. Τώρα του πρόσφερε με αγάπη και σοφία συμβουλές για τη δύσκολη περίοδο ειρήνης που είχε αρχίσει. Του επέστησε ιδιαίτερα την προσοχή για τα νομικά προβλήματα της ειρηνευτικής συμφωνίας για τη Μέση Ανατολή. Μα πάνω απ' όλα ο ένας πρόσφερε στον άλλο ηθική στήριξη και αγάπη. Ο Αραφάτ, θέλοντας να του δώσει κουράγιο, μας κάλεσε στην ελεύθερη πατρίδα του. Ένα λυπημένο βλέμμα ήταν η απάντηση του Ανδρέα. Δεν ξανασυναντήθηκαν. Αλλά νομίζω πως η σχέση τους αποτελεί πρότυπο σχέσης δύο ηγετών και δύο ανθρώπων.

Στους Απ. Κακλαμάνη και Κ. Σκανδαλίδη ο Ανδρέας είχε μιλήσει για τον ενωτικό ρόλο που είχε διάθεση να διαδραματίσει στο μέλλον. Τους είχε εκφράσει επίσης την επιθυμία του να είναι παρών στο Συνέδριο.

Συγκινητική ήταν η ατμόσφαιρα που επικράτησε στη συνάντησή του με το προεδρείο της ΚΟ. Εκείνη τη μέρα ήταν σε πολύ καλή κατάσταση και έκπληκτοι οι βουλευτές είδαν μπροστά τους έναν Ανδρέα απ' τα παλιά, είδαν τον ηγέτη τους. Τους μίλησε για δέκα περίπου λεπτά για το ρόλο της ΚΟ, ενώ είχε και ανθρώπινες στιγμές μαζί τους, καθώς θυμήθηκε και αναφέρθηκε σε περιστατικά με τους Παρασκευά Φουντά, Λάζαρο Λωτίδη, Αντ. Ντεντιδάκη και Μαρία Θωμά. Τους μίλησε με αγάπη και πατρική, μπορώ να πω, στοργή. Εξέπεμπε σοφία και διαύγεια που τους εξέπληξαν και αυτό φάνηκε και από τις δηλώσεις που έκαναν μετά στους δημοσιογράφους. Ήταν η συνάντηση την οποία κάλυψαν και οι τηλεοπτικές κάμερες, μια συνάντηση την οποία απόλαυσε και πολύ τον συγκίνησε.

Όλο εκείνο το διάστημα η κατάστασή του βελτιωνόταν συνεχώς. Είχε πολύ καλή συνεργασία, εκτός απ' τον Δημ. Κρεμαστινό, και με τους γιατρούς κ.κ. Λαγγουράνη, Βλαχογιάννη και Καρπαθίου.

Είχε μια προοπτική. Και όταν ο Ανδρέας είχε προοπτική, διέθετε πάντα αστείρευτες δυνάμεις για να παλεύει και να εκπλήσσει. Η προοπτική του ήταν η παρουσία του στο Συνέδριο.

Επαναλαμβάνω πως δεν έχουν καμία σχέση με την πραγματικότητα οι κακοήθειες που είδαν το φως της δημοσιότητας, ότι πιεζόταν για να πάει στο Συνέδριο. Η αλήθεια είναι ότι είχε βαθιά επιθυμία και θέληση να είναι παρών στο Συνέδριο του κόμματος που ίδρυσε και που δεν έπαψε ποτέ να τον ενδιαφέρει ως την τελευταία μέρα. Την επιθυμία του αυτή τη γνωρίζουν πολύ καλά όσοι τον έβλεπαν εκείνο το διάστημα.

Όλη η προετοιμασία του, ψυχολογική και σωματική, είχε αυτό και μόνο το στόχο. Υπέμενε χωρίς καμιά διαμαρτυρία τις καθημερινές ασκήσεις, ακριβώς επειδή ήθελε να βρεθεί σε θέση, και από πλευράς ομιλίας και από πλευράς κίνησης, να παρουσιαστεί στα μέλη του ΠΑΣΟΚ. Όχι μόνο δεν πιέστηκε, αλλά ήταν αυτό που τον κρατούσε στη ζωή. Ήταν για τον Ανδρέα ένα στοιχείο πολιτικής δράσης και παρουσίας, μετά τον αργό θάνατο στον οποίο τον υπέβαλε η παραίτησή του απ' τη θέση του πρωθυπουργού. *Και ήταν στο τέλος η αίσθησή του ότι δε θα μπορούσε να είναι όπως αυτός ήθελε στο Συνέδριο, όρθιος και πρωταγωνιστής, που τον οδήγησε να κατεβάσει τους διακόπτες της ζωής.*

Για το θέμα του Συνεδρίου συζητούσε καθημερινά με τον Αντ. Λιβάνη και πολλές φορές με τους Χυτήρη και Αθανασάκη. Ήθελε να γνωρίζει το κλίμα, καθώς και το πώς τον αντιμετώπιζαν τα στελέχη του ΠΑΣΟΚ. *Ήθελε να είναι παρών και να δώσει, ως πρόεδρος του ΠΑΣΟΚ, το στίγμα και την προοπτική των εξελίξεων.*

Γνώριζε καλά πως αυτό δεν άρεσε σε πολλούς. Γνώριζε καλά πως η παρουσία του ήταν εμπόδιο στα σχέδια της νέας ηγετικής ομάδας και αυτό το συζητούσε συχνά με τον Αντ. Λιβάνη.

Η προοπτική του Συνεδρίου βελτίωνε ακόμα περισσότερο την κατάστασή του. Χαιρόταν και απολάμβανε μικρές καθημερινές χαρές. Αντιδρούσε ευχάριστα στα καινούρια ρούχα που του ψώνιζα, γιατί είχε πάρει στο μεταξύ και δεκατέσσερα κιλά. Ήταν τόση η δίψα του για ζωή και δράση, ώστε ένα απόγευμα που καθόμασταν στη βεράντα με εξέπληξε λέγοντάς μου:

«Θα μπορέσουμε φέτος να πάμε στην Ελούντα; Θα το ήθελα...»

Τον βλέπαμε να καταβάλει αυτή την καθημερινή προσπάθεια και ήμασταν όλοι ευτυχισμένοι. Αυτό που δεν υπολογίζαμε ήταν τι θα έκανε ο Ανδρέας όταν θα έβλεπε πως δεν είναι στην κατάσταση που ο ίδιος θέλει. Μας ξεγέλασε με το δικό του τρόπο.

Υπήρχαν βέβαια και στιγμές που του θύμιζαν το παρελθόν και τον πίκραιναν. Μια απ' αυτές είχε πρωταγωνιστή το γιο του τον

Νίκο. Κάποιο απόγευμα που μόλις είχε τελειώσει την αιμοκάθαρση και καθόμασταν με τα παιδιά του, γύρισε κάποια στιγμή και τους είπε: «Θέλω να σας πω ότι αυτό το σπίτι ανήκει στη Δήμητρα, το άλλο σπίτι, στο Καστρί, είναι το δικό σας». Ο Νίκος αντέδρασε πολύ άσχημα υψώνοντας τη φωνή του και μιλώντας άσχημα στον πατέρα του. Ο Ανδρέας τον αντιμετώπισε με ένα βλέμμα που έβγαζε λύπη και πίκρα. Το επεισόδιο τον επηρέασε πολύ. Το βράδυ που τον είδε ο Αντ. Μαΐλης διαπίστωσε ότι βρισκόταν σε πολύ άσχημη ψυχολογική κατάσταση, δεν μπορούσε ούτε να περπατήσει ούτε να μιλήσει. Έμεινε σ' αυτή την κατάσταση για τρεις μέρες.

Ένας απ' αυτούς που δεν ήθελαν την παρουσία του Ανδρέα στο Συνέδριο ήταν και ο Γιώργος Παπανδρέου. Ο Ανδρέας το είχε καταλάβει και απέφευγε συστηματικά να συζητά μαζί του για το Συνέδριο, αν και ο Γιώργος αρκετές φορές προσπάθησε να του ανοίξει τέτοια κουβέντα. Ακόμα και τη βραδιά που έφυγε, λίγο πριν τον καληνυχτίσει, ο Γιώργος ρωτούσε με αγωνία τον Δημ. Κρεμαστινό αν θα μπορέσει τελικά ο πατέρας του να είναι στο Συνέδριο.

Είχε καταλήξει στην απόφαση ότι θα στήριζε την πρόταση για την εκλογή αντιπροέδρου και είχε την πρόθεση να το πει αυτό στο Συνέδριο.

Τον απασχολούσε έντονα η εικόνα του στο Συνέδριο, μήπως δηλαδή ενδεχόμενη όχι καλή εικόνα του αξιοποιούνταν για να αμφισβητηθεί άλλη μια φορά.

Απ' τις αρχές Ιουνίου άρχισε να προβληματίζεται για το τι θα έλεγε στους συνέδρους. Ρωτούσε συνεχώς τους γιατρούς πώς έβλεπαν την κατάστασή του. Ο Δημ. Κρεμαστινός σε συζητήσεις που είχε μαζί μας διέβλεπε έναν κίνδυνο απ' το πιθανό στρες που θα του δημιουργούσε η εμφάνισή του μπροστά σε τέσσερις χιλιάδες στελέχη του ΠΑΣΟΚ. Έλεγε ότι η παρουσία του στο Συνέδριο ήταν μία παρακινδυνευμένη κίνηση. Υπογράμμιζε ωστόσο ότι την τελική απόφαση θα την έπαιρνε ο ίδιος ο πρόεδρος.

Για τον Ανδρέα όμως αυτό ήταν η προοπτική. Συνέχιζε να συζητά με τον Αντ. Λιβάνη και τους Χυτήρη και Αθανασάκη για το περιεχόμενο της ομιλίας του. Του λέγαμε όλοι ότι, αν τελικά δεν ήταν σε θέση να πάει στο Συνέδριο, θα έστελνε ένα μήνυμα.

Αυτό το μήνυμα πήρε την τελική του σχεδόν μορφή λίγες ώρες πριν ο Ανδρέας φύγει. Το πρωί του Σαββάτου τηλεφώνησε στον Αντ. Λιβάνη και μίλησε μαζί του για το περιεχόμενο του κειμένου που έπρεπε να ετοιμαστεί. Του ζήτησε να έρθει το απόγευμα στο σπίτι, όπου κάλεσε επίσης και τους Τηλ. Χυτήρη και Ν. Αθανασάκη. Ο Αντ. Λιβάνης ήρθε νωρίς με ένα σχέδιο κειμένου, που είχε συζητήσει με τον Τηλ. Χυτήρη και το οποίο συζήτησε μαζί του. Ακολούθως έφυγε και είπε ότι *είχαν συμφωνήσει με τον Τηλ. Χυτήρη και τον Ν. Αθανασάκη να έρθουν 8:30 με 9 με την τελική μορφή του κειμένου, το οποίο, όπως συμφώνησαν, θα έγραφαν.*

Οι Αθανασάκης - Χυτήρης ήρθαν πράγματι κατά τις 9 με το κείμενο που είχαν ετοιμάσει. Θα το έθεταν υπόψη του Ανδρέα και με τις οδηγίες του θα γράφοταν το τελικό, εγκεκριμένο από τον Ανδρέα κείμενο.

Εκείνο το βράδυ όμως ο Ανδρέας δε μίλησε μαζί τους για το κείμενο. Συμφώνησαν να έρθει την επομένη ο Ν. Αθανασάκης προκειμένου να συνεργαστούν γι' αυτό.

Όταν ο Ανδρέας κατέληξε, ο Ν. Αθανασάκης ζήτησε απ' την Ιωάννα να σβήσει απ' τη δισκέτα του κομπιούτερ το προσχέδιο του κειμένου που είχε γράψει με τις οδηγίες του. Το χαρτί όπου ήταν γραμμένο το κείμενο το κράτησε ο ίδιος και έχει δηλώσει πως δεν το δίνει στη δημοσιότητα, αφού αυτό δεν είχε πάρει την τελική του μορφή με την έγκριση του Ανδρέα.

Ο Αντ. Λιβάνης κι εγώ γνωρίζουμε τις τελικές οδηγίες που ο Ανδρέας είχε δώσει. Και οφείλω, σεβόμενη τη θέση του Ν. Αθανασάκη, να καταθέσω σ' αυτό το βιβλίο τις τελευταίες απόψεις και θέσεις του Ανδρέα για το πολιτικό του παιδί, το ΠΑΣΟΚ, όπως διατυπώθηκαν στον πιο στενό και αγαπημένο του συνεργάτη. Ήταν άλλωστε η τελευταία του πολιτική συζήτηση-παρέμβαση και θεωρώ πως έχει ιστορική αξία η καταγραφή της. Μ' αυτό και μόνο το κριτήριο καταθέτω τις τελευταίες σκέψεις του Ανδρέα για το ΠΑΣΟΚ.

Με το μήνυμα προς το Συνέδριο θα υπογράμμιζε την ανάγκη για τη συνέχεια και την πολιτική ενότητα του ΠΑΣΟΚ. Θα υπογράμμιζε την ανάγκη να παραμείνει το ΠΑΣΟΚ ενιαίο και μεγάλο, κορμός της δημοκρατικής παράταξης.

Το δωμάτιο όπως έχει μείνει από τη μέρα που έφυγε.

Οικογενειακά κειμήλια.

Ένα μπουκάλι Αιγαίο. Η Ελλάδα.

Η μέρα που σταμάτησε η καρδιά της Ελλάδας να χτυπά.

Θα τόνιζε επίσης ότι ο ίδιος παραμένει στις επάλξεις εγγυητής αυτής της συνέχειας και της πολιτικής ενότητας.

Θα υπογράμμιζε την ανάγκη να διατηρηθεί η πολιτική και ιδεολογική ψυσιογνωμία καθώς και ο πατριωτικός χαρακτήρας του ΠΑΣΟΚ.

Θα επέμενε ιδιαίτερα στην ιστορική αξία που έχει για η χώρα και το έθνος το να μην αλλοιωθεί ειδικά ο πατριωτικός χαρακτήρας του Κινήματος που ίδρυσε και ούτε στο μέλλον να προκύψει τέτοιος κίνδυνος από ενδεχόμενους λανθασμένους χειρισμούς ή παραλείψεις.

Θα έδινε ιδιαίτερη έμφαση στις εξελίξεις στα εθνικά θέματα. «Προσοχή στα εθνικά», θα υπογράμμιζε, «να συνεχίσουμε με τις θέσεις μας».

Η μεγάλη έξοδος

ΟΤΑΝ Ο ΑΝΤ. ΛΙΒΑΝΗΣ ΑΠΟΧΑΙΡΕΤΟΥΣΕ τον Ανδρέα το βράδυ του Σαββάτου, του είπε: «Ανδρέα μου, δε θα πάω στο Πόρτο Ράφτη. Θα μείνω εδώ και θα έρθω αύριο».

Και ο Ανδρέας τού απάντησε: *«Ήθελα να σου τη φέρω εγώ, αλλά μου την έφερες εσύ, αφού θα μείνεις εδώ».*

Ούτε εγώ ούτε ο Αντώνης σκεφτήκαμε εκείνη τη στιγμή πως ο Ανδρέας αποχαιρετούσε με το δικό του τρόπο τον αγαπημένο φίλο και πιστό του συνεργάτη. Ούτε μας πέρασε απ' το νου ότι είχε επιλέξει την έξοδο και ότι «την είχε φέρει» σε όλους μας.

Μας είχε ξεγελάσει, αν και τα μηνύματα που έστελνε εκείνες τις τελευταίες μέρες είχαν το δικό τους ιδιαίτερο νόημα, με τον τρόπο που εκείνος μόνο γνώριζε να εκπέμπει μηνύματα.

Είχε συνειδητοποιήσει πως, παρά τις προσπάθειες που κατέβαλε, δεν μπορούσε πια να είναι ο πρωταγωνιστής, ο ηγέτης των μαχών και των νικών που είχε λατρευτεί έτσι απ' το λαό.

Το εισιτήριο του θανάτου, το νιώθω και το ξέρω καλά, το είχε βγάλει στις 16 Ιανουαρίου, όταν είχε παραιτηθεί από τη θέση του πρωθυπουργού. Έζησε λίγους μήνες ακόμα διατηρώντας μια ελπίδα ότι θα μπορούσε να είναι παρών στις πολιτικές εξελίξεις, να είναι δηλαδή παρών στη ζωή. Όταν διαπίστωσε πως δε διέθετε τις δυνάμεις που ήθελε, τότε παραιτήθηκε.

Μιλώντας πάλι με τον Αντ. Λιβάνη λίγες μέρες πριν, όταν του είπε: «Άντε, σε δέκα μέρες θα είμαστε καλύτερα», του απάντησε λυπημένος:

«Δεν προσβλέπω, Αντώνη...»

498

Εκείνο το Σάββατο είπε το «πρέπει να εξασφαλίσω τη Δήμητρα, γιατί σταματάει...»

Ήταν όλα αυτά τα μηνύματά του ότι έχει συνειδητά ξεκινήσει τη μεγάλη έξοδο. Μας αποχαιρετούσε με τον τρόπο του. Επέλεξε να φύγει με την εικόνα του γενναίου, περήφανου, όρθιου μαχητή και ηγέτη.

Την προηγούμενη μέρα είχα πάει στην Τήνο για το τάμα που κάθε χρόνο μετά το Χέρφιλντ εκπληρώναμε μαζί. Αυτή τη χρονιά πήγα μόνη μου, δεν ήταν σε θέση να με συνοδεύσει. Όταν επέστρεψα και με ρώτησε πώς πήγα και του απάντησα ότι έχω διαίσθηση πως όλα θα πάνε καλά, δε μου απάντησε. Δεν ήθελε να με κακοκαρδίσει και να μου πει πως αυτή τη φορά η διαίσθησή μου λάθευε...

Νιώθω την ανάγκη τώρα που φτάνω στο τέλος αυτού του βιβλίου να επιστρέψω στο σημείο απ' όπου ξεκίνησα, στον αποχαιρετισμό του Ανδρέα στη ζωή και στους ανθρώπους που αγάπησε. Αποχαιρετούσε εκείνο το Σάββατο. Αλλά κανείς δεν καταλάβαινε τον αποχαιρετισμό του.

Το μεσημέρι που καθόμασταν στη βεράντα η τριανταφυλλιά είχε βγάλει το πρώτο της μπουμπούκι και του είπα: «Σ' το χαρίζω αυτό το πρώτο μπουμπουκάκι». Το έβαλα σε ένα ποτήρι δίπλα στο κρεβάτι του, όταν ζήτησε να ξεκουραστεί. Ξάπλωσα λίγο μαζί του και του χάιδευα το κεφάλι και τα χέρια, ενώ ο Βαγγέλης, που ήταν μαζί μας εκείνη την ώρα, είπε: «Νιώθω μια ιδιαίτερη ανάγκη σήμερα να του φιλήσω τα πόδια».

Ο Ανδρέας Αλεξόπουλος, τον οποίο αγαπούσε πολύ και τον ζήτησε το πρωί του Σαββάτου, θυμάται:

«Μου ζήτησε τον Καράτση, του λέω: "Ποιον Καράτση, πρόεδρε;" και μου απαντάει: "Το συνάδελφό σου". Του λέω: "Κύριε πρόεδρε, ο Τάκης δεν υπάρχει". "Καλά λες", μου απαντάει. Ύστερα με ρώτησε αν πήγαμε με τον Παναγιωτακόπουλο να δούμε το χώρο του Συνεδρίου· τον καθησύχασα ότι όλα είναι εντάξει...

»Μετά το βραδινό φαγητό, τον βοηθήσαμε να ξαπλώσει. Ύστερα από λίγο μας φώναξε η νοσηλεύτρια πως κάτι δεν πάει κα-

499

λά με τον πρόεδρο. Έτρεξα μέσα μαζί με την κυρία Δήμητρα. Με κοίταξε και μου είπε: "Δε θα πεθάνω, μη φοβάσαι..." Όμως συνέχεια η κατάστασή του χειροτέρευε. Εγώ με τον κ. Μαΐλη αρχίσαμε να του κάνουμε μαλάξεις, αλλά μάταια, έφευγε. Όταν ήρθε ο κ. Κρεμαστινός με τον κ. Αντωνιάδη, μου είπαν: "Μην τον ταλαιπωρείς άλλο, τελείωσε..."

»Για μένα ο πρόεδρος ήταν ο πατέρας μου, δεν υπάρχουν λόγια για να τον περιγράψω. Δε μίλησε ποτέ άσχημα σε κανέναν· απ' την πρώτη μέρα που τον γνώρισα αυτό που μου έκανε πάντοτε εντύπωση ήταν η ευγένειά του. Μου έχει μείνει ακόμα η αγωνία που είχε πάντα για να είναι εντάξει και στην ώρα του με τα ραντεβού του και η χαρά που ένιωθε όταν επικοινωνούσε με τον κόσμο».

Πιστεύω πως το παράπονο με το οποίο έφυγε ήταν πως είχε καιρό να επικοινωνήσει με το λαό, μ' αυτό το μοναδικό τρόπο επικοινωνίας που είχε κατακτήσει ο ηγέτης, ο «Ανδρέας», όπως με λατρεία τον αποκαλούσε ο κόσμος.

Αυτή τη λατρεία τού τη χάρισε βέβαια τρεις μέρες και τρεις νύχτες στη Μητρόπολη καθώς και τη μέρα της κηδείας. Θα ήταν το πιο πολύτιμο γι' αυτόν: να νιώθει, την ώρα της εξόδου, την αγάπη και τα δάκρυα αυτού του λαού στην ύστατη μεγάλη του συγκέντρωση.

Ίσως το μόνο πλάσμα που είχε πάρει το μήνυμά του πως έφευγε ήταν η Τζίλντα, το αγαπημένο του σκυλί, που όλο το Σάββατο ήταν ανήσυχη και έκλαιγε.

Θυμάμαι πως μας αποχαιρέτησε, αμίλητος, σκεφτικός και μελαγχολικός, έναν έναν, διά χειραψίας, όταν μετά το δείπνο ζήτησε συγνώμη γιατί, όπως είπε, ήταν κουρασμένος και ήθελε ν' αναπαυτεί. Τον Τηλέμαχο, τον Νίκο, τον Αντ. Μαΐλη, τον Μάκη Καρπαθίου και τη γυναίκα του Βάνα και την Πένυ Φλεβάρη. Αυτός ήξερε, όταν με βαρύ και κουρασμένο βήμα πορευόταν προς το δωμάτιό του, ότι πήγαινε για να συναντήσει την ιστορία, να περάσει στην πολιτική μυθολογία του τόπου. Ήξερε πως, όταν

500

μου είπε «δε σε αγαπάω· σε λατρεύω», ήταν αυτό το λογοπαίγνιο η τελευταία μας στιγμή αγάπης.

Λίγο αργότερα, είχα μείνει μόνη να φωνάζω: «Θεέ μου, δε θα μου το κάνεις αυτό». Ήμουν μόνη τώρα, μετά από δέκα χρόνια που έζησα μαζί του μια μοναδική σχέση.

Ύστερα θυμάμαι μόνο τον Αντ. Μαΐλη να ακουμπάει το χέρι του στον ώμο μου και να μου λέει: «Σήκω, δεν μπορείς να κάνεις τίποτα, δυστυχώς δε γίνεται τίποτα, δυστυχώς τελείωσε».

Αυτό το «τελείωσε» δεν μπόρεσα ποτέ να το αποδεχτώ.

Απ' τη στιγμή που ήρθε ο Αντ. Λιβάνης, έπεσα στην αγκαλιά του και κλάψαμε μαζί, μέχρι τη στιγμή που τον κοίταξα, έβγαλα απ' το χέρι μου το αγαπημένο δαχτυλίδι που μου είχε χαρίσει και του το έδωσα και μου δόθηκε μετά η ελληνική σημαία που σκέπαζε το φέρετρό του, όλα μού φαίνονταν μια παρένθεση που δεν ήθελα ποτέ να ζήσω, που πίστευα ότι ποτέ δε θα ζούσα. Μοναδική ανάσα η αγάπη του κόσμου και ιδιαίτερα των νέων ανθρώπων στο *«δικό τους Ανδρέα»,* που έχασαν.

Αυτό το «τελείωσε» δεν μπόρεσα, δε θα μπορέσω, δε θα θελήσω ποτέ να το αποδεχτώ.

Το κεφάλι μου έγειρε πίσω μόνο του. Το βλέμμα μου καρφώθηκε ψηλά! Τρύπησε το ταβάνι. Ακούμπησε στον ουρανό! Δεν άκουγα τίποτα. Μόνο αυτό το *«τελείωσε».*

Ένιωθα ότι έφευγα απ' το σώμα μου! Το βλέμμα μου τραβούσε και την ψυχή μου μαζί του προς τα πάνω! Στα σύννεφα! Εκεί που τον γνώρισα! Πετώντας! Ξαφνικά τον βλέπω μπροστά μου! Μου κάνει το τελευταίο του νεύμα! Ένα νεύμα που δεν το είδε κανείς άλλος, μόνο εγώ! Ένα νεύμα που αυτή τη φορά δε θα μ' έφερνε κοντά του! Ένα νεύμα φυγής! Όχι πρόσκλησης! Κι εκείνο το *«τελείωσε»* ηχούσε πιο δυνατά στ' αφτιά μου *τώρα!*

Το κεφάλι μου σηκώθηκε ξανά μόνο του. Ήρθε στη θέση του! Πήρα μια βαθιά ανάσα για να στηριχτώ! Ν' αντέξω! Ψηλά το κεφάλι, ναι! Αυτό εννοούσε με το τελευταίο του νεύμα! Τώρα το εξηγώ:

«Η ζωή δεν τελειώνει. Η ζωή συνεχίζεται. Και δε σε ρωτάει, σε παίρνει, σε παρασύρει μαζί της, δεν προφταίνει, δεν καταδέχεται

να σε ρωτήσει η ζωή, να σου ζητήσει τη γνώμη σου αν θα την α-
κολουθήσεις. Γι' αυτό είναι σκληρή η ζωή! Επειδή *δε* σε ρωτάει,
αλλά σε παρασύρει μαζί της. Δε σου επιτρέπει να *μη* ζήσεις. Ψη-
λά το κεφάλι και μπροστά! Η ζωή σε κοιτά κατάματα. Κοίτα τη
κι εσύ!»

Όσο ζω, θα ζει μέσα μου! Αυτό ήθελε να μου πει!

Κρατάω στην ψυχή μου όλη μας τη ζωή! Και συνεχίζω! *Όπως
αυτός θα ήθελε!*

Όσο έγραφα αυτό το βιβλίο, υπήρξαν φορές που τα μάτια μου έ-
κλειναν απ' την κούραση... Τ' άφηνα λοιπόν κλειστά... Μέσα στο
σκοτάδι... τον έβλεπα να 'ρχεται *καπετάνιος.* Σ' ένα μεγάλο *καράβι...*

Πέρναγε μπροστά μου, μου 'στελνε το νεύμα του.

Έπινα απ' τη θάλασσα που 'φερνε μαζί του και μετά έφευγε
ξανά... Χανόταν σ' άλλα κύματα, σ' άλλες θάλασσες, σ' άλλα ο-
ράματα! «Το 'κανε κι αυτό», ψιθύριζα. Αυτό το άλλο που θα ήθε-
λε να είναι! *Καπετάνιος!* Άνοιγα τα μάτια μου και λυπόμουν που τ'
άνοιγα! *Όμως θυμόμουν το τελευταίο αυτό νεύμα της ζωής* που μου ά-
φηνε και έπαιρνα κουράγιο να *συνεχίσω!*

Να συνεχίσω να 'χω ανοιχτά τα μάτια μου... να κοιτάζω μπρο-
στά, όπως εκείνος...

Καλό ταξίδι, καπετάνιε! Και μην αργήσεις να ξανακάνεις τη
βόλτα σου, ο λαός σε περιμένει... Το Αιγαίο σού αφήνει τη θά-
λασσά του να ξετυλιχτεί ήρεμη μπροστά στο καράβι σου.

Δε σε ξεχνάει το Αιγαίο σου.

Δε σε ξεχνάει ο λαός.

Δε σε ξεχνάει η Ελλάδα σου.

Δε σε ξεχνάει η δημοκρατία, καπετάνιε!

Δε σε ξεχνάει κανείς.

Καλό ταξίδι, αγάπη μου. Καλό ταξίδι, άντρα μου! Καλό ταξί-
δι, ηγέτη!

ΠΑΡΑΡΤΗΜΑ ΝΤΟΚΟΥΜΕΝΤΩΝ

ΠΡΩΘΥΠΟΥΡΓΟΣ

30 Σεπτέμβρη '88

Δήμητρα,

Προαγαπημένη μου,

Ποτέ δεν αγάπησα όπως
αγαπώ εσένα... σε λατρεύω.
Μου αλλάζεις την προσωπική
ζωής

Προχθές θα' μαστε μαζί να
ζήσουμε ευτυχισμένοι για πάντα.

σ' αγαπώ

Το «ιστορικό» σημείωμα-συμβόλαιο ζωής που μου άφησε ο Ανδρέας τη στιγμή που έμπαινε στο χειρουργείο, στο Χέρφιλντ. Είναι η κιβωτός μου!

505

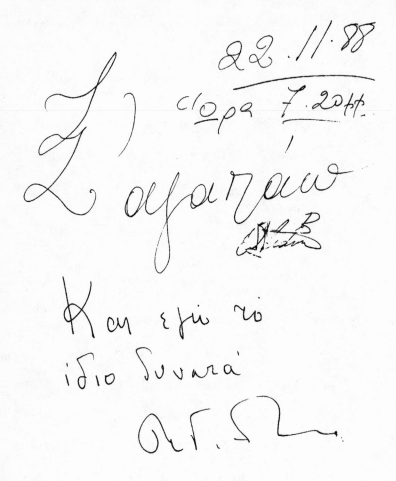

Τρυφερά σημειώματα που ανταλλάσσαμε σε γιορτές και επετείους. Σημειώματα-συμβόλαια για αγάπη και πολλά χρόνια κοινής ζωής. Μια απ' τις πιο τρυφερές μας συνήθειες (βλ. σελ. 506-513).

506

ΠΡΩΘΥΠΟΥΡΓΟΣ

30 Νοέμβρη 1989

Στην αγαπημένη μου Δήμητρα:

Υπόσχομαι πως του χρόνου, στις 30 Νοέμβρη 1989 (στις 12.01 - μετά τα μεσάνυχτα) θα σε αγαπώ και με αγάπη και με πάθος - γιατί θα σ'αγαπώ ακόμη πιο πολύ - αν είναι δυνατό - απ'ότι ακόμη σήμερα.

Δικός σου πάντα,

ΔΕΚΑ ΧΡΟΝΙΑ ΚΑΙ ΠΕΝΗΝΤΑ ΤΕΣΣΕΡΙΣ ΜΕΡΕΣ

Σ'αγαπώ

Σ'αγαπώ

Ο ΠΡΩΘΥΠΟΥΡΓΟΣ 1·1·90

Προς: Τήν αγαπημένη μου Δήμητρα
Από: Τόν Ανδρέα
Θέμα: ΟΡΙΣΤΙΚΗ ΚΑΙ ΑΜΕΤΑΚΙΝΗΤΗ ΣΥΜΦΩΝΙΑ
ΓΙΑ ΤΗΝ ΔΕΚΑΕΤΙΑ – ΜΕΧΡΙ ΚΑΙ ΤΟ 2000

1/ Η ΣΥΜΦΩΝΙΑ θα ισχύσει μέχρι και τή 13·7·2000 (δηλαδή τήν επέτειο τού γάμου μας). Νέα Συμφωνία θα γίνει στις 14·7·2000.

2/ Αποκλείεται άλλη είσοδός μου σε νοσοκομείο – κλινική, σταθεροποιείται η υγεία μου. Τά χρόνια αυτά χαρακτηρίζονται από υγεία και τών δυό μας.

3/ Γρήγορα θα μπούμε σε δικό μας σπίτι.

4/ Θα πραγματοποιήσουμε τά σχέδιά μας για νησιώτικη εξοχή.

5/ Θα γράψω ένα βιβλίο για τή ζωή μου και τή ζωή μας – και θα τοποθετήσω ιστορικά τό ρόλο τής Δήμητρας πού τόσα και τόσα τής χρωστάω. (Στη συγγραφή θα με βοηθήσει και η Δήμητρα).

6/ Στις 13·7·2000 θα δώσουμε ένα μεγάλο party για να γιορτάσουμε τήν επέτειο τού γάμου μας.

7/ Η αγάπη μας θα μεγαλώνει κάθε χρόνο – κι' έτσι θα είμαι τό 2000 πιο ερωτευμένος μαζί σου παρά ποτέ.
Μ' όλη μου τήν αγάπη,

Σ'αγαπώ

ΕΠΙΒΕΒΑΙΩΝΕΤΑΙ ΤΟ ΓΝΗΣΙΟ ΤΗΣ ΥΠΟΓΡΑΦΗΣ — Η ΜΕΓΑΛΗ ΣΦΡΑΓΙΔΑ ΤΟΥ ΕΘΝΟΥΣ

508

13/7/'91

ΔΕΣΜΕΥΣΗ - ΣΥΜΒΟΛΑΙΟ
Α.Γ.Π.   ΠΡΟΣ ΔΗΜΗΤΡΑ

Σήμερα, στη δεύτερη επέτειο του γάμου μας δηλώνω τις παρα κάτω δεσμεύσεις μου.

1/ Θα ήσουμε μαζί πολλές επέτειους τόσο ωραίου γάμου μας.

2/ Μέσα στον επόμενο χρόνο (ανάμεσα στις δύο επέτειους) δεν πρόκειται να αρρωστήσω ή να πάω σε νοσοκομείο.

3/ Μέσα στον επόμενο χρόνο θα γυρίσουμε ξανά στην Ισπανία — και εγώ θα αναγάτω ξανά χωρίς προβυστάξω.

Με πολύ πολλή αγάπη και εγώ,

Αγάπη μου Δήμητρα,

Του χρόνου την ίδια μέρα θα κάνουμε μεγάλο γλεντι. Αυτό αποτελεί υπόσχεση – διόρισση.

Άπειρα φιλιά,

Ανδρέας

ΑΝΔΡΕΑΣ Γ. ΠΑΠΑΝΔΡΕΟΥ   14.2.'92

Στην πολυαγαπημένη μου Δήμητρα με την ευκαιρία της γιορτής τ. St. Valentine με την ευχή και τη βεβαιότητα ότι θα ζήσουμε πολλά και καλά χρόνια.

***

ΑΝΔΡΕΑΣ Γ. ΠΑΠΑΝΔΡΕΟΥ   26.10.'95

Στη Δήμητρα με την ατέλειωτη αγάπη μου

ΔΗΜΗΤΡΑ ΠΑΠΑΝΔΡΕΟΥ

Αγαπημένε μου,

Αυτό είναι ένα μικρό δώρο συμβολικό, γι' αυτήν την μέρα που είναι και θά είναι χαραγμένα στα βάθη της καρδιάς μου και ανεξίτηλα.

Μακάρι να σ'αρέσει κι' να τό αξιοποιήσης στίς ελεύθερες ώρες σου. Όμως ή μεγαλύτερη συμβολή σου στην κοινή ζωή μας είναι: ΠΟΛΛΑ ς' ΚΑΛΑ ΧΡΟΝΙΑ. Παρακαλώ μήν με διαψεύσης!! ΠΑΝΤΑ ΜΕ ΑΓΑΠΗ ΔΗΜΗΤΡΑ

ΑΝΔΡΕΑΣ Γ. ΠΑΠΑΝΔΡΕΟΥ   13.7.'95

Στη μοναδική αγάπη μου,
Δήμητρα με την ευχή
να 'χουμε πολλά χρόνια αγάπης
μπροστά μας.

Α. Γ. Π.

[Η ΔΙΑΘΗΚΗ ΜΟΥ]

ΠΑΝΕΛΛΗΝΙΟ ΣΟΣΙΑΛΙΣΤΙΚΟ ΚΙΝΗΜΑ ΤΜΗΜΑ (ΙΙ) - Σελ. 1

ΠΡΟΕΔΡΟΣ [ΥΠΑΡΧΟΥΝ
ΔΥΟ (2) ΤΜΗΜΑΤΑ] Εκάλη, 24 Νοέμβρη 1990

Τὸ δεύτερο (ΙΙ) τμήμα τῆς
διαθήκης μου νὰ δοθεῖ στη δημοσιότητα —
ὅταν εκλείψω. (Τὸ τμήμα [ΙΙ] απαρτίζεται από
δύο σελίδες.

Ἀφορᾶ τὴν λατρευτή μου σύζυγο
Δήμητρα Λιάνη - Παπανδρέου. Χρωστάω
στη Δήμητρα τὴ ζωή μου - τρεῖς φορές
μέχρι τώρα - και ουσιαστικά τὴν μόνη
πηγή αγαθῆς χαρᾶς για μένα. Ακριβώς
επειδή με τόλμη να ξεφύγω τὴς
εγχείρησης στο Harefield, τὴν πνευμονία μου
τὸν Ιούνη 1989 και τὸ καρδιακό μου
επεισόδιο τοῦ Οκτώβρη τὸ 1990 —
ακριβώς γιατί με αγκάλιασε ολικά και
συναισθηματικά, έγινε στόχος όλων
τῶν εχθρῶν μου αλλά και πολλῶν
"φίλων" που είτε με θεωρούσαν εμπόδιο
στην σταδιοδρομία τους είτε ήθελαν να
μνηστευθούν τὴ θέση μας. Όταν εκλείψω
η Δήμητρα αμέσως θα κινδυνέψει. Θα τὴν
επιρρίψουν ευθύνες κάθε μορφής. Γι'αυτό και

Τμήμα απ' την ιδιόχειρη διαθήκη του Ανδρέα το Νοέμβριο του 1990 (βλ. σελ. 514-515).

ΤΜΗΜΑ (ΙΙ) - Σελ. 2

Καλώ όλους τους εχθρούς μου — όσους όσοι με ακολούθησαν στους πολιτικούς μου αγώνες — να τους αντιπαρελθών με όλα τα μέσα.

Η Δήμητρα είναι η μεγάλη αγάπη της ζωής μου. Σ'αυτήν αφήνω όλα τα περιουσιακά μου στοιχεία. Την ιδιόκτητη μονοκατοικία μου στο Παλαιό Ψυχικό (Τίμ. 58), όλα τα κινητά αντικείμενα που υπάρχουν — όλα τα περιουσιακά μου στοιχεία που ευρίσκονται αυτή τη στιγμή (διότι τον καιρό έτσι παράνομα κατοικεί ο Θόδωρος Καρβενίτος) και βέβαια το προσωπικό μου αρχείο (που και αυτό ευρίσκεται στον οίκημα - ραγισμό μου στο Καιρέ.

Στους τρεις γιους μου — αλλά και στην κόρη μου Σοφία — έδωσα όλα τα μέσα για να αντιμετωπίσουν αποτελεσματικά τη ζωή. Ο Νίκος και ο Ανδρέας έφθασαν και οι δύο στο Ph.D., οι Γιώργος και η Σοφία στο M.A. Επιπλέον, η Σοφία κυβερνήσει το Καιρέ. Πιστεύω ότι εκτιμήσουν ήθελα το τρεις μου πιο τα παιδιά μου.

515

ΠΡΟΕΔΡΙΑ ΤΗΣ ΔΗΜΟΚΡΑΤΙΑΣ

=> ΚΑΡΑΜΑΝΛΗΣ

- Κριτήριο: Συνέπεια και η απόφασις για το μέλλον του Έθνους.

- Πρώτο το θέμα των ΣΚΟΠΙΩΝ

=> ΜΗΤΣΟΤΑΚΗΣ

- Είχε προτείνει πρώτος τη σύσκεψη αυτή.
- ΣΚΟΠΙΑ στα πλαίσια των Γιουγκοσλαβικών
- Συμφωνία της ΚΥΡΩΣΕΙΣ. Στόχος πρέπει να μην είναι η αναγνώρισή τον Μητσοτάκης. Δεν ίχθη. Όμως είναι.
- Κόσοβο: Επίκεντρο τον τρίγωνο προς Νότον. Εδώ είναι το κλειδί. (Αυτοδιάθεση και για σύνορα). ΝΑ ΣΤΑΜΑΤΗΣΟΥΜΕ ΤΟ ΚΟΣΣΟΒΟ.
- Αρχές: - Να μη διχνών τους Γιουγκ.
  - Τα σύνορα δεδομένα
  - Ο...

Ένα ιστορικό ντοκουμέντο. Κατά τις συσκέψεις των πολιτικών αρχηγών υπό τον Πρόεδρο της Δημοκρατίας για τα εθνικά θέματα, την περίοδο '91-'92, ο Ανδρέας συνήθιζε να κρατάει σημειώσεις επί των συζητήσεων. Παραθέτουμε ορισμένα χαρακτηριστικά αποσπάσματα από τις σημειώσεις αυτές (βλ. σελ. 516-539).

ΠΡΟΕΔΡΙΑ ΤΗΣ ΔΗΜΟΚΡΑΤΙΑΣ

- 16ᵉ Δεκέμβρη 1991

- Δεχθήκαμε τις κυρώσεις - αλλά ως εκεί;

- Ωσπού οι κυρώσεις.
  Θα προχωρήσουν με σταδιακά μέτρα

⟹ Όμως: Ναυτικός Αποκλεισμός
  Ναι σ' την Ενεργός συμμετοχή

⟹ ΟΧΙ ΣΕ ΑΜΕΣΗ → Η ΕΛΛΕΣΗ
  ΣΥΜΜΕΤΟΧΗ ση στρατιωτική ενέργεια.

Επιδίωξη κατά της Ελλάδας.
  Γιατί;

          ✱ ✱

⟹ ΣΚΟΠΙΑ
  - Δεν υπάρχουν πιθανότητες
    να φύγει η λέξη "ΜΑΚΕΔΟΝΙΑ".

  - Μπορούμε να περάσουμε
    σταδιακό περιορισμο.
    Καλώς και τροποποιήσει
    το Σύνταγμα, κλπ.
    (Όμως κρμλά ανατρά σε μενώσεις.

517

ΠΡΟΕΔΡΙΑ ΤΗΣ ΔΗΜΟΚΡΑΤΙΑΣ

=) <u>Formula</u> των δύο ονομάτων.

"Δημοκρατία των Σκοπίων"

μικρές επιφυλάξεις) με ιξεύδικη χρήση τω "MAKEDONIA"

από τα <u>Σκόπια</u>.

=) Κανείς δεν μπορεί να επιβάλει

στν Γκλιγκόρωφ τη λύση.

=) Θα ληφθεί απόφαση την

Δευτέρα.

=) Ανατολή <u>σημαίνει</u> αναγνώρισης

=) => <u>ΝΑ ΔΕΧΘΟΥΜΕ ΕΠΙΘΕΤΙΚΟ</u>

<u>ΠΡΟΣΔΙΟΡΙΣΜΟ</u> ?

=) <u>ΜΑΑΣΤΡΙΧΤ</u>

=) <u>ΚΥΠΡΙΑΚΟ</u>   μέχρι την ερχόμενη

Πέμπτη

ΠΡΟΕΔΡΙΑ ΤΗΣ ΔΗΜΟΚΡΑΤΙΑΣ

=) <u>ΠΑΠΑΝΔΡΕΟΥ</u>

<u>ΙΔΡΥΜΑ</u>

=) <u>ΔΑΜΑΝΑΚΗ</u>

- ΝΑΥΤΙΚΟΣ ΑΠΟΚΛΕΙΣΜΟΣ (<u>ΟΧΙ</u>)

- ΜΑΑΣΤΡΙΧΤ (ΧΡΟΝΟΣ)

=) <u>ΠΑΠΑΡΗΓΑ</u>

- Καταλήξαμε πάλι στα ίδια.

K

" — Αρραγές εθνικό μέτωπο
 — Τοποθέτηση ενός εκάστου
   (Όχι σε δόγματα και κομματική σφήνα)

M

 — Επείγοντα : Ελληνοτουρκικά — Κυπριακό
   • Μακεδονικό — Γιουγκοσλαβία.
   Ευρώπη :
                  •

 — Ελλ. Τουρκ.   ΔΙΑΛΟΓΟΣ ΣΕ ΜΟΝΙΜΗ
   ΒΑΣΗ. Αναλαμβάνει ρόλο η Τουρκία,
   περιφερειακή δύναμη. (Κόλπος — ΕΣΣΔ).
   Να κυβέρνηση όπως Τουρκία. Ισχυρή.
   Είναι σε θέση να πάρει αποφάσεις.

 — Πώς πρέπει να γίνει ο Διάλογος;
   Modus vivendi; το Αιγαίο.

   Αλλά υπάρχει το ΚΥΠΡΙΑΚΟ.
   — Έχει σπίτι. Ο Ντενκτάς είναι σε
   θέση να λύσει το Κυπριακό;

520

- Θετικώ παράδων ο ΓΚΑΛΙ.
- Θα ξεκαλεϊόιι επά πρων μηνών
- Δημοψήφισμα σιιν Κύπρο.
- Πρώτη ευθίνη έχει ο Κυπριακή Λαός.
- Δεν είτε Διμίσια τι δίπλω ότι το Σόμεμυνο ίσιτιι τι Δίσμς αν Κυπριακή.

- Δίση των Πεσβηρίζω λι Αιγαίν.
- Πμείνο Διαλόγη: ~~Διιιο~~ Αρχή τν Διελνάς Δικαίν, Συνδήκιι και Συμβάσιις.
- Σε ένα - δύο χρόνια μπορεί να βεσδσιμλίσιι.
- Εφμεμλλευση λι Αιγαίου; 10 μίμι αντιχικώ λιν θάσσι. Δεν έχει αφίμιπη με λιν Νζεμιρζί.
- Συμμεμχί σιιν ομίδα λι Ευξίνω Πόνιν.

ΠΡΟΕΔΡΙΑ ΤΗΣ ΔΗΜΟΚΡΑΤΙΑΣ

- Βαλκάνια

-Συνεργασία στα Βαλκάνια.

: Διμερείς σχέσεις: Κάναμε πρόβλημα στη Ρουμανία.

- Βουλγαρία.
Η φιλία διαναγείθηκεν. Η Κυπίστη οικείμε: στους μουσουλμάνους. Αναγνώριση των ΣΚΟΠΙΩΝ. Να συνεχίσουμε Πολιτική φιλίας.

- ΑΛΒΑΝΙΑ
- Εισβάλλουν οι Έλληνες.
- Δύσπιστοι απέναντί μας.
- Ομόνοια.
- Ελπίδα: Να διορθώσουμε τις σχέσεις μας.
- Προσφυγικό.

522

ΠΡΟΕΔΡΙΑ ΤΗΣ ΔΗΜΟΚΡΑΤΙΑΣ

- <u>Γιουγκοσλαβία</u>
  - Στόχος μας ήταν να διατηρηθεί
    η ενότητα της χώρας. Η <u>Γερμανία</u>
    το κόιτας.

  - Μικρή Γιουγκοσλαβία
    Έχει Περγκανική Προστασία
    στα Πλαίσια της ΕΟΚ.

  - Αναγνώριση και των υπολοίπων
    δημοκρατιών.

  - Σερβία - Μαυροβούνι.

  - <u>ΣΚΟΠΙΑ</u>
    - Δεν έχουν ξεκαθαρίσει τις χώσεις
      τους ή ως προς αυτ Ελλάδα.
    - Κρύπτη αδύναμη: Διαμφισμός
      ή ύπαρξη (Το ίδιο ο
      ΜΙΛΟΣΕΒΙΤΣ).

ΠΡΟΕΔΡΙΑ ΤΗΣ ΔΗΜΟΚΡΑΤΙΑΣ

— Προϋποθέσεις αναγνώρισης:
α/ Όχι εδαφικ... και διδικ...
β/ Μειονότητες και Ελλάς
γ/ Όνομα και μόνιμη αποδεχομένη
διαδικασία.

— Απορρ... Καραμ...
Συνεχίζομε μία γραμμή,
αλλά δεν απαγχωρ...

=⟩ — Θα αναγνωρισθούν τα Σκόπια
από τρίτες χώρες. Πρέπει να
μη δεσμευόμαστε τι Σκόπια θα
δεχθεί.

— Η μη αναγνώριση είναι δύσκολη
απόδειξη.

– <u>ΜΑΣΤΡΙΧΤ</u>

    – ξεκίνημα για τί ἐλθεο ς τήν

    ΔΕΕ.

    – Ενοχλούμε τίς σχμμάχος
    μι τίς χίστη μη μι
    τήν <u>Τορκία</u>, μι τί
    <u> ξκόπια</u>

    – Πρόβημ σω Κοινόνις

ΠΡΟΕΔΡΙΑ ΤΗΣ ΔΗΜΟΚΡΑΤΙΑΣ

=> <u>ΔΑΜΑΝΑΚΗ</u>

- Δεν αρκεί μια συναίνεση.
  Να υπάρχουν και άλλες δυνατότητες.

- Συναρμοτική ντύθυνη για την
  πολιτική είναι η Κυβέρνη.

- Να καταψηφίσει, κάτω.

- Να μη δίνουμε την εικόνα
  ότι απουργήθελα από παντού.

- Ανάγκη <u>Εθνικού Αγωνισμού.</u>

- Όχι σε στείρο εθνικισμό.

- <u>Θράκη.</u> Δικαιώματα μειοψηφίας.

ΠΡΟΕΔΡΙΑ ΤΗΣ ΔΗΜΟΚΡΑΤΙΑΣ

=) ΠΑΠΑΡΗΓΑ

- Πρέπει να επιτιωχθεί <u>διάλογος</u> με την Τουρκία.
- Δεν είναι αισιόδοξη για την κατάληξη των <u>διαλόγων</u>.
- Η <u>Τουρκία</u> είναι ήδη αναβαθμισμένη.

- Αποσυνδέουν των <u>ντογραφή</u> τα <u>εμγώνας</u> με τα διάλογο. Να προηγηθεί δότη το <u>Κυπριακό</u>.
- Μραγιοκρητίδα: Δεν θα δεχθεί την <u>Χάγη</u> η <u>Τουρκία</u>.
- Αδιαπραγμάτευτα τό εύρος <u>τω εναιρίν χώρν</u>.
- Να μην στέρμαίνων σου <u>Θράκης</u>.
- Εθνικός ο έλεγχος του πετρέλαιο το Αιγαίο.

527

ΠΡΟΕΔΡΙΑ ΤΗΣ ΔΗΜΟΚΡΑΤΙΑΣ

— Διεθνής Διάσκεψη οι Κυπριακό.
Όχι στη τετραμερή.

— Όχι στη συνομοσπονδία.

— Ευθύνη σταίρων στα Βαλκάνια.
Παρεμβάσεις.

— Να μην πατεί η Κυβέρνηση για
να αναγνωρίσει κανένα πρώην
~~στην στα εκ~~ στα Βαλκάνια.

— Ονομασία των Σκοπίων.

(Έχομε ήδη
αναγνωρίσει
την Εσθονία
και την Κροατία.)

— Μπορεί να αναγνωρίσουμε το "όνομα"
αν εκπληρωθούν ορισμένοι όροι.
Οι χώρες της ΕΟΚ θα αναγνωρίσουν.

— Να απευθυνθούμε στην ΟΗΕ αντί
στην ΕΟΚ για τα Βαλκάνια.

— Διαβαλκανική Συνδιάσκεψη.

528

ΠΡΟΕΔΡΙΑ ΤΗΣ ΔΗΜΟΚΡΑΤΙΑΣ

⇒) ΣΑΜΑΡΑΣ

- Άγνοια εταίρων.
- Ο Kohl εστιάτωσε τῶν ἐντόλεων, αναγνωρίζοντας εκ προοιμίων τὴν Σλοβενία καὶ τὴν Κροατία.
  (15 Γενάρη).
- ΔΑΣΕ / ΟΙΚΟΝΟΜΙΚΗ ΒΟΗΘΕΙΑ για τὰ ΣΚΟΠΙΑ.
- Αγγλία, Ολλανδία, Δανία ανοιχτὰ σπεύξαν τῶν αναχώριση.
  Ισπανία, Βέλγιο, Λουξ., Γερμανία θετικὰ για μας.
- Ἐμψήχισε ο ΣΑΜΑΡΑΣ. Εἴχαν αντγμελεί τὸ πρὶ ἡμέρα. Ο ΝΤΕ ΜΙΚΕΛΙΣ χέξεστι τὴν εικόνα.

— Πρόταση προεδρίας να κμωθώ
οι Σκοπιανοί σερο ενωρίεπν
Πίσω σα ΣΚΟΠΙΑ.

— Στις 2 Μεργίω στι θα
έχει λήξει τό θέμα.

⇒) ΕΒΛΑΨΕ Η "ΔΙΑΣΤΑΣΗ"
ΘΕΣΕΩΝ/ ΔΙΓΛΩΣΣΙΑ , ΑΚΥΡΩΣΗ
ΚΟΙΝΩΝ ΑΠΟΦΑΣΕΩΝ

⇒) ΑΝΑΓΝΩΡΙΣΗ ΒΟΣΝΙΑΣ ,

*
* *

⇒) ΚΥΠΡΙΑΚΟ

⇒) ΕΛΛΗΝΟΤΟΥΡΚΙΚΑ

⇒) ΕΥΗ ΜΕΤΟΧΗ ΣΤΗΝ
ΥΠΟΘΕΣΗ ΤΗΣ ΛΙΒΥΗΣ ?

*

* *

⇒) ΟΙ ΑΛΛΟΙ ΔΥΟ ΟΡΟΙ ?

⇒) ΜΕΤΡΑ ! ~~ΠΡΟΕΤΟΙΜΑΣΙΑ~~

1/ ΠΡΟΞΕΝΕΙΟ
2/ ΥΠΟ ΓΙΑ ΡΩΚ
3/ ΚΛΙΜΑΚΩΣΗ
ΓΙΑ ΝΑ ΚΑΤΑΣΤΕΙ
ΑΠΟΤΕΛΕΣΜΑΤΙΚΗ
Η ΜΗ ΑΝΑΓΝΩΡΙΣ ΚΑΙ ΝΑ ΔΙΑΨ.

531

- ΑΠΟ ΛΑΘΗ ΟΔΗΓΗΘΗΚΑΜΕ ΣΤΟ ΑΔΙΕΞΟΔΟ ΤΩΝ ΣΚΟΠΙΩΝ / ΔΙΠΛΩΜΑΤΙΚΗ ΗΤΤΑ

→ ΑΠΟΔΟΧΗ ΔΙΑΣΠΑΣΗΣ ΓΙΟΥΓΚΟΣΛΑΒΙΑΣ

- ΔΙΑΠΡΑΓΜΑΤΕΥΣΗ ΓΙΑ ΤΟ ΟΝΟΜΑ (ΟΧΙ ΑΟΡΙΣΤΙΕΣ)

- ΑΠΟΔΟΧΗ ΡΟΛΟΥ ΠΡΟΕΔΡΙΑΣ ΣΕ ΜΑ ΤΟΔΟΤΗΣΕ ΣΥΜΒΙΒΑΣΜΟ

- ΔΕΧΘΗΚΑΜΕ ΤΟΝ ΔΕΚΕΜΒΡΗ ΟΠ ΟΙΚΟΝΟΜΙΚΗ ΒΟΗΘΕΙΑ ΥΙΟΘΕΤΕΙΤΑΙ ΜΕ ΠΛΕΙΟΨΗΦΙΑ. ΕΓΚΡΙΘΗΚΕ ΟΜΟΦΩΝΑ ΚΑΝΟΝΙΣΜΟΣ ΠΟΥ ΠΡΟΒΛΕΠΕΙ ΒΟΗΘΕΙΑ ΠΡΟΣ ΤΗΝ "ΔΗΜΟΚΡΑΤΙΑ ΤΗΣ ΜΑΚΕΔΟΝΙΑΣ"

=) **ΚΑΡΑΜΑΝΛΗΣ**

- Διχασμός τα λαϊκά σχετικά με
  τα Σκόπια / Διεθνείς επιπτώσεις

=) **ΣΑΜΑΡΑΣ**

- Συνάντηση με <u>Πινΐρο</u> την
  1η Απριλίου.

- Package - deal Πορτ. - Ελλάδας.

- Υπόμνημα Συνθήκη - Πλαίσιο
  για το στρατιωτικό των συνόρων.

- Ανταλλαγή επιστολών ΥΠΕΞ -
  διασφάλιση της <u>μη πρωτεύοντας</u>.

?* Υιοθέτηση την Επ. Διπλ. (Μιλάνο)
   [ΑΝΤΙΡΡΗΣΗ ΣΑΜΑΡΑ]
   Επίσημη : <u>ΝΕΑ ΜΑΚΕΔΟΝΙΑ</u>

? - [ΔΙΑΦΩΝΙΑ ΣΑΜΑΡΑ]
    Κοινή δήλωση των <u>12</u> για

? ενίσχυση των Σκοπίων. (ΣΑΜΑΡΑΣ:
                          Μέσα από την

- Τροποποίηση των Σκοπιανών δι'αυτό
  Συντάγματος.   των Ελλάδας).

=> Δικαστική εικόνα προς τα έξω.

Έβγαψε διότι δεν είχαμε ξεκάθαρη θέση.

=> Ο Ρινείζο πιστεύει ότι είναι η Ελλάδα δίχασε το package-deal τώρα και τα σκόπια θα το διχλαω ή διο θα αναγνωρίσουν.

=) ΠΑΡΑΤΗΡΗΣΕΙΣ ΣΑΜΑΡΑ

- Τρίτος όρος: Φωτογραφική διάταξη για το όνομα.
Επιτυχία μας.

- Θέση των 5: Στήριξη του ονόματος, εφ' όσον όλη συμφωνών.

- Συνοδευτικά μέτρα.

ΚΑΡΑΜΑΝΛΗΣ   1/ Σημερινή ανακοίνωση
Οι προτάσεις   2/ Και VETO / Κλείσιμο
ξεφάρι να   των διασυνοριακών σταθμών
αποδοθούν   3/ Έκτακτη Σύσταση τη
στην Κυβέρνηση   Ευρ. Ενωτ.
                   4/ Έσκεμμ από των Βουλή

ΠΡΟΕΔΡΙΑ ΤΗΣ ΔΗΜΟΚΡΑΤΙΑΣ

=> 16 Απρυγιν: Απάντμ

=) 1½ Μαΐαs ι Κρίαμη συνεδρίαm

=) Συνέχιςια ουρίνν.

5/ Να επισκεφθών Θ, ΑΡΧΗΓΟΙ.

Δανία, Ολλαντί, Αγγλία, Ιταλία

6/ Σαμαράς στη ορχίρος.

7/ Delon, Beruches, Carrington

=> ΚΑΡΑΜΑΝΛΗΣ

– Ενημερωθήκαμε

=> ΜΗΤΣΟΤΑΚΗΣ

– Ενημέρωση ΣΑΜΑΡΑ

– Η Ελλάδα δεν μπορεί π
να πεγγάκι, των
διάσταση. Επέτυχε τις
3 όρους. Υπάρχει ασάφεια
στον 3° όρο. Εξ υπαρχής
εδόθη η έννοια ότι αφοράσοι
το όνομα ΜΑΚΕΔΟΝΙΑ.

535

=) **ΚΑΡΑΜΑΝΛΗΣ**

- Στην τελευταία συνεδρίαση
  είπαμε πως θα αποσύρουμε
  τούς 3 όρους.

- Κίνδυνος διχασμού εικόνε.
  Τό θέμα αυτό πήρε τεράστιες
  διαστάσεις. Οφείλεται στην
  αοριστία.

- Διάσταση απόψεων μεταξύ
  Ελλάδος και ΕΟΚ. Οφείλεται
  στην αοριστία.

=) **ΜΗΤΣΟΤΑΚΗΣ**

- Δεν μπόρεσε ο Σαμαράς
  να επιβάλλει τίς θέση μας.
- Πρέπει τα μέσα αποτελέσομεα.
- Συναισθηματικοί παράγοντες.
- Επιλογή Baker.
  Κίνδυνος πρός Bush και Kohl.

ΠΡΟΕΔΡΙΑ ΤΗΣ ΔΗΜΟΚΡΑΤΙΑΣ

- Κερδίσαμε χρόνο.
- Πλήρης ικανοποίηση σσος 2 Πρώτης όρος.
- Ο 3ος όρος ήταν πάρα πολύ δύσκολος.
- Οι ετίδη δεν είναι μεγάλες.

- Αν χάσουμε τη μάχη ~~και~~ τι συνέπειες μπορεί να είναι αρνητικές.
- Το λαϊκό αίσθημα! ΟΧΙ "ΜΑΚΕΔΟΝΙΑ".

=) ΠΑΠΑΝΔΡΕΟΥ
- ΜΗ ΑΝΑΓΝΩΡΙΣΗ ΜΕ ΚΛΕΙΣΙΜΟ ΣΥΝΟΡΩΝ

=) ΔΑΜΑΝΑΚΗ
- Χρειαζόταν προετοιμασία,

- Κρίσιμη η 16η Δεκέμβρη.
  Μπατζινίρ. Ανατολές.

- Το όνομα έχει σημασία.

- Δεν είναι έτοιμη.

=) ΠΑΠΑΡΡΗΓΑ

  - Διαφωνία με τον Α.Γ.Π.

  - Σχολιασμός δια κομματικά
    ογέλη.

  - ΤΟ ΘΕΜΑ ΕΚΠΕΙΣΕ

  - Επίθεση κατά ΕΟΚ.
    Δεν υπάρχει εξωτερική
    πολιτική.

=) ΚΑΡΑΜΑΝΛΗΣ

  - Αλλοίμονο αν φύγημε από
    των ΕΟΚ.

ΠΡΟΕΔΡΙΑ ΤΗΣ ΔΗΜΟΚΡΑΤΙΑΣ

=> <u>ΠΑΠΑΡΡΗΓΑ</u>

- Δεν θεωρεῖ τὸ θέμα 'ονόματος' πρώτης σημασίας – καὶ πρέπει νὰ στρέφει ἀπό ενέργειες στα Βαλκάνια.

=) <u>ΔΑΜΑΝΑΚΑ</u>
- Νὰ θέσουμε τὸ θέμα τ[οῦ] <u>ονόματος</u> → ασκώντας ίσω κω <u>VETO.</u>

=> <u>ΜΗΤΣΟΤΑΚΗΣ</u>

- Νὰ παλαίψουμε αὐτή νὰ μην πᾶμε στο χορό τ[ο]ν <u>ΖΑΛΟΓΚΟΥ.</u>

- τὸ τί θα κάναμε μετά νὰ μην παρθεί ώρα.

- Θα+εδίχτιυ «<u>ΜΑΚΕΔΟΝΙΑ</u> <u>ΤΟΥ ΒΑΡΔΑΡΗ</u>».
- <u>VETO</u>

Αθηνα 18 Ιουνίου 1991

Προς τόν ~~Πρόεδρο~~
Πρόεδρο τῆς Δημοκρατίας
κ. Κωνσταντίνο Καραμανλή

Κύριε Πρόεδρε ←

Μέ ιδιαίτερη τιμή }←
(υπογραφή)
ΑΝΔΡΕΑΣ Γ. ΠΑΠΑΝΔΡΕΟΥ
Πρόεδρος τοῦ ΠΑ.ΣΟ.Κ

*Το σχέδιο της ιστορικής όσο και προφητικής επιστολής που έστειλε ο Α. Παπαν-
δρέου προς τον τότε Πρόεδρο της Δημοκρατίας Κ. Καραμανλή, στις 18 Ιουνίου
1991, με εκτενείς αναφορές στα εθνικά θέματα (βλ. σελ. 540-550). Τα γράμμα-
τα στις σελίδες 540, 541, 542, 548 είναι του Τηλ. Χυτήρη.*

ΠΑΡΑΡΤΗΜΑ ΝΤΟΚΟΥΜΕΝΤΩΝ

~~ΠΡΟΣΧΕΔΙΟ ΕΠΙΣΤΟΛΗΣ~~

Τον τελευταίο καιρό μια σειρά απο γεγονότα επιβεβαιώνουν την εκτίμηση οτι βρισκόμαστε μπροστά σε μια επικίνδυνη κλιμάκωση του επεκτατισμού της Αγκυρας.

Πρόσφατα κορυφαίοι πολιτειακοί και πολιτικοί παράγοντες της γείτονος χώρας εκτόξευσαν *απροκάλυπτες* απειλές κατά της χώρας μας με δηλώσεις της μορφής "...η Τουρκία διέπραξε σφάλμα να δεχθεί την ενσωμάτωση της Δωδεκανήσου στην Ελλάδα ..." ή οτι "...ο 21ος αιώνας θα είναι δικός μας και θα γίνουμε ηγέτες των Βαλκανικών μειονοτήτων...." ~~και~~ *ενώ* παράλληλα ~~υπερτονισμό του~~ *υπερτονίζουν το* μεγάλο δημογραφικό άνοιγμα ανάμεσα στις δύο χώρες.

Ηδη η Τουρκική διπλωματία θέτει επίσημα θέμα "Τουρκικής" μειονότητας στη Δυτική Θράκη και με συγκεκριμένες πράξεις κινείται δραστήρια για τη δημιουργία ενος "Μουσουλμανικού κλοιού" γύρω απο τη χώρα μας.

Παράλληλα με τις απειλητικές δηλώσεις των Τούρκων επισήμων μια σειρά απο προκλητικές ενέργειες επιβεβαιώνουν την εκτίμηση οτι βρισκόμαστε μπροστά σε μια σχεδιασμένη κλιμάκωση της έντασης στην περιοχή μας.

Σαν τέτοιες ενέργειες θα μπορούσαν ν'αναφερθούν η απαγωγή τον περασμένο μήνα απο ενόπλους Τούρκους κρατικούς υπαλλήλους ενος Βέλγου υπηκόου απο τον λιμένα

1

541

της Σύμης, η επικίνδυνη παρενόχληση αεροσκάφους της Ολυμπιακής Αεροπλοΐας νοτίως της Λήμνου απο Τουρκικά μαχητικά και *τέλος* και η προκλητική δήλωση του Γενικού Επιτελείου στην Αγκυρα οτι τα αεροσκάφη της πολεμικής της Αεροπορίας θα πετούν εξοπλισμένα στο Αιγαίο. Η απειλή αυτή έχει ιδιαίτερη σημασία γιατι θα μπορούσε να είναι προάγγελος θερμών επεισοδίων στην περιοχή μας.

Παρ'οτι προκλητικές δηλώσεις και ενέργειες είχαν γίνει και κατα το παρελθόν απο την Αγκυρα, εν τούτοις στη σημερινή διεθνή συγκυρία προσλαμβάνουν ιδιαίτερη σημασία.

Διανύουμε, οπως γνωρίζετε, την μεταψυχροπολεμική εποχή όπου ο απομονωτισμός της Σοβιετικής Ενωσης, σαν συνέπεια των εσωτερικών της προβλημάτων, καθιστούν τις ΗΠΑ την μοναδική στρατιωτική υπερδύναμη και συνεπώς κυρίαρχο στην παγκόσμια σκηνή.

Ετσι, είναι σχεδόν βέβαιο

~~Χωρίς το στρατηγικό αντίβαρο της Σοβιετικής Ενωσης~~ ~~είναι πιθα~~νόν οτι οι ΗΠΑ θα επιχειρήσουν να επιλύσουν, ασφαλώς με γνώμονα τα δικά τους συμφέροντα, μια σειρά απο περιφερειακά προβλήματα ανάμεσα στα οποία το Κυπριακό και να ~~τερματίσουν~~ Θέσουν τέρμα την λεγόμενη Ελληνοτουρκική διένεξη.

Οι τραυματικές για το Εθνος μας ιστορικές εμπειρίες, ακόμη και του πρόσφατου παρελθόντος, δεν αφήνουν ~~καταλείπου~~ν περιθώρια αισιοδοξίας σχετικά με τη μορφή των "λύσεων" που προωθούνται.

* Τέλος, θα πρέπει να αποδοθεί ιδιαίτερη σημασία στις πρόσφατες δηλώσεις του αρχηγού του Τουρκικού Γεν. Επιτελείου Ναυτικού με τις οποίες αμφισβητήσε ευθέως την δική μας κυριαρχία πάνω στις βραχονησίδες του Ανατ. Αιγαίου.

• Ιδιαίτερη ανησυχία, όμως, προκαλούν
οι πρόσφατες αναφορές στον τύπο
σε επικείμενο ταξίδι, των Ελλήνων
πρωθυπουργών στην Άγκυρα, στην
πιθανότητα να γίνει αποδεκτή από
τον ελληνική ηγεσία πρόταση
για συνεκμετάλλευση του υφαλοκρηπίδας
του Αιγαίου και στην υπογραφή
Συμφώνου Φιλίας αναμεσα στα δυο
χώρες — σε σχέση με το οποίο θα
συζητηθεί και καταγραφή των
"προβλημάτων", δηλαδή των τουρκικών
διεκδικήσεων ~~σε βάρος~~ των εθνικών
~~εδνικων~~ ~~κυριαρχιας~~ των εθνικών
κυριαρχικών δικαιωμάτων του χώρας μας.
Εύχομαι ειλικρινά να μην αληθεύουν ~~με το Κυπρ~~
όλα αυτά. Εάν συμβούν, όμως, τότε η
Κυβέρνηση επωμίζεται τεράστιες ευθύνες,
απέναντι στο έθνος και του λαό.

εκτίθεται μαϊμοντάν στον ελληνικό
και διεθνή τύπο

Πολλά επίσης λέγονται για ~~τώρα~~
τήν αλλαγή που ετοιμάζεται στο παρασκήνιο
για τό Κυπριακό — "λύση" που ~~δεν~~
~~στηρίζεται~~ παρακάμπτει τόν χαρακτηρισμό
του ως δίκαιο που αγγιά τή ~~διεθνή~~ διεθνή
~~νομιμότητα~~ δηλαδή ως δίκαιη
λύση, δηλαδή ως δίκαιη
εσώτερη και καίρια.

Εύχομαι να μήν αληθεύουν αυτές
οι "διαρροές". Εάν όμως αληθεύουν,
τότε η κυβέρνηση ετοιμάζεται τρεμπάζει
ευθύνες απέναντι στο ~~Ελληνικό~~
έθνος και τα λαό.

Σε κάθε περίπτωση, όλες οι ενδείξεις
που υπάρχουν συγκλίνουν στην εκτίμηση
ότι η "ευθύνη" που σχεδιάζεται δεν
~~ανταποκρίνεται στη~~ σήμερα τήν
διεθνή νομιμότητα και δεν συμβαδίζει
με τα εθνικά μας συμφέροντα.

Union des Partis Socialistes de la Communauté Européenne
Confederation of the Socialist Parties of the European Community
Bund der Sozialdemokratischen Parteien der Europäischen Gemeinschaft
Unión de los Partidos Socialistas de la Comunidad Europea

Κύριε Πρόεδρε,

Ενώ γιγαντώνεται η τουρκική απειλή τα Βαλκάνια συγκλονίζονται τόσο σαν αποτέλεσμα της κατάρρευσης εν "υπαρκτού σοσιαλισμού" όσο και γιατί έχουν παραδοσιακά εθνικιστικές και χωριστικές προσλαμβάνει. Πέρα τις αρχίσαντες πολιτικές της κυβέρνησης του δίπλα της Αλβανίας - η Ελλάδα βρίσκεται χωρίς στρατηγική, χωρίς πρόταση για τα Βαλκάνια σε μια εποχή που η Ιταλία κηρυκσώνει τα ισχόμενη Αδριατική προσλαμβάνει διευδύνεται σα Βαλκάνια και η Τουρκία κηρυκσώνει την προσλαμβάνει των Ευξείνων Πόντων δίνονας άλλως ορίζοντες σε χώρες της Βαλκανικής και ορισμένως συμβατικές δημοκρατίες.

Δυστυχώς τὸ ἴδιο ισχύει και για τὴ
Μπίρμα, ὅπου εἴμαστε ἡ μόνη σχεδιακή σχωεα-
μίλα τῆς ΕΟΚ που δὲν συμφωνεῖ με
συν προτεραιότητα τῆς Κοινότητας
με ανάπτυξη σχέσεων με τὶς χῶρες
τῆς Βόρειας Αφρικῆς.

Κύριε Πρόεδρε,

Στην ομιλία σας πρὸς τοὺς πρέσβεις
τῶν φωτῶν-μελῶν τῆς ΕΟΚ διαγράψατε
με σαφήνεια τὰ στάσεις που πρέπει
να τηρήσει ἡ Κοινότητα απέναντι
σε ὁποια χῶρα-μέλος της αντιμετωπίζει
σοβαρή οικονομική κρίση. Όμως, θ.θι
ὅτι ὁ ρόλος μας στην Κοινότητα ξείνει
να τεχνοκρατικοποιηθεί – σαν αποτέλεσμα
τὶς τάσεις τῆς κυβέρνησης να είναι
θεατὴς ξανὰ κι ενεργὸς εταίρος στην
πορεία ολοκλήρωσης τῆς Εὐρώπης.

Αλλά η χώρα μας διέρχεται από μια πρόσθετη και ιδιαίτερα επικίνδυνη κρίση. Διέρχεται κρίση των κρατών Δικαίου γιατί υπάρχει πρόθυμα ανατροπή της αρχής της νομιμότητας, αμφισβήτηση των δημοκρατικών θεσμών και προπαγάνδα των ανθρωπίνων δικαιωμάτων και ελευθεριών.

Κύριε Πρόεδρε,

Απέναντι στην ~~πολι~~ πολυμέτωπη κρίση που αντιμετωπίζει η χώρα μας προτάσσει επιτακτικά το αίτημα για ανανέωση των δυνάμεων του Ελληνισμού, και ~~και~~ την διαφύλαξη μιας μακρόπνοης εθνικής στρατηγικής και πάνω απ' όλα διαμόρφωση ενός ~~αρραγ~~ αραγής εσωτερικού μετώπου.

Δυστυχῶς ἡ Κυβερνητική πρακτική καὶ νοοτροπία, ἄμεσο ποίχτο τῆς ὁποίας εἶναι τὸ διάχυτο ἐξίτα ρεμβνοσμοῦ καὶ διωγμοῦ στόν εὐρύτηρο χῶρο τος δημόσιου τομέα, ἀλλὰ καὶ στὶς ἔνοπλες δυνάμεις καὶ τὰ σώματα ἀσφαλείας, δημιουργεῖ τὸ δημοκρατικὰ ἀπαράδεκτο αἴσθημα τοῦ κοινωνικοῦ διχασμοῦ καὶ ἀποκλύει τὴν ἐπίτευξη τῶν στόχων ποὺ προανέφερα ἡ κυβερνητική πρακτική

Δυστυχῶς οἱ ~~πολιτικὲς ἐξελίξεις~~
τῆς τελευταίας διετίας ὁδηγοῦν πρὸς
τὸν ἀντίθετο ~~διάδικο~~ κατεύθυνση.
Διαπιστώνουμε ὅτι τὸ ἐσωτερικό μας
μέτωπο ἔχει ὑποστεῖ σοβαρότατα ῥήγματα
~~ἐξίγματα~~ ὡς ~~δὲν~~ ὑπόκεισε μιας προϊόνγνωρι
~~πολυδοξίες~~, ἑνὸς ὑπωνόγνωρων
ἐκβανισμοῦ ποὺ προωθεῖ ἡ ἡγεσία
τὸ κυβερνώντα κόμματος.

~~Απογοητευτικα διαφωνει~~
~~σαν σας,~~

Κύριε Πρόεδρε,

Τὸ συγκεκριμένο ἐπίκαιρο διάτημα
τῶ ΠΑΣΟΚ ~~τῆς Δημοκρατικῆς αντιπολιτευσης~~
ἔχει ὡς στόχο νὰ καταγράψει ἐνώπιον
τῶ Προέδρου τῆς Δημοκρατίας πο
εἶναι ὁ ῥυθμιστὴς τῶ Πολιτεύματος,
τὶς τελευταῖες ἐθνικὲς ~~αντιπαραθεσεις~~
ἀνησυχίες, τὸν περιεχτρίνο
πολιτικὸ ἀπόηχο καὶ τὶς
προοπτικὲς τῆς Δημοκρατικῆς
Αντιπολίτευσης.

Η παρούσα Βουλή (που έχει δώσει ορατά και τεχνητή πλειοψηφία στο κυβερνητικό κόμμα) με την ~~ορατά~~ ~~και τεχνητή της πλειοψηφία έχει~~ ~~[illegible]~~ σημερινή της σύνθεση, δεν αντιπροσωπεύει την πλειοψηφία του ελληνικού λαού και αδυνατεί να παρακολουθήσει την αγωνία, τα προβλήματα και τις ελπίδες της ελληνικής κοινωνίας. ~~και~~ ~~[illegible]~~ Μόνη σωστή διέξοδος — όπως επιβάλλει το δημοκρατικό και κοινοβουλευτικό μας πολίτευμα — είναι η νέα διατύπωση της λαϊκής ετυμηγορίας.

Α. Γ. Π.

Union des Partis Socialistes de la Communauté Européenne
Confederation of the Socialist Parties of the European Community
Bund der Sozialdemokratischen Parteien der Europäischen Gemeinschaft
Unión de los Partidos Socialistas de la Comunidad Europea

ΠΡΟΣ: ΑΠ.
ΑΠΟ: ΓΠ.
17/12/88

Αγαπητε Προεδρε,

Προσπαθησα να σου τηλεφωνησω αλλα ησουν απασχολημενος
με την μαγνητοσκοπηση του μυνηματος σου.

Θελω απλως για την ιστορια να σου διαβεβαιωσω οτι η διαρροη
της συζητησης μας στον τυπο δεν εγινε απο εμενα ή τον Νικο.
Οι δημοσιογραφοι που περιεφεροντο και διεδιδαν τα περι της
συναντησης μας ειναι για μενα και βεβαια και για τον Νικο
εντελως αγνωστοι. Ενδιαφερον παντως ειναι οτι οταν εφθασα
στην Βουλη χθες το βραδυ ο Κουρης με βρηκε και με ρωτησε για
την συναντηση γνωριζοντας και το περιεχομενο της. Παντως
οποιος το διερευσε το δικο σου καλο δεν ηθελε. Σιγουρα ηθελε
να σε αναγκασει να απορριψεις αυτην την σκεψη που
συζητησαμε.

Εχω παντως θεωρω οτι παρα την φασαρια που εχει
προκληθει για την πιθανη σου αποχωρηση, εστω και για λιγο,
πρεπει να μην το απορριψεις και σοβαρα να το σκεφθεις.

με αγαπη,

Γιωργος

*Μετά τη συνάντηση που είχαν το Δεκέμβριο του 1988 ο Ανδρέας με το γιο του Γιώρ-
γο, όταν ο Γιώργος ζητούσε την παραίτηση του πατέρα του, του έστειλε και επιστο-
λή, με την οποία του έδινε ορισμένες διευκρινίσεις.*

ΠΑ. ΣΟ. Κ.

ΠΑΝΕΛΛΗΝΙΟ ΣΟΣΙΑΛΙΣΤΙΚΟ ΚΙΝΗΜΑ

146 71 ΚΑΣΤΡΙ
ΤΗΛ: 8843859 - 860
FAX: 8084803

ΠΡΟΕΔΡΟΣ

Αθήνα 13 Νοεμβρίου 1990
Α.Π. 381

Προς: Τον Πρόεδρο Εφετών κ. Σπ. Σπύρου,
Ανακριτή του κατά το άρθρο 86
του Συντάγματος Ειδικού Δικαστηρίου.

Κύριε Ανακριτά,

Επιθυμώ κατ'αρχήν να σας δηλώσω κάτι το αυτο-
νόητο: τον ανυπόκριτο σεβασμό μου για το θεσμό της Δικαιο-
σύνης. Είναι αυτή ακριβώς η πίστη που δεν μου επιτρέπει να
συμπράξω σε μια διαδικασία, η οποία υπονομεύει το κύρος
της, αφού τη θέτει στο επίκεντρο μιας πολιτικής αντιπαρά-
θεσης χωρίς διέξοδο και τη μεταχειρίζεται ως μοχλό μιας ορ-
γανωμένης εκστρατείας με έκδηλους πολιτικούς στόχους.

Στην αφετηρία αυτής της διαδικασίας βρίσκον-
ται οι πολιτικοί χειρισμοί που χαλκεύτηκαν και εκτελέστη-
καν από την ετερόκλητη συγκυριακή κοινοβουλευτική πλειοψη-
φία του καλοκαιριού του 1989. Θα ήταν επομένως αδιανόητο
να συμβάλω, έστω και ακούσια με μόνη την παρουσία μου,
στην επικίνδυνη για την εθνική ομοψυχία και τη γαλήνη του
τόπου, φόρτιση του πολιτικού κλίματος, που άλλοι απερίσκε-
πτα έχουν δρομολογήσει.

Άλλωστε, ό,τι είχα να πω για το θέμα που
σας απασχολεί, το έχω ήδη υπεύθυνα εκθέσει στο Κοινοβούλιο.

./..

*Ένα ιστορικό κείμενο: η επιστολή του Ανδρέα προς τον ανακριτή κ. Σπύρου, με την
οποία εξηγεί τους λόγους για τους οποίους δεν προσήλθε να «απολογηθεί» ως «κα-
τηγορούμενος» για το σκάνδαλο της Τράπεζας Κρήτης (βλ. σελ. 552-553).*

Για τους λόγους αυτούς θεώρησα αναγκαίο,
κύριε Ανακριτά, να σας απευθύνω ευθύς αμέσως την πα-
ρούσα επιστολή μου, δεδομένου μάλιστα ότι δεν είναι
στις προθέσεις μου να κάνω χρήση της προθεσμίας που
θέσατε.

Με ιδιαίτερη τιμή

ΑΝΔΡΕΑΣ Γ. ΠΑΠΑΝΔΡΕΟΥ
ΠΡΟΕΔΡΟΣ ΤΟΥ ΠΑ.ΣΟ.Κ.

Αγαπητέ Σάκη,

χαίρω ιδιαίτερα που θα έχεις την ευκαιρία να παρουσιάσεις σε όλο τῆς το μεγαλείο την ασυναρτησία, ανευθυνότητα,ενδοτικότητα και το δορυφορικό χαρακτήρα της Εξωτερικής πολιτικής του κ. Μητσοτάκη και της Κυβέρνησης του.

Είναι σαφές για μένα πως δεν υπάρχει πια Ελληνική Εξωτερική πολιτική. Η πολιτική χαράσεται από τις ΗΠΑ και εκτελείται είτε συμφέρει είτε δεν συμφέρει τη χώρα από τον κ. Μητσοτάκη.

Η Νέα Τάξη Πραγμάτων μπορεί να μην επέτυχε τους στόχους που είχαν διακηρηχθεί (όπως η επίλυση του Παλαιστινιακού) όμως περιέχει τεράστιους κινδύνους όχι μόνο για την ανεξαρτησία αλλά και για την ακεραιότητα της χώρας μας.

Η έκθεση του State Departement ήταν ασφαλώςπροοίμιο των εξελίξεων που λαμβάνουν χώρα μέρα με τη μέρα και που διαβρώνουν τα ερίσματα της χώρας μας και προλειαίνουν το έδαφος, όχι μόνο για μια Ελλάδα δορυφόρο αλλά ταυτόχρονα και ακρωτηριασμένη.

Οι εξελίξεις στα Βαλκάνια σε μεγάλο μέτρο καθοδηγούνται όχι μόνο από ορισμένες χώρες της ΕΟΚ (Γερμανία- Ιταλία κ.λ.π.) αλλά και άμεσα από τις ΗΠΑ. Στόχος βέβαια η ενσωμάτωση Κροατίας - Σλοβενίας στη σφαίρα της Γερμανο-Αυστριακής επιρροής καθώς και η διείσδυση τόσο της Τουρκίας (Μουσουλμάνων) όσο και η δημιουργία νέων δορυφόρων της ΗΠΑ (παράδειγμα η Βουλγαρία όπου Αμερικάνοι συνεργάζονται με τους Άγγλους για την πλήρη ενσωμάτωση της

Επιστολή του Ανδρέα προς τον Αν. Πεπονή, ενόψει συζήτησης στη Βουλή για τα εθνικά θέματα, στην οποία ο Αν. Πεπονής τον εκπροσώπησε με μεγάλη επιτυχία, που αναγνωρίστηκε από όλους (βλ. σελ. 554-556).

Βουλγαρίας στα σχέδια τους).

Στόχος επίσης των Αμερικανών αλλά και των περισσότερων χωρών της ΕΟΚ είναι η ανατροπή του Μιλόσεβιτς και η υπονόμευση της Σερβίας γενικότερα.

Ο άξονας Αθήνας - Σόφιας είναι νεκρός. Εκ των πραγμάτων η Σερβία μπορεί να αποτελέσει φραγμό στην ανάπτυξη και την νομιμοποίηση των Σκοπίων.

Ο μέγας κίνδυνος για την Ελλάδα παραμένει η Τουρκία, που παρά τις επιφανειακές μικροδιαφωνίες για την πρόοδο του Κυπριακού στηρίζεται πλήρως από τις ΗΠΑ. Γνωρίζεις καλά τις απειλές που εκτοξεύονται (Δωδεκάνησα, Αιγαίο - Υφαλοκρυπίδα, Αιγαίο - Επιχειρισιακός Έλεγχος στο Ανατολικό Αιγαίο - Στρατηγείο Λάρισας - παρουσία Κόλιν Πάουελ).

- Την αναπτυσόμενη Τουρκική απειλή προσπαθεί να αποκρύψει από τον Ελληνικό λαό ο κ. Μητσοτάκης πάντοτε, βρίσκωντας κάποια δικαιολογία που καλύπτει την σύμμαχο και που της αποδίδει καλές προθέσεις.

- Πέραν της ενδοτικότητας και υποτέλειας της Κυβέρνησης Μητσοτάκη υπάρχει και ηλίθια προσωπική διπλωματία την οποία ασκεί ο κ. Μητσοτάκης και η οποία έχει καταντήσει την Ελλάδα σε χώρα χωρίς, μα χωρίς κανένα κύρος.

- Ο κ. Μητσοτάκης τα έκανε θάλασσα στο Παρίσι - και τα έκανε θάλασσα επίσης σχετικά με την συνάντηση των τεσσάρων. Τόσο ο

Ντεμικέλις όσο και ο Γκένσερ τον εχαστούκισαν Δημόσια, και αυτός απεδέχθει με διάφορες δικαιολογίες να νομιμοποιήσει τις απαράδεκτες επεμβάσεις τους.

Ο κ. Μητσοτάκης έχει εξευτελίσει την Ελλάδα. Την οδηγεί σε ακρωτηριασμό και πρέπει να φύγει. Και αυτός και η Κυβερνησή του. Και αυτό το γρηγορότερο δυνατόν. Και αυτός είναι ο Εθνικός λόγος που επιβάλλει τώρα άμεση προσφυγή στη λα'ί'κή ετυμηγορία.

Στέφανος
Τζουμάκας | 7Εμπιστευτικό

Αθήνα 31 Δεκεμβρίου 1990
ώρα 2 τό πρωί

Κύριε πρόεδρε,

Αυτό τό καιρό "Έγιναν" και ειπώθηκαν πολλά
διά χώρο. Τό συζήτημα και τό ξανασυζήτημα χθές
30 Δεκεμβρίου δεν θά σας κουράσω με τό νά σας
έγραψα μερικά πράγματα. Δεν ξέρω γιατί είμαι
ανήσυχος. Κάτι αλλάξει στό ΠΑΣΟΚ. Χρειάζεται
ψυχραιμία. Όμως, γιά μενα και 1και και γιά άλλου, τό
πρόβλημα πήρα από πολιτικό είναι και ηθικό και
αξιών και ιστορικών εκτάσεων με σας (άλλοτε τις συμφωνίες,
άλλοτε τις διαφωνίες) Όμως είναι κύριε θέμα πολιτισμού.
Τά τελευταία 8 χρόνια όλα σας ενόχλησα. Σιωπηλά
πολλές φορές και δεν έπρεπε. Τώρα τά αρχηγικά ξυπνήσω-
νονται σε κορυφαία πρόσωπα και όργανα του ΠΑΣΟΚ και όχι
απλά σε κυβερνήσει τας ΠΑΣΟΚ.

Α) Τι λέγεται γιά τόν Α. Παπανδρέου από τά ηγετικά στελέχη

1) Νά μας πει τι θέλει, γιατί ξέρουμε τι δεν
μπορεί πλέον.

Λίγες μέρες πριν από την κρίση στο «Πεντελικό» ο Στ. Τζουμάκας έστειλε ιδιόχειρη επιστολή στον Ανδρέα, με τις σκέψεις και προτάσεις του για τις εσωκομματικές εξελίξεις. Η επιστολή είναι και αποκαλυπτική και ενδεικτική του κλίματος της εποχής (βλ. σελ. 557-568).

557

2) Νὰ μὴν ἐπεμβαίνει, γιατὶ ὁρισμένες φορὲς γίνεται ἀνασχετικὸς παράγοντας ἐνὸ ἀνάπτυξη τοῦ ΠΑΣΟΚ, νὰ μᾶς ἀφήσει νὰ κάνουμε πολιτικὴ γιὰ νὰ ξαναμετρηθοῦμε. Νὰ μὴν συμβαίνει ἀντίθετη, ἀλλὰ μᾶλλον αὐτό.

3) Ἂν θέλει ἐνεργὸ συμμετοχή α) Νὰ μᾶς καλέσει καὶ νὰ μᾶς πῇ ὅτι θὰ πᾶμε μαζὶ καὶ ὄχι μόνος του β) Νὰ βγεῖ στὴ λαὸ καὶ νὰ ἀνακοινώσει ὅτι μαζὶ μὲ τὴν ἐκλεγμένη ἡγεσία τοῦ ΠΑΣΟΚ ἀπὸ τὸ Συνέδριο καὶ τὴν ΚΕ. θὰ δώσει τὴ μάχη γιὰ νὰ ξαναγίνει κυβέρνηση τὸ ΠΑΣΟΚ, γιατὶ μόνος του, δὲν ἔχει πλέον τὴ δυνατότητα.

4) Δὲ μποροῦν νὰ συνεχίσουν προσωποπαγεῖς λειτουργίες ἀρχαϊκῆς πόλωσης μὲ τὶς ἐξελίξεις.

Β Τί λέγεται γιὰ τὸν Α. Παπανδρέου ἀπὸ τὰ μεσαῖα στελέχη.

1) Βουλευτὲς ἄλλοι ἀνοικτὰ ν' ἀποσυρθεῖτε, ἄλλοι νὰ ὁρίσετε ἀντιπρόεδρο, ἄλλοι νὰ πάρετε πρωτοβουλίες.

2) Στελέχη τῆς ΚΕ τὸ ἴδιο, ἀνάλογα μὲ ἐπιρροὲς

3) Στελέχη τῶν Νοταρχιακῶν ἀνάλογα μὲ ἐπιρροές, τὸ ἴδιο

καὶ ὅτι γενικὰ ἔδωσε νὰ εἶπῆ τό

εὔλογο ἐνόημη καὶ οἱ διάδοχοι ν' ἀρχίσουν

ἐλεύθεροι νὰ δράσουν (οἱ διάδοχοι εἶναι: Γεννηματᾶς,

Σημίτης, Ἀρσένης).

Ἠδείτερα ΔR Ὦ ρανιότερα ΙΝΕΟλικω

οἱ δύο ζωῆς α) ἦταν ἀρχισαν ἤδη στὸ Νοσοκομεῖο

καὶ ἦταν ἕτοιμα βάσαντα νὰ βγεῖ, κυκλοφόρησαν φήμη

ὅτι εἶδε χειρότερα β) ἦταν κάναμε τὴν ὑπερβολική

ἐξήλωση τὴν πρώτη κυριακή τῶν Θηροσικῶν γιά

"ὁριστική νίκη,, καὶ πρόσκλητη γιά ἐκλογές.

Ⅰ) Τὰ θέμα τοῦ Γραμματία

Τό Ἰουλί ① Οἱ ἀδυναμίες τοῦ Ἄκη ἀφορμή γιά νὰ πεῖ

ὅτι πράξη θέα περιορισμοῦ τῶν δραστηριοτήτων

τοῦ Α. Παπανδρέου. (Μία τάση) Οἱ παλιοὶ προβάλλ
Παρασκευή, ἀλλὰ ἀροτίνα
λαλιώτη.

Τό Ἰουλί ② Τομή, ὑπέρβαση, παλαιῶν, νέα δυνατική,

αυτονομία αλλά και συνεργασία μέ τόν
Πρόεδρο, προοπτική 15ετίας. (δεύτερη γνώμη)
(Αυτοπροτείνεται ὁ Λαλιώτης, ἤ προτείνεται
ἀπό νεώτερους.)

Τήν ὑποψηφιότητα Ἄκη, στοιχ... σχεδόν κανένας
δέν τήν ὑποστηρίζει. Τήν ὑποστηρίζουν πολλοί
λόγω τῆς σχέσης Ἄκη - Προέδρα. Ὄχι αὐτόνοτα
Ἄκη. Ὡς δεδομένη, λόγω τῶν δεδομένων
σχέσεων.

Γιατί ὁ Παρασκευάς εἶπε στό Λάγναλο ὅτι θά θέλει
ὑποψήφιος γραμματέας; Γιά πολλούς λόγους πού ἔχουν σχέση
μέ τά προηγούμενα ἀλλά καί γιατί φοβόταν μήπως
δέν προταθεῖ γιά τό Ε.Γ.

Γιατί οἱ πολλοί στήριζαν τήν ὑποψηφιότητα Παρασκευά;
Γιατί ἐδραιωνόταν μιά σχέση Πολιτῶν. Ἐκεῖ περνάει
ὁ Λάγναλος προτείνοντας Λαλιώτη γιά νά ὑπάρξει

«Εξέλιξη» και όχι εδραίωση (Σωτηρο-
σωτήρη. Πάντα ο Αρχηγός έλεγε να ενδιαφέρον
έχουν τα στελέχη και επιδιώκουν να γίνουν
Πρωθυπουργοί. Ο κ. Αρσένης ευνοεί
ΜΕΤΑΒΑΤΙΚΕΣ λύσεις για θέμα να μπεῖ
στην ατζέντα των διαδόχων.

Δ) Η Θεωρία του Μεταβατικού. (πρώτη Τάξη)
   Τό Συνέδριο ήταν μεταβατικό, εφαρ μέ τό
   — Τρίτο συνέδριο.
   — ό πρόεδρος εἶ μεταβατική εξέλιξη
   — ό Γραμματέας ανάλογα τα προέδρου, άρα
        μεταβατικός (Τσοχατζόπουλος)

2) Η Θεωρία των επιλογών προοπτικής (δεύτερη Τάξη)

3) Συναξές θέμα : Η ανεπάρκεια των Κοινοβουλευτικών Εκπροσώπων μας

561

Ε) Πολεμική κατά Τσοχατζόπουλου ἀπό τά στελέχη

α) Ἔλλειψη διαλόγου λόγω

β) Ὄχι ἱκανοποιητική διμάς στό λαό

γ) Ὄχι ἱκανοποιητική διμάς ὅτι ὀργανώνεται ΠΑΣΟΚ
πού θέλει ἐπανένωση καί ἀποφασίζει.

δ) κακή πρακτική στά ὄργανα. Δέν τόν ἀφήνουν
τά ἄλλα στελέχη νά τούς δώνει.

ε) Διαχέεται σέ διάφορες δραστηριότητες.

ς) Θέλει νά γίνει Γραμματέας νομίζοντας ὅτι μικρό λάθος Γεωργίου.

[Στ.] Τί πρέπει νά κάνει 3 μέ δ Ακη)

α) Νά ἐξηγήσει δημόσια καί νά πείσει
ὅτι ἔχει σχέδιο: Ἔτους
: Ἑξάμηνο
: Τρίμηνο

γιά μιά ἄλλη φορά τοῦ ΠΑΣΟΚ στήν ἑλληνική
κοινωνία.

β) Νά μιλήσει ΠΟΛΙΤΙΚΑ γιά τό ΠΑΣΟΚ καί
τή χώρα. Δέν εἶναι ὀργανωτικό Μόνον τό
Πρόβλημα. Νά βγάλει περισσότερο πολίτες.

562

στ) Δὲν χρειάζονται καθημερινὲς συμβουλὲς εἰ δὴ
καὶ πάλιον γιὰ τὸ λεπτομερό, μπορεῖ στὸ ἀπ' αὐτὰ τώρα
τῶν Ε.Γ. Νὰ ἀποκτήσει προσωπικὸ Γραφεῖο δραματικὰ
καὶ νὰ ἔχει ΠΕΡΙΟΔΙΚΕΣ, ἀλλὰ ἀδιάκοπες
ἐνεργεῖται μὲ τὸν πρόεδρο. Πρέπει νὰ ἀναζητεῖ
τὸ προφὶλ τοῦ ἱμάντα μεταβίβασης ἀνάμεσα
τῶν προέδρων,

τέλος, χρειάζεται δουλειά, ἀλλὰ καὶ κίνηση
για νὰ δὴν βλάψει καὶ ἐδῶ καὶ
τὸν ἑαυτό του, γιὰ νὰ μὴν βροτολογηθοῦν
ἐνημερώσει κορυφῆς μᾶ θὲ καλλιεργήσουν
καὶ τὰ μέσα τῆς γραμμῆς ἐπικοινωνίας εἰ
Βάρος τοῦ ΠΑΣΟΚ καὶ τοῦ προέδρου.
Πρέπει νὰ εἶστε ὅλη κορυφή γιὰ νὰ δικαιωθεῖτε.

Προσωπικὴ Χρησιμοδουλή, ἀλλὰ καὶ Πολιτικὴ ἐφαρμο.

Ζυγίστε τὰ πράγματα, Ψυχραιμία,

ὄχι Πόλεμη. Υπερβεῖτε τὸ πλαίσιο ποὺ
διαμορφῶνι ἡ Αποιδεολογικοποίηση καὶ ἡ

Ιεραρχία Προσώπων ποὺ ὑπάρχει στὸ ΠΑΣΟΚ

Ἀκολουθεῖ κείμενο γιὰ τὸ Ε.Γ.

Συζήτηση για την πρόταση Ε.Γ. στην ΚΕ.

⁂ Στελέχη του απερχόμενου ΕΓ, σέ μιά περίοδο
πού ὁ πρόεδρος τοῦ κόμματος θεωρεῖ τι ὅτι
βρίσκεται σέ ἀδυναμία, μέ τή στάση τους καί τή
συμπεριφορά τους καί κυρίως μέ τήν διπλοπρόσωπη
πρακτική τους ἐξέφρασαν τό ἀηγγλιστό τῆς πολιτικῆς
γραφειοκρατίας πού δέν μετά ἰδεολογικά, πολιτικά, θέση,
ἀλλά ἀξιώματα.

   ὁ Πάγκαλος, ὁ Ἀνδρίκινος εἶ χα χαρακτηριστικοί
ζικιρακοί. Γενικά ἡ συμπεριφορά καί ἄλλων στελεχῶν
ἄλλη τή περίοδο εἶναι: "Παλημικρίση ἀσθενούντος τοῦ
Α. Παπανδρέου. Στή δικτατορία εἶχαν λογγάψει. Ἀρχετοί
ἀσύντακτοι πολιτική ἱστορία μετά τό 1981.

   Κάποτε το περεσύνιο, η σοβαροφανεια
καί τό μοντέλο τοῦ "ἱδάνικου, ἐργατικα, πού δέν πέρα
ἔχει δέκα πρόσωπα καί τήν "παρέα, ἀ δ'ον σέ κρίσιμη
ὁρια. Κατά τή γνώμη μου ΔΕΝ θά ἔπρεπε νά αργοπεδοσω
ὁ Πάγκαλος καί ὁ Ἀνδρίκινος.

⁂ Επίσης ΔΕΝ θά αρκεῖ νά προταθοῦ πρόσωπα Μή
ζυμόγικα ἤ μέ πρόσφατη ἱστορία στο ΠΑΣΟΚ. Δέν
πρέπει νά αποτύχει ἡ πρόταση στο σύνολό της. →

Ὁ Δ. Παπανδρέου σαυτή τὴ φάση πρέπει νὰ βγεῖ
ΕΝΙΣΧΥΜΕΝΟΣ.

✳ Μή ἐπιλόγιμα πρόσωπα θεωροῦνται:

1. Μπούτος

Ν. Κουρῆς

Ε. Βερυβάκης

Γ. Ἀνωμερίτης

δ. Τσοβόλας

γ Πρότερα. ὁ Τσοβόλας ἤ τὰ μικροαρχηγικά
καμώματά τον σπάργει γέλιο μεταξύ τῶν στελεχῶν μας

β) μέ τήν προσωπική ἐνέργειά τον νά ἐπιβάλει
τον διοικητικό διαχωρισμό τῶν στελεχῶν σ'τό
συνέδριο μέ τό 40% στίν ψηφοφορία γελιόι κε
δὲν θὰ πάρει γύρο.
Νά μήν ἐμπεθεῖτε.

✳ Δεν εἶναι χρήσιμο ἀπό ἄποψη προσφορᾶς καί
συμπεριφορᾶς διαλλακτικότητα (νά ψοταδοῦν οἱ Γ. Χαραλαμπόπουλος)
⟶

565

και ή Μελίνα. Θά ‖αχριστεύτουν‖ δυό
θέσης. Θεωρούνται μή μάχιμοι. Σ'αυτό
τό Ε.Γ. θά χρειαστεί έντονη προπαγάνδα και
αρμοδιότητα. Και ορισμένοι θά συνεχίσουν
τις μόχτες διαδρομές και τις εντάσης.

✳ Ποιοί θεωρούνται [Συλιόγηροι] και ανδραμετρούντε, από
όσα γνωρίζω.

Αλφαβητικά

● 'Αρβέλη)
● Βεννηρατάς
● Καμ.λαμάνη
● Καστανίδης (Σμήτης)
● Λα,λιώτης
● Μανίκας (λαλιώτης)
● οί.μονόπου
● Σπανδ.λίδης

● Σουλαδάκης (Βεννηρατός)
● Τζουμάκας
● Τσοχατζόπουλος
● Χαραλεφριίδης
● Χριστοφορίδης ● (Βερόλιν)
   ή Κυπριω ίδης ή Λαμφανόκ (Σμήτης)
● Αγέρινός (παπουτσής)
● Πάγκαλος

'Επίσης συλιαμβάνεται ο Νικολάου (Βεννηρατός)
ή όπως συλυλωθούν και άλλος υπογραμμίσω αυτός. ➔

* Αυτό σαί ξαιωρατζῆ εἶναι ὅτι <u>δέν</u>
πρέπει νά προτείνετε [ξεχωριστά] γενικευκά
καί [ξεχωριστά] αναπληρωτικά, ἀλλά ενιαῖ

[13] καί οἱ τρῆς τελευταῖοι νά γίνουν

νά εἶαι αναπληρωτικοί.

Εμβογιικά συσχήματα πού κρίνονται διττά:!!

α) ἀπό πάγιΓς αναλήψεις
β) ἀπό ποιά συσσιέ βροῦν οἱ προτεΓνοντες καί οἱ
αναδέκτης.

① *μέχρι 40% } ἁπλή αναλογική
② *υποχρεωτικά 40% }
③ *μέχρι 2/3 } ενισχυμένη αναλογική
④ *Υποχρεωτικά 2/3 }
⑤ *μέχρι 13 } πλειοψηφικό
⑥ *υποχρεωτικά 13 }

Εξαρτᾶται τί θέλεις νά αναδείξεις. Χρειάζεται
ΠΡΟΦΟΡΙΚΗ ΑΝΑΛΥΣΗ. Τό ξέρεις τό θέμα.

Σημείωση
για
Πολιτικά Σχόλια τοῦ προέδρου ὁ τὴν ΚΕ.
θά ἀγορεύῃ τὴ συνεδρίαση τῆς
Κ.Ε. γιά ἐκλογή ΕΓ. καί Γραμματέα, γιατί
εἰδικότερα θά ἀνέρξει στὴν ἑπόμενη συνεδρίαση
τῆς ΚΕ ἀπό 15 μέρων.

Α] 1. Κρίση στό κόμμα
2. Εὐρωπαϊκή πολιτική. Δάνειο. προϋπολογισμός

Β] 1. Ἐκλογικός νόμος. Τό πλέον θά εἶναι ἡ ἑπόμενη
κυβέρνηση πού θά καθιερώση τὴν ἁπλὴ ἀναλογική.
Ναί στὴν αὐτοδιαφία, ἀλλά ὄχι στὶς μονοκομ-
ματικές κυβερνήσεις. Ναί στὴν προεκλογική
καί μετεκλογική συνεργασία, ὄχι στά πολιτικά
καί ἐκλογικά μέτωπα

Γ] 2. Συνεργατικός νόμος
Μήνυμα δημοτικῶν ἐκλογῶν. Γέν ἔχει αλέτι τὴν
ὑπεροχή ἡ Ν.Δ, στήν πολιτική καί κοινωνική ζωή τῆς χώρας.

Δ] Τό Νέο ΕΓ. καί ὁ Γραμματέας μαζί τό 2ον
πρόεδρο ἀναλαβοῦν τό καθῆκον πού θά ἐπεξεργαστεῖ
καί θά δώσει τὴ μάχη γιά τὴν Ἐκλλονικὴ Λύση
στὴ χώρα, γιά μία ἄλλη σειρά τῆς χώρας.

Ε] ὁ Γραμματέας μέ τό ΕΓ καί τούς γραμματεῖς τῶν τομέων
θά προτείνει σχέδιο δρᾶ ἔχουν γιά μιά ΝΕΑ ΠΟΡΕΙΑ τοῦ
ΠΑΣΟΚ στήν Ἑλληνικὴ κοινωνία.

ΣΤ] · τά ἀξιώματα δέν εἶναι γιά καριέρα, ἀλλά γιά πολιτικές πού
· δύναται ἔχουν οἱ ἰδέες καί τά πρόσωπα καί ὄχι τά ἀξιώματα

ANDREAS G. PAPANDREOU

December 1, 1990

To H.E. Saddam Hussein
President of the Republic of Iraq

Your Excellency,

I should like to thank you personally for the return to Athens of the Greeks who were living in Iraq. Your move was much appreciated by the people of Greece.

Could I trouble you with an additional problem. There remains <u>one</u> more Greek, Mr. <u>Apostolos Eliopoulos</u> who would wish to return to Greece, I should appreciate it very much, if you did something about him. His wife will visit Iraq – and I have trusted her with this letter to you.

As you know my position – as well as the position of my Party, PASOK, is for a peaceful solution of the crisis. Anything else would

---

Ιδιόχειρη επιστολή του Ανδρέα προς τον Πρόεδρο του Ιράκ Σαντάμ Χουσεΐν, την περίοδο του πολέμου στον Κόλπο. Τον ευχαριστεί για την ανταπόκρισή του σε προηγούμενη επιστολή για τον απεγκλωβισμό των Ελλήνων απ' την περιοχή της κρίσης και ζητάει την παρέμβασή του για τον απεγκλωβισμό ενός ακόμα Έλληνα, του Απ. Ηλιόπουλου (βλ. σελ. 569-570).

be catastrophic not only for the region, but for Europe as well. Needless to say we have joined with other parties on a European scale to promote the cause of peace.

With friendly regards,

[signature]

ANDREAS G. PAPANDREOU

9. 10. '91

Dear President Brandt,

I send you my warmest wishes for a speedy recovery. All of us are thinking of you — and look forward to an early return to your important duties.

In friendship,

Andreas G. Papandreou

Ιδιόχειρη επιστολή του Ανδρέα προς το φίλο του Β. Μπραντ.

ANDREAS G. PAPANDREOU

13·5·'91

Cher Président et Ami,

Sous votre égide comme Président de la République Française, nous avons vu et vécu la réalisation des ideaux socialistes qui nous sont communs.

A l'occasion de cette heureuse anniversaire, de vos dix ans au pouvoir, si constructifs, progressifs et inspirés, je vous prie d'accepter mes félicitations les plus sincères pour votre parti, mes voeux de prosperité au peuple français, et mes hommages a vous même, Homme d'Etat des plus doués de notre époque.

Sincèrement,

Andy G. Papandreou

Ιδιόχειρη επιστολή του Ανδρέα προς τον καλό του φίλο Φρ. Μιτεράν.

ΑΝΔΡΕΑΣ Γ. ΠΑΠΑΝΔΡΕΟΥ   13·2·'93

Σοφούλα,

Γνωρίζω τα αισθήματά σου για μένα. Όμως υπάρχει ένα πρόβλημα ανάμεσά μας. Κατακρατείς τα διδακτορικά μου διπλώματα, τα διπλώματα των παρασήμων μου και τα κουτιά τους που περιλαμβάνουν μπουτονιέρες και

κορδέλλες.

Αμέλεια αυτή είναι μια απαράδεκτη κατάσταση που πρέπει να λήξει σύντομα.

Αλλιώς, αν θέλεις να αποκατασταθούν οι σχέσεις μας.

Με αγάπη,

Ο πατέρας σου

Επιστολή του Ανδρέα Παπανδρέου στην κόρη του Σοφία.

Πραγματοποιείται συνάντηση στη Σόφια του Έλληνα ΥΠΕΞ
κ. ΠΑΠΟΥΛΙΑ με τον Πρόεδρο ΖΙΦΚΩΦ και επιδίδεται σ'αυτόν προ-
σωπικό μήνυμα του Έλληνα Πρωθυπουργού.

Η Ελλάδα καλεί την Τουρκία σε προσφυγή στο Διεθνές Δικα-
στήριο της Χάγης για την οριοθέτηση της υφαλοκρηπίδας του
Αιγαίου.

Συγκαλείται το ΚΥΣΕΑ,ενημερώνεται το Υπουργικό Συμβούλιο
και στη συνέχεια ο Πρόεδρος της Κυβέρνησης κάνει δηλώσεις στον
τύπο για τη δημιουργηθείσα κρίση και την ξεκαθαρισμένη θέση
της Ελλάδας.

Γίνεται δήλωση της Ελληνικής Κυβέρνησης για πρόσκαιρη ανα-
στολή λειτουργίας της Αμερικανικής Βάσης στη Ν.Μάκρη (Αττικής)
σύμφωνα με το άρθρο VII της συμφωνίας DECA, το οποίο σαφώς καθο-
ρίζει ότι ΄΄καμμιά διάταξη αυτής της συμφωνίας δεν αίρει το
εγγενές δικαίωμα της Ελληνικής Δημοκρατίας,σύμφωνα με το Διε-
θνές Δίκαιο, να λαμβάνει αμέσως όλα τα κατάλληλα περιοριστικά
μέτρα που απαιτούνται για την διασφάλιση ζωτικών συμφερόντων
της Εθνικής Ασφάλειας σε περίπτωση έκτακτης ανάγκης΄΄.

Αποστέλλεται τηλεγράφημα προς όλους τους Έλληνες εκπροσώ-
πους στις χώρες του Δυτικού και Ανατολικού Συνασπισμού στο οποίο
αναφέρεται ότι:
΄΄Η Ελλάδα είναι αποφασισμένη να διασφαλίσει τα κυριαρχικά της
δικαιώματα και προς τούτο λαμβάνει τα απαραίτητα μέτρα στο πολι-
τικό και στρατιωτικό επίπεδο΄΄.

Την 270100 κηρύχθηκε μερική εφαρμογή της περιπτώσεως ΄΄ΕΠΑ-
ΜΕΙΝΩΝΔΑΣ΄΄της καταστάσεως ΄΄ΣΤΡΑΤΙΩΤΙΚΟΥ ΑΝΤΑΙΦΝΙΔΙΑΣΜΟΥ΄΄από
270730 Μαρ 87 για τις εξής περιοχές της χώρας κατά Κλάδο ΕΔ:

Σελίδα 16 από Σελ. 39

*Το Μάρτιο του 1987 ο Α. Παπανδρέου καθοδήγησε προσωπικά μια σκληρή μά-
χη για την υπεράσπιση των εθνικών μας δικαίων. Απ' το χρονικό εκείνης της κρί-
σης παραθέτουμε ορισμένα αποσπάσματα από το φυλλάδιο που εκδόθηκε απ' το Πε-
ντάγωνο (βλ. σελ. 574-576).*

ΠΑΡΑΡΤΗΜΑ ΝΤΟΚΟΥΜΕΝΤΩΝ

''Η Ελλάδα είναι αποφασισμένη να διασφαλίσει τα κυριαρχικά της δικαιώματα και προς τούτο λαμβάνει τα απαραίτητα μέτρα στο πολιτικό και στρατιωτικό επίπεδο''.

28 Μαρ 87

Στις 280630 το πλοίο επιστημονικών ερευνών SISMIK εξέρχεται από τα Στενά Δαρδανελλίων και συνοδευόμενο από (2) δύο αντιτορπιλικά και μία (1) κανονιοφόρο κινείται στα Τουρκικά χωρικά ύδατα προς τον Κόλπο Ξηρού (Χάρτης Νο 9).

Στις 282030 εισέρχεται στον Όρμο ΚΕΦΑΛΟΣ της νήσου Ίμβρου.

Ο Πρωθυπουργός της Τουρκίας καλεί τον Έλληνα Πρωθυπουργό να αποδεχθεί τη μεσολάβηση του ΓΓ του ΝΑΤΟ Λόρδου KARRINGTON.

Ο Τούρκος Υπουργός ΜΠΟΖΓ⎯ αντά στις Βρυξέλλες τον Επίτροπο κ. ΚΛΩΝΤ ΣΕΥΣΟΝ αρι ⎯25⎯ για σχέσεις με την Κοινότητα και του εκφράζει την πολιτική βούληση της Τουρκίας για ένταξη στην ΕΟΚ.

Οι Μονάδες της 1ης Τουρκικής Στρατιάς ευρίσκονται σε ετοιμότητα. Οι Μονάδες της 4ης Τουρκικής Στρατιάς ευρίσκονται στους χώρους διασποράς και οι αποβατικές Δυνάμεις κοντά στο χώρο των αποβατικών πλοίων.

Η Τουρκική κύρια ναυτική δύναμη κρούσεως ευρίσκεται στη θάλασσα του Μαρμαρά όπου κατέπλευσε με το πέρας της ασκήσεως ''DENIZ KURDU-87''. Τα αποβατικά πλοία ευρίσκονται στη Σμύρνη και στη Φώκαια. Παρατηρείται περιορισμένη μεταστάθμευση αεροσκαφών της Τουρκικής αεροπορίας από τα Ανατολικά προς τα Δυτικά αεροδρόμια της Τουρκίας.

Η Ελληνική Κυβέρνηση δια του μονίμου αντιπροσώπου της στο ΝΑΤΟ, ευχαριστεί το ΓΓ του ΝΑΤΟ Λόρδο KARRINGTON και παράλληλα τον ενημερώνει ότι δεν δέχεται τις μεσολαβητικές υπηρεσίες του και ότι θα επιδιώξει τον απευθείας διακανονισμό των διαφορών της με την Τουρκία

Σελίδα 25 από Σελ.39

ΔΕΚΑ ΧΡΟΝΙΑ ΚΑΙ ΠΕΝΗΝΤΑ ΤΕΣΣΕΡΙΣ ΜΕΡΕΣ

Ταυτόχρονα έχει μειωθεί η ετοιμότητα των Τουρκικών ΕΔ και οι Μονάδες επιστρέφουν στα στρατόπεδά τους.

Την 25η Μαΐου 1987 υλοποιείται με δημοσίευση του Νόμου 1701/87 στο υπ΄αριθ.69 τεύχος της εφημερίδας της Κυβερνήσεως η Εθνικοποίηση των πετρελαίων του ΠΡΙΝΟΥ.

ΔΙΑΠΙΣΤΩΣΕΙΣ-ΣΥΜΠΕΡΑΣΜΑΤΑ

Από την όλη εξιστόρηση της κρίσεως του Μαρτίου 1987 προκύπτουν οι παρακάτω βασικές διαπιστώσεις:

- Η Τουρκία με το πρόσχημα την απόφαση της Ελληνικής Κυβέρνησης να αναλάβει τον έλεγχο του ΠΡΙΝΟΥ δημιούργησε,για μια ακόμη φορά ,μια τεχνητή κρίση σε μία προσπάθεια να επιτύχει τετελεσμένα γεγονότα και να τραυματίσει το γόητρο της Ελληνικής Κυβέρνησης.

- 'Οταν η 'Αγκυρα διαπίστωσε τη σθεναρή και ακλόνητη απόφαση της Ελληνικής Κυβέρνησης να προασπίσει και δια των όπλων τα νόμιμα συμφέροντα της χώρας αναδιπλώθηκε με εύσχημο τρόπο ώστε να προστατεύσει το γόητρό της.

- Στην κρίση του Μαρτίου επιβεβαιώθηκε έμπρακτα η ικανότητα και ετοιμότητα των Ελληνικών Ενόπλων Δυνάμεων. Αυτό σε συνδυασμό με τη σθεναρή στάση της Πολιτικής ηγεσίας και την ομοψυχία του Ελληνικού Λαού σηματοδότησαν προς την άλλη πλευρά ότι το 'Εθνος έχει και την ικανότητα και τη θέληση να προστατεύσει τα νόμιμα συμφέροντα του Ελληνισμού.

- Πιθανώς στη μακρά προοπτική η κρίση του Μαρτίου 1987 και η αντίδρασή μας στην πρόκληση, να συντελέσει στο να επικρατήσουν άλλες σκέψεις στους σχεδιαστές της Τουρκικής Πολιτικής που να οδηγήσουν τελικά στην εδραίωση ενός κλίματος ύφεσης στην περιοχή προς το συμφέρον και των δύο Λαών.

Σελίδα 38   από Σελ. 39

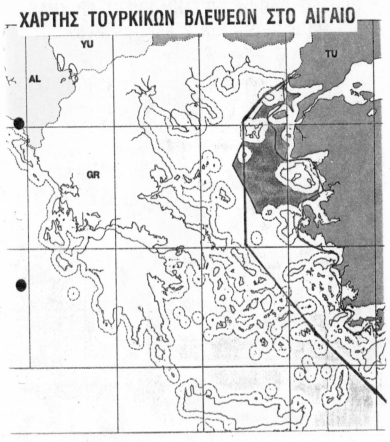

ΧΑΡΤΗΣ ΤΟΥΡΚΙΚΩΝ ΒΛΕΨΕΩΝ ΣΤΟ ΑΙΓΑΙΟ

ΥΠΟΜΝΗΜΑ

- - - - ΑΙΓΙΑΛΙΤΙΔΑ ΖΩΝΗ (6 ΜΙΛ.).

──── FIR ΑΘΗΝΩΝ

ΠΑΡΑΧΩΡΗΣΗ ΣΤΗΝ «ΤΟΥΡΚΙΚΗ ΕΤΑΙΡΕΙΑ
ΠΕΤΡΕΛΑΙΩΝ» ΤΗΝ 1 - 11 - 73

──── ΤΟΥΡΚΙΚΗ ΝΟΤΑΜ 714/74

*Οι χάρτες περιέχονται στην έκδοση του Πενταγώνου για την ελληνοτουρκική κρί-
ση του 1987 (βλ. σελ. 577-579).*

ΚΙΝΗΣΕΙΣ ΠΛΟΙΟΥ ΕΠΙΣΤΗΜΟΝΙΚΗΣ ΕΡΕΥΝΑΣ «PIRI REIS» ΤΗΝ 2 ΚΑΙ 19 - 3 - 87

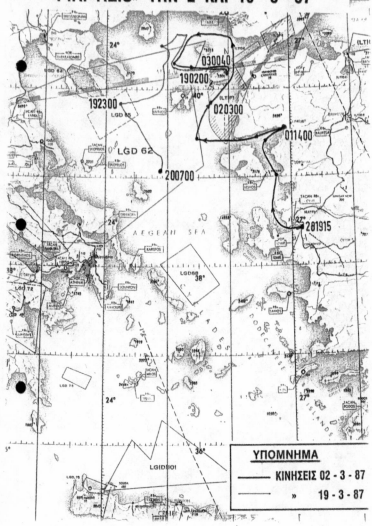

ΚΙΝΗΣΕΙΣ ΠΛΟΙΟΥ ΕΠΙΣΤΗΜΟΝΙΚΗΣ ΕΡΕΥΝΑΣ «SISMIK» ΑΠΟ 28 - 3 ΕΩΣ 1 - 4 - 87

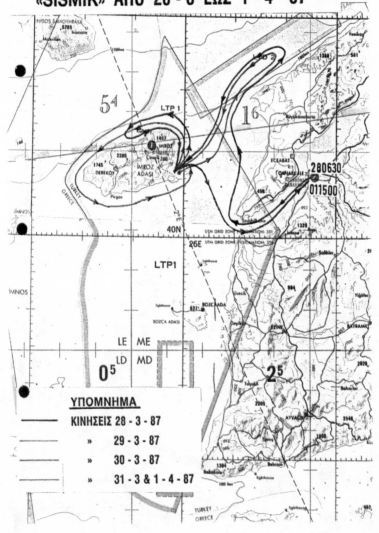

Επιμέλεια έκδοσης: ΤΟΝΙΑ ΧΟΥΡΧΟΥΛΗ,
ΜΑΡΙΑ ΓΟΥΡΝΙΕΖΑΚΗ
Φωτοστοιχειοθεσία – Φιλμ – Μοντάζ – Διαχωρισμοί:
ΑΤΕΛΙΕ Ε.Ο.Λ.
Εκτύπωση – Εκτύπωση εξωφύλλου – Βιβλιοδεσία:
ΓΕΝΙΚΗ ΕΚΔΟΤΙΚΗ ΤΥΠΟΥ Α.Ε.
Πλαστικοποίηση εξωφύλλου: Ι. ΧΑΡΑΜΑΡΑΣ & ΣΙΑ Ο.Ε.
Υπεύθυνος παραγωγής: ΚΩΣΤΑΣ ΖΑΧΑΡΑΚΗΣ